INSCRIPTIONES GRAECAE
AD RES ROMANAS PERTINENTES

ACADEMIAE INSCRIPTIONUM ET
LITTERARUM HUMANIORUM (LUTETIAE
PARISIORUM) COLLECTAE ET EDITAE

EDENDUM CURAVIT
R. CAGNAT
AUXILIANTIBUS
J. TOUTAIN, P. JOVGVET
ET **G. LAFAYE**

TOMUS IV
PARIS   1927

THE SCHOLAR'S REFERENCE EDITION
CHICAGO   MCMLXXV

INSCRIPTIONES GRAECAE
AD RES ROMANAS PERTINENTES

INSCRIPTIONES ASIAE II

TENEDI, LESBI, PROCONNESI,
BESBICI, MYSIAE, PHRYGIAE,
CHII, SAMI, AMORGI, CALYMNAE,
ASTYPALAEAE, COI, NISYRI, SYMES,
CHALCES, RHODI, CARPATHI, LYDIAE

TOMUS IV
EDIDIT
G. LAFAYE

ARES PUBLISHERS INC.
CHICAGO   MCMLXXV

THE SCHOLAR'S REFERENCE EDITION
Reduced Reprint of the Paris 1906 to 1927 Edition
ARES PUBLISHERS INC.
150 E. Huron Street
Chicago, Illinois 60611
Printed in the United States of America
International Standard Book Number:
0-89005-075-9
Library of Congress Catalog Card Number:
75-7902

Quarto *Inscriptionum graecarum ad res romanas pertinentium* volumine iam fere absoluto Georgius Lafaye, incipiente mense Octobri, subito decessit, grande litteris latinis detrimentum, gravis collegis et amicis luctus. Qua·industria et constantia hunc librum usque ad ultimam paginam confecerit et imprimendum curaverit mihi, iussu Academiae nostrae operis moderatori, licuit comperire et ad meum officium pertinere reor ultro testari. Per plus quam viginti annos G. Lafaye, Instituti Gallici auxiliarius, inscriptionibus graecis aetatis romanae, quotquot in Asia innotuerunt, colligendis et illustrandis strenuam operam navit, ideoque de nobis optime meritus est; unde illi magnam gratiam et habemus et hic agimus.

Ave, amice. Sit tibi terra levis !

R. CAGNAT.

Lutetiae Parisiorum, Id. Dec., anno p. C. n. 1927.

CONSPECTUS OPERIS

ASIA

INDICES, p. 583 et sqq.

RECENSUS LOCORUM

TAM VETERUM QUAM RECENTIORUM

Abae, 1653.

Abiecta, 535.

Abydus, 190.

Acmonia, 641-663, 1696.

Acrasus, 1163.

Adramyttium, 262-263.

Aegae, 1176-1182.

Aegiala, 998-1005.

Aezani, 557-591, 1693.

Aindindjik, 133 et 172.

Ajas Euren, 1371-1373.

Alastrus, 894-897.

Alexandria Troas, 243-246.

Alia, 631-634.

Almura, 1657.

Alsanar, 1601.

Ancyra, 554-556.

Autandrus, 261.

Antimachia, 1102, 1103.

Apamea, 773-806.

Apollonia, 120-127, 1676.

Apollonis, 1183-1186.

Appa, 873.

Appia, 602.

Arcesina, 1006-1008.

Artaca, 174-175.

Astypalaea, 1028-1041.

Assus, 247-260.

Attalea, 1167-1171, 1716.

Attouda, 843, 844.

Baglitsa, 550.

Bajandyr, 1591.

Balek-Iskelessi, 1362, 1744.

Balia Baza-Keui, 230.

Balidja, 1287.

Barajuk-Bazar, 884.

Bedir-Bey, 883.

Belevi, 1675.

Bennisoa, 603-606.

Berbicus, 119.

Benjuk Tepe-Keui, 228.

Bigaditch, 517, 518.

Bigha, 184.

Binda, 875, 876.

Blaudus, 239.

Blaundus, 714-720, 1700.

Boghaz, 1154.

Bos-Eyuk, 807.

Bounar-Bachi, 1488, 1489.

Bournabat, 1481.

Bouyouk-Katefkhès, 1672, 1673.

Brouzi, 681.

ASIA

ASIA

INSULA TENEDUS

1. Tenedi. — *I. Gr.*, XII, ɪɪ, 643.

Κ. Λόλ(λιος) Χαρίδημος | σοφιστὴς ζήσας | ἔτη κʹ Βυζάντιος.

INSULA LESBUS

2. Methymnae. — *I. Gr.*, XII, ɪɪ, 510; Dittenberger, *Sylloge* (éd. II), n. 319.

...... [μήτε ὅπλοις μήτε χρήμασιν μήτ]ε [ναυσ]ὶ[ν βοηθείτωσαν ¹ | δημοσίαι
βουλῆ δόλωι πο]νηρῶι. Ὁ δῆμος [ὁ Ῥωμαίων | τοὺς πολεμίους καὶ ὑπεν]αντίους
τοῦ δήμου τοῦ Μ[η|θυμναίων διὰ τῆς ἰδίας χ]ώρας καὶ δι' ἧς ἂν ὁ δῆμος ὁ
5 Ῥ[ω‖μαίων κρατῆι μὴ διιέτω]σαν δημοσίαι βουλῆ δόλω[ι | πονηρῶι, ὥστε τῶι
δή[μ]ωι τῶι Μηθυμναίων καὶ οἷς | [ἂν ὁ δῆμος ὁ Μηθυμναίων] ἄρχη πόλεμον
ἐπιφέρειν, | [μηδὲ τοῖς πολεμίοις ² μήτε ὅπλ]οις μήτε χρήμασιν μήτε να[υ|σὶν
10 βοηθείτωσαν δημοσ]ίαι βουλῆ μετὰ δόλου πονηροῦ. ‖ ['Εάν τις πόλεμον πρότερο]ς
ἐπιφέρῃ τῶι δήμωι τῶι Μηθ[υμ|ναίων, τότε ὁ δῆμος ὁ Ῥωμ]αίων τῶι δήμωι τῶι
Μηθυ[μ|ναίων | βοηθείτω ὡς ἂν ἦι ³] εὔκαιρον · ἐὰν δέ τις πόλεμ.[ον | πρότερος
ἐπιφέρῃ τῶι δή]μωι τῶι Ῥωμαίων, τότε ὁ δ[ῆ|μος ὁ Μηθυμναίων τῶι δή]μωι τῶι
15 Ῥωμαίων βοηθείτω ‖ [ὡς ἂν εὔκαιρον ἐκ τῶ]ν συνθηκῶν καὶ ὁρκίων [τ]ῶι |
δήμωι τῶι Ῥωμαίων καὶ τῶι] δήμωι τῶι Μηθυμναίων | [φαίνηται. Ἐὰν
τι ⁴ πρὸς ταύ]τας τὰς συνθήκας κοινῆ [βου|λῆ προσθεῖναι ἢ ἆραι βούλωντα]ι,
δημοσίαι βουλῆ ἑκατέρ[ων | ἐξέστω · ἃ δὲ ἂν πρωσθῶσιν ἢ ἄ]ρωσιν ἐν ταῖς
20 συνθήκ[αις, ‖ ἐκτὸς ἔστω ταῦτα προσγεγραμμένα ἐν ταῖς] συνθήκαις ⁵.

Foedus inter Romanos et Methymnaeos ictum, quod, quantum de aetate ex litterarum
forma judicari potest, videtur referendum esse ad bellum ab Aristonico concitatum inter
annos 132 et 129 ante C. n. (Cichorius, *Rhein. Mus.*, XLIV, p. 440; Mommsen, *Sitzungsber.
der Berl. Akad.*, 1895, p. 900). Fere iisdem verbis conceptum est foedus Astypalaeense
(Hiller von Gärtringen, *Inscr. Gr.*, XII, ɪɪɪ, 173), ad restituenda ea quae in hoc titulo
perierunt utilissimum.

1. (ὁ δῆμος ὁ Μηθυμναίων). — 2. [μήτε πολεμίοις] Paton. — 3. [ὡς ἂν] εὔκαιρον Mommsen,
Paton. — 4. [ἐὰν δὲ τίς τι... βούληται]ι Mommsen, Paton. — 5. [προσγεγραμμένα] ταῖς Paton.
Restitutum ex foedere Astypalaeensi.

---

3. Methymnae. — *I. Gr.*, XII, ɪɪ, 516.

Ὁ δᾶμος | 'Α[δ]οβογιώναν Δηιοτάρω, εὐεργετήκοισαν | τὰν πόλιν πόλλα καὶ
μέγαλα, ἀρέτας ἔννεκα | [χ]αὶ εὐνοίας τᾶς εἰς ἑαύταν ¹.

Dejotarus ille, rege Tolistobogiorum minus nobilis, ortus ex stirpe tetrarchica Galata-

rum Trocmorum, Syllae temporibus vixit; nomen Adobogionae restituit **Hirschfeld** (*Hermes*, XIV, 1879, p. 474), collato et correcto Strabone, XIII, 4, 3. Cf. titulum Didymis inventum (B. Haussoullier, *Études sur l'histoire de Milet...*, 1902, p. 210, l. 38 et p. 211), ubi eadem Ἀδαδογιώνα audit.

1. ἑαύταν errore lapicidae pro ἑαύτον.

---

4. Methymnae. — *I. Gr.*, XII, ıı, 517.

.... | [ʼΑ]πολλωνίδαν Πατρ..... | [γ]ενόμενον ἄνδρα κάλ[ον καὶ .... σαν|τ᾿α 5 κάλως καὶ κοσμίως..... ‖ χρυσίω [στεφάνω] |.

In coronis :

Ὁ δᾶμος καὶ οἱ Ῥώμαιοι [1] |.

Ὁ δᾶ[μο]ς ὁ.......

1. « Cives Romani qui Mytilenis negotiantur. » (*C. I. L.*, III, 7160). Cf. n. 5.

---

5. Methymnae. — *I. Gr.*, XII, ıı, 518.

[Ὁ δᾶμ]ος καὶ οἱ Ῥώ[μαιοι [1] χρυσίοισι | στεφά]νοισι Θεοδ......|.... γενό-μενον.......

1. Cf. n. 4.

---

6. Methymnae. — *I. Gr.*, XII, ıı, 519.

5 Ἡ βουλὴ | Γ. Κορνήλιον | Σεκοῦνδον Π(ρ)έ|κλον τὸν τῶν ‖ μελῶν ποιητὴν | καὶ προφήτην | τοῦ Σμινθέως [1].

1. Apollo Sminthius, qui in Troade praecipue inter patrios deos colebatur, oraculis suis magnam auctoritatem sibi constituerat.

---

7. Eresi. — *I. Gr.*, XII, ıı, 531.

5 ...τω..|..ολ...πολιτ..|.ον Λεσβ..|..ν [ἐν]σκευ[ασάμενο]...‖...θηκε... ὑπ...|..ν 10 εἰς Ῥ[ώμην] ..|..οποταν π...|..λιν γ.......|..ον μαρτυ...‖.. ἀπόκριμα..|..ποιῶ ἐκ Καί[σαρος ..|.. Αὐτοκράτωρ Καῖσαρ Θεοῦ υἱὸς Σεβαστὸς, δημαρχι]κῆς ἐξου-σ[ίας τὸ...|. αὐτοκράτωρ τὸ..... καιδέ]κατ[ον Ἐρ]εσίων ἄρχο[υσι βουλῆ δήμω

15 χαίρειν ·]....|....α τὸ παρ' ὑμῶν ψήφισμα...‖...μ.. καὶ ὑπερεθέμην ..ֺ|..ινω
καὶ αὐτόν...|. καὶ τῆς πρὸς ἡμᾶς ...|.. Ἀγρίππας ὁ διαφέρω[ν] ...|... ὁμενος τῷ
20 θεῷ Καίσαρι ...‖.. τὸ παρ' αὐτὸν ἀπ' ἀμ[φοτέρων] ...|.. Κάλλιππον Δια......

V. 12 incipit epistula Augusti ad Eresios missa certe cum jam esset imp. X (v. 13),
post annum 15 ante C. n., et fortasse recentius, ut existimat Paton, postquam jam obie-
rat Agrippa (v. 18), id est post annum 12; nam spatia v. 12-13 videntur numeros lon-
giores requirere.

8. Eresi. — *I. Gr.*, XII, II, 536.

Α[ὐτοκρ]άτο[ρι] Καί[σ]α[ρ]ι Θ[έ]ῳ παῖδι Θέῳ Σ[εβάστῳ] | καὶ τῷ δάμῳ |
Γαῖος Κορνήλιος Ζοίττα υἱός......

9. Eresi. — *I. Gr.*, XII, II, 537; *C. I. L.*, III, 7156, 7157.

Iuliae Caesaris f. Veneri Genetrici. |
Ἰουλίᾳ Καίσαρος θύγατρι Ἀφροδίτᾳ Γενετείρᾳ.

Titulus positus est inter annum 39 ante C. n., Juliae natalem, et 27, quo pater Augustus
appellatus est.

10. Eresi. — *I. Gr.*, XII, II, 539.

Αὐτοκράτορα Τιβέριον [Καίσαρα Θ]έω | Σεβάστω παῖδα[1] Σέβαστον [ἀρχεί]ρεα |
5 δαμαρχίας ἐξουσίας τὸ ὁ[κτ]ω|καιδέκατον αὐτοκράτορα τ[ὸ] ὄγδοον[2] ‖ Δάμαρχος
Λέοντος εὐσ.......

1. παῖς pro υἱὸς constanter usurpatur in titulis imperatorum Lesbiacis. — **2.** Erravit
lapidarius : Tiberius enim fuit trib. pot. XVIII anno 16 p. C. n., imp. autem VIII nonnisi
anno 18, cum jam esset trib. pot. XX. Imperator autem praenomen, quo appellari se
Tiberius semper vetuit, occurrit in aliquot titulis etiam latinis, Cagnat *(Cours d'épigr.
lat.*, ed. III, p. 179-180). Cf. ea quae de hoc titulo disputavit Henzen apud Conze, *Reise
auf Lesbos*, p. 30.

11. Eresi. — *I. Gr.*, XII, II, 540.

Γερμάνικον Κλα[ύδιον Καίσαρα, Α]ὐτοκρά|τορος [Τιβερίω Καίσαρος]

Σεβάστω | παῖδα, παιδόπ[αιδα δὲ Αὐτοκράτορ]ος Καί|σαρος Ὀλ[υ]μπίω
5 [Σεβάστω [1] τὸν] εὐεργέ[ταν] ‖ ὁ [ἀρχείρευς] [2] Δάμ[αρχος Λέο]ντος.

1. Germanicus, a Tiberio patruo adoptatus, iter in Asiam fecit anno 18 p. C. n. et
mortuus est Antiochiae a. d. VI idus Oct. anni 19. Cf. *Prosop. imp. rom.*, II, p. 178,
n. 146. — 2. Cf. n. 18 et 12, 13.

---

12. Eresi. — *I. Gr.*, XII, ii, 541.

Τιβέριον Κλαύδιο[ν Καίσαρα Σέβασ]|τον τὸν Αὐτοκρά[τορα τὸν σα]|ώτηρα
5 τᾶς οἰκημ[ένας οἰ αὔτω καὶ] | τῶν ἄλλων Σε[βάστων ἰέρεες καθιέ]‖ρωσαν,
[Δ]άμ[αρχος Λέοντος] [1].......

1. Cf. nn. 11, 13, 18.

---

13. Eresi. — *I. Gr.*, XII, ii, 542.

[Αὐτοκράτορ]α Καίσαρ[α.....|.. Δία μ]έγιστον τὸ[ν]... | ...όνων τᾶς
οἰκημένας πα[ίσας..... | πάτερα πάτρι]δος καὶ τῶ σύμπαντος ἀνθρω[πίνω
5 γένεος εὐεργέταν ‖ ὁ] ἰέρευς αὔτω Δάμαρχος Λέ[οντος] [1].

1. Cf. nn. 11, 12, 18.

---

14. Eresi. — *I. Gr.*, XII, ii, 543.

[Αὐτοκράτ]ορα Καίσαρα Οὐεσπασιάνον [Σέβασ|τον]..... τὸν εὐεργέταν τᾶς
οἰκημένας | ὁ δᾶμος.

---

15. Eresi. — *I. Gr.*, XII, ii, 544.

Νέρουαν Τραιανὸν Καίσαρα Γερμάνικον Σέβαστον τον εὐεργέταν | καὶ
σαώτηρα τᾶς οἰκημένας ὁ δᾶμος διὰ τῶ πρώτω | στροτάγω [1] Μουσαίω τῶ
Μουσαίω.

1. Summi Eresiorum, ut Mytilenaeorum, magistratus, στρατηγοί, administrandae civitati
electi, pluresne duobus quotannis fuerint, non constat. Liebenam, *Städteverwalt.*, p. 206.

16. Eresi. — *I. Gr.*. XII. ɪɪ. 545.

.... Καίσαρ]α Σέβαστον | .....[τὸν σαώ]τηρα καὶ κτίσ|[ταν παίσας τᾶς οἰκ]η-
μένας | τὸν εὐεργέταν τῶ] σύνπαντος ‖ [ἀνθρωπίνω γένεο]ς.......|..... μασαιων.

17. Eresi. — *I. Gr.*, XII, ɪɪ, 562.

Αὐρήλιος Πίνυτος Γλύκωνος Ἐρέσιος | καὶ Μηθυμναῖος βουλευτὴς καὶ
Ἀσιάρχης ναῶν | τῶν ἐν Σμύρνῃ ¹ ἔθηκα τὸ μνημεῖον τοῦτο | ἐμαυτῷ καὶ τῇ
συμβίῳ μου Λισιννίᾳ Αὐρ. Χρυσίῳ ‖ ἐπὶ τῷ ἔτερον μηδέ[ν]α βληθῆναι · εἰ δέ τις
τολ|μής[ῃ ἐπι]βαλέσθαι πτῶμα ἤτε ἀπὸ τοῦ γένους | μου ἢ καὶ ἔτερός τις, δώσει
τῷ ἱερωτάτω | ταμείῳ δηναρίων μυριάδας.... | καὶ τῷ προσαγγείλ[λ]α[ντι]...

1. Notum est templa Romae et Augustorum totius provinciae sumptibus exstructa et
sustentata esse non modo Ephesi, in urbe Asiae capite, sed etiam Cyzici, Pergami,
Smyrnae et Sardibus; quibus curandis praeerant certi Ἀσιάρχαι et ἀρχιερεῖς Ἀσίας, quan-
quam non discernitur quid illi a ceteris differrent (Brandis, Ἀρχιερεὺς et *Asiarches* apud
Pauly et Wissowa, *Realencyclopädie*; Chapot, *La province rom. d'Asie*, p. 468). Nota
hominem Lesbium Asiarcham; Lesbum enim Asiae provinciae partem fuisse, nemo est
qui negare possit. Chapot, p. 82.

18. Eresi. — *I. Gr.*. XII, ɪɪ, 549.

Τὸν εἴρεα καὶ ἀρχείρεα τῶν Σεβάστων καὶ | τῶν ἄλλων θέων πάντων καὶ
παῖσαν διὰ βίω ¹ | Τιβέριον Κλαύδιον Λέοντος υἱον Κυρείνᾳ | Δάμαρχον Μᾶρκος
Καίσιος Μάρκω υἱος Πα‖λατείνᾳ Κούαρτος, τὸν ὑραγήταν αὕτω ², | παίσας
ἀρέτας ἔννεκα καὶ τᾶς πρὸς αὐτον | εὐνοίας.

1. Sacerdos Claudii viventis, maximus autem sacerdos Divorum Augustorum in urbe
Ereso. Ἀρχιερεῖς municipales enumeravit Brandis s. v. apud Pauly et Wissowa, *Realen-
cyclopädie*, II, col. 478. — 2. Ducem suum, fortasse quia M. Caesius Quartus sub sacer
dote maximo sacris Augustorum ministrabat.

19. Eresi. — *I. Gr.*, XII, ɪɪ, 548.

....[ιον Εὐαγ]όρα υἱον Εὐαγόραν | ..... δωρος Μάμα Καισάρεες τῶν πρὸς
τῷ | Ἀργαίῳ ¹ π]αίσας ἀρέτας ἔννεκα καὶ εὐνοίας.

1. Caesarea ad montem Argaeum, urbs Cappadociae. Supplevit Conze, *Reise auf
Lesbos*, p. 31.

20. Thermis. — *I. Gr.*, XII, ɪɪ, 104.

.....Αὐτοκράτορος Θε[ῶ υἵω Σεβάστω] | καὶ Ἀπόλλωνος Θερμί[ω] ¹.........

1. Apollo et Diana Thermii, ut in aliis locis, ita Thermis prope Mytilenas colebantur, ubi calidi fontes etiam nunc scaturiunt ad sanitatem curandam apti. Vide Curtius, *Hermes*, VII (1873), p. 411, Patonis geographicam tabulam 2 et Conze, *Reise auf Lesbos*, p. 16.

---

21. Thermis. — *I. Gr.*, XII, ɪɪ, 203.

Ὁ δᾶμος | θέον σώτηρα τᾶς πόλιος Μᾶρκον | Ἀγρίππαν τὸν εὐεργέταν καὶ κτίσταν ¹.

1. Anno 22 ante C. n. Agrippa, in Syriam ab Augusto missus, ut transmarinas provincias loco principis regeret, propter simultates cum Marcello Mytilenas secessit, ubi permansit usque ad annum 20. Cf. *Prosop. imp. rom.*, III, p. 440, 441, n. 437.

---

22. Thermis. — *I. Gr.*, XII, ɪɪ, 208.

Ὁ δᾶμος Θέαν Σεβάσταν Βολ|λάαν Αἴολιν Καρπόφορον Ἀγριπ|πείναν τὰν γυμνασίαρχον ἐς τὸν | αἰῶνα.

Anno 18 p. C. n. Germanicus Caesar Lesbum tramisit, ubi uxor ejus Vipsania Agrippina tertiam filiam Juliam Livillam peperit (Tac. *Ann.*, II, 54); quae fortasse causa fuit cur et in titulis et in nummis Mytilenaeorum Agrippina vocaretur Θέα Αἴολις Καρπόφορος, eodem nempe cognomine quo Ceres Aeolum dea. Cf. *Prosop. imp. rom.*, III, p. 443, n. 463. Βουλαία etiam, ut Βουλαῖοι Augustus et Hadrianus, sic quoque Agrippina dicta est, ad similitudinem deorum Jovis, Minervae, Dianae, etc. (Boeckh ad *C. I. Gr.*, 1307, 1392), videlicet quia imaginem ejus in curia venerabantur senatores Mytilenaei.

---

23. Thermis. — *I. Gr.*, XII, ɪɪ, 262.

.....[ο]ν τὸν πάτερα | ..[θέαν Ε]ὐε[τ]ηρίαν Σεβάστ[αν] ¹ |..... ἐπιτάγα |.....
βίω [α]ὕτων.

1. Ceres, quae anni segetes laetas facit, cum aliqua Augustarum, imo probabilius cum alterutra Agrippinarum (cf. n. 22) aequata. Ejusdem cognominis alia exempla congessit Waser s. v. *Eueteria* apud Pauly et Wissowa, *Realencyclopädie*, VI, col. 982.

24. Thermis. — *I. Gr.*, XII, ɪɪ, 237.

Ἀ βόλλα καὶ ὁ δᾶμος Κορνηλία(ν) Κεθ(ή)γιλλαν τ(ὰ)ν εὐέργετιν | τᾶς πόλιος, θυγάτερα Μάρκω Γαβίω (Σ)κυί(λλ)α Γαλλικάνω | ὑπατίκω | καὶ Πομπηίας
5 Ἀγριππίλλ(α)ς, παιδόπαιδα δὲ Μάρκω Πομ‖πηίω Θεο(φ)άνν(η), τ(ῶ)ν εὐεργέταν καὶ κτίσταν τᾶς | πόλιος ¹.

1. M. Pompeius Macrinus Theophanes, historici abnepos (*Prosop. imp. rom.*, III, p. 69, n. 476), genuit Pompeiam Agrippillam (*ibid.*, n. 503), quam cum in matrimonium duxisset M. Gavius Squilla Gallicanus, cos. a. 127 (*ibid.*, II, p. 113, n. 66), filiam habuit Corneliam Cethegillam (*ibid.*, I, p. 470, n. 1214). Totius gentis stemma vide *ibid.*, III, p. 67, n. 471.

---

25. Thermis. — *I. Gr.*, XII, ɪɪ, 255, ex apographo Cyriaci.

Ἀ βόλλα καὶ ὁ δᾶμος <τὰν> Αὐρ. Ἀρτεμισίαν ¹, τ[ὰν .. |δί]κω τῶ Εὐτύχω θύγατρα, τὰν (λ)όγιον πρ(ύ)ταν(ι)ν ² | καὶ εὐέργετιν, ἱερέα(ν) τᾶν θέαν Ἐτ(η)φίλαν ³
5 καὶ Κα|ρίσσαν ⁴ καὶ ἐρ(σ)όφορον ⁵ τ(ῶ)ν ἁγιωτάτων μυ(στ)αρίων, ‖ τὰν ἀπύγονον Ποτάμωνος τῶ νομοθέτα καὶ | Λεσβώνακτος τῶ φιλοσόφω ⁶ τοῖ(ν) εὐεργέται(ν) | ἀρέτας ἔνεκα παίσα(ς) · | ὀνσταθείσας τείμας ὑπὸ τὰς ἴρας βόλλας, ἐπιμελή-θεν|τ(ς) τῶ γραμμάτεος αὔτας Αὐρ. Πρόκλω τῶ Ἰούστω.

1. Eam non ante tertium saeculum vixisse nomen gentilicium ostendit. — 2. Feminas prytania functas vide apud P. Paris, *Quatenus feminae res publicas attigerint*, p. 71. — 3. « Bonae deae », Ceres et Proserpina, quarum mysteria Tiberius Mytilenis, jam multo ante, ut videtur, celebrata, patrocinatus erat. Cf. Hiller von Gärtringen, *Etephila* ap. Pauly et Wissowa, *Realencyclopädie*. — 4. Deae hactenus ignotae; cf. Höfer, *Karissai*, apud Roscher, *Lexikon der Mythol.* — 5. Idem verbum atque ἐρρηφόρος et ἀρρηφόρος, cujus de origine et vero sensu ambigitur, quanquam constat ἐρρηφόρους virgines fuisse quae, ut Athenis Minervae, sic in aliis civitatibus aliarum dearum sacra ferebant (Hiller von Gärtringen, *Errhephoroi* apud Pauly et Wissowa, *Realencyclopädie*). — 6. De illustribus illis viris, cf. nn. 26 et seq.

Monumentum Potamonis.

Mytilenis eruti sunt lapides ingentis monumenti, cujus parietibus omnia documenta, quibus celebrabatur Potamo, Lesbonactis filius, inscripta erant, nempe decreta urbium, senatus consulta, epistulae Caesarum, etc.... Potamona, quem ad Tiberii Caesaris aetatem perperam referebat Suidas s. v., natum esse circa annum 75 ante C. et Augusto principe Romae floruisse inter rhetores, evicit Cichorius, *Rom und Mytilene* (1888), p. 62. Plura de eo vide in *Prosop. imp. rom.*, III, p. 92, n. 675. Pater autem Lesbonax philosophus, de quo veteres etiam mentionem fecerunt, eadem aetate qua Cicero vixit : *Prosop.*, II, p. 269, n. 105.

---

26. Mytilenis. — *I. Gr.*, XII, ιι, 24.

..|.. τὰ τοῖς ὑπομεμφ[ομένοις..... μηδέ]|νι τὰς πρὸς τὸ θρέψα[ν]...... |
5 οὖδας ἐπὶ σωτηρίᾳ...... ‖ ταῖς προσηκοίσαις κ........|χον καὶ προσαγορευ...... |
πρεσβεύσαις πρὸς τὸγ [Καίσαρα...... τᾶς ἀμετέρας πόλιος εὖ]|εργέταν ἐπιφα-
νέστατ[ον] ¹...... φίλ]|τατος δὲ ἔων αὐτῷ......

1. Potamo ad C. Iulium Caesarem dictatorem a Mytilenaeis legatus est post pugnam Pharsalicam, anno 47 a. C. n. Cf. nn. 27, 33. Hoc videtur fragmentum esse decreti, quo monumentum Potamonis civitas exstruendum jusserat.

---

27. Mytilenis. — *I. Gr.*, XII, ιι, 25.

....[οἱ γε]|γόνοντες πόλεμοι..... [τά τέ]|κε τοῖς δέκα ¹. πεφιλανθ[ρωπεύκη
5 πρέσβεας]...... | καὶ νέος τὰ θέων ἀξίως...... ‖ καὶ εἴκονα χρυσίαν ἐπὶ στ[ύλῳ
.... θέ]|ῳ καὶ τᾷ Ῥώμᾳ τᾷ Νικοφό[ρῳ ²..... ἀ]|κόλουθον τᾷ ἀναθέσει..... |
10 Φρατρίω μῆνος ³ χρηματ........ | σας. Αἰ δέ κέ τις μὴ πρ...... ‖ .ντε τοῖς......

1. Decem legati, principe Potamone, ad C. Iulium Caesarem missi. Cf. nn. 26, 33. —
2. De honoribus agitur, qui C. Caesari a Mytilenaeis decreti sunt. — 3. Phratrius mensis Mytilenaeorum. — Hoc forsitan fuerit decretum civitatis post reversam priorem legationem factum.

---

28. Mytilenis. — *I. Gr.*, XII, ιι, 26.

............|.... νοιτωπα....|... ἐπὶ τῶν μυσ[τηρίων]...... | οετω πρὸς
5 τὰν...... ‖ [τὰ]ν Ἄρτεμιν ὑπο...... | [κα]ττὰ προεψαφισ[μένα]..... |ματα ἐν
10 τρε.....[ἀ ἀμέρα ἀ]| γενέθλιος ὅλο.....| [τᾷ ἀ]μέρᾳ ταύτᾳ..... ‖ [Και]σαρήων
ἔαυτον...... | [τὰν π]όλιν ἀοίδιμον.... | [ἐπὶ τὰ]ν θέαν συνδρα[μοντ...... |
15 ἀνταμειβόμεν]ος ? τοῖς εὐεργέταις.....|.οπισται συνεχες...‖.. οφόρον αὐτα...

Hic titulus videtur ad eadem pertinere atque n. 27.

29. Mytilenis. — *I. Gr.*, XII, п. n. 27.

....|..... [στ]ησαμεν? ..... | τοῖς δὲ ἄνδρεσ[σι.... Λὐ]τοκράτορος εἰς.... |
5 ἑοίσας αὔτω κα..... [εὔ]|τακτον διετήρει.....|ο σπούδας καὶ [προθυμίας οὐδὲν
ἐλλείπων]?.... | τῶν Ἐρετρ[ιέων].....

30. Mytilenis. — *I. Gr.*, XII, п. 30.

5 ...|..υναμη ι.... [τ|ῶ]ν ἐροδίων..... | ἄκρον ἔοισι...... ||υνατα σευσι.....
π|ολίεσσι κοίνα ι.....|α τᾶς τῶν θέων .... |γεμήτε ἐπὶ τῶ..... | ἐνομίσθην ἐν
10 αι.....|ν τό .τε βέβαον .... [π|ρ]εσβε[ύ]σαις δὲ [πρὸς τὸν Καίσαρα.... ἀνεργό-
μενον ἐκ]| τῶ ἐν Καππαδ[οκία πολέμω?] ...|..αμα κόσμον...... | ἀξιώθη. Οὐ
15 μ[όνον δὲ ...... αὔ|τι]ος. Ἐπισκοπέ[ων].....

31. Mytilenis. — *I. Gr.*, XII, п. 32 et *Corrigenda*, p. 140.

..... καὶ κίνδυ[νον...]' Ἀγ]άθᾳ τύχᾳ δ[έδοχθαι ..... | Ἐπειδὴ Ποτά]μων Λεσ-
5 βών[ακτος].... | ἐνδόξοισι καὶ ...|...ων ὑπ' ἑαυτῶ ὁ.....|..α τῶ σύμπαντι [δάμω]
...|..ων ὑπὸ τᾶς τ..... | [με]γίσταν εἰσεν[εικάμενος] ...|..ε καὶ διαπέπ[ρακται]
10 ....|..αν καὶ προς.....| [συμπολιτ]ήαν '. Ύμα κ[αὶ ...|.. κ' ὑπὰ τᾶς..|.. [Λε σ-
15 βίων π.......|.. ἀναλα...|......

1. Cum foederatas fuisse civitates totius Lesbi insulae constet, concilium earum tum
temporis extare potuit, a quo factum fuerit hoc decretum. Res tamen manet in incerto.

32. Mytilenis. — Wilamowitz-Möllendorff et Hiller von Gärtringen, *Athen. Mittheil.*,
XXX (1905), p. 142, n. 2.

...ϑι | .... ἐμφαί[νων.... φιλοτ]ιμίαν ἐπὶ παν|[τὸς] .... τὰ μὲν ἀπὸ
5 Μυσίας || ... [μεταπε]μψάμενος ἐπρίατο | [δὲ καὶ ἐν].....γία τε καὶ Ῥώμᾳ καὶ
10 τε|....νον καὶ πλέονα με|..... καὶ μετὰ ταῦτα | ....αι κυναγίαν ταὔ|[ταν?]
...ια δὲ παραμισθω||[σάμενος?... ὑπὲρ τὰ]ν τῶ βίω δύναμιν | .... [τὰν ἀγωνο]-
θεσίαν ἐπιδεδεγμέ|[νος] ....αι τῶ μεγάλω παρε|.... [ἀνε]λάβετο τᾶς πόλιος |
15 ....πο...λολειψγι.... |
20 ......|ωνιικ.... | τε κα[ὶ].... | καὶ γι.... || χαλ[κῆν εἰκόνα].... | δρυφ[ακτ.....

ἐπὶ τε]‖θρίππου ..[στᾶσαι δὲ τὰν]· | εἰκόνα [ἐν τῷ ἱερῷ ... τῷ] | Ἀσκλαπ[ιῶ ἐπι-
25 γράψαντα ὅτι ὁ δᾶμος Ποτάμωνα Λεσ]‖βώνακτ[ος .....νομο]‖θέταν τῶν [Λεσ-
βίων?]... | καὶ κατορθώ[σαντα] ...| τῷ προσταντ....... | τῶν Ἐτηριλ[ί]α[ς
30 μυστηρίων? ... τὸν ἄπαν]‖τα σεβασμὸ[ν]...

V. 4-6. Fortasse de bestiis agitur, quas Potamo ex Moesia arcessiverit, sua pecunia
emptas, ludorum edendorum causa.

---

33. Mytilenis. — *I. Gr.*, XII, II, 35; ex parte tantum Dittenberger, *Sylloge²*, 349.

Col. *a.*

[Γράμματα Καίσαρος Θεοῦ.]

[Γάιος Ἰούλιος Καῖσαρ αὐτοκράτωρ δικτάτωρ τὸ] δε[ύτε]ρον Μυτιλ[ηναίων
ἄρχουσι | βουλῇ δήμῳ χαίρειν. Εἰ ἔρρωσθε καλῶς ἂν] ἔχοι, κἀγὼ δὲ μετὰ τοῦ
στρατεύ[ματος | ὑγιαίνω. Ποτάμων Λεσβώνακτος]....... καφένους, Κριναγόρας
Καλλίπ[που, Ζ]ωίλο[ς | Ἐπιγένους],...... τὰς Δικαίου, Ὑβρίας Διοράντου,
5 Ἱστιαῖος ‖ ......, [Δημή]τριος Τιμαίου, οἱ πρεσβευταὶ ὑμῶν, συνέ|[τυχόν μοι....
καὶ τὸ ψήφισμα ὑμῶν ἀπέ]δωκαν καὶ περὶ τῶν τιμῶν διελέχθησαν |........ν
κατωρθώκαμεν καὶ εὐχαριστήσαντες | .... [ἐνέ]τυχον μετὰ πολλῆς φιλοτιμίας
10 καὶ εἰς | ......ων ἔχειν · Ἐγὼ δὲ τούς τε ἄνδρας ἐπήνε‖[σα διὰ τὴν προθυμίαν
αὐτῶν καὶ φιλορρόν]ως ἀπεδεξάμην, ἡδέως τε τὴν πόλιν | [ὑμῶν εὐεργετεῖν πει-
ράσομαι καὶ κατὰ τ]οὺς παρόντας καιροὺς καὶ ἐν τοῖς μετὰ ταῦ[τα χρόνοις]
......αν ἐπιστάμενος ἦν ἔχοντες εὐνοι[αν]....... τὸν Ποτάμωνα. (Ἔτι] τε τὴν
προ|........ αὐτὸν ἐπ[ὶ τ]οὺς ...οντα.

Desunt versus vel 14 vel 17.

Col. *b.*

.... οὐδὲ ..... οτε | .... [β]ουλόμενος ὑμῶν κεκομίσ[θαι] τὴν | ......
[ἐπικαρπία]ν? τῆς φιλίας ἀσφάλειαν, ἔν τε [τοῖς λ]ο|ι[ποῖς χρόνοις..... τὴν] πόλιν
5 αἰεί τινος [ὑμ]ῖν ἀ[γαθοῦ] θέ‖[λω γενέσθαι. Θαρροῦντες οὖν περὶ π]άντων ἐντυγ-
χάνετε ἡμῖν. [Ἔρρωσθε].|

[Γράμματα] Καίσαρος Θεοῦ. |

[Γάιος Ἰούλιος Καῖσαρ αὐτοκράτ]ωρ δικτάτωρ τ[ὸ τ]ρίτον, καθε[σταμέ]νος
τὸ τέταρτον, Μυτιληναίων ἄρχουσι, βο]υλῇ, δήμῳ χαίρειν καὶ ἐρρῶσθαι καὶ

10 [ὑγιαίνειν] | .... εὐεργετεῖν τὴν πόλιν καὶ οὐ μό[νον... ‖ φυλάττειν τὰ φιλάν-
θρωπα, ἃ διεπράξ]ασθε δι' ἡμῶν, ἀλλὰ καὶ συναυ[ξάνειν] | αὐτὰ ....ος τὴν
ἡγεμονίαν, φιλίας δόγ[ματος | τοῦ ὑμῖν συγκεχωρημένου δι]απέπομφα πρὸς ὑμᾶς
τὸ ἀ[ντίγραφον]. |

....

[Περὶ ὧν π]ρεσβευταὶ Μυτιληναίων Ποτάμων Λεσβώνακτος, Φαινίας Φαινίου
τοῦ Καλλί[π]|που, Σέρφηος Διοῦς, Ἡρώδης Κλέωνος, Δίης Ματροκλέους, Δημή-
15 τριος Κλεωνύμου, ‖ Κριναγόρας Καλλίππου, Ζώιλος Ἐπιγένους λόγους ἐποιή-
σαντο, χάριτα, φιλίαν, συμμα|χίαν ἀνενεοῦντο, ἵνα τε ἐν Καπετωλίωι θυσ[ί]αν
ποιῆσαι ἐξῆι, ἅ τε αὐτοῖς | πρότερον ὑπὸ τῆς συγκλήτου συγκεχώρημ|[έ]να ἦν,
ταῦτα ἐν δέλτωι χαλκῆι | γεγραμμένα προσηλῶσαι ἵνα ἐξῆι · περὶ τούτου τοῦ
20 πράγματος οὕτως ‖ ἔδοξεν · χάριτα, φιλίαν, συμμαχίαν ἀνανεώσασθαι, ἄνδρας
ἀγαθοὺς καὶ φίλους προσαγορεῦσαι, ἐν Καπετωλίωι θυσίαν ποιῆσαι ἐξεῖναι, ἅ τε
αὐτοῖς πρό|τερον ὑπὸ τῆς συγκλήτου φιλάνθρωπα συγκεχωρημένα ἦν, ταῦτα ἐν
δέλ|τωι χαλκῆι γεγραμμένα προσηλῶσαι ἐξεῖναι, ὅταν θέλωσιν · ἵνα τε Γάιος |
25 Καῖσαρ αὐτοκράτωρ, ἐὰν αὐτῶι φαίνηται, τόπους χορήγια αὐτοῖς κατὰ τὸ ‖ τῶν
προγόνων ἔθος ταμίαν μισθῶσαι κελεύσῃ ο(ὕτ)ως ὡς ἂν αὐτῶι ἐκ τῶν δη|μοσίων
πραγμάτων πίστεως τε τῆς ἰδίας φαίνηται. Ἔδοξεν. [Ἐπ]εὶ δὲ καὶ | πρότερον
ἐνετύχετέ μοι καὶ ἔγραψα πρὸς ὑμᾶς, πάλιν ὑπέμ[ειν]αν οἱ | [ὑμέτεροι πρεσβευταὶ
μη]δένα δεῖν ἀτελῆ εἶ[ναι] παρ' ὑμῖν ἀκολούθ[ως τοῖς | .... καὶ τοῖς] φιλαν-
30 θρώποις ἃ ἔχετε παρ' ἡμῶν τοῖς τε [πρότε‖ρον καὶ τοῖς διὰ τούτου το]ῦ δόγματος
δεδομένοις τὸ ἐξεῖναι ὑμῖ[ν ...|.. ταῖς] τῆς πόλεως καὶ τῆς χώρας προσόδοις
καθ' ἡ[συχίαν | χρῆσθαι. Βούλομαι οὖν] ἀποφήνασθαι ὅτι οὐδενὶ συγχωρῶ οὐδὲ
συγ[χωρή|σω ἀτελεῖ παρ' ὑμῖν εἶναι. Ο]ὕτως οὖν πεπεισμένοι θαρροῦντες
35 χρῆσθ[ε...|.. ἀνεμπod]ίστως · ἐγὼ γὰρ ταῦτά τε ἡδέως πεποίηκα ὑ[πὲρ ‖ ὑμῶν
καὶ εὔχομαι εἰς τ]ὸ μέλλον αἰεί τινος ἀγαθοῦ παραίτιος ὑμῖν [γενέσθαι]. |
[Δόγμ]ατα συγκλήτου περὶ ὁρκίου. |
[Αὐτοκράτορος Καίσαρος] Σεβαστοῦ τὸ ἔνατον, Μάρκου Σιλανοῦ ὑ[πάτων, |
προτεθὲν?........ ἐπι]ταγῇ Μάρκου Σιλανοῦ ἐκ συγκλήτου δό[γματος | .....
40 Ἰ]ουνίων ἐν κουρίᾳ Ἰουλίᾳ γραφομένῳ παρ[ῆσαν ‖ Παῦλος Αἰμίλιος Λευ]κίου
υἱὸς Παλατίνᾳ Λέπεδος, Γάιος Ἀσίν[ιος Γναί]ου υἱὸς...... Πωλλίω]ν, Λεύκιος
Σεμπρώνιος Λευκίου υἱὸς Φαλ[έρνᾳ Ἀ|τρατῖνὸς, Μᾶρκος Τερέντ]ιος Μάρκου υἱὸς
Παπειρίᾳ Οὐάρρων, Γάιο[ς Ἰού|νιος..... Σι]λανὸς, Κόιντος Ἀκούτιος Κοίντου
υἱὸς.......

Col. c.

Περὶ ὧν [Μᾶ]ρκος Σιλανὸς λόγ[ο]υς [ἐποιήσατο ἐπὶ Αὐτοκράτορα Καίσαρα
Σεβασ]|τὸν [τ]ὸν συνάρχοντα γράμμ[ατα δεῖν πεμφθῆναι]......... | [ἐὰ]ν τῇ συγ-
κλήτῳ ἀρέσκῃ μετ....... [τί περὶ | τ]ούτου τοῦ πράγματος αὐτ[ῇ φαίνηται......
5 πε‖ρ]ὶ τούτου τοῦ πράγματος ο[ὕτως ἔδοξεν · ὅτι Μᾶρκος Σιλανὸς........ | ὕ]πα-
τος, ἂν αὐτῷ φαίνηται, ὀρκ...... [ἄλ]|λο τε ὁποῖον ὥστε ἂν ἐκ τῶν [δημοσίων
πραγμάτων πίστεώς τε τῆς αὐ]|τοῦ φαίνηται. Ἔδοξεν. |
10 [Π]ρὸ ἡμέρων τριῶν καλανδῶν Ἰο[υλίων ἐν .... γραφομένῳ παρῇ]‖σαν
Γάιος Νωρβα[νὸς] Γαί[ου υἱὸς Φλάκκος, ... Ἀπ]|πίου υἱὸς Παλα[τίνα......,
.... | Κ]ηνσωρῖνος.:......, | Μᾶρκος Οὐα[λέριος] ....|κου υἱὸ[ς ..., ...ο]υ
15 υἱὸς Κλοστο‖μίνα Λ........., [Μᾶρκος Τερέντιος Μάρκου υἱὸς Παπε]ιρίᾳ Οὐάρ-
ρων, | Γάιος Κ....... |
Περὶ ὧν Μ[ᾶρκος Σιλανὸς ὕπατος λόγους ἐποίησατο] .... δόγματι ἑαυτῷ |
δεδο[μ........ Μυτ]ιληναίων γενέσ|θαι φροντ[ίσῃ, οὕτως καθὼς ἂν αὐτῷ ἐκ τῶν
20 δημοσ]ίων πραγμάτων ‖ πίστεώς τ[ε τῆς ἰδίας φαίνηται] .... αι · λοιπὸν
εἶναι | ἵνα τουτ........ περὶ τούτου τοῦ | πράγματ[ος οὕτως ἔδοξεν · ὅπως Μᾶρκος
Σιλανὸς] ὕπατος, ἐὰν αὐ|τῷ φαίνη[ται, τὰ ὅρκια πρὸς τοὺς Μυτιληναί]ους ὡς
ἔσταχε | γενέσθαι [καὶ ταῦτα καὶ τὰ τῆς συγκλήτου δόγματα τ]ὰ περὶ τούτου ‖
25 τοῦ πράγ[ματος γενόμενα ἐν δέλτῳ χαλκῇ ἐγ]χαραχθῆναι καὶ | εἰς δημό[σιον
ἀνατεθῆναι φροντίσῃ. Ἔδοξεν.] |
Αὐτοκράτ[ορος Καίσαρος Σεβαστοῦ τὸ ἔνατον, Μάρκ]ου Σιλανοῦ ὑπά|των.....

Desunt versus fere 30.

Col. d.

Ὁ [δῆμ]ο[ς ὁ] Μυτιληναίων ἀρχὴ[ν τὴν ἑαυτοῦ] .... | φυλασσέτω οὕτως
ὡς ἄν τι κ..... |
Τοὺς πολεμίους τοῦ δήμου τ[οῦ Ῥωμαίων ὁ δῆμος ὁ Μυτιληναίων διὰ τῆς
ἰδίας ἐ]|πικρατείας μὴ ἀφειέτωι δημοσ[ίᾳ βουλῇ διελθεῖν, ὥστε τῷ δήμῳ τῷ] ‖
5 Ῥωμαίων ἢ τοῖς ἀρχομένοις ὑπ' [αὐτοῦ ἢ τοῖς συμμάχοις τοῦ δήμου τοῦ
Ῥωμαί]|ων πόλεμον ποιῆσαι, μήτε αὐτοῖς [ὅπλοις χρήμασι ναυσὶ βοηθείτω]. |
Ὁ δῆμος ὁ Ῥωμαίων τοὺς πολεμί[ους τοῦ δήμου τοῦ Μυτιληναίων διὰ τοῦ
ἰδίου] | ἀγροῦ καὶ τῆς ἰδίας ἐπικρατεία[ς μὴ ἀφειέτωι δημοσίᾳ βουλῇ διελθεῖν,] |
ὥστε τῶι δήμῳ τῶι Μυτιληνα[ίων ἢ τοῖς ἀρχομένοις ὑπ' αὐτοῦ ἢ τοῖς συμμά]‖—

10 χοις τοῦ δήμου τοῦ Μυτιλην[αίων πόλεμον ποιῆσαι, μήτε αὐτοῖς] | ὅπλοις χρή-
μα[σι ν]αυσὶ βοηθ[είτω]. |

Ἐάν τις πρότερος πόλεμον πο[ιήσῃ τῷ δήμῳ τῷ Μυτιληναίων ἢ τῷ δή]|μῳ
τῷ Ῥωμαίων [καὶ] τοῖ[ς συμμάχοις τοῦ δήμου τοῦ Ῥωμαίων, βοηθείτω ὁ δῆμος
15 ὁ Ῥωμαίων τῷ δήμῳ τῷ Μυτιληναίων καὶ ὁ δῆμος ὁ Μυτιληναί|ων τῷ δήμῳ
τῷ Ῥωμαίων καὶ τοῖς συμμάχοις το]ῦ δήμου τοῦ Ῥωμαίων | ..... βέβαιός τε
ἔστω. Εἰρήνη | [ἔστω εἰς τὸν ἄπαντα χρόνον.] |

.... ἑαυτοῦ ἔστω. Ὁμοίως | [ὅσα ..... δῆμος Ῥωμαίω]ν δήμῳ Μυτιλη-
20 ναίων ἔδω|κεν ..... τοῦ δήμου τοῦ Μυτιληναίων ἔστω | [καὶ ὅσα .... Μυτιλη]-
ναίων ἐγένοντο ἐν νήσῳ | [Λέσβῳ καὶ ὅσα .... πρὸ καλ]ανδῶν Ἰανοαρίων,
αἵτινες | .... [τού]τοις ἐγένοντο εἴτε ταύτῃ | εἴτε ἄλλῃ ....ς, ὡς ἕκαστον
25 τούτων τῶν‖ .... τε οὗτοι ἐκράτησαν ἔσχον | .... οὗτοί τε πάντα ταῦτα
ἐχέ|[τωσαν]. |

.... [Μ]υτιληναίων ἔστωσαν. |

Desunt versus 27.

Col. *e.*

5 .... | επεγελε ...... | νοντοεσθ....... [τ]|ῶν ἠγορασμ[ένων] .... ‖ τούτων
ἀν..... [Μυτιλη]|ναίων ὑπαχ[ου]..... | προχριματ....... |
10 Τοῖς ἄλλοις γ....... | ἔστω δ ἂν ..... ‖ται πρασση....... [Μυτι]|ληναῖος
πα[ρὰ....... ἄρχων ἢ ἀν]|τάρχων ὃς ἂν........ | ἀποδιδότω. |
15 Ἅτινα φιλάνθρ[ωπα........ αὐτο]‖νόμου δήμου.........

Col. a. Hanc epistulam scripsit C. Iulius Caesar dictator II anno 47 a. C. n., ut veniam
Mytilenaeis concederet, qui, cum a Pompeio stetissent, decem legatos post pugnam
Pharsalicam ad victorem miserant de pace oranda. Legatorum autem princeps fuerat
Potamo. Respondet Caesar grato animo a se honores acceptos esse, quos Mytilenaei
decreverant, ut aliae insularum Asiaeque civitates (*C. I. Gr.*, 2368, 2369, 2215, 2957).
Cf. Plut., *Pomp.*, 75; Senec., *Consol. ad Helv.*, 9.

Col. b. Versibus 1-5 utrum eadem illa epistula quae incipit *col. a*, an alia desinat, non
discernitur.

V. 6-12. Hanc epistulam scripsit C. Iulius Caesar dictator III, anno 45 a. C. n., ut Myti-
lenaeis responderet, qui alteram legationem, Potamone principe, Romam miserant de
foedere redintegrando.

V. 14-26. Caesar ad Mytilenaeos mittit exemplum senatus consulti de foedere
facti. Praescripta autem hujus monumenti v. 13 utrum omissa sint an erasa parum
liquet.

V. 14. Phaeniam patrem Cichorius conjecit fuisse sectatorem Posidonii philosophi (Diog. Laert., VII, 41) et necessarium Crinagorae; cf. v. 16.

V. 15. Herodes Cleonis. De eo vide *C. I. Gr.*, 2197 c. Dies notus est (*Anthol. Pal.*, VII, 628); item, Matrocles (*C. 1. Gr.*, 2197 f).

V. 16. Crinagoras poeta nobilis, de quo cf. Cichorius, p. 52.

V. 17 et 21 : ἐν Καπετωλίῳ θυσίαν. Cf. Dittenberger, *Sylloge*, n. 364, 31 et 373, 44 seqq.

V. 25. ΟΓΩΣΩΣ errore lapicidae. Aut delendum est ως, aut scribendum ο(ὅτ)ως ὡς.

V. 26. Ἐπεὶ δὲ... Post inclusum senatus consultum pergit epistula Caesaris.

V. 27. ἔγραψα πρὸς ὑμᾶς anno 47, in priore epistula quae descripta est in *col. a*.

V. 36. Δόγματα συγλήτου. Senatus consultum de foedere sanciendo inter Romanos et Mytilenaeos, factum inter diem XVI Maii et diem XIII Junii (..... Ἰουνίων), anno 25 ante C. n., Augusto IX et M. Junio Silano coss. (v. 37). Versus tamen 37 et 38 ad ipsum senatus consultum non pertinent; sed cum Augustus illis temporibus versaretur in Hispania, oportuit significare senatus consultum promulgatum esse jussu unius M. Silani collegae; nam unius imperatoris erat jus foedera rata habendi. (Mommsen, *Sitzungsber. der Berlin. Akad.*, XXXVII, 1895, p. 897.)

V. 40-43. Inter senatores qui scribendo adfuerunt notandi sunt : Paulus Aemilius L. f. Lepidus, cos. anni 34 ante C. n., ex fratre Marci triumviri genitus (von Rohden, s. v. *Aemilius*, ap. Pauly et Wissowa, *Realencyclopädie*, col. 565, n. 82); C. Asinius Cn. f. Pollio, amicus Augusti et Vergilii, cos. anno 40 ante C. n.; L. Sempronius L. f. Atratinus, cos. anno 34 (*Prosop.*, III, p. 194, n. 260); M. Terentius M. f. Varro, forsitan ille qui fuit legatus Augusti in Syria (Joseph., *Bel. Jud.*, I, 20, 4 et *Ant. Jud.*, XV, 10, 1. Cf. Cichorius, *Sitzungsber. der Berlin. Akad.*, 1889, p. 968). C. Junius ..... Silanus, fortasse idem ille qui consulatum postea gessit, anno 17 ante C. n. (*Prosop. imp. rom.*, II, p. 244, n. 543); Q. Acutius Q. f. ignotus est : *Prosop. imp. rom.*, I, p. 10, n. 78.

Col. c. V. 1-26. Senatus consultum alterum de eadem re factum eodem anno, die XXX Maii (v. 9, Ἰο[υνίων]?), aut potius die XXIX Junii (ibid., Ἰο[υλίων]?). Cum oravisset M. Silanus ut ad collegam Augustum absentem scriberetur de foedere sanciendo et Augustus, quanquam id ipsum non aperte exprimitur, rescripsisset sibi placere, jubetur M. Silanus curare ut senatus consultum promulgetur.

V. 10. Hi senatores scribendo inter alios adfuerunt : C. Norbanus C. f. Flaccus cos. anno 38 ante C. n. (*Prosop. imp. rom.*, II, p. 415, n. 135); ..... Censorinus, forsitan L. Marcius Censorinus cos. anno 39 (*Prosop. imp. rom.*, II, p. 337, n. 164); [Ap]pius praenomen Claudiorum; arbitratur Mommsen (*l. c.*, p. 894, not.) potuisse hic memorari Appium Claudium, adulterum Juliae (*Prosop. imp. rom.*, I, p. 347, n. 627; Münzer, ap. Pauly et Wissowa, *Realencyclopädie*, s. v. *Claudius*, n. 15); M. Terentius M. f. Varro, de quo vide supra.

V. 27. Incipit ipsum foedus.

Col. d. V. 1-17. Consequitur caput de belli societate a duobus populis contra communes hostes facta. Verborum quae perierunt maxima pars certo restitui potuit, collatis foederibus quae Methymnae (supra, n. 2) et Astypalaeae (vide infra) inventa sunt.

V. 18-27 et *Col. e* additae sunt clausulae aliquot, quarum nihil simile in aliis documentis habemus, ita ut quibus de rebus agatur nemo queat perspicere.

34. Mytilenis. — *I. Gr.*, XII, ɪɪ, 36.

5 .....ενλι|.... χαιωιω|..... Μυτιληνα|.......... ιτω δόλῳ ‖ [πονηρῷ ...
κοιν]ῆι γνώμηι | ... ωι ἐὰν ἐξε|...... [δόλ]ος πονη|[ρὸς]...... | ..... ιος Μυτι-
10 λ‖[ην]...... ον διὰ τὸν | .... μηι καὶ ἀνασ|....... αν ὑμῖν ἐν π|....... λωι
15 τῶι ἀν|...... [ἡ πόλις ἡ ὑμ]ετέρα ἐλε‖[υθέρα].......

• Fragmentum epistulae, fortasse C. Iulii Caesaris, ad Mytilenaeos, cujus in parte supe-
riore citari videtur vetus foedus cum Romanis factum.

---

35. Mytilenis. — *I. Gr.*, XII, ɪɪ, 37.

..... λ........ | .. ης καὶ πρέσϐε[ις... | ... τὸ]ν δῆμον ὑμῶν κ... | ... [ἀπο-
5 λάμ]ψεως πᾶσαν εἰς... ‖ .. ἑώρων καὶ τὴν π[όλιν.... | ... καὶ τὸ...... ὑμ]ῶν
ἄξιον εὐνοί[ας] ..|.. μειν τιμίων ἡγων[ίσασθε]......

Item in numeris 35 et 36 epistulas C. Caesaris aut Augusti mutilas habemus. Vide etiam
titulos *I. Gr.*, XII, ɪɪ, 39, 40, quos hic omittimus utpote incertos.

---

36. Mytilenis. — *I. Gr.*, XII, ɪɪ, 38.

... | [Μυτ]ιληνα[ίων ἄρχουσι βουλῇ δήμῳ χαίρειν? ... Οἱ πρέσϐεις ὑ]μῶν
5 Ποτ|[άμων].... |ον πρὸς ὑ[μᾶς...] ‖ τοῖς ὑμετέ[ροις]....
[Περὶ] | ὧν Αὐτοκρ[άτωρ Καῖσαρ Σεϐαστὸς λόγους ἐποιήσατο?..... Π]|οτά-
μων..... | ἀντιχε[ιμεν]...

---

37. Mytilenis. — *I. Gr.*, XII, ɪɪ, 41.

.... | ωνιαι..... |σι κατεσ... [? Γναῖος Πομπήιος | Μ]έγας Α[ὐτοκράτωρ]...‖
5 ἐνεστησε...... |ασταθῆναι εχ..... | περὶ δὲ πολιτει..... | Ῥώμης σε μὴ χρ.....

Haec potest esse epistula Cn. Pompeii Magni.

---

38. Mytilenis. — *I. Gr.*, XII, ɪɪ, 44.

......|....... τῶν ἀνδρῶν ἐ|...... θέσιν ἔργων ἐπιφανέστερον | [τὴν]... ας
5 ὑποχειμένην πρὸ[ς Μ]υτιλ[ηναίους ‖ ..... ἀπ]οδέδωκεν πάντα καὶ λέγων [καὶ

πράττων] | τῶν τε συστάντων ἐκ τοῦ... | ..... [εσ]τῶτα τοῖς ἐκ τῆς πολιτήας... |
... ων ἐν Ταρρακῶνι τῆς Ἰβη[ρίας ¹ ..|... τὰ] κράτιστα καὶ συμφορώτατ[α..... ‖
10 τοῦ συνε]δρίου καὶ τῶν νόμων κα[ὶ].... | ... κότες ἀνατετλήκασ[ιν] .... | ἐκ
τῶν ἰδίων λόγων κ[αὶ] ....|... καὶ ξένων ἔτι εἴτε ἀκο[λουθ...... | Καίσα]ρι
15 τῷ θεῷ σύνεισιν καὶ..... ‖ .. πράγματα καὶ τὰ τε......

1. De legatione agitur a Mytilenaeis ad Augustum missa, quam Potamo anno a. C. n.
26 Tarraconem duxit, ubi imperator illa aetate commorabatur. Cf. Cichorius, *Rom und
Mytilene*, p. 55.

---

39. Mytilenis. — *I. Gr.*, XII, π, 58; Dittenberger, *Orientis gr. inscr. sel.*, 456.

Col. *a.*

.... ν δὲ κα| .....ιάδας ἱερὰ | ...... εσθαι ἐν τε | .... γραφόντων εἰς
5 α‖...ηθέντα ὕμνου ὑπὸ | [..... ἐ]ν ταῖς γινομέναις θέαις | [....... τιθέναι δὲ κατὰ
πενταετηρ]ίδα ἀγῶνας θυμελικοὺς | [..... τοῖς νικήσ]ασιν ἆθλα ὅσα ὁ Διαχὸς
10 νόμος πε|[ριέχει.....]ανων καὶ τοῦ ἀρχιερέως καὶ τοῦ στεφανη‖[φόρου...]ς καταγ-
γελεῖς τῶν πρώτων ἀ(χ)θησο|[μένων ἀγώνων...... ταῖς ἐπισ]ημοτάταις πόλεσιν,
ἀναθεῖναι δὲ δέλτου|[ς ἢ στήλας τοῦδε τοῦ ψηφίσματος ἐχούσας τὸ ἀντίγραφον
ἐν τῷ ναῷ τῷ κατασ]κευαζομένῳ α[ὐ]τῷ ὑπὸ τῆς Ἀσίας ἐν Περγάμῳ κα|[ὶ ....
......]ῳ καὶ Ἀκτίῳ καὶ Βρεντεσίῳ καὶ Ταρραχῶνι καὶ Μα[σ]σαλίᾳ καὶ....... καὶ
15 Ἀν]τιοχήᾳ τῇ πρὸς τῇ Δάφνῃ. Τὰς δὲ κατ' ἐνιαυτὸν ‖ [θυσίας...... ἐν τῷ ναῷ
τοῦ Διὸ]ς καὶ ἐν τῷ τοῦ Σεβαστοῦ. Ὅρκον δὲ εἶναι τῶν δι|[καστῶν........]ομένων
σὺν τοῖς πατρίοις θεοῖς καὶ τὸν Σεβασ|[τὸν...... ἐν τῶι ναῶι τῆς Ἀφροδὶ]της
τὴν εἰκόνα τοῦ θεοῦ. Τὰς δὲ τῶν γανων |....... τεμένους εἶναι καὶ τἆλλα δίκαια
20 καὶ τίμι[α |...... κ]ατὰ δύναμιν τὴν ἑαυτοῦ · ἱερῶν δ' ἐπὶ [τ]ράπε‖[ζαν..... κατ]ὰ
μῆνα ἐν τῇ γενεθλίῳ αὐτοῦ ἡμέρᾳ καὶ π[α]ριστάναι .....τῶν] αὐτῶν θυσιῶν ὡς
καὶ τῷ Διὶ παρίσταται. Τρέ|[φεσθαι δὲ ....βοῦς λευκοὺ]ς ἐφελιωμένους ὡς
καλλίστους καὶ με[γ]ίστους...... μὲν ὑπὸ τῶν κατ' ἐνια]υτὸν στρατηγ(ῶ)ν,
δύο δὲ ὑπὸ τῶν ἐπι[σ]τατῶν,......, ... δὲ ὑπὸ τῶν ἀγ]ορανόμων, τρία δὲ ὑπὸ
25 τοῦ ἀρχιερέως ‖ [....... δίδοσθαι δὲ ἐκ τοῦ] δημοσίου δραχμὰς ἑκάστῳ τετρα|[κο-
·σίας......, δ]είκνυσθαι δὲ τοὺς τραφέντας | [............ ἐν τ]οῖς ἀγῶσιν τρέ-
φεσθαι τὸν ἴσο[ν | χρόνον........] τὴν γενέθλιον ἡμέραν αὐτο[ῦ | ......] μηδενὶ
30 διδομένου ‖ [....... τῷ σ]τεφανηφόρῳ καὶ τ[ῷ | .... καθ'] ἕκαστον ἔτος ἐν |
.... αι τίθεσθαι ἐπ[ὶ | ......]ενα...

Col. *b.*

5   .. | εὐεργεσιῶν νομισ[... εὐχα]‖ριστίαν. Ἐπιλογίσασθαι δὲ τῆ[ς] | οἰκείας
μεγαλοφροσύνης ὅτ[ι] | τοῖς οὐρανίου τετε[υ]χόσι δό|ξης καὶ θεῶν ὑπεροχὴν καὶ |
10 κράτος ἔχουσιν οὐδέποτε δύ‖ναται συνεξισωθῆναι τὰ καὶ | τῇ τύχῃ ταπ(ε)ινότερα
καὶ τῇ φύ|σει. Εἰ δέ τι τούτων ἐπικυδέσ|τερον τοῖς μετέπειτα χρό|νοις εὑρεθή-
15 σεται, πρὸς μη[δὲ‖ν] τῶν θεοποιεῖν αὐτὸν ἐπὶ [πλέ]‖ον δυνησομένων ἐλλείψει[ν] |
τὴν τῆς πόλεως προθυμίαν | καὶ εὐσέβειαν. Παρακαλεῖν | δὲ αὐτὸν συγχωρῆσαι
20 ἐν τῇ [οἰ]‖κίᾳ αὐτοῦ δέλτον ἀναθεῖνα[ι] | καὶ ἐν τῷ Καπετωλίῳ δέ[λτον] | ἢ
στήλην τοῦδε τοῦ ψη[φίσμα]|τος ἔχουσαν τὸ ἀντίγραφ[ον.] | Εὐχαριστῆσαι δὲ
25 περὶ αὐτο[ῦ] ‖ τοὺς πρέσβεις τῇ τε συγ[κλή]|τῳ ταῖς ἱερήαις τῆς Ἑσ[τί]|ας
καὶ Ἰουλίᾳ τῇ γυναικὶ αὐτοῦ | καὶ Ὀκταίᾳ τῇ ἀδελφῇ καὶ τοῖς | τέκνοις καὶ
30 συγγενέσι καὶ φί‖λοις. Πεμφθῆναι δὲ καὶ στέφα|νον ἀπὸ χρυσῶν δισχιλίων,
ὃν | καὶ ἀναδοθῆναι ὑπὸ τῶν πρεσ6έων. Εὐχαριστῆσαι δὲ ἐπ᾽ αὐ|τοῦ καὶ τῇ
35 συγκλήτῳ τοὺς πρέσ‖6εις προσενηνεγμένης αὐτῆς | τῇ πόλει συμπαθέστατα καὶ |
τῆς πατρίου χρηστότητος | οἰκείως.

Mytilenaeorum decretum de Augusti honoribus factum inter annum 27, quo princeps
Σε6ατῦς vocatus est, et annum 11 a C. n., quo decessit soror ejus Octavia (v. 58).

Col. *a.* V. 6-11 de ludis et certaminibus agunt in honorem Augusti instituendis.

V. 9. ὁ Διακὸς νόμος, lex ludorum apud Mytilenaeos in honorem Jovis antea celebra-
torum, quae in novis Augustalibus servata est.

V. 10-14 jubetur ludos primum celebrandos in externis regionibus nuntiari et decre-
tum ipsum proscribi in clarissimis imperii romani urbibus. Templum autem Romae et
Augusti Pergameum, de quo vide Tac., *Ann.*, IV, 37; Dio., LI, 20, 6, 7, quoniam dicitur
κατασκευαζόμενον, videtur nondum absolutum fuisse cum haec scripta sunt.

V. 14-15. De sacrificiis.

V. 17. [Ἀφροδί]της supplevit Cichorius, quod Venus, quam Julii ut matrem suam perhi-
bebant, summa cum pietate a Mytilenaeis coleretur : cf. Tumpel apud Pauly et Wissowa,
Realencyclopädie, I, p. 2748.

γικων | ..... non intelligitur.

V. 19. τράπεζαν, sacra mensa, cui imponebantur praecipue dapes deo oblatae. Cf. De
Ridder, *Mensa* ap. Saglio, *Dict. des antiq.*, p. 1720.

V. 20. κατὰ μῆνα. Vel uno quoque mense diem natalem principis alicujus viri cele-
brare moris fuit, ut apparet etiam ex titulis : Dittenberger, *Orientis gr. inscr. sel.*, 56, 33;
339, 35. 36; 383, 132. 133.

V. 22. ἐφελωμένους vox admodum obscura, quam Dittenberger derivatam putat ab
ἐφηλις et sic interpretatur ut « maculatos ».

V. 23-25. Statuitur quot victimae singulis magistratibus quoque anno tradendae sint et sumptu publico alendae.

Col. b. V. 26. Vestalibus etiam aguntur gratiae, ut videtur, quod senatus consultum paulo ante de renovando ⸱foedere factum curaverint conservandum (cf. Appian., *Bel. civ.*, V, 73; Dio., XLVIII, 37, 1; Plutarch. *Anton.*, 58; Suet., *Caes.*, 83; Tac., *Ann.*, I, 8).

V. 27. Ἰουλία. Cum Livia mortuo demum uxore Augusto vocata sit Julia, sequitur aut hanc tabulam Tiberio principe exaratam esse, aut quadratarium male scripsisse ΙΟΥΛΙΑ pro ΛΙΟΥΙΑ.

V. 28. Ὀκταία, soror Augusti.

V. 29. τέχνοις « Praeter Juliam filiam tum temporis nullos fuisse Augusto neque natura neque adoptione liberos omnium certissimum est ». Dittenberger. Itaque generum Marcellum credendum est eodem nomine intelligi, fortasse etiam, ut opinatur Cichorius, privignos Tiberium et Drusum.

---

40. Mytilenis. — *I. Gr.*, XII, ιι, 59.

```
........ | μετέχην....... [Ἐ|ρ]εσίοισι τὰν κα[τ]α.... | τὸ δὲ ψάφισμα καὶ
5  τοῦ[το]..... ‖νων κυρίων, ἔκτος αἰ μ[ετέπειτα...... οἱ Σέβαστοι] | ἢ οἱ ἐξ αὐτῶν
   γράψωσι ἢ συν[κλήτω δόγμα]...... | Αἰ δέ κέ τις ἢ ἰδίωτας ἢ ἄρχων παρ[άβαις
   τι τῶν ἐν.....γεγραμμέ|νω]ν καὶ ἐν τῶ ψαφίσματι τούτω μὴ πέμψῃ.... [κατ̀τὸν
10 ἐψαφίσθη] | τρόπον ἢ μὴ φυλάξῃ τὰν τάξιν τᾶς ἀναγράφα[ς... ἄκυ]‖ρον ἔστω,
   καὶ ὑπεύθυνος ἔστω ὁ παράβαις...[ὡς καταλύων ταῖς τῶν] | Σεβάστων καὶ τῶ
   οἴκω αὔτων τείμαις καὶ ἀναίρεις.....[ἐλευ]‖θερίας καὶ δαμοκρατίας καὶ συμπο-
   λειτίας καὶ τοῖς.....|.. αις¹. Εἰς ταῖς τῶν Σεβάστων τειμα[ὶς].... | κατ' αὔτων
15 καὶ ἐνδείξιος καττὰ διατεταγμένα. [Τὸ δὲ ψάφισμα καὶ τοῖς]... ‖νοις καὶ ταῖς
   περὶ τούτων διατάξιες ἐπ' εὐσεβήα.... [ἔμμεναι ἐς ἄι καὶ ἀιδιότα]|τι? τᾶς
   πάτριδος ἀσφαλήα δὲ καὶ εὐσταθήα καὶ... [τῶ τῶν Σεβάστων οἴκω]... | ἁρμό-
   ζοισαν καὶ νόμιμον καὶ πρεπωδεστάταν... [ἀνάγραψαι δὲ] | τὸ ψάφισμα καὶ ἐν
   τᾳ ἀγόρᾳ. Μῆννος Πομ.... ².
```

Decretum Mytilenaeorum de Augustorum honoribus.

1. ΞΙΡΑΙΣ, εἴραις? — 2. Fortasse μῆννος Πομ[πηίω] in memoriam Cn. Pompeii Magni Lesbiis carissimam.

---

41. Mytilenis. — *I. Gr.*, XII, ιι, 60.

```
5  ... ει...|.. χλειο....|...ει ταν...|... τῶν εἰσα...‖... καὶ ἀπολα...|... ησοφα-
```

10 γενο.. |.. ο κοιναν γ..|.. καὶ ἀπολα..|..σσι καὶ ὁ ἀν..‖.. ενος διὰ τ..|.. ντων
15 ἐπα..|.. τα φανε.. |.[Καί]σαρα πλεο..|.. τελη επο..‖.. ρηθην αὐτ...|.. νωθην
20 δὲ λ... |.. νων ἀνα... |.. ω καὶ μηδ.. |.. αν καὶ ἐπὶ λ...‖.. τῶν ἄλλω[ν]..|
25 .. τιων αὐτα.. |..εστάτων..... | δᾶμον εἰκόνα... ¹ |ε δύο μὲν ἐπὶ τ[οῦ..‖λ]ίμενος
ὅππω[ς.. τὰν] | προσήκοισα[ν... δύο δὲ] | ἐν τῷ ναύῳ...[λ]|ίμενος... ² Ἐ...
30 [εὐέργε]|τιν γύναικ[α .. διὰ τᾶς ‖ ἐ]ν πάντεσσι... [καὶ σωφροσ]|υνᾶς καὶ
35 τᾶ[ς]... |αι κατ' εὔχα[ν.. ἐν τῷ π]|ροτανηίῳ ³ κα[ὶ].. | πελομέν[ων]... ‖ημένων
περ... [ἀναγράψαι] | τοῦτο τὸ ψ[άφισμα]..... |λαις ταῖς πρ..... | τᾶς ἀνασ[τά-
σιος]... |και ἰς τον...

Decretum in honorem Caesaris alicujus, quem ex scripturae indole Augustum esse
conjicit editor.

1. De statuis principi ponendis. — 2. De locis urbis in quibus ponendae sint statuae;
inter quos citari videntur duo Mytilenarum portus. — 3. Decernuntur Liviae honores.

---

42. Mytilenis. — *I. Gr.*, XII, ɪɪ, 61.

....[Καί]|σαρος Θέω υἱω Θ[έω Σεβάστω... καὶ πα]|νείρεος καὶ διὰ [γένεος
5 εἰρεος τῶ Σώτηρος Ἀσκλα]|πίω. Καὶ πρότ[ερον].... ‖ωπ..... | Ἀγαθᾷ τύχᾳ
10 [δέδοχθαι] ...|μεν καττὰν α...[οὐ]|κ ἔστιν εὔρην..... |λογηται ἀπὸ..... ‖ βάλεσθαι
τὰν.... [ταῖς] | πρόσθε νίκαι[ς]... |ου δυναμενα... | τίς γὰρ καὶ δύ[ναται]... |
15 παραμίλλασ[θαι... τῶν αὔ]‖τω γονέων... | ἀρχαγέτα..... |των..... | αὐτ...

---

43. Mytilenis. — *I. Gr.*, XII, ɪɪ, 63.

Τι. Κλαύδιος Καῖσαρ Γερμανικὸς ἀρχιερεύς, δημαρχικῆς ἐξου|σίας, ὕπατος
[τὸ] τέταρτον, αὐτοκράτωρ [τὸ]..... | Μυτ[ι]ληναίων ἄρχουσι |..... τὸν ἐμὸν
οἶκον ..[εὐ]σέβειαν...

Epistula Claudii inter annos 47/50 p. C. n. scripta.

---

44. Mytilenis. — *I. Gr.*, XII, ɪɪ, 65.

... αι... [τῆ]|ς θηίας χά[ριτος... τῶδε] | τῶ ψαφίσματ[ος.... ἐν τῶ ναύῳ
5 τῶ] | Σεβάστω ἐν...|ρισα εν γ...

45. Mytilenis. — *I. Gr.*, XII, ιι, 67.

.........[πρεσβεύταν] | Πο. [Γα]λλίηνον Πολλίω[να πέμπ]ην καὶ ψάφισμα, δια|πέμπεσθαι δὲ κατ'· ἐνίαυτον ψάφισμα πὰρ τᾶς | βόλλας καὶ τῶ δάμω
5 περὶ αὕτω τούτω πρὸς τοὺς ἀγ[ἰ]‖μονας, ὅππως καὶ αὔτοις φανέραν πόημεν τὰν | προαίρεσιν τᾶς πόλιος περὶ τῶν δαμοσίων πραγμ[ά]|των. Αἰ δέ κέ τις πὰρ ταῦτα ποῇ, ἔμμεναι αὖτον ὑπεύ|θυνον καὶ ὀφέλλην αὖτον τᾶ θέᾳ Ἀρτέ-
10 μιδι εἴραις ἀρ|γυρίω (δράχμαις).. αἶς καὶ ἐπάναγκες εἰσπράσσεσθαι ὑπὸ ‖ τῶν στροτάγων. Αἰ δέ κέ τις ¹ μὴ ἰσπράξηται, αὖτον | ἀπότεισαι διπλόαις ταὶς ἀπὺ τῶ ψαφίσματος ἐπά|νω εἰρημέναις (δράχμαις).. Τὸ δὲ ψάφ[ι]σμα τόδε ἔμμεν[αι] | ἐς ἄι ἐπὶ σαωτηρίᾳ καὶ φυλάχᾳ καὶ ἀγάθᾳ τύχᾳ τᾶς | πόλιος καὶ
15 ἐνγαράχθην ἐς στάλλαν μαρμαρίναν ‖ καὶ ἀνατέθην ἐν τῷ εἴρῳ τᾶς Ἀρτέμιδος τᾶς Θερ|μίας καὶ πρὸ τῶ εἴρω βολλευτηρίω. Δογματόγρα|φοι Γνάιος Πομπήιος Ροῦφος ², Γάιος | Ὄρφιος Πρ[όχλ]ος Ἰουλιάνος, Λούχιος Γράττιο[ς].

1. τις (τῶν στροτάγων). — 2. Nummus κοινοῦ Λεσβίων, ictus Commodi aetate ἐπὶ στ[ρατη-γοῦ) Πομπηίου Ῥούφου, citatur a Mionnet, III, p. 34.

---

46. Mytilenis. — *I. Gr.*, XII, ιι, 68.

Πρύτανις... |σίω, Τάτιον Ἀρίσ[τω], Ἀριστο[ν]όα, Δάδα Λεσ[βώναχτος].... | ταῖς εἰροποιίαις [ταῖς?] τε πρυτανείας καὶ [ε]ἰς... | καὶ τοῖς Σεβάστοις · καὶ
5 ἔδωκε εἰς τὰν ἐλ[αίω ὤναν... τοῖς..... εἰς ἔχαστον] ‖ ὄνυμα δηνάρια η', τοῖς δὲ ἀπάρχαισι ἰς ἔχαστο[ν ὄνυμα.... ταῖς δὲ]|γύναιξι καὶ παίδεσσι κόραις καὶ αἶς ἐχά-λε[σσαν... εἰς ἔχαστον]|ὄνυμα δηνάριον α', τοῖς δὲ [π]ο[λί]ταισι ἐς ἔχαστο[ν ὄνυμα....., ἔδωκε τοῖς μὲν | βολλάοις ἐς ἔχαστον ὄνυμα δηνάρια δ', τοῖς δὲ...,
10 [καὶ εἰς] | τὰν Θεοδαισίαν διέδωκεν τοῖς μὲν βολ[λάοις...., ‖ χ]αὶ γλύκεος ξέσταις ἐγχωρίοις, τοῖς δὲ ἀπ[άρχαισι..... γλύ|χε]ος μέτρον τὸ αὐτὸ, τοῖς δὲ εἰρονεί-χεσσιν [χ]α[τ' ἔχαστον ὄνυμα].....|δαις, καὶ τοῖς περὶ τὰ ἴρα ὑμναοίδοισι.... | καὶ γλύ[χε]ος μέτρον τὸ αὐτο καὶ τοῖς.... | δὲ καὶ ἐ[ν τ]ῷ π[ρ]υτ[ανε]ίῳ τούς
15 τε [β]ο[λ]λ[άο]υς...‖.........

« Characterum formae titulum aetate Antoninorum non antiquiorem esse produnt » (Paton).

47. Mytilenis. — *I. Gr.*, XII, ɪɪ, 125.

5 Θεῷ | Ὑψίστῳ ¹ | Π. Αἴλιος Ἀρ|ριανὸς Ἀλέ∥ξανδρος, | βουλευ(τὴς) | Δακίας
10 κο|λωνείας | Ζερμιζεγ[ε]∥θούσης ², εὐχὴ[ν] | ἀνέθηκεν.

1. Deus Judaeorum. Cf. Fr. Cumont, *Hypsistos* (*Suppl. à la Revue de l'Instr. publ. en Belgique*, 1897), praesertim p. 3 et seq. — 2. Colonia Sarmizegethusa anno 107 condita.

48. Mytilenis. — *I. Gr.*, XII, ɪɪ, 122.

Καλῷ Ἀγνῷ Σιλ|6ανῷ τὸ ἄλσος καὶ | τὸν βωμὸν καθω|σίωσαν Πο. Αὐρί-
5 δι∤ρς Σκούρρας καὶ Κο. | Πετρώνιος Σεβῆρος.

49. Mytilenis. — *I. Gr.*, XII, ɪɪ, 140.

Γναίῳ Πο[μπ]ηίῳ | Γναίῳ υἱῷ Μεγάλῳ | αὐτοκράτορι, σώτη|ρι καὶ εὐερ-
5 γέ[τα ∥ καὶ κτίστα τᾶς πόλιος] ¹.

1. Quid Mytilenaei Pompeio debuerint, quid Mytilenaeis Pompeius, nemo est qui nesciat; quae de ea re docent auctores et monumenta enarravit Drumann (*Geschichte Roms*, III, p. 482, 519), breviter complexus est Cichorius, *Rom und Mytilene*, p. 6-9.

50. Mytilenis. — *I. Gr.*, XII, ɪɪ, 141.

5 Γναίῳ Πομπ[η]|ίῳ Γναίου υἱ[ῷ] | Μεγάλῳ αὐτο|κράτορι, εὐεργ[έ]∥τη καὶ
σωτῆρ[ι | καὶ κ]τίστη.

51. Mytilenis. — *I. Gr.*, XII, ɪɪ, 142.

Γναίῳ Πομ|πηίωι Μεγά|λωι σώτηρι | καὶ εὐεργέται.

Similis est alter titulus ibidem repertus, n. 143.

52. Mytilenis. — *I. Gr.*, XII, ɪɪ, 144.

Γναίῳ Πομ|πηίῳ Μεγά|λῳ σώτηρι | τᾶ[ς πόλιος].

52 *bis*. Mytilenis. — *I. Gr.*, XII, II, 145.

Γναίω | Πομπηίω | Μεγάλω | σωτῆρι.

Iisdem verbis concepti sunt tituli nn. 146, 148, 149, quos hic omittimus.

53. Mytilenis. — *I. Gr.*, XII, II, 147.

Γναίω Πονπη|ίω σωτῆρι.

54. Mytilenis. — *I. Gr.*, XII, II, 202; Dittenberger, *Sylloge*, 337.

Ὁ δᾶμος | τὸν ἑαύτω σώτηρα καὶ κτίσταν | Γναῖον Πομπήιον Γναίω ὔιον |
5 Μέγαν, τρὶς αὐτοκράτορα, κατα‖λύσαντα τοὶς κατάσχοντας | τὰν οἰκημέναν
πολέμοις καὶ | κατὰ γᾶν καὶ κατὰ θάλασσαν. |
Δωρόθεος Ἡγησάνδρου | Ὀλύνθιος ἐπόησε.

55. Mytilenis. — *I. Gr.*, XII, II, 163; Dittenberger, *Sylloge*, 338, 339, 340.

In latere sinistro :

5 Γναίω Πονπη|ίω Γναίω ὐίω | Μεγάλω, αὐτο|κράτορι, τῷ εὐ‖εργέτᾳ καὶ
σώ|τηρι καὶ κτίστᾳ.

In medio :

5 [Θ]έω Δ[ιὶ Ἐλευθε]|ρίω φιλοπάτριδι | Θεοφάνη[1], τῷ σώ|τηρι καὶ εὐεργέ‖τᾳ
καὶ κτίστᾳ δευ|τέρω τᾶς πατρίδος.

In dextro :

5 Ποτάμωνι | Λεσβώνακτο[ς][2] | τῷ εὐεργέτᾳ | καὶ σώτηρος[3] ‖ καὶ κτίστᾳ τᾶς |
πόλιος.

1. Theophanes divinis honoribus post mortem a Graecis affectus est (Tac. *Ann.*, VI,
18), quod nummis etiam comprobatur (*Greek coins in the British Museum. Mytilene*,
nn. 158, 159, 160; cf. 175). Cf. n. 56. — 2. Potamoni positi sunt etiam tituli *I. Gr.*, XII, II,
nn. 160, 161, 162, omnino similes. — 3. σωτῆρι potius exspectes.

56. Mytilenis. — *I. Gr.*, XII, ɪɪ, 130; Dittenberger, *Sylloge*, n. 341.

Γναίωι Πομπηίωι | Ἱεροίτα υἵωι Θεοφάνῃ | σώτηρι καὶ εὐεργέτᾳ.

Cn. Pompeius Theophanes Mytilenaeus, scribenda historia olim clarus, familiaris Pompeii, a quo civitate donatus est. Ille Mytilenaeis, cum in bello Mithridatico M' Aquilium dedidissent, Pompeium reconciliavit (anno 63 ante C. n.); unde dicitur σωτὴρ καὶ εὐεργέτης in hoc titulo non multo post inciso. Veterum testimonia de Theophane congessit Drumann, *Gesch. Roms*, IV, p. 531. Cf. n. 53. Ἱεροίτας στρατηγὸς Μυτιληναίων in nummis laudatur (*Greek coins, l. c.*, n. 167).

---

57. Mitylenis. — *I. Gr.*, XII, ɪɪ, 131.

Γαίῳ Ἰουλίῳ | Καίσαρι ἀρχ[ιε]∥ρεῖ εὐεργέτᾳ | καὶ σώτηρι [1].

1. Quomodo Mytilenaei C. Julio Caesare et Augusto usi sint vide in titulis, nn. 33-42.

---

58. Mytilenis. — *I. Gr.*, XII, ɪɪ, 152.

[Αὐτ]οκράτορι Καίσαρι | [Θέω] υἵῳ Σεβά∥[στῳ πά]τρι τᾶς πάτρι|δος.

---

59. Mytilenis. — *I. Gr.*, XII, ɪɪ, 153.

5   [Αὐ]τοκ∥[ρά]τορι Κ|αίσαρι Θ|εοῦ υῷ ‖ Θεῷ Σε|βαστῷ.

---

60. Mytilenis. — *I. Gr.*, XII, ɪɪ, 154.

[Ποτ]άμων Λεσ[βών]ακτος [1] ὁ διὰ [βίου ἱερεὺς] ..... | Θεῷ Σεβαστῷ [Κ]αίσα[ρ]ι.

1. De eo cf. nn. 33 et seq.; item 55.

---

61. Mytilenis. — *I. Gr.*, XII, ɪɪ, 155.

Καίσαρι | Θεῷ Σεβαστῷ.

62. Mytilenis. — *I. Gr.*, XII, ɪɪ, 156.

Αὐτοκράτορι | Καίσαρι Σε|6αστῷ Ἐλε[υ|θερίῳ].

Jupiter Liberator in insula Lesbo cognominati sunt non modo Caesares (cf. nn. 84, 89), sed etiam Theophanes, clarissimus ille Pompeii amicus (cf. n. 55). Ibidem colebatur etiam Ammon Liberator (n. 116).

63. Mytilenis. — *I. Gr.*, XII, ɪɪ, 157.

5   [Αὐτοκράτορ]ι Καίσ[αρι | Θέω] υίῳ Θέ[ῳ | Σε6άσ]τῳ κ[αὶ]...|...‖.....

Eadem fere legebantur, ut conjectura probabile est, in titulo mutilo n. 158, quem hic non retulimus.

64. Mytilenis. — *I. Gr.*, XII, ɪɪ, 204.

Ὁ δᾶμος | Ἰουλίαν παῖδα Αὐτοκράτορος Καίσαρος | Θέω Σε6άστω, γύναικα
5 δὲ Μάρκω Ἀγρίππα, | τὰν εὐέργετιν παίσας ἀρέτας ἔννεκα ‖ καὶ τᾶς πρὸς τὰν πόλιν εὐνοίας.

65. Mytilenis. — *I. Gr.*, XII, ɪɪ, 169.

In parte sinistra :

5   *a.* Γαίῳ Καίσα|ρι καὶ Λευχί|ῳ Καίσαρι τοῖς | παίδεσσι τῶ ‖ Σε6άστω·

In dextra :

5   *b.* Μάρκω | Ἀγρίππα | καὶ τῷ πατ|δι αὕτω ‖ Μάρκω | Ἀγρίππα ¹.

1. Anno 12 ante C. n. natus est Agrippa Postumus; anno 5 a. C. n. C. Caesar princeps juventutis dictus est, quo nomine hic caret.

66. Mytilenis. — *I. Gr.*, XII, ɪ́ɪ, 167.

In parte sinistra :

a. Γαίῳ Καί|σαρι ἀγίμο|νι τᾶς νεό|τατ(ο)ς.

In dextra :

b. Λευχίῳ Καί|σαρι ἀγίμο|νι τᾶς νε|ότατος [1].

1. M. Agrippae et Juliae filii vocati sunt principes juventutis Gaius anno 5, Lucius anno 2 ante C. n. Gaius missus est ab Augusto ad res Orientis componendas anno 1 ante C. n. et, cum Tiberium Sami convenisset, inde in Syriam profectus est. Cf. *Prosop. imp. rom.*, II, p. 174, n. 141.

---

67. Mytilenis. — *I. Gr.*, XII, ii, 166.

In parte sinistra :

a. Γαίῳ Ἰου|λίῳ Καί|σαρι θέῳ.

In media :

5 *b.* Γ. Καίσαρι νε|ότατος ἀγί|μονι καὶ Λ. | Καίσαρι θέ‖ῳ τοῖς παί|δεσσι τῶ Σεβάστω [1].

In dextra :

5 *c.* M. Ἀγρίππᾳ | θέῳ σώτη|ρι τᾶς πόλι|ος καὶ τῷ ‖ παῖδι αὔτω | M. Ἀγρίππᾳ.

1. Titulus *b.* scriptus est inter obitum L. Caesaris (a. d. xiii kal. Septembres anni 2 p. C. n.) et obitum C. Caesaris (a. d. ix kal. Februarias anni 4 p. C. n.).

---

68. Mytilenis. — *I. Gr.*, XII, ii, 168.

a. Γ(α)ίῳ Καίσαρι καὶ Λευχ|ίῳ Καίσαρι το|[ῖς] παίδεσ|σι τῶ Σ(ε)βάστω
5 θέω Κ‖αίσαρος ἀγιμόνεσ(σ)ι τ|[ᾶ]ς νεότατος.

Infra scriptum est :

b. Μάρκῳ Ἀγρίππᾳ (θ)έῳ [σ]|ώτηρι καὶ κτίστᾳ [1] τ|ᾶς πόλι<λι>ος
5 κ<ι>αὶ τῷ (π)‖αῖδι αὔτω Μάρκῳ Ἀγρί‖ππᾳ παιδόπαιδι δὲ τῶ Σ(εβά)|στω.

1. V. 6 totum omisit quadratarius et quae sequuntur pessime turbavit. Lapis positus est inter annos 2 ante C. n. (cf. n. 66) et 14 p. C. n. (cf. n. 79).

69. Mytilenis. — *I. Gr.*, XII, ɪɪ, 170.

In columna sinistra :

[M]άρκῳ Ἀγρίππᾳ | [τ]ῷ σώτηρι καὶ | τῷ παῖδι αὔτω | [Μά]ρκῳ
5 Ἀγρίππᾳ ‖ [παιδ]όπαιδι τῶ | [Σεβάστ]ω θέω.

Columna dextra vacat.

Annis 12 ante C. n./14 p. C. n.

---

70. Mytilenis. — *I. Gr.*, XII, ɪɪ. 171.

a. Μάρκῳ Ἀγρίπᾳ | θέω σ(α)ότηρι | καὶ κτίστᾳ τᾶς | πόλιος.

Infra scriptum est :

5 *b.* Μάρκῳ Ἀγρίππᾳ | τῷ παιδόπαιδι | μὲν τῶ Σεβάσ|τω, παῖδι δὲ τῶ ‖ [θ]έω
Ἀγρίππα.

Cf. n. 69.

---

71. Mytilenis. — *I. Gr.*, XII, ɪɪ, 205.

['Ο δᾶμος] | Αὐτοκράτορα Τιβέριον Καίσαρα εὐ[ε]ρ[γέταν] | θέο[ν] Σέβαστον
[π]α[ρ]έχο[ντ]α [ταῖ]ς ὐ.... θέαισ[ι | ......ν]έα μυστήρια [π]ά[ν]τ[ω]ς? [τ]ᾷ
πόλει φίλιον.

---

72. Mytilenis. — *I. Gr.*, XII, ɪɪ, 206, ex apographo Cyriaci.

Ὁ δ[ᾶ]μος | Αὐτοκράτορα Τιβέριον Καίσαρα Σέβαστον, παῖδα Διός Καίσαρος |
Ὀλυμπίω Σεβάστ(ω), κοινὸν μὲν τᾶς οἰκημένας ε[ὐ]εργέτα(ν), τᾶς |ˏ δὲ ἄμμας
πόλιος ἐπιφανέστατον καὶ κτίσταν.

---

73. Mytilenis. — *I. Gr.*, XII, ɪɪ, 207.

Ὁ δᾶμος | Ἀντωνίαν τὰν εὐέργετιν, γύ|ναικα δὲ Δρούσω Γερμανίκω τῶ θέω ¹.

1. Antonia Augusta minor, filia Antonii IIIviri et Octaviae, nupserat Druso, Tiberii
imperatoris fratri (*Prosop. imp. rom.*, I, p. 106, n. 707).

74. Mytilenis. — *I. Gr.*, XII, n. 212.

5 Ὁ δᾶμος | Νέρωνα Ἰούλιον | Καίσαρα, παῖδα | Θέω νέω Γερμα‖νίκω Καί-
σαρος | καὶ Θέας Αἰόλι|δος Καρποφό|ρω Ἀγριππίνας ¹.

1. Nero Julius Caesar, Germanici et Agrippinae filius natu maximus, necatus anno 31
p. C. n. (*Prosop. imp. rom.*, II, p. 181, n. 149). Cf. titulos nn. 75 et 78.

---

75. Mytilenis. — *I. Gr.*, XII, n. 213.

[Ὁ δᾶμος | Νέρωνα Καίσαρα παῖδα μ]ὲν | [Θέω νέω Γερμανίκω Καί]σα][ρος
5 καὶ Θέας Αἰόλιδος Καρ]ποφύ‖[ρω Ἀγριππείνας, παιδόπαι]δα | [δὲ Αὐτοκράτορος
Τιβερ]ίω | [Καίσαρος Σεβάστω] ¹.. |
5 Ὁ δᾶμος | Δροῦσον Καίσαρα πα[ῖδα] ‖ Θέω νέω Γερμανίκω [Καί]‖σαρος καὶ
Θέας Αἰό[λιδος] | Καρποφόρω Ἀγριππ[είνας] ².

1. De eo cf. nn. 74 et 78. Nepos dicitur Tiberii imperatoris, a quo adoptatus erat
Germanicus pater. — 2. Drusus Julius Caesar, alter Germanici et Agrippinae filius,
exstinctus anno 33 p. C. n. Cf. titulum n. 78 (*Prosop. imp. rom.*, II, p. 177, n. 145).

---

76. Mytilenis. — *I. Gr.*, XII, n. 209.

[Γάιον Καίσαρα] Σέβαστον Αὐτοκράτ[ορα | Γερ]μάνικον | [πάτερα πάτριδ]ος
5 Δίης ὁ ἱρευς .....|..... [καὶ ἀγ]ωνοθέτας Αὐτ[οκράτο‖ρος Καίσαρος Δί]ος
Ὀλυμπί[ω Σεβάστω].

---

77. Mytilenis. — *I. Gr.*, XII, n. 210 et *corrigenda*, p. 140.

[Ὑπὲρ]...... θέων καὶ Αὐτοκράτο[ρος | Γαίω Καίσαρος, Θέω Γερμανίκω
καὶ] Θέας Σεβάστας Αἰόλι|[δος Καρποφόρω Ἀγριππείν‹ς] ¹ παῖδος, Γερμα-
5 νίκω | ...... [κ]αὶ λογίω πρυ‖[τάνιος ², ὁ ἱρευς τῶ Σεβάστω | Κ]αίσαρος
Θελαίστο[ς].

1. Cf. n. 74. — 2. Inter prytanes, qui senatui civitatis quoque anno per vices prae-
erant, is vocabatur λόγιος cui mandata erat rationum cura.

78. Mytilenis. — *I. Gr.*, XII, ɪɪ, 172.

In parte sinistra :

a. [Μάρ]κῳ Ἀγρίπ|[πᾳ τῷ] σώτηρι | [τᾶς π]όλιος καὶ | [τῷ παῖδ]ι αὔτω ‖
5 [Μάρκῳ] Ἀγρίππᾳ.

In parte dextra :

b. Νέρωνι καὶ | Δρούσῳ καὶ Ἀγριπ|πίνᾳ καὶ Δρουσίλ|λᾳ νέᾳ Ἀφροδίτᾳ ‖
5 τοῖς κασιγνήτοισ[ι] | τῶ Αὐτοκράτορος | Γαίω Καίσαρος ¹.

1. Cum C. Caesar summa rerum potitus est (anno 37 p. C. n.), jam decesserant fratres
ejus Julii Caesares, Nero anno 31, Drusus anno 33. Soror autem Drusilla vita functa est
anno 38. Cf. nn. 74, 75.

---

79. Mytilenis. — *I. Gr.*, XII, ɪɪ, 164.

In latere sinistro :

a. Γναίῳ Πομ|πηίῳ Μεγάλῳ αὐτοκρά|τορι.

In fronte :

b. Γ. Καίσαρι καὶ | Λ. Καίσαρι ἀγί|μοσι τᾶς νεό|τατος.
c. Γ. Ἰουλίῳ Καί|σαρι ἀρχιέρει | τῷ σώτηρι.
d. Αὐτοκράτο|ρι Καίσαρι Θέω | υἱῷ Θέω Σε|βάστω.

Pagina e erasa est; f vacat.

In latere dextro :

g. Μ. Ἀγρίππᾳ τῷ | σώτηρι καὶ τῷ | παῖδι αὔτω | Μ. Ἀγρίππᾳ.

Lapis positus est inter annos 37 et 41 p. C. n. Caligulae imperanti, proavo ejus
Augusto, avo Agrippae, avunculis C. et L. Caesaribus et Agrippae Postumo, qui deces-
serat ultimus omnium anno 14.

---

80. Mytilenis. — *I. Gr.*, XII, ɪɪ, 165.

In parte sinistra :

5 Γναίῳ Πομ|πηίῳ Μεγά|λῳ αὐτοκρά|τορι εὐερ‖[γ]έτᾳ καὶ σώ[τη]ρι καὶ
κτί[στᾳ].

In media.

5   Γα]ίω Ἰουλίω | Καίσαρι θέω | αὐτοκράτο|ρι ἀρχιέρει εὐ‖εργέτᾳ καὶ |
[x]τ[ί]στᾳ ¹.

In dextra.

5   Γαίω Καίσα|ρι καὶ Λευκίω | Καίσαρι τοῖς | παίδεσσι ‖ τῶ Σεβάστω | ἀγιμό-
νεσι | τᾶς [νε]όται[τος].

1. Anno 37/41 p. C. n. Cf. n. 79.

---

81. Mytilenis. — *I. Gr.*, XII, II, 211.

['Ο δᾶμος] | τὰν γύναικα τῶ Σεβάστω νέ|αν θέαν Βολλάαν | Σεβάσταν γυμνα-
5   σίαρχον ‖ δι' αἰῶνος Ἰουλίαν Ἀγριπ|πείναν ¹.

1. Julia Agrippina, uxor Claudii imperatoris, quae post matrem (cf. n. 22) dicitur θέα
Σεβάστα Βολλάα, anno 50 p. C. n. Augusta vocata est; anno 54 maritum interficiendum
curavit : *Prosop. imp. rom.*, II, p. 223, n. 425. Indicem feminarum gymnasiarchia functa-
rum conscripsit P. Paris, *Quatenus feminae res publicas attigerint* (1891), p. 43.

---

82. Mytilenis. — *I. Gr.*, XII, II, 173.

5   Αὐτοκράτο|ρι Νέρουᾳ Τρα|ιανῶ ἀρίστω | Καίσαρι Σεβα‖στῶ Γερμανι|κῶ
Δακικῶ Παρ|θικῶ χαριστή|ριον.

Vix differunt novem alii tituli eidem principi dedicati : nn. 174-182.

---

83. Mytilenis. — *I. Gr.*, XII, II, 139.

...[? Καῖσα]ρ Θέω Ν[έρουα υἱός].... | ...ανης ἀνακομι.......

---

84. Mytilenis. — *I. Gr.*, XII, II, 183.

5   Αὐτοκράτο|ρι Τραιανῶ | Ἀδριανῶ Καίσα|ρι Σεβαστῶ ‖ Ἐλευθερίω Ὀλυμπί|ω
Κτίστ[η] ¹ Δii | χαριστήριον.

1. ΟΚΤΙΣΤΩ lapis. Conjicitur suam Mytilenaeis libertatem, quam ademisset Vespa-

sianus (Philostr., *Vit. Apollon.*, 5, 41), ab Hadriano restitutam esse, cum. per Asiam iter faciens, Lesbum adiit: Cichorius, *Rom und Mytilene*, p. 47. Cf. Dürr, *Die Reisen des K. Hadrian*, p. 55 et W. Weber, *Untersuch. zur Gesch. des Kaisers Hadrianus*, p. 135, not. 487.

---

85. Mytilenis. — *I. Gr.*, XII, ɪɪ, 184.

Αὐτοκράτορι Καίσα|ρι Τραιανῷ Ἀδριανῷ Δι|ὶ Ὀλυμπίῳ σω[τῆ]ρι | καὶ κτίστῃ.

Cf. *ibid.* tredecim titulos similes nn. 185-188 et 191-199.

---

86. Mytilenis. — *I. Gr.*, XII, ɪɪ, 189.

5 Αὐτοκράτορι Ἀδριάνῳ | Ὀλυμπίῳ σ|ώτηρι καὶ οἰ|κίστᾳ τᾶς ‖ πόλιος.

---

87. Mytilenis. — *I. Gr.*, XII, ɪɪ, 190.

5 Αὐτοκράτορι | Ἀδριάνῳ Ὀλυ[μ]|πίῳ σαώτηρι | καὶ οἰκίστᾳ τᾶ[ς] ‖ πόλιος.

---

88. Mytilenis. — *I. Gr.*, XII, ɪɪ, 200.

[Α]ὐ[τοκράτορι Ἀδριανῷ Καίσα]|ρι Θεοῦ Τ[ραιανοῦ υἱῷ Θεοῦ Νέρβα] | παιδό-
5 πα[ιδι .... καὶ τῷ | π]ατρὶ Αὐτ[οκράτορι Τραιανῷ θε]‖ῷ καὶ Σαβε[ίνῃ τῇ γυναικὶ αὐτοῦ το]|ῖς Σεβασ[τοῖς θεοῖς].

---

89. Mytilenis. — *I. Gr.*, XII, ɪɪ, 214.

.....[Θέῳ Νέρο]υα υἱ(ω)νὸ[ν ..|.... Ἐλε]υθέριο[ν] '..

1. Hadrianus Augustus.

---

90. Mytilenis. — *I. Gr.*, XII, ɪɪ, 215.

Ἀ βό[λλα καὶ ὁ δᾶμος] | Τίτον [Αἴλιον Ἀδριάνον] | Ἀντων[εῖνον Σέβαστον] |
5 Εὐσέβ[εα, τὸν εὐεργέταν] ‖ καὶ κτ[ίσταν τᾶς πόλιος] '.

1. Civitatem Mytilenaeorum, anno 151 aut 152, cum L. Antonius Albus Asiam regeret,
T. IV   3

fere totam terrarum motu dirutam (Ael. Aristid., Ἱεροὶ λόγοι, p. 407 Dind.; Lacour-Gayet, *Antonin le Pieux*, p. 164), verisimile est fuisse in numero earum quas imperator curavit reficiendas.

---

91. Mytilenis. — *I. Gr.*, XII, ii, 216.

Ἀ βόλλα καὶ ὁ δᾶμος | τὸν μέγιστον Αὐτοκράτορα | Καίσαρα Σεπτίμιον |
5 Σεβῆρον Περτίνακα Σέβαστον ¹, ‖ τὸν γᾶς καὶ θαλάσσας | δεσπόταν, τὸν [τ]ᾶς
[πόλιος | εὐεργέταν].

1. Anno 193 p. C. n., prius quam pater patriae vocatus est.

---

92. Mytilenis. — *I. Gr.*, XII, ii, 217.

.....|... Σεπτιμίω Σεουήρω Εὐσέβεος Ἀραβίκω Ἀδιαβ[η]|νίκω Παρθί[κω
μεγίστω παῖδα Μᾶρκον Αὐρήλιον | Ἀντωνεῖνον Εὐσέβεα ¹ τὸν] σαώτηρα [κ]αὶ
5 κτίστην τ[ᾶς ‖ οἰκημένας]....... ταγρετω.......

1. Caracalla post annum 201.

---

93. Mytilenis. — *I. Gr.*, XII, ii, 278.

......χριν(η).. ¹|ν (τ)ούτων τι ἐπιγνο(ὺ)ς, | σώ(ζοι τ)ότε ἐμὲ κα(ὶ τ)ὰ [ἐμ]|ὰ
5 τέχνα ὁ κράτιστος [καὶ] ‖ μέγιστος θεῶν Ζεὺς [καὶ ὁ] θεὸς Σεβαστὸς, (οἵ τ)ε
[λοι]|ποὶ ἀθάνατοι πάντες [τοῦτ]|ο(ν) [ἐ]ξολέσ(ε)ιαν, (σ)ώζ(ο)ιεν δέ | με ².

1. EO lapis. — 2. Titulus fortasse inter sepulcrales ordinandus est, ut ait Paton.

---

94. Mytilenis. — *I. Gr.*, XII, ii, 219; Dittenberger, *Or. gr. inscr. sel.*, 467.

5   Ὁ δᾶμος | Λεύκιον Καλπούρνιον | Πείσωνα αὔγουρα, | τὸν ἀνθύπατον ¹ καὶ ‖
διὰ προγόνων εὐερ|γέταν τᾶς πόλιος.

1. L. Calpurnius Piso augur idem profecto ille fuit qui consulatum gessit anno 1 ante
C. n. (*Prosop. imp. rom.*, I, p. 282, n. 233), ita ut Asiam provinciam rexerit circa annum
10 p. C. n. Nam ad eum referendi sunt etiam duo tituli in Asia reperti (*Prosop.*, *l. c.*,
n. 234), ut opinatur summa cum probabilitate Dittenberger.

95. Mytilenis. — *I. Gr.*, XII, ɪɪ, 656.

['Αρ]χιρέως διὰ βίω θέας 'Ρώμας | καὶ τῶ Σεβάστω Διὸς Καίσαρος | Ὀλυμπίω
5 πάτρος τᾶς πάτριδος, | προεδρίᾳ Γαίω Κλαυδίω, Ποτάμωνο[ς ὕω], ‖ Διαφένη ¹
τῶ εὐεργέτα.

1. C. Claudius Diaphenes « haud dubie filius est celebris illius Potamonis. » Titulus
exaratus est inter annos 2 a. C. n., quo Augustus audiit pater patriae, et 14 p. C. n.

---

96. Mytilenis. — *I. Gr.*, XII, ɪɪ, 235.

['Ο δῆμος] | Μ. Πομπήιον Μακρεῖ|νον νέον Θεοφάνην ¹ | κουαττόρουιρον ²,
5 τα‖μίαν καὶ ἀντιστράτ[η]|γον Πόντου καὶ Βειθυ|νίας ³, δήμαρχον, στρα|τηγὸν
10 δήμου Ῥωμαί|[ω]ν, ἐπιμελητὴν ὁδοῦ ‖ [Λατεί]νης ⁴, πρεσβε[υτὴν] | ⁵ ....

1. M. Pompeius Macrinus novus Theophanes, ex stirpe historici illius Mytilenaei, vide-
tur fuisse frater Pompeiae Agrippinillae (cf. n. 97) et floruisse sub Trajano et Hadriano.
Cf. *Prosop. imp. rom.*, III, p. 68, n. 475. — 2. ɪɪɪɪ vir (viarum curandarum). — 3. Quaes-
tor pro praetore Ponti et Bithyniae ante annum 135 p. C. n., quo illa provincia tradita
est principi administranda. — 4. Tribunus plebis, praetor urbanus, curator viae Latinae.
— 5. Legatus legionis aut provinciae praetoriae.

---

97. Mytilenis. — *I. Gr.*, XII, ɪɪ, 236.

'Ο δῆ[μος] | Πομπήιαν Ἀ[γριπινίλλαν] | τὰν παῖδα Μ[άρκω Πομπηίω] |
Μακρείν[ω Θεοφάνεος] ¹.

1. Cf. n. 96. Aliorum Pompeiorum, qui Lesbi vixerunt, nomina hic praetermissa vide
Ibid., n. 86, 18; 88, 3; 89, 9; 115; 136; 238; 375 b 1; 332, 3. 9, 15; 384, 9.

---

98. Mytilenis. — *I. Gr.*, XII, ɪɪ, 224.

'Ο δᾶμος | Ἄβαντα Κόνωνος ἱρατεύ|σαντα καὶ ἀγωνοθετήσαν|τα τᾶς νέας ἁλι-
5 κίας τῶ οἴ‖κω τῶν Σεβάστων καὶ τᾶς | Θερμιάκας·παναγύριος ¹ εὐσεβέως πρός τε
10 τοῖς θέοις | Σεβάστοις καὶ τὸν σύμπαν|τα αὔτων οἶκον καὶ τοῖς πα‖τρωίοις θέοις
φιλαγάθως | δὲ καὶ μετὰ παίσας λαμπρό|τατος τᾶς ἐς τὰν πόλιν.

1. Ludi in honorem Apollinis et Dianae Thermiorum, quibus suum templum fuit prope
Mytilenas : *Ibid.*, nn. 242-243; 246-252; 275. Cf. titulos hujus voluminis nn. 20, 45, 15.

99. Mytilenis. — *I. Gr.*, XII, II, 232.

5   Ὁ δᾶμος | ᾿Αρχέπολιν Καρπό|φορον Φιλιππίναν ¹ | γυμνασί‖αρχον ἐς τὸν
αἰῶνα.

1. Conjicit Paton illam mulierem eamdem fuisse atque Archedamin, Theophanis
uxorem, quae in nummis Mytilenaeis θέα appellatur (*Catal. of greek coins in the British
Mus.; Lesbos, Mytilene*, p. 158-160), ea ratione maxime fretus, quod Καρποφόρος nihil esse
possit nisi cognomen deae inditum. Res tamen prorsus incerta videtur.

---

100. Mytilenis. — *I. Gr.*, XII, II, 258.

Μάρκον Γράνιον Γαίω υἱὸν Κάρ|6ωνα, ὑπογυμνασιαρχήσαντα | θέας Σεβάστας
5   Αἰόλιδος Καρπο|φόρω ᾿Αγριππείνας ¹ καὶ ἀγορανο‖μήσαντα δὶς καὶ δρομαγετή-
σαν|τα ², Θεόδωρα Μηνοφίλω τῶ καὶ Γλύ|κωνος τὸν ἄνδρα, ἀγάθας μνάμας |
ἔννεκα καὶ παίσας τείμας καὶ εὐ|νοίας τᾶς εἰς ἑαύτ(αν). ‖
10   ...Γράνιον Μάρκω (υἷ)ον Κά(ρ)[6ωνα] | παίσας ἀρέτας ἐννε[κα].

1. Cf. nn. 22, 74, 75, 77. — 2. Δρομαγέτης, qui cursorum ludis praeerat, etiam in Caria
citatur : *C. I. Gr.*, 2183.

---

101. Mytilenis. — *I. Gr.*, XII, II, 134.

Πέρσευς ὁ καὶ Διοφάνης Κράτητος δρομαγ[ε]τήσαις παρά[σ]χ[ω]ν τ[ε] τᾷ |
πόλει [ἐ]α[υ]τὸν ἐφάβαρχον ἐκ τῶν ἰδίων κράτιστ[ον κ]α[ὶ] γυμνασι[αρχή]|σαις
τῶν νέων καὶ τῶ θε[ῶ], τελέσσαις δὲ καὶ ἄλ|λαις μεγάλ[αις ἄρχ]α[ι]ς καὶ......
5   καὶ ἐ[κ]δικίαις καὶ [πρεσ]6[εί]αις ¹ (καὶ) ἐκ τῶν ἰδίων ‖ καὶ γ[υ]μνά[σιον]
πεποήχ[ων] γυμνα[σι]ά[ρ]χων | ζῶν ἑαυτὸν ἐπέγραψεν.

1. ᾿Εκδικος, qui de rebus publicis civitatis quisque suae agebat cum praeside provinciae
aut imperatore, ideo etiam ut legatus saepe adhibebatur. Cf. Liebenam, *Städteverwalt.*,
p. 303, not. 5.

---

102. Mytilenis. — Wilamowitz-Möllendorff et Hiller von Gärtringen, *Athen. Mittheil.*,
XXX (1905), p. 144, n. 3.

a. Οἱ δεκου|ρίωνες. |
b. Ἡ φαμιλία. |

c. Αἱ σύνο|δοι. |

d. Πομπήιε Ἑταιρίων | χρηστὲ, χαῖρε [1].

Tituli *a*, *b*, *c*, intra coronas exarati sunt.

1. Pompeio Hetaerioni, qui civitatem videtur a Pompeio Magno accepisse, titulum posuerunt decuriones conventus civium Romanorum Mytilenis consistentium (cf. n. 4) et familia sua et conventus alii, fortasse sacri, ad quos vir ille pertinuerat. Existimant editores titulum vix recentiorem esse saeculo I ante C. n.

---

103. Mytilenis. — *I. Gr.*, XII, ɪɪ, 447.

5   Φαμιλία μονο|μάχων [Μ]άρ(κου)? | Κλαυ(δίου) Τρύφω|νος νέου ‖ καὶ ἀρχιε-
ρείας | Ὀρφίας Λαιλίας | Σωτίου γυν|αικὸς αὐτοῦ.

In aliis lapidibus, qui aut ex illo sepulcro aut ex similibus videntur ablati esse, leguntur nomina virorum qui, ut testantur imagines infra incisae, gladiaturam exercuerant : *Bestiarius*, n. 448, Ἕλιξ; *Secutores*, n. 449, Εἰσάνελος; 450, Φέροψ; 452, Βίκτωρ; 453, Πλάτος (vel Ἤλατος); 454, Πυλά[δης]; 457, Πολύδρομος; *Retiarius*, n. 451, Ζόγος; *Armaturae incertae*, n. 455, [Τριπ]τόλε[μος]; n. 456, Αἰθίας.

---

104. Mytilenis. — *I. Gr.*, XII, ɪɪ, 469.

5   ......|ις μυρμί[λλων ?] [1] ....|ν μνήσατο.... |νων..... ‖ Γάιος Ἰού[λιος.....
μον]|ομάχου | .. | ... ρος.. | .. οιλλ.....

1. [το]ῖς Μυρμι[δόνεσσι] Paton.

---

105. Mytilenis. — *C. I. L.*, III, 7161.

Fufia M. f., uxor M. Lani C. f. ser., haue. |

In corona : Ὁ δᾶμος |
Φουρί[α Μ]άρκου, γυνὴ δὲ Μάρ|κου Λαν[ίο]υ Γα[ί]ου υἷου, χαῖρε.

---

106. Mytilenis. — *I. Gr.*, XII, ɪɪ, 633.

Ἀθηνᾷ... | ... Μᾶρκος | Πομπήιος Ἠθικὸς | ποιητὴς εὐχ(ή)ν.

107. Mytilenis. — *I. Gr.*, XII, ιι, 443.

'Ο πάντα σοφὸς καὶ μουσῶ|ν ὄχ' ἄριστος
Ἀλκιβιάδης | Βυζάντιος ἐνθάδε κεῖ|μαι,
5   Ἑλλήνων πάντων ‖ ὄρνις ἀοιδότατος ·
Λουχι|λλιανὴ δέ μοι ἦν παράκοι|τις,
ἧς ἐκ δαπάνων τύν|βος ἔχει κλυτὸς
10   Λέσ|6ῳ ἐνὶ χώρῳ · ἡ δ' εὖ‖6αίμων Μυ|τιλήνη
σῶμα μετῳκίσατο.

---

108. Mytilenis. — *I. Gr.*, XII, ιι, 407.

......[μηδενὸς ἔχοντος | ἐξουσί]αν πολῆσαι τὸ μνημεῖον ἤ | [ἐκκολάψαι τι τῆς
5 ἐ]πιγραφῆς ταύτης. | [Εἰ δέ τις τολμή]σαι, δώσει τῇ βουλῇ ‖ [δηνάρια.....
αχ]όσια καὶ τῷ φίσκῳ | [δηνάρια ...αχ]όσια.

Alias etiam multas funerales fisco solvendas in Mytilenaeis titulis habes *Ibid.*, nn. 405,
406.

Quae sequuntur fragmenta sunt jugationis in agro Mytilenaeo factae ad eam fere
rationem quam tituli, in aliis imperii partibus reperti, docent a Romanis adhibitam esse
(cf. *C. I. Gr.*, 8656, 8657; *Bull. de corr. hellén.*, IV, 1880, p. 336). In titulo certe 112
agnoscitur norma jugationis a Diocletiano constituta. Qua de re vide Mommsen, *Hermes,*
III, 430; Marquardt, *Organisation financière*, p. 286. Agrorum mensuris per jugera
notatis enumerantur agri (χωρίου) cujusque ἄμπελοι, vineae ; σπόριμος γῆ, consita terra ;
ἐλαιῶν γύροι, olearum scrobes rotundae; νομή, pascua. Censentur etiam in certis locis
boves. oves, caprae, equi servique, paucissimi tamen, quod ita explicandum videtur
quia plerique non in ipso fundo pernoctuabant.
Signis ⟨, Γ', Δ', Ч' etc. in lapide exprimuntur 1/2, 1/3, 1/4, 1/8.

109. Mytilenis. — *I. Gr.*, XII, ιι, 76.

5 Ι. .... | ..... | ..... | ..... ‖ ..... |
[Χω(ρίον)].... ὦτα · | ἀμπ(έλων) ἰούγ(ερα) β⟨, | σπορ(ίμου) γῆς) ἰούγ(ερα)
10 υχζ, | ἐλ(αιῶν) γύρ(οι) σ, ‖ νομ(ῆς) ἰούγ(ερα) σμ, | πρό6(ατα) μ[α]. |

II. Χω(ρίον)..... · | ἀμπ(έλων) ἰούγ(ερα) α<ε΄, | σπορ(ίμου) γῆς) ἰούγ(ερα) τδ, |
5 ἐλ(αιῶν) γῦρ(οι) σνη, ‖ νομ(ῆς) ἰούγ(ερα) ν, | πρόβ(ατα) λε. |

Χω(ρίον) Μάγδια σὺν σπαρτ(οῖς) · | ἀμπ(έλων) ἰούγ(ερα) ιαϟδ΄ η΄, | σπορ(ίμου)
10 γῆς) ἰούγ(ερα) σπγ, ‖ ἐλ(αιῶν) γῦρ(οι) σος, | νομ(ῆς) ἰούγ(ερα) λ, **III** βοῦς
[ια], πρόβ(ατα) .. |

Χω(ρίον) Τείχεα · | ἀμπ(έλων) ἰούγ(ερα) ϛ... δ, | σπορ(ίμου) γῆς) ἰούγ(ερα) ν, ‖
5 ἐλ(αιῶν) γῦρ(οι) χπ, | νομ(ῆς) ἰούγ(ερα) ν. |

Χω(ρίον) Λο..χος · | ἀμπ(έλων) ἰούγ(ερα) χ, | σπορ(ίμου) γῆς) ἰούγ(ερα) Ϥχ, ‖
10 ἐλ(αιῶν) γῦρ(οι) [τ]νβ, | **IV** νομ(ῆς) ἰούγ(ερα) ξε?, | βοῦς χ, | πρόβ(ατα) ν, |
δοῦλ(οι) χβ. ‖

5 Χω(ρίον) Ὑπογόρια · | ἀμπ(έλων) ἰούγ(ερα) χ<, | σπορ(ίμου) γῆς) ἰούγ(ερα)
ρζ, | ἐλ(αιῶν) γῦρ(οι) ϥγ, | νομ(ῆς) ἰούγ(ερα) χ. ‖

10 Χω(ρίον) Τείχεα · | **V** σπορ(ίμου) γῆς) ἰούγ(ερα) ιβ, | ἐλαιῶν γῦρ(οι) . ε, |
5 νομ(ῆς) ἰούγ(ερα) ρν, | βοῦς δ. ‖ Ἐλπιδήφορος | ἵππον α, | Κυζίχιος χαὶ |
Ἐλπιδ[ή]φορος. |

10 Χω(ρίον) Ἀχτάων ‖ σὺν ἐλέου . εο · | ἀμπ(έλων) ἰούγ(ερα) εϟ, | **VI**
σπορ(ίμου) γῆς) ἰούγ(ερα) δ, | ἐλ(αιῶν) γῦρ(οι) τχϛ, | νομ(ῆς) ἰούγ(ερα) ι. |
5 Φιλοδέσποτος βοῦς δ, ‖ αἶγας χ. Λεο..νος μ[έρ..]., ...ωνίου μ[έρ..], |
ἀμπ(έλων) ἰούγ(ερα) ιδ΄, | σπορ(ίμου) γῆς) ἰούγ(ερα) γ, | **VII** ἐλ(αιῶν)
γῦρ(οι) χ. |

Χω(ρίον) Πύργου, μέρ(ος) < · | ἀμπ(έλων) ἰούγ(ερα) βδ΄, | σπορ(ίμου) γῆς)
5 ἰούγ(ερα) ηϟ, ‖ ἐλ(αιῶν) γῦρ(οι) ρμβ, | νομ(ῆς) ἰούγ(ερον) α. |

(Χωρίον) Συχοῦντος, μέρ(ος) δ΄ · | ἀμπ(έλων) ἰούγ(ερα) εϟ, | σπορ(ίμου) γῆς)
10 ἰούγ(ερα) ξ, ‖ ἐλ(αιῶν) γῦρ(οι) ρπϛ, | **VIII** ....ϛ. |

5 Χω(ρίον) Πυρρίου · | ἀμπ(έλων) ἰούγ(ερα) ε, | ἐλ(αιῶν) γῦρ(οι) ρϤβ, ‖ νομ(ῆς)
ἰούγ(ερα) ι. |

Χω(ρίον) Πέτρ(α) · | ἀμπ(έλων) ἰούγ(ερα) βϟ, | σπορ(ίμου) γῆς) ἰούγ(ερα) ν, |
10 ἐλ(αιῶν) γῦρ(οι) σχθ, ‖ νομ(ῆς) ἰούγ(ερα) ρ.

IX Χω(ρίον) Τριοδότο[υ] · | ἀμπ(έλων) ἰούγ(ερα) ϛ, | σπορ(ίμου) γῆς) ἰού-
5 γ(ερα) ιγ, | ἐλ(αιῶν) γῦρ(οι) υξδ, ‖ νομ(ῆς) ἰούγ(ερα) ρ, | αἶγα[ϛ].. | Ἀριστο-
10 τέλ[ης] | Χρυσελαφίου | ῥοδοεσσῶν · ‖ σπορ(ίμου) γῆς) ἰούγ(ερα) Ϥδ, | ἐλ(αιῶν)
γῦρ(οι) υνζ, | **X** [νομ(ῆς) ἰούγ(ερα) ρ. |

Χω(ρίον) Ἡραχλέους, μέρ.... · | ἀμπέλ(ων) ἰούγ(ερα) ηϟδ΄, | ἐλ(αιῶν) γῦρ(οι)
ρπϛ. ‖

5   Χω(ρίον) Σεμπρωνίου · | ἀ[μπ(έλων) ἰ]ο[ύγ(ερ..)]..., | σπορ(ίμου γῆς) ἰούγ(ερα)
10 .τ̣, | ἐλ(αιῶν) γῦρ(οι) υνε, | νομ(ῆς) ἰούγ(ερ..)..., ‖ πρόϐ(ατα) κ.

Hic titulus in decem columnas divisus est, quas numeris **I-X** signavimus.

II. 7. σὺν σπαρτ(οῖς), *cum spartis*, conjicit dubitanter Paton. Intellige loca ubi spartum serebatur. Cf. Lafaye, s. v. *Restiarius* apud Saglio, *Dict. des antiq. gr. et rom.*

10. σὺν ἐλέου. εο. An σὺν ἐλαιου[ργ]ε[ίῳ], *cum prelo?*

VI. 7. Λεο..νος μ[ερ...]. Supplendum μέρ[ος] aut μέρ[η], addito numero, ut v. 8, **VII,** 2, 7, **X,** 2, et intelligendum de haereditatibus nondum divisis. « Donec dividantur, suum cuique ex haeredibus eveniat, fundi haereditatis omnes communia haeredum bona sunt. » Paton.

VIII. 5. Πέτρα vocatur etiam nunc vicus prope Methymnam situs. Si de eodem loco agitur, non Mytilenaei tantum agri, sed totius insulae Lesbi jugationem mutilam hic habemus. Ea tamen de re dubitatur.

IX. 9. ῥοδοεσσαί, *rosaria*, ut videtur.

---

110. Mytilenis. — *I. Gr.*, XII, II, 77.

     I .... | .... | [σπορ(ίμου γῆς) ἰ]ούγ(ερα) λ, | [ἐ]λ(αιῶν) γῦρ(οι) γ. ‖
5-10   [Χω(ρίον)] ......ύφου · | .... | ...... | .... | ...., ‖ [νομ(ῆς) ἰ]ούγ(ερα) ιϛ. |
     [Χωρίον] .... | ....

     II Χ[ω](ρίον) Κεγχρέω[ν] · | ἀμπ(έλων) ἰούγ(ερα) ιδ', | σπορ(ίμου γῆς) ἰού-
5 (γερα) ν, | ἐλ(αιῶν) γῦρ(οι).. η, ‖ νομ(ῆς) ἰούγ(ερ..).. |

     Χω(ρίον)....... · | [ἀμ]π(έλων) ἰούγ(ερον) ι', | [σπ]ορ(ίμου γῆς) ἰούγ(ερον) ϛ, |
10 ἐλ(αιῶν) γῦρ(οι) νς, ‖ νομ(ῆς) ἰού(γερα) ϛ.

     III [Χω](ρίον) .... νων · | ἀμπ(έλων) ἰούγ(ερον) γ' ι' ε', | σπορ(ίμου γῆς)
ἰούγ(ερα) [πη]γ' κ', | ἐλ(αιῶν) γῦρ(οι) [ν]η, νομ(ῆς) ἰούγ(ερ..).. ‖
5   Χω(ρίον)........ · | ἀμπ(έλων) ἰούγ(ερον) ι'[δ'], | σπορ(ίμου γῆς) ἰούγ(ερα) με, |
10 ἐλ(αιῶν) γῦρ(οι) ο, ‖ νομ(ῆς) ἰούγ(ερα) ιϛ. |

     Χω.............. · | **IV** νομ(ῆς) ἰούγ(ερα) ο.

     Χω(ρίον) Μαχρινιανῶν · | ἀμπ(έλων) ἰούγ(ερα) ιϛ, σπορ(ίμου γῆς) ἰούγ(ερ..)., |
ἐλ(αιῶν) γῦρ(οι) ο, | νομ(ῆς) ἰούγ(ερα) η. ‖
5   Χω(ρίον) Νικι........ · | [ἀμπ(έλων) ἰούγ(ερ..)., | σπορ(ίμου γῆς) ἰούγ(ερ..)]., |
ἐ[λ(αιῶν) γῦ(ροι)]..., | ν[ομ(ῆς) ἰούγ(ερ..)].. ‖ **V**.......... |

     Χω(ρίον) Να...... · | ἀμπ(έλων) ἰούγ(ερ..)..., | ἐλ(αιῶν) γῦρ(οι) ιε, ‖ σπορ(ίμου
γῆς) ἰούγ(ερα) εϛη', | [νομ(ῆς) ἰού]γ(ερα) λ. |

10   Χω(ρίον).... | ..... | ..... ‖ ..... | ..... | **VI** ....

II. 1. Κένχρεαι; locus Mytilenis vicinus eodem nomine hodie appellatur.

---

111. Mytilenis. — *I. Gr.*, XII, II, 78.

I Χω(ρίον).... β..ων · ἀμπ(έλων) ἰούγ(ερ..).., | ......, ἐλ(αιῶν) γύρ(οι) υθ,
νομ(ῆς) ἰού(γερα) μ. |

.... · [ἀμπ(έλων) ἰο]ύγ(ερα) α<, σπορ(ίμου) γῆς) ἰούγ(ερα) ιζ, |
[νομ(ῆς) ἰού]γ(ερα) π. Ὀνή[σιμος] γε. ‖

5   ......, σπορ(ίμου γῆς) ἰού(γερα) κε, ἐλ(αιῶν) γύρ(οι)... |

......, σπορ(ίμου) ἰούγ(ερον) <, ἐλ(αιῶν) [γύρ(οι)].. | .... Ὀνήσιμο[ς].. |

.... [ἀμπ(έλων) ἰ]ούγ(ερα) λδδ..., σ[πορ(ίμου) γῆς] ἰούγ(ερ..).., | ...
[νομ(ῆς)] ἰούγ(ερα) μ........ ‖

10   .... [σπ]ορ(ίμου γῆς) ἰο[ύγ(ερ..)]..... |

...... **II** σπορ(ίμου γῆς) ἰούγ(ερα)] ιδ<.

Τόπιον Αἴθριον · σπορ(ίμου γῆς) ἰούγ(ερ..).. [ο]ν. δ |

Χω(ρίον) Ἡρακλῆς · ἀμπ(έλων) ἰούγ(ερα) εδ΄, ἐλ(αιῶν) γύρ(οι) π. |

Χω(ρίον) Μέσου ἀγροῦ · ἀμπ(έλων) ἰούγ(ερον) γ΄, σπορ(ίμου γῆς) ἰούγ(ερον) <,
ἐλ(αιῶν) γύρ(οι) λς. |

Κηπίον Νέωνος · ἀμπ(έλων) ἰούγ(ερον) <, σπορ(ίμου γῆς) ἰούγ(ερα) ι<.

Κηπίον πρὸς [τ]ῇ οἰκίᾳ Ἀθηνάδιον · ἀμπ(έλων) δ΄, σπ(ορίμου γῆς) <. ‖

15   [Κηπίον] πρὸς τῇ πεδιάδι · ἀμπ(έλων) ἰούγ(ερα) η, σπ(ορίμου) γῆς) ἰού-
γ(ερα) λ. |

[Κηπίον] ἐπ[τ]ὰ φίλων · ἀμπ(έλων) ἰούγ(ερον) ι΄ x΄, σπορ(ίμου) γῆς) ἰούγ(ερα)
ε, | ....

20   Κηπίον Θερμοπυλίτων........ | .... ‖ .... |

III [Χω(ρίον) Ο]ὐιτελλίου τοῦ αὐτοῦ μέρ(ος) δ΄ · ἀμ[π(έλων) ἰούγ(ερ..)].., |
σπορ(ίμου) γῆς) ἰούγ(ερα) ε, ἐλ(αιῶν) γύρ(οι) ρλϛ, δούλ(οι) κα.

II. 3. Μέσος ἀγρός hodie *Misagro*.

5. Ἀθηνάδιον nomen profecto horti. qui situs erat πρὸς τῇ οἰκίᾳ, prope domum
(domini).

III. τοῦ αὐτοῦ, ejusdem domini, nempe quia columna **III** posterius addita est.

112. Mytilenis. — *I. Gr.*, XII, ii, 79.

I Χω(ρίον) Τύδαι, Ἐλπι[δήφορος] · | ἀμπ(έλων) πρώτ(ων) ἰούγ(ερ..)..., [δευ]-
τέρ(ων) ἰούγ(ερα) δ, | σπορί(μου) γῆς) πρώτ(ης) ἰούγ(ερα) οε, δευτέρ(ας) ἰούγ(ερα)
5 ρο, | νομ(ῆς) ἰούγ(ερα) σκ, ἐλ(αιῶν) πρώτ(ων) γῦρ(οι) φκζ, ‖ δευτέρ(ων) γῦρ(οι)
[υπ]β. |

Χω(ρίον) Λευκὴ ἀκτὴ σὺν τεμένει, | Εὐγένιος καὶ Ἔσπερος · | ἀμπ(έλων)
πρώτ(ων) ἰούγ(ερα) βδ, δευτ(έρων) ἰούγ(ερον) <δ, | [σπορ(ίμου) γῆς) π]ρώτ(ης)
10 ἰούγ(ερα) ρκε, δευτ(έρας) ἰούγ(ερ..).., ‖ [νομ(ῆς) ἰούγ(ερα)] ν, ἐλ(αιῶν) πρώτ(ων)
γῦρ(οι) υ.., | [δευτ(έρων) γῦρ(οι)] σ4ζ. |

II Ἑρμο...ν καὶ Διονύσιος · | ἀμπ(έλων) πρώτ(ων) ἰούγ(ερον) α, σπορ(ίμου)
γῆς) πρώτ(ης) [ἰούγ(ερ..)..], | σπορ(ίμου) γῆς) δευτ(έρας) ἰούγ(ερα) ριθ, ἐλ(αιῶν)
δευτ(έρων) γῦρ(οι). λη, | νομ(ῆς) ἰούγ(ερα) οε. ‖
5 Χω(ρίον) Μαρμαρίνη ληνὸς ὑπὸ Διονύσιον γεωργ(όν) · | ἀμπ(έλων) πρώτ(ων)
ἰούγ(ερα) ε<, δευτ(έρων) ἰούγ(ερα) δδ, | σπορ(ίμου) γῆς) πρώτ(ης) ἰούγ(ερα) κε,
δευτ(έρας) ἰούγ(ερα) ν, | νομ(ῆς) ἰούγ(ερα) ν, ἐλ(αιῶν) πρώτ(ων) γῦρ(οι) σις,
δευτ(έρων) γῦρ(οι).. δ. |

10 Χω(ρίον) Πυργίου ὑπὸ τὸν αὐτόν · ‖ ἀμπ(έλων) δευτ(έρων) ἰούγ(ερον) <η΄, |
[σπορ(ίμου) γῆς)] ἰούγ(ερα) λ, νομ(ῆς) ἐλώδους κ. |

III ..... σπ[ορ(ίμου) γῆς)]....., | νομ(ῆς) [ἰ]ο[ύγ](ερ..)..., |
Κῆπο[ς]..... | καὶ Ἑρμ..... · ‖ ἀμπ(έλων) π[ρώτ(ων) ἰούγ(ερ..)]...., | σπο-
ρ(ίμου) γῆς).............

In hoc tantum titulo agri Mytilenaei sic recensentur ut praescripsit Diocletianus,
nempe : ἄμπελοι πρῶτοι, vineae primae classis; δεύτεροι, secundae; σπόριμος γῆ πρώτη, con-
sita terra primae classis; δευτέρα, secundae; ἐλαίαι πρῶται oleae primae classis; δευτέραι,
secundae. Agri enim « deteriores » separatim a melioribus in tabulas referebantur
vectigalibus imperandis. Post fundorum nomina statim inscripta sunt nomina hominum,
qui videntur fuisse coloni adscriptitii ; Dionysium autem, « sub quo » fuisse alii agri
dicuntur (col. **II**, v. 5 et 9), agricolam puta, qui eos conduxerat.
Col. **II**, v. 9. Πυργίον hodie *Pyrgi*.

113. Mytilenis. — *I. Gr.*, XII, ii, 80.

I ..... [σπορ(ίμου) γῆς)] ἰούγ(ερα) κ<, | [ἐλ(αιῶν) γῦ]ρ(οι) φνδ, | [νομ(ῆς)]
ἰούγ(ερα) ρ.

Π ...... σ[πορ(ίμου γῆς)] ἰούγ(ερα).., | ἐλ(αιῶν) γῦρ(οι) ρ.., | νομῆς)
ἰούγ(ερ..).. |
Κηπίον...........................

---

114. Plakados prope Mytilenas. — *I. Gr.*, XII, II, 482.

5 ['Ι]ο[υλία νέα | 'Αφ]ροδίτᾳ, τᾷ παῖδι | τῶ Σεβάσ|τω Θέω Καί||σαρος, τᾷ
εὐ|εργέ[τ]ιδι [1].

1. Julia, Augusti filia, Agrippam maritum in Asiam comitata est annis 15-13 ante C. n.
Prosop. imp. rom., II, p. 222, n. 420, III, p. 441, n. 457.

---

115. Plakados. — *I. Gr.*, XII, II, 496.

..... χειν (δ)ς ταῦτα ποιῇ | τῷ ἱεροτάτῳ ταμείῳ δηνάρια ρο'.

---

116. Hierae. — *I. Gr.*, XII, II, 484.

['Α β]έλλα καὶ ὁ δᾶμος | Βρῆσον Βρήσω ἀρχίατρον ἀλιτού[ρ |γατον [1], ζᾷ τῶν
5 παίδων δὲ καὶ ἐ|κγόνων ἄρχας καὶ ἄλλας καὶ || κισσοφορίας [2] καὶ ἀγορανομίας |
ἐπιτετελέχοντα καὶ αὐτον | δὲ καὶ βουλαρχίαν [3] καὶ νομο|φυλακίαν [4] καὶ ἄλλας.
10 ὄντα Δίος | Αἰθερίω καὶ "Αμμωνος 'Ελευθε||ρίω καὶ τᾶς 'Αδραστείας [5] καὶ τῶ |
Σεβάστων μυστηρίω [6], Πνιστί|ας [7], 'Ετηρίλας [8], Ποσείδωνος | Μυχίω καὶ Μυχίας
15 καὶ τὰν 'Απα|ραιτήτων θέαν [10] καὶ τᾶς εἴ||ρας Καλίας [11] καὶ τῶ Δίος τῶ | Μαινο-
λίω [12] πάρεδ(ρ)ον, τᾶς τε | Πολιάδος 'Αθάνας παρακε|λεύσ[τ]αν ὑπὲρ τᾶς πόλιος [13],
20 τᾶς | τε 'Αρτέμιδος καὶ 'Απόλλωνος || Μαλ(όε)ντος [14] ἀρχίχορον καὶ ἱε|ροκάρυκα
τῶν γερέων, ζά|κορον Σαώτηρος 'Ασκληπί|ω, τοῦ δὲ θειοτάτου Αὐτο|κράτορος
25 καὶ τῶν τᾶς πό||λιος εἴρων προθύταν, καὶ | <καὶ> περιηγήταν ἐτέων ἤδ[η] |
τεσσαράκοντα καὶ πρὸς | ἄνευ συντάξιος καὶ μισ|θοῦ οὐχ ὡς οἱ πρὸ αὐτοῦ.

1. Immunitate (ἀλιτουργία) donatus, ut solebant archiatri; Liebenam, *Städteverwalt.*,
p. 100-105. — 2. κισσοφορία, munus sacrorum Bacchi celebrandorum, in quibus mos erat
coronas ferre hederaceas. — 3. Βούλαρχος senatui civitatis praeerat, plerumque in unum

annum electus. Liebenam, *op. cit.*, p. 246, 247. — 4. « Graeci hoc diligentius, apud quos νομοφύλακες creantur, nec solum litteras (nam id quidem etiam apud majores nostros erat), sed etiam facta hominum observabant ad legesque revocabant ». Cic., *De leg.*, III, 20, 46. Quid tamen fuerit hoc munus, parum liquet. Liebenam, *op. cit.*, p. 291. — 5. Ἀδράστεια dea Nemesi aut similis aut comes, quae, cum originem ex montibus Troadis et Phrygiae traxisset, in tota Graecia jam antiquitus culta est. — 6. De mysteriis quae apud Lesbios instauraverunt Augusti cf. nn. 39, 71. Videtur post μυστηρίω verbum unum (εἶρεα?) excidisse; vix enim possunt genetivi omnes post ὄντα (v. 8) a voce πάρεδρον (v. 16) pendere. — 7. Dea ignota Lesbiorum, quam duo tituli Mytilenaei etiam memorant (*I. Gr.*, XII, II, 93, 136). — 8. De Ἐτηφίλᾳ Cerere cf. n. 23. — 9. Μύχιοι θεοί vocabantur dei qui consulebant domus penetralibus, ut Romanorum Penates ; Μυχία videtur Venus fuisse, si apte de ea re judicavit Höfer, *Mychioi Theoi* ap. Roscher, *Lexikon der Mythol.* — 10. « Inexorabiles deae », Erinnyes. — 11. Ex titulo Samothraceno innotuit Venus Καλιάς, quam ut deam speluncae (καλία?) quidam interpretati sunt; Drexler, *Kalias;* Roscher, *Kolias*, col. 1272, apud Roscher, *op. cit.* Nihil obstat quominus de eodem numine hic agatur, quanquam res manet in incerto. Tümpel, *Philologus*, N. F. III (1890), p. 735; IV (1891), p. 567, adn. 6. — 12. Fortasse idem atque Bacchus μαινόλιος, furens (μαίνομαι), orgiarum deus; Höfer, *Mainoles*, ap. Roscher, *l. c.* — 13. Notum est in Panathenaeis Atheniensium velum Minervae curru vehi solitum in speciem navigii facto (Cahen, s. v. *Panathenaia* apud Saglio, *Dict. des Ant.*, p. 306). Opinatur Foucart fieri posse ut ille « hortator » pro civitate suo ministerio functus sit inter sacra similia in honorem Minervae a Lesbiis celebrata. — 14. Apollo Μαλόεις, summus Mytilenaeorum deus, qui choris maxime ejus sacra celebrabant, non uno documento notus est.

ÏNSULA PROCONNESUS

117. Marmara. — Hasluck, *Journ. of hellen. studies*, XXVI (1906), p. 30.

........[Κορν]ήλιος Νίγερ ἱε[ρήσ]ατο Καίσα∥[ρος] καὶ ἐπετέλεσε [τ]οὺς ἀγῶ-
νας. |

5 [Ἱππ]αρχοῦντος ¹ [Κ]λ. Δεκιανο[ῦ | Εὐν]έω, Εὐτυχίδης Εὐτυχίδου ∥ [τὴ]ν
στήλλην ἀνέστησεν. |

[Ἱππαρ](χ)οῦντος Ἑρμ[ο]δώρου (τ)οῦ | [Ἀπ]ολλωνίου, ἱερησ[αμ]ένου τῆς |
[Μη]τρὸς ² Σωσιγένου[ς τ]οῦ Μενέ<υ>φρο[νος, | προ]σλαβόντος Αἰ<δ>λίου
10 Ἰουλίου......, Κορνήλιος Νίγερ....∥ ἱερή[σατο] Καίσαρος καὶ ἐπε|τέλεσε τοὺς
ἀγῶνας. |

[Ἱππ]αρχοῦντος Αὐτοκράτορος | Καί(σαρος) Τίτου Αἰλ. Ἁδριανοῦ [Ἀν|τωνεί-
15 νου] ³, ἱερησ[αμένου | τῆς Μητ]ρ<ι>ὸς Κοδράτου..., ...∥ [ἱερήσ]ατο Καίσαρ[ς
καὶ ἐπε|τέλεσε τοὺς ἀγῶνας. |

[Ἱππαρχοῦντος] Ἀντων(είνου) Σ[ε|β]αστοῦ ³, Θεοκριτο(ς) Θεοκ|[ρ](ίτ)ου ἱερή-
σατο Καί(σ)α[ρος] | καὶ ἐπετέλεσε τοὺς ἀγῶνας.

1. Ut Cyzici (cf. nn. 135, 144, 145, 146, 153, 154, 155, 157) ita in aliis urbibus etiam
summus magistratus et eponymus sui anni fuit hipparchus; Liebenam, *Städteverwaltung*,
p. 292 et 554. — 2. De magna Matre deorum Proconnesi culta cf. Pausan., VIII, 46. —
3. Imperatores cum in Oriente tum in Occidente honores municipales suscepisse et per
praefectos gessisse notum est. Cf. Liebenam, *op. cit.*, p. 261.

---

118. Palatia. — *C. I. L.*, III, 13685.

D. M. | A. Otacilius Crispus sibi et | Otaciliae Onesime coniugi. |

A. Ὀτακίλιος Κρ[ί]σπος ἑαυτῶι | καὶ τῇ γυναικὶ Ὀτακιλίᾳ Ὀνησίμηι.

INSULA BESBICUS

119. Besbici. — Mendel, *Bull. de corr. hellén.*, XXIV (1900), p. 375, n. 15.

....τέκνοις...|. τοις εἰ δέ τις [ἔτερον] | ἐπεμβάλῃ σῶμα δώσῃ [προστίμου] |
τῷ φίσκῳ δηνάρια ϛ'...υο...κων....

MYSIA

120. Apolloniae. — Cichorius, *Sitzungsber. der Berlin. Akad.*, 1889, p. 365.

5 [Δομιτιανὸ]ν Καίσα|ρα, τὸν τοῦ Σεβαστοῦ | υἱὸν, | ὁ δῆμος ‖ ἐν τῷ γνρ'
ἔτει ' ἐκ τῶν | [ε]ἰσενεχθέντων πε|[ρ]ισσῶν ὑπὸ Δαμοσ|τράτου Ὀλυνπᾶ ἄρχοντος |
10 χρημάτων, ἐπιμεληθέν|των τῶν περὶ Δαμόστρα|τον Ὀλυνπᾶ ἀρχόντ[ων].

1. Anno 143 aerae Sullanae = 69/70 p. C. n.

---

121. Apolloniae. — Le Bas et Waddington, n. 1068.

[Αὐτοκράτωρ Κα]ῖσαρ Τραι[ανὸς Ἀδρι]ανὸς Αὔ[γου]στος Θεοῦ [Τραιανοῦ
υἱὸς Θεοῦ Νέ[ρουα υἱωνὸς τὴν στοὰν ?] τῇ πόλει κα[τεσκεύασεν] '.

1. Hadrianus per has regiones iter fecit anno 123 p. C. n. Cf. W. Weber, *Untersuch.
zur Geschichte des Kaisers Hadrianus*, p. 132.

---

122. Apolloniae. — Munro, *Journ. of hellen. studies*, XVII (1897), p. 270, n. 11.

Ἀγαθῆι τύχηι. | Αὐτοκράτορι | [Καί]σαρι Ἀδριαν[ῶ]ι | [Ὀλυ]μπίωι σωτῆρ[ι] ‖
5 καὶ κτίστῃ[ι].

---

123. Apolloniae. — Wiegand, *Athen. Mittheil.*, XXIX (1904), p. 310, n. 3; Hasluck,
Journ. of hellen. studies, XXIV (1904), p. 26, n. 18.

5 Ἀγαθῆι τύχηι. | Αὐτοκράτορι Καί|σαρι Ἀδριανῶι | Ὀλυμπίωι σωτῆ‖ρι
καὶ κτίστῃι.

---

124. Apolloniae. — *C. I. L.*, III, 7059 a et 12243.

.....[Propin]|quo IIIIuiro uiarum cur[andarum] |
....ς ἀποδεδειγμένος Γ. Ἰο[ύλιος.... χιλίαρχος] | πλατύσημο[ς] ......ζ'.

1. /ᗡᐊ> lapis; [λ]εγ(εῶνος) ζ' Cichorius, *Athen. Mittheil.*, XIV (1889), p. 249, n. 18, qui

titulum opinatur referri posse ad C. Julium Scapulam cos. a. 138 p. C. n. Fuit enim trib. laticlavius leg. VII Geminae Felicis, *Prosop. imp. rom.*, II, p. 212, n. 361. Ejusdem Ancyranos titulos cf. supra, t. III, nn. 151, 176, 177, 178.

---

125. Apolloniae. — Munro, *Journ. of hellen. studies*, XVII (1897), p. 269, n. 6.

5   Μά[γ]νιλλα[ν φιλό]|σοφον Μάγν[ου] | φιλοσόφου θυγα|τέρα, Μηνίο[υ φιλο‖σό-φ]ου γυ[ναῖκα].

---

126. Apolloniae. — Munro, *Journ. of hellen. studies*, XVII (1897), p. 259, n. 5; XXI (1901), p. 237.

Κ. Αἴλιος | Σεκοῦνδος | ὁ ῥήτωρ.

---

127. Apolloniae. — Le Bas et Waddington, n. 1076.

Ἀγαθῇ τύχῃ. | [Ἔτους.....], μηνὸς Ἀνθεσ|[τηριῶνος...], ζῶν Αὐρ. Πύρος |
5 [.... κα]τεσκέδασα τὸ ‖ [μνημεῖον] τῇ γυναικί μου Διο|[κλεία καὶ] τέκνοις μου
κα[ὶ] | ἐκγόνοις καὶ διαδόχοις ἐ[κ | τοῦ γένους] παντός. Ἐὰν δέ [τις | θάψῃ
10 ἐκτὸς τοῦ γένους ἢ ‖ καὶ ἀνοίξῃ], δώσει τῷ ἱερῷ | [ταμείῳ προσ]|τείμου δηνά-ρια αφ'.

Cf. alterum exemplum multae fisco solvendae *Ibid.*, n. 1091.

---

128. Miletopoli. — Wiegand, *Athen. Mittheil.*, XXIX (1904), p. 306.

Αὐτοκράτορι Ἀδριανῷ Ὀλυμπίῳ | σωτῆρι καὶ κτίστῃ.

Cf. supra, n. 121.

---

129. Miletopoli. — Perrot, *Explor. de la Galatie*, p. 98. n. 59.

5   Ἀγαθῇ τύχῃ. | Αὐτοκράτο|ρι Ἀδριανῷ | σωτῆρι καὶ ‖ [οἰ]κ[ιστῃ] [1].

1. κτίστῃ legi non posse autumnat Perrot.

130. Miletopoli. — Lechat et Radet, *Bull. de corr. hellén.*, XII (1888), p. 193.

.... | ... [α ὐτῷ ἡρῷον ἐν τῷ τό[πῳ] | .....ὁν αὐτῷ ἡ πόλις δέ[δωκεν |
5 ἐρ'] οὖ ἐπιγραφῆναι · ‖ [ἡ βουλὴ] καὶ ὁ δῆμος ἐτείμ[ησαν] | ..... μιγιον
Ἄσπρον ἡρ[ωα | εἰρην]αρχήσαντα καὶ τετ..... | [καὶ σιτω]νήσαντα καὶ δὶς
10 γυμ[νασιαρ]χήσαντ]α καὶ τῇ ἄλλῃ ἀρετῇ.... ‖ ....χρησάμενον εἰς τ[ὴν πόλιν] |
καὶ Ἰουουεντίαν τ[ὴν | γυν]αῖκα αὐτοῦ.

---

131. Miletopoli. — Wiegand, *Athen. Mittheil.*, XXIX (1904), p. 305, n. 1.

Ὑπόμνημα Ἀλεξάνδρου, ὁ κα[τεσκέβασεν αὐτῷ ζῶν καὶ τῇ | γυναικὶ καὶ
5 τοῖς τέκνοις. Εἴ | τις δὲ ἕτερον βάλῃ, δώσει εἰς ‖ τὸν φίσκον δηνάρια αφ' καὶ
τῇ πόλει αφ'.

---

132. Debleki. — Lechat et Radet, *Bull. de corr. hellén.*, XII (1888), p. 66.

Αὐτοκράτωρ Καῖσαρ Λ. Σεπτί|μιος Σευῆρος Εὐσεβὴς Π[ε]ρτίναξ | Σεβαστὸς
5 Ἀραβικὸς Ἀδιαβ[η]νικὸς | Παρθικὸς μέγιστος δημαρ[χ]ικῆς ἐ‖ξουσίας τ[ὸ ιζ'],
αὐτοκράτωρ τ[ὸ ι'], ὕπατος τ[ὸ] | γ', πατὴρ πατρίδος ἀνθύπ[α]τος καὶ Αὐ|το-
κράτωρ Καῖσαρ Μ. Αὐρ. Ἀντωνεῖ<ν|ει>νος Σεβασ(τὸς) δημαρχικῆς ἐξουσίας |
10 ι[ϛ'], ἀν[θ](ύ)π(α)τος ¹ [καὶ Λ. Σεπτίμιος Γέτας] ² ‖ Καῖσαρ, καὶ Ἰουλία
Σεβαστὴ μητρὶ ³ στ[ρ]ατο[πέ]δ[ων] | ἐπὶ ἀνθυπάτου Λολλι[άνου] Γεντιαν[οῦ] ⁴ |
.... | ....

1. ΑΝΟΥΤΟΣ, lapis. — 2. Nomina Getae erasa esse non traditur, quod tamen pro
certo habendum est. — 3. Sic. — 4. Q. Hedius Rufus Lollianus Gentianus proconsul Asiae
anno 209, si v. 9 recte restituitur numerus [ι]ϛ'. Cf. *Prosop. imp. rom.*, II, p. 128, n. 27.

---

133. Aidindjik. — Munro, *Journ. of hellen. studies*, XVII (1897), p. 275, n. 24 ; cf.
Théod. Reinach, *Rev. des ét. gr.*, XI (1898), p. 335.

Ὑπόμνημα | Νυνφέρωτος ὁ καὶ Νεικάνωρ | Νεικοπολείτης νεική[σ]ας Ἄρεως |
5 νείκας ιε' ¹ ὧδε ἀπόκειμαι. Τρο[φίμη] ‖ σύνβιος ἐκ τῶν ἰδίων μνείας χάρ[ιν]. |
Ὅσ]τις δ' ἂν ἀδικήσῃ τὸν βωμὸν | δώσει εἰς τὴν πόλιν δηνάρια ρ'. | Χαίρετε
παροδεῖται.

1. Gladiator qui vicit quindecies.

T. IV

134. Cyzici. — Cichorius, *Sitzungsber. der Berlin. Akad.*, 1889, p. 367, n. 2; Wilhelm, *Arch. epigr. Mitth.*, XV (1892), p. 6.

['Ἔδο]ξεν τῇ βουλῇ καὶ τῷ δήμῳ · ἐπεὶ Μαχάων Ἀσκλη[π]ιά[δου, ἀνὴρ |
κ]α[λὸς] ὢν καὶ ἀγαθὸς ἐν ἀρχῇ τε πολλὰς καὶ μεγάλας παρ[έσχε|τ]ο ἀεὶ
χρείας, ἐνδόξως καὶ καλῶς ἀναστρεφόμεν[ος ἔν] | τε ταῖς ἀρχαῖς καὶ ταῖς
5 πρεσβείαις καὶ μετὰ ταῦτα περισ[τά]||ντος πολέμου τοὺς πολίτας οὗτ(ο)ς ἑαυτῷ
βουλόμεν[ος | ἀκ]ολούθ[ο]ς [γε]νέσθαι τήν τε πρὸς τὸ πλῆθος εὔνοιαν [καὶ προ-
θυμίαν ἐπύ]|λασ(σ)ε καὶ, τῆς πόλεως περιεχομένης, οὐδένα λόγον ποιη[σάμε]||νος
τῶν [κινδύν]ων, εἰς τὰ κοινῇι συμφέροντα αὐθαιρέτως ἐ[πέδω]||κεν [ἑ]αυ[τὸν],
10 πρεσβεύσας τε πρὸς Μάρκον Κοσκώνιο[ν τὸ]||ν ἐμ Μακεδονίᾳ τότε στρατηγὸν,
πάντα τὰ συμφ[έροντα] | τῆι πόλει διεπράξατο · χρείαν δὲ ποησαμένου τοῦ
[δήμου] | τῶν πρεσβευσόντων πρὸς τὴν σύγκλητον τὴν Ῥωμαίων, [διὰ] | τοὺς
περιεστῶτας κινδύνους οὗτος ὁμοίως οὔτε κακοπ[αθία]|ν, οὔτε κίνδυνον ἐκκλί-
15 νων, οὔτε τῶν κατὰ τὸν βίον ἐλασσωμάτ[ων λ]||όγον ποιησάμενος, προθύμως
ἐπέδωκεν ἐπὶ τὴν πρεσβείαν ἑαυ[τὸν κ]|αὶ ἐμφανίσας τὴν περὶ τὴν πόλιν
κατάσ<σ>τασιν, ἔλαβεν ἀπόκρισι[ν φ]|ιλάνθρωπον καὶ ἀκόλουθον τῇ τε τῶν
πολιτῶν πρὸς τὸν δῆμ[ον τ]|ῶν Ῥωμαίων εὐνοίᾳ καὶ τῇ ἑαυτοῦ περὶ τὰ κοινὰ
φιλοτιμίᾳ · διαβά[ντ]||ων δὲ τῶν Ῥωμαίων εἰς τὴν Ἀσίαν πρὸς πάντας πρεσ-
20 βεύων διετ[έλει] || περὶ τῆς πόλεως ἐμφανίζων δίκαια καὶ συστρατευόμενος
α[ὐτοῖς οὐκ ἀπέ]|λειπεν, οἷς παριστάμενος πρὸς τὴν εὔνοιαν τ[οῦ δή]μου....... |
γραφον καὶ τῶν πραγμάτων γνησίως πρὸς τὸ πα..... | [ἣν] ἐ[γ]ήχατο. Ἐξῆς
ταγεὶς στρατηγὸς ἐπὶ τῆς.....|ς ἐπιτρογάζων τῶν διηγωνιτ... [κίν]δυνον καὶ
25 κακοπαθίαν... [τοῖς] || πολίταις καὶ με[τὰ ταῦτα?..... πρεσ]|βεύσοντο[ς.....

Post mortuum Attalum III regem Pergami (133 ante C. n.), qui regnum suum Romanis
tradiderat, multae civitates Asiae, icto cum Romanis foedere, Aristonico, qui se Attali
heredem ferebat, constanter restiterunt (Justin. XXX, 4), inter quas fuisse Cyzicum vide-
mus (vers. 4, 5), imo eam obsessam esse ab Aristonico (vers. 7, τῆς πόλεως περιεχομένης).
Tum legatos et inter eos Machaonem misit civitas ad M. Cosconium, praetorem Macedo-
niae (Liv., *Epit.*, 56), qui, cum ipse in sua provincia cum Thracibus pugnaret (Ditten-
berger, *Sylloge*, 246, 18), videtur obtinuisse a Nicomede, rege Bithynorum, ut Cyzicenis
ferret auxilium (vers. 10, 11 διεπράξατο πάντα τὰ συμ[φέροντα] τῇ πόλει; cf. Strab. XIV,
646). Machaon autem cum aliis legatis Romam ad senatum missus est ad opem denuo
petendam (vers. 16); postquam jubente senatu P. Scipio Nasica Serapio de ea re quae-
sivit (Waddington, *Fastes de la province d'Asie*, p. 662), P. Crassus Mucianus cos. exerci-
tum in Asiam traduxit, a. 131 (vers. 18, 19 διαβάντων [τ]ῶν Ῥωμαίων εἰς τὴν Ἀσίαν). Denique
Machaon, ad castra consulis legatus cum copiis Cyzicenis, pro patria pugnavit (συστρα-

τευόμενος α[ὑτοῖ]ς; munus suum etiam servavit apud eos duces, qui Muciano successerunt (vers. 19 πρὸς πάντας), M. Perpernam (130-129) et M'. Aquillium (129-126). — V. 5. οὕτως et ἀκολούθως lapis. Corr. Wilhelm.

---

135. Cyzici. — Dittenberger, *Sylloge*, n. 348. Cf. Wilhelm, *Götting. gel. Anzeigen*, 165 (1903), p. 797.

Ἱππαρχοῦντος Βουλείδου τοῦ Μητροδώρου, | Σωτηρίδης Γάλλος ¹, εὐξάμενος
Μητρὶ Κοι[λανῇ] ² | ὑπὲρ τοῦ ἰδίου συμβίου Μάρκου Στλακκίου Μάρ[κου υἱοῦ |
5 α]ὐλητοῦ στρατευσαμένου ἐν τῇ ἐξαποστ[αλείσῃ ‖ συ]νμαχίᾳ εἰς Λιβύην ³ ἐπὶ
Θεογνήτου τοῦ ['Απολλων]|ίου ἱππάρχεω<ι> τῷ αὐτοκράτορι Γαίῳ ['Ιουλίῳ,
Γαΐ]|ου υεἴῳ, Καίσαρι ἐν νηὶ τετρήρει Σωτ[είρᾳ ⁴, ὃν αἰχμα]|λωτισθέντα ἐκ
Λιβύης καὶ ἀπαγθέν[τα ἔγνων | εἰς δουλεί|αν] καὶ τῆς θεᾶς εἰπάσης μοι κατ'
10 [ὄναρ ‖ ὅ]τι ἠχμαλώτισται Μᾶρκος, ἀλ[......ἐ](λα)ύνων ἐπὶ Κ[υρήνην?].......

1. Sacerdos Magnae matris. — 2. Κοι[λανῇ], ex Coela urbe Chersonesi, ut conjecit Dittenberger. Cf. *Bull. de corr. hellén.*, IV (1880), p. 513. — 3. Anno 46 ante C. n., cum Caesar duodecim naves ex Asia adversus Pompeianos misit: (*De bell. Alex.*, 13). — 4. Σωτ[είρᾳ] navis nomen. Conjecit Wilhelm (*Arch. epigr. Mitth. aus Oester.*, XX, p. 74). Sed de lectione jure dubitari potest.

---

136. Cyzici. — Wilhelm, *Klio*, V (1906), p. 300.

.... δημαρχικῆς ἐξουσίας ἑξάκις, | 'Αρίστανδρος Εὐμένους ¹ τὸν ἑαυτοῦ
ξένον ².

1. Cf. Εὐμένης 'Αριστάνδρου n. 149. — 2. Titulum refert editor ad Augustum imperatorem trib. pot. VI = anno 18/17 ante C. n.; nam biennio ante (anno 20), cum per Asiam et Bithyniam iter fecisset (Dio, LIV, 7), excipi potuit hospitio Aristandri. Res in incerto manet.

---

137. Cyzici. — Mordtmann, *Athen. Mittheil.*, X (1885), p. 208, n. 32.

Αὐτοκράτωρ Τιβέριος Καῖσαρ Σεβαστοῦ υἱὸς Σεβαστὸς τὸ δεύτερον.

Divisio versuum non indicatur. Suam Cyzicenis libertatem, quam Augustus restituerat (cf. n. 146, vers. 7), Tiberius ademit anno 23 p. C. n. (Tac., *Ann.*, IV, 36; Suet., *Tib.*, 37; Dio, VII, 24). In eorum nummis nihilominus appellatur κτίστης. Cf. J. Marquardt, *Cyzicus*, p. 84.

138. Cyzici. — Perrot, *Rev. archéol.*, XXXII (1876), p. 268. Cf. Th. Reinach, *Bull. de corr. hellén.*, XIV (1898), p. 540, n. 6.

5 Αὐτοκράτο|ρι Τραιάνῳ | Ἀδριανῷ Κα[ί]|σαρι Σεβασ|τῷ Ὀλυνπίῳ σωτῆρι καὶ | κτίστῃ.

Quae et quanta beneficia ab imperatore Hadriano Cyziceni acceperint definiri non potest; civitas certe, eo principe, Ἀδριανή, dicta est. De honoribus quos Hadriano contulerunt memores Cyziceni, cf. nn. 139, 140, 154, 155.

---

139. Cyzici. — Lolling, *Athen. Mittheil.*, IX (1884), p. 20.

5 Αὐτοκρ(ά)τορι | Τραιανῷ Ἀδρι|ανῷ Καίσαρι | Σεβαστῷ (Ὀ)λ|υμ[πίῳ].

---

140. Cyzici. — Th. Reinach, *Bull. de corr. hellén.*, XIV (1890), p. 531.

In templo Hadriani :

Ἐκ δαπέδου μ' ὤρθωσεν ὅλης Ἀσίας [δαπάνῃσιν],
ἀφθονίῃ χειρῶν, δῖος Ἀριστ(έ)νετος [1].

1. De templo Hadriani splendidissimo, quod inter septem mundi miracula numerabatur, cf. *Anthol. Pal.*, IX, 656; Malal., p. 279 Bonn; Nicet. et Anon., *De sept. orbis spectac.* apud Philon. Byzant., Orelli p. 144-6. Anno, ut videtur, 167, cum divo Hadriano consecraretur, Aelius Aristides orationem suam habuit, I, p. 389, Dindorf. Rudera descripserunt Perrot et Guillaume, *Explor. archéol. de la Galatie*, p. 76; Théod. Reinach, *loc. cit.* Ille ipse fuit τῆς Ἀσίας ναὸς ἐν Κυζίκῳ, totius provinciae impensis exstructus, in quo a Communi celebrabantur Ἀδριάνεια Ὀλύμπια (Cf. nn. 162, 163). De architecto autem Aristaeneto nihil amplius rescivimus.

---

141. Cyzici. — *C. I. Gr.*, 3709.

... Ἀδριανὸν...|..... υἱὸν Μ. Αὐρ[η]λίου | Ἀντωνείνου | Καίσαρος Σεβαστοῦ............

De lectione dubitare potes.

142. Cyzici. — Lolling, *Athen. Mittheil.*, IX (1884), p. 20.

.... | Καίσα[ρος] Σεβ[αστοῦ]........... | ου ἔγγονον, ἀρχιερ[έα
μέγιστον, δημ(αργικῆς) ἐξ]|ουσίας τὸ τρίτον, ὕπ[ατον..., πατέρα πατρίδ]|ος ὁ
δῆμ[ος ὁ Κυζικηνῶν ἀνέθηκ]|εν τῇ πόλει Ῥώμᾳ, [ἐπιμεληθέντων τῆς κα|τ]ασ-
κευῆς τ[ῶ]ν συ[ν.....

143. Cyzici. — Hasluck, *Journ. of hellen. studies*, XXIII (1903), p. 77.

Ἀγαθ[ῇ] τυχ[ῇ]. | Τ[ῇ δοκ]ίμῃ [β]ουλῇ......... | [Τροφ]ίμου Αὐρ. Ξάν-
θ[ος? | Κυζι]κηνὸς πανηγ[υριάρ|χη]ς τὸν ἑαυτοῦ ε[ὐερ|γέτην Τρόφιμον [νει-
κή|σα]ντα πυγμὴν [ἀνδρῶν? τὰ | μ]εγάλα Ἀσ[κληπιεῖα | καὶ ἀγω]νοθ[ετή-
σαντα?].

144. Cyzici. — Curtius, *Monatsberichte der Preuss. Akad. zu Berlin*, 1874, p. 7, n. III :
Sal. Reinach, *Bull. de corr. hellén.*, VI (1882), p. 612.

Ἐπὶ Παυσανίου τοῦ Εὐμένους ἱ[ππ]άρχεω, μηνὸς Καλαμαιῶνος, | ἔδοξεν τῆι
βουλῆι καὶ τῶι δήμωι. Παυσανίας Εὐμ[ένους] Αἰγικορεὺς μέσης ἐπὶ Δημητρίου
εἶπεν · Ἐπεὶ | Ἀντωνία Τρύφαινα βασιλέως Πολέμωνος καὶ β[ασιλίσ]σης Πυθο-
δωρίδος θυγάτηρ τὸν αἰώνιον τοῦ μεγίστο[υ] | θεῶν Τιβερίου Σεβαστοῦ Καίσαρος
οἶκον καὶ τὴν ἀθάν[ατον ἡγ]εμονίαν αὐτοῦ διὰ παντὸς εὐσεβοῦσα συγκαθιέρωσ[ε] |
τῆι Πολιάδι Ἀθηνᾷ ἄγαλμα τῆς μητρὸς αὐτοῦ [Σεβαστῆς Νει]κη[φ]όρου
καὶ λαβοῦσα παρὰ τῆς πόλεως ἱερητείαν αὐτὴ ἐν τῆι πέρυσι ἀγομένῃ ἀτελείᾳ
τῶν Παναθηναίων, [ἔδωκεν ἑκ]άστοις πάντα μὲν τὰ πρὸς εὐσέβειαν τῶν θεῶν
καὶ [κα]|τὰ τὸ ἔθος αὐτῆς ἐκπρεπώσοτον πολλῶν ἱερουργί[αν αὐτὴ ἐξε]πλή-
ρωσεν, τῆι δὲ ἐμφύτωι φιλανθρωπίᾳ πρός | τε τοὺς ἐνχωρίους καὶ τοὺς ξένους
ἐχρήσατο, ὡς ὑπ[ὲρ τοῦ σιτισμοῦ] τῶν ξένων μετὰ πάσης ἀποδοχῆς ἐπί τε
εὐσε[βεία καὶ ὁσιότητι καὶ φιλοδοξίᾳ, ἐν δὲ τῷ κατ' ἔτο[ς ἀγῶν]ι ἀπούσης μὲν
10 αὐτῆς, πάντων δὲ συντετελεσμένων ‖ ἐκπλέως κατὰ τὴν ἐκείνης εὐσέβειαν, καὶ
τῶν ἀπὸ τῆς Ἀσίας ...]ν ἐνπόρων καὶ ξένων τῶν ἐληλυθότων εἰς τὴν πανή-
γυριν βουλομένων ἀναθεῖναι αὐτῆς ὅπλον εἰκονικὸν ἐ[ν τῷ ναῷ] καὶ διὰ τοῦτο
ἐπεληλυθότων ἐπί τε τὴν βουλὴν καὶ τὸν | δῆμον καὶ ἀξιούντων συγχωρηθῆναι
αὐτοῖς ποιήσασθαι τὴν ἀνάθεσιν.

Δεδόχθαι τῇ βουλῇ καὶ τῷ δήμῳ | συγκεχωρῆσθαι αὐτοῖς ἀναθεῖναι τὸ

ὅπλον ἐν τῷ τῆς Πολιάδος ναῷ, ἐφ' ῷ καὶ ἐπιγράψαι · οἱ ἀπὸ τῆς Ἀσίας
ἐργασταὶ | ἀφειγμένοι εἰς τὴν πανήγυριν καὶ ἀτέλειαν τὴν ἀγομένην ἐν Κυζικῷ
13 τοῖς Σεβαστοῖς καὶ τῇ Πολιάδι Ἀθηνᾷ ‖ Ἀντωνίαν Τρύφαιναν, βασιλέως
Πολέμωνος καὶ βασιλίσσης Πυθοδωρίδος Φιλομήτορος θυγατέρα, ἱερέαν
Σεβασ|τῆς Νεικηφόρου, διά τε τὴν περὶ τὸν τοῦ μεγίστου θεῶν Τιβερίου
Σεβαστοῦ Καίσαρος οἶκον εὐσέβειαν καὶ διὰ τὴν | ἐν πᾶσι σεμνότητα καὶ εἰς
ἑαυτοὺς εὐεργεσίαν.

V. 1. Καλαμαιών, mensis Cyzicenorum decimus, incipiebat die XXIV Aprilis (C. I. Gr.,
3663).

V. 2. Αἰγικορεῖς, una ex tribubus Cyzicenorum : C. I. Gr., 3657, 3663, 3664, 3665.
Μέσης : cf. n. 145, v. 1.

V. 3. Σεβαστ[ῆς Νεικη]φόρου. Cf. v. 15-16. Liviae Augustae, matris Tiberii, statua con-
secrata est in templo Minervae Poliadis, quam, quia magno auxilio fuerat Cyzicenis
in bello Mithridatico (Marquardt, Cyzicus, p. 132), jam vocaverant eodem cognomine
Νεικηφόρον.

V. 6. πέρσυ = πέρυσι. Παναθήναια sua jam non unius Minervae, sed ambarum dearum in
honorem Cyziceni celebraverunt.

V. 7. ἐκπρεπώσοτον, verbum novum, quod certum esse in lapide testatur Sal. Reinach.

V. 11. ὅπλον εἰκονικόν, clipeus, in quo efficta erat, more romano, imago Tryphaenae.
Cf. M. Albert, s. v. Clipeus apud Saglio Dict. des antiq.

V. 13. ἐργασταί, sodalitas opificum circumforaneorum, qui Cyzicum ex Asia con-
fluxerant.

---

145. Cyzici. — Dittenberger, Sylloge, n. 363. In uno eodemque lapide atque n. 144.

Ἐπὶ Γαίου Καίσαρος ἱππάρχεω<ι>, Θαργηλιῶνος θ'. Ἔδοξεν τῶι δήμωι,
εἰσηγησαμένων τῶν ἀρχόντων πάντων, γραμματεὺς βουλῆς Αἴολος Αἰόλου
Οἶνωψ μέσης ἐπὶ | Μηνοφῶντος εἶπεν · Ἐπεὶ ὁ νέος Ἥλιος Γάιος Καῖσαρ
Σεβαστὸς Γερμανικὸς συναναλάμψαι ταῖς ἰδίαις αὐγαῖς καὶ | τὰς δορυφόρους τῆς
ἡγεμονίας ἠθέλησεν βασιλήας, ἵνα αὐτοῦ τὸ μεγαλεῖον τῆς ἀθανασίας καὶ ἐν
5 τούτωι σεμνότε‖ρον ᾖ, βασιλέων, κἂν πάνυ ἐπινοῶσιν, εἰς εὐχαριστίαν τηλικού-
του θεοῦ εὑρεῖν ἴσας ἀμοιβὰς οἷς εὐηργέτηνται μὴ δυ|ναμένων, τοὺς Κότυος
δὲ παῖδας Ῥοιμητάλκην καὶ Πολέμωνα καὶ Κότυν συντρόφους καὶ ἑταίρους
ἑαυτῶι γεγο|νότας εἰς τὰς ἐκ πα(τέρ)ων καὶ προγόνων αὐτοῖς ὀφειλομένας ἀπο-
καθέστακεν βασιλείας · οἱ (δὲ) τῆς ἀθανάτου | χάριτος τὴν ἀφθονίαν καρπού-
μενοι ταύτηι τῶν πάλαι μείζονες, ὅτι οἱ μὲν παρὰ πατέρων διαδοχῆς ἔσχον,

οὗτοι | δ' ἐ(κ) τῆς Γαίου Καίσαρος χάριτος εἰς συναρχίαν τηλικούτων θεῶν
10 γεγόνασι βασιλεῖς, θεῶν δὲ χάριτες τούτῳ διαφέρου‖σιν ἀνθρωπίνων διαδοχῶν,
ᾧ ἤ νυκτὸς ἥλιος καὶ· τὸ ἄφθαρτον θνητῆς φύσεως · μεγάλων οὖν γεγονότες
μείζονες | καὶ λαμπρῶν θαυμασιώτεροι εἰς τὴν ἡμετέραν παραγείνονται πόλιν
Ῥοιμητάλκης καὶ Πολέμων, συνιερουργήσον|τες καὶ συνεορτάσοντες τῆι μητρί,
ἐπιτελούσῃ τοὺς τῆς Θεᾶς νέας Ἀφροδείτης Δρουσίλλης ἀγῶνας, οὐχ ὡς | εἰς
φίλην μόνον, ἀλλὰ καὶ ὡς εἰς γνησίαν πατρίδα, ὅτι καὶ ἡ βασιλέων μὲν
θυγάτηρ, βασιλέων δὲ μήτηρ, ἡ μήτηρ | αὐτῶν Τρύφαινα, ταύτην ἡγημένη
15 πατρίδα, οἴκου τε τὸ ἐρίστιον καὶ βίου τὸ εὐτυχὲς ἀνεμεσήτοις ἐνευδαιμο‖νή-
σουσα τέκνων βασιλείαις ἐνταῦθα ἵδρυται · ὁ δὲ δῆμος, ἡδίστην ἡγούμενος τὴν
ἐνδημίαν αὐτῶν, μετὰ πάσης | προθυμίας προσέταξε τοῖς ἄρχουσι ψήφισμα ὑπαν-
τήσεως εἰσηγήσασθαι αὐτοῖς, δι' οὗ εὐχαριστήσουσι μὲν ἐ|π' αὐτῶν τῆι μητρὶ
αὐτῶν Τρυφαίνηι, ὑπὲρ ὧν εὐεργετεῖν βεβούληται τὴν πόλιν, φανερ[ὰ]ν δὲ καὶ
τὴν τοῦ δή|μου εἰς αὐτοὺς ποιήσονται διάθεσιν · δεδόχθαι τῶι δήμωι ἐπη-
νῆσθαι μὲν τοὺς βασιλεῖς Ῥοιμητάλκην καὶ Πο|λέμωνα καὶ Κότυν καὶ τὴν
μητέρα αὐτῶν Τρύφαιναν, ὑπὸ δὲ τὴν εἴσοδον αὐτῶν τοὺς μὲν ἱερεῖς καὶ τὰς
20 ἱερείας, ἀνοί‖ξαντας τὰ τεμένη καὶ προσκοσμήσαντας τὰ ξόανα τῶν θεῶν, εὔξασθαι
μὲν ὑπὲρ τῆς Γαίου Καίσαρος αἰωνίου δια|μονῆς καὶ τῆς τούτων σωτηρίας ·
Κυζικηνοὺς δὲ πάντας ἐνδ(ε)ικνυμένους τὴν εἰς αὐτοὺς εὔνοιαν, ὑπαντήσαντας |
μετὰ τῶν ἀρχόντων καὶ τῶν στεφανηφόρων, ἀσπάσασθαί τε καὶ συνησθῆναι καὶ
παρακαλεῖν αὐτοὺς ἰδίαν ἡγεῖσθαι πατρίδα τὴν | πόλιν καὶ παντὸς αἰτίους γεί-
νεσθαι αὐτῇ ἀγαθοῦ · ἀγαγεῖν δὲ ἐπὶ τὴν ὑπάντησιν καὶ τὸν ἐφήδαρχον τοὺς
ἐφήβους καὶ τὸν | παιδονόμον τοὺς ἐλευθέρους παῖδας · τὸ δὲ ψήφισμα εἶναι
25 περί τ' εὐσεβείας τῆς εἰς τὸν Σεβαστὸν καὶ τῆς εἰς τοὺς ‖ βασιλέας τειμῆς.

V. 1. Caligula imperante et anno 37 p. C. n., ut ex ipso documento (v. 3, 4) videtur
veri simillimum.

Θαργηλιῶνος, nono Cyzicenorum mense = inter diem XXIV Maii et XXIV Junii
(J. Marquardt, *Cyzicus*, p. 137, Sal. Reinach, *Traité d'épigraphie grecque*, p. 489). Die
IX = die I Junii.

Οἴνωψ, ex tribu Cyzicena cui nomen erat Οἴνωπες. Μέσης (ἐκκλησίας), secunda contione,
media inter primam et tertiam, quae pariter sub Menophonte habitae sunt. Cf. *C. I. Gr.*,
3657.

V. 2. ἐπὶ Μηνοφῶντος, quo prytane lex lata est. Cf. *C. I. Gr., loc. cit.*

V. 3. βασιλέας, Caligula vix rerum potitus in imperia, quibus a Tiberio privati
erant, restituit non modo Cotyis filios, sed etiam Antiochum Commagenum et **Agrippam
Judaeum et Julium Laconem.**

V. 6. Κότυος. Cotys rex Thraciae, ad quem Ovidius scripsit epistulam ex Ponto, interfectus intra annum 14/15 p. C. n. Cf. *Prosop. imp. rom.*, I, p. 476, n. 1269.

Ροιμητάλχην, Rhoemetalces III et fratres ejus in Italia educati fuerant cum Caio Caesare, prius quam imperavit. Cf. *Prosop. imp. rom.*, III, p. 131, n. 52.

Πολέμωνα, Polemo II, rex Ponti et Bospori. Cf. *Prosop. imp. rom.*, III, p. 59 n. 406.

Κότυν, Cotys filius, rex Armeniae minoris. Cf. *Prosop. imp. rom.*, I, p. 477, n. 1270.

V. 7. πα(τέρ)ων. ΠΑΝΤΩΝ lapis. Emendavit Dittenberger.

(δὲ). ΟΙΑΣ lapis. Emendavit Dittenberger.

V. 9. δ' ἐ(κ), ΔΕ lapis. Emendavit Curtius.

V. 10. ἤ... καὶ.. prave scripta sunt pro ἤ... ἤ...

V. 12. Δρουσίλλης. Juliam Drusillam, sororem C. Caesaris imperatoris, vivam etiam anno 37 divinos honores ab Asianis accepisse non contra fidem est. Cf. *Prosop. imp. rom.* II, p. 228, n. 439.

V. 13-14. βασιλέων θυγάτηρ... Τρύφαινα. Antonia Tryphaena, uxor Cotyis, nata erat ex Polemone I rege Bosporano et Pythodoride, nepte Antonii triumviri. Cf. *Prosop. imp. rom.*, I, p. 108, n. 718.

V. 22. τῶν ἀρχόντων καὶ τῶν στεφανηφόρων : « magistratus et qui praeterea coronam insigne honoris publici gerunt. Videntur praecipue sacerdotes intellegi. » (Dittenberger ad n. suum 366, not. 17).

V. 23-24. ἐφήβαρχος sub gymnasiarcha solis ephebis imperabat, παιδονόμος autem solis pueris (Liebenam, *Städteverwalt.*, p. 350; P. Girard, *Paidonomos* apud Saglio, *Dict. des ant.*, s. v.).

V. 24-25. τὸ δὲ ψήφισμα... Similes formulas, usurpatas in fine plebiscitorum, quae civitatis multum interesse videbantur, contulit Dittenberger, *Sylloge*, n. 153, 206, 250.

---

146. Cyzici. — Dittenberger, *Sylloge*, n. 366.

[Ἐπ]ὶ Ἑστιαίου τοῦ Θεμιστώνακτος ἱππάρχεω, Ληναιῶνος ι΄, | ἔδοξεν τῇ
βουλῇ καὶ τῷ δήμῳ · στρατηγὸς κατὰ πόλιν Ἀπολλώνιος Δημη|τρίου Ἀργαδεὺς μέσης ἐπὶ Θεμιστώνακτος εἶπεν · Ἐπειδὴ ἡ κρατίστη καὶ φιλοσέ|βαστος
5 Ἀντωνία Τρύφαινα, πᾶσαν ἀεὶ ὁσίαν τῆς εἰς τὸν Σεβαστὸν ‖ εὐσεβείας ἐφευρισκουσα ἐπίνοιαν, καὶ τὴν τῆς πόλεως ἡμῶν ἐπισκευὴν | χαριστήριον τοῦ Σεβαστοῦ
καθωσίωκεν, οὐχ᾿ ἱστορήσασα ἡμᾶς ὡς παλαιὸν | Κυζίκου κτίσμα, (ἀ)λλὰ
ἐπιγνοῦσα νέαν Ἀγρίππα χάριν, τά τε συνχωσθέντα τῶν εὐ|ρείπων πρότερον
ῥόθοις πολέμου τῇ τοῦ Σεβαστοῦ συνανοιγν<ο>ῦσ(α) εἰρήνῃ μεγίστῳ καὶ
[ἐ]πιφανεσ(τά)τῳ θεῷ [Γαίῳ] Καίσαρι ἀρχαίαν καὶ προγονικὴν τοῦ γένους
10 αὐτοῦ νεω‖κόρον ἐπανακτωμένη πόλιν · ὁ δὲ δῆμος αὐτῆς τὴν πρὸς τὸν Σεβαστὸν οἶκον θαυμά|σας εὐσέβειαν καὶ τῆς ἀδιαψεύστου ἐπὶ τῷ παιδὶ τῶν ἐντολῶν
μνήμῃ Ῥοιμητάλκᾳ | βασιλεῖ Κότυος υἱῷ ἀποδεξάμενος ἀ(λ)είπτοις ἐκείνου

τῆς ἐπιθυμίας βουλήμασιν | καὶ τεθν(ε)ῶτος ἐνέζηχεν ἡ τῶν σπουδασθέντων
μνήμη πολλὴν εἰση|νένκατο σπουδὴν, ὅπως μὴ τὸ πολυδάπανον αὐτῆς τῶν
15 κατασκευαζομέ|νων ἔργων [αἱ] περὶ τὴν ἀγορὰν ἐνποδίσωσι δυσφημίαι, ἐκ
παντὸς αὐτῆς βουλομένης | τῇ τῶν ἰδίων ἀναλωμάτων δαψειλίᾳ ἀνεπιβάρητον
περὶ τὴν ἀγορὰν μεῖναι τὴν εὐε|τηρίαν, καὶ ταῦτα παρεσκευασμένης ἐκ τῶν
ἰδίων τοῖς ὑπηρετοῦσιν ἀνενλιπῆ παρασ|χεῖν τὴν ἀγοράν · δι' ἃ δὴ δεδόχθαι
τῇ βουλῇ καὶ τῷ δήμῳ, τούς τε ἄρχοντας καὶ στε|φανηφόρους πάντας συνεπισ-
20 χύειν τοῖς ἀγορανόμοις, ὅπως ἐν ταῖς αὐταῖς πᾶσα ἡ ἀγο||ρὰ πάντων μένῃ τει-
μαῖς, καὶ μηδὲ εἷς τῶν πιπρασκόντων τι κατὰ μηδένα τρόπον | πλείονος ἐπιβάλ-
ληται πιπράσκειν τῆς ἐνεστώσης τειμῆς · τὸν δὲ κακουργοῦντ[α πε]|ρ(ὶ τ)ὴν
κοινὴν τῆς πόλεως εὐετηρίαν καὶ παραφθ(ε)ίραντά τι τὴν ἀγορὰν τῶν ὠ[νί]|ων,
(ὡ)ς κοινὸν τῆς πόλεως λυμεῶνα, ἐπάρατον εἶναι ζημιοῦσθαί τε ὑπὸ τῶν [ἀρχόν]|-
25 ξέ||[νο]ς ἢ μέτοικος, καὶ τῆς πόλεως εἴργεσθαι, τό τε ἐργαστήριον αὐτοῦ (σ)αν[ίσι] |
προσηλοῦσθαι, ἄχρι οὗ συντελεσθῇ τὸ ἔργον, ἔχον καὶ τὴν τῆς ζημίας ἐπι-
[γραφήν] · | τοὺς δὲ ἐκ σπουδῆς τε καὶ εὐνοίας ταῖς τῶν ἔργων ἑαυτοὺς ἐνπα-
ρασχόντας ὑπ[ηρεσίαις τε]|χνείτας τε καὶ ἐπιστ(άτ)ας καὶ ἀρχιτέκτονας, μαρτυ-
ρηθέντας ὑπὸ τῆς σεμνοτάτης [βουλῆς με]|τὰ τὴν τελεί[ω]σιν τοῦ ἔργου, καὶ
τῆς παρὰ τῷ δήμῳ τυχεῖν ἀπο(δο)χῆς · προσκαταστῆ[σαι δὲ | ......]

V. 1. ἱππάρχεω. Anno 38 p. C. n., ut summa cum probabilite conjicitur. Cf. n. 145.
Ἀγναιών, mensis quintus Cyzicenorum, incipiebat die XXIV Januarii. Dies igitur deci-
mus congruit cum die II Februarii.

V. 2. στρατηγὸς κατὰ πόλιν. Collegio quinque praetorum praesidebat praetor urba-
nus, qui solus propterea commemoratur.

V. 3. μέσης. Cf. n. 145, v. 1. Ἀργαδεῖς, una ex tribubus Cyzicenorum (C. I. Gr., 3078,
3079, 3665).

ἐπὶ Θερμώνακτος, quo prytane lex lata est. Cf. n. 145, v. 2.

V. 4. Ἀντωνία Τρύφαινα. Cf. n. 145, v. 13-14.

V. 7. Κύζικος, Cyzicus rex antiquus, a quo condita esse urbs Cyzicus ferebatur.
J. Marquardt, Cyzicus, p. 41.

Ἀγρίππα χάριν. « Cyzicenis libertatem, quam anno 20 ante C. n. amiserant (Dio,
LIV, 7, 6), redditam esse ab Augusto Dio (LIV, 23, 7) refert anno 15 ante C. n., id est
eodem, quo M. Agrippa in Orientem se contulit. Quam per occasionem eum Cyzicum
adiisse ipsiusque beneficio potissimum antiquum jus recuperasse civitatem probabile
est. » (Dittenberger).

τῶν εὐρείπων. Isthmi Cyziceni duplicem canalem, per belli tempora conjectu terrae
repletum, rursus aperiendum curaverat Antonia Tryphaena. Cf. titulum apud Ditten-
berger n. 543.

V. 8. ΣΥΝΑΝΟΙΓΝΟΥΣΙ lapis.

V. 9. προγονικήν. Nam M. Agrippae filia Agrippina mater fuit C. Caesaris imperatoris.

V. 11. τῆς ἀδιαψεύστου lapis pro τῇ ἀδιαψεύστῳ.

V. 12. ΑΕΠΙΤΟΙΣ lapis. Corr. Dittenberger.

V. 18-19. στεφανηφόρους. Cf. n. 145, v. 22.

V. 21-22. πε|ρ(ι τ)ήν. ΡΠΗΝ lapis.

V. 22-23. (ὡ)ς. ΕΙΣ lapis. Emendavit Wilhelm, Arch. epigr. Mitth. aus Oester., XX, p. 69.

V. 25. (σ)αν[ίσι]. ΕΑΝ lapis. Corr. Joubin. « Officina occluditur tabulis ligneis et eis inscribitur hoc poenae nomine factum esse, quia nimium pretium ab emptoribus postulasset. » (Dittenberger).

V. 28. ἀρχιτέκτονας, inter quos Bacchius Artemonis. Dittenberger, Sylloge, n. 543.

---

147. Cyzici. — Hasluck, Journ. of hellen. studies, XXII (1902), p. 126; XXIII (1903), p. 91.

In parte antica.

[Ποσειδῶνι Ἰ]σθμίωι χαριστήριο[ν τὸ πρὸ | π]ολλοῦ κεχερσωμένον τῶν
εὑρεί[πων | κ]αὶ τῆς λίμνης [1] ἐκ τῶν ἰδίων ἀποκαταστ[ή|σ]ασα δαπανῶν καὶ
5 τὰ περιέχοντα ἀναλώμ[ατι ‖ τ]ῶι τ[ε ἑα]υτῆ[ς] καὶ τῶι τοῦ υἱοῦ βασιλέω[ς]
Θρᾴ[κης | Ῥ]οιμητάλκα<ι> τοῦ Κότυος καὶ τῶν ἀδελφῶν αὐτ[οῦ, | β]ασι-
λέως Πόντο[υ] Πο[λ]έμωνος καὶ Κότυος ὁ[ν]ό|ματι, Ἀντωνία Τρύφαινα,
Κότυος βασιλ[έ]ων [καὶ] | θυγάτηρ καὶ μήτη[ρ αὐτὴ?] βασ[ι]λ[ι]σσα.

In postica.

....[? ἐστ]ασεν ....α |
Λᾶαν?.............. Κύζικος εἰναλίη |
Πολλαχ...... ησα πατασσόμενος ποσὶ [δή?]μων |
Εἴσοτε δ......η νῆσσον ἐκαινοτόμε[ι] ‖
5 Καὶ βυθὸς εὑρείπων ἐχαράσσετο καί με Τρ[ύ]φαινα |
Εὑρομένη πόν[το]υ θῆκεν ἄγαλμα θεῶι |
Σοὶ τὸ σὸν ἕρμα, Ποσειδὸν, ἐγὼ δ᾽ ἁλὸς ἀκλύστοιο |
Στήσομαι εὑρείπων ἔγγυος ἀμφοτέρων.

Ambo tituli pariter inscripti sunt in basi anaglyphis ornata, cui imposita fuerat statua maritimi alicujus numinis.

1. Stagnum in parte media Isthmi Cyziceni, quod per canalem cum mari utrinque jungebatur. Cf. n. 146, v. 7.

148. Cyzici. Mordtmann, *Athen. Mittheil.*, VI (1881), p. 40. Cf. Hasluck, *Journ. of hell. studies*, XXII (1902), p. 13; XXIII (1903), p. 91 adn.

['Ο δῆμος] ὁ Κυζικηνῶ[ν καὶ οἱ πραγματ|ε]υόμενοι ἐν τῇ [πόλει Ῥω-
5 μαῖοι '] | Σέξτον Ἰούλιον...... [Κότυ]|ος δυναστοῦ Θρᾳ[κῶν υἱ]|ωνὸν... ...καὶ
Ουγατ....|ων δυν....μητ... ² [βασ]|ιλίσσ[ης Ἀντ]ωνί[ας Τρυφαί]|νης [β]ασι-
10 [λ.....]|μητρὸς, εἰς τὴν [πόλιν ε]|ὑερ[γ]εσ[ί]ας [ἕνεκεν, γρ]α|[μ]ματεον[τ]ος τῆς
β[ουλῆς] | Μηνίου τοῦ Κηρ..... ³ | τοῦ Φωκίωνος.

1. C(ives) R(omani) qui Cyzici [consistunt] : *C. I. L.*, III, 372-373. — 2. Conjecit Hasluck Σέξτον Ἰούλιον [Κότυν Κότυ]ος δυναστοῦ Θρᾳ[κῶν υἱὸ]ν ὄν[τα] καὶ Θυγατ[ριδοῦν τοῦ Θρᾳκ]ῶν δυν[αστοῦ Ῥοι]μητ[άλκα, βασι]λίσσης.... Cogitavit autem de fratre C. Julii Cotyis, qui nummo Laodicenorum, Tito principe, inscriptus est (Babelon, *Coll. Waddington*, n. 6271), quae supplementa aegre probaveris. — 3. **ΕΤ** traditur.

---

149. Cyzici. — Wilhelm, *Klio*, IV (1904), p. 293.

.....Στρά[τιος Στατίου], | Γάιος Ἰούλιος, Γα[ίου] | Ἀριοβαρζάνου υἱὸς ', | τὸ
5 δεύτερον. ‖ Πολύειδος Ἀριστα[γόρου], | Στράτιος Στα[τίου] | τὸ δεύτερο[ν]. |
10 Πολύειδος | τὸ δεύτερον. ‖ Εὐμένης Ἀριστά[νορου] ², | Πυθέας Πυθέα, |
15 Εὔβιος Διοδ[ώρου] | τὸ τρίτον. | Πολύειδος Ἀριστα....., ‖ Ὀλυνπιόδωρος
Ἀντιγ[ένους]............

Mutilus index hipparchorum civitatis.

1. Julius ille originem duxit ab Ariobarzane, quem C. Caesar regem dederat Armeniis anno 1 ante C. n. (*Prosop. imp. rom.*, I, p. 130, n. 857 et p. 131, n. 857 a). — 2. Cf. Ἀριστανδρος Εὐμένους, n. 136.

---

150. Cyzici. — Kaibel, *Epigr. gr.*, n. 337.

Ἤμην στολάρχης Ποντίων βελῶν ' ἐγώ, |
[ἐ]ξηρέτμοις πτέρυξιν ἠγ[λ]αισμένος, |
ἀνὰ στράτον Κρισπεῖνος εὐκλέης ἀνήρ · |
Ῥάβεννα δ' ἦν μοι πατρὶς, ἀρχαία πόλις. ‖
5 Ἔγνως τίς ἤμην καὶ πόθεν γένος κυρῶ · |
λοιπὸν φυλάσσου μή τινα ἐνθήσεις τάφῳ |
δίκην τε ὑφέξις παρανόμως τυμβωρυχῶ[ν] |

φίσκῳ τε δώσις δηνάρια ͺβ καὶ [τ]ῇ πόλει |
δηνάρια ͺα.

1. Classis Pontica Cyzici stetit inde ab Caracalla imperatore (Dio, LXXIX, 7, 3); cujus praefectus fuit Crispinus ille Ravennas (*Prosop. imp. rom.*, I, p. 483, n. 1298; Fiebiger *Classis* apud Pauly et Wissowa, col. 2643, 31). Στολάρχης enim idem valet atque *praefectus;* Marquardt, *Organisation milit.*, p. 246, not. 4. Βελῶν = *telorum, militum.*

---

151. Cyzici. — *C. I. Gr.*, 3692.

Ἀγαθῇ [τ]ύχη. | Ὑπόμ[νη]μα Ἰου[λ. Ἀ]ρίας. | Ἰουλ. Ἀρίαν, γένο[ς]
5 Ἀ[ἰγ]υπτίαν ἀπὸ κώμης | Θμενταμύρ[ε]ως τοῦ Θεινίτου νομοῦ, ‖ ἐτῶν νβ',
συμβιώσασάν μοι ἔτη λ(η, Ἰ)ου[λ.] Σε[ρ]ῆνος, τριήραρχος κ[λ]άσ(σεως) [π]ρα[ι-
τ]ωρίας) Μεισηνῶν, | τὴν [γ]λυκυτάτην σύμβιον. Εἰ δέ τις τολμήσει | τῷ ταύτης
τάφῳ προσ[ελ]θὼν κεινῆσαι [ἢ] | ὀρύ[ξ]αι, οὐκ ἀ[πώ]σ[ει τ]ὸν ἐπηρτημένον αὐτῷ ‖
10 κίν[δ]υν[ον] · ἐνκλη[θ][ή]σε[τ]αι γ[ὰ]ρ [τ]υμβ[ω]ρυχ[ί]ας οὐ μόνον, ἀ[λλ]ὰ καὶ
κατασχεθήσεται | τῷ ὡρισμένῳ π[ρ]οστείμῳ τοῦ ταμείου δηνάρια β, | ἔτ[ι τ]ε
καὶ τῷ τῆς πόλεως ὁμοίως δηνάρια α.

---

152. Cyzici. — Lolling, *Athen. Mittheil.*, IX (1884), p. 19.

Ἀγαθῇ τύχη. | Αὖλον Κλαύδιον Και[κ]ίνα Παυσανίαν ¹ τὸν | αὐτοῦ
5 δεσπότην ‖ Μητρόδωρος πρα|γμα[τευτής].

1. A Claudius Caecina..... aeus Cyzicenus, curator datus Iliensibus ab imperatore Antonino Pio (*Prosop. imp. rom.*, I, p. 361, n. 665), fuit certe huic Pausaniae propinquus, nisi de uno et eodem viro agitur.

---

153. Cyzici. — Wiegand, *Athen. Mittheil.*, XXVI (1901), p. 121.

Ἱππαρχοῦντος Κλ. Χαιρέου ἥρωος τὸ ια' ¹, | γραμματεύοντος δὲ τῆς βουλῆς
Μ. Οὐλπίου | Παυρίλου, ἀρχιερέως δὲ τῆς Ἀσίας ναοῦ τ[οῦ] | ἐν Κυζίκῳ
5 Αἰθουτίου Φλάκκου, ἄρχοντ[ος] ‖ τοῦ καλλίου Γ. Βειβίου Ἀπολαύστου, αἴδε |
ἐπρυτάνευσαν μῆνα Ἀπατουριῶν[α] | κεκαλλίασαν ² μῆνα Ποσειδεῶνα. |
Σεβαστεῖς Ἰουλεῖς ³.

Sequuntur nomina tribulium, inter quos cives Romani adscripti fueruut.

1. Aetate Hadriani. Cf. *Athen. Mitth.*, VI (1881), p. 47. Ἥρωες et ἡρωΐδες vivi etiam

dicebantur viri et feminae summae apud Cyzicenos dignitatis. Cf. *C. I. Gr.*, 3665; *Bull. de corr. hellén.*, XII, 193; *Athen. Mittheil.*, VI, 121, 42 et 44; VII, 254; Theod. Reinach, *Bull. de corr. hellén.*, XIV (1890), p. 537. — 2. Cf. n. 157. — 3. Duae ex Cyzicenorum tribubus, quae simul, ut moris erat, eodem mense fungebantur prytania. Cf. n. 155.

---

154. Cyzici. — *C. I. Gr.*, 3665.

Ἀγαθῇ τύχῃ. | Ἱππαρχούσης Αὐρηλίας Ἰουλίας Μενελαίδος | ἡρωίδος, θυγα-
τρὸς Αὐρ. Μενελάου Ἀσιάρχου, | ἀγομένου ἀγῶνος Ἀδριανῶν Ὀλυμπίων ', ‖
5 ἐφηβαρχοῦντος τῆς λανπροτάτης μητρο|πόλεως τῆς Ἀσίας Ἀδριανῆς νεωκόρου
φιλο|σεβάστου Κυζικηνῶν πόλεως Μάρκου | Αὐρ. Ἀμερίμνου, ὑπερηβαρχοῦντος
10 τοῦ | ἀδελφοῦ αὐτοῦ Μάρκου Αὐρ. Φαυστείνου, ‖ οἵδε ἐφήβευσαν.

Sequuntur nomina.

1. Ludi in honorem Hadriani habiti. Cf. J. Marquardt, *Cyzicus*, p. 143.

---

155. Cyzici. — Mordtmann, *Athen. Mittheil.*, VI (1881), p. 42.

Fasti prytanum per annos et menses digesti. Post fragmentum, in quo pauca tantum nomina supersunt, haec leguntur :

Ἱππαρχοῦντος Κλ. Χαιρέου ἥρωος τὸ ζ', | ἀρχιερέως δὲ τῆς Ἀσίας ναοῦ τοῦ
ἐν Κυζίκῳ Γ. | Ὀρφίου Φλαουιανοῦ Φιλογράφου καὶ ἀρχιερείας | Οὐιβίας Πώλ-
5 λης, γραμματέως δὲ τῆς νεωκόρου ‖ βουλ[ῆς] Π. Αἰλίου Πρόκλου Ἑλένου,
πρυτάνεις οἱ | [πρυτανεύ]σαντες μῆνα τὸν Θαργηλιῶνα Σεβαστεῖς '.

Sequuntur nomina prytanum in tribus paginis descripta.

1. Cf. n. 153.

---

156. Cyzici. — *C. I. Gr.*, 3677.

Ἀγαθῇ τύχῃ. | Φαμιλία μο|νομάχων φι|λοτειμίας ' Πλω(τίου) ‖ Αὐρ. Γρά-
του Ἀσι|άρχου καὶ Ἰου|λίας Αὐρ. Ἀσκλη|πιοδώρας τῆς | γυναικὸς αὐτοῦ |
ἀρχιερείας ².

1. Familia gladiatorum, quam alebat Asiarcha munerum edendorum causa. — 2. Nota virum Asiarcham appellari, uxorem vero sacerdotem maximam; neque enim Asiarcha femina unquam audivit. Qua de re vide Brandis, *Asiarches*, apud Pauly-Wissowa, *Real-encyclop.*, col. 1564-1565.

157. Cyzici. — *C. I. Gr.*, 3662.

[Ἱππαρχοῦντος....., γραμματέως τῆς βουλῆς....., καλλιαρχοῦντος....,
ἀρ]χ̣ιερέω]ς δὲ τῆς Ἀσίας ναοῦ τοῦ ἐν Κυζίκῳ... ...||(ς) καλλιάσαντες ¹ τὸν
Κυανεψιῶνα. |

Sequuntur nomina, romana pleraque.

1. Prytanes qui quoque mense fuerant, ii jam insequente mense ἐκαλλίασαν, nempe
aedificium (κάλλιον) quoddam curabant, quod utrum templum fuerit, an basilica juri
dicundo apta, male hactenus definitum est. Cf. Wiegand, *Athen. Mittheil.*, XXVI (1901),
p. 125. Iis praeerat καλλιάρχης. Cf. n. 153.

---

158. Cyzici. — Munro, *Journ. of hellen. studies*, XVII (1897), p. 271, n. 12.

..... καὶ ἱερ[ευ]σάμενον καὶ ν[εωποι|ήσα]ντα τῶν Σ[ε]βαστῶν εὖ τε [καὶ
καλ|ῶς κ]αὶ ἱερομνημον[ή]σαντα δὶ[ς εὐ|πρε]πέστατα καὶ στρατηγ[ήσαντα].

---

159. Cyzici. — Hasluck, *Journ. of hell. studies*, XXIII (1903), p. 89.

....[ὁ ἀ]να..... | ...[εν] ἐπίσχεο...... |δωνα ἀνα.... με...... | καὶ τοὺς
5 ἄ[λλου]ς [π]ο[λίτας].... ‖ αὐτῶν ἐπὶ [διασ]άφησ[ιν].... υδι..... |κήρυκ[ος] δημο-
σίᾳ?] τὸ πρᾶ[γμα?].... Δη|μήτ[ρ]ιον Οἰνιάδ[ου] ἀρ[ετῆς ἕ]ν[εκεν καὶ εὐνοίας].
..... | στεφανοῦσθαι δὲ αὐτὸν καὶ ἐν τοῖς[? τιθεμένοις ἀγῶσιν?.... ὑπὸ] | τῶν
Ῥ[ω]μαίων, [ἀ]ναγορεύοντος [τ]οῦ κ[ήρυκο]ς ὅτι [ὁ] δῆμος στεφανοῖ [Δημή]‖-
10 τριον Οἰνιάδο[υ πάση]ς ἀ[ρ]ετῆς [ἕ]ν[εκεν, ὁμ]οίως δὲ στεφανοῦσθαι αὐτὸν καὶ |
ἐν τοῖς κατ' ἐνιαυτὸν τιθεμ[έ]νο[ις εὐχ]αριστηρίοις ἀγῶσιν Ἡρώοις τῷ πάπ|πῳ
αὐτοῦ Ἀσκληπιάδῃ τῷ οἰκ[ιστῇ καὶ τ]οῖς συναγωνισαμένοις αὐτῷ κατ' Ἀ|λεξαν-
δρείαν ἐν τῶι [χ]ατὰ Πτο[λεμ]α[ῖον πο]λ[έ]μῳ μετὰ τὰς τοῦ πατρὸς αὐτοῦ | καὶ
τοῦ θείου στεφανώσεις, [ἀναγ]ο[ρεύοντ]ος [τ]οῦ κήρυκος ὅτι ὁ δῆμος στεφανοῖ ‖
15 Δημήτριον Οἰνιάδου τοῦ Ἀσκληπιάδου πάσης γενόμενον ἄξιον τιμῆς τῇ | πατρίδι,
ἀνατεθῆναι δὲ αὐτῷ εἰκ[όνα τελείαν] γραπτὴν ἐν ὅπλῳ | ἐπιχρύσῳ καὶ [ἄγ]αλμα
μαρ[μάριν]ον [ἐν τ]ῷ Ἀσκληπιοῦ καὶ Ἀπόλλωνος ἱερῷ, | ὑφ' ἃ ὑπογράψαι ὅτι ὁ
δῆμος Δημήτριον Οἰνιάδου τοῦ Ἀσκληπιάδου διὰ τῆς | ἔκ τε αὐτοῦ καὶ τῶν
20 προγόνων εἰς τὴν πόλιν εὐεργεσίας · ἀνατεθῆναι ‖ δὲ καὶ στήλην [λε]υκὴ[ν
λιθ]εία[ν] πρὸ τοῦ γυμνασίου ἐν τῇ κατασκευ]αζομένη στοᾷ [τῷ δήμ]ῳ ὑπὸ τοῦ
ἀδελφοῦ αὐτοῦ Διονυσίου τοῦ | Οἰνιάδου ἐκ τοῦ ἰδίου βίου, ἐφ' ἣν ἐν τῇ συντελου-

μένη ὑπὸ τοῦ δή|μου καταδρομῇ τοῦ πατρὸς αὐτοῦ Οἰνιάδου τοῦ Ἀσκληπιάδου |
25 .... ‖ ἀγομένοις κατ᾽ ἐνιαυτὸν ὑπὸ τῶν ἀρχόντων τοῦ γυμνασίου ἀπὸ τοῦ |
Ἡρώου, τοὺς δὲ νέους καὶ ἐφήβους καὶ παῖδας τὴν ἐσομένην στεφάνω|σιν αὐτοῦ
[παραπ]έμπειν καὶ ἐπισημοῦσθαι, ἀναγορεύοντος τοῦ κήρυκος | ὅτι ὁ δῆμος
στεφανοῖ Δημήτριον Οἰνιάδου τοῦ Ἀσκληπιάδου τῆς διὰ | προγόνων εὐ[ν]ο[ί]α[ς]
30 εἰς τὸν δῆμον ἕνεκεν, ποιουμένου τὴν ἐπιμέλειαν ‖ τῆς ἀναγορεύσεως τοῦ στε-
φάνου τοῦ κατ᾽ ἐνιαυτὸν γυμνασιάρχου, ἀναγραφῆναι δὲ εἰς τὴν στ[ήλην] καὶ
ἀντίγραφον τοῦδε τοῦ ψηφίσ|ματος, τὸ [δὲ] ψήφισμα [εἶναι ὑπὲρ τῆς σ]ωτηρίας
τῆς πόλεως.

V. 9. Ῥωμαίων, ludi a Romanis instituti, fortasse Μουκιεῖα, Journ. of hell. studies,
XVII (1897), p. 268 (27).

V. 11-12 πάππω. Illorum Asclepiadum genealogiam restituit Hasluck, loc. cit. Cur
avus vocetur οἰκίστης, non liquet.

V. 14 πολέμῳ. Anno 46 ante C. n., cum Cyziceni auxilium C. Julio Caesari miserunt
adversus Pompeianos bellum in Africa gerenti. Cf. n. 135.

V. 18 ὁ δῆμος Δημήτριον. Deest in lapide στεφανοῖ.

V. 23 καταδρομή, cryptoporticus? Aelian., Nat. an., IX, 1.

---

160. Cyzici. — C. I. Gr., 3674.

Μ. Αὐρήλιος Κόρος Θυατειρηνὸς καὶ Κυ|ζικηνὸς καὶ Ἀθηναῖος καὶ Τραλλια-
5 νὸς | καὶ Βυζάντιος, νεικήσας κοινὸν | Ἀσίας ἐν Κυ[ζ]ίκῳ παίδων παν‖κράτιον
πενταετηρίδι ζ᾽, νεική|σας καὶ Τράλλ[ε]ις Ὀλύμπια παί|δων πανκράτιον καὶ
10 Ἀδριάνεια | Ἀθήνας ἀγενείων πανκράτιον | καὶ Ἴσθμια ἀγενείων παν‖κράτιον,
καὶ Ῥώμην Καπετώ|λεια ἀγενείων πανκράτιον. | καὶ κατὰ τὸ ἑξῆς Ῥώμην | ἐπι-
15 νείκια ἀγενείων παν|κράτιον, τιμηθεὶς ‖ χρυσείῳ βραβείῳ.

---

161. Cyzici. — C. I. Gr., 3676.

Ἀγαθῆι τύχηι. | [Α]ὐρ. Μητρόδωρος | Κυζικηνὸς πένταθλ(ος), | νεικήσας
5 ἀγῶνας τοὺ(ς ‖ ὑπ)ογεγραμμένους · (Κύζ)ικον Ὀλύνπια ἀνδρῶ[ν πεν|τάθλ]ων, |
[Πέρ]γαμον Ὀλύνπια πέντ[[αθλ]ον, Ὀλύνπια ἐν Πείσῃ [πέντα|θλον], Νεικομή-
10 δειαν πέ[ν‖ταθ]λον, Πέρινθον Πύθι[α δὶς x|ατ]ὰ τὸ ἑξῆς ἀνδρῶν πεν[τ|άθ]λων,
Χαλκηδόνα Πύ[θια | π]ένταθλον, Βυζάντι[ον] Σ[εβαστὰ | πέ]νταθλον, καὶ
15 ταλαν[τιαίους ‖ καὶ ἡ]μιταλαντιαίους νει[κήσας... | τὸν] ἀνδριάντα τῇ πατ[ρίδι].

162. Cyzici. — *C. I. Gr.*, 3675.

Ἀγαθῇ τύχῃ. | Γάιος Γαίου ὁ καὶ Πίστος Κυμαῖ|ος καὶ Κυζικηνὸς, νεικήσας |
5 ἀνδρῶν πανκράτιον Ἀδριά‖νεια Ὀλύμπια κοινὸν Ἀσίας | τῇ ἑνδεκάτῃ Ὀλυμ-
πιάδι ¹ καὶ Βαρβίλ|ληα ἐν Ἐφέσῳ ² ἀγενείων πάλην, | πανκράτιον ἡμέρᾳ μιᾷ.

1. Olympiade Cyzicena XI = anno 179 p. C. n., ut putat J. Marquardt, *Cyzicus*, p. 143;
anno enim 135 incipere illam aeram verisimile est. — 2. A Barbillo astrologo fortasse
instituta. Cf. *C. I. Gr.*, 2741, 2810, 3208, 3675, 5804, 5913, 5916; *add.* 2810 b.

---

163. Cyzici. — Kaibel, *Epigr. gr.*, n. 881.

Ἀγαθῆι   τύχηι. |
Ποιητὴν ἔστησαν Ἀπαμέα Μάξιμον ἀστοὶ |
ἀράμενον δοιῶν στέμματ᾽ ὀλυμπιάδων ¹.

1. Olympia profecto Cyzicena in honorem Hadriani instituta. Cf. n. 162.

---

164. Cyzici. — Kaibel, *Epigr. gr.*, n. 880.

Ἡ βουλὴ τείμεσσεν ἀγασσαμένη τὸν ἀοιδὸν |
Νέστορα καὶ μολπῆς εἵνεκα καὶ βιότου ¹ · |
εἰκόνα [δ]᾽ ἐξετέλεσσεν καὶ εἴσατο πατρίδος ἄρχων ² |
Κορνοῦτος Θαλερῆς ἐν τ[ε]μένεσσ[ι] Κόρης, ‖
5 ὄφρα καὶ ὀψίγον[ο]ί περ ἐν ἄστει παῖδας ἔχοιεν |
σῆμα φιλοξενίας καὶ δέλεαρ σοφίης. |

1. Nestor Laryandensis Lycius, ut putat Kaibel, qui imperante Alexandro Severo
vixit. Ejus supersunt fragmenta (*Anthol. Pal.*, IX, 129, 364, 537). — 2. Ἄρχων apud Cyzi-
cenos eponymus fuit : *C. I. Gr.*, 3657, 3667.

---

165. Cyzici. — Mordtmann, *Athen. Mittheil.*, VI (1881), p. 130. n. 16.

Ἑόρτη ἡ γυνὴ αὐτοῦ καὶ Ἀσκλη|πιάδης ὁ υἱὸς αὐτοῦ Δανάῳ δευ|τέρῳ πάλῳ
5 Θρᾳκῶν μνείας | χάριν. ‖ [Ἐ]ννεάκις πυκτεύσας ᾤχετο εἰς | Ἀΐδην.

166. Cyzici. — Morldmann, *Athen. Mittheil.*, VI (1881), p. 124, n. 7.

Εὐπρεπὴς προ[6ο]|κάτωρ.

---

167. Dardanellis. — Gurlitt, *Arch. epigr. Mittheil. aus Oesterr.*, I (1877), p. 7.

Sub effigie gladiatoris :

Πόπλαρις ¹ τῷ ἰδίῳ πα|τρὶ Γαλάτῃ μνείας | χάριν.

1. Popularis.

---

168. Cyzici. — *C. I. L.*, III, 7062.

L. Baebius L. 1. Moschus. |
Λεύκιος Βαίβιος Μόσχος.

---

169. Cyzici. — *C. I. L.*, III, 372.

..... et [L.] Corneli et M. Corneli [filiorum eius]. |
Ὑπό[μ]ν[η]μα | Λευκίου Κορνελίου Σπορ[ίου υἱοῦ] | καὶ Λευκίου Κορνηλίου
5 καὶ Μάρκου Κορνη[λίου] ‖ τῶν υἱῶν αὐτοῦ | καὶ Σέξτου Κορνηλίου Βάσσο[υ].

---

170. Cyzici. — Mordtmann, *Athen. Mittheil.*, X (1885), p. 210, n. 38.

5 Ὑπόμνημα | Λ. Ἰουλίου Ὀνη|σίμου ὃ κατε|σκεύασεν αὐ‖τῷ ὁ πατρώ|νης Τι.
10 Ἰούλιος | Φρούγεις · | ἐξέστω δὲ τῷ ἀπε|λευθέρῳ μου τεθῆν‖αι ἐπιτυγχάνοντ[ι] |
ἱς τὰ ὑπὸ τὴν σόρον · εἰ δέ τις ἐπιχειρήσει | τεθῆναι ἱς τὴν σόρον ἢ κεινῆσαι
τὸ πῶμα, | ἀποδώσει τῷ φίσκῳ δηνάρια βφ΄ ¹ κὲ ὑπεύθυ|νος ἔστω τῷ τῆς τυν-
βωρυχίας ἐνκλήματι.

1. Cf. alias multas funerales fisco solvendas : Kaibel, *Epigr. gr.*, 339 (δηνάρια βφ΄); *C. I.
Gr.*, 3693 (δηνάρια α΄).

---

171. Cyzici. — Smith et Rustafjaell, *Journ. of hellen. studies*, XXII (1902), p. 203, n. 8.

Ὑπόμνημα | Πλωτίας Ἐπιγόνης, ὃ κατεσκεύασεν αὐτῇ | ὁ πατρώνης Πλώτιος
Βάσσος.

172. Aidindjik. — Lechat et Radet, *Bull. de corr. hellén.*, XII (1888), p. 63, n. 1.

Αὐτοκράτωρ Καῖσαρ | Θεοῦ Νέρουα υἰὸς | Νέρουας Τραιανὸς | Ἄριστος
5 Σεβαστὸς ‖ [Γερμανικὸς] Δακικὸς Π[αρθικὸς, | ἀρχιε]ρεὺς μέγ[ιστος, δημαρ|-
χικῆς ἐ]ξουσίας τὸ [κ', αὐτο|κράτωρ τὸ] ια', ὕπατος [τὸ ς', | πατὴρ πατρ]ίδος ¹,
10 ἐπὶ ἀνθυ[πάτου ‖ Βιττ]ίου Πρόκλου ².

1. Anno 115/116. — 2. Q. Fulvius Gillo Bittius Proculus, vitricus uxoris Plinii, pro-
consul Asiae. Cf. *Prosop. imp. rom.*, II, p. 93, n. 369.

---

173. Artacae. — *C. I. L.*, III, 373.

V[iuit]. C. Sepullius C. f. Vel. Rufus, Caecinia L. f. Prima uxor ann. XLVIII |.
Ζ[ῶν]. Γ. Σεπούλλιος Γ. υ[ἰὸς] Ῥοῦφος, Καικινία [Λ.] θυγάτηρ Πρεῖμα
ἐτ[ων] μθ'.

---

174. Artacae. — Lechat et Radet, *Bull. de corr. hellén.*, XVII (1893), p. 528, n. 22.

.... ιων καὶ τῇ γλυκυτα[τῇ]...|.... υῳ Φιλίῳ? Ἀμβροσίῳ τ....|.... τγρο....

---

175. Parii. — *C. I. Gr.*, 3650.

...., [κυ]νηγεσ[ι.... | ἀ]ρχιερέως | Αἰλίου Ἰουλιαν[οῦ] | καὶ ἀρχιερείας ‖
5 Ὀφιλλίας Ζωτικῆς ¹, θυγατρὸς Ὀφιλλίου | Ζωτικοῦ.

1. Vir et uxor Parianorum sacerdotes maximi. In Asia eponymi saepe fuerunt suae
quisque civitatis et ludos ediderunt municipales illi sacerdotes : Brandis apud Pauly-
Wissowa, *Realencycl.*, Ἀρχιερεύς, col. 481-62.

---

176. Parii. — Lolling, *Athen. Mittheil.*, IX (1884), p. 61, n. 4.

Εἰμὶ μὲν ἐκ | Παρίου Ὄρτυξ | σοφὸς αὐτο|δίδακτος, ‖
5 [Γράτου τοῦ | μεγάλου, | ὅς πάντα | λόγοις ὑπο|τάσσει,
10 [τούς ‖ τε ποιητο|γράφους καὶ | τοὺς πάλαι | ὄντας ἀγῶ|νι.

177. Parii. — Lolling. *Athen. Mittheil.*, IX (1884), p. 62.

[Τι]6ούρτις Μᾶρκος καὶ Τει6ούρ[τ]ις Βασσίων Τειбουρτίῳ Λουκίῳ | [π]ατρὶ ἰδίῳ μνήμης χάριν. ·

---

178. Parii. — Legrand, *Bull. de corr. hellén.*, XVII (1893), p. 552, n. 50.

Φλάβιος Λιβανὸς ἑαυ|τῷ καὶ Ἀνικίῳ Τυχίῳ καὶ | γυναικὶ αὐτοῦ τὸ μνημεῖ|ον
5 κατεσκεύασεν · εἰ δέ τις ἕ|τερον σῶμα ἢ ὄστεα βάλῃ, | δώσει τῇ Παριανῶν
πόλι δηνάρια | αφ' | καὶ τῷ φίσκῳ αλ'.

Multae incertae fisco solvendae : Le Bas et Waddington, n. 1748; Lolling, *Athen. Mittheil.*, IX (1884), p. 64.

---

179. Lampsaci. — Dittenberger, *Sylloge*, n. 276.

a. [..ε..ια..... ἐν | τοῖς ψηφίσμασι τοῖς ὑπ]εράνω γεγραμμένο[ις. Τοῦ δὲ δή|μου
ζητοῦντος] καὶ κατακαλουμένου μετὰ πάσης [φιλο|τιμίας τοὺς] ἐπιδώσοντας ἑαυ-
5 τοὺς, καὶ ψηφισαμένου [ἵ|να τοῖς] πρεσβεύσασιν ὑπὲρ τῆς πόλεως πρός τε |
[Μασσαλι]ήτας καὶ Ῥωμαίους τίμιόν τι ὑπάρξει παρὰ το[ῦ | δήμου κ]αὶ ἵνα, ὅταν
ἐπανέλθωσιν οἱ πρεσ[β]ευταὶ, προ6ο[υ]λεύσει ἡ β]ουλὴ καθότι τιμ[ηθ]ήσονται, καὶ
10 προбληθέντ[ων | τινῶν καὶ] οὐκ ὑπομενόντων, ἐνίων δὲ καὶ χειροτονηθέ[ντ‖ων καὶ
ἐξο]μοσαμένων διὰ τὸ μέγεθος τῆς κομιδῆς [καὶ | τῆς ὀχλήσεως], Ἡγησίας προ-
6ληθεὶς ἀντὶ τοῦ ἐξομόσ[ασ|θαι χειροτον]ηθεὶς καὶ ἀξιωθεὶς ὑπὸ τοῦ δήμου οὐδ[ὲν |
φροντίσας τῶν] κατὰ τὴν ἐκγδημίαν κινδύνων, ἀλλ[ὰ ἐν | ἐλάσσονι θέμε]νος τὰ
15 καθ' αὑτὸν τοῦ τῆι πόλει συμφέ[ρον‖τος ἐπεδέξατο] τὴν πρεσβείαν, καὶ ἐγδημήσας
καὶ πα[ραγε|νόμενος εἰς τὴν] Ἑλλάδα, ἐντυχὼν μετὰ τῶν συμπρ[εσ6ευτῶν τῶι
στ]ρατηγῶι τῶν Ῥωμαίων τῶι ἐπὶ τῶν να[υτι|κῶν Λευκίωι ¹ ἀ]πελογίσατο αὐτ[ῶ]ι
διὰ πλειόνων διότι σ[υγ|γενὴς ² ὢν καὶ] φίλος ὁ δῆμος τοῦ Ῥωμαίων δήμου ἐξα-
20 πέσ[τει‖λεν αὐτοὺς] πρὸς αὐτόν, καὶ διότι ἀξιοίη αὐτὸν καὶ παρα[καλ|οίη μετὰ
τῶν σ]υμπρεσбευτῶν, ὄντων ἡμῶν συγγενῶν τῶ[ν Ῥωμαίων, προνοεῖ]ν περὶ τῆς
πόλεως ἡμῶν, ἵνα συντελῆτα[ι ἃ δο|κεῖ εἶναι] λυσιτελῆ τῶι δήμωι — ἐπιβάλλειν
25 γὰρ αὐ[τοῖς | ἀεὶ προίσ]τασθαι τῶν τῆι πόλει συμφερόντων διά τε [τὴν ὑ‖πάρχου-
σαν ἡ]μῖν πρὸς αὐτοὺς συγγένειαν, ἣν καὶ ἀπο[δέξασ|θαι αὐτοὺς, κ]αὶ διὰ τὸ Μασ-
σαλιήτας εἶναι ἡμῖν ἀδελ[φούς ³, | οἵ εἰσι φίλ]οι καὶ σύμμαχοι τοῦ δήμου τοῦ

Ῥωμαίων — κ[αὶ ὅ|ταν παρ' αὐτοῦ λ]άϐωσιν ἀποκρίσεις τὰς ἁρμοζούσας τ.....|

30 .... στείλασθαι δι' ὧν εὐθαρσέστερος ὁ δῆ[μος. ‖ ....]αῖς διασαφεῖ ἀπο-
δεχόμενος τὴν οἰκε[ιότη|τα καὶ συγγέν]ειαν τὴν ὑπάρχουσαν ἡμῖν πρὸς Ῥωμ[αίους,|
καὶ ὑπέσχε]το, ἐὰν πρός τινας φιλίαν ἢ ὅρκια ποῆται, [διότι | ἐν τούτοις π]εριλή-
ψεται τὴμ πόλιν ἡμῶν καὶ διατηρ[ήσει | τὴν δημοκρα]τίαν καὶ τὴν αὐτονομίαν

35 καὶ τὴν εἰρή[νην ‖ καθ' ἃ ἂν φαί]νηται εὐχρηστήσειν, καὶ διότι ἐάν τις [παρεν|ο-
χλεῖν πειρᾶτ]αι οὐκ ἐπιτρέψει ἀλλὰ κωλύσει. Ἐντυ[χὼν δὲ μετὰ | τῶν συμπρε]σ-
ϐευτῶν τῶι ἐπὶ τοῦ ναυτικοῦ ταμία[ι ⁴...].. καὶ πείσα]ς αὐτὸν ἀεί τινος ἀγαθοῦ

40 παραίτιον γίνε[σθαι, | λαϐὼν δὲ π]αρ' αὐτοῦ ἐπιστολὴν πρὸς τὸν δῆμο[ν ‖ καὶ
γνοὺς] συμφέρουσαν εἶναι κατεχώρισεν εἰς....... | .... διακομισθεὶς δὲ...
....

b. [....... καὶ ὑ]πὲρ ὧν εἶχεν τὰ ψηφίσματα, π[λεύσας τὸν | εἰς Μασσαλί]αν
πλοῦν πολὺν καὶ ἐπικίνδυνον, ἐπ[ελθὼν ἐπὶ | τοὺς ἑξακο]σίους ⁵ παρεστήσατο
αὐτοὺς καὶ ἔπρα[ξεν ὅπω]ς τύχοι πρεσϐευτῶν εἰς τὸ συμπρεσϐεύσασθαι μεθ'

5 [αὐτῶν.‖..... εἰ]ς Ῥώμην· κρίναντες δὲ χρήσιμον εἶναι ἀξιώ[σαντες ἔλα|ϐον παρὰ
τῶν] ἑξακοσίων συμφέρουσαν ἐπιστολὴν ὑ[πὲρ ἡμῶν | πρὸς τὸν δῆμ]ον τῶν Τολος-
τοαγίων Γαλατῶν ⁶. Διακομ[ισθεὶς δὲ εἰς | Ῥώμην μετὰ τ]ῶν συμπρεσϐευτῶν καὶ
τῶν συναποστ[αλέντων | ἐκ τῆς Μασσα]λίας, καὶ χρηματίσας τῆι συγκλήτωι μετ'

10 [αὐτῶν, ἤ‖κουσε δηλωσάν]των τὴν εὔνοιαν καὶ τὴν αἵρεσιν ἣν ἔχ[οντες δια|τε-
λοῦσι πρὸς αὐ]τοὺς καὶ ἀνανεωσαμένων τὴν ὑπάρχο[υσαν συμ|μαχίαν πρὸς]
αὐτούς, ἀπολογισαμένων δὲ αὐτοῖς καὶ [περὶ ἡμῶν | διότι αὐτοῖς] εἶναι ἀδελφοῖς
τῶι δήμωι ἡμῶν συμϐαίνε[ι καὶ τὴν | εὔνοιαν ἀκόλ]ουθον ἔχειν τῆι συγγενεία[ι ·

15 ἐ]νεφάνισε δὲ αὐ[τοῖς καὶ ‖ περὶ τῶν Γαλα]τῶν, καὶ ὧν προσδεόμεν[ο]ς ὁ δῆμος
ὑπάρξαι [αὐτῶι ἐξ|απέστειλε τὴ]μ πρεσϐείαν, καὶ παρεκάλει αὐτοὺς μετὰ τ[ῶν
συμ|πρεσϐευτῶν] περὶ τῆς τῶν ἄλλων φίλων καὶ οἰκείων [ἀσφαλείας προνοεῖν
κ.αὶ ὑπὲρ τῆς πόλεως ἡμῶν φροντί[ζ]ειν δ[ιὰ τὴν συγ|γένειαν καὶ τ]ὰ ὑπάρ-

20 χοντα ἡμῖν πρὸς αὐτοὺς φιλά[νθρωπα ‖ καὶ τὴν γεγενη]μένην ἡμῖν σύστασιν διὰ
Μασσα[λιητῶν ἀξι|ῶν ἐπιστολὴν λ]αϐεῖν συμφέρουσαν τῶι δήμωι · καὶ ἐγ[λι-
παρησάν|των τῶν πρεσϐ]ευτῶν ὅπως συμπεριληφθῶμεν [ἐν ταῖς | συνθήκαις] ταῖς
γενομέναις Ῥωμαίοις πρὸς τὸμ [βασιλέα ⁷, αὐ|τὴ μὲν συμπερι]έλαϐεν ἡμᾶς [ἐ]ν

25 ταῖς συνθήκαις π[ρὸς τὸμ βα‖σιλέα, καθό]τι καὶ α[ὐτοὶ γρ]άφουσι, περὶ δὲ τῶν
[ἄλλων πάντων ἀνήγαγ]εν αὐτο[ὺ]ς ἡ σύγκλητος πρὸς τὸ[ν τῶν Ῥωμαί|ων
στρατηγ]ὸν ὕπατον ⁸ Τίτον καὶ τοὺς δέκα ⁹ τοὺς ἐ[πὶ τῶν τῆς | Ἑλλάδος πραγ-
μάτω]ν · καὶ παρ[α]γενόμενος εἰς Κόρινθον με[τὰ....|... καὶ Ἀπο]λλοδώρου ¹⁰

30 ἐνέτυχεν τῶι στρατηγῶι [καὶ τοῖς ‖ δέκα, καὶ δια]λεγεὶς αὐτοῖς ὑπὲρ τοῦ δήμου
καὶ πα[ρακαλέσ]ας μετὰ πάσης] φιλοτιμίας ἵνα πρόνοιαν ποιῶνται [ὑπὲρ ἡμῶν |
καὶ συμβάλλω]νται εἰς τὸ διασώιζεσθαι τὴμ πόλιν [ἡμῶν | αὐτ|ονομουμένην] καὶ
δημοκρατουμένην · περὶ ὧν [x]αὶ.....|.......ν καὶ ἐπιστολὰς πρὸς τοὺς βασι-
35 λεῖ|ς [11] ....‖.........ο]ύσας αὐτῶι εἶναι διαπέστειλεν [..........|..... ὁ
δῆμ]ος, καθότι προεψηφίσ[ατο.........]

In duobus tabulis (*a*, *b*) titulus exaratus est.

« Plebiscitum Lampsacenorum est de honoribus Hegesiae, qui cum duobus aliis
civibus legationes ad Massilienses, Romam ad senatum, Corinthum ad T. Quinctium Fla-
minium proconsulem susceperat, anno 196 ante C. n. » (Dittenberger).

1. L. Quinctius Flamininus. Titi frater, quem, cum praetor urbanus fuisset anno 199
ante C. n. (Liv. XXXII, 1, 2), ut propraetorem (στρατηγός) senatus classi deinde praefecit.
— 2. Συγγένης. Lampsaceni enim participes erant foederis Iliaci et sacrorum Minervae
Iliadis. Cf. Dittenberger, *Sylloge*, n. 169, v. 59. — 3. Ἀδελφούς. Utrique coloni erant
Phocaeensium. — 4. Quaestor praetoris, qui classi imperabat. Cf. Mommsen, *Droit
public*, IV, p. 265, not. 2. « Legati, cum Massiliam navigarent, in portu aliquo Italiae
quaestorem convenisse videntur. » (Dittenberger). Inter tabulas *a* et *b* pauca tantum
verba interciderunt. — 5. Ἑξακοσίους. Sexcenti viri, perpetui magistratus, nomine τιμοῦ-
χοι, qui rempublicam Massiliensium administrabant; Strab., IV, 1, 5, p. 179. — 6. Τολοσ-
τοάγιοι. Nomen etiam in Pergamenis titulis populo Galatarum inditum, qui saepius
vocatur Τολιστοβώγιοι. — 7. Βασιλέα. Philippus Macedo. — 8. Στρατηγὸν ὕπατον appellatos
fuisse antiquitus summos reipublicae magistratus docuerunt Mommsen, *Ephem. epigr.*,
I (1872), p. 223-226 et Foucart, *Rev. de phil.*, XXIII (1899), p. 254. Sic vocatur ipse T.
Quinctius Flaminius in titulo Peloponnesiaco apud Dittenberger, *Syllog.*, n. 275. Is cos.
fuerat anno 198 ante C. n.; more Graecorum ὕπατος etiam dicitur anno 196, quamvis
esset pro consule. — 9. Τοὺς δέκα. Decem legati, quos solebat senatus romanus mittere
ut proconsuli adessent et cum eo statuerent de pace ordinanda. Mommsen, *Droit public*,
IV, p. 413. — 10. Ἀπολλοδώρου. Hegesiae comes in legatione cum tertio alio, cujus nomen
periit. — 11. Βασιλεῖς. Eumenes II rex Pergami, et Prusias I Bithyniae.

---

180. Lampsaci. — *C. I. Gr.*, 3642.

Ἰουλίαν Σεβαστὴν [1] | Ἑστίαν, νέαν Δήμη|τρα, ἡ γερουσία, τὸ δὲ | εἰς τὸ
5 ἄγαλμα καὶ τὴν βά‖σιν καὶ τὴν ἀνάστασιν αὐ|τοῦ δαπάνημα ποιησαμέ|νου ἐκ τῶν
10 ἰδίων ὑπὲρ τῆς | εἰς τοὺς στεφάνους εὐ|σεβείας τοῦ ἱερέως τῶν ‖ Σεβαστῶν καὶ
στεφανηφόρου | τοῦ σύμπαντος αὐτῶν οἴ|κου [2] καὶ ταμίου τοῦ δήμου [3] τὸ δεύ-
τερον | Διονυσίου | τοῦ Ἀπολλωνοτείμου.

1. Liviam, uxorem Divi Augusti (anno 14 p. C. n.), defunctam anno 29, Asiatici sub

nomine Cereris vivam etiam coluerunt; Chapot, *La province rom. d'Asie*, p. 428. —
2. Coronam gerebat sacerdos Augusti municipalis haud secus atque ὁ στεφαντ,φόρος, qui
in multis Asiae civitatibus eponymus fuit : Liebenam, *Städteverw.*, p. 347 et 556. —
3. Quaestor populi dicitur : nam fuerunt etiam quaestores sacrarum pecuniarum. Lie-
benam, *ibid.*, p. 293 et 564.

---

181. Lampsaci. — *Bull. de corr. hellén.*, XVII (1893), p. 553.

.....[ἐκ τῶν] | ἰδίων ὑπὲρ τῆς πατρίδος καὶ | πρὸς πολλοῖς ἐπιτεύγμασιν |
5 κατορθώσαντα τὸ ἥμισυ τοῦ ‖ ἐπικεφαλίου τῆς πόλεως | κουφισθῆναι ', | ἀνα-
θείσης τὸν ἀνδριάντα τῆς | Περικλειδῶν φυλῆς τοῦ ἑαυτῆς | φυλάρχου.

1. Ut tributum capitis dimidio minueretur Lampsacenis vir ille diligentia et gratia sua
obtinuerat. De eo tributo vide Marquardt, *Organisation financière*, p. 249.

---

182. Lampsaci. — *C. I. Gr.*, 3643.

Ἡ γερουσία | Κῦρον Ἀπολλωνίου ἀρχία|τρον ἄριστον, πολείτην ἐπί|σημον,
5 πρὸς πολλοῖς εὐεργε‖τήμασιν εἰς αὐτὴν ἀλείψαντα | λαμπρῶς καὶ πολυδαπάνως
καὶ | ἀσυνκρίτως καὶ ἀποχαρισάμε|νον χειλίας Ἀττικὰς ' τῇ γερουσίᾳ.

1. Atticis drachmis uti pro denariis Asiatici etiam sub Caesaribus perrexerunt. Cf.
t. III, n. 1047, et Chapot, *op. cit.*, p. 341, adn. 2.

---

183. Lampsaci. — Le Bas et Waddington, 1744.

..... κατεσκεύασε τὸ μνημεῖο]ν ἑαυτῇ καὶ τῇ θυγατρὶ Εἰρή[νη....|... δώσε]ι
τῷ [τ]α[μείῳ πρόστι]μ[ο]ν δηνάρια β'.

---

184. Bigha. — Hasluçk, *Journ. of hellen. studies*, XXV (1905), p. 62, n. 27.

Σέδις Θεοφιλο[υ] | κατεσκεύασεν τὸ[ν] | βωμὸν Σεδίᾳ Θεο|φίλᾳ θυγατρὶ ἰδίᾳ ‖
5 [μν]ήμης χάριν · εἰ δέ τι[ς | με]ταχεινήσῃ, δώ[σ]ει τῷ ταμείῳ δηνάρια β'.

---

185. Tchaouch-Keuï. — *C. I. L.*, III, 13668.

5   C. Urbanius Cas|pius C. Urbani|o Marcello | idio patri mne▮mes charin.

186. Zeleae. — Lechat et Radet, *Bull. de corr. hellén.*, XVII (1893), p. 530.

..........Μυρίνου πραγματω..... | Καβάσσης ἐπιδεδ..... | Ἰταλίαν Ῥώμην
5 ις′, Γε[ρμανίαν] β′, | ἐπὶ τὴν ὄχθην δ′, Δαλμα[τία]ν Ἰστρίαν ‖ Λιβυρνίαν β′,
Ἀλεξάνδρειαν τὴν κα[τ]′ Αἴ|γυπτον β′, καὶ τὰ τούτων ἀνάμεσον | φορικὰ γρή-
ματα ¹ πράξας ἔτη λε′, αὐτῷ | ἐποίησεν ζῶν ζῶντι |.

1. Vectigalia. Videtur ille pecunias publicas curavisse.

---

187. Hodja-Bunar. — Hasluck, *Journ. of hellen. studies*, XXIV (1904), p. 28, n. 28.

....[ἐπὶ Δρού]σου Καίσαρος ἱπ[πάρ]χ]ου ¹ ἐπηγγείλατ[ο | Δι]ὶ καὶ το[ῖς
κωμήταις].

1. Cyzici, ut videtur. De municipalibus honoribus quos gesserunt Caesares cf. n. 10.
Drusum Julium Caesarem puta esse Tiberii imperatoris filium, *Prosop. imp. rom.*, II.
p. 176, n. 144, potius quam Germanici (*ibid.*, n. 145). Illum enim memorant tituli Asia-
tici, inter quos unus Pergamenus et Iliensis alter (cf. infra, n. 219).

---

188. Poemaneni. — Dittenberger, *Orient. gr. inscr. sel.*, n. 438 ¹.

Οἱ ἐν τῆι Ἀσίαι δῆμοι κα[ὶ τ]ὰ ἔθν[η] | καὶ οἱ κατ᾽ ἄνδρα κεκριμένοι ἐν τῆι
πρὸς | Ῥωμαίους φιλίαι ² καὶ τῶν ἄλλων οἱ εἰρημένοι ³ μετέχειν τῶν Σωτηρίων
5 καὶ | Μουκιείων ⁴ ἐτίμησαν ‖ Ἡρόστρατον Δορκαλίωνος ⁵, ἄνδρα ἀγαθὸν γε|νόμενον
καὶ διενένκαντα πίστει καὶ ἀρετῆ | καὶ δ[ικ]αιοσύνη καὶ εὐσεβείαι καὶ περὶ το[ῦ
κ)οιν[οῦ] | συνφέροντος τὴν πλείστ[η]ν εἰσενηνεγμέ|νον σπουδὴν καὶ πολλὰ καὶ
10 μεγάλα περιπο[ι]‖ήσαντα τοῖς κοινοῖς τοῦ συνεδρίου πράγμα|σιν τῶν πρὸς δόξαν
καὶ μνήμην αἰώνιο[ν] | ἀνηκόντων, ἀρετῆ[ς ἕνεκεν] καὶ εὐνοίας | τῆς ε(ἰς) ἑαυ-
τού[ς].

1. Cf. infra similem titulum Pergami inventum. — 2. « *Qui in amicorum formulam
relati sunt* », ut legitur in S. C. de Asclepiade (*C. I. L.*, I, 203, 7). — 3. « Praeter eos qui
in Asia incolebant, nonnulli alii Graeci, sive populi sive singuli homines, sua sponte
ferias una cum illis habebant ». Dittenberger. — 4. Q. Mucius P. f. Scaevola, cos.
anno 95 ante C. n., Asiam praetor administraverat anno 98 (Dittenberger ad. n. suum
437, 3), cujus in honorem instituta sunt Soteria et Muciea ab Asianis, quod salutem suam
ei deberent; de quibus ludis cf. Foucart, *Rev. de phil.*, XXV (1901), p. 83 et seq. — 5. Si
ad Herostratum amicum Bruti (Plut., *Brut.*, 24) haec referrentur, sequeretur titulum
scriptum esse anno 42 ante C. n. Sed, cum Muciea etiam tum celebrata esse non constet,
eum antiquiorem bello Mithridatico (a. 88) tutius judicaveris.

189. Poemaneni. — Wiegand, *Athen. Mittheil.*, XXIX (1904), p. 299, XXX, 1905, p. 328. Cf. Hasluck, *Journ. of hellen. studies*, XXIV (1904), p. 27 sub n. 25.

.........ος φιλοσό[φου] | θυγατέρα [διὰ τὴν | εἰς τὴ]ν πατρίδα εὔ[νοιαν | καὶ
5 φιλ]οτειμίαν, ἐπ[ιδούσης εἰς τὴ]ν τοῦ ἀνδριά[ντος ἀνάσ‖τασιν τ]ῆς μητρὸς αὐ[τῆς
δηνάρια διακ]όσια, ἐπιμεληθ[έντος δὲ | τῆς ἀν]αστάσεως το[ῦ ἀνδριάντος].........

190. Abydi. — Le Bas et Waddington, n. 1743 n.

5 Ὁ δῆμος ὁ | Δαρδανέων, | ὁ δῆμος ὁ Ἀβιδηνῶν, | οἱ σκηνεῖ‖τα(ι) καὶ ἐργασ-
ταὶ¹ | οἱ] Ῥωμαῖοι οἱ | ἐν Εἰ[λ]ίῳ.

1. Mercatores circumforanei qui sub tentoriis per dies festos negotiabantur. Cf. n. 144. Hi videntur Ilii solemnibus Minervae Iliadis interfuisse (*C. I. Gr.*, 1625, 53 et Boeckh ad h. l.).

191. Ilii. — *C. I. Gr.*, 3606.

Ἰλιεῖς τὸ[ν] | πάτριον θε[ὸν] | Αἰνείαν.

Similes titulos sub statuis Priami, Hectoris et Ajacis ab Iliensibus positos vide apud Kaibel, *Epigr. gr.*, 1080, 1081, 1294; Kubitschek, *Jahreshefte des Oesterr. arch. Inst.*, I, p. 184. Aeneae imago etiam in nummis Iliensium saepe efficta est aetate imperatoria; Dörpfeld et de Fritze, *Troja und Ilion*, p. 483 et 318.

192. Ilii. — Brückner apud Dörpfeld, *Troja und Ilion*, p. 448, n. IV.

.... [ἑτοίμως ἔχομεν]..... |τε πρὸς τὸ σ[υ]γκατασκ[ευάσασθαι ἅπαν]|τα τὰ
5 πρὸς ἐπιμέλειαν κ[αὶ καταλογὴν ἀνή]|κοντα · πειρασόμεθα γὰ[ρ οὐ μόνον τὰ δι]|ὰ
προγόνων προυπηργμ]ένα εἰς τὸν δῆ]|μον συντηρεῖν, ἀλλὰ κ[αὶ, ἵνα τῶν πρὸς] |
δόξαν καὶ τιμὴν ἀνηκ[όντων ἐν μηδενὶ] | ὑστερῆτε, ποιεῖσθαι τ[ὴν μεγίστην πρό-
10 νοι|αν] καὶ κοινῆι καὶ ἰδίαι ἑκ[άστου?]... ‖ ...ροῦμεν δὲ καὶ τα........

Fragmentum epistulae ad Ilienses missae ab senatus romani legatis, ut videtur, qui post bellum Syriacum res Asiae composuerunt inter annos 193 et 188 ante C. n. Cf. Dittenberger, *Sylloge*, nn. 279 et 287.

193. Ilii. — Dörpfeld, *Troja* (1893), p. 136. Cf. Wilhelm apud Dörpfeld, *Troja und Ilion*, p. 463, n. 6.

.....[καὶ τῶν ἄλλων] ὧ[ν καθήκει γί]ν[εσ]|θαι κατὰ τὸν νόμον ἑλόμεναι αἱ
5 πό|λεις ἐξαποστειλάτωσαν οὓς ἂν αὑ|ταῖς φαίνηται. Εἰ δέ τινες ἐγγρα|ραὶ γεγέ-
νη[ντ]αι ἢ ὀφειλήματα κατὰ | τῶν πόλεων καὶ τῶν ἀγωνοθετῶ[ν] | καὶ τῶν
ἀρξάντων ἢ διαχειρι|σάντων τι τῶγ κοινῶν τῶν τὴ[ν] | ἐπίσχεσιν πεποιημένων,
10 ἠρθ[αι ‖ τ]αῦτα καὶ ἄκυρα εἶναι. Τῶν δὲ | ἀγωνοθετῶν οἱ μὴ καταβεβλη|[κότε]ς
τὰ χρήματα ἀποδότωσαν | ἃ ἐλάβοσαν ἐν τῷ καθήκοντι χρόνῳ. Ἀποστειλάτωσαν
15 δὲ α[ἱ] | πόλεις τὰ εἰθισμένα διάφορα ἐν[ὸς ‖ ἐνιαυτοῦ, τῶν δὲ ἄλλων διαφό-
ρω[ν | ἐ]κ τῶν προτέρων ἐτῶν τῶν εἰθισ|[μένω]ν κατ᾽ ἐνιαυτὸν καταφέρεσ|[θα]ι,
ὧν τὴν ἐποχὴν ἐποίησαντ[ο]..........

Decretum a communi concilio, foederatas civitates Troadis administrante (cf. nn. 197, 200, 201), factum primo, ut putant editores, ante C. n. saeculo. Cum pecuniae a singulis civitatibus debitae ad celebranda maxime sacra Minervae Iliadis pluribus abhinc annis non solutae essent, placuit, ut finiretur illa intermissio (ἐπίσχεσις, ἐποχή), summas antea creditas debitoribus condonare (v. 4, 10), ea tamen condicione ut agonothetae, quas in manibus haberent, eas legitimo tempore deponerent (v. 10-14) et civitas quaeque mittendum curaret vertentis anni tributum (v. 14-16).

---

194. Ilii. — Dittenberger, *Orient. gr. inscr. sel.*, n. 44; Dessau, *Inscr. lat. sel.*, n. 8770.

Ὁ δῆμος | Λεύκιον Ἰούλιον | Λευκίου υἱὸν Καίσαρα [1], | τιμητὴν γενόμενον ‖
5 καὶ ἀποκαταστή|σαντα [2] τὴν ἱερὰν | χώραν τῆι Ἀθηνᾶι | τῆι Ἰλιάδι καὶ ἐξελό-
μενον | αὐτὴν ἐκ τῆς δημοσιωνίας [3].

1. L. Julius L. f. Sex. n. Caesar, cos. anno 90 ante C. n., occisus 87. Drumann, *Gesch. Roms*, III, p. 119, n. 20. De illius censura (anno 89) vide Plin., *Hist. nat.*, XIV, 95. Cf. n. 195. — 2. ἀποκαταστήσαντα. « Terra sacra aliquando erepta erat Minervae Iliadi; quam Caesar, memor antiquae conexionis, quae Romanis cum Ilio intercedebat, restituit ». Dittenberger, qui similia exempla contulit. — 3. δημοσιωνίας. Agros, eo ipso quod ad deam redibant, oportebat esse immunes. Cf. Strab., XIV, 1, 26; Dittenberger, *Sylloge*, n. 334.

---

195. Ilii. — *C. I. Gr.*, add., n. 3608 b.

[Ἡ βο]υλὴ καὶ ὁ δῆμος | [Ἰου]λίαν θυγατέρα | [Λε]υκίου Ἰουλίου Καί-

5 σαρος ¹ | [διὰ] τὰς εὐεργεσίας τὰς ἐ[κ ‖ τ]οῦ πατρὸς αὐτῆς εἰς τὸν | [δ]ῆμον γενομένας.

1. Cf. n. 194.

196. Ilii. — Dittenberger, *Orient. gr. inscr. sel.*, n. 443.

Ἐπεὶ τοῦ ἀνθυπάτου Γαίου Κλαυδίου Ποπλίου υἱοῦ Νέρωνος ¹ ἐπιτάξαντος |
τοῖς Ποιμανηνῶν ² ἄρχουσιν ἐξαποστεῖλαι πρὸς ἡμᾶς εἰς παραφυλακὴν | τῆς
πόλεως στρατιώτας καὶ ἐπ' αὐτῶν ἡγεμόνα, Ποιμανηνοί | ὄντες ἡμῶν φίλοι καὶ
5 εὐνόως διακείμενοι πρὸς τὸν δῆμον ἡμῶν ‖ ἐξαπέστειλαν τούς τε στρατιώτας καὶ
ἐπ' αὐτῶν ἡγεμόνα Νίκ[αν]|δρον Μηνοφίλου, ὃς παραγενόμενος εἰς τὴν πόλιν
ἡμῶν [τήν] | τε ἐνδημίαν ποιεῖται καλὴν καὶ εὐσχήμονα καὶ ἀξία[ν τοῦ τε ἡμε-
τέ]|ρου δήμου καὶ τῆς ἑαυτοῦ πατρίδος, τήν τε τῶν [ὑποτεταγμένων] | ἑαυτῶι
10 νεανίσκων ἐνδημίαν εὔτ[ακτ]ον π[αρέχεται καὶ ἄμεμπ]‖τον, καθάπερ ἐπιβάλλει
ἀνδρὶ καλῶι καὶ ἀγαθῶι, καὶ τὴν ἐγκε]|χειρισμένην ἑαυτῶι πί[στιν κάλλιστα
καὶ ὁσιώτατα διατηρεῖ] | τὴν ὑπὲρ τῆς φυλακ[ῆς τῆς τε πόλεως καὶ τῆς χώρας,
καὶ πλείστην | εἰσφέρεται σπουδ[ὴν καὶ προθυμίαν ὑπὲρ αὐτῆς, οὐδένα κίνδυνον] |
15 ἐκκλίνων οὐδὲ [.............. τὸν δῆ]‖μον κατα..........

1. C. Claudius P. f. Nero, procos. Asiae anno 80-79 ante C. n. Cic. *in Verr.*, I, 19, 50 ;
29, 72. Cf. Waddington, *Fastes des prov. asiat. de l'emp. rom.*, n. 13. — 2. Poemanenum
civitas Mysiae. Cf. nn. 188, 189.

197. Ilii. — Dittenberger, *Orient. gr. inscr.*, n. 444.

Σύμφωνον καὶ ὁμόλογον ταῖς πόλεσιν ὑπὲρ τῆς πανηγύρεως ¹. |
Ἐπὶ ἀγωνοθετῶν τῶν περὶ Δημήτριον Ἱπποδάμαντος Ἰλιέα, ἔτους ἐνά[του ²,
μηνὸς Σελευκείου ³ ὡς Ἰλιεῖς ἄγουσιν, ἐνδημήσαντος τοῦ ταμίου Λευκίου | [Ἰ]ου-
5 λίου Λευκίου υἱοῦ Καίσαρος, τάδε ἐποιήσαντο ἐν ἑαυτοῖς ὁμόλογα καὶ σύμ[φ]ωνα
παραγενόμενοι εἰς τὸ ἱερὸν τῆς Ἀθηνᾶς καὶ ἐπὶ τὸν ταμίαν Λεύκιον Ἰούλιον |
Λευκίου υἱὸν Καίσαρα ⁴ ἐξ Ἰλίου ⁵ μὲν Δημήτριος Ἱπποδάμαντος, Θεοκύδης
Ἑρμίου, | Ποσειδώνιος Ἀπελλείους · ἐγ Δαρδάνου δὲ Δίφιλος Ἀριζήλου, Ἀπολ-
λοφάνης Διφίλου, | Ἡρακλείδης Ἡρώδου · ἐξ Σκήψεως δὲ Κλέανδρος Πυθοδώρου,
Κόνων Βακχίου · | ἐξ Ἄσσου δὲ Ἀνόδικος Ἀριστολόγου νεώτερος, Λάδικος
10 Ἀνοδίκου, Βόμβος Λυσι‖θέμιδος · ἐξ Ἀλεξανδρείας δὲ Φιλίτας Σίμωνος, Ζωίλος

Λεοντίσκου, Καλλισ[θέ]|νης Κλεόμμιδος · ἐξ Ἀβύδου δὲ Ἀπολλωνιχέτης Ἀναξα-
γόγου, Θέσπις Λαερτ[ι]|άδου, Ἑκαταῖος Καλλιππίδου · ἐχ Λαμψάχου δὲ Πυθο-
γένης Φιλίσχου, Κλεότ[ι]|μος Ἀργεδήμου · τῶν χρημάτων ὧν ὀφείλουσιν αἱ
πόλεις τῆι θεῶι [6] φέρειν | τόχους [7] ἐξηχοστοὺς ἐφ᾽ ἔτη δέχα, ἐπεὶ πάντες εὐδό-
15 χησαν διὰ τὰς τῶν πόλεων ‖ θλίψεις, τῶν δὲ προγεγενημένων ἐτῶν παρεῖσθαι τὰς
πόλεις πάσας τῶν τό|χων καὶ μὴ εἶναι πρακτὰς κατὰ μηδένα τρόπον, διελθόντος
δὲ τοῦ προγε|[γρ]αμμένου χρόνου εἶναι τοὺς πεντεχαιδεχάτους τόχους χαθὼ]ς
ὁ νόμος | περ]ιέχει. Ἐὰν δέ τινες τῶν πόλεων ἀθε[τῶσι τὸ σύμφωνον τόδε ἢ
μὴ | ἀποπέμ]πωσιν τοὺς ἄρχοντας ἢ τὰς θυ[σίας εἰς τὴν πανήγυριν, ...]

1. « Panegyris Panathenaeorum, quae agebantur Ilii in celeberrimo Minervae Iliadis
delubro a concilio populorum vicinorum » Dittenberger. — 2. Anno 9 aerae Sullanae =
77 ante C. n. — 3. Iliensium mensis in honorem Seleuci I Nicatoris (386-280 ante C. n.)
institutus. — 4. L. Julius L. f. Caesar, cos. anno 64 ante C. n. — 5. Septem tantum
civitates hujus concilii participes recensentur, nempe Ilium, Dardanum, Scepsis, Assus,
Alexandria Troas, Abydus, Lampsacus. Desunt autem Gargara et Parium, quas civitates
constat fuisse aliquando in numero novem populorum sub numine Minervae Iliadis
inter se foederatorum (Dittenberger, *Sylloge*, n. 169 et 503; Brückner, *Troja und Ilion*.
p. 472, n. 77); unde conjicitur numerum eorum non unum et eumdem semper mansisse.
— 6. Veri simillimum videtur « civitates pecunias ex aerario Minervae Iliadis mutuas
sumpsisse, cum belli Mithridatici tempore ac magis etiam ingentibus pensionibus,
quas Sulla post pacem ab Asianis exigebat, in summam pecuniae inopiam redactae
essent » Dittenberger. — 7. Nota de usuris debitarum pecuniarum hic sermonem esse,
nusquam autem de capite, videlicet quod civitates, quo tempore illud redditurae essent
ne praevidere quidem possent. Aliter vero rem interpretati sunt Mommsen et Brückner,
Troja und Ilion, p. 453, n. XIV.

---

198. Ilii. — Brückner apud Dörpfeld, *Troja und Ilion*, p. 470, n. 58.

Ὁ δῆμος | Γναῖον Πομπήιον Γναίου υἱὸν | τὸ τρίτον αὐτοχράτορα [1].

1. Inter annum 66 ante C. n., quo Pompeius lege Manilia tertium imperator adversus
Mithridatem Tigranemque missus est, et annum 62, quo victor ex Asia Romam reversus
est. Cf. Haubold, *De rebus Iliensium*, p. 41.

---

199. Ilii. — Brückner apud Dörpfeld, *Troja und Ilion*, p. 457, n. XVI; p. 458, n. XVII.

a. b.. Ἰλιάδι... | ... ἐν τῶι ἱερῶι... | .·. οὓς ἔγραψα ... | ... τὴν πόλιν ὑμῶν
5 εἶναι ἐλευθέραν ...‖. χαὶ ἀλειτούργητον ..|.. α πάντα χαὶ..|.. ἐν νόμοις ἱεροῖς [1].
.... συγγενεῖς .. |... δόξαν..... |

c..... ['Αθηνᾶς.. |.. ου.. |
d..... υμ.. | .. τρ.....
e..... ο ἱερῷ.....|... τῆς Ἀθηνᾶς τῆς Ἰλιάδος..|. νόμους...

Collato Strab. XIII, p. 595, opinatur edifor hanc esse epistulam C. Julii Caesaris, qua Iliensium civitatem liberam esse jubebat et immunem. Imo fama fuit Julium Caesarem Ilium transferre imperium voluisse (Suet., *Caes.*, 79). Haubold, *De rebus Iliensium*, p. 44.

1. Cf. *Inschriften von Pergamon*, n. 246 : τὸ δὲ ψήφισμα τόδε [κ]ύριον εἶναι [εἰς ἅπαντα] τὸν χρόνον καὶ κατ[α]τε[θῆ̣ν]αι αὐτὸ ἐν νόμο[ις ἱ]ε[ροῖς].

---

200. Ilii. — Le Bas et Waddington, n. 1743 f; Hirschfeld, *Notizbuch*, II, 366.

['Ιλιεῖς] καὶ αἱ [πόλεις αἱ κοινω|νοῦσαι τ]ῆς θυσ[ίας καὶ τοῦ] ἀ|[γῶ]νος καὶ τῆς
5 πανηγύρεως | Αὐτοκράτορα Καίσαρα Θεοῦ υἱ‖ὸν Σεβαστὸν τὸν συγγενῆ ¹ | καὶ
πάτρωνα καὶ σωτῆρα τῶ[ν π]ο|λιτῶν καὶ εὐε[ργέ]την πάν|των.

1. Augustus, ab Aenea Trojano ortus, ideo conjunctus Iliensibus ferebatur, quorum in nummis κτίστης etiam nuncupatur, fortasse quia civitatem auxerat atque exornaverat; Haubold, *De rebus Iliensium*, pp. 44, 45.

---

201. Ilii. — C. I. Gr., 3604.

Ἰλιεῖς καὶ αἱ πόλεις αἱ κοινωνοῦσαι τῆς [θυ]|σίας καὶ τοῦ ἀγῶνος καὶ
τῆς πανηγύρε[ως] | Αὐτοκράτορα Καίσαρα Θεοῦ υἱὸν Θεὸν Σε[βα]στὸν ἀνυπερ-
βλήτοις πράξεσιν κεχ[ρη]μένον καὶ εὐεργεσίαις ταῖς εἰς ἅπ[αν]|τας ἀνθρώπους. ‖
5 Ἵππαρχος ¹ Ἡγησιδήμου Ἰλιεὺς σύνεδ[ρος ² τοῦ|τ]ον τὸν ἀνδριάντα ἀνέθηκεν
ἐκ τῶν ἰδί[ων] | διὰ τὴν πρὸς τὸν Σεβαστὸν καὶ εὐεργέ[την] | καὶ σωτῆρα
ἑαυτοῦ εὐσέβειαν.

1. Nomen viri proprium. Cf. Dittenberger, *Sylloge* in indice I, s. v. — 2. Civitates foe-
deratae, quibus Minervae Iliadis sacra curae erant, synedros quaeque duos tresve (cf. n. 197) eligebant communis concilii participes.

---

202. Ilii. — Dörpfeld, *Troja und Ilion*, p. 224.

Αὐτοκράτ[ωρ Καῖσαρ Θεοῦ Ἰουλίου] | υἱὸς Σεβα[στὸς τῇ Ἀθηνᾷ Ἰλιάδι].

Supra hunc titulum, in fronte templi Minervae incisum, alter titulus omnino similis litteris aeneis fixus erat. Magnum templum Minervae a Lysimacho aedificatum circa annum 300 ante C. n., a Fimbria autem duobus post saeculis dirutum, Augustus, ut videtur, instaurandum curaverat, ubi civitates illius regionis foederatae sacra Minervae Iliadis rite celebrarent. Cf. nn. 197, 200, 201.

---

203. Ilii. — Wilhelm, *Klio*, V (1906), p. 300.

Αὐτοκράτορα Καίσα'ρα Θεοῦ] υἱὸν | Σεβαστὸν ἀρχιερέα χ[α]ὶ δ[ημαρ]χι-
χῆ[ς] | ἐξουσίας τὸ δωδέκ[ατον] ' Μελανιππίδης Εὐθυδίκου [τὸν ἑαυτοῦ] ‖
5 ξένον ² καὶ εὐεργέτη[ν].

1. Anno 12/11 ante C. n. — 2. Augustum hospitio exceperat anno 20 ante C. n., in Asia iter facientem (Dio, LIV, 7). Quomodo Ilienses Augusto usi sint vide apud Haubold, *De rebus Iliensium*, p. 44, 47.

---

204. Ilii. — Dittenberger, *Sylloge*, n. 352.

Μᾶρχον Ἀγρίππαν τὸν συγγενέα ¹ καὶ πάτρωνα τῆς πόλεως καὶ | εὐεργέ‑
ἐπὶ τῇ πρὸς τὴν θεὸν ² εὐσεβείᾳ καὶ ἐπὶ τῇ πρὸς τὸν δῆμον | εὐνοίᾳ ³.

1. M. Agrippa, Syriae provinciae per decennium praeses, annis 23-13 ante C. n., Asiam quoque administravit proconsulari imperio (Jos., *Ant. Iud.*, XV, 350; XVI, 86) annis, ut videtur, 18-13. Waddington, *Fastes des prov. asiat.*, p. 88, n. 54. Nota eum, utpote Augusti generum, dici etiam Iliensium συγγενέα. — 2. Minervam Iliada. — 3. Anno 16 Agrippa Iliensibus, quod uxori periculum in itinere adeunti non subvenissent, multam inflixerat; quam deinde placatus illis condonavit. Cf. Haubold, *De rebus Iliensium*, pp. 45, 46.

---

205. Ilii. — Schliemann, *Trojanische Alterthümer* (1874), p. 192.

Ἡ βουλὴ καὶ ὁ δῆμος | Γάιον Καίσαρα ' τὸν υἱὸν τοῦ Σεβασ|τοῦ τὸν
συγγενῆ ² καὶ πατρῶνα καὶ εὐ|εργέτην τῆς πόλεως.

1. C. Caesar proconsul Asiae fuit anno 1 ante C. n. Eum Ilii tum temporis versatum esse non sine probabilitate conjecit Haubold, *De rebus Iliensium*, p. 48. — 2. Cf. n. 204, not. 1.

---

206. Ilii. — Le Bas et Waddington, 1039.

Ἀντωνίαν τὴν | ἀδελφιδῆν τὴν Θεοῦ | Σεβαστοῦ ¹, γυναῖκα δὲ γε|νομένην

5 Δρούσου Κλαυ‖δίου τοῦ ἀδελφοῦ τοῦ Αὐτο|κράτορος Τιβερίου, Σεβασ|τοῦ
10 υἱο[ῦ], Σεβαστοῦ, μητέρα | δὲ Γερμανικοῦ Καίσαρος | καὶ Τιβερίου Κλαυ‖δίου
Γερμανικοῦ | καὶ Λειβίας θεᾶς Ἀφρο|δείτης Ἀγγεισιάδος, | πλείστας καὶ
15 μεγίσ|τας ἀρχὰς τοῦ θειοτά‖του γένους παρασχοῦ|[σ]αν, Φίλων Ἀπολ|λωνίου
τὴν ἑαυτοῦ | θεὰν καὶ εὐεργέτιν | ἐκ τῶν ἰδίων.

1. Antonia, filia M. Antonii III viri et Octaviae, sororis Augusti, uxor Claudii Drusi,
fratris Tiberii, mater Germanici, Claudii, qui postea imperavit, et Liviae (*Prosop. imp.
rom.*, I, p. 106, n. 707). Livia autem, seu Livilla, uxor data C. Caesari, Augusti filio, ac
postea Druso, Tiberii filio (*Prosop. imp. rom.*, I, p. 292, n. 211), ut aliae gentis Juliae
feminae, Venus appellatur quod originem duceret a Venere, quae Anchisae Aeneam
peperisset, Juliorum patrem; cf. Haubold, *De rebus Iliensium*, p. 49. Titulus positus est
intra a. d. XIV Kalendas Septembres anni 14, quo Tiberius imperium suscepit, et a. d. VI
idus Octobres anni 19, quo obiit Germanicus. Imo simillimum veri est haec scripta esse
anno 18, cum Germanicus, in Asiam a Tiberio missus ad res Orientis ordinandas, Ilium
adiit, ut viseret quae essent « varietate fortunae et nostri origine veneranda. » (Tac.,
Ann., II, 54). Vide etiam illius epigramma latinum de Hectoris tumulo apud Haubold,
p. 48.

---

207. Ilii. — Schliemann, *Athen. Mittheil.*, XV (1890), p. 217, n. 2. Cf. Dittenberger,
Rhein. Mus., XLVII (1892), p. 324.

Τιβέριον Καίσαρα Θεοῦ Σεβαστοῦ υἱὸν | Σεβαστὸν ἀρχιερέα δημαρχικῆς
ἐξουσί|ας τὸ λγʹ, ὕπατον τὸ εʹ, τὸν συν|γενῆ ¹ καὶ σωτῆρα καὶ εὐεργέτην ἡ
5 βουλὴ ‖ καὶ ὁ δῆμος ².

1. Cf. supra nn. 204 et 205. — **2.** Anno 32/33 p. C. n. Ilium una fuerat ex undecim
civitatibus, quae anno 26 p. C. n. de templo Tiberio et Liviae et senatui dedicando inter
se certaverant; quod fuerat Smyrnaeis concessum (Tac. *Ann.*, IV, 15, 55). Cf. Haubold,
De rebus Iliensium, p. 51; vide etiam Suet., *Tib.*, 52.

---

208. Ilii. — *C. I. Gr.*, 3610; Dörpfeld, *Troja*, p. 139.

[Τιβε]ρίῳ Κλαυδίῳ Καίσαρι Σ[εβ|αστῷ] Γερμανικῷ καὶ Ἰουλί[ᾳ] Σ[ε|βα]στῇ
5 Ἀγριππείνῃ καὶ τοῖ[ς | τέκν]οις αὐτῶν καὶ τῇ συν[κλ‖ήτῳ] καὶ τῇ Ἀθηνᾷ
τῇ Ἰλιάδ[ι | καὶ τῷ] δήμῳ Τιβέριος Κλαύδ[ιος]...... οράνους υἱὸς Φιλοχ[λῆς
10 κα|ὶ ἡ γυνὴ αὐτοῦ Κλαυδ[ία Παρ|μενί]ωνος θυγάτηρ Παρμεν[ὶς ‖ τὴ]ν στοὰν
καὶ τὰ ἐν αὐτῇ | [πά]ντα κατασκευάσαντ[ες] | ἐκ τῶν ἰδίων ἀνέθηκα[ν].

209. Ilii. — Dörpfeld, *Troja*, p. 138.

a. ['Οκτα]ουίαν τὴν θυ|[γατ]έρα τοῦ Σεβαστοῦ. |

b. 'Αντωνίαν τὴν θυ|γατέρα τοῦ Σεβαστοῦ. |

c. Τιβέρι[ο]ν Κλαύ|διον Βριταννι|κὸν τὸν υἱὸν | τοῦ Σεβαστοῦ. |

d. .... Καίσαρος Σεβασ|τοῦ υἱὸν ἡ βου|λὴ(ι) καὶ ὁ δῆμος | τὸν συγγενῆ
5 τῆς πό|λεος.

Haec scripta erant sub imaginibus filiorum Claudii imperantis. Stabant in medio (*b*)
Antonia, filia natu maxima, genita ex Aelia Paetina (*Prosop. imp. rom.*, I, p. 107, n. 708),
utrinque Octavia et Britannicus (*a, c*) filii Messalinae. Videtur postea illis additus esse
Nero, filius Agrippinae (*d*) post annum 50, quo adoptatus est ab imperatore, fortasse
etiam anno 53, postquam « in senatu lingua graeca de Romanorum origine a Troja
deducenda Aeneaque Juliorum parente facunde disseruit, recitata simul epistula sena-
tus populique romani ad Seleucum II Callinicum data, et eo rogante omni publico
munere Ilienses soluti sunt. » (Haubold, *De rebus Iliensium*, p. 51). Totus autem titulus
profecto positus erat in illa porticu, quam suis sumptibus exstruendam curaverat
Ti. Claudius Philocles (Cf. n. 208).

---

210. Ilii. — Brückner apud Dörpfeld, *Troja und Ilion*, p. 458, n. 19.

a. ..... [Αὐτοκράτορο]ς [Θ]εοῦ | [Οὐεσπασιανοῦ Σεβαστο]ῦ καὶ Αὐτο|[κρά-
5 τορος Τίτου Καίσαρο]ς καὶ Δομι|[τιανοῦ Καίσαρος]......ν προθεσμί|αν ἡμέ-
ραν?].......ν ἀγωνοθ[ε] | .... ατος ἐπὶ 'Ιου|[λίας] ' ...... του | [ἀνέθη-
καν...... τῷ τῆς ἀγωνοθ]εσίας χρόνῳ ἀρισ|[τείου ἀργυροῦ λείτρας]...... κοντα
10 ἐκτὼ, οὐνκ(ίας) ἕξ, ‖ .... [ἀγωνοθεσίας χρόν]ῳ ἀριστείου ἀργυροῦ | [λείτρας
...... ὀκτ]ὼ, καὶ μετὰ τὴν ἀπόφασι[ν..... τοῦ πατρ]ὸς τοῦ Εὐκράτους Εὐ|......
[ἵνα κατασκ]ευασθῇ σύνδιρρα ἀρ|[γυρᾶ]...... ἀργύρου ἐν κατασκευῇ ‖ [ὁλκῆς ✻
15 ἀργυρῶν]...... νοτείμου ἀργύρου ἐν κα|[τασκευῇ ὁλκῆς ✻ ἀργυρῶν ².....
'Αγωνοθεσί]ας 'Ασκλάπωνος τοῦ | .... ['Απολ]λωνίου χρυσίου ἐ[ν |

b. κατασκευῇ ὁλκῆς χρυσῶν δηναρίων..... καὶ ἀ]ργύρου λείτρας δέκα
...|..........γου ἐτῶν . δ'. Ἡδεῖα Π..|....... ἀργύρου ἐν κατασκευῇ | [ὁλκῆς
5 ✻ ἀργυρῶν... 'Αγωνοθεσίας Τι. Κλα]υδίου Φιλοκλέους ³ Τι. ‖ [Κλαύδιος......
χρυσίου λε]ίτρας δύο καὶ ἀργύρου | [λείτρας....... καὶ ἀργύρου ἐ]ν κατασκευῇ
ὁλκῆς ✻ ἀρ|[γυρῶν..... 'Αγωνοθεσίας]..... ου Γάιος 'Ιούλιος Μᾶγνος | ....
[ἑ]ξ. 'Αγωνοθεσίας Τι. | [Κλαυδίου....... ἀργ]ύρου ἐν κατασκευῇ ὁλκῆ[ς ‖
10 ✻ ἀργυρῶν..... 'Αγωνοθεσίας Τι. Κλαυδίου Φιλο]κλέους 'Ιουλία Ἥδιννα |

.........α πέντε. Ἀγωνοθεσίας | .... [ἀργύρο]υ ἐν κατασκευῇ ὁλκῆς |
...... [Ἀγωνοθεσίας Τ]ι. Κλαυδίου Ἀντιφάνους Τι. | [Κλαύδιος].........

15 Ἀγωνοθεσίας Τι. Κλαυδίου ‖ .... [χρυ]σῶν δηναρίων ὀγδοήκον|τα.......
ἀργύρου ἐν κατασκευῇ ὁλ]κῆς ✱ ἀργυρῶν ἑκατὸν | .... Τι. Κλαύδιος
Ἀπολ|[λώνιος]..... |

⸢. ......λείτρ[ας..|.. Γάιος Ἰού]λιος Μ[ᾶγνος..|.. Ἀγ]ωνοθεσί[ας..|... ✱
ἀργυρᾶ..‖.. ἵν' ἀγορ[ασθῇ]...|... γρωνο...|..χ.......

Index donorum, quae data sunt fortasse ad aedificandum gentis Flaviae templum.

1. ἐπὶ Ἰου[λίας?] Brückner, quia deficit praenomen, memorari putat feminam Minervae
sacerdotem, cujus nomine annus signaretur. — 2. V. 8-16 inscripta sunt dona quae ipsi
agonothetae suo quisque anno dederunt; v. 17 et seq. quae alii homines sub uno
quoque agonotheta. V. 8-9 (cf. 10) ἀριστεῖον ἀργυροῦν videtur significare purum et rude
argentum; v. autem 14 et seq. ἄργυρος ἐν κατασκευῇ argentum factum; v. 13, σύνδιφρα, for-
tasse bisellia (?). — 3. Ti. Claudius Philocles. Cf. n. 208.

---

211. Ilii. — C. I. Gr., 3611; Schliemann, Troja, p. 261, XX.

          a. Αὐτοκράτ[ορα Τί]|τον Καίσαρα θ[εὸν] | Θεοῦ Οὐεσπασ[ια]|νοῦ υἱὸν
Σεβαστόν.
          b. [? Οὐεσπασιαν]ὸν θεόν.
          c. ...τον Αὐτοκράτορα θεὸν | Θεοῦ Οὐεσπασιανοῦ . | .. υἱὸν Σεβαστόν.

Haubold, De rebus Iliensium, p. 53, adn. 2, putat a et c unum et eumdem esse
titulum.

---

212. Ilii. — Dörpfeld, Troja, 1893, p. 140, n. 7.

[Αὐτ]οκράτορι Καίσαρι Τραιανῷ Ἀδριανῷ Ὀλ|[υμ]πίωι σω[τῆρι........ ἡ
βου]λὴ καὶ ὁ δ[ῆμος τῶν Ἰλιέων πα]ρεχωρησ....... [τ|ό] τε γυμνάσιον.....‖
5 ογ......

Hadrianus, cum Ilium venisset autumno fere anni 124 p. C. n., fertur Ajacis tumulum
maris impetu paene dirutum ibi refecisse; exstat etiam ejus epigramma graecum de
Hectoris tumulo. Cf. Haubold, De rebus Iliensium, p. 49 et 54.

213. Ilii. — Schliemann, *Troja*, p. 191, n. 21.

5   ....ἑορταὶ ...|.. ναπητο ..|.. ων ἱερὸν ..|.. ψήφισμα τῆς βουλῆς ..‖. [εὐ]χα-
ριστίαν τὴν πρ.....|ναι·δὲ καὶ τῷ θειοτάτῳ .....|νῳ [1] Σεβαστῷ ὡς ἐκ τ......| τῆς
ἱερείας αὐτοῦ.......

1. Hadrianus aut aliquis Antoninorum.

---

214. Ilii. — *C. I. Gr.*, 3607.

Ἀπὸ τῆς ἀπα[ι]τηθείσης ὕ[λη]ς | τοῦ ἱεροῦ ἀργύρου [1], ἐκ κε[λ]εύσεως |
τῶν ὁσιοτάτων ἡμῶν Αὐτοκρατό|ρων Διοκλητιανοῦ καὶ Μαξιμιανοῦ [καὶ] ‖
5 τῶν ἐπιφανεστάτων Καισάρων [2] τὸ | ἄγαλμα τοῦ Διὸς κατασκευασθὲν οἱ |
εὐσεβέστατοι ἡμῶν Αὐτοκράτορ[ες] | καὶ ο[ἱ] ἐπιφανέστατοι Καίσαρ[ες] |
ἀνιέρωσαν [τ]ῇ θεῷ λ[ίβρων] ἑβδομή[κοντα] ἐννέα, (οὐνκίων) ἑπτά, (σκριπτύ-
10 λων) [ἓ]ξ, ὁ[λκὴν] ‖ Ἰταλι]κοῦ σταθμοῦ [3], ἐ[πὶ] Ἀν.. ... | [Ἐπι]φανε[ί]ο[υ] ?
τοῦ λανπροτά[τ]ο[υ ἀνθυπάτου] Ἀσίας [4].

1. Ex argento, « quod sacris vasis liquefactis (?) sibi paraverant » (Haubold, *De rebus Iliensium*, p. 58) Jovis, statuam Minervae Iliadi consecraverunt. — 2. Inter annos 293 et 305 p. C. n. — 3. Librarum 79, unciarum 7, scriptulorum 6, pondo Italicae librae. — 4. Praeses ignotus.

---

215. Ilii. — Schliemann, *Troja*, p. 256, n. 7.

Ἡ βουλὴ καὶ ὁ δῆμος | Πόπλιον Οὐήδιον Πωλ|λίωνα [1].

1. P. Vedius Pollio, amicus Augusti, defunctus est vita anno 15 ante C. n. (*Prosop. imp. rom.*, III, p. 390, n. 213).

---

216. Ilii. — Le Bas et Waddington, n. 1040.

Ἡ Ἀτταλὶς φ(υλὴ) | Σέξτον Ἰούλιον Φίλων|α [1]· τὸν κόσμον τῆς π[όλ]|εως,
5 ἔπαρχον σπείρης ‖ [Φλ]αβιανῆς [2], γυμνασιαρχ|ήσαντα λαμπρῶς καὶ φιλοτείμως,
10 καὶ πρῶτον τ[ῶν ἀπ' αἰῶνος καὶ | μέχρι νῦν μόνον ἐλαι‖ομετρήσαντα τούς | τε
βουλευτὰς καὶ ἀλεί|ψαντα ἐκ λουτήρων | [παν]δημεί.

1. Cf. in *C. I. Gr.*, 3615, 3617, 3618, tres titulos similes in honorem ejusdem viri

positos ab aliis tribubus Iliensium. — 2. Cohors Flaviana aliis documentis non memoratur. Cichorius s. v. *Cohors* apud Pauly et Wissowa, *Realencyclop.*, col. 286, 4. Cf. n. 217.

---

217. Ilii. — *C. I. Gr.*, 3629.

Ἀγαθῇ [τύχη · ἡ]..... | σπεῖρα τὸν ἴδιον ἔ[παρχον] [1].. ...|μον τοῦ Διονύσου Ἡλιο...

1. Forsitan cohors Flaviana supra (n. 216) memorata.

---

218. Ilii. — Curtius,'*Archäol. Zeitung*, XXX (1872), p. 57.

Ἡ βουλὴ καὶ ὁ δῆμο[ς Ἰ]||λιέων ἐτίμησαν Αὖ[λον] | Κλαύδιον Καικίναν|...
5　αιον Κυζικηνὸν δ[οθέν]||τα λογιστὴν [1] ὑπὸ τοῦ [Θει]ο|τάτου αὐτοκράτορ[ος
Καί]|σαρος Τίτου Αἰλίου Ἀδ[ρια]||νοῦ Ἀντωνείνου Σεβαστ[οῦ] | Εὐσεβοῦς
10　καὶ πολλὰ [καὶ] || μεγάλα τῇ πόλει κατ[ορθώ]|σαντα καὶ [π]αρασχόντ[α | τ]ε
τῇ λογιστ[εί]ᾳ καὶ συ[νη|γ]ορίαις, ἀνδρ[α] πάσης τ[ιμῆς | ἄξ]ιον ἀρετῆς ἕνεκεν
15　κ[αὶ || ε]ὐνοίας τῆς πρὸς τ[ὴν] πόλι[ν].

1. Curator Iliensibus datus ab imperatore : *Prosop. imp. rom.*, I, p. 361, n. 665. Cf. supra titulum n. 152. « Iliensibus et propter inclutam nobilitatem civitatis et propter conjunctionem originis Romanae jam antiquitus et senatus consultis et constitutionibus principum plenissima immunitas tributa est, ut etiam tutelae excusationem habent, scilicet eorum pupillorum qui Ilienses non sint; idque divus Pius rescripsit ». (*Dig.*, XXVII, 1, 17, § 1). Quod tum potissimum videtur Antoninus decrevisse « cum, diem natalem Urbis nongentesimum (anno p. C. n. 147) celebraturus, Romae nascentis prodigiis in Romanorum memoriam revocandis operam dedit maximam ». Haubold, *De rebus Iliensium*, p. 55-56.

---

219. Ilii. — *C. I. Gr.*, 3612. Cf. 3630.

Ἡ βουλὴ καὶ ὁ δῆμος | ἐτείμησαν Τίτον Οὐ[α]|λέριον Πρόκλον [1] τὸν
5　φρον|τιστὴν [2] Δρούσου Καίσα||ρος καθελόντα τὰ ἐν Ἑλ|λησπόντῳ λῃστήρια [3]
καὶ | ἐν ἅπασιν ἀνεπιβάρητον | φυλάξαντα τὴν πόλιν.

1. *Prosop. imp. rom.*, III, p. 376, n. 120. — 2. Vox obscura. « Res privatas Drusi ab eo curatas esse possis conicere. » Dessau. — 3. Piratarum in Hellesponto latibula : Friedländer, *Sittengesch.*, II (ed. vi), p. 48.

220. Ilii. — Schliemann, *Troja*, p. 256, n. 6.

[Ἡ βουλὴ καὶ] ὁ δῆμος ἐτίμησαν | [τὸν ἱερέα] διὰ βίου Αὐτοκράτορος | [Καίσαρος Θε]οῦ υἱοῦ Σεβαστοῦ | [Μελανιππίδην] Εὐθυδίκου υἱὸν [1] ‖ ..... διά τε τὴν πρὸς τὸν | [θεὸν αὐτοῦ] εὐσέβειαν καὶ διὰ | [τὰς εἰς τὴν πατ]ρίδα εὐεργεσίας.

1. Cf. n. 203.

---

221. Ilii. — Schliemann, *Troja*, p. 260.

Ἡ βουλὴ καὶ ὁ δῆ|μος ἐτείμησαν | Λικίννιον Πρόκλ[ον | Θ]εμίσωνα [1] τὸν φιλ‖ό[πατ]ριν καὶ προστάτην κ[αὶ | κ]όσμον τοῦ συνεδρί[ου] | τῶν ἐννέα δήμων [2] | [καὶ] εὐεργέτην τοῦ δήμου | ἀρετῆς ἕνεκεν καὶ εὐ‖νοίας τῆς εἰς τὴν πόλιν.

1. Rectene Brückner (apud Dörpfeld *Troja und Ilion*, p. 472, n. 77) hic conferat Licinium Proculum, amicum Othonis, post caedem Galbae praetorianis praepositum (*Prosop. imp. rom.*, II, p. 283, 159), jure dubitaveris. Veri similius Haubold (*De rebus Iliensium*, p. 64) illum Themisona conjicit eumdem esse atque L. Licinium Proculum, qui in titulo Smyrnaeo (*C. I. G.*, 3173) praedicatur, anno 80 p. C. n. — 2. Novem civitates Troadis foederatae. Cf. nn. 197, 200, 201.

---

222. Ilii. — Dörpfeld, *Troja* (1893), p. 140, n. 8.

.... | [κ]αὶ δεκάπρωσιν [1] τῆς κολω[νίας] [2] .....|....ν εὐχαρίστου τειμῆς το......

1. Ut δεκαπρωτίαν (Liebenam, *Städteverw.*, p. 421, 490, 522). — 2. Coloniae romanae Ilio proximae fuerunt Parium et Alexandria Troas : Marquardt, *Organis. de l'empire rom.*, II, p. 259, n. 1, 2.

---

223. Ilii. — *C. I. Gr.*, 3622.

..... | ἄρχοντα ..... | ταμίαν, τὸν πάτρωνα τῆς πόλε[ως], | εὐσεβείας ἕνεκα τῆς πρὸς τὴν θε[όν] [1] ‖ καὶ εὐεργεσίας τῆς εἰς ἑαυτούς.

1. Minerva Ilias.

224. Ilii. — *C. I. Gr.*, 3614.

a. Οἱ νέοι. |

b. Τῷ | εὐτυχεῖ | Δηιφό|6ῳ ‖ ὁ δῆμος ὁ Μυτιληναίων. |

c. ..[τῶν κατοικούντων ¹ ἐν] Ἰλίῳ Ῥωμαίων..... |

d. [ἐφ' ἱερέως] Ἀπόλλωνος τοῦ Ἰλιέ[ω]ς Ἑρμοκράτο[υς].... |

e. ...τῇ Ἀθηνᾳ.....

1. aut πραγματευομένων. Cf. nn. 148, 190.

---

225. Ilii. — Le Bas et Waddington, n. 1743 h.

['Η βουλὴ καὶ ὁ] δῆμο[ς | ..... Βακ]χίου | .... [ἱερασά]μενον | [θεᾶς
Ἀθηνᾶ]ς καὶ κυ‖[νήγιον τρι]σὶν ἡμέραις | [παρασχόν]τα λαμπρῶς | [καὶ
φιλοτί]μως καὶ ....|.... [εἰς τὴ]ν πατρί[δα] | ......

---

226. Ilii. — Le Bas et Waddington, n. 1743 i.

...μονομάχω[ν τῶν ἀγωνισαμένων τὸ] | κυνήγιον τα[..... καὶ νικησάντων] |
πάντας τοὺ[ς] ἐντο[πίους ?]

---

227. Ilii. — Le Bas et Waddington, n. 1743 a.

[Φ]λαβιανὸς | ὁ καὶ | Ἐνηλύνων ? | ἀρχικυνηγὸς ¹ ‖ γ'.

1. Dux venatorum in amphitheatro.

---

228. Beujuk Tepekeui. — *C. I. Gr., Add.* n. 3695 e.

Ὑπὲρ τῆς τῶν Σεβαστῶν σωτηρίας κα[ὶ αἰωνίου διαμονῆς] | Τι. Κλαύδιος
Σεβαστοῦ ἀπελεύθερος Ἅλυς κ[αὶ ἡ γυνὴ αὐτοῦ] ..... | καὶ τὰ τέκνα αὐτῶν
[Τι. Κ]λαύδιος Κυρίνᾳ Ἰοῦσ[τ..... καὶ] ..... | Ἀρτεμίδι Σεβαστῇ Βαιιανῇ ¹
τὸν ναὸν καὶ τὰ [βαλανεῖα] .... ‖ ἐκ θεμελίων κατασκευάσαντες ἐ[κ τῶν
ἰδίων], | ἐπιμελείᾳ Τίτου Φλαουίου Σεβαστοῦ ἀπελ[ευθέρου].....

1. Fortasse eadem atque *mater dea Baiana* (in titulo Cumano : *C. I. L.*, X, 3698), quae
videtur, ut Baiis, sic quoque in aliis thermis aegrotantes sanavisse.

229. Scepside. — Munro, *Journ. of hellen. studies*, XXI (1901), p. 236.

['Η γ]ερουσία | [τὸν] ἱερέα τοῦ Δι|[ὸς τ]οῦ Ἰδαίου ¹ καὶ | [τῶ]ν Σεβαστῶν
5 Γ[υ‖αῖ]ον Φλάβιον Ὀλυ[μ|πι]οδώρου υἱὸν | [Ὀλ]υμπιόδωρον, | [τὸ]ν ἐκ προ-
10 γόνω[ν | τῆ]ς πατρίδος εὐ‖[εργέ]τ[η]ν καὶ ἑαυ|[τῆς σ]υ[μ]ποσιάρχην ².

1. Deus montis Idae, sub quo Scepsis sita erat, in nummis hujus civitatis efficctus est
(*Greek coins in the British museum, Troas*, XVI, 1). — 2. Epularum Jovis Idaei praefectus.
Cf. supra, t. III, nn. 1045, 1533 et *C. I. Gr.*, 2163.

---

230. Balia Bazarkeui. — Kontoleon, Ἀνέκδοτοι μικρασιαναὶ ἐπιγραφαί (1890), **48**, n. 94.

Post 37 versus qui legi non potuerunt :

....καὶ ὁ | μετ᾽ αὐτὸν κράτιστος ἀνθύπατος Φαυστῖνος ¹ ἐντευχθεὶς ἐν Θυα-
τείροις.

1. Praeses ignotus.

---

231. Sajaclee. — *C. I. Gr.*, 3574.

Αὐρήλιος Ζώσι|μος κὲ Αὐρηλία Εὐσέβ|εια Αὐρηλίᾳ Εὐτυχίδι π|ροῖκ[α] · ὃς
5 δὲ ἂν τολμήσῃ ἄ‖νευ Βίου κληρονόμου θά‖[ψα]ι τινὰ, δώσει τῷ ταμείῳ
δηνάρια βφ᾽.

---

232. Hadrianotheris. — Munro, *Journ. of hellen. studies*, XVII (1897), p. 292, n. 72,
et XXI (1901), p. 237.

Γάιος Καλουείσιος Γαίου υἱὸς Ὁρατίᾳ Σείλων ἐκ τῶν ἰδίων ἀνέθηκεν τὸ
ἐπιστύλιον.

---

233. Hadrianotheris. — Wiegand, *Athen. Mittheil.*, XXIX (1904), p. 303.

.... ανιστηρον ὑπειρ......: |
.... αραφυλεδ .. ρασσ...... |
.... ρος ἐγὼ στρατιώτης...... |
.... ης λεγιῶνος τὴν Ἀντω[νιν... |
5 .... μέ]γιστος αὐτοκράτωρ......: |

.... σσι καὶ εἰ · εστοισιν ἐ.... |

.... εν, ἀλλὰ προς... μοῖρ[α |

15 .... κ]ατήνυσε · χαίρετε λοιπὸ[ν | τὸ]ν βίον, οἷος ὅδ᾽ ἐστὶ λογιζόμ[ε‖ν]ο(ι),
παροδεῖται.

---

234. Hadrianotheris. — *C. I. L.*, III, 7085.

... me Victor e[q]ues [1] sin[g]u[lar]i[s]..............[2] | ...... s..... fecit et | ......
memor. causa. |

5 .... ἱππεὺς | .... ν|..... εγυιει|.... ο‖...... αι | [μνείας ἔνεκ]εν.

1. Traditur CIII. — 2. Traditur ACIIC/TIVSIIAII.

---

235. Kebsud. — Wiegand, *Athen. Mittheil.*, XXIX (1904), p. 312.

Μοῖραν ἐμὴν δάκρυσον ἀμείλιχον, ὦ παροδῖτα, |
τονδε γὰρ ἡ τυννὴ Δόξα κατῖμι τάφον, |
ἀλγύνουσα τοκῆος ἐγὼ κέαρ ἠδέ·σε, μῆτερ, |
τόσσον, ὅσον χαρίτων εἶχον ἐν ἀμφοτέροις · ‖
5   ἢ γὰρ ἐμοὺς αἰῶνας ἐποπτεύουσα χελιδὼν |
τὸ τρίτον ἡ ξείνη μύρατ᾽ ἀποιχομένην. |
Ἀντὶ δέ μοι τούτους ἐτέων πόρε μῆνας ἀμέτρων, |
τοῦτο δὲ καὶ γῆρας νήσατό μοι Λάχεσις, |
ἐλπίδα καί μοι πᾶσαν ἐνηλλάξαντο τοκῆες ‖
10   κατθέμενοι τύμβῳ χερσὶν ἔῃσι νέκυν. |
Ἀλλὰ, πάτερ, λείπω καί σοι, πολύδακρυ τεκοῦσα, |
ἐλπίδας ὑμετέρας Ἄιδι παρθεμένη. |

Σατορνῖνος νοτάριος [1] καὶ Καλή, Καίσαρος δοῦλ(οι), Δόξῃ ἰδίᾳ θυγατρὶ
μνήμης χάριν.

1. Caesaris servus, notarius magistratuum aut domus Augustae.

---

236. Kebsud. — Le Bas et Waddington, n. 1771, in eodem lapide cui inscriptum est
epigramma sepulcrale (Kaibel, n. 340).

Ἀσκληπιάδης | καὶ· Ἀρτεμισ[ία] | τῷ γλυκυτάτῳ | [τέκ]νῳ καὶ ἑα[υ]τοῖ[ς] ‖

5 μνήμης χάριν. | [Εἴ τις τολμήσει | ἐπανύξασ[θ]α[ι | ἐ]κτὸς τῶν προ|γεγραμ-
10 μένων, ‖ θήσει ε[ἰ]ς τὸ ἱερώ||[τ]ατον ταμεῖον | δηνάρια βφ´.

---

237. Jildiz. — Wiegand, *Athen. Mittheil.*, XXIX (1904), p. 312.

Ὑπόμνημα | [Αὐ]ρ. Μυρίνης, γένει Σύρας, ὁ κα[τεσκεύασεν]...|ω.. καὶ τῷ
ἀνδρὶ αὐτῆς Αὐ[ρ.]...... ἀ|πελευθέρῳ. Τέκνοις τε καὶ τοῖ[ς ἐκγόνοις?].....‖
5 ευτέον ἄρασιν. Εἰ δέ τις τολμήσῃ ἕτε[ρον βάλλειν?] | εἰς τουτεὶ τὸ ἀγγεῖον,
θήσει ἰς τὸ | ταμεῖον δηνάρια μύρια ε´ καὶ τῷ ἐκδικασαμένῳ τὸ [ἥμισυ?]....
....|σίου. Ἔτους.....

---

238. Tavchanli. — Munro, *Journ. of hellen. studies*, XVII (1897), p. 280, n. 34.

Ὑπὲρ τῆ[ς τ]οῦ κυ[ρίου?] | σωτηρίας Λουκίου.... |δίου Παρδαλᾶ χρηστο[ῦ] |
5 ἀ[π]έδωκεν] Ἰαροζήνω εὐχ[ὴν] ‖ καὶ τοὺ[ς]....ς ἀνέστησεν | ..... [Ζ]ηνογένους |
....[γ]ένους..

---

239. Blaudi. — Le Bas et Waddington, n. 1044.

Ἀγαθῇ τύχῃ · | Θεοῖς πατρίοις | καὶ Αὐτοκράτορι | Καίσαρι Μάρκῳ
5 Αὐρ‖[ηλίῳ Ἀντωνείνῳ] Εὐ|σεβεῖ, ¹ .... [Σ]ενπ[ρ]ώνι(ο)ς | Εἰδομενεὺς ἀστυ|νό-
10 μος ² τὸν Σέραπι[ν] | ἐκ τῶν ἰδίων, στρα‖τηγίας Αὐρ. Τειμοκρά|τους α´ ἄρχον-
τος ³, | ἔτους θ´ ⁴ Δαι[σίου] ⁵....

1. Caracalla, ut putat editor. — 2. Aedilis. — 3. In illis civitatibus ubi ὁ στρατηγὸς
summus magistratus est et eponymus, vix dubitari potest quin idem sit atque ὁ ἄρχων
(*Dig.*, XXVII, 1, 15, 9). Quare Timocrates etiam πρῶτος ἄρχων vocatur. Vide tamen Lie-
benam, *Städteverwalt.*, p. 286 et 558, adn. 1. — 4. Anno IX Caracallae = 206 p. C. n. —
5. Mensis Daesius incipiebat die xxiv Aprilis.

---

240. Hadrianis. — *Bull. de corr. hellén.*, XVII (1893), p. 637.

[Λ. Αἴλιον] Καίσαρα, | Αὐτοκράτορος Ἀδ[ρι]|ανοῦ Σεβαστοῦ υἱὸν, | Θεοῦ

5 Τραιανοῦ υἱ[ω]νὸν ‖ Θεοῦ Νέρουα [ἐ]x[γ]ονον, | ὁ[η]μαρχικῆς ἐξουσίας [τὸ β′] |

10 ὕπατον τὸ β′ ¹, Ἀττινᾶς | Γ[λ]ύκωνος στρατη|[γ]ῶν ἐx τῶν ἰδίων ‖ ἀνέστησεν.

1. A. 137 p. C. n. Defunctus est L. Aelius Caesar, filius Hadriani adoptivus, kal. Januariis anni 138.

---

241. Hadrianis. — Wiegand, *Athen. Mittheil.*, XXIX (1904), p. 327.

...... | Εὐσεβῆ ¹ ἡ βουλὴ xαὶ ὁ δῆμος ὁ Ἀδριανέων Ε..... ταλεω | νεως....

5 ἰδίας | Τε(ρ)τία.... ποαί‖λωμα.... διὰ | Ἰουλίου β′ Ἰουλιανοῦ xαὶ | ἐπιμελη θέ[ν]-

τ[ος τοῦ ἔργο]υ | Ἰουλίου Κλ..... ιλ.. ου.

1. Antoninus, Commodus aut aliquis eorum qui tertio saeculo imperium adepti sunt.

---

242. Hadrianis. — *C. I. Gr.*, 3797 c.

[Ὑπὲρ τῆς τῶν Αὐτοχρατόρων......... Καισάρων] | Σεβαστῶν [ν]εί|xη[ς xαὶ

5 αἰω]νίου διαμονῆς Αἰ[λ]ιανὸς | Φιλόπαππος, ὁ xαὶ ἐπιμεληθεὶς ‖ τοῦ ὕδατος

εἰσαγωγῆς ἐx τῶν | δημοσίων χρημάτων, ἐξ ὑποσχέσε|ως τὴν χρήνην ἐx

τῶν ἰδίων πρῶτος | ἀποχατέστησεν, ἐπὶ τῶν [π]ε[ρὶ] | Σύμφορ[ο]ν Εἰρηνίωνος

ἀρχόντ[ων].

---

243. Alexandriae Troadis. — *C. I. Gr.*, 3577.

5 Ἀγαθῇ τύχῃ · | Σμινθεῖ Ἀπόλ|λωνι ¹ xαὶ Ἀσχλη|πίῳ Σωτῆρι ‖ xαὶ Μοξυ-

10 νεί|ταις ² Κλ. Φλω|ρώνιος Μα|xρῖνος xου|ράτωρ ἐx τῶν ‖ ἰδίων ἀνέθηκε.

1. Cf. titulos nn. 6, 244, 246. — 2. Hoc nomen, quod fuisse aliquorum deorum Boeckh opinabatur, ad civitatem aut pagum pertinet (Drexler ap. Roscher, *Lexikon*, s. v.); nota est enim Mosyna, Phrygiae locus : Plin. *H. N.*, V, 30, 126.

---

244. Alexandriae Troadis. — Le Bas et Waddington, n. 1730 b.

Ἀγαθῇ τύχῃ · | Φλάβιον Ἰούλ. Αὐρ. | Ἑρμῆν, | υἱὸν Ἰουλ. Αὐρ. Ἑρμου, ‖

5 νειχήσαντα παίδων | πυθιχῶν πάλην | Σμίνθεια Παύλεια ¹.

1. Ludi instituti in honorem Apollinis Sminthii (cf. nn. 6, 243 et 246) et Pauli Fabii Maximi, cos. anno 11 ante C. n., qui Asiam deinde rexit anno incerto, non ultra annum 4 ante C. n. : *Prosop. imp. rom.*, II, p. 48, n. 38.

245. Alexandriae Troadis. — Fröhner, *Inscr. du Louvre*, n. 147. Contulit Michon.

.... η]νόδωρος Καίσ[αρος ἀπελεύθερος | ἔθη]κα τὴν σορὸν ἐμαυτῷ [καὶ τῇ συμβίῳ μου] | Αὐρ. Εὐτυχίᾳ, ἐξ[ουσίαν ἔχοντος μηδενὸς | ἀνο]ῖξαι, ἐπεὶ δώσει
5 τῷ ἱερω[τάτῳ ‖ ταμείῳ δηνάρια βφ΄ καὶ τῇ πόλ]ει δηνάρια βφ΄ καὶ Σ[.....
δηνάρια...].......

---

246. Alexandriae Troadis. — Le Bas et Waddington, n. 1036.

.... ὑωνὸς μὲν Αὐρη]λίου Ἀγαθόποδος Ὀθονιακοῦ, ὑὸς δὲ Αὐρηλίου |
Παυλείνου, τοῦ καὶ γεινομένου παγκρατιαστοῦ, οὗ | καὶ ἐν τῷ Σμινθείῳ [1] ἔστη-
κεν ἀνδριὰς καὶ ἐνθάδε ἐν τῷ | Ἀσκληπ[ι]είῳ, ἔθηκα τὴν σορὸν ἐμαυτῷ καὶ τῷ
5 γλυκυτάτῳ μου ‖ πατρὶ τῷ προγεγραμμένῳ Αὐρηλίῳ Παυλείνῳ καὶ τοῖς ἐκ
τοῦ | γένους μου. Εἰ δέ τις τολμήσῃ ἀνοῖξαι ταύτην τὴν σορὸν καὶ νε|κρὸν
ἀλλότριον ἢ ὀστέα τινὸς ἐνκαταθέσθαι, δώσει προστί|μου τῇ Τρωαδέων πόλει
δηνάρια βφ΄ καὶ τῷ ἱερωτάτῳ ταμείῳ δηνάρια βφ΄.

1. Templum Apollinis Sminthii; cf. nn. 6 et 243; memorat illius lucum Pausan., X,
12, 6 et ipse deus in nummis Alexandriae expressus est.

Aliarum funeralium multarum mentionem reperias : *C. I. Gr.*, 3583, v. 3 : ἰς τὸν
φίσκον | δηνάρια βφ΄; 3585, v. 7 : τῷ ταμείῳ δηνάρια βφ΄ καὶ τῇ πόλει δηνάρια βφ΄; 3586, v. 6 :
τῷ ταμείῳ δηνάρια σ΄.

---

247. Assi. — Sterrett, *Papers of the American School at Athens*, I (1882-1883), p. 18, n. 8.

[Ἔδοξεν τῇ βουλῇ · Ἐπειδὴ ὁ δῆμος ὁ Ἀσσίων ἔν τε τοῖς πρό|τερον χρόνοις
εὔνους ὢν καὶ φίλος τῷ δήμῳ τῷ Στρατο|νικέων καὶ νῦν, πρεσβεύοντος τοῦ δήμου
τοῦ Στρατονικέων καὶ | ἀξιοῦντος διδόναι ἄνδρα δικαστήν, ὁ δῆμος ὁ Ἀσσίων, διὰ
5 παντὸς πρό‖νοιαν ποιούμενος περὶ δικαιοσύνης, κατὰ τοὺς τῇ]ς πατρίδος ν[όμους |
ἔπεμψεν Ἀμυνάμενον Βρησικλείους, ὃ]ς καὶ παραγενόμενος εἰς [Στρα]τονίκειαν
σπουδάσας τε ἀκόλου0]α πράσσειν τῇ τῆς πατρίδος αἱρέ||σει, ἅς μὲν δίκας δικάζων
ἴσως κ]αὶ δικαίως καὶ κατὰ τοὺς νόμους, [ἅς δὲ | διαλύων [1], ἐφ]άνη ἴσον ἑαυτὸν
10 παρεχόμενος πᾶσιν τοῖς δι‖[καζομέ]νοις καὶ ἐν τοῖς ἄλλοις δὲ τοῖς κατὰ τὴν δικασ-
τείαν ἄπα[σιν ἐπεδήμη]σεν ἀξίως τῶν τε ἀποστειλάντων πολιτῶν καὶ τοῦ ἡμ[ἐ-
τέρου] δήμου, κατὰ πάντα συντηρῶν τὸ τῆς πατρίδος ἀξίωμα, ἀπ[ολυθε]ὶς τε ἀπὸ
τῆς δικαστείας ἐπεδήμησεν μετὰ πάσης ε[ὐ]νο|ίας καὶ ὡς πρέπον ἦν ἀνδρὶ καλῷ
15 καὶ ἀγαθῷ · ὅπως οὖν ‖ [καὶ ὁ δῆ]μος μεμνημένος τῶν ἀγαθῶν ἀνδρῶν ἐν παντὶ |

[καιρῷ ϕ]αίνηται τὰς καταξίας ἀποδιδοὺς χάριτας · Ἀγαθῇ | [τ]ύχῃ · ἐπα(ιν)έσαι
μὲν τὸν δῆμον τ(ὸ)ν Ἀσσίων καὶ στεϕα|[ν]ῶσαι αὐτὸν χρυσίῳ στεφάνῳ ἐπὶ τῷ
20 ἀποστεῖλ[α]ι ἄν|δρα καλὸν κἀγαθὸν καὶ ἄξιον ἀμϕοτέρων τῶ(ν) πόλεων · ἐπα[[ι]νέ-
σαι δὲ καὶ τὸν δικαστὴν Ἀμυνάμενον Βρησικλείους | καὶ δεδόσθαι πολιτείαν αὐτῷ
καὶ ἐγγ[όνοι]ς αὐτοῦ ἐ[ϕ'] ἴσῃ | [κ]αὶ ὁμοίᾳ τοῖς ἡμετέροις πολίταις καὶ ἐπικλη-
ρῶσαι αὐτὸν | [ἐ]πὶ ϕυλὴν καὶ δῆμον, στεϕανῶσαι δὲ αὐτὸν καὶ χρυσῷ στε|ϕάνῳ ·
25 τὴν δὲ ἀναγγελίαν τῶν στεφάνων ποιησάσθωσαν ‖ οἱ ἀγωνοθέται ἐν τῷ ἀγῶνι τῷ
μουσικῷ τῷ συντελουμέ|νῳ τῇ Ῥώμῃ [2] κατὰ τάδε. Ὁ δῆμος ὁ Στρατονικέων
στεϕανο[ῖ] | τὸν δῆμον τὸν Ἀσσίων καὶ τὸν ἀποσταλέντα δικαστὴν | Ἀμυνάμενον
Βρησικλείους χρυσῷ στεφάνῳ ἀρετῆς [ἕνε]|κεν καὶ δικαιοσύνης καὶ τῆς πρὸς τὸν
30 δῆμον εὐνοίας · ἵνα ‖ δὲ καὶ Ἄσσιοι εἰδήσωσιν τὴν τοῦ δήμου εὐχαριστίαν, ἑλ[έσ]-
θαι πρεσβευτήν · ὁ δὲ αἱρεθεὶς ἀϕικόμενος εἰς Ἄσσον καὶ ἐπ[ελ]|θὼν ἐπὶ τὴν
βουλὴν καὶ τὴν ἐκκλησίαν ἐμφανισάτω τὰ ἐ[ψη]|φισμένα αὐτοῖς τίμια ὑπὸ τοῦ
δήμου καὶ τὴν γεγενημένη[ν] | ὑπὸ τοῦ δικαστοῦ δικαιοσύνην, καὶ παρακαλείτω
35 αὐτοὺς εὐν‖ρίους καὶ φίλους ὑπάρχοντας τοῦ δήμου ἐπὶ πλεῖον αὔξειν τ[ὴ|ν]
ϕιλίαν, εἰδότας ὅτι καὶ Στρατονικεῖς τὴν πρὸς Ἀσσίους εὔνοια[ν] | διαϕυλάξου-
σιν · παρακαλείτω δὲ ὅπως καὶ παρ' αὐτοῖς ἀναγγέ|λωνται αἱ τιμαὶ καθ' ἕκαστον
ἔτος ἐν τοῖς συντελουμένοι‖[ς] ἀγῶσιν, καὶ τόπος ἀποδειχθῇ ἐπιφανής, ἐν ᾧ ἀνατε-
40 θήσετ[αι ‖ σ]τήλη λιθίνη ἔχουσα ἀναγεγραμμένον τόδε τὸ ψήφισμα · | τὸ δὲ
τέλεσμα τὸ εἰς τὴν στήλην διαγραψάτωσαν οἱ τα|μίαι τῷ ἀποστελλομένῳ πρε-
βευτῇ ἀπὸ τῶν κοινῶν πρ[οσ]|όδων μὴ πλεῖον τέλεσμα δραχμῶν τριάκοντα.
Ἡρέθη | Πυθίων Ἐνπεδίωνος.

Stratonicea, civitas Cariae, honoribus ornat judicem sibi ab Assiis datum et ipsam
Assiorum civitatem : quo de more cf. Sonne, *De arbitris externis quos Graeci adhibuerunt
quaestiones epigraphicae*, Göttingen, 1888.

1. Restituit Foucart. — 2. Dea Roma jam anno 195 ante C. n. Smyrnae culta est,
anno 170 Alabandae : Chapot, *La province romaine d'Asie*, p. 423. Titulum Sonne arbi-
tratur scriptum esse circa annum 150 ante C. n.

---

248. Assi. — Sterrett, *Papers of the American school at Athens*, I (1882-1883), p. 30, n. 13.

Ὁ δῆμος καὶ οἱ πραγματε[υόμενοι παρ' ἡμῖν Ῥωμαῖοι] | Γάιον Καίσαρα τὸν
τοῦ Σεβα[στοῦ υἱὸν καὶ πάτρω]|να τῆς νεότητος, ὕπατο[ν] [1].

1. C. Caesar Aug. f., missus ad res Orientis componendas, in Syria, ut videtur, consu-
latum iniit anno 1 p. C. n. Cf. *Prosop. imp. rom.*, II, p. 174, n. 141.

249. Assi. — Sterrett, *Papers of the American school at Athens,* I (1882-1883), p. 45, n. 19.

Ὁ δῆμος καὶ οἱ πραγμα[τευόμενοι παρ' ἡμῖν Ῥωμαῖοι] | θεὰν Λ[ε]ιουίαν Ἥραν ν[έαν Σεβασ]|τὴν τοῦ Σεβαστοῦ Θε[οῦ].

Correxit et restituit Hirschfeld in schedis Instituti archaeologici Vindobonensis.

---

250. Assi. — Sterrett, *Papers of the American school at Athens,* I (1882-1883), p. 45, n. 20.

[Οἱ ἐν Ἄσσῳ] πραγματευόμενοι Ῥω[μαῖοι ...|..... τ]ὴν εὐεργέτιν τοῦ κόσμ[ου] ¹.......

1. Liviam Augusti, ut videtur. Cf. n. 249.

---

251. Assi. — Dittenberger, *Sylloge,* n. 364.

Ἐπὶ ὑπάτων Γναίου Ἀκερρωνίου | Πρόκλου καὶ Γαίου Ποντίου Πετρω|νίου Νιγρίνου ¹ |.

Ψήφισμα Ἀσσίων · γνώμη τοῦ δήμου. ‖

5 Ἐπεὶ ἡ κατ' εὐχὴν πᾶσιν ἀνθρώποις ἐλπισθεῖσα Γαίου | Καίσαρος Γερμανικοῦ Σεβαστοῦ ἡγεμονία κατήγγελται, | οὐδὲν δὲ μέτρον χαρᾶς εὕρηκ(ε)ν ² ὁ κόσμος, πᾶσα δὲ πόλις | καὶ πᾶν ἔθνος ἐπὶ τὴν τοῦ θεοῦ ὄψιν ἔσπευκεν ³, ὡς ἂν τοῦ |
10 ἡδίστου ἀνθρώποις αἰῶνο(ς) ⁴ νῦν ἐνεστῶτος, ‖ ἔδοξεν τῇ βουλῇ καὶ τοῖς πραγμα-τευομένοις παρ' ἡμῖν | Ῥωμαίοις καὶ τῷ δήμῳ τῷ Ἀσσίων κατασταθῆναι πρεσ|-6είαν ἐκ τῶν πρώτων καὶ ἀρίστων Ῥωμαίων τε καὶ Ἑλλή|νων τὴν ἐντευξομένην καὶ συνησθησομένην αὐτῷ, | δεηθησομένην τε ἔχειν διὰ μνήμης καὶ κηδεμονίας ‖
15 τὴν πόλιν, καθὼς καὶ αὐτὸς μετὰ τοῦ πατρὸς Γερμανικοῦ | ἐπιβὰς πρώτως τῇ ἐπαρχείᾳ τῆς ἡμετέρας πόλεως ⁵ | ὑπέσχετο. |

Ὅρκος Ἀσσίων. |

20 Ὄμνυμεν Δία Σωτῆρα καὶ θεὸν Καίσαρα Σεβαστὸν ₆ καὶ τὴν ‖ πάτριον ἁγνὴν Παρθένον ⁷ εὐνοήσειν Γαίῳ Καίσαρι Σεβασ|τῷ καὶ τῶι σύμπαντι οἴκωι αὐτοῦ καὶ φίλους τε κρινεῖν, | οὓς ἂν αὐτὸς προβά[λ]|ηται · εὐορκοῦσιν μὲν ἡμῖν εὖ εἴη, ἐφιορκοῦσιν δὲ τὰ ἐναν|τία. ‖

25 Πρεσβευταὶ ἐπηγγείλαντο ⁸ ἐκ τῶν ἰδίων · | Γάιος Οὐάριος Γαίου υἱὸς Οὐολτινία Κάστος, | Ἑρμοφάνης Ζωίλου, | Κτῆτος Π(ε)ισιστράτου, | Αἰχρίων Καλλιφάνους,

Ἀρτεμίδωρος Φιλομούσου, | οἴτινες καὶ ὑπὲρ τῆς Γαίου Καίσαρος Σεβαστοῦ
30 Γερμανικοῦ ‖ σωτηρίας εὐξάμενοι Διὶ Καπιτωλίωι ἔθυσαν τῶι τῆς πόλε|ως
ὀνόματι[9].

1. Jusjurandum, in tabula aenea scriptum, quo Assii fidem suam obligant Caligulae
novum imperium inchoanti (die XVI Martii, anno 37 p. C. n.). Cf. t. III, n. 137. — 2.
ΕΥΡΗΚΗΝ tabella. — 3. **ΕΣΤΙΕΥΚΕΝ**. — 4. **ΑΙΩΝΟΥ**. — 5. Anno 18 post C. n. Caligula,
sex annos natus, patrem Germanicum in Asiam comitatus erat (*Prosop. imp. rom.*, II,
p. 174, n. 143; p. 178, n. 146); τῇ ἐπαρχείᾳ τῆς πόλεως videtur prave scriptum esse pro
τῆς ἐπαρχείας τῇ πόλει.... — 6. Divus Augustus; nam « Tiberius propterea non videtur
nominari quia non consecratus erat. » Dittenberger. — 7. Minerva Polias. Cf. nn. 193, 194,
197, 201, 202, 253. — 8. Eos legatos Romam missum iri renuntiatum est. — 9. Cf. titu-
lum n. 33, col. *b*, vv. 17 et 21.

---

252. Assi. — Sterrett, *Papers of the American school at Athens*, I (1882-1883), p. 58,
n. 29.

Ἰουλίαν Δόμναν Σ[ε]βαστὴν, μητέρα κάσ|τρων ἡ βουλὴ καὶ ὁ δῆ|μος ὁ
Ἀσσίων.

---

253. Assi. — Lebas et Waddington, n. 1034.

Ἐπὶ Σέξτου Ἀπ[π]οληίου ἀνθυπ[άτου][1] κ]αὶ πάτρωνος τῆς πόλεως, ἐκ
τῶν ἀ[π]οκατασταθεισῶν ὑπ' αὐτοῦ τῇ πόλε[ι προσόδων κατεστ]άθη.

1. Sex. Appuleius, filius Octaviae, sororis Augusti, cos. anno 29 ante C. n., proconsul
Asiae principe Augusto ; cf. *Prosop. imp. rom.*, I, p. 118, n. 777.

---

254. Assi. — Sterrett, *Papers of the American school at Athens*, I (1882-1883), p. 46,
n. 21.

[Ὁ δῆμος καὶ οἱ πρ]αγματ[ευόμενοι παρ' ἡμῖν Ῥωμαῖοι | στεφανοῦσι χρυσῷ]
στεφά[νῳ τὸν τῆς πόλεως ἥρωα | ...... Ἀπολλ]ωνίου, [ἄνδρα καλὸν
καὶ ἀγαθὸν γε|νόμενον καὶ πάτριο]ν βασιλ[έα][1], ἐζηκότα καλῶς καὶ κοσμίως
5 κ]αὶ θ[εοφιλῶς, φιλοφρ]οσύνης κ[αὶ πάσης ἀρετῆς ἕνεκεν] | κα[ὶ εὐχρηστίας τῇ
π]ατρίδι.

1. Cf. nn. 255, 256, 257.

255. Assi. — Sterrett, *Papers of the American school at Athens*, I (1882-1883), p. 32, n. 14.

Ὁ δῆμος καὶ | οἱ.πραγματευόμενοι παρ' ἡμῖν | Ῥωμαῖοι στεφανοῦσιν τὸν |
5 τῆς πόλεος ἥρωα εὐεργέτην ‖ Ἑλλανικὸν Ἀθηνοδότου, ἄν|δρα ἀγαθὸν γενόμενον
κατὰ | τὴν πολιτείαν καὶ βασιλεύ|σαντα ¹, ἐζηκότα τε καλῶς | καὶ κοσμίως,
10 πάσης ἀρετῆς ‖ ἕνεκεν. |
    Ὁ δῆμος καὶ | οἱ πραγματευόμενοι | παρ' ἡμῖν Ῥωμαῖοι στ[ε]φανοῦσιν
15 [Λ]ολλίαν ['Α]|ρλήγιλλαν ², ἐζηκυῖαν ‖ καλῶς καὶ κοσμίως | πρὸς πά[ντ]ας
ἀμέμ[πτως], | πάσ[ης] ἀρε]τῆς ἕνεκεν | κ[αὶ σωφρο]σύνης, | τὴν τῆς Πολ[ι]άδος
20 Ἀθ[η]νᾶς ‖ ἱέρειαν καὶ νεωχόρον. |

Haec in cymatio .monumenti recentius addita sunt, ut adnotavit Hirschfeld in schedis Instituti archaeologici Vindobonensis :

    [Ἐλ]λῶ[πις] Ἑλλανικοῦ αὐ(τ)ὴ ζῶσα ἐποίησα τὸ μνημῖον ἡαυτῆ | κα.
τοῖς γονεοῦσι.

1. Rex sacrorum (cf. nn. 254, 256, 257) in aliis etiam Asiae civitatibus praefuit sacerdotiis : Liebenam, *Städteverwaltung*, p. 347, n. 2. — 2. Ita Sterret.

---

256. Assi. — Sterrett, *Papers of the American school at Athens*, I (1882-1883), p. 35, n. 15.

Ὁ ἱερεὺς .τοῦ Σεβαστοῦ θ[εο]ῦ Καίσαρος ¹, ὁ δὲ αὐ[τ]ὸς καὶ πάτριος βασι-
λεὺ]ς καὶ ἱερεὺς τοῦ Διὸς τοῦ Ὁμο[λ]ωίου ² καὶ γυμ|νασίαρχος Κόιντος Λέ|λλιος
5 Φιλέταιρος τὴν ‖ στοὰν ἀνέθηκεν θεῶι Κ|αίσαρι Σεβαστῶι καὶ τῷ δή|μῳ [τῶν.
Ἀσσίων] κα|ὶ τοὺς [κίονας τοὺς τῆι στοᾶι] | ἐχομένους.....

1. Tiberius. Cf. n. 257. — 2. Ὁμονῶ(ι)ου, Sterret. Deus Homoloios in Boeotia praecipue cultus. — 3. Totum titulum correxit et restituit Hirschfeld in schedis Instituti archaeo-logici Vindobonensis.

---

257. Assi. — Sterrett, *Papers of the American school at Athens*, I (1882-1883), p. 41, n. 17.

[Λολλία Ἀντιο]χίς, [ἡ γυ]νή ἡ Κοίν[του Λολλίου] Φιλεταίρου, τοῦ | διὰ
βίου ἱερέως τοῦ Σεβασ|τοῦ Θεοῦ Καίσαρος ¹, βασιλε[ύσασα ²] | κατὰ τὰ πάτρια,

5 πρώτη γυναικῶν, ‖ τὸ βαλανῇον καὶ τὰ ἑπόμενα τῶι † βαλανήωι ἀνέθηκεν
Ἀφροδείτῃ | Ἰουλίᾳ ³ καὶ τῶι δήμωι.

Exstat alter titulus (n. 16), in honorem Lolliae fere iisdem verbis conceptus, ex quo
restituta sunt ea quae deerant.

1. Tiberius. — 2. Cf. nn. 254, 255, 256. — 3. Livia Augusti vidua.

---

258. Assi. — *C. I. L.*, III, 7081.

Q. Lollius [Q. f. Philetaerus]. |

Ὁ δῆμος [ἐτίμησεν Κοίντον] | Λόλλιον Κο[ίντου υἱὸν Φιλέταιρον] ¹ | χρυσῶι
5 σ[τεφάνωι καὶ] ‖ εἰκόνι γραπ[τῆι καὶ ἀνδριάντι μαρ]μαρίνωι α...... | τιι.

1. Cf. nn. 256, 257.

---

259. Assi. — Sterrett, *Papers of the American school at Athens*, I (1882-1883), p. 55,
n. 28.

Δόγμα περὶ τοῦ μὴ καθίστασθαι πράκτορας ¹. |

·Γνώμη βουλῆς τε καὶ δήμου, λαχόντων δο|γματογράφων ² Ἐπάνθους τοῦ
Ἑρμογένους, | Ἑρμογένους τοῦ Ἐπάνθους, Κρατησινείκου τοῦ Μενεσθέως.
5 Ἐπειδὴ ὁ κοινὸς ἁπάν‖των ἐκ προγόνων εὐεργέτης Τι. Κλ. Νεικά|σις, σὺν
ἅπασιν οἷς ἄλλοις εὐεργέτι τὴν πα|τρίδα, κοσμῶν τὸ ἑαυτοῦ γένος, ἐν παντὶ
και|ρῷ ἐνδεικνύμενος τὴν εἰς τὴν πατρίδα εὔνοιαν, καὶ τῇ σήμερον ἡμέρᾳ βεβού-
10 ληται | νομοθέτης ³ εἰς τὸν αἰῶνα [κα]τα(σ)στῆν[α]ι τῆς ‖ κοινῆς εὐεργεσίας, καὶ
πικρ[οῦ καὶ] μεγάλου φορ|τίου τὴν πατρίδα κου[φίσαι, αὐτ]ὸς ἀναδεχό|μενος
τὴν τῶν πολ[ιτικῶν πρα]κτόρων πρᾶ|ξιν ⁴, δεδόχθαι τῇ [βουλῇ καὶ τῷ δ]ήμῳ
15 καὶ τοῖς | πραγματευομ[ένοις παρ' ἡμῖν Ῥ]ωμαίοις ἐπη‖νῆσθαι μὲν Τ[ι. Κλ.
Νεικάσιν] τὸν ἄρ[χ]ον|τα, λέγοντα...... [τῆς π]όλεως | τὰ κάλλιστ[α........
ο]υς τὰ ἐπικεφά[λαια]........ τὸν | στρα[τηγὸν.......... στρα]τηγί(α)(ς) νομο-
20 [θεσίας]....... ου ‖ τὴν κατόρθ[ωσιν]......... | πράκτορ[ας]......... | ξενικ......|
τουτ........... | το.......

1. Cf. not. 4. — 2. Sorte lecti sunt qui decreto scribendo adessent. — 3. Nempe ἄρχων
fuit eo anno Nicasis (v. 16-17). Cf. Liebenam p. 288, n. 7. — 4. Vectigal ingens et moles-
tum civitati impositum Nicasis unus ultro susceperat, ita ut debitas pecunias publicanis
locare jam inutile esset.

260. Assi. — *C. I. L.*, III, 7083.

Ποπλίωι Οὐαρίωι | Ποπλίου υἰῶι 'Ανιῆνσις 'Ακυίλαι. |
P. Vario P. f. Ani(ensi) | Aquilae.

---

261. Antandri. — Fabricius, *Sitzungsber. der Akad. zu Berlin*, 1894, p. 910.

[Αὐτοκράτορα Καίσαρα Μᾶρκον Αὐρήλιον | 'Αντωνεῖνον Σεβαστὸν ἀρχιερέα
μέγιστον, | δημαρχικ]ῆς ἐξουσίας [τὸ..., ὕπατον | τὸ..., Θεοῦ] 'Αντωνείνου υἱὸ[ν,
5 Θεοῦ 'Αδριανοῦ υἱ]ωνὸν Θεοῦ Τραιαν[οῦ Παρθι‖κοῦ ἔκ]γονον Θεοῦ Νέρουα [δισέκ-
γονον | ἡ π]όλις ἡ 'Αντανδρίων τὸν [ἴδιον σωτῆ|ρα] καὶ οἰκιστὴν, εἰσηγησα[μένου
Τιβε|ρίου] Κλαυδίου Μηνογένο[υς καὶ ἐπι|ψηφ]ίσαντος Τιβερίου Κλ[αυδίου
10 Φι‖λοπ]άππου τοῦ 'Ασιάρχο]υ, ἐπιμελη[θέν]των 'Αλεξάνδρου...|.... ου καὶ
Κουρτίου...|...γου. βαλους κ.........

---

262. Adramyttii. — Viereck, *Sermo graecus quo SPQR usi sunt* (1888), p. 62, n. 15.
Cf. Homolle, *Bull. de corr. hellén.*, II (1878), p. 128; Pottier et Hauvette-Besnault, *ibid.*,
IV (1880), p. 376; Mommsen, *Ephem. epigr.*, IV (1881), p. 212; Foucart, *Bull. de corr.
hellén.*, IX (1885), p. 401; Willems, *Le sénat de la républ. rom.*, 2ᵉ éd. (1885), p. 693;
Mommsen, *Droit public*, VII, p. 134, n. 2 (1891); Foucart, *Mém. de l'Acad. des inscr.*,
XXXVII (1903), p. 337; Wiegand, *Athen. Mittheil.*, XXIX (1904), p. 267.

.... [ὑμᾶς εἰδέναι βουλόμεθα κεκρικέναι ¹.......... στρ]ατ[ηγ]ὸν | [πρὸ ἡμερῶν
τρι]ῶν ² χαλανδῶν | [Φεβροαρίων? ³ ἐν] κομετίῳ μετὰ | [συμβουλίου ἐ]πεγνω-
5 κότα, δό‖[γματι ⁴ συγκλή]του, περὶ χώρας, ἥ|[τις ⁵ ἐν ἀντι]λογίᾳ ⁶ ἐστὶν δημο-
σιώ|[ναις πρὸς] ⁷ Περγαμηνούς · ἐν τῷ | [συμβουλ]ίῳ παρῆσαν Κόιντος Και|-
10 [χέλιος ⁸ Κ]οίντου υἱὸς 'Ανιήνσης, Γάι‖[ος .....]ιος Γαίου υἱὸς Με[ν]ηνίᾳ,
Μά|[αρχος] Πούπιος Μαάρκου Σκαπ(τ)ίᾳ, Γά|[ιος Κο]ρνήλιος Μαάρκου Στη-
λατεί|[να, Λε]ύκιος Μέμιος Γαίου Με(ν)η‖[νίᾳ ⁹, Κ]οίντος Οὐάλγιος Μαάρκου ‖
15 [...]λίᾳ ¹⁰, Λεύκιος 'Ιούλιος Σέξτο[υ|....]να, Γάιος Κοίλιος Γαίου Αἰμυ|[λίᾳ,
Π]όπλιος Ἄλβιος Ποπλίου Κυρε[ί|νᾳ, Μά]αρχος Κοσκώνιος Μαάρκου | [Τηρ]η-
20 τείνᾳ, Πόπλιος Γέσσιος ‖ [Πο]πλίου 'Αρνήνσης, Λεύκιος 'Αφε|[ίνι]ος Λευκίου
(Ὠ)φρεντείνᾳ ¹¹, Γάιος 'Ρού|βριος Γαίου Ποπ[ιλ]λίᾳ ¹², Γάιος Λικίνιος | Γαίο(υ)
25 Τηρητείνᾳ, Μάαρκος Φαλέριος | Μαάρκου Κλαυδίᾳ, Μάνιος Λευκέ‖λιος Μαάρ-
χου Πωμεντείνᾳ, Λεύ|κιος Φίλιος Λευκί[ου Σαβ]ατείνᾳ, Γάιο[ς] | Δίδιος
Γαίου | Κυρ[είνᾳ], Κόιντος Κλαύ|[δ]ιος 'Αππίου Πολλίᾳ, Λεύκιος 'Ανέτιος

30 Γαίου Μεν[η]νίᾳ ¹³, Σπ[όρ]ιος Καρο║υιλιος Λευκίου Σα[6α]τεινᾳ, Πόπλ[ι]|ος
Σείλιος Λευκίου Γαλερίᾳ, Γάιος | Ἄννιος Γαίου Ἀρνήνσης, Γάιος Σεμπρ[ώ]-
ν]ιος Γαίου Φαλέρνᾳ, Γναῖος Ὀκτάυιο[ς | Λ]ευκίου Αἰμυλίᾳ, Μάρκος Ἀππο-
35 λή;║ος ¹⁴ Μάρκου Καμιλλίᾳ, Λεύκιος Ἀφείνι|ος Λευκίου Λεμωνίᾳ, Γάιος
Νούτιος ¹⁵ | Κοίντου Οὐετυρίᾳ, Γάιος Νεμετώ|ριος Γαίου Λεμωνίᾳ, Λεύκιος
40 Κορνήλ[ι]|ος Μάρκου Ῥωμυλίᾳ, Γναῖος Πομπή[ι]║ος Γναίου Κροστομεῖνᾳ,
Πόπλιος Πο|[πί]λλιος Ποπλίου Τηρητείνᾳ, Λεύκι|[ος............] εισ|.....

1. Suppl. Fouc. — 2. Alium numerum lacuna non patitur. — 3. [Ἰανοαρίων] Mom.,
Fouc. — 4. ὀό[γμα] Will.; ὀό[γματι] Fouc., Vier. — 5. ἦ[τε] Will.; ἦ[τις] Fouc., Vier.
— 6. [ἀμφι]λογία Hom., Mom., Will.; [ἀντι]λογία Fouc., Vier. — 7. ὁτιμοσίω[ς | ΄ἔχειν
κρῖναι] Will. — 8. Κα[κέλιος] Vier., collato u. 24 Λευκέλιος. — 9. ΜΕΛΙΗΝΙΑ lapis. —
10.... λιᾳ Wieg. ex lapide. — 11. (Ω)ρεντεῖνᾳ corr. Vier. — 12. Ποπιλλίᾳ Wieg. ex lapide;
Ποπ[λι]λίᾳ Will. Vier. — 13. ΜΕΝΕΙΝΙΑ lapis. — 14. Ἀπολλήιος Will. — 15. Νούτιος Mom.,
Will.

Epistulam hanc esse consulum docuit Foucart, declarautium Romae decrevisse « prae-
torem iu comitio cum consilio, postquam cognovit ex senatus consulto de agro, qui in
controversia est publicanis contra Pergamenos. » Haec etiam Foucart, qui supplementa
primus restituit, intellexit referenda esse ad controversiam ortam inter Asianos
publicanosque, postquam lege Sempronia (anno 123 ante C. n.) C. Gracchus Asiae
vectigalia publicanis locavit : Chapot, La province romaine d'Asie, p. 20. Patet litem
fuisse de agro, cujus decumam locatam esse publicanis negaverant Pergameni : manet
tamen in incerto quid praetor de ea re decreverit Instrumentum factum esse existi-
mavit Willems inter annos 98 et 94 ante C. n. (cf. v. 8-9), Mommsen et Foucart probabi-
lius inter annos 120 et 110, quod videntur confirmare ea quae de L. Memmio (v. 13)
nuper prodierunt. Praetoris edictum sequuntur nomina eorum qui in consilio fuerunt;
quanquam eos ex senatu lectos et ordine dignitatis quemque suae scriptos esse non
dubitatur, tamen ambigi potest qui fuerint tum temporis consulares, qui praetorii....
etc., imo omnesne omnino ad senatum pertinuerint. Ea tantum, quae de quibusdam
Mommsen judicavit vero proxima, notavimus, ne nos in salebras conjecturarum
immitteremus. Multo plura congessit Willems admodum incerta.

V. 8-9. Q. Cae[cilius] Q. f. (Metellus Balearicus) cos. anno 123, aut filius ejus Q. Cae-
[cilius] (Metellus Nepos), cos. anno 98.

V. 9-10. C. [.....]ius C. f., fortasse etiam consularis. Conjecit Willems : C. [Flav]ius
C. f. (Fimbria) cos. anno 104.

V. 10-11. M. Pupius M. f., quem « fasti consulares non habent », vir profecto
praetorius.

V. 13. L. Mem[m]ius C. f. idem putatur esse qui dicitur in papyro Aegyptiaca anni 112
τῶν ἀπὸ συγκλήτου ἐν μ(ε)ίζονι ἀξιώματι καὶ τιμῇ κείμενος (Grenfell et Hunt, Tebtunis papyri,
I, 1902, p. 127, n. 33). Vix erraverit qui cum fuisse illa aetate inter praetorios conjecerit.
Cf. Foucart, Mél. Boissier, p. 199.

V. 15. L. Julius Sex. f. « Pater, opinor, L. Julii L. f. Sex. n. Caesaris », consulis anno 90.

V. 18. M. Cosconius M. f. « praetor anno 135 (Liv., *Ep.* 56) fortasse idem est. »

V. 22. C. Licinius C. f. « Liciniae C. f. virginis Vestalis ejus, quae anno 123 sacrum quoddam dedicavit (Cic. *de domo* 53, 136), deinde anno 113 ob stuprum condemnata est (Drumann, 4, 59), hic potest fuisse frater is qui una cum ea causam dixit (Dio fr. 87, 4). »

V. 24. M' Lucilius M. f. scribendo adfuit senatus consulto anni 128 (CIL, I, p. 158 et Joseph., *Ant.*, XIII, 9, 2).

V. 27. Q. Claudius Ap. f. « Quanquam ex Claudiis patriciis nullum alium novimus praenomine Quintum (Cf. *Röm. Forsch.*, I, p. 15), hunc ex ea domo oriundum esse ostendit praenomen patris. »

V. 32. C. Sempronius C. f. cum Lucilio (v. 24) adfuit scribendo senatus consulto anni 128.

V. 33. Cn. Octavius L. f. « Omnino ex posteris Cn. Octavii consulis anno 175, a quo originem duxit stirps Octaviorum aetate liberae reipublicae magis splendida, puto nepos ejus ex filio Lucio alibi non nominato. »

V. 37. C. Numitorius C. f. « Poterit cogitari de C. Numitorio, qui periit in proscriptione Mariana anno 91 (Appian. *B. c.* I, 72; Florus II, 9), cujus item esse possunt nummi inscripti C. Numitori (*Röm. Münzwesen*, p. 550. »

V. 38. L. Cornelius M. f. « L. Cethegus, qui accusavit anno 49 Galbam, filius fortasse M. Cethegi consulis anno 60, potest hic indicari, cum praeter Cethegos praenomen Marci hac aetate Cornelii vix usurparint. »

V. 39. Cn. Pompeius Cn. f. « Fortasse patruus Cn. Pompei Sex. f. Cn. n. Strabonis, consulis anno 89. » .

---

263. Adramyttii. — Pottier et Hauvette-Besnault, *Bull. de corr. hellén.*, IV (1880), p. 375, n. 1.

Ἀ[γα]θῇ τύχῃ · Εὔνους Ἀσιάρχης ὑπὲρ υοῦ [Ε]ὐφροσύνου τὰς θέας φιλ[ο-πονησάμενος ¹?] ἀνέθηκεν.

1. Corr. Röhl ap. Bursian, *Jahresbericht*, XXXVI (1883), p. 93.

---

264. Prope Dikeli. — *C. I. L.*, III, 7183. Milliarium 131 viae Epheso Pergamum.

M'. Aquillius M' f. | cos. ¹ | CXXXI |

5   [Μάνι]ος ['Α]κύλλ[ι]ος Μανίου ‖ ὕπατος Ῥωμαίων | ρλα'.

1. Anno 129 ante C. n. Cf. n. 270.

265. Coryphante. — Le Bas et Waddington, n. 1725.

['Υπὲρ σωτηρίας καὶ ὑγιείας τῶ]ν ἀνεικήτων Σεββ. Διοκλητιανοῦ καὶ
Μαξιμιανοῦ καὶ τῶν ἐπιφανεστάτων Καισάρων Κ[ων]σταν[τ]ίου καὶ Μα[ξ]ι-
μιανοῦ [1].

1. Annis 292/305 p. C. n.

266. Pitanae. — Pottier et Hauvette-Besnault, *Bull. de corr. hellén.*, IV (1880), p. 376,
n. 3.

Φλ. Ἡρκουλανὸν πρει|μοπειλάριον ἐξ ἐπάρχων [1] | λεγιῶνος ἕκτης Σιδηρᾶς |
5 Φλ. Μαξίμιλλα τὸν γλυκύ‖τατον ἄνδρα καὶ Φλάβια[ς] Φ[λ.] | Ἡρκουλανὸς καὶ
Ἀλέξαν|δρος καὶ Ἡράκλεια τὰ τέκνα | τῆς εἰς αὐτὸν ἀκολούθου | ἀξίας.

1. Primipilaris ex praefecto legionis.

267. Prope Elaeam. — Baltazzi, *Bull. de corr. hellén.*, XII (1888), p. 374, n. 30. Millia-
rium 88 viae Epheso Pergamum.

5 Αὐ[τοκράτωρ Καῖ]|σαρ Οὐεσπ[ασια]|νὸς Σεβ[αστὸς] | ἀρχιερεὺς [μέγισ]‖τος
δημα[ρχικῆς] | ἐξουσίας [τὸ ς', αὐ]|τοκράτωρ τὸ [ιε'?], | πατὴρ πατρίδος, ὕ[πα]|-
10 τος τὸ ς', ἀποδεδε[ι]‖γμένος τὸ ζ' [1], τειμη|τὴς, τὰς ὁδοὺς ἐποίη[σεν]. | Ἀπὸ
Εφ(ήσου) [μ(ίλια)] πη'.

1. Anno 75 p. C. n., post Kal. Julias.

268. Elaeae. — Baltazzi, *Bull. de corr. hellén.*, XII (1888), p. 373, n. 26.

5 Αὐτοκράτορι | Ἀδριανῶι | Καίσαρι | Ὀλυμπίωι ‖ σωτῆρι | καὶ
κτίστη[ι] [1].

1. Cf. titulum omnino similem, nisi quod Καῖσαρ deest, Eleae repertum (*Bull. de corr.
hellén.*, IV (1880), p. 381, n. 10.

269. In via Smyrna Pergamum prope Elaeam. — Baltazzi, *Bull. de corr. hellén.*, XII
(1888), p. 375, n. 31.

5 Αὐτοκράτο|ρι Καίσαρι | Μαρ. Ἀντω|νίῳ Γορδι‖ανῷ Εὐσε|βεῖ Εὐτυ|χεῖ

10 Σεβαστῷ | ἀρχιερεῖ με|γίστῳ, δημαρ‖χιϰῆς ἐξουσί|ας, πατρὶ πα|τρίδος,
ὑπάτῳ, | ἀνθυπάτῳ, | ἐπὶ ἀνθυπ[ά]του Λ......

---

270. Elaeae. — *C. I. L.*, III, 7184. Milliarium tertium viae Elaea Pergamum.

M. Aquil. | cos. [1] | III. |
5   Μάνιος Ἀϰύλλιος ‖ Μανίου | ὕπατος Ῥωμαίων | γ'.

1. Anno 129 ante C. n. De illo viro, qui post bellum Aristonici res Asiae composuit
v. Klebs apud Pauly et Wissowa, *Realencyclop.*, II, col. 323, n. 10, et de viis ab eo in
provincia stratis Foucart, *Mém. de l'Acad. des inscr.*, XXXVII (1903), p. 326-332.

---

271. Elaeae. — Schuchardt, *Athen. Mittheil.*, XXIV (1899), p. 205, n. 12.

Ὁ δῆμος | Λεύϰιον Ἄγριον Λευϰίου | υἱὸν Πουβλιανὸν Βάσσον | τὸν
5   πάτρωνα, σωτῆρα ϰαὶ ‖ εὐεργέτην γενόμενον | τῆς πόλεως.

---

272. Elaeae. — Kaibel, *Epigr. gr.*, n. 242 a.

[....]ην ὠϰεανοῖο δεδου[πότα]........................... |
        Σώταν δυσμενέων μαρ[νάμενον προμάχοις [1],] |
    υἱέα τὸν Φιλίου, ἐς ἄγοντα........................... |
        ὠϰύμορον χρύσεις ἀμ[φεϰάλυψ Ἀΐδης] ‖
5   Κελτῶν ἐν χείρεσσιν ὀ[λέσσας [2] · ἀλλ' ἀπὸ Ῥώμης] |
        ἤλυθε σὺν Κίντωι [3] ϰρα[..... εἰς Ἀσίην], |
    ἔνθα οἱ εὐρυμένης γα[ίη τάφος ἐστί · φίλοι δὲ] |
        ἐϰτέρισαν ξείνηι φῶ[τες ἀποφθίμενον ·] |
    τηλοῦ μὲν τοϰέων, τ[ηλοῦ δ' ἀλόχοιο ποθεινῆς] ‖
10   ὤλετο ϰαὶ πάτρης ἄ[μμορος Αὐσονίη]ς. |

    Σώτας Φιλίου.........

1. « Primo versu dici videtur Sotas in maris littore pugnans occidisse. » Kaibel. —
2. « Cum Celtis sive Gallograecis saepius in Asia conflixerunt Romani altero ante C. n.
saeculo. » Kaibel. — 3. Quinto, romanum praenomen. Kaibel dubitans.

273. Elaeae. — *C. I. L.*, III, 7094.

Viuos | Q. Afrarius Matro | Tertiai filiae. |

5   Κοίντος Ἀπφάριος Μάτρων ‖ Τ[ερ]τίᾳ θυγατρί.

---

274. Elaeae. — *C. I. L.*, III, 7095.

Haue. C. Silius | Mellitus an. XII. |

5   Χαῖρε. Γ. Σίλιος | Μελεῖτος ἐτων ‖ ιβ΄.

---

275. Elaeae. — Homolle, *Bull. de corr. hellén.*, I (1877), p. 104.

Ἡ βουλὴ καὶ ὁ δῆμ[ος] | ἐτείμησεν | [Αὖ]λον Ἰούλιον Κουαδρᾶτον | [ὑπ]α-
5 τον ¹, ἀνθύπατον Κρή[τ]ης καὶ Κυρήνης, πρεσβευτὴν ‖ τοῦ Σεβαστοῦ ἐπαρ-
χείας | Καππαδοκικῆς, πρεσβευτὴν | τοῦ Σεβαστοῦ καὶ ἀντιστράτηγον Λυκίας
καὶ Πανφυλίας, | πρεσβευτὴν Ἀσίας β΄, πρεσ|βευτὴν Πόντου καὶ Βειθυν[ί]|ας],
10 φρᾶτρεμ ἀρουᾶλεμ, | [σε]πτ[ε]μού[ιρα ἐ]πουλώνουμ, | [τ]ὸν εὐεργέτην [κ]αὶ
κτίστη[ν] | τῆς πόλεως, τῆς βου[λῆς | ἐ]κ τῶν ἰδίων ἀναθ[είσης].

1. A. Julius Quadratus Pergamenus, multis titulis Pergamenis notissimus (v. infra),
consulatum gessit anno 93 p. C. n. Titulus autem scriptus est ante annum 105, quo
secundum consulatum iniit; *Prosop. imp. rom.*, II, p. 209, n. 338.

---

276. Pergami prope templum Minervae. — Fränkel, *Alterth. von Pergamon*, VIII, II,
n. 292.

[Ἰουλία] Ἰουλίο[υ Πούλχ]ρο[υ ¹ θυγ]ά[τ]ηρ [Π]οῦλχρα ἡ ἱέρηα κα[θιέρω-
σεν Ἀθηνᾶι Πολιάδι καὶ Νικηφόρ]ωι.

1. Sane C. Julius Pulcher, summus sacerdos Asiae saeculo I post C. n.

---

277. Pergami. — Fränkel, *Alterth. von Pergamon*, VIII, II, n. 290.

Διαδούμενος Αὔλου Ἰουλίου Κουαδράτου ¹ ὑπὲ[ρ τοῦ πάτρωνος Ἀπόλλωνι
Πυθίωι?] | καὶ [Ἀσκ]ληπιῶι σωτῆρι τὸν ναὸν σὺ[ν τῶι κόσμωι ἀνέθηκεν].

1. De A. Julio Quadrato vide n. 275 et titulos infra relatos. Idem profecto Diadumenus,
Quadrati libertus, suo titulo sepulcrali notus est, Messanae reperto. Cf. supra (t. I, n. 485).

278. Pergami prope templum Minervae. — Fränkel, *Alterth. von Pergamon*, VIII, ii, n. 310.

5   Ἀρετῇ καὶ | Σωφροσύνῃ | Ἰουλία Πία | ὑπὲρ Κλαυδίου ‖ Σιλιανοῦ [1] τοῦ ἀνδρός.

1. Sacerdos Asiae maximus.

---

279. Pergami in templo Aesculapii. — Conze, *Athen. Mittheil.*, XXIV (1899), p. 169, n. 8.

5   Λούκιος | [Ἀ]πί[δ]ιο[ς] | Δομίτιος | στρατιώτ|ης λεγιῶν|ος πρώτης | Ἰτα-
10 λικῆς [1] Ἀσ|κληπιῶι σω|τῆρι κατ᾽ ὄν‖ειρον.

1. Legio I Italica in Moesia tendebat.

---

280. Pergami. — Hepding, *Athen. Mittheil.*, XXXII (1907), p. 306.

   [Ἀ]σκληπιῶι σωτῆρι | Γ. Φλαουώνιος | [Ἀ]νικιανὸς Σάνκτος | Ἀντιο-
5 χεὺς [1] ὑπέρ τε ‖ ἑαυτοῦ καὶ τοῦ υἱοῦ | Φλαουωνίου Λολλιανοῦ | συγκλη-
τικοῦ εὐξάμε|νος ἀνέθηκεν.

1. Antiochia Pisidiae, ubi innotuit Flavonia Menodora, uxor C. Novii Prisci consulis suffecti anno incerto. Cf. *Prosop. imp. rom.*, II, p. 84, n. 294 et p. 417, n. 149.

---

281. Pergami. — Fränkel, *Alterth. von Pergamon*, VIII, ii, n. 297.

   Ἰούλ. Καρποφόρος | ὁ κ[αὶ] Γέττιξ ἀνέθηκεν |
5   αὐτοῖσι στύλοις | πρόπυλον Βρομί[ῳ] ‖ Παχοριτῶν [1].

1. Bacchus Pacoriae urbis ad Euphratem sitae. Ptolem. V, 18, 7.

---

282. Pergami in templo Cereris. — Fränkel, *Alterth. von Pergamon*, VIII, ii, n. 315.

5   Ταῖς | Θεσμοφόροις [1] | Ἀριστῖνος, | στρατηγὸς ‖ Ῥωμαίων [2].

1. Ceres et Proserpina. — 2. Vir graecae originis praetor Romanus vocatur, ne strategus feratur Pergamenorum municipalis (cf. nn. 288, 289, 294, etc.); romana autem nomina sua, ut in titulo graeco, omisit.

283. Pergami. — Fränkel, *Alterth. von Pergamon*, VIII, ii, n. 294.

[Τύχηι ἀγαθῆι τοῦ δ]ήμου Ῥωμα[ίων] [1] Κλ. Χαρ[ῖνος? σωθεὶς ἐκ?] Σικελίας.

1. Bonae Fortunae (aut Genio) populi Romani.

---

284. Pergami in templo Minervae. — Dittenberger, *Sylloge,* ed. II, n. 272.

[Βασιλεὺς Εὐμένης ἀπὸ] τῶ[ν γενομένων ἐκ τ]ῆς στρατείας λαφύρων, | [ἣν ἐστρατεύσατο μετὰ Ῥωμαί]ων κ[αὶ τῶ]ν ἄ[λλων] σ[υ]μμάχων ἐπὶ Νάβιν τὸν Λάκωνα [1], | [τὸν καταστρεψάμενον Ἀργε]ίου[ς [2] καὶ] Με[σ]σ[η]νί[ου]ς [3], ἀ[π]αρχὴν Ἀθηνᾶι Νικηφόρωι.

1. Anno 195 ante C. n. Eumenes II Romanos in bello, quod contra Nabin gerebant, adjuvit (Liv., XXXIV, 26, 29, 30, 35, 40; Willrich apud Pauly et Wissowa, *Realencyclopaedie*, s. v. *Eumenes*, col. 1092). — 2. Anno 197 ante C. n. (Liv., XXXII, 38, 4; Polyb., XVIII, 17, 1). — 3. Anno 202 ante C. n. (Liv., XXXIV, 32; Pausan., IV, 29, 10; VIII, 50, 5; Plut. *Philop.*, 12; Polyb., XVI, 13, 3; 16; 17).

---

285. Pergami in templo Minervae. — Dittenberger, *Sylloge*, ed. II, n. 283.

[Β]ασ[ιλεὺς Εὐμένης] | Διὶ κ[αὶ Ἀθηνᾶι Νι]κ[ηφόρωι] | ἀπ[ὸ τῆς μετὰ
5 Ῥ]ωμα[ίων | καὶ Ἀχαιῶν πρὸς Νά]6ιν τὸν ‖ [Λάκωνα δευτέρας στρατείας] [1].

1. Anno 192 ante C. n. Cf. n. 284 (Willrich, *loc. cit.*).

---

286. Pergami in templo Minervae. — Fränkel, *Alterth. von Pergamon*, VIII, i, n. 216.

a. [Βασιλεὺς Ἄτταλος βασι]λέως Ἀττά[λ]ου [1] Διὶ καὶ [Ἀθ]ηνᾶι Νικηφόρωι [χαριστήριον τῶγ κατὰ πόλεμον ἀγώνων] [2]. |

b. [..... Σεβα]στὸς ἀποκαθέστησεν. |

c. ..... ὁ δῆμος | ἐτ[ίμησεν] [3] ....

1. Attalus II, rex Pergamenorum annis 159-138 ante C. n. — 2. Ex duobus titulis similibus, ibidem repertis, (Fränkel, nn. 214, 215) restituta sunt verba quae deerant. Quae maxime victoria Attali II hic memoretur vix liquet (Wilcken ap. Pauly et Wissowa, *Realencyclopaedie*, II, col. 2171, 2173). — 3. Fragmentum tertii tituli supra primum (*a*) litteris minoribus rescripti.

287. Pergami in templo Minervae. — Fränkel, *Alterth. von Pergamon*, VIII, ι, n. 225.

Βα[σ]ιλεὺς Ἄτταλος βασ[ιλέως Ἀττάλου] | καὶ [ο]ἱ μετ' αὐτοῦ στρα-
τεύσα[ντες πρὸς Προυσίαν] | καὶ πολιορκήσαντες αὐτὸ[ν ἐν Νικομηδείαι], |
5 παραβάντα τὰς διὰ Ῥωμαίων γε[νομένας συνθήκας], ¹ ‖ Διὶ καὶ Ἀθηνᾶι
Νικηφόρω[ι χαριστήριον] | τῆς τοῦ πολέμου συντελείας ², ἐπ[ικρατήσαντες].

1. Anno 149 ante C. n. Prusias, rex Bithyniae, ab Attalo II victus et a filio suo Nico-
mediae occisus est. Cf. Polyb., XXXII, 27; XXXIII, 13; Liv., *Epit.*, 50. — 2. Pro bello
confecto.

---

288. Pergami in templo Minervae. — Fränkel, *Alterth. von Pergamon*, VIII, ι, n. 224.

a. [Ἐπὶ πρυτάνεως.......]οδώρου · γνώμη σ[τρατηγῶν · ἔγνω δῆμος · ἐπεὶ...
..|...¹ σύντροφ]ος τοῦ βασιλέως ² ἕν τε τοῖ[ς ἀναγκαιοτάτοις καιροῖς | σπουδ]αίας
χρείας παρείσχηται τῶι τε βασιλ[εῖ καὶ τῶι δήμωι | παντ]ὸς ἀγαθοῦ παραίτιος
5 γινόμενος καὶ ἐν πᾶσιν κα[ιροῖς ἀμέμπτως ‖ καὶ ἀδ]εῶς ἀναστρεφόμενος τῆς
μεγίστης τιμῆς καὶ [αἰδοῦς ἠ]ξιοῦτ]ο, πολὺ δὲ τῶν καθ' ἑαυτὸν συνέσει καὶ
παιδείαι προάγων [παρὰ | μὲ]ν τοῖς ἄλλοις ἐντροπῆς καὶ δόξης δικαίως ἐτύγ-
χανεν, παρὰ δὲ [τῶι | βα]σιλεῖ προεδρίας καὶ τιμῆς τῆς πρώτης μετεῖχεν,
ἀμεμψιμοίρητ[ος | δὲ] ἐν πᾶσιν γεγενημένος καὶ εὐδοκι[μη]κὼς ἐν ταῖς χρείαις
10 ἀπάσαις κ[ε‖κ]όσμηκε τὸν αὐτοῦ [β]ίον τῆι καλλίστηι παρρησίαι τήν τε
πατρίδα σπε[ύ]|δων ὅσ[ο]ν ἐφ' ἑ[α]υ[τ]ῶι, διαφέρειν παρ[ὰ τὰ]ς ἄλλας πόλεις
ἐν ταῖς κατὰ τ[ὴν | π]ολιτείαν οἰκονομίαις, τὰ μὲν [π]αραλελειμμένα εἰσηγη-
σάμενος ἐπὶ τῶ[ι | σ]υνφέροντι διώρθωσεν, τὰ δὲ λο[ι]πὰ [ἄ]κ[ο]λού[θω]ς
τοῖς νόμοις συνεπεί[σ|χ]υσεν, ἐφ' οἷς εὐχαριστήσας ὁ δῆμος α[ὐ]τῶι τὰς
15 καλλίστας καὶ ἐνδοξοτάτα[ς ἐ]‖ψηφίσα[τ]ο τιμ[ὰ]ς, ἵνα μὴ μόνον ἐν τῶι
π[αρ]όντι καιρῶι ἡ παρὰ τῶν πολιτῶ[ν | α]ὐτῶι ὑπάρχ[η]ι χάρις, ἀλ[λ]ὰ κα[ὶ
ε]ἰς [τὸ]ν [ἀεὶ χρόν]ον δ[ι]αμε[ί]νη [τὰ] δεδομένα τίμ[ι]α, καὶ ὁ βασιλ[ε]ὺς
Ἄτταλο[ς Φιλ]άδ[ε]λφ[ος] κ[α]ὶ Εὐε[ργ]έ[τη]ς ἐν τοῖς ἀναγκα[ιο|τ]άτοις καιροῖς
πιστεύσας τὴν [ὑ]πὲρ τῶ[ν] κοι[νῆ συ]ν[φ]ερ[όν]τω[ν] πρεσβείαν [πρὸς |
Ῥ]ωμαίους [ἐ]ξαπέστειλεν αὐτὸν, ἵν[α] τοὺς [μ]ὲν [ἐ]χ[θ]ροὺ[ς] ἐνδείξηται
20 [ἀ]σε[6ῶς ‖ κ]εχρησ[μ(έ)]νους τοῖς πράγ[μ]ασιν, [τὴ]ν δ[ὲ ὑ]π[άρχ]ουσα[ν]
εὔ[νο]ιαν καὶ εὐεργε[σί|αν π]ρὸς τὸν βασιλ[έα ἀ]ν[αν]εωσ[άμ]εν[ος πα]ρ[α]-
κ[αλέ]σ[ηι] αὐ[τ]ο[ὺ] ἀμύνασθα[ι | τὸ]ν πα[ρασ]πόνδως [χ]ατα[........ ἐ]νδ[ε]ι-
ξά[μ]ε[ν]ος τῆι συ[γκλή|τωι].....

b. .....[ἐπι]μελ[ηθ..... | .....πε]πραγμέν..... | .....[ο]ς καρτερη[σ..... |
5 .....μ]ητ' ἐν τ..... ‖ .....[ἐσκήπ]τονθ' ὅτ[ι..... | .....κα]ὶ καθυ[ϐρι]..... |
.....ος.

1. Virum, cujus nomen periit, editor suspicatur fuisse Andronicum illum, qui, anno 151 aut 150 Romam iterum missus (v. 18), ut de Prusia rege Bithyniae quereretur (cf. v. 21), prohibuit ne multa ei ob rapinas irrogata ab senatu remitteretur (Appian., *Bell. Mithrid.*, 4-7). — 2. Eo nomine post Alexandrum in Macedonia etiam et in Syria et in Aegypto appellabantur lecti viri, qui una cum rege educati fuerant. Cf. Dittenberger, *Sylloge*, ed. II, n. 247, not. 2.

---

289. Pergami in theatro. — Dittenberger, *Orient. gr. inscr. sel.*, n. 338; Foucart, *Mém. de l'Acad. des Inscr.*, XXXVII (1903), p. 299 et 321.

Ἐπὶ ἱερέως [1] Μενεστρά[του τ]οῦ Ἀπολλοδώρου, | μηνὸς Εὐμενείου [2] ἐννε[α-
καιδε]κάτηι · ἔδοξεν τῶ[ι] | δήμωι, γνώμη στρατηγ[ῶν · ἐπε]ὶ βασιλεὺς
5 Ἄτταλος | Φιλομήτωρ καὶ Εὐεργέτη[ς [3] μεθισ]τάμενος ἐξ ἀν‖θρώπων [4] ἀπολέ-
λοιπεν τὴ[[μ πατρ]ίδα ἡμῶν ἐλευθέρα[μ] [5], | προσορίσας αὐτῆι καὶ πόλε[ις καὶ]
χώραν, ἣν ἔκριν[εν] [6], | δεῖ δὲ ἐπικυρωθῆναι τὴν διαθή[κην] ὑπὸ Ῥωμαίων,
[ἀναγκαῖ]όν τέ ἐστιν ἕνεκα τῆς κοινῆς ἀσ[φ]αλείας καὶ τ[ὰ ὑποτετα]‖γμένα
10 γένη [7] μετέχειν τῆς πολιτεί[α]ς διὰ τὸ ἅπα[σαν εὔ‖νοιαμ προσενηνέχθαι πρὸς
τὸν δῆ[μο]ν · ἀγαθῆ[ι τύχηι δεδό]|χθαι τῶι δήμωι δεδόσθαι πολιτείαν [τ]οῖς
ὑπο[γεγραμμέ]‖νοις · τοῖς ἀναφερομένοις ἐν ταῖς τῶ[ν] παροί[κων [8] ἀπο]|γρα-
φαῖς καὶ τῶν στρατιωτῶν τοῖς κα[το]ικοῦσ[ι]ν [τὴμ πό]|λιν καὶ τὴγ χώραν [9],
15 ὁμοίως δὲ καὶ Μακεδό[σι]ν [10] καὶ Μυ[σοῖς] [11] ‖ καὶ τοῖς ἀναφερομένοις ἐν τῶι
φρουρίωι καὶ [τῆι πόλει τῆι] | ἀρχαίαι κατοίκοις καὶ Μασδυηνοῖς [12] κ[αὶ.......] |
καὶ παραφυλακίταις [13] καὶ τοῖς ἄλλοις ἐ[πικού]‖ροις [14] τοῖς κατοικοῦσιν ἢ ἐνεκ-
τημένοις ἐν τ[ῆι πόλει] | ἢ τῆι χώραι, ὁμοίως δὲ καὶ γυναίξιγ καὶ παισ[ίν] · ‖
20 εἰς δὲ τοὺς παροίκους μετατεθῆναι τοὺς ἐκ [τῶν] | ἐξελευθέρων [15] καὶ βασι-
λικοὺς [16] τούς τε ἐνήλικα[ς] [17] | καὶ τοὺς νεωτέρους, κατὰ τὰ αὐτὰ δὲ καὶ τὰς
γυνα[ῖ]|κας πλὴν τῶν ἠγορασμένων ἐπὶ τοῦ Φιλαδέλφου | καὶ Φιλομήτορος βασι-
25 λέων καὶ τῶν ἀνειλημένω[ν] [18] ‖ ἐκ τῶν οὐσιῶν τῶγ γεγενημένωμ βασιλικῶν,
κατὰ τ[αὐ]|τὰ δὲ καὶ τοὺς δημοσίους · ὅσοι δ[ὲ] τῶν κατοικούν|των ἢ ὅσαι
ἐγλελοίπασιν ὑπὸ τὸν και[ρ]ὸν τῆς (τελευτῆς) [19] τοῦ βασιλέ[ως] | ἢ ἐγλίπωσιν
τὴμ πόλιν ἢ τὴγ χώραν, εἶναι αὐτοὺς κα[ὶ] | αὐτὰς ἀτίμους τε καὶ τὰ ἑκα-
30 τέρων ὑπάρχοντα τῆς ‖ πόλεως [20]. |

Τετράδι ἀπιόντος²¹. |

Ἔδοξεν τῶι δήμωι, γνώμη στρατηγῶν · ἐ[π]εὶ [ἐν τῶι γε|νομένω]ι ψηφίσ-
ματι περ[ὶ] τοῦ δοθῆναι πολιτεί[αν τοῖς | ἀναφερομένοις ἐ]ν ταῖς τῶ[μ]
35 παρ[ο]ίκων ἀπογραφαῖς [καὶ ‖ τοῖς λοιποῖς γένεσιν τ]οῖς δηλουμένοις ἐν τῶι
ψηφ[ί]σ[μα|τ]ι καὶ περὶ τοῦ μετατεθῆναι εἰς τοὺς] παροίκους τοὺς [ἐκ | τῶν ἐξε-
λευθέρων καὶ βασιλικοὺς κα]ὶ [δ]ημοσίους |.....

1. Sacerdos eponymus in titulis Pergamenis inter annos 133 et 29 ante C. n. rite inscri-
bitur, qui fungitur etiam prytania (Fränkel ad suum n. 5, v. 15). Cf. n. 290. — 2. Per-
gameni in honorem Eumenis I (263-241), regiae stirpis auctoris, Eumeneium mensem
vocaverunt, quo natus erat (Schuchhardt, *Alterth. von Perg.*, VIII, II, p. 398). — 3. Atta-
lus III (138-133 ante C. n.). — 4. Ex hominibus ad deos cessit, usitata formula de regum
mortibus (Dittenberger, *Orient. gr. inscr. sel.*, ad n. 308, 4). Vere anni 133 defunctus est
Attalus; hic autem titulus paulo post exaratus est. — 5. Testamentum ab Attalo vere
factum esse, quod negaverant quidam auctores et veteres et recentiores, hoc documento
primum confirmatum est; bona regis legabantur populo romano, Pergamenus donabatur
libertate. Qua de re cf. Dittenberger et Foucart. — 6. πολε[μίαγ] χώραν ἢν ἔκριν[εν] (δεῖν
ἰσονομεῖσθαι?) Fränkel, *Alt. von Perg.*, VIII, I, n. 249; πολε[τικἢγ] χώραν Dittenberger. Corr.
Foucart. — 7. Homines per classes descripti, qui hoc decreto civitatem aut jus inquilino-
rum nacti sunt, infra enumerabantur; eorum laterculos vide in *Athen. Mittheil.*, XXVII
(1902), p. 106. — 8. Ut μέτοικοι, inquilini. — 9. Milites regis ipsius mercenarii, qui antea
ad rem publicam Pergamenorum nequaquam pertinuerant et in urbe tantum concesso
fruebantur domicilio. — 10. « Macedones coloni, qui jam antiquitus in illis regionibus
consederant » Dittenberger. — 11. Mysi mercenarii in coloniis militaribus etiam a regibus
collocati. — 12. Mastya, aut Masdya, ex urbe, ut videtur, Paphlagoniae orti mercenarii
(Plin., *Nat. hist.*, VI, 5). — 13. Idem qui in Aegypto vocantur φυλακῖται, vigiles, custodes
securitatis publicae. — 14. ἐ[μφρού]ροις, Fränkel, Foucart. — 15. Nempe libertini inquili-
norum jure prius non utebantur. — 16. Servi regii, qui multa opificia exercebant. —
17. ἐν ἠλικ(ί)α[ι], Fränkel, Foucart. Corr. Wilhelm, *Arch. epigr. Mittheil.*, XX (1897),
p. 57. — 18. Praeter servas mulieres, emptas sub Attalo II. Philadelpho (159-138 ante
C. n.) et Attalo III Philometore (138-133) et praeter servas in fiscum redactas, ex rebus
familiaribus, quae publicatae fuerant et bonis regum additae. — 19. Vox errore lapi-
cidae omissa. — 20. Hanc poenam, ut beneficia, quae supra enumerantur, edictam esse,
ne transfugis augeretur Aristonici exercitus, ostendit Foucart. — 21. Die quarta mensis
Eumeneii exeuntis, id est quarta ante illius finem = die XXVII aut XXVI.

---

290. Pergami. — Fränkel, *Alterth. von Pergamon*, VIII, II, n. 234.

.... δ .... | .... [τριετη-
ρί]δος ἀγῶνα ¹ ..... | ....,........ [συνήγ]ορος [κα]ὶ τοῦ συμβουλίο[υ]² | .....

5 ἐφρόντισε τῶν πρὸς ['Ρωμ?]αίους δικαίων, ἀναπομπὴ[ν ‖ .... πρ]οτ[ε]
ρον καλῶς ὑπ' αὐτοῦ πε|................ [ἀ]σμένως καὶ ἐπὶ τοῖς προσφ[ό|ροις.....
ἐτίμησε αὐτ?]ὸν τῷ πρυτανικῷ καὶ ἐπων[ύ|μῳ τέλει ³ ἐπὶ τῆι ἱερωσύνηι τῆι
10 αὐτῶι?] προυπαρχούσηι διὰ γένου[ς] | .... ἀρχὴν δεδομένην δὲ πρ‖...
.... [τῶν τε θε]ῶν ἀξίως κ[α]ὶ τοῦ δήμο[υ] | .... λαβὼ[ν
κοινω]νὸν καὶ ὁ | .... τον ... [πρ]υτάνεω[ς] | ....,...
τας τῆς | ....ον ο......

1. Ludi in honorem Bacchi solemnes, Fränkel, *ibid.*, I, p. 167, ad n. 248, 8. — 2. Con-
silium consulum aut proconsulis. — 3. De sacerdote et eodem prytane Pergamenorum
eponymo cf. n. 289.

---

291. Pergami. — Fränkel, *Alterth. von Pergamon*, VIII, II, p. 513; Foucart, *Rev. de
Philologie*, XXV (1901), p. 88.

Οἱ ἐν τῇ 'Ασίᾳ δῆμοι καὶ τὰ ἔθν[η] καὶ οἱ κατ' ἄνδρα κεκριμένοι ἐν τῇ π[ρὸς
'Ρωμαίους φιλίαι] | ἐτίμησαν 'Αγήνορα τοῦ Δημητρίου [τοῦ....] ¹ | Περγαμηνοῦ
υἱὸν, τοῦ ἀγωνοθετήσαντος | τὰ πέμπτα Εὐεργέσια τὰ ἀχθέντα δημο[σί]ᾳ ἐν
[Περγά]μωι ².

1. Δ. Τ. ΗΙΟ traditur. — 2. Quis Evergesia certamina instituerit quanquam igno-
ratur, videntur tamen illa per vices acta esse a communi Asiae concilio in singulis
provinciae urbibus primariis, et initium suum habuisse paulo post Mucia.

---

292. Pergami in gymnasio. — Hepding, *Athen. Mittheil.*, XXXII (1907), p. 243, n. 4.

.....εμωνος πολυετῆ χρόνον κ[ατέμεινεν καὶ ἐν ἐλάσσονι θέμενος τὰ καθ' αὐτὸν
τοῦ τῆι | πατ]ρίδι συμφέροντος τὰ μέγιστα [ἀγαθὰ κατειργάσατο τῇ τε ἡμετέρᾳ
πόλει καὶ πᾶσιν] | τοῖς τὴν ἐπαρχείαν κατοικοῦσιν .εχι......... | καὶ περὶ ἐλα-
φροτοκίας τῷ πάντας τοὺς ....]ρῆται · οὓς δὲ ἀπολωλεκέναι τοὺς βίους
5 .... ‖ μεγάλους πράσσεσθαι τοὺς τόκους ἀπέλυσε ....|αν τῆς γεινομένης
ἀνδροληψίας ἐκ τῶν χυι....... [τῆς τῶν στρατο]|πέδων παραχειμασίας ὅπως ἡ
πόλις ἀπαρεν[όχλητος] .... | ἔσται τις τῶν παρενοχλουμένων ἐπίστασις
ομ........ [τῶν] | εἰς ταύτας δαπανημάτων καὶ τῆς τῶν λόγων εἰ...............‖
10 κτος τῶν φόρων ἐπιτασσομένων ὥστε καὶ ἐν τούτῳ .... [ἀπολύεσ]|θαι δὲ καὶ
τῶν κενῶν συγγράφων καὶ μετὰ βίας καὶ ἀν[άγκης] ....|το δὲ καὶ τοὺς

βίους τῶν ἀνειρημένων ὑπὸ Μιθραδ[άτου] .... | ἐν τῶι πολέμωι, ἐξ ὧν
ἀφόρητος ἐπηκολούθει τῆι πόλει κί[νδυνος ...... τῶν δὲ] | ἀγαθῶν ὑπ' αὐτοῦ
15 μεγάλων καὶ σωτηρίων ὄντων καὶ οὐ μ[όνον τῆι τῶν ὑπ' αὐτοῦ εὐηργετη]‖μένων
πόλει, πάσῃ δὲ τῆι ἐπαρχήαι, ὁ δῆμος κατ' εὐχὴν ἡγήσ[ατο εἶναι τὴν εἰς τὴν
πατρί]|δα γεινομένην ἐπάνοδον αὐτοῦ, κυρώσας ψήφισμα τῆς ἀρε[τῆς αὐτοῦ καὶ
τῶν πεπρα]|γμένων ἄξιον, εὐχαρίστησέν τε τοῖς θεοῖς παραστῆσας αὐτο[ῖς θυσίας
ὡς καλλίστας] | καὶ δεξιωσάμενος μετὰ πάσης προθυμίας ἔκρεινεν τὸν ἄνδ[ρα
καλὸν καὶ πάσαις ἀρε]|ταῖς κεκοσμημένον ταῖς μεγίσταις τιμαῖς καὶ πρὸς αἰώνιον
20 μνή[μην καὶ ἀθανασίαν] ‖ τιμῆσαι · διὸ ἀγαθῆι τύχηι καὶ ἐπὶ σωτηρίαι τῆς πόλεως
δεδόχθαι [τῆι βουλῆι καὶ] | τῶι δήμωι ἐπηνῆσθαί τε Διόδωρον ἐπὶ τοῖς προγε-
γραμμένοις κ[αὶ ἐπὶ τῶι ἀπὸ]| προγόνων εὐεργέτην ὄντα καὶ πολιτευόμενον καλῶς
τῶν μεγίσ[των εὐεργεσιῶν] | παραίτιον γεγονέναι τῆι πατρίδι καὶ στεφανῶσαι
αὐτὸν χρυσῶι στεφάν[ωι ἀριστείωι] | καὶ ἰκόνι χρυσῆι καὶ ἄλληι ἐφίππωι καὶ
25 ἄλλη χαλκῆι κολοσσικῆι στεφανου[μένηι ὑπὸ] ‖ τοῦ δήμου καὶ ἄλληι ἐφίππωι
καὶ ἀγάλματι μαρμαρίνωι, ὧν καὶ γενέσ[θαι τὰς ἀνα]|θέσεις ἐν οἷς ἂν αὐτὸς
κρείνηι τῶν ἱερῶν καὶ δημοσίων τόπων, τῶν μὲν χρ[υσῶν ἐπὶ στυ]|λίδων μαρμα-
ρίνων, τῶν δὲ χαλκῶν ἐπὶ βημάτων ὁμοίως μαρμαρίνων, τοῦ δὲ ἀ[γάλ]|ματος ἐν
τῶ κατασκευασθησομένωι ναῶι, γενομένης ἐπιγραφῆς ἐπ' αὐτῶν [ὅτι ὁ] | δῆμος
30 ἐτίμησεν Διόδωρον Ἡρώιδου, τὸν διὰ γένους ἱερέα τοῦ Διὸς τοῦ μεγίσ[του] ‖ καὶ
ἀρχιερέα, γεγονότα διὰ προγόνων εὐεργέτην καὶ πολλὰ καὶ μεγάλα εὐεργετή-
σ[αν]|τα τὴν πατρίδα · παρασταθῆναι δὲ καὶ παρ' ἣν ἂν βούληται τῶν εἰχόνων ἢ
τὸ ἄγαλμα σ[τή]|λην λίθου λευκοῦ, εἰς ἣν ἀναγράψαι τόδε τὸ ψήφισμα · καλεῖσ-
θαι δὲ αὐτὸν καὶ εἰς προεδρί[αν] | ἐμ πάσαις ταῖς πανηγύρεσιν καὶ τριετηρίσιν καὶ
παναθηναίοις καὶ τοῖς ἄλλοις ἀγῶσιν · ἐπ[ι]|θύειν αὐτὸν καὶ τὸν λιβανωτὸν ἔν τε
35 ταῖς βουλαῖς καὶ ταῖς ἐκκλησίαις ταῖς ἐννόμο[ις, ‖ ὅταν] παρατυγχάνηι · εἶναι δὲ
καὶ τὴν ὀγδόην τοῦ Ἀπολλωνίου μηνὸς ἱεράν, ἐν ἧπερ ἀπὸ τῆς | [πρε]σβεί[ας] εἰς
τὴν πόλιν εἰσῆλθεν · γενέσθαι δὲ καὶ φυλὴν αὐτοῦ ἐπώνυμον συγγενικὴν προσ[η-
γ]ορίαν [ἔ]χουσαν Πασπαρίδα · καθίστασθαι δὲ αὐτοῦ καὶ ἱερέα ἐν ταῖς ἀρχαι-
ρεσίαις, ὅταν | καὶ οἱ ἄλ[λο]ι ἱερεῖς τῶν εὐεργετῶν, καὶ ἐπιγράφεσθαι ἐπὶ τῶν
συνχρηματιζομένων μετὰ | τὸν Μαν[ίο]υ ἱερέα, φυλασσομένης καὶ ταύτης τῆς
40 τιμῆς εἰς τὸν ἄπαντα χρόνον · ἀνεῖναι δ[ὲ] ‖ αὐτοῦ χ[αὶ τ]έμενος ἐν Φιλεταιρείαι,
ὀνομάσαντας Διοδώ<δω>ρειον, ἐν ὧι κατασκευασθ[ῆναι] | ναὸν λί[θου] λευκοῦ,
εἰς ὃν ἀνατεθῆναι τὸ ἄγαλμα · ἐν ἧ δ' ἂν ἡμέραι γίνηται ἡ καθιέρ[ωσις] | αὐτοῦ
σ[ταλῆ]ναι πομπὴν ἐκ τοῦ πρυτανείου εἰς τὸ τέμενος αὐτοῦ πομπευόντων [τοῦ

τε] | πρυτάν[εως καὶ] τῶν [ἱ]ερέων καὶ βασιλέων καὶ τοῦ γυμνασιάρχου μετὰ τοῦ
ὑπο[γυμνασι]άρχου καὶ τῶν ἐφήβων] καὶ τῶν παιδονόμων μετὰ τῶν παίδων, συν-
45 πομπευόν[των τῶν ‖ πολιτῶν καὶ] τῶν παίδων, παρασταθείσης θυσίας ὡς καλλίσ-
της ἐπ[ὶ τοῦ βωμοῦ ? | ὑπὸ τοῦ δήμου, τεθῆναι ἀγῶν]ας παίδων τε καὶ ἐφήβων
καὶ ἀνδρῶν, τοῖς δὲ ..|.. μερισθέντων εἰς τὰ ἔπαθλα τῶν ἀπὸ τῆς [θυσίας|.. καθ'
ἕκασ]τον ἐνιαυτὸν ἐν τῆι αὐτῆι ἡμέραι, ὅταν. |...εὐγήρως τοὺς διαδεξαμένου[ς] ‖
50 ....|αν ἀπολιπὼν εἰς τὸ χρεώ[ν | ... ἐν τῇ ἐν Φιλ]εταιρείαι ἀγορᾶι ἐὰμ.....|.....
55 [τ]ῆς ἐπιγραφῆς ὅτι ὁ [δῆμος ἐτίμησεν] ...‖... τὴν ἀναγόρε[υσιν ....|....
γεγονὸς...

Honores a Pergamenis decernuntur Diodoro Herodis Pasparo gymnasiarcho, anno
fere 130 ante C. n. Cf. nn. 293, 294.

V. 4-7. Cum Pergameni quidam aere alieno laborarent, cujus usuris solvendis rem
familiarem consumebant, Diodorus effecit ut deminuerentur illae usurae (ἐλαφροτοκία).

V. 7. ἀνδροληψία : de obsidibus acceptis profecto agebatur.

V. 7-12. Cum Romanos milites Asiatici domi haberent jam ab anno 131, curaverat Dio-
dorus ne civitas a copiis hibernantibus vexaretur atque ut, si qui molestiam ea de causa
passi essent, inspicerentur et liberarentur tributis, quae essent per inanes syngraphas vi
et dolo malo imperata.

V. 13. ἀνειρημένων = ἀνηρημένων. Μιθραδάτου; Mithradates IV Evergetes, rex Ponti (annis
170-120), Romanis in bello Aristonici (v. 14) auxiliatus erat.

V. 17. ἐπάνοδον αὐτοῦ : Diodori, qui Romam legatus erat a Pergamenis, reditus in
patriam. Cf. v. 36 et n. 293, col. II, v. 11.

V. 25. ἰκόνι, statua honoris causa in publico loco posita; ἀγάλματι (v. 26), statua in sacro
loco inter divinas culta (Hepding).

V. 27. στυλίδων, columellae rotundae; Dittenberger, Orient. gr. inscr. sel., n. 332,
not. 9.

V. 29. ναῶι; vivo homini, quin etiam privato, dedicari templum aut divinos honores
adhiberi illa aetate rarissimum est. Cf. tamen Fränkel, Alterth. von Pergamon, VIII, II,
n. 256, v. 14.

V. 30. τὸν διὰ γένους ἱερέα τοῦ Διὸς τοῦ μεγίστου καὶ ἀρχιερέα; idem est Pergami summus
sacerdos atque ab stirpe sacerdos Jovis maximi. Cf. Fränkel, l. c., v. 10.

V. 34. τριετηρίσιν, Bacchi festa sacra (Cf. n. 293) et Minervae Victricis Nicephoria;
Fränkel, n. 167.

Παναθηναίοις. Pergameni sua Panathenaea jam circa annum 250 rite celebrabant. Frän-
kel, n. 18, v. 17; 156, 253.

V. 35. Jus ture supplicandi, prius quam senatus populusque consilia ineunt aut ludi
incipiunt, prytani lege datum, obtinebit Diodorus, quoties aderit. Cf. n. 293, v. 26.
Fritze, Die Rauchopfer bei den Griechen.

V. 36. Mensem Apollonium, cujus dies VIII sacer erit Diodoro, quartum fuisse anni
Pergameni existimat Fränkel, n. 247, incertum an recte. Cf. infra n. 294, v. 30-32.

V. 37. Tribus suae Diodorus erit heros eponymus, quae vocabitur ab illius cognomine Pasparo tribus Πασπαρηίς.

V. 38. Eligetur sacerdos Diodori in comitiis eodem tempore quo magistatus et ceteri sacerdotes eorum qui de civitate bene meriti sunt. De cultu εὐεργέτων v. Hepding ad h. l.

V. 39-40. Cum sub Attalis moris fuisset litteris negotiorum publicorum et privatorum (χρηματισμοί) praescribere regis sacerdotem, ita post mortuum Attalum III praescriptus est sacerdos M' Aquilii, qui provinciam romanam primus composuerat. Post sacerdotem Aquilii sacerdos etiam Diodori praescribetur in aeternum.

V. 40. ἀνεῖναι = consecrare.

V. 41. Φιλεταιρεῖαι, locus in ipsa urbe, ut videtur, aut in suburbio situs, qui nomen suum duxerat a Philetaero, patre regis Eumenis I.

V. 44. βασιλέων, sacerdotes certis muneribus ornati, quae regum antiquitus fuerant. Chapot, *Province rom. d'Asie*, p. 234.

V. 49. Ludi celebrabuntur unius cujusque anni eodem die, VIII mensis Apollonii.

---

293. Pergami prope gymnasium. — Hepding, *Athen. Mittheil.*, XXXII (1907), p. 257, n. 8.

```
5   Fragm. a. Col. I....|....|....|....|...λιν γυ[[μνασι]..... τοῖς νέ[οις]... ὑπαρχον |
10  ...... τῆς τοῦ |..... ενον τὸν |....... [ἐ]νδόξοις καὶ |......[τὴν εἰς τὸν]
    δῆμον εὔνοιαν |..... ων χρημάτων |.... [τὸ τῶν νέων γυμνάσιον]...... δι
15  κατεφθαρμέ[[νον ...καὶ] ....γεγονὸς ἄχρησ||[τον]......αιως περίπατον κατε[σκευα-
    κέναι ..... καὶ μάλιστα κατὰ τὰς |.....ρη...... [π]ερίπατον τῆς πάσης
    ἐπι[[μελ]είας ἀξίως .....ον καλοῦ καὶ εὐσχήμονος τοῦ |....τα πεποιῆσθαι....
20  ὑπάρχοντος κονιστηρίου ὄντος πολὺ ‖ [κατ]αδεεστέρου τῆς π[ερὶ τὸ γυμν]άσιον
    ἀξίας κατεσκευασκέναι ἕτερον | [ἐκ τ]οῦ ἰδίου ποιήσαντα πρὸ αὐτοῦ ἐξέδραν
    μαρμαρίνην καὶ τὸ παρ' αὐτὴν | [λο]υτρὸν ὁμοίως μαρμάρινον, ἀπογράψαντα
    καὶ τὴν ἐπ' αὐτῶι ὀρο[[φὴν] καὶ τὰ κύκλωι τῶν τοίχων σανίσιν ἐξασφαλισά-
    μενον, ἐφ' οἷς | [τὸν] δῆμον ἀποδεχόμενον αὐτοῦ τὸ μεγαλομερὲς καὶ μεγαλο-
25  ψυ[[χὲς κρί]νειν πρὸς ταῖς προγεγενημέναις αὐτῶι καλαῖς καὶ ἐπιφανέ[[σιν]
    τιμα]ῖς καὶ ἄλλα<ι>ς ψηφισθῆναι τῶν γινομένων ἀδιαλείπτως εἰς τὴν | [πόλιν
    εὐερ]γεσιῶν ἀξίας πρὸς τὸ παισὶ παίδων παραδόσιμον γενέσθαι | [τήν τε τοῦ]
    Διοδώρου διὰ προγόνων περὶ τῶν τῆς πατρίδος καλῶν καὶ σ[υν|φερόντω]ν
30  σπουδὴν καὶ τὴν τοῦ δήμου πρὸς αὐτὸν ἐπὶ δικαίοις τῆς χάρι[τος ἀπόδοσιν,
    ἀ]γαθῆι τύχηι δεδόχθαι τῆι βουλῆι καὶ τῶι δήμωι ἐπηνῆσθαι|[τε αὐτὸν ἐπὶ
    τ]οῖς προγεγραμμένοις καὶ ἐπὶ τῶι πατροπαράδοτ[ο]ν [ἔχ]ον|[τα τὸ μεγαλο-]
    μερὲς καὶ φιλόδοξον μηδένα καιρὸν παραλείπειν τῶν | [εἰς τὴν τῆ]ς πόλεως
```

εὐεργεσίαν διηχόντων καὶ στεφανω[θ]ῆναι αὐ|[τὸν χρυσῶι σ]τεφάνῳ ἀριστείῳ,

35 κατασκευασθῆναι δὲ αὐτῶι ἐν τῶι τῶν νέ‖[ων γυμνασί]ωι καὶ ἐξέδραν, εἰσπο-
ρευομένων ἀπὸ τοῦ σκιαχοῦ ὡρολο[γί]ου | [εἰς τὴν σ]τοὰν καθ' ὃν τόπον ἐστὶν
ὁ πρῶτος οἶκος, ὑπεγλυθέντος τοῦ τοίχου | [καὶ ἀντε]νσταθέντων τῶν τε κιόνων
καὶ τῶν παραστάδων μαρμαρίνων, ὁ|[μοίως δ]ὲ καὶ τοῦ ἐπ' αὐτῶν κόσμου
καὶ τῆς εὐθυντηρίας ἀπογραφείσης καὶ | [τοῦ]..... καὶ γενομένου ἐν αὐτῶι

40 θωραχείου τῆς αὐτ........‖.... τῆς καὶ τῶν ἄλλων ἔργων γενομένης καθ' ἥν
ἀντανήρηται δια|[γραφῆς?]... των, ἐν ἧι ἀνατεθῆναι αὐτῶι ἄγαλμα μαρμάρινον,
ὅπως | [οὗ φιλοτιμότατα πρ]οενόησεν τόπου πλειόνων ἀναδεξάμενος χρημάτων |
[ἀνάλωμα τῆς τε ἐπισκ]ευῆς αὐτοῦ καὶ ἐπιθεραπείας ἕνεκεν, ἐν τούτωι καὶ |
[αὐτὸς διὰ τούτου τ]οῦ ἀγάλματος σύνθρονος ἧι τοῖς κατὰ παλ[α]ίστραν ‖

45 [θεοῖς, γενομένης ἔμπροσθ]εν τοῦ ἀγάλματος ἐπιγραφῆς, ὅτι ὁ δῆμος ἐτίμη|[σεν
Διόδωρον Ἡρώιδου Πά]σπαρον, τὸν ἀρχιερέα καὶ διὰ γένους ἱερέα τοῦ | [Διὸς
τοῦ μεγίστου καὶ δι]ὰ προγόνων ὑπάρχοντα τῆς πατρίδος εὐεργέ[την, πάσης
φιλοτιμίας ἕνεκεν] καὶ τῆς πρὸς τὴν πόλιν εὐνοίας καὶ | [γυμνασιαρχήσαντα
καλῶς τῶν τε] νέων καὶ πρεσβυτέρων ἐν τοῖς ἐννεα‖[καιεικοστοῖς Νικηφορίοις τοῦ
στ]εφανίτου ἀγῶνος, ἀχθεῖσιν δὲ πρώτοις | ...... [π]όλεμον τε...αι δι' ἐνιαυτοῦ
τοῖς πρε|.............

Col. II.....καὶ ἀρχιερεὺς [εὔχρηστον ἑαυτ]ὸν παρεχό|[μενος]..... τρόπον ἀεί
τινος ἀγαθοῦ γείνεται τῇ πατρίδι | [παραίτιος, ἐπιδιδο]ὺς μὲν ἑατὸν τῇ πρὸς
τὰ κοινὰ σπουδῇ καὶ φιλοτιμίαι, | [πάντα δὲ κίνδυνο]ν κ]αὶ κακοπαθίαν ἀνεκτὴν

5 ἡγούμενος ἥν εἰς τὸ τοῦ δή‖[μου καὶ]... οτο.σταντος ἐδάφους θήσεται συμφέρον ·
ἐξ ὧν μαρτυρουμέ|[νων τοῖς κ]αλοκαγαθίας ἀληθινοῖς ἐπιτεύγμασιν θεωρῶν
καὶ ὁ δῆμος ἐπαύ|[ξοντα μὲ]ν αὐτὸν διηνεχῶς τὴν τῶν προγόνων ἀρετήν, διὰ
πολλῶν δὲ καὶ με|[γάλων ε]ὐεργεσιῶν ἐναποδιχνύμενο(ν) τὴν πρὸς τοὺς πολίτας
εὔνοιαν, οὐ μό|[νον ὅτι ὡ]ς πρότερον καὶ λέγων καὶ πράσσων τὰ συμφέροντα

10 περὶ αὐτῶν κατωι‖[χονομ]ήσατο [κ]αὶ ἐν τῇ πόλει καὶ ἐπὶ τῆς ξένης, πολυχρο-
νίους ἀναδεξάμενος | [ἀποδη]μίας καὶ κινδύνους, ἀλλὰ καὶ ἀφ' οὗ πάρεστιν ἐκ
Ῥώμης, εἰς μὲν τὴν κατὰ | [τὸν ἰδιο]ν βίον ἐπιμέλειαν μηδὲ τὸν ἐλάχιστον
εἰληφότα καιρόν, πάντα δὲ τοῦ|[τον εἰς τ]ὴν ὑπὲρ τῶν κοινῶν πραγμάτων
φροντίδα κατατεθειμένον καὶ ἐν | [πολλο]ῖς καὶ μεγάλοις εὐεργετηκότα τὴν

15 πόλιν, ἐκ τῆς παρὰ τοῖς ἡγουμένοις ‖ [ἐπιτρ]οπῆς ἀναγκαῖον καὶ δίκαιον
ἡγήσατο μηδ' αὐτὸς ἐγ χάριτος ἀποδόσει λει|[φθ]ῆναι, γεινώσκων δὲ τοῖς
ἀγαθοῖς ἀνδράσιν οὐδὲν μεῖζον ὑπάρχον αἰδίου | [μ]νήμης, ταύτης μὲν αὐτῷ

μετέδωκαν δί ὧν ἐψηφίσατο τειμῶν ἔμπροσθεν να|οῖς καὶ ἀγάλμασιν καὶ τῆ
καθιερωμένηι πρὸς ἀθανασίαν τιμῆι (εἰ)ς αὐτόν, βουλόμε|νος δὲ καὶ νῦν,
20 δι' ὧν ἐπινοεῖ καὶ πρόθυμός ἐστιν ποιεῖν, μηδενὸς αὐτὸν ὑστερεῖν, ‖ ὧν ἔχουσιν
πρὸς δόξαν οἱ πρότερον γεγονότες τῆς πόλεως εὐεργέται, διὰ τὸ | μηδὲ τοῦτον
ἔλασσον ἐκείνων εἰς τὴν τῶν πολιτῶν συμβεβλῆσθαι σωτηρίαν, κέ|κριχεν
ἀποδεχόμενος αὐτοῦ τὴν ἐν ἅπασιν ὑπὲρ τῶν κοινῶν σπουδὴν καὶ φιλο|τιμίαν,
ἐμ μὲν τῶι πρυτανείωι τὸν ἱεροκήρυκα μετὰ Μάνιον Ἀκύλλιον ἐπεύχεσ|θαι
καὶ Διοδώρωι Ἡρώιδου Πασπάρωι εὐεργέτηι, ὁμοίως δὲ καὶ ἐν ταῖς ἀγομέναις ‖
25 ὑπὸ τοῦ δήμου τριετηρίσιν καὶ πανηγύρεσιν, ὅταν αἱ σπονδοποιίαι γείνωνται
ἐν | τῷ θεάτρωι · προσφέρεσθαι δὲ αὐτῶι καὶ ἐν τῷ πρυτανείωι τὸν λιβανωτὸν
καθό|τι καὶ τῶι πρυτάνει, ἵνα καθάπερ παρὰ τῶν ἡγουμένων οὕτως καὶ παρὰ
τῶν θεῶν αἰ|τῆται τῷ δήμωι τἀγαθά · ἐπιθύειν δὲ αὐτὸν τὸν λιβανωτὸν ἔν τε
ταῖς τριετηρίσιν | καὶ πανηγύρεσιν ἐν τῷ θεάτρῳ ἐν ταῖς σπονδοποιίαις προπο-
30 ρευόμενον ἐμ ‖ μὲν ταῖς τριετηρίσιν μετὰ τοῦ ἱερέως τοῦ Διονύσου, ἐν δὲ
ταῖς πανηγύρεσιν | μετὰ τοῦ ἀγωνοθέτου · στεφανοῦσθαι δὲ αὐτὸν διὰ παντὸς
ἐν τῷ θεάτρωι | ἔν τε ταῖς πανηγύρεσιν καὶ τριετηρίσιν καὶ τοῖς λοιποῖς
ἀγῶσιν, γεινομέ|νης τῆς ἀναγορεύσεως ὑπὸ τοῦ ἱεροκήρυκος τῶν προεψηφισ-
μένων αὐτῶι | τιμῶν · ποιεῖσθαι δὲ διὰ παντὸς τὴν ἐπιμέλειαν τούτων ἐμ
35 μὲν τῷ πρυτανείῳ ‖ τὸν πρύτανιν, ἐν δὲ ταῖς τριετηρίσιν τὸν ἱερέα τοῦ Διονύσου,
ἐν δὲ ταῖς | πανηγύρεσιν τὸν ἀγωνοθέτην, τὸν δὲ γραμματέα τοῦ δήμου καὶ
ἐν τοῖς | λοιποῖς ἀγωσιν, ὅπως ὡς ἐν τῷ λοιπῷ χρόνωι γέγονεν τῆς πόλεως
ἀγα|θὸς κηδεμών, καὶ νῦν ἰσοθέων ἠξιωμένος τιμῶν ἐκτενέστερος γίνη|ται τῆ
40 προθυμίᾳ κομιζόμενος τῶν εὐεργεσιῶν ἀξίας τὰς ἀμοιβάς · ἀγα‖θῆ τύχη καὶ
ἐπὶ τῆ πάντων σωτηρίαι δεδόχθαι τῆι βουλῆι καὶ τῶι δήμωι, | δεδόσθαι τὰς
προγεγραμμένας τιμὰς Διοδώρωι Ἡρώιδου Πασπάρωι | εὐεργέτηι, ἅς καὶ
φυλάσσεσθαι πρὸς τὸν αἰῶνα ἐν εὐτυχίᾳ καὶ (εἰ)ρήνη τῆς πόλεως. |

. . . . |

Εἰσαγγειλάντων τῶν στρατηγῶν εἰς τὴν βουλ[ὴν] καὶ τὸν δῆμον περὶ τοῦ ‖
45 τῶν πολιτῶν τηρούντων διὰ παντὸς τὸ πρὸς τοὺς τῆς πόλεως γεγονότας |
εὐεργέτας εὐχάριστον καὶ κατ' ἀξίαν τῶν γεγονότων ἑκάστῳ ψηφιζομένων |
φιλανθρώπων, Διοδώρου τε τοῦ Ἡρώιδου Πασπάρου γυμνασιάρχου πολ|λὰς καὶ
μεγάλας δεδωκότος ἀποδείξεις ἐν τοῖς ἀναγκαιοτάτοις καὶ κατε|πείγουσιν καιροῖς
50 τῆς εἰς τὴν πατρίδα φιλοδοξίας τε καὶ εὐνοίας καὶ προσεπευ‖ξηκότος διὰ τῶν
ἀδιαλείπτως ὑπ' αὐτοῦ συντελουμένων ἐπ' εὐεργεσίᾳ τῆς πόλεως τὴν προγονικὴν

ἀρετὴν καὶ τὴν περὶ τῶν τῷ δήμῳ συμφερόντων σπουδὴν, | ἀεί τι καὶ λέγοντος
καὶ πράσσοντος ὑπὲρ τῶν τῆς πατρίδος καλῶν καὶ ἐνδόξων, | διὸ δὴ καὶ τὸν
δῆμον θεωροῦντα τὸ καθ' ὑπ[όσγ]εστιν αὐτοῦ μεγαλομερὲς | καὶ φιλόδοξον, καὶ
55 προαιρούμενον τὰς καταξίας ἀρχὰς τῶν τε προπεπραγμέ‖νων εἰς τὴν πατρίδα
δ[ι]ὰ τοῦ παντὸς βίου κατὰ τὸ κάλλιστον καὶ τῶν μόνον οὐκ ἀ|εὶ καθ' ἡμέραν
συντ[ελ]ουμένων ἐπὶ σωτηρίαι καὶ ὁμονόιαι τοῦ πολιτεύματος κρεῖ|ναι, πρὸς
ταῖς προγεγενημέναις αὐτ[ῶι] τιμαῖς καὶ ἑτέρας ἐπιφανεστέρας ψηφί|σαι καὶ
πρὸς τὸ δι' αἰῶνος μνημονευτὴν γενέσθαι τήν τε τοῦ Διοδώρου δικαιο|σύνην
60 καὶ ἀρετὴν καὶ τὸ τοῦ δήμου πρὸς αὐτὸν ἐπί τε τοῖς προγεγραμμένοις ‖ καὶ
ἀκμὴν ἐπ' εὐεργεσίαι δ[ιο]ικουμένοις εὐχάριστον, καὶ ἐπεὶ τοῦ τῶν νέων |
γυμνασίου κατεφθαρμένου τελείως γενόμενος καθάπερ εἴ τις δεύτερος | κτίσ-
της, προενόησεν φιλοτιμότατα τοῦ τε περὶ αὐτὸ κόσμου καὶ τῆς ἐπιθ[ε]|-
ραπείας καὶ ἐπισκευῆς αὐτοῦ πλειόνων χρημάτων ἀναδεξάμενος ἀνά[λω]|μα,
65 ἐν τούτωι καθιερῶσαι ἄγαλμα μαρμάρινον αὐτοῦ κατατκευασθείσ[ης] ‖ ἐξέ-
δρας μαρμαρίνης καὶ ἐν αὐτῆι γενομένου θωρακείου ὁμοίως μαρ[μα]|ρίνου,
ὃν τρόπον τὰ ἐπὶ μέρους δι' αὐτοῦ τοῦ ψηφίσματος δηλοῦται. Ὁ [δὲ Δι]|ό-
δωρος φυλάσσων τὸ προγονικὸν ἀξίωμα καὶ κατὰ πάντα τῆι τῶν πατέ[ρων] |
προαιρούμενος ἐπακολουθεῖν πρὸς πᾶν τὸ καλὸν αἱρέσει, παρελθὼν εἰ[ς τὴν] |
70 ἐκκλησίαν ἀρχαιρετικὴν, τὴν μὲν τιμὴν ἔφησεν ἀποδέχεσθα[ι, τὸν] ‖ δὲ δῆμον
τοῦ εἰς αὐτὴν δαπανήματος παραλύσας, αὐτὸς αὐτὴν [ἐπι]|τελέσειν, ποιούμενος
ἐκ τοῦ ἰδίου τὰ δαπανήματα, βουλόμενος [δὲ τὴν] | ἔγδοσιν τῶν ἔργων
ποιεῖσθαι κατὰ τὴν ὑπογεγραμμένην διαγραφὴν ....|....[ὁ]ὶ μὲν προγραψά-
μενοι ἐ[πανεν]εγκεῖν τόδε τὸ ψήφισμα εἰς ..|....... κύρια κατὰ τῶν ποιησα-
75 ....‖.... [τ]οῦ πρότερον ψηφίσματος .....|....... [ἐκ τῶν ι]δίων καὶ ἀγαλ[μα].
......|.....|........

Fragm. b. ..... | τῶν τιμῶν ...|ται δὲ τὴν ἀν....|τε ἰδίων αὐτο....... ‖
5 ἄλλων συγγενῶ[ν] ... | ὧν ἂν δοκιμάζη οι...... | τῶν ὑπὸ τοῦ πατρὸς
α[ὐτοῦ ...... ἀγαθῆι] | τύχηι δεδόχθαι τῆι βο[υλῆι καὶ τῶι δήμωι].....|σαι
τὰ διὰ τοῦ ψηφίσμα[τος].... ‖

10 　　　　　　　　　　Ἀπόλλωνι |

Εἰσαγγειλάντων τῶν στρατ[ηγῶν εἰς τὴν βουλὴν καὶ τὸν δῆμον περὶ τοῦ] |
Διόδωρον Ἡρώιδου Πάσπαρ[ον τὸν γυμνασίαρχον, ἄρξαντα μὲν τὴν] | ἀρχὴν
ἀξίως τῆς τε πόλεως κα[ὶ τῆς τῶν προγόνων αἱρέσεως, προνοήσαν]|τα δὲ
καὶ τοῦ περὶ τὸ γυμν[ά]σιον κόσ[μου καὶ τῆς τε πρὸς τοὺς θεοὺς καὶ τοὺς

5 εὐ]||εργέτας τιμῆς τὸν πάντ[α] ποιούμενο[ν] ..... | ἐκ τοῦ ἰδίου καὶ τὰ κατὰ
τ[ο]ὺς ἀγῶνας ....[φιλο]|δόξως ἐμφανίζειν περὶ τοῦ [χ]αθιδρυμένου [ἀγάλ-
ματος] .... | καὶ Φιλεταίρου τοῦ εὐεργέτου καὶ τοῦ ἀγ....... | Ἀττάλου τοῦ
10 Φιλομήτορο[ς] βασιλέως κατε....... || ..... [ἐ]πιθεραπείαν π.... | .... [πρὸ]ς
τοὺς γεγον[ότας εὐεργέτας] ... | .... ετὴν πᾶσαν ἐ.... | ..... τίμια ἐν....|.....
5 *Fragm. c.* ..... της | ....ιε|....σαν | ....νγηνυ||.....ευον | ....ιων | ...νε|....ν|.
Fragm. d. .... | ... [ἱερέα τοῦ Διὸ]ς τοῦ μεγί[στου ... | ..... χ]αὶ τὸν
βω[μὸν?] ...... περι?....

Traditur : *Fragm. a.* Col. I. v. 1 Σ|; 2 ΓΥ; 3 \ΤΟΥ|; 4 \ΓΑ|; 39 ΙΠ_ΝΤ.ΛΣ..ΕΤΑΙ-
52 .... ΡΩΙϹΝΛΛΕΓⁿ .... ΛΚΕΙΟΙΣΙ |; 53 ... Λ΄Τ.. Col. II. v. 43 ϹΙ΄ΓιΩι..
ΣΤΡΑΤΩΝΟΣΙΟΗΗ_ιⁿΤεϹ Ο/ΕΛΕΑΙϹΤΝΣΛ...ϽϹΤΗΣΔΙΛΙΙΣΙΚΙΙΣΙΙΛΙϹ; 74. ΠΙΕ-
ΤΑΜΕΝ....ΕΙ; 75 Π. ΤΟΠΛΙϹ; 77 ...ΜΑΡΧΟΥΤΟ; 78 ...ΙΓΡΕΩΣ...
Fragm. b. v. 1. ΕΣΘΕΙΣΙ; 25 ΤΣ.
Fragm. c. v. 1. Ε'ΛΑΝε.
Honores a Pergamenis decernuntur Diodoro Herodis Pasparo gymnasiarcho. Cf. nn. 292,
294.
V. 5-16. Juvenum gymnasium vetustate consumptum Diodorus reficiendum curaverat
et porticu (περίπατον) ornandum.
V. 19. κονιστήριον, conisterium, locus in quo athletae, postquam uncti erant, pulvere
fricabantur. Fougères, *Gymnasium* ap. Daremberg et Saglio, *Dict. des antiq.*, p. 1688.
V. 21. ἐξέδραν, exedra, locus subselliis et columnis ornatus, pertinens ad porticum.
Fougères, *loc. cit.*
V. 22. λουτρόν : « a conisterio in versura porticus frigida lavatio, quam Graeci λουτρόν
vocitant. » (Vitruv. V, 11). Fougères, *loc. cit.*
ἀπογράψαντα; de scriptura et de sensu dubitatur.
V. 23. σανίσιν. In frigida lavatione ligneis tabulis vestiendos curaverat parietes.
V. 35. σκιακοῦ ὡρολογίου, horologium sciothericon, solarium; alia enim erant hydraulica.
V. 36. οἶκος. Oeci in gymnasiis erant prope porticum, saepe sumptuosissimo cultu
adornati, quorum quisque suo numero signabatur. Fougères, *loc. cit.*, p. 1692. Sacra erit
Diodoro exedra, si quis progreditur a solario ad porticum, in loco ubi est oecus primus,
et muro oeci dejecto statuentur, ut in exedram mutetur, columnae et parastades mar-
moreae.
V. 38. εὐθυντηρία. De verbi significatione non consentiunt. Cf. Lattermann, *Klio*, VI
(1906), p. 155 et sequ.
ἀπογραφείσης. De sensu non liquet; cf. v. 22.
V. 39. Θωρακείου, lorica ante statuam Diodori exstructa.
V. 41. ἐν ᾗ (ἐξέδραι).
V. 45. Θεοῖς, Mercurius et Hercules. Cf. Dittenberger, *Orient. gr. inscr. sel.*, n. 339, v. 62.
V. 49. πρεσβυτέρων. De seniorum (γερουσίας) gymnasticis exercitationibus v. Chapot,
p. 226.

V. 50. De ludis Nicephoriis cf. n. 292, v. 34. Cum anno 183 ante C. n. primum cele-
bratus sit agon coronarius (Fränkel, *Alterth. von Pergamon*, VIII, ii, n. 167), sequitur
trieterida XXIX incidisse in annum 127/126, si verum numerum supplevit editor.

V. 51. πόλεμον, bellum Aristonici.

Col. II, v. 8. ἐναποδικνύμενος lapis.

V. 11. ἐκ Ῥώμης, postquam Roma rediit, legatione sua functus. Cf. n. 292, v. 17.

V. 14-15. τῆς παρὰ τοῖς ἡγουμένοις ἐπιτροπῆς. Diodorus praefuerat legationi Pergamenorum
apud Romanos, imperatores omnium gentium (cf. v. 27).

V. 15. ἡγήσατο (ὁ δῆμος, v. 6).

V. 17. μετέδωκαν = μετέδωκεν.

V. 23. Manius Aquillius, qui primus Asiam in provinciae formam redegit. Cf. nn. 264,
270. Praeco sacer publice supplicabit pro Aquillio ac deinceps pro Diodoro.

V. 26. λιβανωτόν. Cf. n. 292, v. 34.

V. 27. ἡγουμένων = populus Romanus. Cf. v. 14.

V. 43. Subscriptionis decreto additae vestigia legi non potuerunt.

V. 44. Incipit aliud instrumentum.

V. 54. ἀρχάς; verbum dubium est.

---

294. Pergami in gymnasio. — Dittenberger, *Orient. gr. inscr. sel.*, n. 764.

..... ο ....|... ἁπλότητα τῶν..... ν. ε.......|[x]αθίδρυται · [πρ]ὸς [δὲ] τὰς
κατεπ(ε)ιγούσας τῆι [πόλει χρείας....... πρεσ]|βυτέροις καὶ τοῖς ἐλευθέροις
5 παισὶν τὸ ἄλειμμα δι' ὅλης [τῆς ἡμέρας......, διὰ δὲ ὅλου τοῦ ἐνιαυ‖τ]οῦ τοῖς
ἀλειφομένοις ἐν τῶι πανηγυρικῶι γυμνασίωι τίθεσθ[αι ἔλαιον ἐκέλευσεν ἐκ τῶν
ἰδίων...... καθηκόντων δὲ γίνεσθαι τῶν] | μυστηρίων κατὰ τὰ πάτρια τοῖς
μεγάλοις θεοῖς Καβείροις κα[ι...... ἡι]‖περ ἐπιβάλλον ἦν ἡμέραι τὴν τῶν
ἐφήβων μύησιν ἐπιτε[λεῖσθαι, ἐπετέλεσε τὴν μύησιν........ καὶ οὐκ ἐάσας
αὐτοὺς] | τὰ πρὸς τὴν τελετὴν ἀνήκοντα πάντα παρ' ἑαυτῶν προσενε[γκεῖν
μόνος ἀνεδέξατο, ὥστε καὶ δοῦναι τὸ καθῆκον ἀνάλωμα πρὸς τὸ συντελεῖν
τοῖς] | θεοῖς τὴν θυσίαν διπλασίονα τό τε τῆς μυήσεως ἕνεκεν ἁθρο[ισθὲν πλῆθος
10 ἐδείπνισεν ἐν τῶι........., συνετέλεσεν δὲ καὶ τὰ ἄλ]‖λα τὰ νομιζόμενα πάντα
πρῶτος καὶ μόνος καὶ τῆς τοιαύτης................. | [τ]ύχην ἀγαθοῖς αὐτὸν
κεκοσμῆσθαι · τὰ δ' αὐτὰ καὶ Ῥωμαίων τοῖς μ[υηθεῖσι μετέδωκε...... καὶ ταῖς
πα]|ραγεγενημέναις θεωρίαις εἰς τὰ Νικηφόρια καὶ μυηθείσαις κα[ι........ καὶ
τοῖς ἄλλοις ξένοις τοῖς παραγεγενη]|μένοις καὶ τοῖς ἄρχουσιν πᾶσιν καὶ βου-
λευταῖς καὶ τοῖς νενικη[κόσι τὰ Νικηφόρια....... καὶ] | τοῖς παιδευταῖς καὶ τοῖς
ἄλλοις πολίταις πᾶσιν τοῖς συνελθοῦσιν πρὸς τὴν τελετὴν τῶν μεγάλων θεῶν

15 Καβείρων, μηδένα βουλόμενος ἀμοιρεῖν τῆς] ‖ τῶν ὑπ᾿ αὐτοῦ συντελουμένων
ἱερῶν μεταλήψεως · τῆι τε πέμπτη[ι τοῦ..... μηνὸς..... παρασταθεισῶν καὶ
ἄλλων θυσι]‖ῶν ὑπ᾿ αὐτοῦ, τοῦ καθήκοντος γίνεσθαι τῶι Ἀριστωνίδαι ἐναγισμ[οῦ
ἐπεμελήθη........ παράδειγμα παρέχων] | δυσεπίβλητον ἑτέροις · τοῖς τε γὰρ
μεταλαβοῦσιν ἀπὸ τῶν ἐν τοῖς [Καβειρίοις γενομένων ἱερῶν δεῖπνον παρέσ-
χεν] | ἐν τῶι τῶν νέων γυμνασίωι καὶ πολίταις καὶ ξένοις καὶ τῆι γε[ρουσίαι
καὶ........ τοῖς ἄλλοις ἄρχουσιν πᾶ]σιν καὶ Ῥωμαίων τοῖς ἐπιθυμοῦσιν καὶ τοῖς
ἐλευθέροις παισίν · τοῦ [δὲ θεοῦ βασιλέως Εὐμένου καὶ τοῦ θεοῦ Ἀττάλου καὶ
20 τοῦ Φιλεταί]‖ρου τοῦ Εὐεργέτου καὶ τοῦ Ἀττάλου τοῦ Φιλομήτορος βασιλέως
ἀγά[λματα ἀνατιθέναι........ χρεὼν ἡγη]‖σάμενος εἶναι διὰ τὸ τοῦ δήμου πρὸς
τοὺς γεγονότας εὐεργέτας ε[ὐχάριστον........ καὶ οὐ μόνον πᾶν τὸ λειπόμενον
διὰ τὸ χρείαν εἶ|ν]αι πλειόνων χρημάτων ἀναδεξάμενο[ς] ἀνάλωμα ἀλλὰ καὶ
[............ καὶ ἐπιμελη|θ]εὶς καὶ τούτων ὡς ἐπεδέχετο κάλλιστα καὶ παρασ-
τήσας θυσίαν αὐτοῖς [ὡς καλλίστην μετέδωκεν ἀπ᾿ αὐτῆς εἰς ἔπαθλα τοῖς τε
ἐφήβοις] | καὶ νέοις εἴς τε διαδρομὰς καὶ τοὺς διὰ τῶν ὅπλων ἀγῶνας · βουλό-
25 μενος δὲ [........ τοῖς τε νομιζομένοις κατὰ τὰ πάτρια ‖ ἐπ]ακολουθεῖν καὶ
ἀγαγεῖν εἰς ἀνανέωσιν τὰ διὰ τοὺς καιροὺς ἐπεισηγμένα χάριν το[ῦ......... ὑπ᾿
αὐ|τοῦ συντελεσθέντων ἐν τῆι γυμνασιαρχίαι σὺν τοῖς ἄλλοις, οἷς κἀκεῖνος
φιλοδ[οξήσας........ καὶ ἐπαγγειλάμενος | π]οιῆσαι καὶ τὰ κριοβόλια τῆς τῶν
ἐφήβων μεταπαιδιᾶς πρὸς ἀλλήλους ἕνεκεν [........ καὶ παραστήσας κριὸν ὡς
κάλλιστον κεχρυσω]|μένον τὰ κέρατα χάριν (τοῦ) κρατηθέντος ὑπὸ τῶν νέων
αὐτοῦ καὶ καλλιερηθέ[ντος........ διένειμεν δὲ τὰ] | ἀπὸ τῆς θυσίας εἰς ἔπαθλα
τοῖς τε ἐφήβοις καὶ νέοις εἴς τε διαδρομὰς καὶ τοὺς διὰ τῶν ὅ[πλων ἀγῶνας,
30 κατέστησεν δὲ καὶ τὴν ἡμέραν, καλλίστην] ‖ ἡγησάμενος εἶναι τὴν ὀγδόην
τοῦ Ἀπολλωνίου μηνὸς, ἐν ἧι τελέσας ἐπιτυχῶς ἐν Ῥ[ώμη τὴν πρεσ-
βείαν...... εἰσῆλ]|θεν εἰς τὴν πόλιν, ἱεράν τε αὐτὴν ψηφισάμενος ὑπάρχειν διὰ
παντὸς καὶ τἄλλα ἐ[πεδέξατο τὰ γεγραμμένα καὶ ὅσα διὰ τοῦ γεγενημένου ἐν
τῶι ἐπὶ Ἀ]|ριστοβούλου τοῦ Βίωνος τοῦ καὶ Τεύθραντος ἐνιαυτῶι ψηφίσματος
κατακεχώρισται, [καὶ..... ἐν τῆι ἐξέδραι τοῦ γυμνασί]|ου τῶ καθιερωμένωι
αὐτοῦ ἀγάλματι, καὶ παρασταθείσης θυσίας παρὰ τῆς πόλεως μ[ετέδωκεν ἀπ᾿
αὐτῆς τοῖς γυμνασίοις εἴς τε διαδρομὰς τῶν παί]|δων τε καὶ ἐφήβων καὶ ἀνδρῶν
καὶ τοὺς διὰ τῶν ὅπλων ἀγῶνας, μερισθέντων εἰς τὰ ἔπαθλα τῶν....... [ποιη-
35 σα]|μένων τὴν ἐνδημίαν. Τῶν δὲ νέων τηρούντων τὸ πρέπον καὶ τὸ πρὸς αὐτὸν
εὐχάριστον διὰ τὸ τῆς ἀγ[ωνοθεσίας φιλάνθρωπον....... καὶ φιλο]|τιμότατα

καθιδρυκότων τὸ ψηφισθὲν ὑπ' αὐτῶν ἄγαλμα ἐν τῆι ἐξέδραι ἐν ἧι τὸ τοῦ
Φιλεταίρο[υ ἄγαλμα καθίδρυται....... παρίσ]|τασθαι μὲν ὑπ' αὐτοῦ καὶ ὑπὸ
τὸν τῆς ἀναθέσεως καιρὸν θυσίαν τὴν καλλίστην, τεθέν[τος δὲ τοῦ ἀγάλματος
παρὰ τὸ..... τὸ ὑπὸ....... ἐκ]|τισμένον καὶ τὰς διαδρομὰς γεγονέναι καὶ τοὺς
διὰ τῶν ὅπλων ἀγῶνας προαιρεῖσ[θαι......... πα]|ραστήσας θυσίας ὡς καλ-
λίστας τῶι τε Φιλεταίρωι καὶ Ἀττάλωι τῶι Φιλομήτορι βασιλεῖ καὶ τῶι το[ύ-
40 του πατρὶ θεῶι Εὐμένει ἐν τῶι βωμῶι τῶι καθιδρυμέ]‖νω[ι] ὑπὸ τῶν νέων
ἐπιτελέσαι τὰ καθήκοντα συντετελέσθαι ἐν τῶι ἐπάνω μηνὶ τῆι [ὀγδόηι.......
ἐκ]|τισμένου καὶ συντελέσας μεγαλομερῶς καὶ μάλιστα ἐν τῆι τῶν ἐπάθλων
θέσει καὶ ἐν τ[ῆι τοῦ δείπνου παροχῆι τὴν εἰς τὴν πόλιν εὔνοιαν] | ἐνεδεί-
ξατο τῆι τε καθιδρυμένηι ἐν τῶι ξυστῶι εἰκόνι βασιλέως Πτολεμαίου καὶ....... |
οὗ ἐπετέλεσεν τὴν διαδρομὴν καὶ τὰς λαμπάδας ὃν τρόπον ἐπέβαλλε. Καθη-
κούσης δὲ [τῆς...... ἑορτῆς] | ἐπιτελεσθῆναι ἐν τῶι ἐνεστῶτι μηνί, εἰς ἣν
μισθουμένης παροχῆς χάριν τῆς ἀπὸ τῶν [θυομένων ἱερείων ἑστιάσεως,
45 αὐτὸς προιὼν ἀπὸ τῶν ἑαυτοῦ ‖ δια]φόρων ἐξωδίασε τὸ δαπάνημα. Ἠθέλησεν
καὶ ἐν τούτοις στοιχοῦσαν τοῖς προπε[πραγμένοις ἐν παντὶ τῶι βίωι παρέχεσθαι
τοῖς πολίταις | τὴν] αὐτοῦ διάληψιν, καὶ ἐφιλοτιμήθη προγραφῆναι περὶ τούτων
ψήφισμα καὶ περὶ τῆς παρασταθ[ησομένης θυσίας Ἀθηνᾶι τε Νικηφόρωι καὶ
Διὶ Ὀ|λυμ]πίωι, οὗ καὶ κυρωθέντος τῆι μὲν τεθράδι ἀναγαγὼν ἐκ τοῦ ἰδίου ταύ-
ρους δύο καὶ καλλιερή[σας τῶι θεῶι βασιλεῖ Ἀττάλωι καὶ τῶι Φιλεταίρωι | τῶι
Ε]ὐεργέτηι καὶ βασιλεῖ Ἀττάλωι Φιλομήτορι καὶ Εὐεργέτηι ἐπετέλεσεν ἀπ'
αὐτῶν τάς τε διαδρομ[ὰς καὶ τοὺς διὰ τῶν ὅπλων ἀγῶνας....... | ποιῶ]ν ἀπ'
αὐτῶν μετάδοσιν τοῖς τε ἐφήβοις καὶ τοῖς παιδευταῖς. Τῆι δὲ πέμπτηι ὁμοίως
50 ἀναγαγὼ[ν ταύρους δύο καὶ καλλιερηθέντων αὐτῶν ‖ συν]τελέσας λαμπάδα καὶ
τὴν ἀπὸ τούτων ὡσαύτως ἐποήσατο τοῖς αὐτοῖς μετάδοσιν. Τῆι δὲ ἕκ[τηι ἀναγα-
γὼν βοῦς θηλείας δύο ὡς καλλίστας τῆι Νι|κηφό]ρωι Ἀθηνᾶι καὶ βουθυτήσας τήν
τε μετάδοσιν ὁμοίως ἐποήσατο καὶ γυμνικὸν ἔθηκεν ἀ[γῶνα].....|... ἔπαθλα κατ'
ἐξοχὴν καλὰ καὶ ἄξια τῆς τε πρὸς τοὺς θεοὺς καὶ τοὺς εὐεργέτας τιμῆς ἐποή[σατο
......ὡς | προσή]κει, καὶ ἐν τούτοις τοῦ περὶ τὴν πόλιν πρέποντος τὸν πάντα
ποιησάμενος λόγον. Τῆι δὲ ἑβ[δόμηι παραστήσας ταύρους δύο καὶ καλλιερήσας
Διὶ | Ὀλυμ]πίωι ἐκ τοῦ ἰδίου ἐκρεαδότησεν ἀπὸ τῆς θυσίας τοὺς τροχάσαντας
55 τὴν λαμπάδα.......‖..... ἐμέρισεν τὰ ἀπὸ τῆς θυσίας εἰς τὰ ἔπαθλα, τό τε τῆς
μεγίστης ἐπιμε[λείας δεόμενον].....|..........|τον φυλάσσεσθαι ἀναθεὶς καθιέ-
ρωσεν ἀργυρίου δρ[αχμὰς.....|....... ἐπὶ κατασκ]ευὴν καὶ ἐπὶ θεραπείαν αὐτοῦ,

60 ἐφ' οἷς τὸν δ.....|......... ιποι τὴν εἰς τὰ τέσσαρα γυμνά[σια].......‖......
υμενος... ετο.........

Honores a Pergamenis decernuntur gymnasiarcho, quem, quanquam nomen periit, constat nullum alium fuisse nisi Diodorum Herodis Pasparum (Cf. v. 26, 33 et n. 292, v. 29, n. 293, v. 47), anno fere 127 ante C. n.

V. 3-4. πρεσβυτέροις, seniores, γερουσία.

V. 4. ἐλευθέροις παισίν : « inferiore aetate contra antiquum morem in nonnullis civitatibus servi ad exercitationes gymnasiorum admissi sunt. » Dittenberger.

V. 5. πανηγυρικῶι γυμνασίωι. Tria Pergami gymnasia nuper reperta sunt, puerorum, epheborum, juvenum. Panegyricum autem, in quo per totum annum cives exercerentur, negat Dittenberger per feriarum modo certamina patuisse; sed de suppletis verbis dubitari potest.

V. 6. Καβείροις. Cf. Bloch s. v. ap. Roscher, *Lexik. der Mythologie*, II, 2, p. 2534.

V. 7. ἐφήβων μύησιν. Plurium dierum erant feriae, quorum unus ephebis initiandis destinatus erat.

V. 11..... [τ]ύχην aut fortasse [κατ' ε]ύχήν; μ[υηθεῖσι] aut μ[ετέχειν βουλομένοις]. Cf. v. 19.

V. 12. μυηθείσαις, quae legationes peregrinorum ad Nicephoria venerunt et per eam occasionem mysteriis initiatae sunt.

V. 16. Ἀριστωνίδαι, heros ignotus.

V. 19. θεοῦ Εὐμένου, Eumenes II (197-159 ante C. n.); θεοῦ Ἀττάλου, Attalus I (241-197) aut II (159-139); ceterum supplementa incerta sunt.

V. 19-20. Philetaerus Evergetes (283-263), primus regum Pergamenorum; Attalus III Philometor (139-133), eorum ultimus.

V. 22. ἀναδεξάμενον lapis. Cf. n. 293, col. II, v. 63.

V. 27. κριοβόλια, « ludus vel certamen epheborum, quo aries captus et domitus ad aram adducebatur ibique mactabatur, simillimus ille quidem ταυροκαθαψίοις. » Dittenberger.

V. 30-31. Cf. n. 292, v. 36. Correxit et interpretatus est Hepding, *Athen. Mittheil.*, XXXII (1907), p. 252.

V. 31-32. Aristobulus prytanis idem et sacerdos eponymus : Fränkel, *Alterth. von Pergam.*, VIII, II, n. 269, v. 7. Cf. n. 289, not. 1; nn. 290, 302.

ψηφίσματος. Illud ipsum decretum forsitan habeas in n. 292.

V. 32-33. [ἐν τῶι ναῶι τοῦ Ἀσκληπι]οῦ Dittenberger. Correximus collato n. 293, col. I, v. 34 seq., ubi de statua ipsius Diodori agitur.

V. 42. Πτολεμαίου, Ptolemaeus VIII Evergetes (145-116 ante C. n.).

V. 44. παροχῆς. Victimae ad sacra publica praebendae a civitate privatis locabantur.

V. 45. διαφόρων : Diodorus « conductor exstitit, at ea condicione ut pretium non ex aerario acciperet, sed suis impensis victimas emeret. » Dittenberger.

V. 46. « Rogatio publice scripta proponitur (προγράφεται) ante comitia, in quibus deinde civium suffragiis comprobatur (κυροῦται v. 47). » Dittenberger.

295. Pergami. — Hepding, *Athen. Mittheil.*, XXXII (1907), p. 273, n. 10.

Ex titulo, quo memorantur honores decreti Metrodoro, Heracleonis filio, gymnasiarcho, paulo post quam Asia in provinciae formam redacta est, haec suffecerit excerpere :

V. 32 : Ἀγαθῆι | τύχηι · δεδόχθαι τῆι βουλῆι καὶ τῶι δ[ήμωι] ἐπαινέσαι τε
35 Μητρόδωρον | ἐπὶ τοῖς προγεγραμμένοι[ς] καὶ στε[φαν]ῶσαι χρυσῶι στεφάνωι ‖ τῶι
ἐκ τοῦ νόμου μεγίστωι καὶ εἰκό[ν]ι χα[λ]κῆι, ἣν στῆσαι ἐν τῆι παραδρο|μίδι τοῦ
γυμνασίου καὶ τὴν ἀ[ναγόρευσιν] ποιήσασθαι τὸν ἀγωνοθέτην ἐν τ[ῆι] | πρώτηι
ἀχθησομένηι πα[νηγύ]ρει, ὑπάρχειν δὲ αὐτῶι καὶ σίτησιν ἐμ πρυτανείωι καὶ
ἀλειτουργησίαν καὶ ἀνεπ[ι]στάθμειαν ¹.

Sequuntur v. 38-52.

1. Immunitas militum in domo recipiendorum, quos Romani in provinciam mittebant.

---

296. Pergami in gymnasio. — Hepding, *Athen. Mittheil.*, XXXII (1907), p. 278, n. 11.

Honores decreti Stratoni, Stratonis filio, gymnasiarcho, iisdem fere temporibus ac Metrodoro (n. 295). Inter cetera laudatur in fragmentis *b-f* quod de civitate optime meritus sit aetate τῆς πολεμικῆς περιστάσεως (v. 7) atque [ἐν] τοῖς ἀναγκαιοτάτοις και[ροῖς] (v. 24), quae videntur de principiis romanae provinciae intelligenda.

---

297. Pergami in templo Minervae. — Dittenberger, *Orient. gr. inscr. sel.*, n. 437.

[Συνθῆκαι Σαρδια]νῶν κ[αὶ Ἐφεσί]ων. |
[Κόιντος Μούκιος Ποπλίου υἱὸς Σκαιόλας ¹, | ἀνθύπατος Ῥωμαίων ², Σαρδια-
νῶν τῆι βουλῆι κ]αὶ | [τῶι δήμωι χαίρειν · τῶν ἐν τῆι φιλίαι κριθέντω]ν<ι> ³ ‖
5 [δήμων τε καὶ ἐθνῶν ⁴ ψηφισαμένων τιθέ]ναι | [θυμελικοὺς καὶ γυμνικοὺς ἀγῶνας
10 πε]ντα|[ετηρικοὺς] ⁵ . . . .|. . . . . | . . . . ‖ . . . . |
. . . . | . . . . | . . . . [εἰς τὸ αὐτὸ
15 σ]υμ|[πορεύοιντο, ἐπέμψαμεν. . . . .σον] Φυλα‖[τίμου Ἀθηναῖον τῶν εὐδοκίμων ⁶,
ἄν]δρα κα|[λὸν καὶ ἀγαθὸν καὶ τῆς μεγίστης ἀξι]ούμε|[νον πίστεως παρ᾽ ἡμῖν,
πρός τε τὸν ὑ]μέτε|[ρον δῆμον καὶ τὸν Ἐφεσίων, τὸν παρ]α[κα]λέ|[σοντα δοῦναι
20 τὰς χεῖρας ἡμῖν εἰς] σύλλυ‖σιν. Συγκαταθεμένων δὲ τῶν δήμω]ν ἑκα|[τέρων
τοῖς παρακαλουμένοις καὶ πεμψά]ν|[των πρεσβευτὰς ὑμῶν μὲν τοὺς στρα-

τ]η|[γοὺς Μενεκράτην Διοδώρου, Φοίνικα Φοί|νικος, Ἀρχέλαον Θεοφίλου, Ἐφε-
25 σίων δὲ ‖ Ἱκέσιον Ἀρτεμιδώρου, Ποσειδώνιον | Ποσειδωνίου τοῦ Διονυσίου,
Ἀριστο|γείτονα Πάτρωνος, Ἀρτεμίδωρον Ἀρτε|μιδώρου, Μενεκράτην Μενεκρά-
30 του τοῦ | Ἀρτεμιδώρου, Ἀπολλόδωρον Ἑρμοκράτου, ‖ Ἕρμιππον Μενοίτου ⁷]. |

Κόιντος Μού[κιος Ποπλίου υ]ἱὸς Σκαιό[λας], | ἀνθύπατος Ῥω[μαίων, Ἐφε-
σί]ων τῆι βουλ[ῆι καὶ] τῶι δήμωι χαί[ρειν · τῶν ἐν τῆ]ι φιλίαι κριθέ[ντων] |
35 δήμων τε καὶ ἐ[θνῶν ψηφισαμέ]νων τιθέναι θυμ[ε]‖λικοὺς κ[α]ὶ [γυμνικοὺς
ἀγῶ]να(ς) πενταετηρι|[κοὺς.................... α]ι περὶ τοῦ | ....
.... [πρ]οτρεψο|...... ....[μ]ενος .....|................ [Σαρδια]νῶν τι
40 ταρα[σσ........ ‖ .... ἔχ]θραν καὶ διαφορὰν κα........ |
ἐπιφανεστέρας καὶ ἐνδοξ(ο)τ[έρας, ἵνα οἱ ἀφ]|εστηκότες αὐτῶν δῆμοι ⁸ μετ[ὰ
πάσης εὐνοί]|ας εἰς τὸ αὐτὸ<υ> συμπορεύοιντο, ἐπέμ[ψαμεν.....]|σον Φυλοτί-
45 μου Ἀθηναῖο[ν τ]ῶν ε[ὐδοκίμων,] ‖ ἄνδρα κ[αλ]ὸν καὶ ἀγαθὸ[ν] καὶ τῆς
[μεγίστης ἀξι]|ούμενον πίστεως παρ' [ἡμ]ῖν, πρός [τε τὸν ὑμέ]|τερον δῆμον καὶ
τὸν Σαρδιανῶ[ν, τὸν παρακα]|λέσοντα δοῦναι τ[ὰ]ς χεῖρας ἡμῖν εἰ[ς σύλλυ-
50 σιν.] | Συνκαταθεμένων δὲ τῶν δήμων [ἑκατέρων] ‖ τοῖς παρακαλουμένοις ⁹ καὶ
πεμψάντω[ν πρεσ]|βευτὰς ὑμῶν μὲν Ἱκέσιον Ἀρτεμιδώρο[υ, Ποσει]|δώνιον
Ποσειδωνίου τοῦ Διονυσίου, Ἀ[ριστο]|γείτονα Πάτρωνος, Ἀρτεμίδωρον Ἀρτ[ε-
55 μιδώ]|ρου, Μενεκράτην Μενε[κρά]τ[ου] τοῦ Ἀρ[τεμι]δώρου, Ἀπολλόδ[ωρον
Ἑρμο]κρ[άτου, Ἕρμιπ]|πον Μενοίτου, Σα[ρδιανῶν δὲ τοὺς στρατη]|γοὺς Μενε-
κράτ[ην Διοδώρου, Φοίνικα Φοίνικος,] | Ἀρχέλαον Θεο[φίλου,] .... |
60 κῆσαι τὰ πρ.................... ‖ τε μεσιτε[υ].....................
...... | συμφερε........................... |
.... οντας τα|...................... [τὰ]ς ἐκκλήτους δ[ί]κας ......
65 .... παρ]α[γ]έντηται, δι[κ]άζεσθαι τὸν ἀδ‖[κο]ύμενο[ν κατὰ τὰ
προγεγραμμ]ένα ἐν [τ]ῆι [τ]οῦ ἀδικοῦντος πόλει · ἐὰν δέ τις συληι![θ]ῆι ἢ ἀδι-
κη[θῆι Σαρδιανῶν ἢ Ἐφ]εσίων ὑπὸ τοῦ μὴ ὄντος μήτε Σαρδιανοῦ μήτε Ἐφε-
σίου, | ἐξέστω<ι> τῶι Ἐφ[εσίωι ἐν Σάρδεσι κ]αὶ τῶι Σαρδιανῶι ἐν Ἐφέσωι
τὸ δίκαιον λαμβάνειν κατὰ | τοὺς τῆς πόλ[εως νόμους ἐν ἧι ἂ]ν ληφθῆι ὁ
ἀδικήσας · πλὴν εἴ τινές εἰσιν ἐκ τῶν πόλεων πρὸς | ἃς εἰσιν συνθῆκ[αι ἴδιαι,
70 ταῦτα] διεξάγεσθαι κατὰ τὰς ἰδίας συνθήκας. Ὅσα δ' ἂν κατὰ πόλε‖μον μεθιστῆ
τι[ς ἢ καὶ κατ' ἄ]λλο τι ὑπεκτιθῆται εἰς τὴν πόλιν ἢ τὴν χώραν ἢ Ἐφεσίων
εἰς | Σάρδεις ἢ Σαρδ[ιανῶν ε]ἰς Ἔφεσον, ἐπιδέχεσθαί τε καὶ τοὺς ἄρχοντας
ἐπιμέλεσθαι καὶ | [συνδια]σώ[ζ]ειν. [Ἐφεσίω]ν δὲ καὶ τῶν κατοικούντων ἐν

Ἐφέσωι καὶ τῇ χώραι μηθεὶς στρα‖[τευέσθω κατὰ Σαρδ]ιανῶν [111] μηδὲ δίοδον
διδότω μηδὲ ξενολόγιον [11] παρεχέτω μηδὲ ὅπ(λ)α | [διδότω μηδὲ χορηγ]είτω
75 τοῖς Σαρδιανῶν πολεμίοις μήτε χρήματα μήτε ἀγορὰν, μηδ[ὲ ‖ λάφυρον ἐπι-
δεχέσ]θω μηδὲ ἄλλο μηθὲν ἐπὶ βλάβῃ πρασσέτω. Ὁμοίως δὲ μηδὲ Σαρδ[ι]ανῶν
μηθεὶς μ]ηδὲ τῶ[ν] κατοικούντων ἐν Σάρδεσιν ἢ τῆι χώραι στρατευέσθω κατὰ
Ἐφ[ε]σίων μηδὲ δίο]δον διδότω μηδὲ ξενολόγιον παρεχέτω μηδὲ ὅπλα διδότω
μηδὲ χορ[η]|γείτω τοῖς Ἐφεσ]ίων πολεμίοις μήτε χρήματα μήτε ἀγορὰν, μηδὲ
λάφυρον ἐπιδεχέσθω μη‖[δὲ ἄλλο μη]θὲν ἐπὶ βλάβῃ πρασσέτω. Ὁπότερος δ᾿ ἂν
80 τῶν δήμων ὑπεναντίον ‖ [πράσσηι τ]ινὶ τῶν ἐν τῇιδε τῆι συνθήκηι κατακεχω-
ρισμένων, εἶναι τὸ δίκαιον λαβεῖν τῶι ἀδι[κουμένωι] ἐπὶ τῆς λαχούσης πόλεως
ἐξ ὧν ἂν κατὰ κοινὸν ἕλωνται πόλεων, γενομένου κλήρου ἀπὸ | [τῆς μεσ]ι-
τευούσης τὰς συνθήκας [12] πόλεως. Ὁ δὲ φάμενος ἀδικεῖσθαι δῆμος προλεγέτω
δι[ὰ | πρεσ]βείας τῶι ἐγκαλουμένωι δήμωι τὸ ἔγκλημα, καὶ παραγεινέσθωσαν οἱ
παρ᾿ ἑκατέρων | [τ]ῶν πό[λε]ων εἰς τὴν διαδικασίαν, ἀφ᾿ ἧς ἂν τὸ ψήφισμα οἱ
85 ἐγκαλοῦντες ἀναδῶσιν ἐν ἀλ‖[λ]αις ἡμέρα[ι]ς τριάκοντα, πρὸς τὸν μεσιτεύοντα
δῆμον · [13] καὶ ἐν ἄλλαις ἡμέραις πέντε κληρωσά|[τ]ωσαν τὸν κρινοῦντα
δῆμον · μετὰ δὲ τὸν κλῆρον ἐν ἄλλαις ἡμέραις ἑξήκοντα παραγενόμε|νοι πρὸς
τὸν εἰληχότα δῆμον διαδικαζέσθωσαν, φέροντες παρὰ τῶν ἰδίων πατρίδων |
γράμματα πρὸς τὴν εἰληχεῖαν πόλιν ὑπὲρ τῆς δόσ[ε]ως τοῦ δικαστηρίου, καὶ
τὸ κατακριθὲν | πρασσέτωσαν παραχρῆμα. Ἐὰν δέ τις μὴ παρα[γέ]νηται ἢ ἐπὶ
90 τὸν μεσιτεύοντα δῆμον ‖ ἢ ἐπὶ τὴν λαχοῦσαν πόλιν, ἔστω κατὰ τὸν
[π]αρόντα [14]. Ταῦτα δὲ ὑπάρχειν Σαρδιανοῖς κα[ὶ] | Ἐφεσίοις εἰς τὸν ἅπαντα
χρόνον, καὶ ἐάν τι αἱ πόλεις οἰκειότερον βουλεύσωνται [15]. Ἀνα|γράψαι δὲ καὶ
εἰς στήλας λιθίνας τήνδε τὴν συνθήκην καὶ στῆσαι ἐν μὲν Ἐφέσωι ἐν | τῶι τῆς
Ἀρτέμιδος ἱερῶι ἐν τῶι ἐπισημοτάτωι τόπωι, ἐν δὲ Σάρδεσιν ἐν τῶι τοῦ Διὸς [16] |
ἱερῶ[ι] ἐν τῶι ἐπισημοτάτωι τόπωι, ἐν δὲ Περγάμωι ὃν ἂν αἰτήσωνται κατὰ
95 κοινὸν αἱ πόλεις ἐπιση[μό]|τατον τόπον [17]. Εἶναι δὲ τὴν συνθήκην κυρίαν, ὡς
μὲν Ἐφέσιοι ἄγουσιν, ἀπὸ πρυτάνεως [18] Σελεύκου, ἱερέ[ως] | δὲ τῆς Ῥώμης [19]
Ἀρτεμιδώρου, μηνὸς Ταυρεῶνος [20] τετράδος ἀπιόντος, ὡς δὲ Σαρδιανοὶ, ἐπὶ
ἱερέω[ς] | τῆς μὲν Ῥώμης Σωκράτου, τοῦ δὲ Διὸς τοῦ Πολιέως Ἀλκαίου,
μηνὸς Δαισίου τετράδος ἀπιόντος. | Εἰσὶν δὲ οἱ ὑφ᾿ ἑκατέρων τῶν δήμων ἀπο-
δειχθέντες ἄνδρες ἐπὶ τῶν συλλύσεων Σαρδιανῶν | μὲν Μενεκράτης Διοδώρου,
100 Φοῖνιξ Φοίνικος, Ἀρχέλαος Θεοφίλου, Ἐφεσίων δὲ Ἰκέσιος Ἀρτεμιδώ|ρου,
Ποσειδώνιος Ποσειδωνίου τοῦ Διονυσίου, Ἀριστογείτων Πάτρωνος, Ἀρτεμί-

δωρος | 'Λ(ρ)τεμ(ι)δώρου, Μενεκράτης Μενεκράτου τοῦ 'Αρτεμιδώρου, 'Απολλόδωρος Ἑρμοκράτου, | ['Ε]ρμιππος Μενοίτου.

1. Q. Mucius P. f. Scaevola (cf. v. 31) fere anno 98 ante C. n. Asiam administravit, anno 95 cos. fuit. — 2. Praeturam tantum gesserat Mucius; sed « in Asiae provinciae praeside tum temporis appellatio proconsulis non minus usitata et legitima erat quam praetoris. » Dittenberger. Cf. Mommsen, *Droit public rom.*, IV, p. 362-363. — 3. « Qui in amicorum (populi Romani) formulam relati sunt. » (*C. I. L.*, I, 203, 7). Cf. titulum n. 188, v. 2-3. Supplevit Foucart, *Rev. de philologie*, XXV (1901), p. 87. — 4. Δῆμοι sunt populi civitatum Asiae singularum, ἔθνη autem plurium inter se foedere conjunctarum, ut Ilii, Dardani, Lampsaci, etc. Cf. n. 197. — 5. Ludi quinquennales in honorem ipsius Mucii proconsulis instituti, quos Pergameni vocaverunt *Mucia et Soteria*, quod saluti provinciae fuisset : Cic., *Verr.*, II, 21, 51; Pseudoascon. ad Cic. *Div. in Caecil.*, 17, 57; *Verr.*, II, 10, 27; Foucart, *loc. cit.* Cf. titulum n. 188. Quas tamen ob causas Mucia hic referantur, non liquet, nisi quod proconsul, cum Ephesiorum et Sardianorum simultas ludis obesset celebrandis, « auctoritatem suam interposuerit ut illos in gratiam reduceret. » Dittenberger. — 6. Cf. v. 44. — 7. Cf. vv. 51-56 et 99-102. — 8. Ephesii et Sardiani, qui a communi Graecorum Asiae (κοινῶν), ut videtur, propter simultates suas desciverant. — 9. Solemnis formula : Polyb., XV, 3, 10; XXXI, 18, 6 ; Demosth., XVIII, 166. V. 62 incipit ipsius pacti fragmentum. — 10. Inde apparet Ephesios et Sardianos jus belli gerendi etiamtum retinuisse ; quod nihil aliud erat nisi simulacrum libertatis. Foucart, *Mém. de l'Acad. des inscr. et belles-lettres*, XXXVII (1903), p. 336. — 11. Exercitus mercenariorum. Polyb., XXIX, 23, 6; XXXI, 26, 1, 5, 7. — 12. Ambarum civitatum utracumque ab altera passa erit injuriam judicem tertiam sumet, sorte lectam ex numero earum de quibus inter utramque conveniet; sortitionem vero faciet illa civitas quae Ephesios et Sardianos reconciliavit, quam fuisse ipsam Pergamum per se patet (cf. v. 94). — 13. Adibunt mediam civitatem legati ambarum partium, intra triginta dies post diem qua decretum suum detulerit ea civitas quae alteram postulabit, ita tamen ut illa ipsa dies numero non contineatur. — 14. Si alteruter non adfuerit, judicabitur secundum praesentem. Cic., *Verr.*, II, 17, 41. — 15. « Manere in omne tempus pronuntiatur et hoc pactum et quodcumque aptius ei in reliquum tempus addere civitates consentientes decreverint. » Dittenberger. — 16. Ζεὺς Πολιεύς. *C. I. Gr.*, 3461, 3, 4. Cf. infra v. 97. — 17. Templum Minervae, ubi titulus repertus est. — 18. Magistratus Ephesiorum eponymus. — 19. Deae Romae sacra coluerunt jam anno 195 ante C. n. Smyrna (Tac., *Ann.*, IV, 56) et 170 Alabanda (Liv. XLIII, 6, 5). Cf. Chapot, *Prov. rom. d'Asie*, p. 423. — 20. Mensis idem ac Daesius Macedonum (v. 97), fere idem ac Maius Romanorum.

---

298. Pergami. — Fränkel, *Alterth. von Pergamon*, VIII, II, n. 455. Cf. Wilhe m, *Arch. epigr. Mittheil. aus Oester.*, XX (1897), p. 59.

['Ο δῆμος ἐ]τίμησεν | .... ἄρχου καταστα|[θέντα στρατηγὸν ἐν] τῶι
5 συνστάντι | [πολέμωι, σώσαντα τὴν ἀπ]ολει(φ)θεῖσαν ὑπὸ || [Μιθριδάτου φρου-

ρὰν ἐν τῆι ἀ]κροπόλει καὶ συντη||[ρήσαντα Ῥωμαίοις πᾶσαν] πίστιν ἀξίως τῆς ὑ|[παρχούσης, γ]ενόμενον δὲ κα[ὶ | σύμβουλον καὶ φίλον τῶ]ν ἡγουμένων ¹, ἔ[τι | δὲ ἀναστραφέντα καλῶς] πρὸς πάντας.

V. 4. οὐσίαν, Fränkel; correxit Wilhelm. V. 6. ἀεὶ ὡς τῆ συ|[γαλήτωι πειθαρχοῦντα], Fränkel; correxit item Wilhelm. Hic titulus, ut n. 299, referri posse videtur ad victoriam navalem, qua Mithridatem superaverit strategus aliquis Pergamenus, anno 86 ante C. n., cum, Sulla in Asiam adveniente, rex, Pergamo profugus, coactus est Mytilenas se recipere (Appian., *Mithrid.*, 52, 60).

1. Romani praesides.

---

299. Pergami. — Fränkel, *Alterth. von Pergamon*, VIII, II, n. 453.

[Ὁ δῆμ]ος | .... στρα[τηγὸν, | θαλα]σσίη[ς νίκης ἕνεκα] ¹.

1. Cf. n. 298.

---

300. Pergami. — Jacobsthal, *Athen. Mittheil.*, XXXIII (1908), p. 406, n. 35. In basi statuae :

Ὁ δῆμος ἐτίμησε | Ἱέρωνα Ἀσκληπιάδου γενόμενον [ἱερέα], | ἀνανεωσά-
μενον δὲ καὶ τὴν τῶν Σωτηρίω[ν] | καὶ Ἡρακλείων πανήγυριν ¹ καὶ ἀγωνοθε-
5 τή||σαν<αν>τα πρῶτον μετὰ τὸν πόλεμον ² [με]|γαλομερῶς καὶ ἀξίως τῆς
[πόλ]εως, γενόμ[ε]|νον δὲ καὶ περὶ πάντας τοὺς καιροὺς | ἀγαθὸν ἄνδρα.

1. Ignotum festum in honorem Herculis Salutiferi celebratum. — 2. Bellum fortasse Mithridaticum. Potuit tamen fieri ut festum illud idem esset quod Σωτήρια καὶ Μούκιεια vocatum est anno 130/129 ante C. n. (Cf. n. 297, not. 5). Si Mucia successerunt in locum Herculeorum, de bello Aristonici ageretur.

---

301. Pergami. — Dittenberger, *Orient. gr. inscr. sel.*, n. 435. Foucart, *Mém. de l'Acad. des Inscr.*, XXXVII, 1903, p. 313.

.... σ............ |

Συνκλ[ήτου δόγμα]. |

[Γ]άιος Ποπίλλιος Γαίου υἱὸς σ[τρατηγὸς τῆι συγκλή|τ]ωι συνεβουλεύσατο

5 πρὸ ἡμ[ερῶν] ········ ‖ ...εμβρίων · περὶ ὧν λόγους ἐπ[οιήσαντο περὶ τῶν
ἐν Περγά[μ]ωι πραγμάτων, τίνες ἐντολ[αὶ ἔσονται τοῖς εἰς | 'Α]σίαν πορευομένοις
στρατηγοῖς, ὅ[πως ὅσα μέ]χρι]ς τῆς 'Αττάλου τελευτῆς ὑπὸ τῶν [βασιλέων |
10 δι]ωρθώθη, ἐδωρήθη, ἀφέθη, ἐζημιώ[θη, ὅπως ταῦτα ἦι ‖ κύ]ρια, ὑπὲρ τούτου
τῆι συνκλήτωι οὕτ[ως ἔδοξε · περὶ | ὧν Γ]άιος Ποπίλλιος Γαίου υἱὸς
στρατη[γὸς λόγους ἐ|ποιή]σατο, περὶ τούτου τοῦ πράγματο[ς οὕτως ἔδοξε · |
ὅπω]ς ὅσα βασιλεὺς Ἄτταλος οἵ τε λο[ιποὶ βασι|λεῖς] διώρθωσαν, ἐζημίωσαν
15 ἢ [ἀφῆκαν, ἐδωρήσαν‖το, ὅ]σα τούτων ἐγένετο πρὸ μιᾶς [ἡμέρας πρὶν ἢ |
Ἄττ]αλον τελευτῆσαι, ὅπως ταῦτ[α κύρια ἦι, στρατηγῷ]ί τε οἱ εἰς 'Ασίαν
πορευόμεν[οι μὴ κινῶσι τὴν δια|θήκ]ην, ἀλλὰ ἐῶσι κύρια μένειν [ἅπαντα
καθὼς ἡ σύνκλη]|τος ἐπέκριν[εν.] ‖
20 [Γραμ]μάτων [Ποπ]λίου Σερουι[λίου]······|..υ τε········

Series erat documentorum de re publica Pergamenorum constituenda. Inde supersunt
1° (v. 1) vestigia incerti instrumenti finientis; 2° (v. 2-19) senatus consultum fere inte-
grum ; 3° (v. 20-21) initium sententiae excerptae ex epistulis P. Servilii.

V. 1. 21/ lapis.

V. 3. C. Popillius C. f., praetor ignotus, absentibus consulibus, de re ad senatum
refert, exeunte anno 133 ante C. n., cum, mortuo Ti. Graccho, senatus conditionem
urbium graecarum, quae Attalo paruerant, sibi soli ordinandam esse decrevit : Plut.,
Ti. Gracch., 14.

V. 5-6. [ἐν Περγάμ]ωι; supplementum dubium est; nam de toto regno agebatur.

V. 6-7 : quae sint praecipienda praetoribus, qui ad Asiam gubernandam mittentur ;
nondum enim necesse videbatur ut mitterentur consules, quod paulo postea evenit.

V. 7-8. ὅ[σα ἐν 'Ασίαι ἔ|ω]ς, Dittenberger; correxit Foucart. Attalus III Philometor,
defunctus anno 133, qui regnum suum Romanis legaverat testamento.

V. 9-10. [πότερον ἦι κύ]ρια, Dittenberger; corr. Foucart.

V. 13-14. Relationi Popillii senatus addidit verba βασιλεὺς et οἵ τε λοιποὶ βασιλεῖς, ut
tolleretur omnis ambiguitas. Item v. 14 mutavit ordinem verborum : διώρθωσαν intelli-
gendum est de poenis minoribus, ἐζημίωσαν de majoribus; his opponuntur (ἢ) beneficia,
nempe quae civitatibus remissa sunt aut dono data.

V. 15. πρὸ μιᾶς [ἡμέρας] addidit senatus, ne rata essent ea quae Attalus supremo vitae
die decrevisset, quod videri potuissent ex animo infirmiore orta esse; [πρὶν] suppl.
Foucart.

V. 17. [μηδὲν κινῶσι μάτ]ην, Dittenberger; corr. Foucart.

V. 19. [ἅπαντα] suppl. Foucart.

V. 20. P. Servilius Isauricus pro consule Asiae anno 48 ante C. n., Ciceronis amicus,
Pergamenos restituit in libertatem, quam ob causam honores ei decreto tribuerunt.
Illo ipso anno, ut videtur, cum instrumentis superioribus lapidi incisa est epistula
Servilii.

302. Pergami. — Hepding, *Athen. Mittheil.*, XXXII (1907), p. 285, n. 12.

Ἐπὶ πρυτάνεως [x]αὶ ἱερ[έ]ως ' M..... [τοῦ]....., | γεινομένης ζητήσεως
ὑπὲρ τῆς.....[κατὰ τὸ].... | πεμφθὲν καὶ ἀναγνωσθὲν διάτ[αγμα ², εἰσηγησαμένου
5 τοῦ στρα]|τηγοῦ ³, ἐπηγγείλαντο ε[ἰ]ς τὴν ἐ...... ‖ Ἀσκληπιάδης Ἀργίου
ὑπὲ[ρ Ἀ]ρτεμ[ιδώρου.... ἐπι]|δώσειν τὸν Ἀρτεμιδ[ώρου κλῆρον ?].. | Ἀθηνάδης
10 Βίωνος....., | Κλέανδρος Λ....., | Ἀσκληπι.....‖πο......

1. **Rite prytanis fungitur ipse etiam summo sacerdotio civitatis, cujus solus eponymus
est inter annos 133 et 29 ante C. n. Cf. nn. 289, 290, 292 et Kolbe, *Athen. Mittheil.*, *ibid.*,
p. 147. — 2. Ex edicto romani praesidis quod missum et recitatum est. — 3. Postquam
unus ex strategis civitatis inquisivit aut rettulit de re instituenda.**

---

303. Pergami. — Fränkel, *Alterth. von Pergamon*, VIII, II, n. 377.

Ὁ [δῆμος] | Γάιον Ἰούλιον Γ[αίου υἱὸν Καίσαρα, τὸν] | ἀρχιερέα ' καὶ
αὐ[τοκράτορα, τὸν ἑαυτοῦ] | σωτῆρα [καὶ εὐεργέτην].

1. **Post annum 63 ante C. n.**

---

304. Pergami. — Fränkel, *Alterth. von Pergamon*, VIII, II, n. 379.

[Ὁ δῆμος | ἐτίμησε] τὸν ἑαυτοῦ [σωτῆρα | Γάιον Ἰού]λιο[ν] Γαίου υἱὸν
5 Καίσ[αρα, τὸν | ἀρχι]ερέα καὶ δικτάτορα τὸ [β´, ἀρετῆς ‖ ἕνεκ]εν, ἀποκ[α]τασ-
τήσα[ντα τήν|δε τὴ]ν χώραν ο[ὖ]σαν ἱερὰ[ν Ἀθηνᾶι] '.

1. **Post Pharsaliam victoriam Caesar, cum in Asiam venisset, « controversias judi-
cavit civitatum quae acerbe a publicanis tractabantur » (Appian., *Bell. civ.*, II, 92; Cic.,
Ad fam., XV, 15, 2), autumno anni 47 ante C. n.; dictatura autem II auctus fuerat anno
48 exeunte. In illo itinere agrum Minervae sacrum, qui ei ademptus erat, restituit.
Cf. n. 306.**

---

305. Pergami in gymnasio. — Jacobsthal, *Athen. Mittheil.*, XXXIII (1908), p. 410,
n. 44.

Ὁ δῆμος | Γάιον Ἰούλιον Γαίου υἱὸν Καίσαρα | τὸν αὐτοκράτορα καὶ
ἀρχιερέα, ὕπατον τὸ δεύτερον ¹, | τὸν ἑαυτοῦ πάτρωνα καὶ εὐεργέτην, ‖

5 τῶν Ἑλλήνων ἁπάντων σωτῆρα καὶ εὐεργέτην, | εὐσεβείας ἕνεκα καὶ δικαιο-
σύνης.

1. Anno 48 ante C. n.

---

306. Pergami in templo Minervae. — Fränkel, *Alterth. von Pergamon*, VIII, ii, n. 380.

['Ο δῆμος ἐτίμησε τὸν ἑαυτοῦ σωτ]ῆρα καὶ εὐεργέτην | [Γάιον Ἰούλιον
Γαίου υἱὸν Καίσαρ]α, [τ]ὸ[ν] αὐ[τ]οκρ[ά]τορα καὶ | [ἀρχιερέα μέγιστον καὶ
δικτάτορα τ]ὸ [β', π]άσ[η]ς ἀρετῆς | [ἕνεκα καὶ εὐσεβείας πρὸς] τ[ε] το[ὺς
θ]εο[ὺς τήν τ]ε πό[λιν] ¹.

1. Cf. n. 304.

---

307. Pergami. — Fränkel, *Alterth. von Pergamon*, VIII, ii, n. 378.

Ὁ δῆμ]ος | [Γάιον Ἰούλιον Γαίου υἱ]ὸν Καίσαρα, ἀρχιερέα | [καὶ ὕπα-
τον τὸ β' (?) ¹, τὸν] κοινὸν τῶν Ἑλλήνων | [ε]ὐεργέτην.

1. Aut αὐτοκράτορα (Cf. n. 303) aut δικτάτορα (Cf. n. 304).

---

308. Pergami. — Fränkel, *Alterth. von Pergamon*, VIII, ii, n. 404.

['Ο δῆμος............. Γ]αίου Ἰουλίου | [Καίσαρος ¹............., διὰ] τὸ εὐερ-
γετικῶς | [ἀναστραφῆναι πρὸς τὴν] πόλιν.

1. C. Julii Caesaris dictatoris libertus aliquis, ut videtur.

---

309. Pergami. — Fränkel, *Alterth. von Pergamon*, VIII, ii, n. 381.

[Αὐτοκράτ]ορ[α Κ]αίσαρα [θ]εοῦ υἱὸν θεὸν Σεβαστὸ[ν, | πάσης] γῆ[ς κ]αὶ
θ[α]λάσσης [ἐ]π[όπ]τ[ην] ¹.

1. Vivus Augustus a Pergamenis ut deus cultus est jam ab anno 29 ante C. n., quo
templum ei dedicaverunt. Cf. Mommsen, *Res gestae divi Augusti*, ed. II, p. x. Cf. n. 311.

310. Pergami in templo Minervae. — Fränkel, *Alterth. von Pergamon*, VIII, II, n. 301.

Αὐτοκράτωρ Καῖσαρ Θεοῦ υἱὸ[ς] Σεβαστὸς τὰς [.....Ἀθηνᾶι ¹].

1. Anno 20 ante C. n. et incipiente 19 Augustus, cum per Asiam et Bithyniam iter faceret, omnia in illis provinciis composuit (Dio, LIV, 7, 4; LVII, 9, 7; 10, 2).

311. Pergami in gymnasio. — Jacobsthal, *Athen. Mittheil.*, XXXIII (1908), p. 411, n. 45.

Ὁ δῆμος | Αὐτοκράτορα Καῖσαρα Θεοῦ υἱὸν Θεὸν ¹ | Σεβαστὸν τὸν ἑαυτοῦ μέγιστον εὐεργέ|την καὶ κτίστην.

1. Cf. n. 309.

312. — Fränkel, *Alterth. von Pergamon*, VIII, II, n. 382.

[Αὐτοκράτορα Καῖσαρα Θεοῦ] υἱὸν Σεβ[αστὸν, | τὸν σωτῆρα καὶ εὐεργέτην] τοῦ [δήμου] ¹.

1. Cf. n. 309.

313. Pergami. — Fränkel, *Alterth. von Pergamon*, VIII, II, n. 302.

[Αὐτοκράτωρ Καῖ]σαρ Θ[εοῦ υἱὸς Σεβαστὸς] ¹.

1. Cf. nn. 309, 310.

314. Pergami. — Conze, *Athen. Mittheil.*, XXIV, 1899, p. 173, n. 16.

Αὐτοκράτορα Καῖσαρα | Θεοῦ υἱὸν Θεὸν Σεβαστὸν | ὁ δῆμος ὁ Ἀμισηνῶν ¹ καὶ
5 οἱ | συμπολιτευό[μενοι] Ῥωμαῖοι ² || τὸν ἑατῶν σωτ[ῆρα καὶ κτίσ]την.

1. Amisus Ponti civitas libera et foederata (ἐλευθέρα καὶ αὐτόνομος καὶ ὁμόσπονδος Ῥωμαίοις: Dittenberger, *Or. gr. inscr. sel.,* n. 530) post pugnam Actiacam ab Augusto dicta est. Strab., XII, p. 547. Cf. supra, t. III, nn. 96, 97. — 2. Cives Romani Amisi consistentes.

315. Pergami in templo Minervae. — Fränkel, *Alterth. von Pergamon*, VIII, II, n. 383.

a. b. [Θεὸν Θεοῦ Σεβ]αστὸν Καῖσ[αρα, | γῆς καὶ θαλά]σσης ἐπόπτην ¹, | ὁ

5 δῆμος | [κ]αὶ οἱ κ[α]τοικοῦντες ʿΡωμαῖοι [2] ‖ καθιέ[ρ]ωσαν, | [ἐπιμεληθέντων |

.... μήνο[υ,] | ᾿Α[θηναίου τοῦ ᾿Ασκ]ληπι[ά]δ[ου,] | Διον[υσίου τοῦ Διο-

10 δώρου, ‖ Μενεμάχου [τοῦ Μητ]ροφάνους, | ᾿Αρτεμιδώρο[υ τοῦ ᾿Ιπ]πίου, |

στρ[ατηγῶν] [3]. |

     c. ʿΗ βουλ[ὴ καὶ ὁ] δῆμ[ος | ἐ]πεσκεύασεν καὶ ἀπο‖κατέστησεν, | ἐπιμεληθέν-

τω[ν] τῶν περὶ | [Τ]ι. ᾿Ιούλιον ʿΡοῦφον στρατηγῶν [4].

1. Cf. n. 309. — 2. Cives Romanos Pergami consistentes memorat Cic., *pro Flacco*, 71. —
3. Quinque strategorum collegium statuam Augusti, quae Minervae consecrata erat,
ponendam curavit. — 4. Eamdem statuam, quae loco mota erat, recentius reponendam
curaverunt strategi, quorum primus tantum hic citatur.

---

316. Pergami in theatro. — Fränkel, *Alterth. von Pergamon*, VIII, ɪɪ, ad n. 260.

     [ʿΗ βουλὴ καὶ ὁ δῆμος] ἐτείμησα[ν | ...... ιπ]πον Μάρκου | [......ο]υ τοῦ τῆς

5 πο‖[λέως? εὐεργέτ]ου υἱὸν, γένος ‖ [τῶν ἀπὸ? Πρωτο]γένους, θέας | [τε τῆς ὑπὲρ

Θεο]ῦ Σεβαστοῦ [1] [σωτη]ρίας] τε [καὶ] ὑγιείας καὶ νεί‖[κης ἀγων]οθέτην δὶς κατὰ |

10 [τὸ ἑξῆς] ἐκ τῶν ἰδίων καὶ γυ[μνι‖κῶν ἀγώνω]ν ἐν τῷ κοινῷ τῆς [᾿Ασίας [2]?, |

κτίστην] ἐξ γυμνασίων ἐκ [τῶν | ἰδίων] καὶ πρύτανιν, ἀναθέν[τα | κατὰ δια]θήκην

τῇ πόλει ᾿Αττ[αλικῶν | δραχμῶν [3] μ]υριάδας δέκα εἰς......

1. Cf. n. 309. — 2. Augustus commune Asiae, paulo ante inchoatum, certis legibus
primus constituit, quod Pergamum et in alias provinciae civitates per vices conveniret :
Chapot, *Province rom. d'Asie*, p. 464. — 3. Quibus de causis Romani non sustulerint
drachmas ab Attalis regibus cusas, exposuit Chapot, p. 338.

---

317. Pergami in templo Bacchi. — Fränkel, *Alterth. von Pergamon*, VIII, ɪɪ, n. 384.

     [Θεὸν Κ]αίσαρα | [Σεβαστὸ]ν αὐ[τ]οκράτορα | [Εὐα]γγελίων | [τοῦ Μητ]ροδώ-

5 ρου, ὁ γυμνα‖[σίαρχος ἐκ τ]ῶν ἰδ[ί]ων καὶ πρύτα[νις καὶ ἀγω]νοθέτης τῶν

Σεβασ[τοῦ παί]δων [1] το[ῦ] Καθηγε[μ]ό[[νος Διονύσο]υ [2], ἐκ τῶν περισσῶν τῆς |

[ἑορτῆς χρη]μάτων καθειέρωσεν.

1. Ludorum quibus colebantur C. et L. Caesares, filii imperatoris adoptivi in nummis
Pergamenorum efficti, annis 17 ante C. n.-2 post C. n. — 2. Trieterica Bacchi Ductoris
memorantur jam in epistula Attali II, anno 142 ante C. n. Fränkel n. 248, v. 8. Haec
eadem in honorem etiam C. et L. Caesarum celebrata sunt. Cf. von Prott, *Athen. Mittheil.*,
XXVII (1902), p. 183.

318. Pergami in gymnasio. — Schröder, Schrader et Kolbe, *Athen. Mittheil.*, XXIX (1904), p. 167, n. 8.

Θεοῖς Σεβαστοῖς [1] | καὶ Ἑρμεῖ καὶ Ἡρακλεῖ [2] | Ἀπολλώνιος Διονυσοδώρου |
5 καὶ Γναῖος Ὀκτάουιος Βάσσος ‖ ὑμνωδοὶ [3]   οἱ παιδονόμοι | καὶ Ἀπολλώνιος
Τροφίμου | ὁ γραμματεὺς τὸ βῆμα ἀνέθη|καν.

1. Augustus et Livia. — 2. Gymnasiorum dei. — 3. Ὑμνωδοὶ Θεοῦ Σεβαστοῦ καὶ Θεᾶς Ῥώμης. Vide infra.

---

319. Pergami. — Fränkel, *Allerth. von Pergamon*, VIII, II, n. 385.

Σε[βα]στὴν Ἰου[λίαν, Ἥ]ραν νέ]αν, | βα[σίλειαν [1] ...., οἱ Περγαμη]νοί.

1. Livia Augusti, inter annos 14 et 29 post C. n.

---

320. Pergami. — Fränkel, *Allerth. von Pergamon*, VIII, II, n. 386.

Ὁ δῆμ[ος ἐτίμησε] | Τεβέριον Κλαύδιον Τ[εβερίου υἱὸν] Νέρωνα [1] | τὸν
ἑαυτοῦ διὰ προγ[όνων εὐεργέτ]ην.

1. Tiberius Claudius Nero ante annum 4 post C. n., quo adoptatus est ab Augusto imperatore.

---

321. Pergami — Fränkel, *Allerth. von Pergamon*, VIII, II, n. 387.

Τιβέριος [Κλαύδιος] | Νέρω[ν] [1]

1. Cf. n. 320.

---

322. Pergami. — Fränkel, *Allerth. von Pergamon*, VIII, II, n. 388. In duobus fragmentis:

     a   b   a
[Τ]ιβ[έριον]   Καίσ[αρα   Σε]|βαστ[οῦ υἱόν,] [1]...

1. Tiberius postquam adoptatus est, prius autem quam obiit Augustus (annis 4-14 post C. n.), nisi scribendum est [Τ]ιβ[έριον] Καίσ[αρα Σε]|βαστ[όν]... (annis 14-37), aut etiam [Τ]ιβ[έριον Κλαύδιον] Καίσ[αρα Σε]|βαστ[όν]....... (Claudius imperator annis 41-54).

323. Pergami. — Dittenberger, *Orient. gr. inscr. sel.*, n. 462.

Ὁ δῆμος ἐτείμησεν | Ὀκταουίαν, τὴν Καί|σαρος μὲν ἀδελφὴν, | [μ]ητέρα
5 δὲ Σέξτου ‖ Ἀππολήίου [1], τοῦ | σωτῆρός τε καὶ εὐερ|γέτου.

1. Octavia major, soror Augusti, mater Sex. Appuleii, proconsulis Asiae. Cf. *Prosop. imp. rom.*, II, p. 429, n. 44.

---

324. Pergami in templo Minervae. — Fränkel, *Alterth. von Pergamon*, VIII, ɪɪ, n. 389.

Δροῦσον Ἰούλιον Τιβερίου | υἱὸν, Σεβαστοῦ δ[ὲ] υ[ἰων]όν [1].

1. Drusus Julius Caesar, Tiberii filius, vivo etiam tum Augusto (annis 4-14 post C. n.). Cf. *Prosop. imp. rom.*, II, p. 176, n. 144.

---

325. Pergami. — Fränkel, *Alterth. von Pergamon*, VIII, ɪɪ, n. 390.

Ἰουλίαν, Δρούσου Καίσαρος | θυγατ(έ)ρ[α] [1], | [ἐ]πιμεληθέντων Ὑψαίου |
5 [τ]οῦ Μητροδώρου, ‖ [Διο]γένου Χορήου.

1. Julia, Drusi Caesaris (cf. n. 324) filia, interempta anno 43. Cf. *Prosop. imp. rom.*, II, p. 223, n. 422. ΘΥΓΑΤΡΙ lapis.

---

326. Pergami. — Fränkel, *Alterth. von Pergamon*, VIII, ɪɪ, n. 391.

Ὁ [δῆμος ἐτίμησε | Γερ]μανικὸν [Καίσαρα Τιβερίου Σεβαστοῦ υἱόν [1], | τὸν
ε]ὐε[ρ]γ[έτην καὶ σωτῆρα τῆς πατρίδος.] | Γλύκω[ν... ἐποίει].

1. Germanicus Julius Caesar, a Tiberio patruo adoptatus, missus est in provincias transmarinas cum potestate extraordinaria anno 18 post C. n., et, cum iter fecisset per Asiam Syriamque et Aegyptum, decessit Antiochiae anno 19. Cf. *Prosop. imp. rom.*, II, p. 178, n. 146. « Statuarum locorumve, in quis coleretur, haud facile quis numerum inierit. » Tacit., *Ann.*, II, 83. Cf. nummos Pergamenos : Mionnet, II, 596, n. 548; *Suppl.*, V, 430, n. 944.

---

327. Pergami. — Fränkel, *Alterth. von Pergamon*, VIII, ɪɪ, n. 392.

[Ὁ δῆμος] | Γερμανικ[ὸν Καίσαρα] [1]...

1. Cf. n. 326.

328. Pergami. — Fränkel, *Alterth. von Pergamon*, VIII, п, n. 403.

['Ιουλίαν] νέαν | [Νικη]φ[όρον, Γερμανικοῦ Καίσαρος θυγατέρα] ¹.......

1. Julia Livilla, filia Germanici minima, a C. Caesare fratre, imperium adepto (anno 37), summis honoribus affecta. Cf. *Prosop. imp. rom.*, II, p. 229, n. 444. Eam Pergameni coluerunt ut σύνθρονον Minervae Victricis, imo vocaverunt novam Minervam Victricem.

---

329. Pergami. — Fränkel,'*Alterth. von Pergamon*, VIII, п, n. 393.

Τιβέριος Κ[λαύδιος Καῖσαρ] | Δρούσ[ου υἱός] ¹.

1. Claudius imperator.

---

330. Pergami. — Fränkel, *Alterth. von Pergamon*, VIII, п, n. 394.

['Ο δῆμος] Νέ[ρωνα Κλαύδιον | Κλαυ]δίου αὐτ[οκράτορος, υἱω|νὸν] Γερμα-νικ[οῦ Καίσαρος, οἱ | τὴν ἀκρ]όπολιν [κατοικοῦντες] ¹.

1. Pergamenorum, qui acropolim, veteris civitatis locum, incolebant, videtur etiamtum exstitisse quaedam sodalitas.

---

331. Pergami. — Fränkel, *Alterth. von Pergamon*, VIII, п, n. 395.

Αὐτοκράτορα Νέρουα[ν] | Καίσαρα Θεοῦ Νέρουα υἱὸ[ν] | Τραιανὸν ῎Αριστον ¹
Σεβαστὸ[ν] Γερμανικὸν Δακικὸ[ν], | τὸν γῆς καὶ θαλάσσ[ης] ‖ κύριον, | ἡ βουλὴ
καὶ ὁ δῆμος τῶν πρ[ώτων] | καὶ δὶς νεωκόρων Περγαμ[ηνῶν], | ἐπιμεληθέντων |
10 Μ. Καιρελλίου Ρουτειλίου Λούπου Σε..., ‖ Γν. 'Οτακιλίου Σενεκίωνος τὸ
δεύτερο[ν], | Μ. 'Αλβεινίου Βάσσου Σεμπρωνια[νοῦ], | Γν. 'Οτακιλίου Σενεκίωνος
νέο[υ] ², | Μ. 'Αντωνίου Οὐλπίου Φλαουιανοῦ, | τῶν στρατηγῶν ³.

1. Post annum 114, ante 116, quo Parthicus audiit. — 2. Fortasse filius Senecionis majoris, qui supra scriptus est. — 3. Quinque strategorum totum collegium.

---

332. Pergami in Trajaneo. — Fränkel, *Alterth. von Pergamon*, VIII, п, n. 396.

[Αὐτοκράτορα] Νέρο[υαν Κ]αίσ[αρα Θεοῦ Νέρουα υἱὸ]ν [Τραιανὸν ῎Αριστ]ον |

[Σεβαστὸν Γερ]μαν[ικὸν Δακικὸν, τὸν γῆς καὶ θ]αλ[άσσης κύριον, | ἡ βουλὴ καὶ
ὁ δ]ῆμ[ος τῶν πρώτων καὶ δὶς νεωκόρων Περγαμηνῶν] ¹...............

1. Cf. n. 331.

---

333. Pergami in templo Aesculapii. — Conze, *Athen. Mittheil.*, XXIV (1899), p. 170,
n. 11.

Ὑπὲρ τῆς Αὐτοκράτορος | Νέρουα Τραιανοῦ Καίσαρος | Σεβαστοῦ Γερμα-
5 νικοῦ | ¹ σωτηρίας καὶ νίκης ‖ Ἑρμῆς Περγαμηνὸς, | Αὐτοκράτορος Νέρουα |
10 Τραιανοῦ Καίσαρος | Σεβαστοῦ Γερμανικοῦ | ἀρκάριος Μυσίας τῆς κά‖τω ²,
ἀνέθηκε Τελεσφόρῳ ³.

1. Post annum 97, ante 102, quo Dacicus cognominatus est Trajanus. — 2. Servus
Augusti, arcarius provinciae Moesiae inferioris. — 3. Telesphorus puer, convalescentium
genius, socius Aesculapii.

---

334. Pergami inter theatrum et Trajaneum. — Fränkel, *Alterth. von Pergamon*, VIII,
II, n. 627. Ejusdem tabulae

    a.   *in antica :*

        Αὐτοκράτω[ρ Καῖ]|σαρ Θεοῦ Νέ[ρουα]..... |
        Αὐτοκρ[άτωρ Καῖ]|σαρ Θε[οῦ Νέρουα]..... ‖

    b.   *in tergo :*

        Αὐ[τοκρά]|τορα.......

a. Versus 3-4 scripti sunt litteris majoribus quam 1-2; *b* litteris majoribus quam *a:*
litterae etiam v. 2 litteras v. 1 altitudine superant. Exemplar est scripturae a lapicida
propositum ad inscribendam Trajani statuam.

---

335. Pergami in Trajaneo. — Fränkel, *Alterth. von Pergamon*, VIII, II, n. 398.

Θεὰν | Πλωτεῖναν | Σεβαστήν ¹.

1. Uxor Trajani in Trajaneo post mortem (anno 122) culta.

836. Pergami, prope Trajaneum. — *C. I. L.*, III, 7086 ; Fränkel, *Alterth. von Pergamon*, VIII, ΙΙ, n. 269.

[Περγαμηνῶν τῆι βουλῆι καὶ τῶι δήμωι] χαίρ[ειν]. | ....
.... ἀγῶνι πα[ν|ηγυρ.?. ....]ε χρόνον |
5 [..................... κατὰ δόγμα τῆς ἐπιφαν]εσ[τ]άτης συνκλήτου ‖ [.............
ἀγὼν δεύτ]ερος παρ' ὑμεῖν ἱερὸς | ....νος. Ἐρρῶσθαι ὑμᾶς
βούλομαι. |
    ['Επὶ.......... στρατηγοῦ καὶ...]ο[υ] Κλαυδίου Σειλιανοῦ ἀρχιερέως | ....
10 cos. ....ias s. c. factum de postulatione | [Pergamenorum? ‖ placere ut cer-
tamen illud], quod in honorem templi Iouis amicalis et | [Imp. Caes. diui Neruae
f. Ner]uae Traiani Augusti Germanici Dacici | [pontificis maximi est const]itutum
εἰσελαστικὸν in ciuitate | [Pergamenorum, eiusdem con]dicionis sit, cuius est
quod in honorem Romae | [et Diui Aug. ibi agitur, it]a ut ea impendia, quae
15 propter id certamen ‖ [fieri oportebit, cedant in] onus Iuli Quadrati clarissimi
uiri | .... [eorumque a]d quos ea res pertinebit. |
    [Κεφαλαῖον ἐκ τ]ῶν Καίσαρος ἐντολῶν. | [Cum secundum meam c]onstitutio-
nem certamen in ciuitate | [Pergamenorum ab Iulio Quadrato a]mico clarissimo
20 uiro quinquennale, ‖ [quod dicitur εἰσελαστικόν, c]onstitutum sit idq. amplissimus
ordo | [eiusdem iuris esse decreueri]t, cuius est quod in eadem ciuitate | [in hono-
rem Romae et diui A]ug. institutum est, hujus quoq. ise(l)as|[tici idem quod in
altero] certamine custoditur dari oportebit | [uictoribus praemium]. ‖
25 ['Αυτοκράτωρ Καῖσαρ Θεοῦ Νέρουα υἱὸς Νέρουας Τραιανὸς Ἄριστος | [Σεβασ-
τὸς Γερμανικὸς Δακικὸς, ἀρ]χιερεὺς μέγιστος, δημαρχικῆς | [ἐξουσίας τὸ ι.,
αὐτοκράτωρ τὸ.., ὕπα]τος τὸ ϛ', πατὴρ πατρίδος, | [Περγαμηνῶν τῆι βουλῆι
καὶ τῶ]ι δήμωι χαίρειν. | Ἐλθούσης ὑμῶν πρεσβείας, ἀποδεξά]μενος αὐτῆς
30 τό τε ἀξίωμα ‖ [καὶ τὰ συγγράμματα, περὶ πάντων ἃ ἐν αὐτ]οῖς ἠξιώσατε
συγκατεθέμην | .... [μ]ε[τ]άσχοιτε, ἐπιτρέπω οὖν ὑ|[μῖν......
..........]λόντων ἐν ἀγοραίοις |..................... τῶν θεωριῶν ὡρισ-
μένον | .... ὁρῶ [δ]ὲ καὶ τὰς ὑπό...........

Acta pertinentia ad ludos in honorem Jovis amicalis et Trajani ab A. Julio Quadrato
Pergameno institutos. De illo viro vide infra titulos nn. 373-399 et *Prosopogr. imp. rom.*,
p. 209, n. 338.

I. V. 1-6. Epistula proconsulis Asiae ad Pergamenos mittentis instrumenta quae
sequuntur.

[ἀγὼν δεύτ]ερος ἱερός. Prior enim, qui vocabatur Ῥωμαῖα Σεβαστά aut Αὐγούστεια, in honorem Romae et Augusti (v. infra) institutus erat anno 29 ante C. n. (Dio, LI, 20, 9). Huic autem novo agoni nomen inditum est Τραιάνεια Δειφίλεια : Hicks, *Greek inscr. in the Brit. Mus.*, III, 2, n. 605, 9.

V. 7 non constat utrum definitus esset annus, quo Pergameni in tabulas suas rettulerunt epistulam proconsulis quae praecedit, an senatus consultum, quod sequitur. Hoc tamen est veri similius.

[Στρατηγὸς] collegii sui quinque virorum πρῶτος Pergami est, aetate imperatoria, plerumque eponymus, ut ferunt nummi. Ἀρχιερεὺς Asiae in tota provincia eponymus est.

II. V. 8-16. Senatus consultum, cujus omissa est praescriptio legitima.

V. 8. ....cos.....ias. Notati erant romana computatione annus, mensis et dies. *Postulationem* videntur Pergameni ad senatum misisse de ludorum norma.

V. 10. In hujus *templi* ipsius ruderibus titulus repertus est. *Iupiter amicalis* = Ζεὺς φίλιος nummis Pergamenis notus : Mionnet, II, p. 597, nn. 557, 559, 560; *Suppl.*, V, p. 433, n. 956-963.

V. 12. Εἰσελαστικόν dicebatur certamen, instar quatuor amplissimorum constitutum, ex quo victores in patriam redibant curru triumphali invecti ; jus autem nova certamina iselastica instituendi ab uno dabatur imperatore : Plin., *Ep.*, X, 118, 119.

V. 16. [*eorumque*]..., nempe heredes Quadrati.

III. V. 17-24. Excerptum ex rescriptis Trajani ad proconsulem.

IV. V. 25-33. Trajani epistula ad ipsos Pergamenos.

V. 27. [ὕπα]τος τὸ ς' = annis 112/117 p. C. n. Imo cum Optimus (Ἄριστος, v. 23) princeps appelletur, nondum vero Parthicus (v. 24), sequitur titulum scriptum esse inter mensem Decembrem anni 113 et Augustum 116.

V. 29. ἀξίωμα, postulatio Pergamenorum ad imperatorem (cf. v. 8).

V. 30. [συγγράμματα], fortasse scripta quibus, ut conjicit Fränkel, explicabatur postulatio.

V. 32. ἀγοραίοις, mercatores forenses, qui diebus festis in urbem confluebant.

---

337. Pergami. — *C. I. L.*, III, 7086 ; Fränkel, *Alterth. von Pergamon*, VIII, II, n. 270.

```
..........................|................. [Μητροδ]ώρου......|............
........ [χ]ρόνο......|.................. [Μητρ]οδώρου....... ' ‖
```

5   [Αὐτοκράτορος Καίσαρος Τραιανοῦ] διάταξις [περὶ ἐπι|δόσεως, ἣν ἐποιή-
σατο........]ιος Μητρο[δ]ώ[ρου. | Περγαμηνῶν τῆι βουλῆι καὶ τῶι δ]ήμωι
χα[ίρειν. | ....ιος Μητροδώρου δραχμῶν μυρι]άδας ἐπ[τὰ ἐπέ|δωκεν εἰς......
θε]ωρίας ².........

Hunc titulum partem esse tituli n. 336, quod voluerat Mommsen, negat Fränkel.

1. Explicit decretum Pergamenorum aut epistula proconsulis Asiae. Incipit (v. 5)

edictum (διάταξις) Trajani imperatoris. — 2. Vir ille, Metrodori filius, pecuniam videtur contulisse pompis celebrandis (cf. n. 337, v. 31) ludorum Trajaneorum, quos instituerat Julius Quadratus.

---

338. Pergami. — Fränkel, *Alterth. von Pergamon*, VIII, II, n. 272.

a. .... [αὐτοκράτ]ωρ τὸ............. | [Περγαμη]νῶν ἄ[ρχουσι, βουλῇ, δήμῳ
χαίρειν ' | ...... ο]ὔ[τ]ε ἀτελ............. | [ὑ]πὸ τοῦ τ[ε...............]... ?λευ]-
κοῦ... ου παλ[αι.. | .... τῆς συγκλήτου κ]εκυρωκυ[ίας]....... |......... ει ὁ
10 πρεσβευ[τῆς]...... | Ἔρρωσθε. | ... κ[ο]μισθὲν δι[ὰ]]........
   b. .... Ἔρρω[σθε. | Αὐτοκράτωρ] Καῖσαρ Νέρουας........ |......... [ιχ]ὸς
ἀρ]χ[ιερεὺς μέγιστος] |......
   c. ...... | [σ]υνεπι......

a. Epistula imperatoris incerti. b. **Explicit altera epistula, incipit tertia Nervae aut Trajani.**

---

339. Pergami. — Fränkel, *Alterth. von Pergamon*, VIII, II, n. 397.

[Αὐτ]οκράτορα Καίσαρα | [Θεο]ῦ Τ[ρ]αιανοῦ Παρθικο[ῦ | υἱὸν Θ]εοῦ Νέρουα
5 υἱωνὸν | [Τρ]αιανὸν Ἀ[δρ]ιανὸν ‖ [Σε]βαστὸν, ἀρχιερέα μέγισ‖[τον], δημα[ρ]-
χικ[ῆ]ς ἐξουσίας | [τὸ] δ' ', ὕπατον τ[ὸ γ'], τὸν γῆς | [τε] καὶ θαλάσ[σης]
10 ἄρχον[τα], | ἡ βουλὴ [καὶ] ὁ δ[ῆ]μος ‖ [τ]ῶν πρώτων καὶ δὶς [νε]ω[κό][ρων] |
Περγαμηνῶν, | ἐπιμεληθέντων | Ἰ[ου]λίου Αἰλιανοῦ [Ἀ]πολ[λ]ωνί[ου], |
15 Λιλίου Θεοδότο[υ], ‖ .. Αἰ[λ]ιανοῦ Λ[αιβί]ο[υ, | Αἰ]λίου..... ίνου, | ....
Γλ[ύκω]νο[ς] Ἰου[λι]α[νοῦ], | στρατη[γ]ῶ[ν].

1. Anno 120 post C. n.

---

340. Pergami prope templum Minervae. — Fränkel, *Alterth. von Pergamon*, VIII, II, n. 293.

[Αὐτοκράτορι Καίσαρι Θεοῦ Τραιανοῦ Δακικοῦ Παρθικοῦ υἱῶι, τοῦ Νέρουα
υἱωνῶι Τραιανῶι Ἀ]δριανῶι Σεβαστῶι καὶ τῆι κατ[ρ]ίδι Ποσείδιππος Ποσει-
δίππου.

341. Pergami. — Fränkel, *Alterth. von Pergamon*, VIII, ii, n. 363.

['Αδριανῶι σωτῆρι] 'Ολυμπίωι. | [Πάντων ἀνθρώπ?]ων δεσπότης [1], βασι-
λεὺς [2] | [τῶν τῆς γῆς χωρ?]ῶν, ἐπιφανέστατος | [νέ]ος 'Ασκληπιός.

1. Nominativus, ut saepe, pro vocativo usurpatus. — 2. Nomen imperatori jam ab aetate Augusti a Graecis inditum.

---

342. Pergami. — Fränkel, *Alterth. von Pergamon*, VIII, ii, n. 364.

5   Αὐτοκράτορι | 'Αδριανῶι | 'Ολυμπίωι | σωτῆρι ‖ καὶ κτίστῃ [1] | Γάιος "Αντιος |
'Αλέξανδρος.

1. Plerumque litteram R lapicida pro P incidit. Alia altaria octo, quibus inscripta erant verba fere eadem, Pergami etiam inventa sunt (Fränkel, nn. 366-373).

---

343. Pergami. — Conze, *Athen. Mittheil.*, XXIV (1899), p. 174, n. 18.

5   Αὐτοκρ[άτορι] | Καίσαρι | Τραιανῶι 'Αδριανῶι | Σεβαστῶι ‖ Θεοῦ Τραιανοῦ
υἱῶι | Θεοῦ Νέρουα υἱωνῶι | 'Ολυμπίωι σωτῆρι | καὶ κτίστῃι.

---

344. Pergami. — Hepding, *Athen. Mittheil.*, XXXII (1907), p. 308, n. 27.

Αὐτοκράτορι Καίσα|ρι 'Αδριανῶι 'Ολυμπίῳ σωτῆρι καὶ | κτίστῃι [1].

1. Quatuor titulorum fere similium fragmenta ibidem inventa sunt : nn. 28-31.

---

345. Pergami. — Contoleon, *Rev. des études gr.*, XIV (1901), p. 293.

5   Αὐτοκράτορι | 'Αδριανῶι | 'Ολυμπίωι | σωτῆρι ‖ καὶ κτίστῃ(ι).

---

346. Pergami. — Le Bas et Waddington, 1721 a; cf. Fränkel, *Alterth. von Pergamon*,
VIII, p. 514.

5   [Α]ὐτοκράτο|ρι Τραιανῶι | 'Αδριανῶι | 'Ολυμπίωι ‖ σωτῆρι καὶ | κτ[ί]στῃι [1].

1. KTHCTHI lapis.

347. Pergami. — Von Prott et Kolbe, *Athen. Mittheil.*, XXVII (1902), p. 97, n. 90.

Αὐτοχράτο|ρι Ἀδριανῶι | Ὀλυμπίωι σω|τῆρι καὶ κτίσ(τ)η[ι] ¹.

1. Titulos omnino similes cf. ibidem, nn. 91-93, item apud Conze, *Ath. Mittheil.*, XXIV (1899), p. 174, nn. 19 et 20.

---

348. Pergami. — Schröder, Schrader et Kolbe, *Athen. Mittheil.*, XXIX (1904), p. 173, n. 13.

Αὐτο[χράτορ]|ι Ἀδριαν[ῶι] | Καίσαρι Ὀλ[υμπίωι].

---

349. Pergami prope Trajaneum. — Dittenberger, *Sylloge*, ed. II (1898), n. 384.

Ἀγαθῆι τύχηι. |
Αὐτοχράτωρ Καῖσαρ Θεοῦ | Τραιανοῦ Παρθιχοῦ υἱὸς | Θεοῦ Νέρουα υἱωνὸς ‖
5 Τραιανὸς Ἀδριανὸς Σεβαστός, | δημαρχιχῆς ἐξουσίας ¹, | συνόδωι τῶν ἐν Περ-
10 γάμωι | νέων ² χαίρειν. | Ἐπιγνοὺς ἔκ τε τῶν γραμμά‖των καὶ διὰ τοῦ πρεσ-
βεύον|τος Κλαυδίου Κύρου τὴν χα|ρὰν, ὅσης ἐφ' ἡμεῖν ³ ὡμολογεῖ|τε μετει-
15 λῆφέναι, ἡγούμην | σημεῖα ἀγαθῶν ἀνδρῶν ‖ τὰ τοιαῦτα εἶναι. | Εὐτυχεῖτε. |
20 Πρὸ | γ' ἰδῶν Νοεμβρ(ίων) | ἀπὸ Ἰουλιο‖πόλεως ⁴. |
Κλαύδιος Κῦρος ἀπέδωκα | τοῖς περὶ Οὔλπιον Ἀσκληπιά|δην γραμματεῦσι
25 τῶν νέων. | Ἐπὶ γραμματέων ⁵ Μ. Οὐλπίου ‖ Ἀσκληπιάδου Λουπιανοῦ, |
Φλαουίου Σεκούνδου, Ἄλυος τοῦ Ἄλυος Κελεριανοῦ.

1. Ante diem tertium idus Novembres anni 117 post C. n. Cf. v. 17-18. — 2. In collegia, quibus respondebant γερουσίαι seniorum, conveniebant νέοι, adulescentes majores natu quam παῖδες et ἔφηβοι. — 3. Videlicet Hadriano, imperium Antiochiae adepto ante diem III idus Augustas ejusdem anni, gratulati erant Pergameni adulescentes. — 4. Bithyniae, ut videtur, Juliopolis. Dürr, *Reisen des Hadrian*, p. 18. — 5. Hi scribae epistulam imperatoris lapidi incidendam curaverunt.

---

350. Pergami. — Fränkel, *Alterth. von Pergamon*, VIII, II, n. 273.

α. ......[ση]μεῖα ἀ[γαθῶν ἀνδρῶν ?] ¹.... |
[Αὐτοχράτωρ Καῖσαρ Θεοῦ Τραιανοῦ Παρθιχοῦ υἱὸς Θεο]ῦ Νέρουα | [υἱωνὸς
Τραιανὸς Ἀδριανὸς Σεβαστὸς ἀρχιερεὺς μέγιστος, δημαρχιχῆς ἐξουσίας] τὸ ις΄.
ὕπα|[τος τὸ γ΄, πατὴρ πατρίδος, Περγαμηνῶν τῇ βουλῇ καὶ τῷ δήμῳ χαίρειν].

5 Ἀντωνίῳ ‖ [Πολέμωνι ....ων. ἐπρέσβευσαν ... Νυ]μφίδιος | [καὶ Ἰού-
λιος]². .... |

[Αὐτοκράτωρ Καῖσαρ Τραιανὸς Ἀδριανὸς Σεβαστὸς Θεοῦ Τρ]αιανοῦ | [υἱὸς
........, ἀρχιερεὺς μέγι]στος δη||[μαρχικῆς ἐξουσίας τὸ.., ὕπατος τὸ.., Περγα-
10 μηνῶν τοῖς ἄρχου]σι καὶ τῇ | [βουλῇ καὶ τῷ δήμῳ χαίρειν........τ]ὰς αἰτί‖[ας
15 ......]ες | ....μου | .... | .... [αὐτο]κρα|τ......
ὑμε‖[τερ]?..... υ|........συν διη|[μερ.....ο]υ βιαίου |...... [πα]ρ' ὁ καθὼς |
20 ....[ἡ]μῶν με‖...... [φ]ίλων ε|........ δι|........

5 b. .....στ...|.... ομεν.....|... [στρα]τηγῶ[ν]...|...ν ἐκ το[ῦ]....‖.... Θείου
10 σή|[ματος?] ...|.. [ἐγ]γραφηθῶ|[σι].....ν ἄλιμμα|... [ἐφηβ]άρχους δέκα‖.......
προβολῆς |.....ν εἰσεληλυ|[θ....... μν]ήματος |..... [αὐτοκράτ]ορι?

5 c. ....υ|.... μενη|..... [σ]αντες |.... [φ]ιλικῶν ‖.......ς συν|..... [μ]έρος
10 αὐ|[τῶν.... ἔσ]χηκε|.... ὅρων |....[πα]ρὰ τὸ ‖....τοῦ διὰ|.... Περγαμη||[ν.....
15 ἔ]πειτα δὲ η|......ων Τραιανοῦ|....[τ]ῶι πλήθει δ‖..ν ἐβεβαίωσεν... [τῶ]ν νέων
παν||[ηγυρικὸν γυμνάσιον] ....ίου |........³.

d. ....[? γυμν]ικο...|... ἥσεσθε κ....|....ιδεν ταρα[χ]..|....[ἀγὼν γυ]μνικὸς ὁ
5 ἐπὶ....‖....ι ὅρος ἐπι....|...ς ἀρχῆς μ...|....[μ.]ετὰ ταῦ[τα]...|.... ἡγεῖτα[ι]... |
10 ....μα τρα[χυ]...‖... δος α[ὐτ]....|...ε ἐρ[γ]...|........ιας.....|

5 e. ...οι...|...[τ]ῶι δή[μωι]...|...ς ἐφύλα[σσ]..|.... θαι τῆ.‖.... ειτε σ....|...
αυλη........

5 f. ......αμ....|......ασιν|.... [οὐχ] ἐσφα[λ]....|..... εὐτυ[χ]....‖..α τοῦ-
τ[ο]....|...ν αὐτοκ[ρατ......... μηνὸς......] προ(τέρᾳ)⁴. | [Ἐπι]μελ[η]θέ[ντων] |
Ἐρωτιανοῦ, [Θ]εοδώρου, Τελεσφόρου, Τερπάν[δρου | τ]ῶν γραμματέων.

1. Conjecit Fränkel collatis nn. 349, v. 13-15 et 351, v. 16-17. — 2. Restituimus collato
necnuro nostro 351, v. 18-21. Annus est 132 p. C. n. — 3. Epistula imperatoris alicujus
post Trajanum scripta fortasse ad σύνοδον τῶν νέων. — 4. Sigla notatus erat dies mensis
penultimus. Cf. Fränkel ad suum n. 374 B, n. 12.

---

351. Pergami in gymnasio. — Hepding, *Athen. Mittheil.*, XXXII (1907), p. 286, n. 15;
cf. XXXIII (1908), p. 420.

5 a-e et g-k. ...ο.|....ατ..|.. θεοι......|... ινως ι...‖.... ωνηνι.. |
[Αὐτοκράτωρ Καῖσαρ | Θεοῦ υἱὸς Νέρουας Τραιανὸς Ἄριστος Σεβαστὸς Γερ]-
μανικὸ[ς Δακικὸς ἀρχιερεὺς μέγιστος δη]|μαρχικῆς [ἐξουσίας τὸ.., αὐτοκράτωρ
τὸ.., ὕπατος τὸ.], πατὴρ π[ατρίδος, Περγαμηνῶν τοῖς] | νέοις χαί[ρειν.....

10 μέγι]στον μέρ[ος?.. εὐ]‖χαρίστουν ......οι φιλουπ...... [ἀγα]|θὸς τῆς χά[ριτος]
......ον ὑμεῖν ι......| τὰς φιλοτε[ιμίας τὰς πρὸς τὴν σύνοδον ὑμῶν καὶ τὴν εἰς
ἐμὲ εὔ]νοιαν. |

Α[ὐτοκράτωρ Καῖσαρ Θεοῦ] | Τραιανοῦ υἱὸς Θεοῦ Νέρουα υἱωνὸς Τραιανὸς
15 Ἀδριανὸς Σεβα]στὸς, δημ[αρχικῆς ἐξουσίας, συ]‖νόδῳ τῶν [ἐν Περγάμωι νέων
χαίρειν. Ἐπιγνοὺς ἐκ τ]ε τῶν γρα[μμάτων καὶ διὰ τοῦ πρεσβεύ]|οντος Κλ.
[Κύρου τὴν χαρὰν ὅσης ἐφ' ἡμεῖν ὡμολογεῖτ]ε μετειλη[φέναι, ἡγούμην σ]ημεῖα
ἀ[ν]|[ὁρῶν ἀγαθ[ῶν τὰ τοιαῦτα εἶναι] |.

[Αὐτοκράτωρ Καῖσαρ Θεο]ῦ Τραιανοῦ Π[αρθικοῦ υἱὸς Θεο]ῦ Νέρουα |
υἱωνὸς Τρ[αιανὸς Ἀδριανὸς Σεβαστὸς ἀρχιερεὺς μέγισ]τος, δημαρ[χικῆς ἐξου-
20 σίας τ]ὸ ις΄, ὕπα‖τος τὸ γ΄, π[ατὴρ πατρίδος, Περγαμηνῶν τῇ βουλῇ καὶ τῷ
δή]μῳ χαίρειν........ Ἀντωνίῳ Πολέμων[ι]......ων. ἐπρέ[σβευσαν.... Νυ]μφί-
διος | καὶ Ἰούλιο[ς......

Α]ὐτοκράτω[ρ Καῖσαρ Θεοῦ Τρ]αιανοῦ Παρθικοῦ [υἱὸς Θεοῦ Νέρουα υἱωνὸς
Τραιανὸς Ἀδριανὸ]ς Σεβαστὸς, [ἀρχιερεὺς μέγι]στος, δη|μαρχικῆς [ἐξ]ου[σίας
τὸ.., ὕπατος τὸ? γ΄, πατὴρ πατρίδο]ς, Περγαμη[νῶν τοῖς] ἄρχο[υ]σι καὶ τῆι |
βουλῆι καὶ [τ]ῶι δή[μωι χαίρειν].....εοις αὐτὸν.... ἤσεσθε καὶ τὰς αἰτί|ας δι'
25 ἃς ἐρυλα.....ρευσας....[μ]ηδὲν ταραχῶδες ‖ χρῆσθαι τῆι ι...[? Ἰού]νκος ὁ
ἐπίτροπός μου. Εὐτυχεῖτε.

.........ιορος ἐπιψηφισαμέ|νου Τι. Κ[λ]αυδί[ου...... τῆ]ς ἀρχῆς μὲν κατέ|σ-
τησαν......[μ]ετὰ ταῦτα αὐτοκρά|τορες τ......... ἡγεῖται τὰ τοῦ με|γίστου......
30 [διάταγ]μα Τραιανοῦ ‖ Ἀδριαν[οῦ]...... δος αὐτὴ συνδιητημεν ......ε ἔργου
βιαίου | μηδὲν ....ιᴧ π[α]ρ΄ ὁ καθὼς | καὶ ὑπ......... ἡμῶν με|....... ιᴧωνε|..
...ᴧ|.......

5   *l.* ..... α...|...ερ...|...φισ...|...λεω.‖.τιον..|...καθισ[τ.]..|... ἀρε..|..ο....

5   *m.* ....φε...|..τε...|. [γ]υμν[άσιον] .|..εις ..‖. στρα[τηγ].. | ....εγο...|...ωνε.
..|. [Σ]εβα[στὸς] | [πατὴρ] πατ[ρίδος] ι.....

5   *n.* ..... α..|..ετε..|.. [Περ]γαμηνῶ[ν] .|...νέων ἐλ..‖...λαμβανε..|.. [ἀ]ναγκαῖον
10 .|.λογιστο[ῦ..|...τῆ]ι βουλῆι κ[αὶ τῶι δήμωι?]| .τος τὸ ε ..‖..παραλήψ..|..τωι.....

5   *o.* .:...|..υι..|.οτ..|..οις..‖..μ..|. [Τραι]ανοῦ [Παρθικοῦ υἱὸς .|.. δημαρχικῆς
10 ἐξ]ουσίας...|...εισως..|ται καὶ τ.‖.. δεηγα...|..μα επ...|.......

  p. .....ωα...|..φοι..|... θεο..|..αργι.....

V. 1-24. Series est rescriptorum, quae ad Pergamenos missa fuerant ab imperatoribus
et in gymnasio lapidi incisa.

V. 1-5. Finem habebat epistula fortasse Trajani.

V. 6-12. Epistula Trajani ad collegium juvenum.

V. 13-17. Epistula Hadriani eadem quae in titulo n. 349 legitur, scripta Juliopoli die XII Novembris, anno 117 post C. n., ad juvenes Pergamenos, qui principi vix imperium adepto gratulati erant. Inde restituta sunt verba quae deerant.

V. 18-21. Epistula Hadriani, scripta anno 131-132 ad senatum populumque, videlicet quod honoribus ornavissent Antonium Polemonem, sophistam nobilissimum et principis amicum. *Prosop. imp. rom.*, I, p. 102, n. 685. Cf. n. 350, *a*, v. 2-5.

V. 21-25. Epistula Hadriani ad magistratus et senatum populumque, scripta fortasse post annum 128, quo pater patriae audiit.

V. 25-34. Epistulas imperatorum sequebantur profecto decreta senatus populique Pergamenorum.

n. v. 7, λογιστοῦ; curator aut civitati aut collegio juvenum ab imperatore datus.

o pertinebat ad aliud documentum, cui inscripta erant nomina Hadriani.

---

352. Pergami. — Dittenberger, *Orient. gr. inscr. sel.*, n. 484 et *Addenda*, p. 552; Keil, *Athen. Mittheil.*, XXIX (1904), p. 73.

.... λουμεν τω........|...... [μετεπεμ]ψάμην βουληθεὶς μὲ[ν] φαί|-
[νεσθαι δίκαιος κατὰ τὴν ἐμαυτοῦ συν]ήθειαν, μόνα δὲ ταῦτα ἐξετάσαι | [τὰ
5 ἐγκλήματα τῶν ἐργαζομένων ἐπ]ὶ τῆς πόλεως (ὑ)μῶν ἀνδρῶν, περὶ ὧν ‖ [ὁ
ἀποσταλεὶς ὑφ' ὑμῶν πρεσβευτὴς Κ]αλουίσιος Γλύκων ἐδίδαξεν ἡμᾶς · πα|[ρεῖ-
ναι δ' ἐκέλευσα αὐτούς, ἵνα δῆλ]ον ἦν εἴ τι λέγειν ἐβούλοντο. Ὁ οὖν τῆς
ἀ|[μείψεως τρόπος οὐ νόμιμος ἦν, ἀ]λ(λ)ὰ παρὰ τὸ δίκαιον καὶ παρὰ τὴν συναλ-
λαγὴν | [πράττειν αὐτοῖς ἐ]πέτρεπον · παρὰ γὰρ τῶν ἐργαστῶν καὶ καπήλων
καὶ τῶν ὀ|[ψαριοπωλῶν εἰ]ς τὸν λεπτὸν ἐμπολᾶν εἰωθότων χαλκὸν δεκαοκτὼ
10 ἀσσάρια ‖ [τὸ δη]νάρ[ιον] λαμβάνειν ὀφείλοντες καὶ τοῖς τὸ δηνάριον διαλ-
λάσσειν βου|[λ]ομένοι[ς πρὸ]ς [δ]ε[κα]επτὰ διδόναι οὐκ ἠρκοῦντο τὴν τῶν
ἀσσαρίων ἄμει|ψιν, ἀλλ[ὰ κ]αὶ ἐὰν δηναρίων ἀργυρῶν τις ἀγοράσῃ τὸ ὀψά-
ριον, καθ' ἕκα|στον δηνάριον εἰσέπρασσον ἀσσάριον ἕν. Ἔδοξεν οὖν ἡμεῖν καλῶς
ἔχειν | εἰς [τ]ὸ λοιπὸν τοῦτο διορθῶσθαι, ἵνα μὴ συμβαίνῃ τοῖς ὠνηταῖς
15 ὑπ' αὐτῶν ‖ τελωνεῖσθαι, καθ' ὧν οὐδεμίαν αὐτοῖς ἐξουσίαν δεδόσθαι συμβέβηκεν. |
Ὅσα μέντοι τῶν λεπτῶν ὀψαρίων σταθμῶι πιπρασκόμενα τιμᾶται ὑπὸ | τῶν
ἀγορανόμων, τούτων, κἂν πλείονας μνᾶς ὠνήσωνταί τινες, ἤρε|σεν ἡμεῖν τὴν
τιμὴν αὐτοὺς διδόναι πρὸς κέρμα, ὥστε ἀπ' αὐτῶν σώσ|ζεσθαι τῆι πόλει τὴν
20 ἐκ τοῦ κολλύβου πρόσοδον. Ὁμοίως καὶ ἐὰν πλείο‖νες συνθέμενοι ἀργυρῶν δηνα-
ρίων δόξωσιν ἠγορακέναι εἶτα διαι|ρῶνται, καὶ τούτους λεπτὸν διδόναι χαλκὸν

τῶι ὀψαριοπώληι, ἵνα ἀνα|φέρηται ἐπὶ τὴν τράπεζαν · διδόναι δὲ πρὸς δεκαεπτὰ
ἀσσάρια, ἐπει|δὴ ἡ τῆς ἀμειπτικῆς ἐργασία<ς> δοκεῖ μόνοις τοῖς ἐργασταῖς
διαλέγεσ|θαι.. Ἡ(λέ)(γ)χθησαν μετὰ τοῦτο καὶ ἕτερά τινα συνκεχωρηκότες
25 ἑαυ|τοῖς κερδῶν ὀνόματα ἀσπρατούραν τε καὶ τὸ καλούμενον παρ' αὐτοῖς |
προσφάγιον, δι' ὧν ἐπηρέαζον μάλιστα τοὺς τὸν ἰχθῦν πιπράσκοντας. | Καὶ
ταῦτα οὖν ἐδοκιμάσαμεν διορθῶσθαι · πλεονεκτεῖσθαι γὰρ καὶ τοὺς | ὀλίγους
ὑπ' αὐτῶν ἀνθρώπους (οὐ) δ[ίκ]αιον ἦν, συνέβαινεν δὲ πᾶσιν αἰσθη|τὴν
30 γείνεσθαι τοῖς ὠνουμένοις τὴν ἄδικον τῶν πιπρασκόντων ζη||μίαν. Ἡτιάθησαν
καὶ ὡς ἐνεορτάδια παρὰ τῶν ἐργαστῶν εἰσπράσσον|τες, ἅπερ ἀρνουμένων αὐτῶν
ἡδέως ἐπίστευον, τοῦ μὴ ὀφείλειν | γείνεσθαι τὸ τοιοῦτο λαμβάνων καὶ τὴν
παρ' αὐτῶν συνκατάθεσιν. | Μόνον μέντοι ὡμολόγουν τῶι Ὑπερβερεταίωι μηνὶ
διδόσθαι ἑαυ|τοῖς τὸ εἰς τὸν Ἑρμῆ λεγόμενον ἐκ τοιαύτης ἀφορμῆς · ὅρκον
35 ἑαυτοῖς || ἀπαιτεῖν συνκεχωρῆσθαι παρὰ τῶν ἐνπολώντων τὸ λεπτὸν καὶ | πρὸς
αὐτοὺς ἀναφερόντων περὶ τοῦ μηδὲν αὐτοὺς παρὰ τὴν διά|ταξιν πεποιηκέναι.
Τοὺς οὖν διὰ τὸ συνειδὸς ὀμνύναι μὴ δυναμέ|νους διδόναι τι αὐτοῖς, ὥστε μὴ
τὴν τοῦ ὀμνύναι ἀνάγκην ὑπομέ|νειν, ὃ οὐκ ἔδοξεν ἄλογον. Ἀντομνύναι μέντοι
40 καὶ αὐτοὺς τοῖς ἐργ[ασ]|ταῖς περὶ τοῦ μηδὲν αὐτοὺς ἠδικηκέναι ἐν τῆι τοῦ
ἀργυροῦ νομίσ[μα]|τος δόσει καὶ αὐτὸ δίκαιον ἡγησάμην. Ἐλέγοντο καὶ ἐνε-
χυρα[σί]|ας ἑαυτοῖς ποιεῖσθαι<ν> ἐπιτρέπειν ὅλας τε τῶν ἐργαστῶν ἔσ[θ' ὅτε] |
κρατεῖν τὰς ἐμπολὰς, τῆς συναλλαγ[ῆς οὐ τοῦτο συνχωρού[σης], | ἀλλὰ ἐπὶ
45 τοὺς ταμίας αὐτοὺς παραγείνεσθαι κελευούση[ς, ἐὰν] || αἰτιάσωνταί τινα, καὶ
παρ' ἐκείνων δημόσιον λαμβάνειν δοῦ]λον, ἵνα νομίμως ποιῶνται τὴν ἐνεχυρα-
σίαν, ὥστε [τὸ πρὸ τῆς] | κρίσεως τούτωι τῶι τρόπωι ληφθὲν μένειν τοῖ[ς ὀφεί-
λουσ]ι. | Καὶ τοῦτο οὖν ἔδοξεν ἡμεῖν οὕτως ὀφείλειν γείν[εσθαι, ὅπ]ως πε|ριεῖχεν
50 ἡ ἔκδοσις, καὶ διὰ τοῦ δημοσίου μέντοι [δούλου μὴ σύ]μμε||τρον εἶναι τὴν ἐνε-
χυρασίαν, ἀλλὰ ἢ τὸ ἱκαν[ὸν πρὸ κρίσε]ως λ[α]μβά[νεσθαι, ἢ ἐὰν δοῦναι τις
μὴ δύνηται τὸ σ[υμβόλα]ιον, εἶνα[ι τ]ὸ ἐ|νέγυρον ὅσου ἂν τὸ πρᾶγμα καὶ τὸ
ἐπ' αὐτῶι [πρόσ]τιμον ἦ. [Τὰς μέντ]οι κρίσεις γείνεσθαι μὴ ἐπὶ τῶν ἐστρα-
τη[γηκ]ότων | ἀνδρῶν ἐξ ἀπολογῆς εὔλο[γον εἶ]ναι νομίζω, ἔτι δὲ το[ὺ]ς
55 μὲν τα[μ]ίας μετέχειν τῆς χρε[ίας κ]αθῆκον, το[ὺς δὲ ἐσ[τρα]τη[γηκ]ότας |
καὶ ἐμπείρους εἶνα[ι καὶ ....ο]υς τῶν πραγμάτ[ω]ν [κα]ὶ με..... μον|τας τὸ
τῆς περ[ιγιγνομένης] οὐσίας αὐτοὺς ἀπο[στ]ε[ρε]ῖν δυνάμε|νον, τὸν δὲ.......
.... ε. κεν καὶ οἷς ἂν ἄλλ[οις] τελώναις | ἐφε[δ]ρεύοντας ἔγνωμεν ποιε]ῖσθαι
60 αὐτοὺς τὴν ἐνεχυρασίαν κα[ὶ] || .... ταῖς ἀγοραίοις πιπρασκομένων ι.... |

................ως διδοσθαι τέλος, ἀλλ' ἐὰν λ.... | .... να.ερεινε... ιτη...... |

Imperatoris, qui veri similiter existimatur fuisse Hadrianus, rescriptum est de collybo. Inde apparet « Pergami fuisse mensam argentariam publicam (δημοσίαν τράπεζαν), sed eam hominibus privatis, qui in hoc quaestus genere versarentur (τραπεζίται;), locatam fuisse ea condicione, ut non certam quotannis summam mercedis loco aerario civitatis numerarent, sed lucri sui partem aliquotam. Videmus enim non modo ipsorum argentariorum interfuisse augeri pecuniam ex illo negotio redeuntem, sed etiam ad ipsam civitatem inde aliquid emolumenti rediisse (vv. 18, 19). Illis igitur mensae publicae conductoribus id privilegii lege civitatis concessum erat, ut nulla nisi per eos pecuniae commutatio fieret. Quo jure cum illi impudenter abusi essent et exactiones novas neutiquam legitimas ad quaestum, quem ex commutandi negotio faciebant, adjunxissent, magistratus Pergamenorum quidem, quia etiam aerarium publicum inde aliquid lucrabatur, illorum avaritiae obviam ire neglexerunt, quare mercatores aliique homines privati, illorum fraude vexati, imperatorem adierunt, qui causa cognita hoc rescripto toti controversiae finem imposuit. » Dittenberger.

V. 2. μετεπεμψάμην. Eos, inter quos lis erat, Romam evocaverat imperator, nempe negotiatores et magistratus Pergamenos.

V. 4. ἐγκλήματα..... crimina a negotiatoribus in civitatem vestram intenta. HMΩN lapis.

V. 6. αὐτούς, trapezitas etiam Romam accitos, ut pro se ipsi dicere possent.

V. 6-7. ἀμείψεως, commutatio pecuniae, collybus.

V. 7. συναλλαγήν, pactum inter civitatem et trapezitas de locatione mensae publicae.

V. 8. ἐργασταί, magnarii fabri et negotiatores; κάπηλοι, institores; ὀψαριοπῶλαι, piscatores propolae.

V. 9. λεπτός, as aheneus, moneta provincialis (cf. n. 353 d), distinguitur a denario argenteo, moneta imperiali.

δεκαοκτώ. « Cum as proprie sextadecima denarii pars esset, tamen tunc temporis tantum intercessit inter utrumque genus discrimen, ut septendecim aut duodeviginti assibus provincialibus denarius Romanus permutaretur. » Dittenberger. Cf. Chapot, *La province romaine d'Asie*, p. 348.

V. 11. διδόναι, denarium septendecim assibus permutare. « Singulorum in singulos denarios assium est collybus, quem trapezitae percipiunt ea condicione ut certam partem aerario publico pendant. » Dittenberger.

V. 15. ἐξουσίαν. « Qui in suum usum pisces aut aliud quid mercantur, ad eos potestas (ἐξουσία) argentariorum non spectat, quia sive denariis argenteis, sive assibus aheneis pretium pendunt, permutatione non opus habent; uni venditores (ἐργασταὶ κάπηλοι, ὀψαριοπῶλαι) ad mensam accedere debent, ut quae singillatim aheneis nummis ab emptoribus acceperunt argento commutent. Quod lucrum ne minueretur, contra jus et pactum eos emtores, qui argentum solverunt, ipsos adierunt trapezitae, ut sibi pro collybo assem penderent. Quod quoniam id non minus lucri reipublicae quam argentariis afferebat, magistratus (ἀγορανόμοι) hanc injuriam non modo non prohibuisse, sed adeo sua auctoritate adjuvisse videntur. » Dittenberger.

V. 16. τιμᾶται. Quibus certum pretium constituitur ab aedilibus.

V. 18. πρὸς κέρμα (λεπτὸν χαλκὸν), ad assem aheneum.

V. 21. ὀψαριοπώληι. « Qui unus in suum usum tantum emit ut denariis argenteis pretium persolvere possit, ab eo non, ut adhuc factum est, collybum exigere licebit trapezitis; sed si qui plures conjunctim emerint et inter se diviserint, id fecisse existimabuntur ut legi fraudem facerent et reipublicae reditum subtraherent; ideo cogentur argentum suum recipere et pro eo aes dare, quod deinde venditor permutare debebit..» Dittenberger.

V. 22. ἀσσάρια. « Ita pendent emtores, ut pro singulis denariis septeni deni asses computentur, cum venditor in mensa publica argentaria duodevicenos dare debeat. Ita efficietur ut collybus unius assis non ab emtore sed a venditore detur. »

V. 23. ΕΡΓΑΣΙΑΣ lapis; corr. von Prott, *Athen. Mittheil.*, XXVII, 1902, p. 78. Nihil corrigendum arbitratur Keil, qui tamen interpretatione sua rem non dirimit.

ἐργασταῖς, magnarii tantum mercatores (von Prott), mercatores omnes, cum magnarii, tum institores (Dittenberger). Locus perquam obscurus est.

V. 24. ΗΔΕΕΧΘΗΣΑΝ lapis.

V. 25. ἀσπρακούραν. Asper dicebatur nummus novus, recenter cusus (cf. n. 496, v. 4), qui nondum usu detritus erat: Suet., *Ner.* 44. Detritos nummos trapezitae « non accipiebant nisi addita pensione, qua hoc vitium quodam modo sarciretur. Haec erat *aspratura.* » Dittenberger.

V. 26. προσφάγιον, « Quo pacto pecuniam, qua *obsonium* emerent, a negotiatoribus exigere potuerint trapezitae », non liquet.

V. 28. (οὐ) ὀ[ἰκ]αιον. Corr. Keil, qui sic interpretatur : « vexari enim ab eis etiam paucos homines (piscium venditores) jam injustum erat; sed inde factum est ut ii omnes, qui pisces emebant, ipsi quoque sentirent injustum vendentium damnum, » quia qui vendebant pretia augere cogebantur, unde in plurimos homines redundabat injuria.

V. 30. ἐνεορτάδια, dona per festos dies data.

V. 33. Ὑπερβερεταίωι, mensis anni Asiatici ultimus, a die xxiv Augusti ad diem xxii Septembris.

V. 36-37. διάταξιν, constitutio aliqua de eadem re prius a magistratibus Pergamenis edicta.

V. 49. ἔκδοσις, locatio mensae publicae.

V. 50. τὸ ἱκανὸν λαμβάνεσθαι, latine *satis accipere,* dicitur de eo cui praedibus cavetur.

V. 52. πρόστιμον ἧ. « Vetantur hic plus quam quanti debita summa pecuniae addita multa sit pignoris loco auferre trapezitae. » Dittenberger.

V. 54. ἐξ ἀπολογῆς, ex delectu, fortasse « ea condicione ut utrique ex litigantibus judices reicere liceat. » Dittenberger.

V. 57. οὐσίας. Haec Dittenberger sumit « de artificio quodam fraudulento trapezitarum, quo etiam eam partem rei familiaris pignori oppositae, quae reliqua esset deducta pecunia debita, eripere conentur debitoribus. »

V. 59. ἐφεδρεύειν, insidiari.

353. Pergami. — Fränkel, *Alterth. von Pergamon*, VIII, ιι, n. 374 et *Add.* p. 512; Von
Prott et Zichem, *Leges Graecorum sacrae* (1896-1906), I, p. 54, n. 27.

In fronte :

a. ['Αγαθῆι τύχηι.] | [Αὐτοκρά]τορι Καίσα[ρι Τραιανῶι | 'Αδριαν]ῶι Ὀ(λ)υ-
5 μπίωι, σωτῆρι καὶ | [κτί]στηι, ὑμνῳδοὶ θεοῦ ‖ Σεβαστοῦ καὶ θεᾶς Ῥώμης |
Τ. Φλ. Φιλόξενος, Π. Κειυντίλιος Μείδων, | Τ. Κλ. Σκρειβώνιος, Τ. Κλαύδιος
Μαρκιανὸς, | Διονύσιος Ἑρμογένους, Τι. Κλ. 'Ασκληπιάδης, | Γ. Σείλιος Ὀτα-
10 κιλιανὸς, ‖ 'Α. Ἰούλ. Ἱπποκράτης Οὐλπιανὸς, Ἱπποκράτης ὑὸς, | Γν. Ὀτακίλιος
Πωλλίων, Πωλλίων ὑὸς, | Λ. 'Ανείνιος Φλάκκος, Λ. Στατείλιος Μοσχιανὸς, |
Π. Αἴλιος Διονύσιος, Αἴ. Διονύσιος ἔκγονος, | Τ. Φλ. Ἑρμογένης, Φλ. Κυιντ.
15 Ἑρμογένης ἔγγονος, ‖ Τι. Οὔλπιος Διογένης, Μόσχος Μόσχου ὀλυμπιονείκης, |
Μ. Ἰού. Οὐλπιανὸς 'Ασκληπιόδωρος, | 'Α. Καστρίκιος Παῦλος.....λο....., |
20 Τι. Κλ. Παυλεῖνος.....κα...μ........., | Τ. Φλ. 'Αλέξανδρος............., ‖ 'Α.
Ἰούλιος Διονύσιος, Α. Γέσσιος 'Αλέξανδρος, | Γ. Ἰούλιος Ἑρμαίσκος Βασσια-
νός, | Μ. 'Αλβείνιος Βάσσος Σεμπρωνιανὸς, | Μένιππος Μενίππου, | Π. Σείλιος
25 Πωλλιανὸς, ‖ Τ. Φλ. Πωλλιανὸς, | Τ. Φλ. Ἰουλιανὸς, | Κάεικος Καείκου, |
Α. Ἰούλιος Νόητος, Λ. Ἄννιος, Κλ. Φίλητος Ἰουλιανὸς ὑὸς, | Τ. Φλ. Και-
30 κιλιανὸς, Αἴλιος Τατιανὸς, ‖ Τι. Κλαύδιος Προχιλλιανὸς, | ἀν[αθέντων] τ[ὸ]ν
βωμὸν ἐκ τῶν ἰδίων Καστρικίων | .... [Καπί]τωνος θεολόγου | ......ρων |
.............ς Ἰούλι|[ος]....

In latere dextro :

b. 'Αγαθῆι τύχηι. | Ὅσα τῶι ἐνιαυτῶι παρέχει τῆς | ἀρχῆς ὁ εὔκοσμος · |
5 μηνὸς Καίσαρος Σεβ(αστῇ), γενεσίῳ Σεβαστοῦ, ‖ μνᾶν · | μηνὸς Περειτίου,
καλ(άνδαις) Ἰανουαρίαις, μνᾶν, | ἄρτον · | μηνὸς Πανήμου Σεβ(αστῇ), ῥοδισμῷ, |
10 μνᾶν, ἄρτον · ‖ μηνὸς Λώου γ΄, μυστηρίοις, οἶνον, | μνᾶν, ἄρτον · | μηνὸς
Ὑπερβερεταίου προ(τέρᾳ), μνᾶν, ἄρτον. |

Παρέξει δὲ ὁ εὔκοσμος τῇ τοῦ Σεβαστοῦ | ἐνμήνῳ γενεσίῳ καὶ ταῖς λοιπαῖς
15 γενε|σίοις τῶν αὐτοκρατόρων στεφάνους τοῖς ‖ ὑμνῳδοῖς, καὶ τοῖς μυστηρίοις
στεφάνωσιν | ἐν τῷ ὑμνῳδείῳ καὶ στεφάνους ὑμνῳδοῖς | καὶ τοῖς υἱοῖς αὐτῶν
20 πάσης ἡμέρας καὶ | πόπανον καὶ λίβανον καὶ λύχνους τῶ | Σεβαστῶι. ‖ Τοῖς
δὲ ἀν[α]παυομένοις εἰς λίβανον προχρήσει | ὁ ἄρχων (δηνάρια) ιε΄, ἃ ἀπολή-
ψεται παρὰ τοῦ εἰς τὸν τόπον | αὐτοῦ εἰσιόντος · | παῖδες δὲ κηδεακοῦ λήψονται
εἰς λίβανον ἐκ τοῦ κοι|νοῦ (δηνάρια) ιβ΄. |

In tergo :

c. Ἀγαθῆι τύχηι. | Ὅσα τῶι ἐνιαυτῶι παρέχει τῆς ἀρ[χῆς] | ὁ ἱερεύς · |
5 μηνὸς Περειτίου, καλάν(δαις) Ἰανουαρίαις, ‖ οἶνον, στρῶσιν, μνᾶν, ἄρτους γ′ · |
μηνὸς Πανήμου β′, ῥοδισμῷ, οἶνον, | στρῶσιν, μνᾶν, ἄρτους γ′ · | μηνὸς
Ὑπερβερεταίου προ(τέρᾳ), μνᾶν, ἄρτους γ′ · | τοῦ αὐτοῦ μηνὸς λ′, παραβωμίου
10 οἶνον, ‖ στρῶσιν (δηναρίου) α′ · | δώσουσιν δὲ οἱ καθιστάμενοι ἐξωτικοὶ ὑμνῳ|-
?οὶ εἰς εἰκόνας τῶν Σεβαστῶν (δηνάρια) ν′. |

In latere sinistro :

d. Ἀγαθῆι τύχη[ι]. | Ὅσα τῷ ἐνιαυτῷ παρέχει τ[ῆς ἀρχῆς] | ὁ γραμματεύς · |
5 μηνὸς Ὑπερβερεταίου προ(τέρᾳ), γενεσίῳ Σ[ε]‖βαστῆς, οἶνον, στρῶσιν (δηνα-
ρίων) β′, μνᾶν · | μηνὸς Περειτίου, κα(λ)άνδαις Ἰανουαρίαις, | μνᾶν, (δηνάριον)
α′, ἀ(σσάρια) 0′ τοῦ λεπτοῦ · | μηνὸς Πανήμου γ′, ῥοδισμῷ, | στρῶσιν (δηναρίου)
10 α′, μνᾶν, ἄρτον · ‖ μηνὸς Λώου Σεβ(αστῇ), μυστηρίοις, οἶνον, στρῶσιν, | μνᾶν,
ἄρτον.............. | .... | Ἰσηλυσίου παρέξει ὁ κατασταθεὶς
15 ὑμνῳδὸς | εἰς θυσίας τοῦ Σεβαστοῦ καὶ τῆς Ῥώμης (δηνάρια) ρ′, ‖ ἑκάστῳ
ὑμνῳδῷ (δηνάρια) ιε′, θεοῖς διπλᾶ (δηνάρια) λ′, | οἶνον, ἄρτους τρεῖς, ὑοῖς
ἄρτου, μνᾶς τὰ ἡ|μίση · ὁ δὲ πατρῷον διαδεξάμενος | ὕμνον δώσει θεοῖς (δηνά-
20 ρια) ιε′, ἑκάστῳ ὑμνῳ|δῷ (δηνάρια) ζ′, οἶνον, στρῶσιν · οἱ δὲ ‖ ἄρχοντες δώσουσι
καὶ υἱοῖς τοῖς τὰ | [χ]ορεῖα δεδωκόσι τοῦ λεπτοῦ παντὸς τὰ | ἡμίση.

Lapis sine dubio ex templo Romae et Augusti ablatus est; in eo enim fungebantur
suo officio hymnodi, quorum ad collegium pertinent tituli qui sequuntur, in quatuor
lateribus ejusdem altaris exarati. Hymnodorum autem collegia, cum Caesares, tum
etiam alios deos in Asiae urbibus colendos curaverunt : cf. hujus operis *Indices* et
Fränkel ad hunc locum.

a. Recensentur hymnodi, quorum nomine altar Hadriano positum est, numero tri-
ginta quinque, ut videtur; nam duo nomina erasa sunt vv. 17 et 18.

V. 5. P. Quintilius (Κειυντῖλιος) Midon Lupianus, aut certe vir ejusdem familiae, notus
est titulo Pergameno : Le Bas, *Asie*, 1723 *b.*

V. 8. C. Silius Otacilianus strategus. Cf. Fränkel, n. 361.

V. 9-10 pater et filius, 12-13 avus et nepos pariter inter hymnodos referuntur. Cf. *d*
16 et sequ. V. 26 Cl. Philetus Julianus dicitur filius, quanquam deest nomen patris,
profecto vita defuncti. V. 13 Fl(avius) Quint(us) Hermogenes; praenomen post nomen
gentilicium errore positum est.

V. 23. Κάεικος Caici fluminis nomine nuncupatus erat; cujus moris exempla congessit
Fränkel ad n. suum 188, p. 116.

V. 29. Pecunia sua monumentum posuerunt soli inter hymnodos ii quorum seque-
bantur nomina. Castriciorum unus supra (v. 16) relatus est A. Castricius Paulus; sed de
altero fortasse in lacunis vv. 16, 17, 18 mentio facta erat.

V. 30. Θεολόγος ναῶν τῶν ἐν Περγάμῳ, *Bull. de corr. hellén.*, IX, p. 125, 4, 65; de illo
officio vide Dittenberger, *Orient. gr. inscr. sel.*, ad n. suum 513, n. 4; cf. Fränkel, n. 525.

b. Enumerantur ea quae collegio praestare debet anno officii sui (τῶι ἐνιαυτῶι τῆς ἀρχῆς)
is qui hymnodis praeest.

V. 3. ὁ εὔκοσμος vocatur hymnodorum praeses, quia εὐκοσμίαν inter eos tuetur. Cf. κόσ-
μους, magistratus Cretenses, ap. Dittenberger, *Orient. gr. inscr. sel.*, n. 270, v. 10, et
Athen. Mittheil., XIX (1894), p. 248, v. 93, 135.

V. 4. Mensis Caesaris, primus anni Asiatici, incipiebat die xxiii Septembris, Augusti
natali. Σεβαστή autem vocabatur mensis cujusque dies i : Usener, *Bull. dell' Ist. di Roma*,
1874, p. 73.

V. 6. Περείτιος mensis die xxiv Decembris incipiebat.

V. 8. Πάνημος mensis die xxiv Maii incipiebat.

Ῥοδισμός, dies rosae, rosationis, primus Rosalium (xxiv-xxvi Maii). Cf. Hild, s. v. ap.
Daremberg et Saglio, *Dict. des antiq. gr. et rom.*

V. 10. Λῶος mensis die xxiii Junii incipiebat. Die iii Loi (xxv Junii) exibat triduum
mysteriorum. (Cf. *d*, v. 10 et *c*, v. 8).

V. 12. Ὑπερβερεταῖος mensis, anni Asiatici ultimus, incipiebat die xxiv Augusti; illius
προτέρα, dies paenultimus (Usener, *loc. cit.*), incidebat in xxi Septembris, Liviae natalem.
Cf. *d*, v. 4. Haec igitur praesidem collegio praestare oportebat :

Die I Καίσαρος	XXIII Sept.	Natali Augusti		minam 1.
— (IX) Περειτίου	I Januarii	(Die strenarum)		minam 1, panem 1.
— I Πανήμου	XXIV Maii	I Rosalium		minam 1, panem 1.
— III Λώου	XXV Junii	III Mysteriorum	vinum,	minam 1, panem 1.
—XXIX Ὑπερβερεταίου	XXI Sept.	Natali Liviae		minam 1, panem 1.
				minas 5, panes 4.

V. 13-14. Σεβαστοῦ ἐνμήνῳ γενεσίῳ. Augusti dies natalis non modo die xxiii Septembris
(cf. v. 4) cujusque anni celebrabatur, sed etiam die xxiii mensis romani cujusque, sive
i mensis cujusque Asiatici (Σεβαστή), ut moris fuerat reges Pergamenos colere.

V. 14-15. Reliqui dies natales imperatorum, non quoque mense, ut Augusti, sed
quoque anno celebrantur neque praestare oportet pecuniam et panem.

V. 17. ὑμνωδεῖον, aedes in quam hymnodi conveniebant.

V. 18. πάσης ἡμέρας, tribus diebus mysteriorum singulis (cf. v. 10).

V. 19-20 : crustulum tusque sacro faciendo et lucernas illuminando Augusteo.

V. 21 : « Cremando turi in honorem defuncti collegae (ἀναπαυομένοις) dabit in ante-
cessum collegii praeses (ὁ ἄρχων) denarios XV, quos recuperabit a novo collega in locum
mortui (αὐτοῦ) ineunte ».

V. 24. « Pueri (nempe servi) libitinarii accipient cremando turi ex aerario collegii
denarios XII », praeter alios XV, quae a novo·collega solventur. Hac lege cautum erat
ne quidquam improvisum adderetur annuis praesidis oneribus.

c. Enumerantur ea quae collegio praestare debet anno officii sui sacerdos.

V. 5. στρῶσιν (κλίνης), stratio mensae et lectorum (*C. I. L.*, X, 114; XIV, 2112).

V. 6. Πανήμου die II = XXV Maii, II Rosalium.

V. 8. Λώου die II = XXIV Junii, II Mysteriorum.

V. 10. τοῦ αὐτοῦ μηνὸς λ', id est Ὑπερβερεταίου die XXX, anni Asiatici ultimo. Cum anni insequentis die primo (mensis Καίσαρος I) celebraretur Natalis Augusti, apparet pridie etiam festum actum esse. Cf. Suet., *Aug.*, 57; *C. I. L.*, XI, 3303; Henzen ad *Acta Arval.*, ann. 38. Itaque non biduo solum, sed triduo feriati erant Pergameni hoc ordine :

Die XXIX Ὑπερβερεταίου	XXI Septembris	Natali Liviae.
— XXX —	XXII —	Pridie Natalem Augusti.
— I Καίσαρος	XXIII —	Natali Augusti.

παραδώμιος, cantus qui ad aram dei canebatur, quanquam ab ipso hymno differebat. Dittenberger, *Orient. gr. inscr. sel.*, n. 309, v. 8, 11. Haec igitur sacerdotem collegio praestare oportebat :

Die (IX) Περιτίου	I Januarii (Die strenarum)	vinum, strationem, minam 1, panes 3
— II Πανήμου	XXV Maii II Rosalium	vinum, strationem, minam 1, panes 3
— II Λώου	XXI Junii II Mysteriorum	vinum, minam 1, panes 3
— XXIX Ὑπερβερεταίου	XXI Sept. Natali Liviae	minam 1, panes 3
— XXX —	XXII — Pridie Natalem Augusti	vinum, strationem denarii 1

minas 4, panes 12

V. 12. ἐξωτικοί, hymnodi, qui, quanquam Pergameni non erant, in collegium fuerant cooptati.

V. 13. Ad imagines Augustorum faciendas et tuendas solvebant denarios 50; quarum cura ad sacerdotem pertinebat.

d, 1-11. Enumerantur ea quae collegio praestare debet anno officii sui scriba.

V. 1. Non initio anni asiatici, ut supra (*b*, 4; *c*, 4), sed fine, incipit enumeratio, quia die anni paenultimo incipiebat festorum triduum. Cf. commentarium ad *c*, 10.

V. 7. Mina 1, drachma 1, asses 9 pecuniae nostratis (cf. *d*, 21) : drachma enim asiatica perinde valebat tanquam 3/4 denarii.

V. 8. Πανήμου die III = XXVI Maii, III Rosalium.

V. 10. Λώου die I = XXIII Junii, I Mysteriorum. Haec igitur scribam collegio praestare oportebat :

Die XXIX Ὑπερβερεταίου	XXI Sept.	Natali Liviae	vinum, strationem denariorum 2, minam 1
— (IX) Περιτίου	I Januarii	(Die strenarum)	minam 1 drachmam 1 asses 9
— III Πανήμου	XXVI Maii	III Rosalium	strationem denarii 1, minam 1, panem 1
— I Λώου	XXIII Junii	I Mysteriorum	vinum, strationem, minam 1, panem 1

minas 4, panes 2
drachmam 1
asses 9

V. 13. ἰσηλύσιον = εἰσηλούσιον (Hesych. s. v.; *C. I. Gr.* 3173 A), ut εἰσόδιον, taxatio ineuntibus sociis imposita.

V. 15. Praestabit cuique hymnodo denarios 15, deorum autem (Augusti et Romae) aerario duplum, sive denarios 30, rursus hymnodis vinum, panes tres, hymnodorum filiis universis panis et minae unius dimidium. Die enim, quo novus socius in collegium veniebat, apparabatur epulum non modo ipsis hymnodis, sed etiam eorum filiis.

Haec igitur oportebat ut novus socius, praeter vinum et panem, collegio solveret :

ad sacra Augusti et Romae..denarios 100
hymnodis (den. 15 × 35)............................... — 510
diis.. — 30
filiis hymnodorum minae dimidium........................... — 62 1/2

denarios 702 1/2

V. 17. ὁ δὲ πατρῷον..... Hymnodorum quisque suum ipsius hymnum praestare collegio debet. Novus tamen socius, qui hymnum a patre hymnodo acceperit, poterit illum praestare et taxatio ejus minuetur plus quam dimidio; nam, praeter vinum et strationem, ab eo tantum exigentur

diis..denarios 15
hymnodis (den. 7 × 34)........................... — 238

denarios 253

V. 19. οἱ δὲ ἄρχοντες... Hymnodorum filios, qui hymnodi ipsi non erant, in collegium tamen venire suo quemque cum patre licebat, imo interesse sacris (*a*, 9, 10, 12, 13; *b*, 18; *d*, 16) chorisque, ea condicione ut statam pecuniam (χορεῖον) statis temporibus solverent. Cum autem hymnodi filius vere hymnodus ipse volebat fieri et succedere in locum socii alicujus defuncti, tum ab eo exigebatur taxatio, quae supra definita est (v. 17); sed collegii principes (οἱ ἄρχοντες), nempe praeses et scriba, ei reddebant dimidium totius pecuniae (τοῦ λεπτοῦ παντός), quam ut χορεῖον antea solverat.

De Pergamenis ὑμνῳδοῖς cf. Fr. Poland, *Geschichte des griesch. Vereinswesens* (1909), p. 46 et seq. et Register IV, s. v.

---

354. Pergami. — Fränkel, *Alterth. von Pergamon*, VIII, II, n. 399.

5 [Αὐτοκράτορα Καί|σαρα Θεοῦ Τραιανοῦ | Ἀδριανοῦ | υἱὸν Θεοῦ ‖ Τραιανοῦ]
Π[α]ρ[θ]ι[κοῦ | υἱωνὸν Θε]οῦ Ν[έ]ρο[υα | ἔκγονον] Τίτο[ν Αἴλ(ιον) | Ἀδρια-
10 νὸν Ἀ]ν[τ]ωνεῖ[νον | Εὐσεβ]ῆ, [ἀ]ρ[χιε‖ρέα μέγιστον?]...............

---

355. Pergami. — Fränkel, *Alterth. von Pergamon*, VIII, II, n. 400.

[Ὁ δῆμος ἐτίμησεν Αὐτο|κράτορ]α Κ[αίσαρα Τίτον] | Αἴλιον Ἀδ[ριανὸν
Ἀντω|νε]ῖνον Σ[εβαστὸν]...........

356. Pergami. — Conze, *Athen. Mittheil.*, XXIV (1899), p. 173, n. 17; Hepding, *ibid.*, XXXII (1907), p. 291.

[Αὐτοκράτωρ] Καῖσα[ρ Θεοῦ Ἀδριανοῦ υἱὸς | Θεοῦ Τραιανοῦ] Παρθικ[οῦ υἱωνὸς Θεοῦ | Νέρουα ἔκγονος] Τίτος Α[ἴλιος Ἀδριανὸς Ἀντω|νεῖνος Σεβασ‑
5 τὸ]ς, ἀρχιερεὺ[ς μέγιστος δημαρ‖χικῆς ἐξουσία]ς τὸ β΄ ΄, ὕπ[ατος τὸ β΄, πατὴρ πατρίδος].....

1. Anno 139 p. C. n. Incipiebat epistula aut edictum Antonini.

---

357. Pergami in templo Minervae. — Fränkel, *Alterth. von Pergamon*, VIII, ii, n. 275.

Α[ὐτοκράτωρ Καῖσαρ Θεοῦ Ἀδρια]|νοῦ υ[ἱ]ὸς Θε[οῦ Τραιανοῦ Σεβαστοῦ] | υἱωνὸς Θεοῦ Ν[έρουα ἔκγονος Τίτος] | Αἴλιος Ἀδριαν[ὸς Ἀντωνεῖνος
5 Σε]‖βα[σ]τὸς, ἀρχι[ερεὺς μέγιστος, δη]‖μαρχικῆς ἐ[ξουσίας τὸ ., ὕπα]|τος τὸ γ΄ ΄, πα[τὴρ πατρίδος, τοῖς] | ἐν Περγά[μωι νέοις? χαίρειν · | Πρὸ] ε΄ κα(λαν‑
δῶν) ‖ Σ[ε]πτεμ[βρ]ίων² | ἀπὸ Κα|[π]ύης · | Καὶ τὰ ἄλ[λα............] ‖
10 εἴνεκα σ..............]|τῃ σὺν ε.......] | ὑπὲρ τῆς [........... οὐκ ἀ]|γνω‑
μο[ν].............

1. Annis 140-146 post C. n. — 2. Ante diem V Kalendas Septembres = die xxviii Augusti.

---

358. Pergami prope Trajaneum. — Fränkel, *Alterth. von Pergamon*, VIII, ii, n. 276.

.... [Περγα|μ]ην[ῶν τοῖς ἄρχουσι καὶ τῇ] | βο[υλῇ καὶ τῷ δήμῳ ·] |
5 Ἡ προθυ[μία, ἣν.........]|τε μοι π......, | ἀποδε[ίκνυτε?...... ἵ]|να δὲ κ[αὶ
10 ......]|τε γὰ[ρ.........] | καὶ ἐμ[.........? ἀγῶ]‖νας...... | Θήσ[ειν?] .... |
....

Epistula Antonini Pii imperatoris, ut ex forma litterarum conjecit editor.

---

359. Pergami prope Trajaneum. — Fränkel, *Alterth. von Pergamon*, VIII, ii, n. 277.

a. .... | .... [δημα]ρχικῆς [ἐξουσίας τὸ... | .. αὐτοκ]ράτωρ τὸ [..,
5 ὕπατος τὸ.., | πατὴρ πατ]ρίδος ΄, Πε[ργαμη‖νῶν τοῖς ἄρχουσ]ι καὶ τῇ | [βουλῇ καὶ τῷ] δήμῳ · | [..... αὐτοκράτ]ωρ μηχ[έτι]... |

b. .. ἄλλου | [β]ουλοίμ[ην ἂν?] | ...α παν ..... |

c. .. ο γένη[ται?] .... | ..... ['Ιο]ύλιος.......

1. Antoninus Pius, ut putat editor.

---

360. Pergami. — Fränkel, *Alterth. von Pergam.*, VIII, n, ad n. 324.

.... λα | .... [Κ]λ[α]ύδιος | ...... καὶ Κλαύδιος | .... [? ἐπιμε-
5 λ]ηθέντες καὶ ἐμβα‖......... [τ]ὸν ὑπογεγραμμένον | ..... [? βουλ]αῖον χρησ-
μὸν | [τὸ]ν χρησμὸν ἔδοξεν τῆι βουλῆι καὶ τῶι δήμωι | τῆς μητροπόλεως τῆς
'Ασίας καὶ δὶς νεωκόρου πρώ|της Περγαμηνῶν πόλεως ἐν στήλαις ἀνα[γ]ρά-
10 ψαντας ἐπί ‖ τε τῆς ἀγορᾶς καὶ τῶν ἱερῶν ἀναστῆσαι. |

 Τηλεφίδαις, οἵ, Ζηνὶ πλέον Κρονίδηι βασιλῆι |
 ἐξ ἄλλων τιεσκόμενοι, Τευθραντίδα γαῖαν |
 ναίουσιν καὶ Ζηνὸς ἐρισμαράγοιο γενέθληι, |
 ἡμὲν 'Αθηναίηι πολεμηδόκωι ἀτρυτώνηι, ‖
15 ἠδὲ Δι[ω]νύσωι λαθικηδέι φυσιζώιωι, |
 ἠδὲ καὶ εἰητῆρι νόσ[ων] παιήονι λυγρῶν · |
 οἷσι παρ' Οὐρανοῦ υἷες ἐθηήσαντο Κάβειροι |
 πρῶτοι Περγαμίης ὑπὲρ ἄκ[ρι]ος ἀ[σ]τε[ρ]ο[πητ]ὴ[ν] |
 τικτόμενον Δία, μητρώιην ὅτε [γα]στ[έρα] λῦσ[εν] · ‖
20 φαίην κε ἀτρεκέως ἀψευδέσιν ἄλκα[ρ ἐν] ὀμ[φαῖς, |
 ὢ]ς μὴ δηρὸν ὑπ' ἀργαλέηι [τ]ρύοιτό γε νούσωι |
 Αἰακίδης λαός · τὸ δ' ἐμῶι κεχαρισμένον ἔσται |
 υἱέι · τ[ῷ] κέλομαί σε, θεαρί[δ]ος ἡγέτα ὁ[δ]οῖο, |
 τέτραχα μὲν διακρεῖναι ἐφ' ἡ[γ]ητῆρας ἅπαντας, ‖
25 ὅσσοι ὑπὸ ζαθέην τύρσιν χλαμυδηφόροι εἰσίν, |
 καὶ πίσυρας στιχάδεσσιν ἐφ' ἡγεμονῆ[ας] ὀπάσσαι · |
 τῶν ἡ μὲν Κρονίδην ὕμνωι <μνωι>, μία δ' Εἰραφιώτ[ην] |
 ἡ δ' ἑτέρη κούρην δορυθαρσέα Τρειτογένειαν, |
 ἡ δ' 'Ασκληπιὸν ἄλλη<ι>, ἐμὸν φίλον υἱέα, [μέλψ]ηι, ‖
30 ἑπτὰ γεραιρόντων εἰς ἤματα μῆρα ἐπὶ βωμ[ῶ]ν, |
 Παλλάδι μὲν μόσχου διετήρονος ἄζυγος ἁγνοῦ |
 δαίοντες, τριένου δὲ βοὸς Διὶ καὶ Διὶ Βάκχωι, |
 ὡσαύτως καὶ παιδὶ Κορωνίδος ἠθαλέοιο |

ταύρου μήρια ῥέζοντες προτιτύσκετε δαῖτα, ‖

ἠίθεοι χλαμύδεσσι ἀμφέμμενοι ὁππόσοι ἐ[στέ] |

μὴ σφετέρων νόσφιν πατέρων · λοί[6]η [δ'] ἐφ' ἑκάστῃ |

σπένδοντες [λοιμο]ῖο παρ' ἀθανάτων ἄκος ἐσθλὸν |

αἰτέετε, [ὡ]ς τηλουρὸν ἐς ἐχθοδαπῶν χθόνα φωτῶν |

ἐκτόπιος προνέοιτ[ο] ....

Anno 166 post C. n., confecto bello Parthico, L. Veri « fuit fati ut in eas provincias per quas rediit Romam usque luem secum deferre videretur. Et nata fertur pestilentia in Babylonia, ubi de templo Apollinis ex arcula aurea, quam miles forte inciderat, spiritus pestilens evasit, atque inde Parthos orbemque complesse. Et hoc non Lucii Veri vitio, sed Cassii, a quo contra fidem Seleucia, quae ut amicos milites nostros receperat, expugnata est. » *Vita Veri*, 8; cf. Ammian. Marcellin., XXIII, 6, 24. In ea autem necessitate Pergamenis, cum theoros misissent ad consulendum Apollinem, ut putant, Gryneum aut Aegeatem, hoc oraculum a deo editum est, quod senatus populusque civitatis decrevit in foro et in templis proscribi (v. 1-10). Jubetur architheorus ephebos in quatuor choros dividere, quorum primus hymnum canat Jovi, secundus Baccho, tertius Minervae, quartus Aesculapio (v. 23-29). Ex illis vero hymnis primus nuper in ruderibus civitatis repertus est (Fränkel, n. 324), quem hic exscribere supersedemus. Monentur deinde Pergameni (v. 30-36) ut per septem dies quatuor deorum cuique ephebi cum parentibus sacrificent et (v. 36-39) libationibus finem orent pestilentiae.

V. 8-9. πρώτης. Primae Asiae metropoles aeque fuerunt Ephesus, Smyrna et Pergamum, quamquam de πρωτείᾳ inter se acerrime contenderunt; ea civitas prima dicebatur, cujus legati ceteros anteibant in ludis provincialibus. Chapot, *Prov. rom. d'Asie*, p. 144.

V. 11-12. Τηλεφίδαις-Τευθραντίδα. Pergameni inter patronos suos habuerunt Telephum Arcadem, Herculis filium, quem Teuthras, rex Mysiae, hospitio exceperat : Decharme, *Mythologie de la Grèce*, p. 540; cf. *Anthol. Pal., Append.*, 91; Pausan., V, 13, 2. Construe : Τηλεφίδαις...φαίην (v. 20).

V. 16. ειητῆρι. Aesculapius.

V. 17. οἶσι πάρ(α) = παρ' οἶσι, Pergameni apud quos etc..... Cabiri, Urani filii, Jovem vix natum in arce Pergamena primi contemplaverunt; de illa fabula vide Bloch, ap. Roscher, *Lexik. der Mythologie*, II, col. 2534. De cultu Cabirorum Pergameno cf. Pausan., I, 4, 6 et titulum n. 294.

V. 22. Αἰακίδης. Pergameni ut suum conditorem et heroa eponymum ferebant Pergamum, filium Pyrrhi, nepotem Achillis, unum igitur ex Aeacidis : Pausan., I, 11; Fränkel ad n. suum 289.

V. 23. ἡγέτα, architheorus.

V. 25. τύρσιν, arx Pergamena. Cf. v. 18.

χλαμυδηφόροι, ephebi. Cf. v. 35 : ἠίθεοι.

V. 27. Εἰραφιώτην, cognomen Bacchi, quem sub imagine hoedi (ἔριφος) colebant. Jessen apud Pauly et Wissowa, *Realencyclopaedie*, s. v.

V. 30. γεραιρόντων, imperativus.

V. 31. ἄζυγος, genitivus.

---

361. Pergami in epistylio templi cujusdam. — Fränkel, *Alterth. von Pergamon*, VIII, ΙΙ, n. 298.

[Θεᾶι Φαυστίνηι Θεοῦ ᾽Αντωνίνο]υ Σεβαστοῦ θυγατρὶ [1] τὸν ναὸν ὁ δῆμος κ[αθιέρωσεν τῶν εὐεργεσιῶν ἔνεκα?].

1. Annia Galeria Faustina junior, Antonini Pii filia, M. Aurelii uxor, quae, maritum in expeditione orientali comitata, anno 176 in radicibus montis Tauri, in vico Halala, subito mortua est. Divae Faustinae ipse M. Aurelius aedem exstruxit in vico Halala, quem coloniam fecit. *Prosop. imp. rom.*, I, p. 77, n. 553. Quas ob causas nomen Liviae, ab Augusto adoptatae, minus bene hic restitueretur, exposuit Fränkel. Tamen de supplemento non constat.

---

362. Pergami in epistylio templi Caracallae. — Fränkel, *Alterth. von Pergamon*, VIII, ΙΙ, n. 299.

Αὐτοκράτορι Καίσ[αρι Μ. Αὐρ. ᾽Αντωνεί|ν]ωι Σεβασ[τῶι ἡ Περγαμηνῶν τ]|ῶν τρισνεωκό[ρ]ων μητρόπολις.

Titulus, scriptus olim litteris aeneis, restitutus est ex foraminibus clavorum, quibus marmori affixae erant.

1. Principe Caracalla Pergamo delata est tertia neocoria, ut ostendunt nummi : Mionnet, II, p. 612, nn. 636-638; *Suppl.*, V, p. 460, n. 1108. Vivo huic principi aedem Pergameni dedicaverunt, in iisdem nummis effictam, cujus frontem implebat titulus.

---

363. Pergami. — Fränkel, *Alterth. von Pergamon*, VIII, ΙΙ, n. 376.

[Τὰ ἐξ... αὐ|τῷ ἐπιβαλ]όντα [1] [Τύ]χηι ἐπηκόωι | [Α]ὐτοκρ(άτορος) Καίσ(αρος)
5 Μ. Αὐρ. | ᾽Αντωνίνου Σεβ(αστοῦ) [2] ‖ καὶ τῆς λαμπρ(οτάτης) | πατρίδος Περ(ειτίου) προ(τέρᾳ) [3] ἀνέθηκεν | [Α]ὐρ. Τερψίλαος.

1. « Quae sibi ex aliquo emolumento obtigerunt », si verba apte restituit Fränkel, quod dubium est. — 2. Caracalla; cf. n. 362. — 3. Die paenultimo (cf. n. 353) xxix mensis Περειτίου = xxi Januarii.

864. Pergami in templo Minervae. — Fränkel, *Alterth. von Pergamon*, VIII, ıı, n. 278.

a. ....ˑˑˑˑˑˑˑˑˑˑˑˑˑˑˑˑˑˑˑˑˑˑˑˑˑˑˑˑˑˑˑˑ

a. ....τος τοὺς ὺ.... | μηδένα ὑμ[ῶν .... πέμ]|ψαντε[ς
5 ὁ] τῶ[ν................] | δωρεὰν ἀνὸ[ρ.............. ἐλεύ?]|θερον ὡς προ[γέ-
γραπται...........] | τοὐπὶον ἔτος ἀρ[χ............ Γορ]|πιαίου μηνὸς δοκ[ιμα ¹
.... | τ?]ρὶς τοὺς ἀποδίδοσ[θαι ²............ | τ]ῶν ἐξιόντων ³ κατ[ὰ
10 ....] ‖..ίδος Ὑπερβερεταίου ⁴ .... | εἰς αἰεὶ ἐσομένους ἀρ[χ....
.... διδὸ]|μενον λόγον κατὰ τετρα[ετίαν .... τὸ τῶν | ν]έων γυμνάσιον ἀπὸ
15 τ...........|..ς ἐν τῶι τῶν νέων γ[υμνασίωι ... κατὰ τὰ ‖ προ]γεγρ[α]μμένα
εἰσι............ | .... τας [τ]ῶν Σεβασ[τῶν ....]|...... νους ἀρχο[υσι....
20 .... | προυβέβλ?]ητο ψήφ[ισμα]............|........ των ....‖...
....

b. .... [προυβέ?]βλη[το | μη]νὸς Καισ[αρίου ⁵ | ἐν τῶι βου]λευτηρί[ωι |
5 Κρ]ίσπου ⁶ κ(α)ὶ... ‖ καλά[νδαις].....

Edictum est de civibus honorem municipalem inituris, fortasse senatorium; possis
etiam cogitare de senatu νέων.

1. Mense Gorpiaeo, anni Pergameni undecimo (ex die xxv Julii ad diem xxıv Augusti)
jubebantur venire ad disquisitionem qui novum honorem anno insequente erant inituri.
De illa disquisitione (δοκιμασία) v. Liebenam, *Städteverwalt.*, p. 238. — **2.** De pecunia sol-
venda ob ineundem honorem agebatur. — **3.** Qui ex honoribus exibant, eos rationes
reddere oportebat. — **4.** Mensis Hyperberetaeus, anni Pergameni duodecimus (ex die
xxıv Augusti ad diem xxıı Septembris). — **4.** Mense Caesario, anni Pergameni primo,
novi senatores suum honorem inibant. — **6.** Cognomen unius eorum quibus consulibus
haec edicta sunt, altero post C. n. saeculo, ut testatur scriptura.

---

365. Pergami in Trajaneo. — Fränkel, *Alterth. von Pergamon*, VIII, ıı, n. 283.

Fragmenta *a c b.*

Ἀγαθ[ῆ τύχη. | Αὐτ]οκράτωρ Κ[αῖσαρ Θείου Σεπτιμίου | Σε]ουήρου Εὐσ[ε-
5 6οῦ]ς Ἀραβι[κοῦ Ἀδια]6ην]ικοῦ Πα[ρθικο]ῦ μεγίστ[ου Βριτ‖αν]νικοῦ [μεγίστου]
υἱὸς Θεί[ου Μάρκ|ου Ἀ]ντω[νίνου Εὐσε6]οῦς Γε[ρμανικ|οῦ Σ]αρμ[ατικοῦ υἰων]ὸς
Θεί[ου Ἀντ|ωνίνου [Εὐσε6οῦς ἔχγ]ονος [Θείου Ἀ|δρια]νο[ῦ καὶ Θείο]υ Τραια-
10 νο[ῦ Παρ‖θικοῦ καὶ Θείου Νέρο]υα ἀπόγο[νος | Μ. Αὐρ. Ἀντωνῖνος Εὐσεβὴ]ς
Σε6(αστὸς) Πα[ρθι|κὸς] ¹.....

Fragmenta *d-h* legi non potuerunt.

Fragmenta i k.

.... πέπ[ομφα........... | διὰ πρ]εσϐ[ευτῶν] | Προχλ.... 'Ατάλο[υ....] |

5 Δο.............. ‖ πρὸ ι´ κ(αλανδῶν) [2].

1. Edictum Caracallae annorum 211-217 p. C. n. — 2. Die xxii aut xxiii mensis incerti.

---

366. Pergami prope Trajaneum. — Fränkel, *Alterth. von Pergamon*, VIII, ii, n. 284.

....ος | .. [Κούα]ρτος [1] 'Αρ..|... Πολέμ[ων?]....

Fragmentum est edicti ejusdem fortasse cujus n. 365.

1. Cognomen viri, qui strategus fuit principibus Antonino Pio et M. Aurelio : Mionnet, II, p. 600, nn. 571, 572; *Suppl.*, V, p. 439, nn. 998-1002; p. 443, nn. 1015, 1016.

---

367. Pergami in Trajaneo. — Fränkel, *Alterth. von Pergamon*, VIII, ii, n. 373.

['Ο δῆμος] | ...... [νέ]ωι Διο[νύσωι] [1].

1. Inter imperatores novi Bacchi nuncupati sunt Dionysiacorum artificum patroni Trajanus, Hadrianus, Antoninus et Caracalla, a Pergamenis culti in templo Bacchi Ductoris (von Prott, *Athen. Mittheil.*, XXVII (1902), p. 183, n. 265.

---

368. Pergami. — Von Prott et Kolbe, *Athen. Mittheil.*, XXVII (1902), p. 98, n. 95.

Μ. Αὐ[ρήλιον] Οὐαλέριον | Μαξιμιανὸν τὸν ἀνείκητον Σ[εϐαστὸν] [1] | ἡ λαμπρὰ Περγαμηνῶν μητρόπολ|ις].

1. Annis 286-305 post C. n.

---

369. Pergami. — Fränkel, *Alterth. von Pergamon*, VIII, ii, n. 401.

Αὐτοκράτορα Καίσα[ρα.....] | Χαρῖνος ἱερε[ύς].

---

370. Pergami. — Fränkel, *Alterth. von Pergamon*, VIII, ii, n. 282.

5 ...... | ἀνεισϕο[ρ]........ | προνοήσει ..... [βου]|λευθῆναι τη...... ‖ ἀρρήτοις

ὡς ...... [διη]|νεχὴς εἰς π[άντα τὸν χρόνον?] | δῆλον ὅτι τ...... | Διονύσου
10 τη..... | παραλαμβανο...... ‖ ἕν τε τυπώμ[ασι]..... | καὶ ἐλαίας σ[τεφαν].......

Fragmentum edicti imperatorii de Bacchi mysteriis celebrandis. Cf. Fränkel, n. 485.

---

371. Pergami. — Fränkel, *Alterth. von Pergamon*, VIII, II, n. 538.

[Οἱ ἐπὶ τῆς ᾿Ασ]ίας ῞Ελληνες ¹ ἐτίμησα[ν]|........ βασιλέα Θραικῶ[ν]| ²......
τὸν ἐγ βασιλέ[ω]ς|...

1. Commune Asiae provinciae concilium. — 2. Regnum Thraciae sustulit Claudius anno 46 post C. n.

---

372. Pergami. — Hepding, *Athen. Mitheil.*, XXXII (1907), p. 369, n. 124.

...ξ. Κόιντος Αἰ|........ ο Λευκίου υἱὸς | ......[χυινδεκί]μβερον ἀνθύπ[α-
τον].......

Qui titulis infra scriptis nn. 373-399 memoratur, C. Antius A. Julius Quadratus, Pergamenus, multis inscriptionibus et nummis notus, cos. suff. anno 93 post C. n., cos. iterum ordinarius anno 105, proconsul Asiae anno circiter 106, Trajani amicus, beneficiis suis singularem amorem et gratiam Pergamenis injecit, qui eum ut alterum conditorem suum coluerunt. De eo cf. *Prosop. imp. rom.*, II, p. 209, n. 338.

373. Pergami. — Fränkel, *Alterth. von Pergamon*, VIII, II, n. 436.

Γάιον ῞Αν[τιον Αὖλ]ον ᾿Ιούλιο[ν] | Αὔλου υἱὸν [Κουαδρᾶτ]ον, ὕπατο[ν], |
5 σεπτεμ[ουίρουμ ἐπουλώνουμ,] | φρᾶτρε[μ ἀρουᾶλεμ, πρεσβευ]‖τὴν χα[ὶ ἀντι-
στράτηγον Πόν|τ]ου χα[ὶ Βειθυνίας, πρεσβευτὴν] | δὶς ᾿Ασ[ίας, πρεσβευτὴν
10 Σεβα]|στοῦ [ἐπαρχείας Καππαδοκι]|χῆς, [ἀνθύπατον Κρήτης Κυρή]‖ν[ης, πρεσ-
βευτὴν Σεβαστοῦ ἀντι|στράτηγον Λυκίας χαὶ Παμ]φυλί|[ας, πρεσβευτὴν χαὶ
ἀντι]στρά[τηγον Αὐτοχράτορος Νέρο]υα | [Τραιανοῦ Καίσαρος Σεβαστοῦ | Γερ-
μανιχοῦ Δαχιχοῦ Συρίας] ¹.

1. Legationem Syriae gessit Quadratus post annum 102, ante 105, quo consulatum II iniit.

374. Pergami. — Fränkel, *Alterth. von Pergamon*, VIII, ii, n. 437.

[Α]ῦλον Ἰούλιον [Κουαδρᾶτον], | ὕπατον, πρ[εσβευ]τ[ὴ]ν | καὶ ἀντιστράτηγον |
5 Αὐτοκράτορος Νέρουα ‖ Τραιανοῦ Καίσαρος Σεβαστο[ῦ] | Γερμανικοῦ Δακικοῦ
Συρία[ς] | Φοινείκης Κομμαγήνης ¹, σε[πτέ]|μουιρα ἐπουλώνουμ, φράτρε[μ |
10 ἀ]ρουᾶλεμ, Ἀντιογέων τῶν [ἐπὶ ‖ τ]ῷ Χρυσορόᾳ, τῶν πρότερο[ν | Γε]ρα-
σηνῶν ¹, ἡ [β]ουλὴ καὶ ὁ δῆμ|[ος δι]ὰ Ἀπολλωνίου Διονυσίου | [το]ῦ καὶ
15 Μαλχίωνος, καὶ Κεφαλ[ί|ωνο]ς Ἀρτεμιδώρου, καὶ Διονυσ[ί|ου Δη]μητρίου τοῦ
Ἀμύντου.

1. Annis 102/103. Phoenice et Commagene nominatim ut partes provinciae Syriae hic
tantum citantur. — 2. Gerasa civitas Arabiae ad rivum Chrysoroam sita. Cf. supra t. III,
nn. 1345, 1347, 1357.

---

375. Pergami prope Trajaneum. — Fränkel, *Alterth. von Pergamon*, VIII, ii, n. 438.

[Γάιον Ἄντιον Αὖλον Ἰούλιον | Αὔλου υἱὸν Κουαδρᾶτον, ὕπα|τον, σεπ-
5 τέμουιρα ἐπουλώνουμ, | φράτρ]ε[μ ἀρουᾶλεμ, πρεσβευτὴν ‖ καὶ ἀν]τιστ[ρά-
τηγ]ο[ν Πόν]του | καὶ [Βειθυ]νίας, πρεσβευ[τ]ὴν δὶς Ἀσίας, | [πρε]σβευτὴν
Σεβαστοῦ ἐπαρχείας | [Κ]αππαδοκικῆς, ἀνθύπατον | Κρήτης Κυρήνης,
10 [π]ρεσβευτὴν ‖ Σεβαστοῦ ἀντιστράτηγον | Λυκίας καὶ Παμφυ[λία]ς, πρεσ-
βευ|τὴν καὶ ἀντιστράτηγον | Αὐτοκράτορος Νέρο[υα Τ]ραιαν[οῦ] | Καίσαρος
15 Σεβαστο[ῦ Γερ]μαν[ικοῦ] ‖ Δακικοῦ ἐπαρχε[ίας Σ]υ[ρίας], | ἡ βουλὴ καὶ ὁ
δ[ῆμος] | τῶν πρώτων νεω[κόρων] | Περγαμηνῶν [τὸ]ν ε[ὐεργέτην], | ἐπιμε-
20 λ[ηθ]έν[των] ‖ Τίτου Φλαουί[ου] Μ..... | [τ]οῦ γυμνασιάρχ[ου], | καὶ Τίτου
25 Φλαο[υίου.....] | καὶ Μάρκου Λο....... | καὶ Ἀρτεμιδώ[ρου......] ‖ καὶ
Σιμωνίδο[υ.].......

---

376. Pergami in gymnasio. — Hepding, *Athen. Mittheil.*, XXXII (1907), p. 337, n. 67.

.....[πρεσβευτὴν καὶ ἀντιστράτηγον | Αὐτ]οκράτορος [Νέρουα Τραιανοῦ |
Καίσ]αρος Σεβα[στοῦ Γερμανικοῦ | ἐπαρ]χείας Συρία[ς]......

---

377. Pergami. — Fränkel, *Alterth. von Pergamon*, VIII, ii, n. 442.

.... [ἀνθύπατον Κρήτη]ς | [Κυρήνης πρεσβευτὴν Σεβαστοῦ ἀν]τι|-

[στράτηγον Λυκίας καὶ Παμφυλίας], πρεσ|βευτὴν καὶ ἀντιστράτηγον Αὐτο-
κράτορο[ς].....

---

378. Pergami. — Fränkel, *Alterth. von Pergamon*, VIII, π, n. 445.

....[πρεσβευτὴν καὶ ἀντι]στ[ράτηγον Πόν|του καὶ Βειθυνίας, πρ]εσβ[ευτὴν
δὶς | Ἀσίας, πρεσβευτὴν Σ]εβ[αστοῦ]......

---

379. Pergami. — Fränkel, *Alterth. von Pergamon*, VIII, π, n. 446.

.... [Αὐτοκράτορος | Νέρουα | Τραιαν]οῦ [Καίσαρος Σε|βαστοῦ
5 Γερμα]νικ[οῦ Δακικοῦ ‖ ἐπαρχ]εί(ας Συρίας]......

---

380. Pergami. — Fränkel, *Alterth. von Pergamon*, VIII, π, n. 443.

.... [πρεσβευτὴν δὶς | Ἀ]σ[ίας, πρεσβευτὴν Σεβαστοῦ] | ἐπα[ρχείας
5 Καππαδοκικῆς], | πρεσβ[ευτὴν Σεβαστοῦ ἀντι]‖στράτ[ηγον Λυκίας]...

---

381. Pergami. — Fränkel, *Alterth. von Pergamon*, VIII, π, n. 447.

....[ἀντιστράτηγον Λυκίας | καὶ Π]αμφυ[λίας, ἀντι|στράτηγον Αὐτοκράτο|-
5 ρος Νέρουα Τραιανοῦ ‖ Καίσαρος Σεβαστοῦ | Γερμανικοῦ Δα]κικο[ῦ | ἐπαρχείας
10 Συ]ρίας | ....|..........‖...........|.............|[........, ποιησα|μένου
15 τὴν ἐπι]μέλει[α]ν | [......ο]υ Τρύφω‖[νος.

---

382. Pergami. — Fränkel, *Alterth. von Pergamon*, VIII, π, n. 448.

....[ἀνθύπατον Κρήτης Κυ]ρήνης, [πρεσ|βευτὴν Σεβ]αστοῦ ἀντι[στρά|τηγον
Λυκί]ας καὶ Παμφυλ[ίας, π]ρεσβ[ευ|τὴν καὶ] ἀντιστράτηγον [Αὐτ]οκράτ[ορος ‖
5 Νέρ]ουα Καίσαρος Τρα[ιανοῦ Σεβαστοῦ] | Γερμανι[κοῦ Δακικοῦ | ἐπ]αρχείας
[Συρίας].

---

383. Pergami in gymnasio. — Schröder, Schrader et Kolbe, *Athen. Mittheil.*, XXIX
(1904), p. 175, n. 19.

Ἡ βουλὴ καὶ ὁ δῆμος ἐτίμησε | Γάιον Ἄντιον Αὖλον Ἰούλιον Αὔλου υἱὸν |

Ούολτινίᾳ Κουαδρᾶτον ὕπατον β΄, ἀνθύπατον | Κρήτης καὶ Κυρήνης, πρεσβευ-
5 τὴν Σεβα‖στοῦ ἐπαρχείας Καππαδοκίας, πρεσβευ|τὴν Σεβαστοῦ ἀντιστράτηγον
Λυκίας | καὶ Παμφυλίας, πρεσβευτὴν Ἀσίας δὶς, | πρεσβευτὴν Πόντου καὶ Βει-
10 θυνίας, | φράτρεμ ἀρουᾶλεμ, σεπτέμουιρα ἐπου‖λώνουμ, πρεσβευτὴν καὶ ἀντι-
στράτη|γον Αὐτοκράτορος Νέρουα Τραιανοῦ Καίσα|ρος Σεβαστοῦ Γερμανικοῦ
ἐπαρχίας Συ‖[ρίας, τὸν] σωτῆρα καὶ εὐεργέτην τῆς πόλεως | .... [ἐκ]
15 τῶν ἰδίων ‖ .... [πρ]υτάνεως.

---

384. Pergami. — Dittenberger, *Orient. gr. inscr. sel.*, n. 486.

Γάιον Ἄντιον Αὖλον Ἰούλιον | Αὔλου υἱὸν Κουαδρᾶτον δὶς | ὕπατον, ἀνθύ-
5 πατον Ἀσίας, | σεπτεμουίρουμ ἐπουλώνουμ, ‖ φράτρεμ ἀρουᾶλεμ, πρεσβευτὴν |
καὶ ἀντιστράτηγον Πόντου | καὶ Βειθυνίας, πρεσβευτὴν δὶς | Ἀσίας, πρεσβευτὴν
10 Σεβαστοῦ | ἐπαρχείας Καππαδοκικῆς, ‖ ἀνθύπατον Κρήτης Κυρήνης, | πρεσβευ-
τὴν Σεβαστοῦ ἀντιστ[ρά]|τηγον Λυκίας καὶ Παμφυλίας, | πρεσβευτὴν καὶ ἀντισ-
15 τράτηγον | Αὐτοκράτορος Νέρουα Καίσαρος ‖ Τραιανοῦ Σεβαστοῦ Γερμανικοῦ |
ἐπαρχείας Συρίας, | ἡ σεβαστὴ σύνοδος τῶν νέων [1] | τὸν εὐεργέτην, καὶ (δι᾿)
20 αἰῶνος | γυμνασίαρχον [2], ‖ ἐπιμεληθέντων | Ἀσκληπιάδου Γλύκωνος Μυρικοῦ [3] |
καὶ Ζωΐλου Διομήδους καὶ Θέωνος | Τ[ελές]ωνος τῶν γραμματέων [4].

1. Collegium juvenum Pergamenorum. Cf. n. 293. — 2. (δι᾿) deest in lapide, addidit
Dittenberger: perpetuus gymnasiarcha; honoris enim impensam, dum viveret, insump-
serat. — 3. Aut Asclepiades, filius Glyconis Myrici, aut Asclepiades Glycon, filius Myrici.
— 4. Scribae collegii juvenum.

---

385. Pergami. — Fränkel, *Alterth. von Pergamon*, VIII, II, n. 441.

Γάιον Ἄντιον Αὖλον Ἰούλιον Αὔλου | υἱὸν Κουαδρᾶτον δὶς ὕπατον, ἀνθύ|-
5 πατον Ἀσίας, σεπτεμούιρουμ ἐ|πουλώνο[υμ], φράτρεμ ἀρουᾶλε[μ], ‖ πρεσβευτὴν
καὶ ἀντιστράτηγον (Πόντου) [1] | καὶ Βειθυνίας, πρεσβευτὴν (δὶς) [2] Ἀσίας, | πρεσ-
βευτὴν Σεβαστο[ῦ] ἐπαρχίας | Καππαδοκίας, ἀνθύπατον Κρήτης | Κυ[ρήνης],
10 πρεσβευτὴν Σεβαστο[ῦ] [3] [ἀντι]‖στράτηγον Λυκίας καὶ Παμφυλίας, | πρεσβευτὴν
καὶ ἀντιστράτηγον | Αὐτοκράτορος Νέρουα[ς] Τραιανοῦ | Καίσαρος Σεβαστοῦ
15 Γερμανικοῦ | Δακικοῦ ἐπαρχίας Συρίας, ἡ βουλὴ ‖ καὶ ὁ δῆμος τῶν πρώτων

νεωκόρων | Περγαμηνῶν τὸν εὐεργέτην, | ἐπιμεληθέντων τῆς ἀναστάσεως | τῶν στρατηγῶν.

1. ΠΟΝΤΟΥ omisit lapicida. — 2. ΔΙΣ aut Β̄ omisit lapicida. — 3. ΚΥΠΡΟΥ, ΣΕΒΑΣΤΟΝ lapis.

---

386. Pergami. — Conze, *Athen. Mittheil.*, XXIV (1899), p. 179, n. 31.

Ἀγαθῆι [τύχηι]. | Γ. Ἄντιον Αὖλον Ἰού[λιον Κουαδρᾶτον] | δὶς ὕπατον καὶ
5 ἀν[θύπατον Ἀσίας] | τὸν διὰ γένους ἱερέ[α τοῦ Καθηγεμόνος] ‖ Διονύσου | οἱ
χορεύσαντες βου[κόλοι¹ τὴν ἐπ'] | αὐτοῦ τριετ[ηρίδα] | Αὐφιδία Πώλλα
10 Ποπλί[ου..,] | Κλαύδιος Κουαδρᾶ[τος...] · ‖ διαταξί[αρχος]² | Γάιος Σείλιος
15 Μάξ[ιμ......] · | ἀρχιβού[κολος] | Λ. Ἀνείνιος Φλά[κκος]. | Βουκό[λοι ·] ‖ Κλ.
Ἔπαφος ὁ Διαδο[ύμενος], | Γ. Ἰούλιος Διοκλ[ῆς], | Μένανδρος Μενάνδρου
20 Ἀσ..., | Καπίτων Μηνοφά[ντου], | Τ. Φλάουιος Ἀθην..., ‖ Γ. Ἰούλιος Βάσσος
[Κλαυδιανὸς?]³, | Βίων Βίωνος, | Ἑρμαΐσκος Ἀπολλ...., | Χαρμίδης Εἰκα-
25 δί[ου], | Τι. Κλ. Λίνδος, ‖ Τ. Φλάουιος Σεχ[οῦνδος,] | Φιλέταιρος Φιλε[ταίρου], |
Ἐπίνεικος Ἐπιν[είκου]........

1. Cf. n. 396. — 2. Decurio hujus collegii. — 3. Fortasse idem qui strategus fuit : Fränkel, nn. 361, 362.

---

387. Pergami. — *C. I. Gr.*, 3549. Cf. Fränkel, *Alterth. von Pergamon*, VIII, II, p. 513.

[Α. Ἰούλιον Αὖλου] υἱὸν Κουαδρᾶτον δὶς | ὕπατον ἡ πατρίς.

---

388. Pergami. — Fränkel, *Alterth. von Pergamon*, VIII, II, n. 449.

[Γάιον Ἄντιον Αὖλ]ον Ἰούλ[ιον | Αὖλου υἱὸν Κουα]δρᾶτον [δὶς | ὕπατον, ἀνθύπατον] Ἀσίας..

---

389. Pergami prope templum Minervae. — Fränkel, *Alterth. von Pergamon*, VIII, II, n. 439.

[Γ. Ἄντιον Αὖλον] Ἰο[ύλιον Αὖλου υἱὸν Κουαδ|ρᾶτον δὶς ὕπ]ατον, [σεμτέ-
μουιρα ἐπουλώ|νουμ, φρᾶτρεμ ἀρ]ουᾶλ[εμ, πρεσβευτὴν καὶ | ἀντιστράτ]ηγον

5 Πόν[του καὶ Βειθυνίας, πρεσ‖6ευτὴν] δὶς ᾿Ασίας, πρ[εσ6ευτὴν Σε6αστοῦ | ἐπαρ-
χεία]ς Καππαδοκ[ικῆς, ἀνθύπατον Κρή|της καὶ Κυ]ρήνης, πρε[σ6ευτὴν Σε6ασ-
τοῦ ἀν|τιστράτηγον Λυκίας καὶ Παμφυλίας].....

---

390. Pergami. — Fränkel, *Alterth. von Pergamon*, VIII, ιι, n. 431.

[Γ. ῎Αν]τιον Αὖλον [᾿Ιούλιον Αὖλου | υἰὸν Οὐολ]τινίᾳ Κο[υαδρᾶτον β' ὑπα|-
5 τ]ον, σεπτε(μ)ου[ίρουμ ἐπουλώ|ν]ουμ, φρᾶτρε[μ] ἀρο[υᾶλεμ, πρεσ6ευ]‖τὴν καὶ
ἀντιστράτη[γον Πόντου καὶ] | Βειθυνίας, πρεσ6ε[υτὴν καὶ ἀντι]|στράτηγον ᾿Ασίας
δ[ὶς, πρεσ6ευτὴν] | Σε6αστοῦ ἐπ[αρχ]ε[ίας Καππαδοκίας] | Γαλατίας Φρυγίας
10 [Πισιδίας ᾿Αντ|ι]οχίας ¹ ᾿Αρμενίας μ[ικρᾶς, ἀνθύπατον | Κ]ρήτης Κυρήνης,
πρ[εσ6ευτὴν αὐτο|κ]ράτορος, ἀντιστρ[άτηγον Λυκίας | Παμφυλίας, Αὐτοκράτο-
15 ρος Νέρουα] | Τραιανοῦ ᾿Α[ρίστου ² πρεσ6ευτὴν ‖ καὶ ἀντιστράτηγον ἐπαρχείας
Συ|ρίας, ἀνθύπατο[ν ᾿Ασίας, ...|..................|.... ἡ βο]υλ[ὴ καὶ ὁ
20 δῆμος?.. | ....‖.................|.... διὰ] πρεσ6ευ[τῶν].....|..ου
᾿Λ..νίου Πα[...... ᾿Αν|τ]ω[νί]ου? τοῦ καὶ Το...... | τῶν καὶ (Π)ερ[γαμηνῶν].....

1. Coloniam Caesaream Antiochiam, urbem Pisidiae (supra, t. III, nn. 299-308), nomi-
natim referri notabile est. — 2. Optimus Trajanus anno 114 fertur audivisse, quanquam
non unum suppetit etiam antea illius cognominis exemplum.

---

391. Pergami. — Von Prott et Kolbe, *Athen. Mittheil.*, XXVII (1902), p. 100, n. 101.

[῾Η βουλὴ καὶ] ὁ δῆμος | [ὁ Περγαμη]νῶν | [ἐτίμη]σε | [Γάιον ῎Αντιον]
5 Αὖλον ‖ ....

---

392. Pergami. — Conze, *Athen. Mittheil.*, XXIV (1899), p. 188, n. 52.

[Αὖλο]ν ᾿Ιούλι[ον Κουαδρᾶτον | ὕ]πατ[ον].....

Supplementa non satis certa esse patet.

---

393. Pergami. — Fränkel, *Alterth. von Pergamon*, VIII, ιι, n. 444.

[Γάιον ῎Αντιο]ν Αὖλ[ον ᾿Ιούλιον | Αὔλου υἰὸν Κ]ουα[δρᾶτον]......

394. Pergami. — Fränkel, *Alterth. von Pergamon*, VIII, II, n. 450.

Γάι[ον Ἄντιον Αὖλον Ἰούλιον] | Α[ὔλου υἱὸν Κουαδρᾶτον]......

---

395. Pergami. — Conze, *Athen. Mittheil.*, XXIV (1899), p. 188, n. 53.

....[ἀντιστ]ράτηγον | ['Ἰού]λιον Κο[υαδρᾶτον?]....

---

396. Pergami in theatro. — Fränkel, *Alterth. von Pergamon*, VIII, II, n. 486; cf. Conze et Schuchardt, *Athen. Mittheil.*, XXIV (1899), p. 180 ad n. 31.

    a. [Γ. Ἄντιον Αὖλον] Ἰούλιο[ν Κουαδρᾶτον τὸν διὰ γέ|νους ἱερέα τοῦ] Καθη-γεμ[όνος Διονύσου] ¹......|.... οἱ χορεύσα[ντες βουκόλοι ² | τὴν ἐπ'] αὐτοῦ τριε-
  [τηρίδα] ³ ‖..... Ἰουλία Σπο[ρίου]......|..... ἀρχιδούχ[ολος]....|......
    b. .....μο[ς].... | Πουπλιχ.... | ['Ἐπὶ..... ἀ]ρχιδουκόλου καὶ ....|... [γραμ-
 μ̣ατεὺ]ς βουλῆς νέων ‖..... [ἀ]ρχιτέκτων |..... [βουλ]ευτὴς |......[ἐ]φηβοφύλαξ.

    1. Bacchus Ductor. Cf. nn. 292, v. 34; 293, v. 25-35, et Fränkel, nn. 221, 222, 236, 317-320; von Prott, *Dionysos Kathegemon, Athen. Mittheil.*, XXVII (1902), p. 161, 265. — 2. Mystae cultores Bacchi, quem sub imagine tauri effictum choris celebrabant (Lucian., *De salt.*, 79). De eorum collegio Pergameno cf. Fränkel, nn. 485, 488 et von Prott, *l. c.*, p. 184. — 3. Pompa in honorem Bacchi tertio quoque anno celebrata. Cf. nn. 290, 292, 293, *l. c.*, et Fränkel, nn. 248, 8, 10.

---

397. Pergami. — Conze, *Athen. Mittheil.*, XXIV (1899), p. 177, n. 27; von Prott, *ibid.*, XXVII (1902), p. 181.

[Ἡ βουλὴ καὶ ὁ δῆμος ἐτίμη]σεν | [Αὖλον Ἰούλιον Κουαδρᾶτον, τὸ]ν διὰ γέν[ους | ἱερέα τοῦ Καθηγεμόνος Διο]νύσου, ἀποκα[τα|στήσαντα τῶι θεῶι τὸν
5 ναὸν] καὶ τὴν χώρα[ν]‖....

---

398. Pergami in Trajaneo. — Fränkel, *Alterth. von Pergamon*, VIII, II, n. 432.

    a. .... [ἐν πᾶσ]ιν λαμπρότ[ατα ἀναστραφέντα? | τὸ φιλορώμαιον] καὶ φιλοσέβασ[τον κοινὸν τῶν κατὰ τὴν] | Ἀσίαν ['Ἑλλήνων]. |
5   *b.* .... αν | .... ου | Ἰούλιον.... | ὕπ[ατον], ‖ ἡγεμό[να τῆς Ἀσίας].

c. Ἰουλ[ίαν....]αν | [θυγατέρα Ἰουλί]ου |..........

d. ... του εὐε[ργετ]...

e. ... [ἐτίμη]σεν.....

f. ...φ... |

g. ..ην.... |

h. ..[τὸν κοινῇ καὶ κα]τ' ἰδίαν | [τοῦ δήμου εὐεργ]έτην |

j. ...λα.....|.... τα.......

k. .... [Κ]αλπ[ούρνιον].....

In decem fragmentis (*a-k*) inscripta sunt vestigia decreti alicujus, facti in honorem hominum incertorum fortasse a communi Asiae concilio.

b. Cogitare possis de Julio Quadrato, proconsule Asiae.

h. sive : ....[Μα]τιδίαν, | [τὴν ...... γαμ]έτην? socrum Hadriani imperatoris.

---

399. Pergami. — Fränkel, *Alterth. von Pergamon*, VIII, II, n. 423.

Ὁ δῆ[μος] | Γάιον Ἀντίστιον [Οὐετερα ¹ τὸν] | πάτρωνα καὶ εὐεργ[έτην].

1. C. Antistius Vetus, consul anno 6 ante C. n., deinde proconsul Asiae sub Augusto. Cf. *Prosop. imp. rom.*, I, p. 88, n. 607.

---

400. Pergami. — Dittenberger, *Orient. gr. inscr. sel.*, n. 448.

Ὁ δῆ[μ]ος | Λεύκιον Ἀντώ[ν]ιον Μ[αάρκου υἱὸν] | ταμίαν καὶ ἀντιστράτη-
5 [γον ¹ πάτρω]|να καὶ σωτῆρα δικαιοδοτ[ήσαντα τὴν] ‖ ἐπαρχείαν καθαρῶς καὶ δ[ικαίως καὶ] | ὁσίως. | Μηνόφιλος Μηνογένου ἐπόει.

1. L. Antonius M. f. M. n. Pietas, frater triumviri, consul anno 41 ante C. n., quaestor anno 50, pro praetore anno 49 Asiam rexit. Cf. de eo Klebs ap. Pauly et Wissowa, *Realencyclop.*, I, col. 2585, n. 23.

---

401. Pergami in gymnasio. — Hepding, *Athen. Mittheil.*, XXXII (1907), p. 317. n. 45.

Ὁ δῆμος | Λεύκιον Ἀντώνιον Μαάρκου υἱὸν ταμί|αν καὶ ἀντιστράτηγον,
5 πάτρωνα καὶ σω|τῆρα δικαιοδοτήσαντα τὴν ἐπαρχήαν ‖ καθαρῶς καὶ δικαίως κ[αὶ ὁ]σ[ίω]ς ¹.

1. Cf. n. 400.

T. IV   11

402. Pergami. — Dittenberger, *Orient. gr. inscr. sel.*, n. 461.

Ὁ δῆμος ὁ Κοτιαέων ¹ | Σέξτον Ἀππολήιον ² τὸν | ἀνθύπατον καὶ ἑαυ-
τῶν | εὐεργέτην.

1. Cotiaeum, civitas Phrygiae. — 2. Sex. Appuleius, consul anno 29 ante C. n., pro-
consul Asiae non multo post annum 24 ante C. n. : *Prosop. imp. rom.*, I, p. 118, n. 777.
Cf. nn. 403, 404.

403. Pergami. — Fränkel, *Alterth. von Pergamon*, VIII, ıı, n. 420.

Ὁ δῆμος ἐτίμη[σεν | Σέξτον Ἀππολ]ήιον Σ[έξτου υἱὸν, | τὸν ἀνθύπατ]ον ¹,
τὸν [ἑαυτοῦ εὐ|εργέτην].

1. Cf. nn. 402, 404.

404. Pergami. — Kolbe, *Athen. Mittheil.*, XXVII (1902), p. 46, n. 69.

[Σέξτος Ἀππ]ολήιος ἀνθύπα|[τος λ]έγει · ¹ | .... ου Περγαμηνὸν |
5 .... ομένους ἀνευε‖............μην ἐπυ..........

1. Cf. nn. 402, 403.

405. Pergami, in gymnasio.·— Hepding, *Athen. Mittheil.*, XXXII (1907), p. 323, n. 51.

Ὁ δῆμος ἐτίμησεν | Μάρκον Ἀ..., ιον ¹ Καλουεῖνον | ἔπαρχον, [ἀρ]ετῆς
5 ἕνεκε[ν], | ἐπι[μελη]θέντος ‖........

1. Ἀτ[ίλ]ιον?

406. Pergami. — Fränkel, *Alterth. von Pergamon*, VIII, ıı, n. 433.

Ὁ δῆμο[ς | Π. Ἰούλιον Γεμίνι]ον Μαρκι[ανὸν τὸν ἀνθύπατον] ¹.

1. P. Julius Geminius Marcianus Asiae proconsulatum gessit imperante Commodo,
fere anno 185/186 p. C. n. Cf. *Prosop. imp. rom.*, II, p. 194, n. 227. Eumdem habes
supra t. I, nn. 930, 931.

407. Pergami. — Le Bas et Waddington, 1723 ; cf. Fränkel, *Alterth. von Pergamon*, VIII, ii, p. 514.

5 M. Ἰούλιον Μαίορα ¹ | Μαξιμιανὸν, | ταμίαν καὶ ἀν|τιστράτηγον ‖ καὶ ἀγορανόμον | Ῥωμαίων, | Εὐσχήμων καὶ Πύρσος.

1. De M. Julio Majore Maximiano cf. *Prosop. imp. rom.*, II, p. 199, n. 268. Quando vixerit incertum est.

---

408. Pergami. — Fränkel, *Alterth. von Pergamon*, VIII, ii, n. 408 ; Gröbe, *Athen. Mittheil.*, XXXIII (1908), p. 138.

[Ὁ δ]ῆμος ἐτίμησεν|....[ο]ν Ἰούνιον Μαάρκου υἱὸν ¹ | [διὰ τὴν ἀ]ρετὴν καὶ τὴν ἐκ τοῦ υἱοῦ | [αὐτοῦ] εἰς τὸν δῆμον εὔνοιαν.

1. Patrem Gröbe opinatur illum fuisse qui anno 81 aute C. n. Roma « aberat. nova legatione impeditus » (Cic., *pro Quinct.*, 3), filium praetorem anni 67 ante C. n. Cic.. *pro Cluent.*, 126 ; Plin., *Hist. nat.*, XXXV, 100).

---

409. Pergami. — Dittenberger, *Sylloge*, ed. II (1898), n. 344.

Ὁ δ[ῆ]μος | [Κοί]ντον Καικίλιον Κοίντου υἱὸν | [Μ]έτελλον Πίον Σκι-
5 πίωνα ¹ τὸν αὐτο|κράτορα ², τὸν ἑαυτοῦ σωτῆρα καὶ ‖ εὐεργέτην.

1. Q. Caecilius Metellus Pius Scipio, filius P. Cornelii Scipionis Nasicae, adoptatus a Q. Metello Pio, consul anno 52 ante C. n. — 2. Cum Parthorum minas a Syria, quam administrabat, feliciter reppulisset, anno 49 nomen imperatoris assumpsit (Caes., *Bell. civ.*, III, 31, 1). Cf. Pauly et Wissowa, *Realencyclop.*, III, col. 1224, n. 99.

---

410. Pergami. — Fränkel, *Alterth. von Pergamon*, VIII, ii, n. 425 ; cf. Gröbe, *Athen. Mittheil.*, XXXIII (1908), p. 140.

Ὁ δῆμος | [Λε]ύκιον Καλπούρνιον Πίσωνα | [τ]ὸν διὰ προγόνων εὐεργέτην | τῆς πόλεως ¹.

1. L. Calpurnius Piso, vir gentis nobilissimae incertus ; « cogitari potest de procon-

sule quodam Asiae aetatis imperatoriae ineuntis. » Klebs, *Prosop. imp. rom.*, I, p. 283, n. 231. Cf. etiam *Bull. de corr. hellén.*, V, 1881, p. 183.

---

411. Pergami. — Conze, *Athen. Mittheil.*, XXIV (1899), p. 176, n. 23.

['Ο δῆμος?] | Λε[ύκι]ο[ν Καλπούρνιον | Πίσων[α] ¹ ...... | ἀρετῆς [ἕνεκα
5 τῆς εἰς] ‖ τὴν μητ[ρόπολιν].

1. Cf. n. 410.

---

412. Pergami. — Fränkel, *Alterth. von Pergamon*, VIII, ii, n. 428.

Ὁ δῆμος ἐτίμ[ησεν] | Λεύκιον Κλαύδιο[ν....., ...] | ἔπα[ρχ]ον ¹, δι' ἀρε-
[τὴν καὶ διηνεκῆ | εἰ]ς ἑαυτ[ὸν εὔνοιαν].

1. Vir praefectura incerta ornatus, initio aetatis imperatoriae.

---

413. Prope Pergamum, in herma mutilo. — Schröder, Schrader et Kolbe, *Athen. Mittheil.*, XXIX (1904), p. 163, n. 6. Cf. Hepding, *ibid.*, XXXII (1907), p. 363, not. 1.

Ἄτταλος ¹ εἰκόνα ἥν θῆκεν | Νύμφαισιν ² ἄγαλμα |
ἀΐδιον λουτρῶν ὄφρ' ἀπό|λαυσιν ἔχοι.

1. Vir saeculi II post C. n., ut judicat Hepding, qui profecto fuit genere conjunctus cum C. Claudio Attalo Paterculiano consulari (cf. n. 414); imo consularis unus et idem fuisse potius videretur, nisi vetaret litteratura. — 2. Prope fontem inventus est lapis.

---

414. Pergami in gymnasio. — Hepding, *Athen. Mittheil.*, XXXII (1907), p. 360, n. 116.

Γ. Κλ. Ἄττ[αλος Πατε]ρχλιανὸς ¹ | τριτ[εύσας ² φιλο]τίμως | καὶ ἐκ τῶ[ν
5 ἰδίων εἰς τ]ὴν τριτείαν | πολλὰ ἀν[αλώσας ἐξεγ]ώρησε καὶ τὸ ‖ τοῦ Πούλχ[ρου
ἐπιδόσ]ιμον ³ εἰς ἐ|πισκευ[ὴν].....

1. C. Claudius Attalus Paterculianus consularis, praeses Bithyniae saeculo III, ut videtur. Cf. *Prosop. imp. rom.*, I, p. 351, n. 653. Cf. n. 650. — 2. Τριτεύτης, magistratus

municipalis tritico, rei frumentariae praepositus; cf. n. 479 et Liebenam, *Städteverwalt.*, p. 363, not. 4; *Athen. Mittheil.*, XXIV (1899), p. 232, n. 71. — 3. Pecunia a Pulchro quodam collata.

---

415. Pergami, inter agoram et gymnasium, in herma Attali. — Dörpfeld, *Athen. Mittheil.*, XXXI (1904), p. 386; Hepding, *ibid.*, XXXII (1907), p. 361, n. 117.

> Ἄτταλος [1] οὗτος ὁ τήνδε θεῶν πανυπείρογον εἴσας |
> Ῥωμαίων ὕπατος πρόσπολός ἐστι θεᾶς [2].

1. Fortasse Claudius Attalus proconsul Asiae saeculo III : *Prosop. imp. rom.*, I, p. 350, n. 630. — 2. Mater deorum Magna, aut Isis, aut dea aliqua ejusdem generis, cujus simulacrum proxime statuerat Attalus.

---

416. Pergami, in domo et in herma Attali. — Hepding, *Athen. Mittheil.*, XXXII (1907), p. 366, n. 118.

> Ὦ φίλοι, ἐσθίετε βρώμην καὶ πείνετε οἶνον [1], |
> Ἀττάλου [2] εὐφροσύνοις τερπόμενοι θαλίαις [3].

1. Cf. Hom., *Od.*, XX, 460; XII, 23. — 2. Cf. n. 415. — 3. Cf. Hom., *Od.*, XI, 602, 603.

---

417. Pergami. — Fränkel, *Allerth. von Pergamon*, VIII, ii, n. 409.

> [Ὁ δῆμος Γάιον Κλ]αύ[διον | Ἀππίου υἱὸν Πόλ]χρον [1], | [τὸν ἑαυτοῦ
> διὰ πρ]ογόνω[ν | εὐεργέτην].

1. C. Claudius Appii f. Pulcher, proconsul Asiae annis 55-53 ante C. n. De eo vide Münzer ap. Pauly et Wissowa, *Realencyclop.*, III, col. 2856, n. 303.

---

418. Pergami. — Dittenberger, *Orient. gr. inscr. sel.*, n. 464.

> Ὁ δῆμος | Πόπλιον Κοιντίλιον Σέ[ξ]του υἱὸν Οὐᾶρον [1] | πάσης ἀρετῆ[ς
> ἕνεκ]α.

1. P. Quinctilius Varus, clade sua notus, in Asia quaestor anno fere 22 ante C. n. Cf. *Prosop. imp. rom.*, III, p. 118, n. 27 et Dittenberger ad n. suum 463.

419. Pergami. — Schröder, Schrader et Kolbe, *Athen. Mittheil.*, XXIX (1904), p. 173,
n. 18.

Ὁ δῆμος ἐτίμησ[εν Πόπλιον] | Κυιντίλιον Οὐ[ᾶρον] [1] | Κυι[ντ].....

1. Cf. n. 418.

---

420. Pergami. — Hepding, *Athen. Mittheil.*, XXXII (1907), p. 318, n. 46.

Ὁ δῆμος ἐτείμησεν | Λεύκιον Κορνοφίκιον Λευκίου υἱὸν [1] διά τε τὰς | εἰς
ἑαυτὸν εὐεργεσίας καὶ διὰ τὰς εἰς Νέωνα Πολέ|μωνος Βουβᾶν τὸν στρατηγὸν
φιλανθρωπίας.

1. L. Cornificius L. f., cos. anno 35 ante C. n. Cf. Pauly et Wissowa, *Realencyclo-
paedie*, IV, 1, col. 1623, n. 5.

---

421. Pergami. — Dittenberger, *Sylloge*, ed. II (1898), n. 343.

Ὁ δῆμος ἐτίμησεν | Κορνηλίαν Κοίντου Μετέλλου [Π]ίου [1] | Σκιπίωνος
5 τοῦ αὐτοκράτορος θυγατέ|ρα, γυναῖκα δὲ Γναίου Πομπηίου Γναίου υἱοῦ‖ [Μ]εγά-
λου τοῦ ἀνθυπάτου [2], διά τε τὴν περὶ αὐτὴν | σωφροσύνην καὶ τὴν πρὸς
τὸν δῆμον εὔνοιαν.

1. ΥΙΟΥ lapis. Emendavit Dittenberger. — 2. Cornelia, vere anni 49 ante C. n. Mytilenas
a Pompeio conjuge missa, ibi mansit, donec post proelium Pharsalicum, mense Augusto
anni 48, in Aegyptum ipsa etiam fugit. « Per hoc intervallum Corneliae statua una cum
patris (n. 409) dedicata est ». Dittenberger.

---

422. Pergami. — Dittenberger, *Orient. gr. inscr. sel.*, n. 451.

Ὁ δῆμος ἐτίμησεν | Πόπλιον Κορνήλιον Δολαβέλλαν | τὸν ἀνθύπατον [1] |
γενόμενον εὐεργέτην τῆς πόλεως.

1. Waddington, *Fastes des prov. asiatiques*, n. 23 : « hunc proconsulem Asiae (Val.
Max., VIII, 1; A. Gell., XII, 7, 1) eundem fuisse probabiliter statuit, qui fere anno 69
ante C. n. praetor fuisset; Cic., *pro Caecina*, VIII, 23. » Dittenberger. Cf. Münzer ap.
Pauly et Wissowa, *Realencyclop.*, IV, col. 1300, n. 140.

423. Pergami. — Fränkel, *Alterth. von Pergamon*, VIII, II, n. 429; Gröbe, *Athen. Mittheil.*, XXXIII (1908), p. 139.

['Ο δῆμος Μᾶ]ρχο[ν......... Κ]ορνοῦτο[ν].....

[Caecilius] .Cornutus vir praetorius anno 24 post C. n., aut pater ejus, frater Arvalis anno 21/20, ut conjecit Gröbe. Cf. *Prosop. imp. rom.*, I, p. 248, nn. 27, 28.

---

424. Pergami. — Fränkel, *Alterth. von Pergamon*, VIII, II, n. 424.

Λ. Κούσπιον Παχτουμήι[ον] | 'Ρουφῖνον ὕπατον ¹, ἱερέα Διὸς | 'Ολυμπίου ² χαὶ χτίστην τῆς πατρίδος, | οἱ τὴν ἀχρόπολιν χατοιχοῦντες ³.

1. L. Cuspius Pactumeius Rufinus, cos. suffectus anno incerto, origine Pergamenus. Cf. *Prosop. imp. rom.*, I, p. 488, n. 1337. — 2. Jovem Olympium Pergami non constat prius cultum esse, quam Hadrianus, consecrato Athenis Olympieo, anno 129 post C. n., cognominatus est Olympius. — 3. Cf. supra, n. 330.

---

425. Pergami. — Dittenberger. *Orient. gr. inscr. sel.*, n. 491.

5   Λ. Κούσπιον Πα|χτουμήιον 'Ρου|φεῖνον ὕπατον ¹ | τὸν εὐεργέτην ‖ χαὶ χτίστην τῆς | πατρίδος | οἱ χατοιχοῦντες | τὴν Πασπαρειτῶν | πλατεῖαν ², ‖ 10 ἐπιμεληθέντων | Μενάνδρου β' βαφέος | χαὶ Γ. 'Ιουλίου Εὐτάχτου, | δόντων ἐχ τῶν ἰδίων | δηνάρια ἑχατὸν χαὶ τὴν βάσιν.

1. Cf. n. 426. — 2. Platea prope delubrum Apollinis Pasparii (Hesych. s. v.) in loco ubi incolebat tribus Paspareis, sic vocata a patrono suo Diodoro Herodis filio Pasparo, aequali regis Attali III. Cf. nn. 292-294 : Hepding, *Athen. Mittheil.*, XXXII (1907), p. 243.

---

426. Pergami. — Ex Cyriaco Anconitano restituit Ziebarth, *Athen. Mittheil.*, XXVII (1902), p. 446. Divisio versuum non indicatur.

Λ. Κούσπιον 'Ρουφεῖνον ³ ἡ πρώτη τῆς 'Ασίας μητρόπολις χαὶ δὶς νεωχόρος πρώτη τῶν Περγαμηνῶν πόλις <ἀρετῆς ἕνεχεν χαὶ> εὐνοίας τῆς εἰς τὴν πατρίδα, ἐπιμεληθέντων τῆς ἀναστάσεως........... χαὶ Νιχομήδους Φιλο....

1. L. Cuspius Rufinus cos. anno 142, aut filius ejus cos. anno 197 post C. n. Cf. *Prosop. imp. rom.*, I, p. 488, nn. 1338, 1339.

427. Pergami. — Dittenberger, *Orient. gr. inscr. sel.*, n. 466.

Ὁ δῆ[μος ἐτίμησεν] | Γάιο[ν Μάρκιο]ν | Κη[σ]ωρῖνον [1].

1. C. Marcius Censorinus, consul anno 8 ante C. n., proconsul Asiae circa annos 2/3 post C. n. Cf. *Prosop. imp. rom.*, II, p. 336, n. 163.

---

428. Pergami. — Fränkel, *Alterth. von Pergamon*, VIII, ii, n. 416.

[Ὁ] δῆμος ἐτ]ίμησεν [Γάιον Νορβανὸν Φλά]κκον [1] τὸν ἀνθύπα|[τον γεγονότα τῆς] πόλεως εὐερ(γέτ)η[ν].

1. C. Norbanus Flaccus, consul anno 38 ante C. n., proconsul Asiae paulo post pugnam Actiacam. Cf. *Prosop. imp. rom.*, II, p. 415, n. 135.

---

429. Pergami. — Dittenberger, *Orient. gr. inscr. sel.*, n. 468.

Ὁ δῆμος ἐτεί[μησεν] | Νωνίαν Πόλλ[αν [1] τῆς τε] | ἄλλ[η]ς ἀρε[τῆς καὶ
5 τῆς] | διὰ τὸν υὸν Λ[εύκ(ιον) Οὐολού]‖σιον Σατορνῖν[ον τὸν ἀνθύ]|πατον [2],
εὐτεκνί[ας ἕνεκα ·] | ρθ [3].

1. De Nonia Polla cf. *Prosop. imp. rom.*, II, p. 415, n. 129. — 2. Fortasse ille idem qui consul suffectus fuit anno 3 post C. n., proconsul Asiae post annum 9, defunctus anno 56. Cf. *Prosop. imp. rom.*, III, p. 483, n. 661. — 3. « Annus 109 aerae alicujus » Fränkel, n. 427. « Litterae ad posituram lapidum indicandam incisae » Dittenberger.

---

430. Pergami. — Conze, *Athen. Mittheil.*, XXIV (1899), p. 184, n. 41.

Οὔλπιο[ς] | Κορνήλιο[ς] | Σκειπίω[ν].....

---

431. Pergami. — Fränkel, *Alterth. von Pergamon*, VIII, ii, n. 417.

Ὁ [δῆμο]ς· (ἐ)τίμησε[ν] | Μᾶρκον Οὐαλέριον Μέσ[σ]αλλαν [1].

1. Fortasse M. Valerius Messalla Potitus, cos. suff. anno 32 aut 29 ante C. n., proconsul Asiae, quanquam lapis post Μέσσαλλαν vacat; de quo cf. *Prosop. imp. rom.*, III, p. 370, n. 94.

432. Pergami in gymnasio. — Jacobsthal, *Athen. Mittheil.*, XXXIII (1908), p. 411, n. 47.

Ὁ δῆμος | [Α]ὖλον Ῥάυιον Αὔλου υἱὸν [1], | [δι'] ἣν ἔσχηκεν πρὸς ἑαυτὸν | εὔνοιαν.

1. A. Ravius Julianus; cf. *C. I. Gr.*, 3543.

---

433. Pergami. — Dittenberger, *Orient. gr. inscr. sel.*, n. 449.

Ὁ δῆμος ἐτίμησεν | Πόπλιον Σεροίλιον Ποπλίου υἱὸν Ἰσαυρι|κὸν [1] τὸν
ἀνθύπατον [1] γεγονότα σωτῆρα καὶ | εὐεργέτην τῆς πόλεως καὶ ἀποδεδωκότα
5 τῆι ‖ πόλει τοὺς πατρίους νόμους καὶ τὴν δημοκ[ρα]|τίαν ἀδούλωτον [2].

1. P. Servilius Isauricus, proconsul Asiae anno 48 ante C. n.; Waddington, *Fastes de la prov. d'Asie*, p. 70, n. 37. — 2. De libertate Pergamenis a P. Servilio restituta cf. ejus epistulam (n. 301, v. 20) et Foucart, *Mém. de l'Acad. des Inscr.*, XXXVII (1903), p. 317.

---

434. Pergami. — Fränkel, *Alterth. von Pergamon*, VIII, II, n. 414.

['Ο] δ[ῆ]μο[ς Σεροιλίαν.....], | τὴ[ν Πο]πλίου Σερ[οιλίου Ἰσαυρικοῦ] |
θυγατέρα [1], σωτῆρος γ[εγονότος καὶ εὐεργέτου] | τῆς π[όλεως.

1. Anno 48 ante C. n. Cf. n. 433. Augustus « sponsam habuerat adulescens P. Servilii Isaurici filiam, sed reconciliatus post primam discordiam Antonio privignam ejus Claudiam duxit uxorem. » (Suet., *Aug.*, 62).

---

435. Pergami. — Dittenberger, *Orient. gr. inscr. sel.*, n. 452.

Ὁ δῆμος ἐτίμησεν | Λεύκιον Σήστ[ι]ον τὸν τα|μίαν [1] τὸν ἑαυτ[οῦ πάτρωνα] | καὶ εὐε[ργέτη]ν.

1. Quaestorem proconsulis Asiae L. Sestium Pansam laudat Cicero (*Ad Q. fr.* II, 11, 2) anno 54 ante C. n. Cf. n. 436.

---

436. Pergami. — Fränkel, *Alterth. von Pergamon*, VIII, II, n. 407.

Ὁ δῆμος τῶν....] | ἐτίμησε[ν | Λ]εύκιον Σή[σ]|τιον [1].

1. Cf. n. 435.

437. Pergami. — Fränkel, *Alterth. von Pergamon*, VIII, ɪɪ, n. 431 ; Gröbe, *Athen. Mittheil.*, XXXIII (1908), p. 139.

['Ο] δῆμος ἐτ[ίμησεν | ....Σω]ρνάτιον '....., πρεσ‖[6ευτὴν ², γε]γονότ[α
5 εὐεργέτην] τῆς | [πόλεως, εὐν]οί[ας ἕνεκα τῆς ‖ εἰς ἑαυτόν].

1. Γ lapis : Γ[αίου] vel Π[οπλίου υἱὸν], vel initium cognominis. — 2. Legatus provinciae Asiae, ut videtur. Eum contendit Gröbe non alium fuisse ac legatum Luculli in bello Mithridatico (Plut., *Luc.*, 17, 24, 30, 35).

---

438. Pergami. — Dittenberger, *Orient. gr. inscr. sel.*, n. 465.

Ὁ δῆμος ἐτίμησεν | Παῦλλον Φάβιον Κοίντου | υἱὸν Μάξιμον ' πάσης | ἀρετῆς ἕνεκα.

1. Paullus Fabius Maximus, consul anno 11, proconsul Asiae anno 9 ante C. n.

---

439. Pergami. — Kolbe, *Athen. Mittheil.*, XXVII (1902), p. 47, n. 70.

5 ...γ.....!.........|... αν...|.... οιον....‖..... αὐτοῖς παν...|.... [ἀν]θρώπων
10 ὑπ|....... [ἀνθ]υ(πατ..) Γ. Φοντη|[ιο] '...... παλατίωι ²|...... [ι]ανὸς ³ Σεβα‖[σ-
τὸς...? Δά]ρνηι τεγν|...... οντ....

1. Fortasse C. Fonteius Agrippa cos. anno 58, proconsul Asiae anno 68 post C. n. Cf. *Prosop. imp. rom.*, II, p. 85, n. 309. — 2. Possis cogitare de Palatio Daphnes prope Antiochiam (*Itiner. Antonini*). — 3. [Vespasi]anus?

---

440. Pergami. — Fränkel, *Alterth. von Pergamon*, VIII, ɪɪ, n. 430.

Ὁ δ[ῆμο]ς | Γάιον Φούριον [Γ]αίου υἱὸν Ῥοῦφον ' | διὰ τὸ πᾶσαν εἶναι περὶ αὐτὸν ἀρετὴν | καὶ τὴν πρὸς ἑαυτὸν εὔνοιαν.

1. Eum proconsulem Asiae fuisse sub Domitiano levioribus de causis conjectum est. Cf. *Prosop. imp. rom.*, II, p. 100, n. 404. Furios vide in nummis Pergamenis (Mionnet, II, p. 594, nn. 537, 538; *Suppl.* V, p. 427, nn. 922, 923).

---

441. Pergami. — Fränkel, *Alterth. von Pergamon*, VIII, ɪɪ, n. 426.

['Ο δῆμο]ς[| Λ]εύκι[ον] '.....

1. Vir aliquis Augusto aut Tiberio aequalis, ut testatur scriptura Λεύκιον. Cf. n. 411.

442. Pergami prope templum Minervae. — Fränkel, *Alterth. von Pergamon*, VIII, ɪɪ, n. 435.

['Ο δῆμος ἐτίμησ]εν | [............, τὸν] ἀνθύπατον, | [διὰ τὸ ἀναστραφῆναι εἰς τὴν] πόλιν εὐε[ρ|γετικῶς].

---

443. Pergami in templo Minervae. — Fränkel, *Alterth. von Pergamon*, VIII, ɪɪ, n. 352.

a. 'Ανθύπ[ατος] ¹...
b. ..οὗτο[ι..] | ν.....

1. Cum summo et sinistro lapidi nihil desit, incipere videtur carmen aliquod. Donum est ab incerto proconsule Minervae factum.

---

444. Pergami. — Conze, *Athen. Mittheil.*, XXIV (1896), p. 197, n. 62.

```
.......[ἀν]θύ(πατος) ¹ λέγει · | [ὅ] σοι μὲν παρῆσαν, ὅτε περὶ τῶν |....αν τῆς
5 τῶν ἔργων κατασκευῆς | [ὅπως...] ἴδω πρὸ ὀφθαλμῶν αὐτοὺς ‖...φιλανθρωπίᾳ
κέχρημαι καὶ α|...[ὅσ]οι δὲ τῷ μὲν μὴ ἀντειπεῖν πρὸς |....ὅθεν γεινωσκέτωσαν
ὅτι, ἐὰν |....[γεινώσ]κειν αὐτοὺς ὡς καὶ τοὺς ἄλλους | [τ]όκους αὐτοῖς ἀπὸ
10 τοῦ χρόνου ‖ [ἐ]κτελέσαι τὰ ἔργα · τοὺς ἐργε|[πιστάτας...]ων ἀποθέσθαι παρα-
χρῆμα |...προιεῖσιν τριβῆς ἐν τ..|...κότες, εἰ δ' ἄρα καὶ εὐ..|...[ἐργε]πιστάται
15 ὅσον ὑπὸ.‖....νη καὶ γεινωσκέτ[ωσαν..|..μισθ]ὸν λαμβάνειν ἐπ..|....οιντο ἐκ
τοῦ..|.......ο ἐπ.........
```

1. Edictum est proconsulis alicujus aetatis fere Hadrianeae, ut arbitratur editor ex forma litterarum. Videntur seditionem fecisse opifices operi publico adhibiti; proconsul autem, cum opus ipse inspexerit, se veniam iis daturum esse profitetur, qui loco tum adfuerint aut qui non reclamaverint (v. 1-6); iis autem, qui fuerint seditionis auctores, dierum mercedem detractum iri, quibus labor intermissus fuerit (v. 7-10). Sequuntur mandata ad redemptores pertinentia (v. 10-18).

---

445. Pergami in gymnasio. — Hepding, *Athen. Mittheil.*, XXXII (1907), p. 327, n. 58 a.

Οἱ νέοι ἐτίμησαν | Γάιον Ἰούλιον Μάξιμον | τὸν ἑαυτῶν υἱὸν ¹, χειλίαρχον
5 λεγιῶνος ε' ², ἔπαρ‖χον ἱππέων, πρύτανιν, | ἱερέα διὰ βίου τοῦ Πυθίου | 'Απόλ-

10 λωνος, τιμητὴν ³, | ἀργυροταμίαν, στρατη|γὸν, διὰ τὴν ἀνυπέρϐλη‖τον πρὸς αὐτοὺς | φιλανθρωπίαν.

Eidem viro positi sunt etiam tituli breviores nn. 58 b, 59, 60.

1. Quem filium, honoris causa, collegium juvenum sibi cooptavit. Cf. supra, t. III, indicem X, 4 et Liebenam, *Städteverwalt.*, p. 131-132. — 2. Legio V Macedonica in Moesia plerumque tetendit. — 3. Censor municipalis, cujus erat praecipuum munus ut senatum legeret, in Bithynia hactenus innotuit (cf. supra, t. III, nn. 60, 64; Liebenam, *op. cit.*, p. 259, 363), hic semel in Asia.

---

446. Pergami in gymnasio. — Hepding, *Athen. Mittheil.*, XXXII (1907), p. 329, n. 61.

[Ὁ δῆμος ἐτίμησεν | Γάιον Ἰούλιον Μάξιμον ¹ | χειλίαρχον λεγιῶνος] | πέμ-
5 πτης, γυμνασίαρχον ‖ τῶν γυμνασίων πάντων ² | σημείωι ἀϐαστάκτωι ³ τιμη|-
τὴν ⁴, ἀναθήμασιν ἰδίοις εἰς | τὸ τῆς πατρίδος ἡμιλλη|μένον κάλλος αἰεὶ καὶ ‖
10 λέγοντα καὶ πράσσοντα τῆς Ἀσίας τὰ συνφέροντα, | καὶ τῆς ἐν ταῖς φιλοδο-
ξί|αις λαμπρότητος χάριν καὶ | τῆς ἐν τῶι βίωι σεμνότητος.

1. Cf. n. 445. — 2. Quinque gymnasiis Pergameni usi sunt (cf. n. 294, not. ad v. 5; 454), sex etiam posterius. — 3. Ornatus insigni « quod tolli non poterat », fortasse purpura perpetua (?). — 4. Cf. n. 445, not. 3.

---

447. Pergami in gymnasio. — Fränkel, *Alterth. von Pergamon*, VIII, II, n. 461.

Ἡ βουλὴ καὶ ὁ δῆμος τῶν νεω[κόρων Περγαμηνῶν] | ἐτείμησεν Τιϐέριον
Κλαύδιον Παυλ[εῖνον, φιλοπάτορα καὶ] | φιλομήτορα, Κλαυδίου Λουπιανο[ῦ
υἱόν, ἀνδρὸς καλοῦ κάγα]|θοῦ καὶ ἐμ πᾶσιν εὐχρήστου τῇ [πατρίδι γεγενη-
5 μένου, τῆς] ‖ στοᾶς τῆς ἐν τῷ τῶν νέων γ[υμνασίῳ κτίστου, κατ' ἀρχὰς] | κ[αὶ
λειτου]ργίας ἀρέσαντος κα[................|.....]γου, χειλιάρχο[υ β' Τραιανῆς
λεγεῶνος] | ἐν Αἰγύ[πτῳ] ¹.

1. Legio II Trajana castra sua habuit Alexandriae, postquam legio III Cyrenaïca Bostram missa est. Cagnat, ap. Daremberg et Saglio, *Dict. des antiqu.*, s. v. *Legio*, p. 1078.

---

448. Pergami. — Fränkel, *Alterth. von Pergamon*, VIII, II, n. 458.

.........[ἱερέα] | δι[ὰ γέ]νους, [? χιλίαρχον δὲ καὶ γ'] | Κυρηναικῆς [λεγεῶ-

5 νος, ἀμφοτέρ]|ων γυμνασ[ιαρχήσαντα τῶν γυ]||μνασίων² σ[πουδαίως καὶ προ]|-
νοήσαντα τ[ῆς νέων τε καὶ ἐφή]|6ων ἀγωγῆς [καὶ παιδείας νο]|μίμ[ω]ς [κ]αὶ
φ[ιλοδόξως].......

1. Legio III Cyrenaïca, quae primo post C. n. saeculo Alexandriae tetendit, altero
autem Bostrae in Arabia, saepe memoratur titulis Asiaticis. Cf. supra, t. III, indicem
VII, 1. — 2. Bina gymnasia epheborum et juvenum.

---

449. Pergami. — Fränkel, *Alterth. von Pergamon*, VIII, п, n. 460.

['Η βουλή] καὶ [ὁ δῆμος] |...........ον Γαίο[υ υἱὸν.... |.......γεγονότ]α χει-
5 λί[αρχον ....|ἐπιμεληθέντα προστα]σίας νέ[ων?.....|...........] κτίστη[ν.....
..|........ἐν π]αντὶ κα[ιρῷ].....

---

450. Pergami. — Conze, *Athen. Mittheil.*, XXIV (1899), p. 187, n. 48.

..καὶ ἀναγκα.. | [..σεμν]οτάτωι τε δ[ήμωι...|..κατοικ]ουμένοις Ῥωμ[αίοις].

---

451. Pergami prope agoram. — Dittenberger, *Orient. gr. inscr. sel.*, n. 513.

'Αγαθῆι τύχηι. | 'Η βουλὴ καὶ ὁ δῆμος τῆς πρώτης | μητροπόλεως τῆς
5 'Ασίας καὶ τρὶς | νεωκόρου τῶν Σε6(αστῶν) Περγ(α)μηνῶν || πόλεως¹ ἐτείμη-
σεν | Αὐρ. Κλ. 'Απολλωνίαν, ἱέρειαν τῆς | Νικηφόρου καὶ Πολιάδος 'Αθηνᾶς, |
θυγατέρα Κλ. 'Αλεξάνδρου² θεολόγου³ | καὶ Αὐρ. 'Απολλωνίας, Πυθοδίκου ||
10 θυγατρὸς, γένους τῶν 'Επι[λ]αιδῶν⁴, | ἱερασαμένην ἐνδόξως καὶ μεγαλο|πρεπῶς
διετεῖ χρόνῳ, καὶ τῇ ἑξῆς | διετίᾳ⁵, εὐσεβῶς πᾶσαν θρησκείαν | ἐκτελέσασαν
15 τῇ θεῷ, δεξιωθεῖσαν || τρὶς ἐντείμως ὑπὸ Θεοῦ 'Αντωνίνου⁶, | ἀγωνοθετήσασαν
τοῦ σεμνοτάτου | τῶν Νειχηφο(ρ)είων ἀγῶνος⁷.

1. Cf. nn. 452, 453. — 2. Ti. Claudius Alexander strategus, principibus Caracalla et
Elagabalo, in nummis Pergamenis nomen suum inscripsit : Mionnet, *Suppl.*, V, p. 460,
n. 1104-1105; p. 467, n. 1140-1142. — 3. Θεολόγοι et hymnodi deorum Smyrnae etiam et
Ephesi saepe referuntur. Cf. n. 353 et Dittenberger ad h. l. — 4. ΕΠΙΑΑΙΔΩΝ lapis.
Ad hanc gentem nobilem pertinebat Pythodicus, pater matris Claudiae Apolloniae, quod
honoris causa indicatur; nam, cum sacerdotium Minervae esset hereditarium (Fränkel,
p. 327), non erat quod notaretur quam ad gentem pertineret pater sacerdotis. — 5. Per
biennium in officio suo manere sacerdotes Minervae Pergamenae moris erat. Fränkel ad

n. suum 167, p. 103. — 6. Caracalla Pergamum adiit anno 213 p. C. n. (Herodian., IV, 8, 3; Cass. Dio, LXXVII, 13, 6); mortuus est nonis Aprilibus anni 217. — 7. Ludi trieterici in honorem Minervae Victricis jam Attali I aetate habebantur; Fränkel, nn. 167, 223, 226; Dittenberger ad n. suum 299.

---

452. Pergami in theatro. — Fränkel, *Alterth. von Pergamon*, VIII, II, n. 520.

Ἡ βουλὴ καὶ ὁ δῆμος | τῶν πρώτων δὶς νεω|κόρων ¹ Περγαμηνῶν |
5 ἐτίμησεν ‖ Ἰουλίαν Μ. Ἰουλίου Λούπου | θυγατέρα Παυλεῖναν | εὐσεβείας
ἕνεκα τῆς | περὶ τὴν ἱερωσύνην.

1. Pergamenorum neocoria II incipit anno 113/114 post C. n., neocoria III anno 213; cf. Fränkel ad nn. suos 269, 299 et 523.

---

453. Pergami. — Hepding, *Athen. Mittheil.*, XXXII (1907), p. 330, n. 62.

Ἡ βουλὴ καὶ ὁ δῆμος | τῶν νεωκόρων ¹ Περγα|μηνῶν ἐτείμησεν Γ.
5 <I> | Ἰούλιον Πούλχρον, νέον ‖ ἥρωα ², τὸν υἱὸν Γ. Ἰουλίου | Πούλχρου
τοῦ ἀρχιερέως ³.

1. Neocoria I Pergami exitum habuit anno 113 post C. n. Cf. n. 452. — 2. Mortuus inter deos manes relatus : Deneken ap. Roscher, *Lexikon der Mythologie*, I, col. 2548, 66. — 3. Cf. n. 276.

---

454. Pergami in gymnasio. — Hepding, *Athen. Mittheil.*, XXXII (1907), p. 321, n. 50.

Οἱ νέοι ἐτίμησαν | Γάιον Ἰούλιον Σακέρδωτα, τὸν | νεωκόρον θεᾶς Ῥώμης
5 καὶ Θεοῦ | Σεβαστοῦ Καίσαρος καὶ ἱερέα ‖ Τιβερίου Κλαυδίου Νέρωνος ¹ καὶ |
γυμνασίαρχον τῶν δωδεκάτων | Σεβαστῶν Ῥωμαίων ² τῶν πέντε | γυμνασίων ³,
10 ἀλείροντα ἐν λουτήρων | δι᾽ ὅλης ἡμέρας ἐκ τῶν ἰδίων, ‖ προνοήσαντα τῆς τε
αὐτῶν καὶ τῶν | [ἐφ]ήβων ἀγωγῆς, νόμους τε πατρίους | [καὶ ἤ]θη κατὰ τὸ
κάλλιστον | [ἀν]ανεωσάμενον.

1. Anno 26 post C. n., senatus, cum legatos Asiae, ambigentes quanam in civitate templum Tiberii provinciale statueretur, plures per dies audivisset, tandem Smyrnaeos praetulit (Tac., *Ann.*, IV, 55, 56; Chapot, *Prov. rom. d'Asie*, p. 440); municipale autem exstruxerant Pergameni. — 2. Σεβαστὰ Ῥωμαῖα, ludi pentelerici Romae et Augusto colendis instituti anno 29 ante C. n., quorum celebratio XII incidit in annum 16 post C. n. — 3. Sex gymnasiis Pergameni posterius usi sunt. Cf. n. 446.

455. Pergami in gymnasio. — Hepding, *Athen. Mittheil.*, XXXII (1907), p. 326, n. 57.

[Οἱ νέοι] ἐτίμησαν | ['Ιούλ]ιον Σέξτον |.... προφύλακα ', | [υἱὸν Σ]έξτ[ο]υ
5 'Ιου[λ]ίου ‖.....ος.

1. « Inter stationarios primus ». (Aeneas, *Tact.*, 22.)

456. Pergami in gymnasio. — Hepding, *Athen. Mittheil.*, XXXII (1907), p. 333, n. 65.

Ἡ βουλὴ καὶ ὁ δῆμος τῶν πρώτων ' | νεωκόρων Περγαμηνῶν ἐτίμη|σε
5 Γάιον 'Ιούλιον Φλαουιανὸν ἥρω|α, υἱὸν Φλαουίου Μηνοφάντου ' τοῦ ‖ γυμνα-
σιάρχου καὶ ἀρχιερέως | τῆς 'Ασίας καὶ τὰς λοιπὰς ἀρχὰς | πάσας ἀξίως τῆς
πατρίδος | πεπληρωκότος, διά τε τοῦ πατρὸς | ἀξίωμα καὶ τὴν τοῦ Φλαουιανοῦ ‖
10 ἀρετήν.

1. Ante annum 113 post C. n. — 2. Filius Flavii Menophanti, frater T. Flavii Flori
(cf. n. 470), adoptatus fuerat a Julio quodam ignoto.

457. Prope Pergamum. — Fränkel, *Alterth. von Pergamon*, VIII, II, n. 605.

Κλ. Αἰσίμωι ' | φιλοσόφωι | Σιλιανὸς | ὁ υἱός.

1. Nummis notus est Claudius Aesimus strategus Pergami, principe L. Ælio Caesare
(Mionnet, II, 599, n. 565; *Suppl.* V, 437, n. 984), unus fortasse et idem ac philosophus.

458. Pergami prope Altar magnum. — Fränkel, *Alterth. von Pergamon*, VIII, II,
n. 318.

['Η βουλὴ καὶ ὁ δῆμος ἐτί]μησεν Κλαυδίαν | [τὴν Κλαυδίου.... θυγατέρα
'Αλ]κιμίλλαν, τὴν ἀρχιέρειαν | [τῆς 'Ασίας, γυναῖκα...... ὁ]υ Κέλερος, τοῦ
5 ἀρχιερέως | [τῆς 'Ασίας καὶ τῆς Περγαμηνῶν πόλ]εως, γενομένην ἱέρειαν ‖ [τῆς
Πολιάδος καὶ Νικ]ηφόρου 'Αθηνᾶς.

459. Pergami in gymnasio. — Hepding, *Athen. Mittheil.*, XXXII (1907), p. 335, n. 66.

Ἡ [βουλὴ] καὶ ὁ δῆμος | τῶν [πρώ]των ' νεωκό|ρων Περ[γα]μηνῶν | ἐτί-
5 μησεν Βασίλισσαν ' ‖ Κλαυδίαν Καπιτωλε[ίνην] | 'Ιουνίου 'Ρούφου, ἀποκα|-

ταστήσασαν τὰ χρήμα|τα τῇ πόλει, ἃ ὁ πατὴρ αὐ|τῆς Κλ. Βάλβιλλος ³ καθιέρωσεν.

1. Ante annum 113 post C. n. — 2. Nota cognomen Βασίλισσα ante nomen praenominum more inscriptum. — 3. Noti sunt Ti. Claudius Balbillus, praefectus Aegypti anno 55 post C. n., et Balbillus, astrologus Neronis, Ephesiis gratissimus : *Prosop. imp. rom.*, I, p. 225, n. 31; p. 228, n. 41; p. 360, n. 662; quibuscum huic Pergameno ratio aliqua potuerit intercidere.

---

460. Pergami prope Altar magnum. — Fränkel, *Alterth. von Pergamon*, VIII, II, n. 523.

Ἀ[γαθῇ τύχῃ]. | Τι. ¹ Κλ. Μελιτίνην, | ἱερασαμένην τῆς Νι|κηφόρου
5 καὶ Πολιάδος ‖ Ἀθηνᾶς ἐνδόξως καὶ φιλο|τίμως, θυγατέρα Τι. Κλ. Μι|λάτου, δρομέως παραδόξου, | [ν]ικήσαντος ἱερούς εἰσε|[λα]στικοὺς ἀγῶνας δέκα ², ‖
10 [ὑμνῳδ]οῦ Θεοῦ Αὐγούστου ³, | [σ]τρατη[γοῦ πρ]ώτου ⁴ καὶ πά|σας ἀρχάς καὶ
[λει]τουργίας ἐκ|τελέσαντος ἀ[μέμ]πτως, καὶ Κλ. | Ψηφίας θυγατέρα, ἱε[ρεία]ς
15 Θεᾶς ‖ Φαυστείνης καὶ ἐπιτε[λε]σάσ[ης] | ταυροκαθάψιν ⁵ ἐπὶ δύο ἡμέ[ρας], |
ἐκγόνη(ν) Τι. Κλ. Κλήμεντος κ[αὶ..] |... σίας Μελι[τί]ο[υ, ...]ικὸν συντε-
[λέσα]|σαν καὶ ἐκ προγόνων ἱέρειαν.

1. Nota feminam praenomine nuncupatam. — 2. Sacros iselasticos agonas duos celebraverunt ipsi Pergameni, Augustea et Trajanea. Cf. n. 337. — 3. Cf. n. 353. — 4. Quinque strategorum collegii primus, et idem eponymus anni sui. — 5. Ut ταυροκαθάψιον, taurorum venatio more thessalico : Beurlier, *Mém. de la Soc. des antiquaires de France*, XLVIII (1887), p. 57 et 351.

---

461. Pergami prope gymnasium. — Fränkel, *Alterth. von Pergamon*, VIII, II, n. 466.

Ἡ βουλὴ καὶ ὁ δῆμος | ἐτίμησε | Τι. Κλαύδιον Οὐέτερα, | τὸν πρύ-
5 τανιν καὶ κτίστη[ν] ‖ τοῦ ἀλειπτηρίου τοῦ ἐ[ν] τ[ῶι] | τῶν νέων γυμνασίωι |
10 καὶ δὶς στρατηγὸν καὶ τρὶς | εἰρηνάρχην καὶ ἀγορανό|μον καὶ ἱερονό‖μον καὶ
τα|μίαν τῶν τῆς πόλεως χρη|μάτων κα[ὶ] φίλον πάντων, | ἀρετῆς ἕ[ν]εκα καὶ
τῆς | εἰς τὴν π[α]τρίδα εὐνοίας.

---

462. Pergami in theatro. — Fränkel, *Alterth. von Pergamon*, VIII, II, n. 511.

[Ἡ βο]υλὴ καὶ ὁ δῆμος | ἐτίμησαν | [Κλ]αυδίαν Παῦλλαν [Κ]λα[υ|δί]ου

5 Φρόντωνος ἀρχ[ιε‖ρέ]ως θυγατέρα, δὶς [γε|ν]ομένην ἱέρηιαν [τῆς | Νι]χ[η]φόρου
καὶ Π[ο]λι[ά]|δος Ἀ[θ]ηνᾶς, [ἱ]ερ[α]τεύσ[α]|σαν ἀξίως τοῦ [γέ]νους.

---

463. Pergami prope theatrum romanum. — Fränkel, *Alterth. von Pergamon*, VIII, ıı,
n. 477.

['Η γερουσί]α ἐτίμησεν |............ ἐνους υἱὸν Κορνηλι[ανὸν, γενό|μενον ἱερέα
Τιβερίου] Κλαυδίου Καίσαρο[ς Σεβαστοῦ, | καλῶς τελέσαντα] τὴν ἱερ[ωσύνην].

---

464. Pergami prope templum Minervae. — Dittenberger, *Orient. gr. inscr. sel.*, n. 474.

Ἡ βουλὴ<ι> καὶ ὁ δῆμος ἐτίμ[ησαν] | Ὀτακιλίαν Φαυστῖναν Γναίου
Ὀ[τακιλίου] | Φαύστου θυγατέρα, ἱέρειαν γ[ενομένην] | τῆς Νικηφόρου καὶ
5 Πολιάδος [Ἀθηνᾶς καὶ] ‖ Ἰουλίας συνθρόνου, νέας Νικη[φόρου, Γερμά]|νικοῦ
Καίσαρος θυγατρὸς [1], δ[ιά τε τὴν τῶν] | γονέων αὐτῆς εἰς τὴν [πατρίδα ἐν παντὶ
τῶι] | βίωι φιλοδοξία(ν) καὶ διὰ [τὴν τῆς ἱερωσύνης] | ἀγωγὴν καὶ πρὸς τὰς
10 [θεὰς εὐσεβείας τὴν ὑ]‖περβολή[ν].

1. Julia Livilla, Germanici filia natu minima. *Prosop. imp. rom.*, II, p. 229, n. 444.
Cf. titulos nn. 328, 476.

---

465. Pergami prope theatrum romanum. — Fränkel, *Alterth. von Pergamon*, VIII, ıı,
n. 475.

Ὁ δῆμος ἐτίμησεν | [Γ]ναῖον Ὀτακίλιον Χρῆστον, | τὸν πρύτανιν καὶ ἱερέα |
5 Καίσαρος [1] καὶ ἀγωνοθέτην ‖ τῶν τοῦ Σεβαστοῦ παίδω[ν [2] | ἐ]κ τῶν ἰδίων τῷ
αὐτῷ ἔτει, | ἀνυπερθέτως ἐν πᾶσ[ι] | φιλοδοξήσαντα.

1. Augustus vivus. — 2. C. et L. Caesares. Cf. n. 317.

---

466. Pergami in templo Minervae. — Fränkel, *Alterth. von Pergamon*, VIII, ıı, n. 476.

Ὁ δῆμος ἐτίμησεν | Γναῖον Ὀτακίλιον Χρῆστον [1].

1. Cf. n. 465.

T. IV

12

467. Pergami. — Von Prott et Kolbe, *Athen.`Mittheil.*, XXVII (1902), p. 99, n. 97.

Ὁ δῆμος ὁ Περ[γαμηνῶν | ἐτίμη]σεν Πομπηίαν Μ[ακρείναν.....ου | Πομπ]ηίου Μάκρου θυγα[τέρα] ¹.

1. Pompeia Macrina, proneptis Cn. Pompeii Theophanis Mytilenaei, historici nobilis, filia Pompeii Macri equitis romani, exsulavit anno 33 post C. n. *Prosop. imp. rom.* III, p. 72, n. 506. Cf. n. 471.

---

468. Pergami? — *C. I. Gr.*, 6829; von Prott, *Athen. Mittheil.*, XXVII (1902), p. 182.

Ὑπὲρ σωτηρίας καὶ νείκης καὶ αἰωνίας διαμονῆς | τῶν κυρίων αὐτοκρατόρων Λουκίου Σεπτιμίου | Σευήρου Εὐσεβοῦς Περτίν[α]κος Σεβαστοῦ Ἀραβικοῦ
5 Ἀδιαβηνι|κοῦ Παρθικοῦ Μεγίστου καὶ Μάρκου Αὐρηλίου Ἀντωνείνου ‖ Σεβαστοῦ Ἀραβικοῦ Ἀδιαβηνικοῦ Παρθικοῦ Μεγίστου καὶ | Λουκίου Σεπτιμίου
[Γέτα] Καίσαρος καὶ Ἰουλίας Σεβαστῆς | μητρὸς στρατοπέδων καὶ τοῦ σύνπαντος αὐτῶν οἴκου καὶ | ἱερᾶς συνόδου Λ. Σεπτίμιος Τρύφων καὶ ὡς | χρημα
10 τίζω ¹, Ἀλεξανδρεὺς φιλόσοφος, γενόμενος ἱερεὺς ‖ κατὰ τὸ ἑξῆς δὶς καὶ ἀρχιερεὺς τοῦ Καθηγεμόνος Διονύσου διὰ | βίου, ἔτι τε καὶ τειμηθεὶς ἀρχιερεὺς Μάρκου Αὐρηλίου Ἀντωνίνου | Σεβαστοῦ τοῦ νέου Διονύσου ² διὰ βίου καὶ ὑποσχόμενος αὐθαί|ρετος καὶ ταύτην τὴν ἀρχιερωσύνην διὰ βίου ἐπιτελεῖν, |
15 τὸν Διόνυσον ἀνακοσμήσας ³ ἐκ τῶν ἰδίων πρῶτος, ‖ λογιστεύοντος Μ. Οὐολυσσίου Περικλέους, | ἐπαγγειλάμενος τὸν Διόνυσον ἀνακοσμῆσαι ἐπὶ ἄρχοντος | Βεντιδίου Σώτ[α], πυθαύλου περιοδονείκου παραδόξου, | καὶ γραμματέ[ω]ς Αἰλίου Ἀγ|αθημέρου, κιθαρῳδοῦ παραδό|ξου, καὶ νομοδίκτου Αὔλου Οἰνέ[ω]ς,
20 τραγῳδοῦ παραδόξου, ‖ ἐτελείωσα δὲ, ὡς ἐπηγγειλάμην, τὸν Διόνυσον ἐπὶ ἄρ|χοντος Αὐρ. Ἀγχαρήνου Φαίδρου, Ἐφεσίου, κομῳδοῦ | περιοδονείκου, Καπετωλιον[ε]ίκου παραδόξου καὶ γραμματέ[ω]ς | Μενεκρ[ά]τους Ἀσσυρίου Συλλέ[ω]ς, κομῳδοῦ περιοδονείκου | παραδόξου, καὶ νομοδίκτου ⁴ Τιβ. Κλαυδ.
25 Ἀλεξάνδρου, Λαοδικέ‖ως ⁵, τραγῳδοῦ καὶ ποιητοῦ παραδόξου.

1. Formula καὶ ὡς χρηματίζω = et cetera, ut vocor in libellis publicis, in titulis aegyptiacis saepe occurrit; cf. hujus operis vol. I, nn. 1063, 1064, etc. — 2. Caracalla, artificum Dionysiacorum deus, novus Bacchus dictus est, postquam Bacchi Ductoris aedem Pergameni, incipiente neocoria III, ei praesenti dedicaverunt, anno 215 post C. n. Cf. Herodian., IV, 8, 3; Cass. Dio, LXXVII, 7 et 15. Cf. nn. 362, 367. — 3. Bacchi statuam in templo reficiendam curavit. — 4. Jurisconsultus synodi. — 5. Intellige Λαοδικέως, Laodicea oriundus.

469. Pergami in templo Minervae. — Fränkel, *Alterth. von Pergamon*, VIII, ii, n. 484.

Ἡ [γερουσία ἐτίμησεν] | Τι[..Ουγατέρα...] |τρ.......ν Πίαν, | Κορ[νηλίου
5 τοῦ φιλ]οσόφου ‖ μη[τέρα, τὴν καὶ ἱέρ]ειαν | Μη[τρὸς τῆς βασιλείας] ¹.

1. Magna Mater deorum Regina (Diod., III, 57, 3), quae Pergami suum fanum habuit.
Cf. titulos ap. Fränkel nn. 334, 481, 482, 483.

---

470. Pergami in gymnasio. — Hepding, *Athen. Mittheil.*, XXXII (1907), p. 331, n. 64.

Ἡ βουλὴ καὶ ὁ δῆμος | τῶν πρώτων νεωκόρων ¹ | Περγαμηνῶν ἐτίμησε |
5 Τίτον Φλάουιον Φλῶρον ‖ ἥρωα, | υἱὸν Φλαουίου Μηνοφάντου | τοῦ γυμνα-
σιάρχου καὶ | ἀρχιερέως τῆς Ἀσίας καὶ τὰς | λοιπὰς ἀρχὰς πάσας ἀξίως ‖
10 τῆς πατρίδος πεπληρωκότος | διά τε τὸ τοῦ πατρὸς ἀξίωμα | καὶ τὴν τοῦ
Φλώρου | ἀρετήν.

1. Ante annum 113 post C. n.

---

471. Pergami in gymnasio. — Hepding, *Athen. Mittheil.*, XXXII (1907), p. 319, n. 47.

.....Χαρίνου | [ἄνδρα καλὸν καὶ περὶ τὴ]ν πολιτείαν ἀγαθὸν, | [πρεσβεύ-
σαντα ὑ]πὲρ τῆς πόλεως, | [μεγάλους κινδύνους ἐ]πὶ τῆς ξένης ὑποστάντα ‖
5 [καὶ ἐν ταῖς λοιπαῖς ἀ]ρχαῖς καὶ πρεσβείαις | [καὶ λειτουργίαις πάσ]αις συμ-
φυλάξαντα | [ἀεὶ τὴν αὐτὴν αἵρεσ]ιν ἀξίως τῆς πατρίδος ¹.

1. Primo ante C. n. saeculo, ut putat editor ex forma litterarum. Idem Charinus for-
tasse memoratur in titulo n. 369. Cf. etiam n. 482, v. 6.

---

472. Pergami prope Minervae templum. — Fränkel, *Alterth. von Pergamon*, VIII, ii,
n. 532.

[Ὁ δῆμος ἐτίμη]σ[εν] | .... ο[......., γενομένην μὲν Κοΐ]ντου Λολ_
[λιανοῦ τοῦ] Ἀσι[άρχου? | γυναῖκ]α, θυ[γατέρα δὲ........., διὰ τὴν] τοῦ
πατρὸ[ς ἀρετὴν καὶ Λ]ολλ[ιανοῦ | καὶ αὐτῆς τε ἐν πᾶσι καιροῖς πρὸς τὸν
5 δῆμ]ον εὔ[νοιάν τε καὶ σ]ωφ[ροσύνην] ‖ ....

473. Pergami. — Conze, *Athen. Mittheil.*, XXIV (1899), p. 178, n. 30.

['Η βουλὴ καὶ ὁ δῆμος ἐτ]είμησ[εν | .... ιπ]πον Μάρχου | [......... ο]υ τοῦ
5 τῆς πό|[λεως εὐεργέτ]ου | υἱὸν, γενό‖[μενον ἱερέα διὰ γ]ένους Θεᾶς | [Ρώμης καὶ
Θεοῦ] Σεβαστοῦ | .....ε ὑγιείας καὶ νεί|[χης, ἀγωνοθ]έτην δὶς κατὰ | [τὸ ἑξῆς
10 ἐκ τ]ῶν ἰδίων καὶ γυ‖[μνασίαρχον] τῷ κοινῷ τῆς | [πόλεως? τῶν γυμ]νασίων
ἐκ | [τῶν ἰδίων, πρύτ]ανιν ἀναθέν|[τα εἰς σιτωνίαν τ]ῇ πόλει Ἀττα|[λικὰς [1]
15 μυριάδ]ας δέκα.. ‖ ....

1. Drachmae Attalicae. Cf. n. 316.

---

474. Pergami in templo Minervae. — Fränkel, *Alterth. von Pergamon*, VIII, ii, n. 510.

['Ο δῆμος ἐτίμησεν ......, θυγατέρα | .... καὶ] Φ[λα]ο[υ]ίας | .....
5 ..., [ἀρχιερείας Ἀσία]ς [1] καὶ ἱερείας | ...., ἱέρειαν ‖ [γενομένην
τῆς Νιχηφόρου καὶ Πο]λιάδος Ἀθηνᾶς, | [τὴν εἰς τὴ]ν θ[εὸν περισσῆς εὐσε]-
βείας καὶ τῆς | [τῶν γονέω]ν εἰς [τὸν δῆμον εὐνο]ίας ἕνεκα.

1. Cf. n. 458.

---

475. Pergami in templo Minervae. — Fränkel, *Alterth. von Pergamon*, VIII, ii, 524.

['Η βουλὴ καὶ] ὁ δῆμος ἐτε[ίμη]σε[ν | ...... Ἀ]ντιπάτρου [θυγατέρα | τοῦ
5 ....., γ]υναῖκα δὲ ....|.... [ο]υ τοῦ Φιλο[.....‖..... ἀρχιερέω]ς Ἀσίας κα[ὶ τῆς
πρώτης | μητροπόλε]ως καὶ νεω[κόρου τὸ γ' [1] | πατρίδος, τὴ]ν δὶς ἀρχ[ιέρειαν,
γενο]|μέν[ην ἱέρειαν] τῆς Ν[ιχηφόρου καὶ | Πο]λιά[δος Ἀθηνᾶ]ς, [διά τε τὴν
10 αὐτῆς] ‖ σ[ωφροσύνην καὶ διά]..........

1. Metropolis. Pergamum non ante Caracallam in nummis appellatur, quo principe
etiam, anno 213, incipit ejus neocoria III. Fränkel ad n. suum 299, p. 227.

---

476. Pergami in theatro. — Fränkel, *Alterth. von Pergamon*, VIII, ii, n. 498.

['Ο δῆμος] | ἐ[τίμησεν......... θυγατέρα], | ἱέρε[ιαν τῆς Νιχηφόρου καὶ
5 Πολιάδος Ἀθηνᾶς καὶ] | Ἰουλία[ς, νέας Νιχηφόρου] [1] .... ‖ ἀν[αστρεφομένην
καλῶς].....

1. Cf. n. 464.

477. Pergami. — Hepding, *Athen. Mittheil.*, XXXII (1907), p. 360, ad n. 116.

.... τριτευτὴν [1] ἐπί τε ἑαυ[τῶ]ι καὶ | [π]αισὶν τοῖς ἑαυτοῦ, ἀγορανόμον | [ἐ]φ'
5 ἑαυτῶι καὶ παιδὶ, ἱερονόμον, | πατέρα ἀγωνοθέτου, ἀρχιερείας ‖ [κ]αὶ ἱερειῶν
δυεῖν τῆς Νικηφό|ρου καὶ Πολιάδος Ἀθηνᾶς.....

1. Cf. n. 414, not. 2.

---

478. Pergami in gymnasio. — Kolbe, *Athen. Mittheil.*, XXIX (1904), p. 161, n. 3;
Hepding, *ibidem*, XXXII (1907), p. 241, n. 1.

a. b. .... [1] | .... φιλοδόξως | ...... οὐ τετέλεκεν | .... σιν αἱρεθεὶς δὲ καὶ εἰς
5 Ῥώ[μην] ‖ .....ας κίνδυνον ὑπομείνα[ς | .....ο]υ πολλῶν μυριάδω[ν | ὑπ]η-
ρετῶν εὔνου[ς?].....

c. ... εισ...|... [γυμνα]σίαρχ[ος?] .. | ... ἐν πάσαι[ς] ...|... ιεκεν.....

d. ....[2] | ..... μεν καθ' ἑαυτὸν .... | .....

e. .....[3] | .[κ]αθ' ὅτι καὶ πρότε[ρον] ...|....ς ὑπὸ τῆς κοινῆς ...ων προσε-
5 μαρτυρεῖτο..... | τοῦ ἐνιαυτοῦ τεθη..... ‖ τῶν πολιτῶν θε... |ἡσασθαι ἵνα
10 προ... | τῶν αὐτῶν [4] ....|ως τῆς περ [5]...|φέν τε καὶ [6] ....ριν του.....‖ρεῖν.....

f. ....[7] .... [στρατ]ηγησαν ...|... μεν ἐπαθ...|...ε τὰς αὐτ[άς]....

1. Traditur ΙΙΣΗ'. — 2. ϽLΛΑΙΙΗΝΙ ΙΙ. — 3. ΔΟL. — 4. Λ. — 5. Ι. — 6. \. — 7. \/ΙΙ.

---

479. Pergami in basi prope Trajaneum. — Fränkel, *Alterth. von Pergamon*, VIII, II,
n. 361.

Ἐπὶ στρατηγῶν | Γ. Ἰουλίου Βάσσου Κλαυδιανοῦ, | Γαίου Σειλίου Ὀτακι-
5 λιανοῦ [1], | Τιβερίου Ἰουλίου Τατιανοῦ, ‖ Τίτου Φλαουίου Κλαυδιανοῦ, |
Π. Αἰλίου Ὀτακιλίου Μόσχου [2].

Omnino similis est alter titulus *ibidem*, n. 362.

1. Hymnodus Augusti principe Hadriano. Cf. n. 353, v. 9. — **2.** Quinque strategorum
collegium totum eponymum est illius anni, quo dedicatum fuerat in Trajaneo donum
basi superpositum.

---

480. Pergami. — Von Prott et Kolbe, *Athen. Mittheil.*, XXVII (1902), p. 96, n. 89.

.....|.... β....... | ἡ μητρόπολις τῆς [Ἀσ]ίας καὶ δὶς νεωκόρος [1] πρώτη

5 τῶν Σε66. Περγαμηνῶν πόλις. ‖ Ἐπὶ στρατηγῶν | τῶν περὶ Αὐρηλιανὸν Μηνο-
γένους.

1. Inter annos 113 et 215 post C. n. Cf. nn. 453, 468.

---

481. Pergami prope templum Minervae. — Fränkel, *Alterth. von Pergamon*, VIII, п,
n. 350.

Ἡ βο[υλὴ καὶ ὁ δῆμος | τῶ]ν πρώ[των νεωκόρων ¹ Περγαμηνῶν].......

1. Ante annum 113, quo incipit Pergami neocoria II. Cf. nn. 452, 453, 468.

---

482. Pergami in gymnasio. — *Athen. Mittheil.*, XXXIII (1908), p. 388, n. 6.

a. Ἐπὶ πρυτάνεως καὶ ἱερέως [Μάρκου Τιτίου Μάρκου] | υἱοῦ Ἀ(τ)τικοῦ ¹,
παιδονομούντων [δὲ ...... καὶ] | Ἐπιγόνου τοῦ Μητροδώρου, γρ[αμματεύοντος ²
δὲ .... τοῦ] .... | οἱ ἐνκριθέντες εἰς τοὺς ἐφήβους ἐ[κ τῶν παίδων ³ εἰς τὸν
5 ἐπὶ].....‖ρίλου τοῦ Ἀσκληπιάδου Γλύκωνος πρ[υτάνεως καὶ ἱερέως ἐνιαυτὸν], |
γυμνασιαρχοῦν(τος) δὲ Χαρείνου τοῦ [....., ὑπο]|γυμνασιαρχοῦν(τος) δὲ Χαρε[ί-
νου τοῦ......] | Εὔτακτοι ⁴ · | Μάρκος Τίτιος Μάρκου υἱὸς Ἀττ[ικὸς], ...
10 Ἀσκληπι...., ‖ Μάρκος Τίτιος Μάρκου υἱὸς [Ἀττικὸς], ... Ἀσκληπι....., |
Μενέστρατος Μενεστ[ράτου, ... Δ]ιονυσ..., | Ἀσκληπιάδης Ἀπολλωνίο[υ,
..... Ἑ]ρμογ[ένης].., | Ποσειδώνιος Διογένο[υ], ... Κ....., | Διονυσόδωρος
Ἀρτεμ.., ...

b. [Ἐπὶ πρυτάνεως καὶ ἱερέως ...... το]ῦ Ἀσκλάπωνος, | [παιδονομούντων
δὲ ..... τοῦ...]μήδου, καθ᾽ ὑοθεσίαν δὲ | [...., καὶ .... τοῦ .... τοῦ κ]αὶ Μόσ-
χου, γραμματεύοντος | [δὲ ..... τοῦ ...., οἱ ἐνκριθέντε]ς εἰς τοὺς ἐφήβους ἐκ
5 τῶν ‖ [παίδων εἰς τὸν ἐπὶ Μάρκου Τιτίο]υ Μάρκου υἱοῦ Ἀττικοῦ πρυτάνεως |
[καὶ ἱερέως ἐνιαυτὸν, γυμνασιαρχοῦντος δὲ τοῦ Σ]ωτῆρος Ἀσκληπιοῦ, ἐπιμελη-
τῶν ⁵ δὲ | ....γων, | .... [Στ]ράτων Μενεστράτου Καδμηίδος ⁶, | .....
10 [Σα]λλούτος Τίτου υἱὸς ⁷ ‖ ....., ...ος Παπίου Μακαρίδος, | ......ος Μηνο-
ρίλου Ἀσκληπιάδος, | ..... [Μ]ηνορίλου Πελοπίδος, | ..... [Μ]όσχου Ἀσκλη-
πιάδος, | .....

Est epheborum catalogus.

1. Is civitatem romanam acceperat a M. Titio L. f., proconsule Asiae, ut videtur,

anno 34 ante C. n.; *Prosop. imp. rom.*, III, p. 328, n. 196. Titulus autem scriptus est ante annum 29, quoniam nondum memoratur sacerdos Asiae maximus, anni sui eponymus. Cf. nn. 289, not. 1, 302. Titii Attici filios inter ephebos vide v. 9-10. — 2. Scriba collegii juvenum. — 3. Qui, peracta censura, ex pueris in ephebos illo anno relati sunt in annum insequentem. — 4. Tribus classibus novi ephebi, censura probati, adscribebantur : εὔτακτοι, φιλόπονοι, εὔκται. — 5. Deus Aesculapius illo anno functus est gymnasiarchia, cujus sumptus ex aerario templi erogatus est per curatores duos ob id ipsum electos. — 6. Pergamena tribus, ut Μαχαρίς (v. 10), Ἀσκληπιάς (11-13), Πελοπίς (12). — 7. C. Salluvius C. f., legatus pr. pr. Asiae anno 73 ante C. n. (Dittenberger, *Orient. gr. inscr. sel.*, n. 445), hujus ephebi patrem aut avum videtur civitati romanae adscripsisse.

---

483. Pergami. — Kolbe, *Athen. Mittheil.*, XXXII (1907), p. 428, n. 275.

In catalogo epheborum mutilo :

5   *Fragm. c.* ....εστράτου | ......ευς | ....τουτων | [τῶν ἐκ ῾Ρ]ώμης ‖ .....
'Απολλωνίου, | ......νος | .....ου Μυσ[ος], | .....τιο[ς | ......ο]υ Μ[υσος],...

Inter annos 133 et 29 ante C. n.

---

484. Pergami. — Kolbe, *Athen. Mittheil.*, XXXII (1907), p. 432, n. 282.

In catalogo epheborum mutilo :

Ἐπὶ πρυ[τάνεως ...... τοῦ .....], | ἀρχιερ[έως ¹ δὲ ..... τοῦ .....αιν]|έτου......

1. Sacerdos maximus Asiae, eponymus post annum 29 ante C. n. Talium catalogorum annus similiter definitur *ibidem* in nn. 283, 286.

---

485. Pergami. — Kolbe, *Athen. Mittheil.*, XXXII (1907), p. 432, n. 284.

In catalogo epheborum mutilo :

['Επὶ πρυτάνεως .... κλ]είτου τοῦ Τι[μο...., | ἀρχιερέως ¹ δὲ]...... τοῦ
Μηνοδό[του, | παιδονομούντ]ων δὲ Δωσιθ[έου | τοῦ ...... τ]οῦ· Μάκρωνος
5 Ε....‖...... [τ]οῦ τῶν νέων καὶ .....|....... διάζεσθαι εἰς ....|.......

1. Cf. n. 484.

486. Pergami. — Kolbe, *Athen. Mittheil.*, XXXII (1907), p. 438, n. 303.

In catalogo epheborum mutilo :

Ῥωμαῖοι · [1] | .....ος Καικί[λιος] |....

1. Romani ephebi. Cf. *ibidem*, nn. 321, 330, 363, 388.

---

487. Pergami. — Von Prott et Kolbe, *Athen. Mittheil.*, XXVII (1902), p. 122, n. 135.

In catalogo epheborum mutilo, inter IX nomina graeca refertur romanum unum :

Col. BC, v. 8 : Γάιος Ἄννιος Γαίου υἱός.

---

488. Pergami in gymnasio. — Jacobsthal, *Athen. Mittheil.*, XXXIII (1908), p. 398, n. 22.

In catalogo epheborum, inter X nomina graeca memorantur :

V. 4. Μινύκιος Μινυκίας τῆς Μιν[υκίου].....
V. 7. Μᾶρκος Ὤλιος Μαρκ<ί>ου υἱό[ς].

---

489. Pergami in gymnasio. — Jacobsthal, *Athen. Mittheil.*, XXXIII (1908), p. 397, n. 20.

In catalogo epheborum inter XXXIV nomina graeca memorantur :

Col. I, v. 3. ....ος Μόμμιος Γαίου υἱός.
Col. II, v. 12. Γάιος Ν.....

---

490. Pergami in gymnasio. — Jacobsthal, *Athen. Mittheil.*, XXXIII (1908), p. 396, n. 19.

In catalogo epheborum inter XLV nomina graeca memorantur :

Col. I, v. 6. ...... Σπόριος [1].
Col. II, v. 12. Τίτος Κοίλιος Τίτου [υἱός].
 — v. 13. Γάιος Φούριος Γαίου [υἱός].
 — v. 18. Λεύκιος Λαίλιος Λευκίο[υ υἱός].

1. Praenomen post nomen inscriptum. Cf. Πόπλιος ap. Fränkel, *Alterth. von Pergamon*, VIII, II, n. 485 et Mommsen ad h. l.

491. Pergami in gymnasio. — Jacobsthal, *Athen. Mittheil.*, XXXIII (1908), p. 398-399, n. 21.

In catalogo epheborum inter LIV nomina graeca memoratur :

Col. II, v. 23. Πόπλιος Ὑάριος Π[οπλίου υἱός].

---

492. Pergami in gymnasio. — Hepding, *Athen. Mittheil.*, XXXII (1907), p. 293.

Lex collegii, fortasse seniorum (γερουσίας), aetatis fere Hadrianeae. Fragmento *a* admodum mutilo statuebatur quibus condicionibus cooptari in collegium deberent Ῥωμαῖοι (v. 6), quibus Ἕλληνες (v. 9).

---

493. Pergami in gymnasio. — Hepding, *Athen. Mittheil.*; XXXII (1907), p. 296.

Lex collegii, fortasse βουλῆς νέων, qua statuitur quibus condicionibus debeant cooptari ejus sodales. In fragmento 7, post v. 11, haec leguntur :

V. 12. Ἐπὶ πᾶσι τούτοις ἐξεῖναι κατατάσσεσθαι ..|... τοῖς .....κοις καὶ ἀρχιε-
ρεῦσι καὶ παισὶν αὐτῶν καὶ γυμνα|σιάρχοις καὶ πανηγυριάρχοις, ὅσοι ἂν ἀπὸ
κρίματος ἄξιοι νομισθῶ|σιν...... εὐεργέτου Ῥουφείνου ὑπατικοῦ [1] ...

Sequuntur v. 15-18.

1. L. Cuspius Pactumeius Rufinus. Cf. n. 424.

---

494. Pergami. — Kolbe, *Athen. Mittheil.*, XXIX (1904), p. 161, n. 4.

..........|.. φυλακ ...... [μηνὸς Καί|σαρο]ς θ′ · ...′.....|.ου δηνάρια
5 ασπβ′ δηνάρια ...... ‖ φύλαξιν δηναρια νς′ ι........|.... [2] δηνάρια ...| τὰ αὐτὰ
δηνάρια .....[3], δηνάρια ...... | ἀργυρᾶ δηνάρια ν′. ηπασ........ | Βαρβάρου
10 ὑπατικοῦ ι....... ‖ τῷ προσκομισθέντι σα...... |διω ἐπιτυθέντος χοίρο[υ]...
.....|νον δηνάριον α′ · Βάλβου ταυροβ(όλιον) ......|ταυροβ(όλιον) λιθαστέντων
15 τ...... |των τῷ Εὐεργέτη χαραχ[τηρ]...... ‖ βοὸς τοῦ ἀναχθέντος.
[Πανή]|μου ιη′ · Ταύρου δηνάρια ν′ · τὰ αὐτ[ὰ δηνάρια] | τι ὑπὸ τοῦ βοός ·
φραχτῆς κ....... |σασι καὶ τῶν πρὸς πόπαν[ον]....... | πόπανον δηνάρια ις′ ·

²⁰ ταύρου δια.......┃ω θερινοῖς Ἀσκληπείο[ις] .... |θέντι βοὶ x(αὶ) τοῖς πρὸς π[όπανον] ..... | σπυρίδος τῆς δω ⁴ .... | βοὸς τοῦ....

1. Traditur **NÆ**. — 2. **ΕΞΑΓΝΣΛΔ**. — 3. **ΟΛΛΣΔ**. — 4. **CIT**.
Tabula est pecuniarum, quae singulis mensibus fuerant datae sacro alicui collegio. Cf. n. 499.
V. 2. 3. Mensis Caesaris die IX = Octobris II.
V. 4. ασπδ', fortasse δηνάρια ἄσπ(ρα) β' (Kolbe), denarios duos asperos, novos, recenter cusos. Cf. n. 352, v. 25.
V. 9 notata erat summa donata a Barbaro, consulari ignoto aetatis Hadrianeæ.
V. 11-12, profecto Tullius Balbus. Cf. n. 499.
V. 14. Εὐεργέτης, vir ignotus.
V. 16. Mensis Πανήμου die XVIII = Junii X.
V. 20. Aestiva Asclepiea mense Junio Pergami celebrata esse ex aliis quoque documentis apparet.

---

495. Pergami in gymnasio. — Fränkel, *Alterth. von Pergamon*, VIII, II, n. 536.

Ὁ δ[ῆ]μος | Ἱππόλοχον Ἀσκληπιάδου, νικήσαντα | παῖδας πάλην καὶ παγ-
⁵ κράτιον, | ἀγενείους πάλην καὶ παγκράτιον, ‖ ἄνδρας πάλην καὶ παγκράτιον, | ἐπιδόντα δὲ ἑατὸν καὶ ἐς Ῥώμην ὑπὲρ | τῆς πατρίδος ¹ ἐπὶ τοὺς τῶν ἡγουμένων ἀγῶνας ².

1. Sese patriae praestiterat ut Romam iret. Similia exempla hujus sensus congessit Fränkel ad h. l. — 2. Ad ludos Romanorum, populi omnium principis. Cf. n. 293, col. II, vv. 14, 27; *Bull. de corr. hellén.*, IX, 75. Intellige Capitolia a Domitiano instituta.

---

496. Pergami in gymnasio. — Jacobsthal, *Athen. Mittheil.*, XXXIII (1908), p. 416, n. 57.

Ὁ δῆμος ἐτίμησεν | Ναμέρτην Ἡρώδου, νικήσαντ[α] | τὸν ὑπὸ τοῦ κοινοῦ
⁵ τῆς Ἀσί[ας] | ἀγόμενον ἱερὸν καὶ στε┃φανείτην ἀγ[ῶνα] ¹.

1. Ῥωμαῖα Σεβαστά, ludi in honorem Romae et Augusti celebrata. Cf. nn. 337, 353, 498 et Dittenberger, *Sylloge*, ed. II, n. 677, n. 5.

---

497. Pergami in gymnasio. — Fränkel, *Alterth. von Pergamon*, VIII, II, n. 535.

[Ὁ δῆμος ἐτίμησεν | Φίλι]ππον Ἀσκληπιάδου Γλύκω[να ¹ νικήσαντα |
Ὀλύμ]πια Πύθια Ἄκτια ἄνδρα[ς παγκράτιον, | παῖδας] παγκράτιον, Ἴσθμι[α

5 ἄνδρας πυγμήν, ‖ Νέμεια ἐν] Ἄργει δὶς κατ[ὰ τὸ ἑξῆς πυγμήν, | καὶ τοὺς
λοι]ποὺς ἱεροὺς [καὶ στεφανίτας ἀγῶ|νας ἔν τε Ἀσ]ίαι καὶ Ἰ[ταλίαι καὶ Ἑλλάδι].

1. Glycon ille videtur idem fuisse qui laudatur ab Horatio, *Epist.*, I, 1, 30, et a poeta
graeco, *Anthol. Pal.*, VII, 692, ut « Περγαμηνὸν Ἀσίδι κλέος ».

---

498. Pergami. — Hepding, *Athen. Mittheil.*, XXXII (1907), p. 339, n. 71.

Intra coronas : Ῥ[ώμη]. | Νεα|πόλις. | Πύθια. | Νέμεια. ‖
5-10 Ἡ βουλὴ καὶ | ὁ δῆμος | [ἐ]τίμη[σεν] | ...ιαξ....ο..... | Πέργαμο[ν] ‖ τὰ
μέγαλα | Σεβαστὰ Ῥ[ω]||ματα ¹ ἐπ..|α..ους ......

1. Cf. n. 496.

---

499. Pergami in Trajaneo. — Fränkel, *Alterth. von Pergamon*, VIII, ιι, n. 554.

[Ἐπὶ Ἰ]ουλ. Μ.. | [πρυτ]άνεως · [χρήματα τὰ | ἔνγρ]αφα ἀπετ[είσθη..... |
5 ....]άλλου καὶ .... ‖ [Φλ?]ώρου Βιψανία[ι ἀρχιερεῦσι?] | ....ίου η′ α ¹ καὶ
Περει[τίου ... ὑπὸ Αὔλου Ἰου|λί]ου Κουαδράτου β′ ὑ[πάτου ² δραχμαὶ.. εἰς
ταυροβόλι?]|ον, Λασθένους δραχμαὶ [..εἰς ....] | ταύρου τοῦ ἐπιτυ[θη-
10 σομένου, ...] ‖ εἰς ταυροβ(όλιον) ³ ...., | Τυλ(λίου) Βάλβου
εἰς [............. ὁλό]|κληρον ⁴ Κλ................. | Π. Κλ................. | ...
....

Catalogus est pecuniarum, quae solutae sunt a privatis quibusdam ad celebranda, ut
videtur, Trajanea.

1. Die VIII mensis incerti exeuntis, ἀ(πιόντος). — 2. A. Julius Quadratus, cos. II
anno 105 post C. n. Cf. nn. 373-399. — 3. Taurobolii exemplum hoc profecto antiquissi-
mum est. Cf. CIL., X, 1596 (anni 134 post C. n.). — 4. Integra victima. Cf. Poll. I, 29.

---

500. Pergami. — Hepding, *Athen. Mittheil.*, XXXII (1907), p. 292, n. 17.

a. Ἀγαθ[ῆι τύχηι. | Ἐπὶ]...αονος .....[πρυτάνεως] | .... Ἀλδίου Ἰου[λια-
5 νοῦ?..| ἀπειτείσ]θη εἰς τὸ [ταυροβόλιον?] ‖ .... κίππου.. | ...δηνάρια ρξ.
αχλ...|... δαια....|...ουφ... | [Κ]λ(αυδίου) .....
5 b. ....|ων .....|γραφ..... | γραμ[μα].... ‖βασε..... | ἄλλῳ?... | ἄλλη.... |

5 Πωλλίω[νος] ...| μη(νὸς) Δείο[υ ...... ταυροβόλιον?] ‖ λιθασ[θέντων?] .... | μη(νὸς)....... '.

1. Cf. n: 499.

---

501. Pergami, in epistylio porticus gymnasii juniorum. — Fränkel, *Alterth. von Pergamon*, VIII, ɪɪ, n. 533.

a. ....[δραχμαὶ] ζ' μ(ύριαι) καὶ Κλαυδί|[ου Οὐέτερος εἰς ἀλειπτήριον? δραχμαὶ] ....|

b. ....[Κλαυδίου Λουπια?]νοῦ δραχμαὶ [.εἰς στοάν?] |

cd. ...[? πρυτάν|έως μ(ύριαι) καὶ Φλ|[αβ]ίου 'Αττικοῦ ..... |

e. ......|ς πρυτά[νεως] ..... |

f. ...ἀρχιερέως δραχμαὶ...... |

g. ....ου Μαχ..... |

h. ...ϙ...|...

i. δραχμαὶ... |

k. ...εἰς ἱ[ππόδρομον?] ἱ[ερὸν?]....

l. ..ὃ.:.. |

m. ...σε... |

n. ...αι.... |

o. ....ιλ...... |

p. ..μα.... |

q. .....ϙ.... |

r. ....γ..... |

s. ...ο..... |

t. ...[ἐπιδεδωκότων τ]ῶ[ν] λοιπῶν τῶ|[ν].....

In 19 fragmentis (a–t) supersunt vestigia catalogi, in quo notatae erant pecuniae a quibusdam Pergami civibus collatae ad adificandum gymnasium. Novimus enim Claudii Lupiani sumptibus exstructam esse gymnasii porticum Trajani aetate (Cf. Fränkel, n. 459), Claudii Veteris sumptibus ibidem unctorium (cf. Fränkel, n. 444).

---

502. Pergami. — Fränkel, *Alterth. von Pergamon*, VIII, ɪɪ, p. 250, n. 339.

Αἴλ. Νείκων ἱλαρὸν ἰδίῃ ' σάτυρον ‚βυ ².

Aelii Niconis architecti versus isopsephus. Cf. nn. 503, 504, 505, 506.

1. Sua pecunia aut arte (?) effictum satyrum dono dederat. — 2. Id est 2400.

503. Pergami. — *C. I. Gr.*, 3546; Fränkel, *Allerth. von Pergamon*, VIII, II, p. 246 ad n. 333.

. . . .

ἀκακία δὲ ἐπιχρηματισμὸς   α,ψκς |

ἰδία δὴ διὰ τὸ ὕδωρ   α,ψκς |

Θέσει εἶσ' ἀπ(ὸ) αἰῶνος   α,ψκς |

καὶ λάβρον ἅμα εἶσ' ἐν κόσμῳ.   α,ψκς ‖

5   Ἐπ' ἀγαθὰ τοῖς τεχνίταις   β,ρνς |

τὴν διατριβὴν ἐποίησε Νείχων   β,ρνς |

ἐνπείροις ἀὶ τῆς μνήμης χάριν.   β,ρνς |

Θεῖα καθόλου, φύσεως ἅμα ἡδείας   ,Γ |

ἀεὶ ὁ κῶνος, ἡ σφαῖρα, ὁ κύλινδρος.   ,Γ ‖

10   Εἰ κύλινδρος περιλαμβάνοι ἀμφότερα |

Θίγμα ἡδείᾳ ἐπαφῇ,   ,Γ |

ἔσται σφαίρας ἄνοιγμα ἡ διάμετρος |

ἴση πᾶσιν   ,Γ |

ἐνκυκλίοις διαμέτροις, ἀλλὰ   ‖

15   ἰδίᾳ δὴ καὶ ὕψεσι.   ,Γ |

Ἄμιλλα ὁ λόγος καὶ ἐν στερεῷ |

ἐστι προκοπὴ ā β̄ γ̄ ·   ,Γ |

γεννικὴ θεία τις ἐξίσωσις, |

ἀλλὰ καὶ συμπαθία   ,Γ ‖

20   τῶν στερεῶν ἀὶ λόγος ā β̄ γ̄.   ,Γ |

Καλὰ δὲ καὶ θαυμάσια εἴη ἂν στερεὰ |

τρία σχήματα ·   ,Γ |

ἀιδίη γὰρ λόγον ἴσον ποιέει καὶ |

στερεοῖς καὶ ὅλαις ἐπιφανίαις   ,Γ ‖

25   ὁ κύβος καὶ εἰ ἐναρμόζοι κύλινδρος, |

ἀλλὰ ἰδίᾳ καὶ θεία σφαῖρα,   ,Γ |

ἅπασιν ἥγημα κύβος μὲν μ̄ϛ̄, |

κύλινδρος δὲ λ̄γ̄, σφαῖρα δὲ κ̄ϛ̄.   ,Γ |

Ἰδία τοιόσδε τούτων εἴη λόγος   ,Γ ‖

30   θεῖος καὶ ἐν στερεῷ ὅμα καὶ ἐν τῇ |

ὅλῃ δ' ἐπιφανείᾳ.   ‚Γ |
Γένος τι καὶ ἄλλο ἥδειον |
οὐδὲν ἐν βίῳ ἐθαύμασα   ‚Γ |
ὡς κόσμου ἅμα ἐπιδρομῇ   ‖
30   ἄλεκτον αἰκεινησίαν   ‚Γ |
καὶ τοῦ ἡλίου ἀναβάσει ἡδεῖαν |
ἀιδίῃ ὑπεναντίαν κείνησιν   ‚Γ |
καὶ ἅμα δὴ φῶς ἀγαθὸν πάντων   ‚Γ |
πάγιον τροφῇ<ς> ἅπασι καὶ ζῴοις   ‖
40   καὶ γενήμασιν.   ‚Γ |
Μ[ο]υσῶν ἄρξει γεωμετρία.   ‚Γ |

Versus ἰσόψηφοι Aelii Niconis architecti. Cf. nn. 502, 504, 505, 506.

Singulorum versuum 1-4 vis numeralis est 1726; vv. autem 5-7 est 2156; vv. 8-4, 3000.
Graeca verba Boeckh ita interpretatus est :

Vv. 1-4 « in physico versantur argumento; ceterum intelligi non possunt. »

Vv. 5-7. « Commodo artificum institutionem (hanc) elaboravit Nico, peritis in perpe-
tuam memoriam. »

Vv. 8-20. « Divina prorsus ac simul suavis naturae numquam non sunt conus, sphaera,
cylindrus. Si cylindrus utrumque solidum, sphaeram et conum, comprehendat, ita ut
fiat contactus suaviter leniterque attingendo sphaerae apertura erit ea diametrus, quae
aequalis est omnibus circularibus diametris et particulariter simul altitudinibus. Certa-
men efficit haec ratio et in solidis profectum I, II, III; generosa divina quaedam exae-
quatio nec minus convenientia solidorum semper est ratio I, II, III. »

Vv. 21-31. « Pulchrae vero et admirabiles fuerint tres solidae figurae; in aeternum
enim aequalem rationem et solidis et superficiebus integris efficiunt cubus ac si cubo
aptus insit cylindrus et vero particulariter divina sphaera, omnium figurarum princeps.
Cubus est XLII, cylindrus XXXIII, sphaera XXII; talis est horum ratio divina ex
cujusque proprietate et in solido et in superficie integra. »

Vv. 32-40. Post haec stereometrica aliquid additur de mundo et maxime de sole :
« Aliud genus, quod gratius videretur, nullum in vita ita miratus sum ut mundi una
cum progressu ineffabilem perpetuum motum, et solis ascensioni perpetuo contrarium
motum suavem ac simul lumen, bonum omnium rerum firmum nutritione omnibus et
animalibus et rebus genitis ».

V. 41. « Musarum imperium tenebit geometria. »

---

504. Pergami. — Fränkel, *Alterth. von Pergamon*, VIII, II, n. 333.

a.   Ἀρχιτέκτων   ‚βρπς |
          θίοις ἀὶ τεχνείταις ἱεροῖς [4] |

'Ι. Νεικόδημος ἀγαθὸς, ἅμα δὴ ὁ καὶ |
     Νείκων νέος [2],   ͵βρπς ‖
ἠσφαλίσατο καὶ κόσμησε ἅπασι |
ἀγορανόμιον περίπατον [3] ἰδίῃ φιλοτειμίῃι · |
ἐν βίῳ δὲ καλὸν ἔργον ἐν μόνον εὐποιία. ͵βρπς |

b.   Διαταγεῖσα ἰδίῃ γνώμῃ [4].   α͵υξα |
     Λίλ. Ἰσίδοτος, ὁ πρᾷος ἰδίαι [5]   χ͵υξα ‖
          γεωμέτρης [6]   α͵υξα |
     ἰδίῃ δὲ ἴσῃ καλῇ μετριότητι [7]   α͵υξα |
     ἐτιμήθη τῇ Δικαιοσύνῃ [8].   α͵υξα |

Versus ἰσόψηφοι Aelii Niconis architecti in Julium Nicodemum architectum, cujus fuit fortasse propinquus. Cf. n. 505. Summa litterarum, in quoque versu pro numeris sumptarum, efficit in *a* 2186, in *b* 1461.

1. Divinis artificibus (dat.) opus suum dedicavit, nempe omnibus diis, aut Cabiris, Vulcani filiis (?), nisi mavis interpretari : auxiliantibus (abl.) diis. — 2. Julius Nicodemus, qui et Nicon junior, architectus, unus et idem videtur fuisse ac pater Galeni medici illius Pergameni, archiatri Caesarum ; *Prosop. imp. rom.*, I, p. 374, n. 701. Cf. titulum nostrum n. 505. — 3. Forensis porticus. Verbum ἠσφαλίσατο aspero spiritu (⊢) in lapide notatum est. — 4. Hoc versu, tituli instar praescripto, nuntiatur infra expressam esse sententiam Nicodemi. — 5. Mitis in vita privata. — 6. Aelius Isidotus geometra architectum Nicodemum in exstruenda porticu adjuverat. — 7. Ob suam aequam et egregiam modestiam. — 8. Honoratus est a Justitia (Iside?) Isidotus.

---

505. Pergami prope theatrum. — Fränkel, *Alterth. von Pergamon*, VIII, ɪɪ, n. 587.

     'Ι. [1] Νικόδημος ὁ καὶ Νίκων | ͵αφιγ |
     ἀγαθὸς εἴεν [2] ἂν ἥρως. | ͵αφιγ.

Versus isopsephi Aelii Niconis in Julium Nicodemum, qui et Nicon, architectum, monumento honorario, aut fortasse illius sepulcro inscripti. Cf. n. 504.

1. Ἰ(ούλιος). — 2. Pro adverbio videtur usurpatum.

---

506. Pergami. — Hepding, *Athen. Mittheil.*, XXXII (1907), p. 356, n. 115.

V. 1. Αἰλίου Νείκωνος   αψκς´ [1]   ἀρχιτέκτονος |.

Sequitur (vv. 2-12) hymnus ad Solem versibus isopsephis ab eo compositus.

1. 1726 efficiunt litterae Αἰλίου Νείκωνος, 1726 etiam litterae ἀρχιτέκτονος.

507. Pergami. — Fränkel, *Altcrth. von Pergamon*, VIII, ɪɪ, n. 576; cf. Wilhelm, *Bull. de corr. hellén.*, XXIX (1905), p. 414.

a. In altera facie altaris :

Τύμβον μὲν, Φ[ιλάδελφε, Γλύκων] | σοι δείμαθ᾽ ἑτα[ῖρος] ¹, |
ὄντε λίπες τῆς [σῆς ἄξιον] | υἷα τέχνης · ‖

5 ὅσσον γάρ συ κράτιστος ἰη|τρῶν ἔπλεο πάντων, |
τόσσον τῶν ἄλλων ἔξο|χός ἐστι Γλύκων.

10 Ψυχὴ | δ᾽ ἐκ ῥεθέων πταμένη μ[ε]‖τὰ δαίμονας ἄλλους
ἦλ[υ]|θε σὴ, ναίεις δ᾽ ἐν μακάρω[ν] | δαπέδῳ.
Ἴλαθι ² καί μοι ὄ|παζε νόσων ἄκος ὡς τὸ πά|ροιθεν ·

15 νῦν γάρ θειοτέ‖ρην μοῖραν ἔχεις βιότο[υ]. |

Ἄξιον, ὦ Φιλάδελφ᾽, ἀρε[τῆς πό]|τμον ἔλλαχες αἴσης,
[ἔξοχ]᾽ | ἰητορίης, ἔξοχε καὶ σ[οφίης] ³ · |

20 [ο]ὐ γάρ δὴ νο[ῦ]σος [σ]έ6[ας ‖ ἄρθρων ὤλεσε τ]ῶνδε,
γόμ[φων] | ἀρμ[ονί]ην [δηρ]ὸς ἔλυ[σε χρό]|νος ⁴.
Οἷον δὲ ὑπνώω[ν ἐν]|ερεύ[θ]εται ἄνθεα μήλ[ων] ⁵, |

25 τοῖος καὶ ν[έ]χυς ὢν κ[εῖσο] ‖ καταλ[λ]εγέων.
Νῦν σ᾽ [ἤδη] | δύναμαι θαρρῶν εὐδαίμ[ο]|να κλήζειν,
ὄλβιε καὶ ζω|ῆς, ὄλβιε καὶ θανάτου. |

Ε[ὖ] θάνεν Ἱπποκράτης · ἀλλ᾽ [ο]ὐ [θάνεν] · | οὐδ᾽ ἀρ᾽ ἔγωγε ⁶,
τοῦ πάλαι Ἱππο[κρά]|τους οὐδὲν ἀσημότερος · |

5 ἀλλ᾽ ἔτυμον ψυχὴ μένει ο[ὐρανί]‖ῃ Φιλαδέλφου,
σῶμα δὲ [θνητὸν ἐ]|ὸν χθὼν ἱερὴ κατέχει.
τ. . . . .
. . . .

b. In altera facie :

Χαῖρε, γύναι Πάνθεια, | παρ᾽ ἀνέρος, ὃς μετὰ μοῖραν |
σὴν ὀλοοῦ θανάτου πένθος | ἄλαστον ἔχω.

5 Οὐ γάρ πω τοίην ἄλοχον ζυγίη<ν> ἴδεν Ἥρη |
εἶδος καὶ πινυτὴν ἠδὲ σαοφρο|σύνην.
Αὐτή μοι καὶ παῖδας ἐγεί|ναο πάντας ὁμοίους,

αὐτὴ καὶ | γαμέτου κήδεο καὶ τεκέων ‖

10 καὶ βιοτῆς οἴακα καθευθύνεσκες | ἐν οἴκῳ

· καὶ κλέος ὕψωσας ξυ|νὸν ἰητορίης,

οὐδὲ γυν(ή) περ | ἐοῦσα ἐμῆς ἀπολείπεο τέχνης⁷ · |

15 τοὔνεκά σοι τύμβον τεῦξε Γλύ‖κων γαμέτης,

ὅς γε καὶ ἀθ[ανά]|τοιο δέμας κεύθει Φιλαδέλ[φου] |

[ἔ]ν[θα] κ[α]ὶ αὐτὸς ἐγὼ κείσο[μαι] |, αἴ κε θά[νω],

ὡ[ς ζωιῆ]ς μον[αχῆ]⁸ | σοι ἐκοινώνησα κα[τ]′ α[ἴα]ν, ‖

20 ὧδε κα(ὶ ξ)υνὴν⁹ <νην> γαῖαν ἐφε[σ]|σάμενος.

Epitaphia condita a Glycone medico : *a.* in Philadelphum patrem et magistrum suum, *b.* in Pantheam uxorem suam.

a. 1. ἑταῖρος, socius in arte medica. — 2. Ἴλχθι. Cum Philadelphus ad Campos Elysios migraverit, tamen adesse potest Glyconi filio et discipulo et remedia morborum etiam nunc eum docere, tanquam divini numinis particeps. — 3. σοφίης. Ut Galenus Pergamenus, ita Philadelphus cum medicina philosophiam sociabat. — 4. δηρὸς χρόνος. Senectuti, non morbo, succubuit. — 5. « Ut dormientis genas suffundit rubor floris malini ». — 6. ἔγωγε. Jam loquitur ipse Philadelphus.

b. 7. Feminas etiam medicinae studuisse non sine exemplo est : Friedländer, *Sittengeschichte Roms*, I, ed. IV, p. 320-324. — 8. ὡ[ς ἀγλα]ϊσμὸν [ζῶν] Fränkel. Correxit Wilhelm. « Ut vitae soli tibi socius fui. » — 9. ΚΑΣΥΝΗΝ lapis.

---

508. Pergami. — Fränkel, *Alterth. von Pergamon*, VIII, ΙΙ, n. 340.

Ἀγαθῆι τύχη[ι · | Ἐ]πίκτησις Ἡρ[α]‖κλᾶ, ἱερατεύο[υ]|σα Ἀσκληπ[ιῷ] ‖

5 σωτῆρι, κ[αλῶς] | συμβιώ[σασα] | Φιλοσεβάσ[τῳ]¹, | τὸν βωμὸν ἐ[κ] | τῶν

10 ἰδίων ἀνέ[θη]‖κε.

1. Nomen viri proprium.

---

509. Pergami. — *C. I. L.*, III, 7094; Fränkel, *Alterth. von Pergamon*, VIII, ΙΙ, n. 637.

Claudii S[ilian.].... | Agathon..... | Piso [et] Vitali[s] .... | · Gal. Macnaice[nus.....]. ‖

5 Κλαυδιο. Σ[ε]ιλ[ιαν]........

510. Pergami. — Jacobsthal, *Athen. Mittheil.*, XXXIII (1908), p. 414, n. 34.

Viuo | L. Culcius Opimus sibi aedifi|cauit et libertis suis [et e]orum | [prog-n]atis et nulli ex[tr]anio. ‖

5 Ζῶν | Λ. Κούλκιος Ὀπεῖμος ἑαυτῶι | κατεσκεύασεν καὶ τοῖς ἑαυ|τοῦ ἀπελευθέ[ροι]ς καὶ τοῖς τούτων | ἐκγόνοις καὶ ο[ὐ]δενὶ ἐξωτικῶι.

---

511. Pergami. — Fränkel, *Alterth. von Pergamon*, VIII, ii, n. 377.

Πῶ[ς ....]ως | ὕστερα τη............................. αυ|
.....................|................................ ‖
5 τύμβο......... | αὐτάρ.υθ..ο..μον.................... |
ἔργα [π]ο[τ]' ε[ἰσορόων λαμπρ|ὸν] φάος · οὐ γ[ὰ]ρ [ἄδ]οξος |
10 ἤμην ἐν ζωοῖσι, φάος [δ]' ἀ[πέ]‖λειπον ἀγεννῶς [1]. |
Οὔνομά μοι Χρηστεῖνος | τὸ πρὶν [2], ἀνέθρεψεν δὲ γαῖα |
Βειθυνῶν πρώτη Νικομή|δεια [3], κτεῖνε δ' Ἀχιλλεύς [4] · ‖
15 ταῦτα δὲ πάντα μίτοις Μοι|ρῶν πάθον ὡς ἄνθρωπος. |

Ἀντωνία Ὀρεινὼ [5] ἀνδρὶ ἰδίῳ | μνείας χάριν. | Μούρδων [6].

Epitaphium Chrestini gladiatoris.

1. Quia ab adversario occisus est. — 2. Dum vixit. — 3. Nicomedia prima Bithyniae metropolis. — 4. Achilles gladiator adversarius. — 5. Orino, nominativus, cognomen muliebre. — 6. Mordax, nomen canis, qui infra epitaphium domini Chrestini effictus est.

---

512. Prope Pergamum. — Fränkel, *Alterth. von Pergamon*, VIII, ii, n. 391.

Αὐρ. Ἐπαφρόδειτος Περ[γαμη]νὸς κατεσκεύασεν ἑαυτῷ [καὶ τῇ] | γυναικὶ καὶ τοῖς τέκνοις [καὶ] | γυναιξὶν αὐτῶν καὶ τέ[κνοις ·] | ἑτέρῳ δὲ οὐδενὶ ἐξὸν 5 [ἔσται ἐ]‖πεμβαλεῖν τινα ἢ μετ[ακινῆ]|σαι τὸν βωμόν · ὃς δὲ [καὶ δρά]|σει, δώσει τῷ ἱερωτάτῳ [ταμιείῳ] | ἀργυρίου δηνάρια χείλια π[εντακόσι|α] · τού-10 του ἀντίγραφ[ον ἀπετέθη ‖ δισσ]ὸν [1] εἰς τὸ ἐν Περ[γάμῳ ἀρχεῖ]|ον.

1. [ἐτ]ιόν Fränkel; correxit Wilhelm, *Arch. epigr. Mittheil. aus Oester.*, XX (1897), p. 59.

513. Pergami in gymnasio. — Schröder, Schrader et Kolbe, *Athen. Mittheil.*, XXIX (1904), p. 177, n. 23.

In extremo epitaphio cujusdam C. Julii Antiphontis haec leguntur :

V. 12 : ἐὰν δέ τις τολμήσῃ [ἀνοῖξαι αὐτὴν ¹ ὡτινιοῦν] | τρόπῳ, ἢ ὑπεναντίο[ν τι τοῖς προγεγραμμένοις] | ποιήσει, ἀποτείσει [εἰς τὸν ἱερώτατον] ‖
15 φίσκον δηνάρια δισχεί[λια καὶ τοῖς ἐνταῦθα] | κατοικοῦσιν δηνάρια χ[είλια πεντακόσια?] · | τούτου ἐξσφράγισμα ἀπετ[έθη εἰς τὰ ἀρχεῖα παρὰ] | πρυτάνει ² Πακτουμηΐᾳ Ῥο[υφείνᾳ].

1. τὴν σορόν. — 2. Prytani sigillatum exemplum commissum est. Prytanem feminam vide supra (tom. III, n. 714, et not. 5).

---

514. Pergami. — Conze, *Athen. Mittheil.*, XXIV, 1899, p. 181, n. 35.

[Τῶι γλυκ]υτάτωι ἀνδρὶ Κλ......ωι |.....δῶρα καὶ ὁ ἀδελφὸς Ο......|....
5 [ἐκ] τῶν ἰδίων μνείας χάρ[ιν τὸ | ὑποσό]ριον καὶ τὴν ἐκβάσμω[σιν ¹ ‖ σὺν τῷ ἐπικ]ειμένῳ βωμῷ [κατεσκεύα|σαν. Ἐὰν δέ τις το[λμήσῃ ἕτερον θεῖναι, | δώσ]ει [ε]ἰς τὸ ἱερώ[τατον ταμεῖον] |....εισ......

1. Verbum novum. Cf. *Bull. de corr. hellén.*, IV (1880), p. 381; Kaibel, *Epigr. gr.*, n. 229. Profecto gradus arae suppositi.

---

515. Pergami. — Conze, *Athen. Mittheil.*, XXIV (1899), p. 182, n. 37.

.....Ἐὰν δέ τις [τ]ο[λ]μ[ή]σ[η]...... ἢ ἀπαλ]|λοτριῶσαι, δώ[σ]ει εἰς τὸ
5 ἱε|ρώτατον [τ]αμεῖον δηνάρια γεί‖λια καὶ τῇ ἱερωτάτῃ βουλῇ δηνάρια πεντακόσια. Τού|του ἀντίγραφον ἐτέθη | ἰς τὸ ἀρχεῖον.

---

516. Pergami. — Conze, *Athen. Mittheil.*, XXIV (1899), p. 182, n. 36.

..... ν. ζῶσα φι|....... κατεσκεύασε | [τὴν σο]ρὸν..... αυης |.....μ....
5 κα[ὶ] ἑαυ‖τῆς ἐκγό]νοις. Εἰ δέ τις | ......ρος τε θῖναι | [δώσει εἰς τὸ ἱερώτατον τ]αμεῖον δηνάρια α|........

517. Bigaditch. — Le Bas et Waddington, n. 1765; Sal. Reinach, *Rev. des ét. gr.,* III (1890), p. 68, n. 21.

5 [Αὐτοκρ]άτ[ο]ρι Καί|σαρι [Μ.] Λύ[ρηλ]ίῳ | Ἀντω[νε]ίνῳ...|........||.......|
........|........|......

Traditur v. 2. ['Αδρ]ιανῷ Le Bas. V. 4. [Σεβ]α[στῷ] Le Bas. **ΚΑΙΡΜΠΑΙ**. V. 5. **ΑΙΚΟΥΗΡ-ΝΝΙΟΣ**. V. 6. **ΟΙΠΕΥΤΑΓ . ΥΝΟ**. V. 7. **ΝΟ**. V. 8. **ΜD** aut **MO**.

---

518. Bigaditch. — *C. I. Gr., Add.,* 3568 d.

5 Φαμιλία...¹ ἡ | πρὸς χεῖρα ² Εὐ|σέβει καὶ Εὐ|τυχίᾳ θρέψα||σι μνείας χά|ριν.

1. Traditur 18. — 2. « Πρὸς χεῖρα videtur latinum *ad manum* esse ; sed φαμιλία sintne hoc loco plures servi an nomen mulieris nescio. Si familia servorum intelligitur, πρὸς χεῖρα aliud hic significat ac vulgo ; de amanuensibus enim scribis tum cogitari nequit. » Bœckh. Servam *a manu* habes *C. I. L.,* VI, 9540, librarias *ibid.,* 8832, 9301, 9523.

---

519. Germae. — Le Bas et Waddington, n. 1042.

Αὐτοκράτορα Τραιανὸν Ἀδριανὸν Καίσαρα Σ[εβαστὸν] | καὶ Πανελλήνιον ¹
Ἰουλία Μενυλλεῖνα ἀρχ[ιέρεια τὸν | ἑαυτ]ῆς [καὶ] Γαίου Ἰουλίου Πατέρκλου
πατρὸς ἰδίον εὐεργέτην.

1. Anno 128/129 post C. n. Hadrianus delubrum Jovis Panhellenii Athenis dedicavit, in quo ipsum etiam imperatorem sub nomine Jovis coluerunt omnes Graeciae civitates : Pausan., I, 18, 9; Cass. Dio, LXIX, 16, 2. Cf. Hertzberg, *Gesch. Griechenl. unter der Herrschaft der Römer,* II, p. 330.

---

520. Saribeiler. — Schuchhardt, *Athen. Mittheil.,* XXIV (1899), p. 211, n. 34.

5 Ο.....|μ.....|ι......|ο:...||τ.. [Μ]ηνό|δωρος Ἀπολ|λωνίδου το|ῦ καὶ Ὀτακι-
10 λί|ου ἰατρὸς καὶ || ἱερεὺς τοῦ | Ἀσκληπιοῦ | τὸ δεύτε|ρον σὺν Μη|ν[οδώρ]ῳ ||
15-20 τῷ υἱῷ πε|πρυτανευ|κότι καὶ ἠγω|νοθετηκότι | καὶ ἱερατευκό||τι καὶ Γλυ[κ]ω[νί]|δι
25 [τῇ] θυγατρὶ | ἱερ[ατευκυίᾳ]..|......|......α||......ωσ|.α... καὶ τὴν | κατ' α[ὐτ]ῶν
30 [ψ]α|λίδα [καὶ] τοὺ[ς] παρ' ἑκάτε|ρον αὐτῶν || κείονας δύο | καὶ τὴν ἐπ' αὐ|τοῖς
35 ὀροφὴν | **ἐκ τῶν** ἰδί|ων κατασκευ||άσαντες ἀνέ|στησαν.

PHRYGIA

521. Dorylaei. — Körte, *Athen. Mittheil.*, XXV (1900), p. 421, n. 33.

.....................................|....[βρέχε γαῖ]αν,

καρπῷ [ὅπ]ως βρί[θη | καὶ ἐν]ὶ σταχύεσσι τεθήλη ¹.

5 Τ[αῦτ]α | [σε] Μητρεόδωρος ἐγὼ λίτομαι Κρο‖[ν]ίδα Ζεῦ,

ἀμφὶ τεοῖς βωμοῖσιν ἐπήρ|ρατα θύματα ῥέζων. |

Σαλβίῳ Ἰουλιανῷ καὶ Κα|λπουρνιανῷ Πείσωνι ὑ|πάτοις ².

1. Metrodorus quidam orat Jovem pluvium, qui segetes alit. — 2. Anno 175 post
C. n. Scribendum fuit Καλπουρνίῳ : *Prosop. imp. rom.*, III, p. 166, n. 104 et I, p. 285,
n. 242.

---

522. Dorylaei. — Dittenberger, *Orient. gr. inscr. sel.*, n. 479.

...........βου υἱῶι Διὶ Πατρώ[ιωι ¹ ....|σωτῆρι παν]τὸς ἀνθρώπων

γένο[υς......|..... καὶ θεο]ῖς Σεβαστοῖς καὶ θεαῖς Σεβασταῖς [καὶ Ὁ|μονοίαι ²

5 Σ]εβαστῇ καὶ θεᾶι Ῥώμῃ καὶ θεῶι Συνκλήτωι ‖ [καὶ τῶι] δήμωι Ῥωμαίων

Ἀσκληπιάδης Στρατονί|[κ]ου .....]ένης σεβαστοφάντης διὰ βίου καὶ ἱερεὺς | [τῶν

πρ]ογεγραμμένων θεῶν καὶ ἐπιστάτης ³ τοῦ | δήμου καὶ τῆς πόλεως πρῶτος καὶ

10 διὰ βίου καὶ γυμνα|σίαρχος ἐκ τῶν ἰδίων ἐλευθέρων καὶ δούλων ἀπὸ ‖ ἀρχομένης

ἡμέρας ἕως νυκτὸς ὁρακτοῖς ⁴ ἐκ λου|[τήρ[ων καὶ ἱερεὺς τῆς τῶν γερόντων Ὁμο-

νοίας καὶ | [γρ]αμματεὺς αὐτῶν διὰ βίου, καὶ Ἀντιοχὶς Τεύθραν|[τ]ος σεβαστο-

φάντις διὰ βίου καὶ ἱέρηα τῶν προγε|[γρ]αμμένων θεῶν καὶ γυμνασίαρχος τῶν

15 γυναι‖[κ]ῶν ἐκ τῶν ἰδίων, ἡ γυνὴ αὐτοῦ, καθιέρωσαν | ἐκ τῶν ἰδίων.

1. Fortasse Hadrianus. — 2. Conj. Wolters. Cf. t. III, n. 796. — 3. « Quid haec magis-
tratus appellatio sibi velit. in medio relinquendum videtur. » Dittenberger. — 4. Ditten-
berger ὁρακτοὺς interpretatur mensuras sive « minora vasa, quibus luctatores utuntur ad
oleum ex majoribus illis (ἐκ λουτήρων, v. 11 et n. 535), quae in gymnasio statuenda curavit
gymnasiarchus, hauriendum. » Cf. Hesych., s. v. ὁράξ.

523. Dorylaei. — Körte, *Athen. Mittheil.*, XXV (1900), p. 426, n. 43.

Ἀγαθῆ τύχηι · | τὸν ἐπιφανέστατον | Καίσαρα Μ. Αὐρή[λιον] | Μαξι-
5 μιανὸν Εὐσεβῆ Εὐτυχῆ Σεβ. ¹ ‖ ἡ πόλις, | ἡγεμονεύοντος τοῦ | διασημοτάτου
Ἰου[λίου] ² |..........

1. Annis 285-305 post C. n. — 2. Praeses ignotus.

---

524. Dorylaei. — Dittenberger, *Orient. gr. inscr. sel.*, n. 476.

[Ἡ βουλὴ καὶ ὁ δῆμος τῶν Δορυλαέων ἐκ τ]ῶν [τῆ]ς πολειτεί|ας ἀ[π]οτει-
μήσεων ¹ Τίτω Κλωδίω Ἐπρίω Μαρκέλλω, ἀνθυπάτω τὸ β′ ², | ἐπιμεληθέντος
5 τῆς ἀναστάσε‖ως τοῦ ἀνδριάντος καὶ τὴν βά|σιν ἐκ τοῦ ἰδίου κατασκευά|σαντος
Θεογένους Μενά[ν]δρου τοῦ Μενεμάχου ἀρχι|παραφύλακος ³.

1. Vectigalia. — 2. T. Clodius Eprius Marcellus, cos. suff. circa annum 60 post C. n.,
Asiam rexit per triennium (70-73). Lapis igitur positus est anno 71-72. Cf. *Prosop. imp.
rom.*, I, p. 415, n. 915. — 3. Παραφύλακες videntur fuisse municipales praefecti vigilum
(παραφυλακῖται), eorum autem praefectorum collegio praefuisse ἀρχιπαραφύλαξ, quanquam
de re obscurissima ambigitur. Cf. Liebenam, *Städteverwalt.*, p. xiv et 357; Dittenberger,
l. c., n. 485, not. 9.

---

525. Dorylaei. — Radet, *Nouvelles archives des missions scientif.*, VI (1897), p. 562,
n. vi.

Ἀγαθῆ τύχη · | Αἴλιον Στρατόν[ει]κον ἀπὸ ἱππικῶν | στρατειῶν καὶ ἀρχιε|ρέα
5 Ἀσίας ναῶν τῶν ‖ ἐν Περγάμω, ἐπιστά|την τῆς πόλεως ¹ κα[ὶ] | στεφανηφόρον ²,
10 φυλὴ Σεραπιάς, | ἐκδικοῦντος Κορν[η]λίου Ἀθηναίου, γραμμα‖τεύοντος Αὐρ.
Ζωτικοῦ Ἀπᾶ.

1. Manifesto idem atque πρῶτος ἄρχων. Cf. n. 528. — 2. Cf. n. 528.

---

526. Dorylaei. — Radet, *Nouvelles archives des missions scientif.*, VI (1897), p. 561, n. v.

Τὸν πάτρης | Στρατόνεικον ¹ | ὑπείροχον ὧδε Σε|βαστῆ
5   φυλὴ ἐτείμη‖σεν εἰκόνι χαλκε|λάτω.

1. Q. Voconius Aelius Stratonicus, vir Dorylensis aliunde notus, qui paulo post Cara-
callam vixit. Cf. n. 527 et Radet, ibid., n. vii.

527. Dorylaei. — Körte, *Athen. Mittheil.*, XX (1895), p. 16 et *Götting. gel. Anzeigen*, CLIX, 2 (1897), p. 399, IV; Radet, *Nouvelles archives des missions scientif.*, VI (1897), p. 560, n. IV.

'Αγαθῆι τύχη[ι] · | 'Απολλωνιάς. |
Τὸν κτίστην πόλεως, | 'Ακαμάντιον, ὡς ‖ Δορύλαον, |
κοῦρον ἀφ' Ἡρακλέους | ἢ 'Ακάμαντα νέον¹, |
τοῖς ἰδίοις ἔργοις | στεφανούμενον, ἀντί νυ πολλῶν ‖
ὧν ἔπορεν πάτρῃ, | φυλὴ | 'Αχερσεκόμου². |
'Επεμελήθη τῆς ἀνασ|τάσεως Αὐρ. Στέφανος β' ‖ ὁ φιλόσοφος³.

1. Ut Dorylaüs heros, sic quoque civitatis conditor fuit Acamantius, Herculis progenies, similis Acamanti, Thesei filio, qui ferebatur urbem Acamantion in Phrygia condidisse. — 2. Dorylaei tribus Apollonias, cujus nomen supra scriptum est. — 3. Monumentum positum erat Q. Voconio Aelio Stratonico Acamantio (cf. n. 526), ut certum fecit Körte. *Götting. gel. Anz.*, l. c.

---

528. Dorylaei. — Radet, *Nouvelles archives des missions scientif.*, VI (1897), p. 564, n. VIII.

['Αγ]αθῆι τύχηι · | Μάγνιον Διο|νύσιον ἱππι|κὸν ἀπὸ στρατευ‖ῶν¹, υἱὸν M.
Αὐρ. Δι|ονυσίου πρώτου | ἄρχοντος τὸ β' καὶ στε|φανηφόρου², ἔγγο|νον M.
Αὐρ. Ἑρμ[ο]‖λάου πρώτου ἄρ|χοντος τὸ β' καὶ στ[ε]|φανηφόρου, Μάγν[ι!ο]ς
[Διονύσιος ἀνέστησεν].

1. A militiis equestribus. — 2. Coronatus, sacerdos annuus, in multis civitatibus etiam eponymus : Liebenam, *Städteverwalt.*, pp. 347 et 356.

---

529. Dorylaei. — Crescent Armanet, *Bull. de corr. hellén.*, XXVIII (1904), p. 193, n. 13.

Λούκιος, δοῦλος | οὐέρνας τοῦ κυρίου¹, | Αὐρ. Θεμιστῷ, γλυ|κυτάτῃ συνβίῳ, ‖
μνήμης χάριν, | κ(ὲ) ἑαυτῷ ζῶν.

1. Caesaris servus.

---

530. Dorylaei. — Körte, *Götting. gel. Anzeigen*, CLIX, 2 (1897), p. 415, n. 81.

Θ(εοῦ) δ(οῦλος)¹ |....ος Θησεὺς Σεουῆρος | ..... ἀδελφοὶ πατρὶ Κέ‖[ρδω]νι,
Καίσαρος δού‖[λῳ] π(ροστάτῃ) ἐ(πὶ) τ(οῦ) σ(ίτου)², μνήμης | [χάρι]ν.

1. Vir christianus. Cf. *C. I. Gr.*, 9713. — 2. Cf. *Ibid.*, 3738, et *C. I. L.*, III, 333. Caesaris servus, dispensator a frumento.

531. Dorylaei. — Crescent Armanet, *Bull. de corr. hellén.*, XXVIII (1904), p. 195, n. 12.

Καρικὸς Ἀγαθόπο|δι, δούλῳ τοῦ κυρί|ου αὐτοκράτορος, | ἱππεῖ τῶν ἐν
5 Συννά‖δοις ¹, σὺν τῇ γυναικὶ Δό|μνῃ καὶ τέκνοις αὐ|τοῦ, μνίας χάριν, ἀνέ|θη-
καν τὸν βωμόν.

1. Equites profecto cum diogmitis, pacis servandae causa, Synnadis excubabant in custodiis lapicidinarum; inter quos Caesaris servos militavisse videtur consentaneum. Cf. Marquardt, *Organisat. financ.*, p. 333-334; Chapot, *Prov. rom. d'Asie*, p. 262.

---

532. Dorylaei. — Körte, *Götting. gel. Anzeigen*, CLIX, 2 (1897), p. 412, n. 65.

5 Φίλιππος Πατρο|κλέους ἰατρὸς | καὶ Ξεῦνα Δημη|τρίου Φιλίππῳ ‖ υἱῷ ἰατρῷ
καὶ Δημή|τριος καὶ Πατροκλῆ[ς] | οἱ ἀδελφοί.

---

533. Dorylaei. — Besset, *Bull. de corr. hellén.*, XXV (1901), p. 332.

Ἰούλιος καὶ Κορνηλιανὸς ¹ | Κορνηλίῳ πατρὶ νομικῷ.

1. Notus altero titulo Dorylensi, quem ad aetatem Septimii Severi rettulit Radet, *Nouvelles archives des miss. scientif.*, VI (1897), p. 559, n. 3.

---

534. Sarisou. — Körte, *Athen. Mittheil.*, XXV (1900), p. 435, n. 59.

5 Οὐειβ[ίου] | Τρεβωνια|νοῦ Γάλλου | καὶ Οὐειβίου ‖ Γάλλου Οὐο|λοσσιανοῦ |
Σεββ. ¹ | Μ(ίλια) ιβ'.

1. Annis 251-253 post C. n. Miliarium XII est viae Dorylaeo Amorium.

---

535. Abeictae. — Ramsay, *Journ. of hellen. studies*, VIII (1887), p. 513, n. XCV.

5 Μηνᾶς Μηνᾶδος | Ἀβεικτηνὸς ὑπὲ|ρ τῆς τριχωμί|ας ¹ σωτηρίας κα‖ὶ τῶν
ἰδίων πάν|των ἀνέθηκεν | Δεὶ Βεννίῳ ² εὐ|χήν.

1. Trium vicorum commune, quorum unus erat Abeicta. Chapot, *Prov. rom. d'Asie*, pp. 96, 207, 439. — 2. Jupiter Bennius, Phrygum deus, quem Ramsay vult in curru (*benna*) stetisse et similem fuisse Jovi Statori. Cumont, ap. Pauly et Wissowa, *Realency-clopädie*, s. v.

536. Maimule. — Körte, *Athen. Mittheil.*, XXV (1900), p. 408, n. 16.

Ἔτους τϛι′ μηνὸς Σεβαττο[ῦ] [1] | κατε[σκεύασεν Τε]|λεσφόρος Ἄππῃ μητρὶ
5 γλ[υ]|κυτάτῃ μνήμης χάριν ‖ [κ]ὲ Δομιτίῳ Αὐξάνοντ[ι], | ᾧ συνέζησεν ἡ Ἄππη
κα|[λ]ῶς ἔτη ιε′, καὶ Τελεσ[φόρῳ τῷ ἰδίῳ πατρὶ?].

1. Anno 312 aerae Sullanae = 228 post C. n. Mensis autem Augustus idem videtur
fuisse ac mensis Caesar, primus anni Asiatici, qui incipiebat die XXIII Septembris.
Cf. n. 353.

---

537. Cotiaei. — Kaibel, *Epigr. gr.*, n. 364.

In antica :

5 Πραιτωρε|ανόν με στ|ρατιώτην | ἔνθα Φίλη‖τον
     σωθέ|ντ' ἐκ κα|μάτων ἥ|δε κόνις | κατέχει.

In dextra lapidis parte :

5 Ἡ δ' Ἀλκί|μιλλα μελ|λόνυμ|φος δυσ‖τυχής.

Litterae I vel II saeculi (Kaibel).

---

538. Cotiaei. — Perrot, *Explorat. arch. de la Galatie* (1872), p. 115, n. 73 ; Mordtmann,
Ὁ ἐν Κωνσταντ. Ἑλλ. φιλολ. σύλλογ., XV (1884), p. 72, n. 43.

...[Καί]σαρος δοῦλος [Π]λωτίᾳ συνβίῳ καὶ ἑαυτῷ |..... [καὶ Εὔ]τυχος τῇ
ἑαυτῶν μητρὶ ἐποίησαν μνήμη[ς χάριν]. |
['Ασκλ]η[π]ᾶς Τε[ι]μέου καὶ Ἀλέξανδρος Ἀτταπιν(ε)ῖς [1] λατύποι.

1. Nomen loci cujusdam alias ignoti, ut videtur.

---

539. Cotiaei. — *C. I. Gr.*, 3823.

[Σ]έ[ξ]τος [Ο]ὐαλέριος Ζώσιμος | πρωτόγον[ος] τ[ῶν] τέκν[ω]ν, ἀπ' Ἰτα|λίας
5 ἐλθών, [κ]α[ὶ] Π[α]πᾶς [ἱ]ερατευσ|άμενος καὶ Ἄρειος τὰ τέκνα [τῷ] ‖ πατρὶ
κα[ὶ τ]ῇ [μ]η[τ]ρὶ ἀ[νέστησαν] | μνήμης | χά[ριν]....‖..|...|..|... [1].

1. Traditur ΥΙΑΙ | ΜΡ | ΤΡΙ | ΜΑ | ΟΙΛ.

540. Cotiaei. — Le Bas et Waddington, n. 819.

.......τὸν ἑαυτῆς ἄνδρα καὶ ἑαυτὴν ἔτι ζῶσα. Καὶ τὰ τ||[έκνα αὐτῶν Ἀ]σκλῆς
κὲ Εὔτυχος κὲ Ἀπολλώ||[νιος.....] κὲ Ἀμμιὰς τοὺς ἑαυτῶν | [γονεῖς ἐτεί-
5 μη]σαν. ‖ Κὲ Ἀλέξανδρος κὲ Τρόφιμος | τὸν ἑαυτῶν πάτρω|ναν ¹ ἐτίμησαν.

1. Accusativi forma in illis regionibus communis, ut θυγατέραν, πατέραν...

---

541. Hadji-Keui. — *C. I. Gr.*, 3851.

Ἐν τῇ πρώτῃ | τῆς Ἀσίας καὶ δὶς νε|ωκόρῳ τῶν Σεβαστῶν Σμυρ|ναίων
5 πόλει ¹...‖..ον Λουκίου..|.. Κλαυδίου.....|..είνου.

1. Smyrna neocorus II fuit sub Hadriano, III sub Septimio Severo. Chapot, *Prov. rom.
d'Asie*, p. 452. Πρωτείαν autem in pompis solemnibus, quam diu affectaverant Smyrnaei,
cum vere obtinuisset Ephesus, passi sunt tamen Romani Smyrnae manere nomen : Cha-
pot, *ibid.*, p. 144.

---

542. Nacoleae. — Ramsay, *Journ. of hellen. studies*, V (1884), p. 258, n. 9.

Θεῷ Ὑψίσ|τῳ ¹ εὐ|χὴν Αὐ|ρήλιος ‖ Ἀσκλάπω|ν, ἣν [ὡ]μο|λό[γ]ησεν ἐ[ν] |
Ῥώμῃ ².

1. Cf. n. 47. — 2. Cum Romam iter fecisset.

---

543. Nacoleae. — Ramsay, *Journ. of hellen. studies*, III (1882), p. 121.

5 Νίγερ ¹ Καίσα|ρος δοῦλ[ος] | νεώτερο[ς] ² | ζῶν [ἑαυτῷ] ‖ καὶ [μητρὶ?]
καὶ..... | τὸ μνημεῖον | κατεσκεύασεν].

1. Ille idem fortasse qui postea, cum libertatem assecutus esset, vocatus est T. Aelius
Aurelius Niger. Cf. n. 544. — 2. Filius patris ejusdem nominis, qui ipse etiam fuerat
Caesaris servus.

---

544. Nacoleae. — Ramsay, *Journ. of hellen. studies*, III (1882), p. 122.

T. [Α]ἴλιος | Αὐρήλιος, | Σε[β]αστο[ῦ] ¹ ἀπελεύθε|ρο[ς], Ν[ίγε]ρ.

1. Antoninus Pius. Cf. n. 343.

545. Nacoleae. — Körte in schedis Instituti archaeologici Vindobonensis (n. 27).

Τ. Φαβρίκιος Παλα|τείνᾳ Αἰλιανὸς προ|.....ος γένους Παπα|...... αντις.....

---

546. Apud Trocnades. — *C. I. L.*, III, 6997.

Αἰλ. Μαξιμίν[ην] | τὴν σεμνοτ[άτην | γ]υναῖκα το[ῦ κρα].τίστου ἐπιτ[ρό-
5 που] ‖ Τρόκνα[δες] ¹.

1. Nomen populi, cujus ex vicis tribus constabat Tricomia.

---

547. Orcisti. — *C. I. Gr.*, add. 3822 b³ ; Mordtmann, Ὁ ἐν Κωνσταντ. Ἑλλ. φιλολ. σύλλογ.. XV (1884), p. 72, n. 47.

[Αὐτ]οκράτορα Καίσαρα | [Μ]ᾶρκον Αὐρήλιον Ἀν|[τωνεῖνον Σεβαστὸν] |
5 Ἀ(ρ)μενιακὸν Παρθικὸν ‖ Γερμανικὸν ¹ ἀρχιερέα | μέγιστον δημαρχικῆς | ἐξου-
10 σίας.. | Ὁρκιστηνοί, | εἰσηγησαμένων Ἑρμοκρά|τους Μηνοδώρου καὶ Μαρίωνος |
[Ἀ]σκληπιοδώρου καὶ Εὐπολέμου | [Δ]ιοκλέους καὶ Μ. Αὐρη[λί]ου Εὐσή|[μ]ου
15 καὶ Μηνοδώρου γ΄ τοῦ Μηνοδώρου, | [ἐ]πιμεληθέντων Μάρωνος Ἀσ‖[κ]λη-
πιοδώρου καὶ Διοτρέφους τρὶς | [τ]οῦ Μηνοδώρου καὶ Ποπλίου Πομ|[π]υλίου
Κλαυδίου Ῥούφου καὶ Εὐπολέ|[μ]ου Μομμ[ί]ωνος ἀρχόντων καὶ | Ποπλίου
20 Πομπυλίου Κλαυ‖δίου Ῥουφείνου.....

1. Inter annos 172 et 180 post C. n.

---

548. Orcisti. — Mordtmann, Ὁ ἐν Κωνσταντ. Ἑλλ. φιλολ. σύλλογ., XV (1884), p. 73. n. 48.

Οἱ περὶ τὴν γειτο|νίασιν τοῦ χ[ώ]ρου | Αὐρ. Ἀντιόχου Παπᾶ | κληρονόμοι
5 καὶ ‖ <καὶ> Αὐρ. Ἀπελλᾶς | Ἀλεξάνδρου μετὰ | καὶ πάντων τῶν | <τῶν>
10 περὶ αὑ|τοὺς φρα‖τόρων ὑπὲρ | τοῦ κυρίου | ἡμῶν ¹ τύχη[ς] | καὶ νείκης | καὶ
15 ἐων[ί]ου διαμο‖νῆς ἀνεστήσαμεν | θεῷ εὐχ[ήν].

1. Imperator incertus III fere saeculi.

549. Orcisti. — Ramsay, *Hermes*, XXII (1887), p. 311.

Inscriptionis graecae versuum 98, quae publici juris nunquam facta est, in altero latere haec leguntur :

a, v. 1-2 : Μαρίῳ Περπετούῳ καὶ Μομμίῳ Κορνηλια[νῷ] | ὑπάτοις, πρὸ ἐξ Καλ. Ἰουνίων, ἐν Ὀρκίστῳ.

In altero latere :

b, v. 36-38 : Ἐτελέσθη τὸ ψήφισμα π[ρὸ | ἐξ Κα]λ. Ἰουνίων, Μαρίῳ Περπετούῳ [καὶ | Μομμίῳ] Κορνηλιανῷ ὑπάτοις.

1. Anno 237 post C. n., die Maii xxvii.

---

550. Baglitsa. — Kontoleon, *Athen. Mittheil.*, XIV (1889), p. 91, n. 10.

Θεὸν Κόμμο|δον Ὀρκιστη|νῶν ὁ δῆμος | καὶ ἡ γερουσί|α.

---

551. Golis. — Körte. *Inscriptiones Bureschianae, Wissensch. Beilage der Universität Greifswald* (1902 . p. 21, n. 29; Wiegand, *Athen. Mittheil.*, XXIX (1904), p. 319.

[Τιβέριον] Κλαύδιον [Καίσ]α[ρα | Σ]εβαστὸν Γερμανικὸν [αὐ]|τοκράτορα |
5 Διόδωρος Κλεάνδρου ἱερα‖τεύσας ¹ κ(αὶ) ἀγορα[νομήσας] | ἐκ τῶν ἰδίων ἀνέθη[κεν].

1. Διόδοτος Κλεάνδρου τεύξας, Wiegand.

---

552. Golis. — Wiegand, *Athen. Mittheil.*, XXIX (1904), p. 318.

[Αὐτοκράτορ]α Τραιανὸν Ἀδριανὸν Καίσαρα Σεβαστὸν | [Ὀλύμπιον] Πανελλήνιον ¹ Θεοῦ Τραιανοῦ υ[ἱὸν Θε|οῦ Νέ]ρου[α] υἱωνὸν | ἡ φιλοσέβαστος Γολοιήνων
5 γερουσία, ‖ [ἐπιμελη]θέντος τῆς ἀναστάσεως Δημοσθέ[ν]ου]ς Ἀπολλοφάνους Κοσσουτιανοῦ, ἀνθ᾽ ἧς ὑπέσχ|ετο [Ἀν]θιμίας ὑπὲρ τοῦ υἱοῦ Ἀπολλοφάνους.

1. Cf. nn. 573, 574, 575, 576.

---

553. Saujilar. — Munro, *Journ. of hellen. studies*, XVII (1897), p. 286, n. 54.

Αὐρ. Ἱεροκλῆς γ᾽ | Βασσιανὸς τῷ | γλυκυτάτῳ πατρὶ | Αὐρ. Ἱεροκλεῖ [β᾽] τῷ
5 ἀρ‖χιάτρῳ σὺν καὶ τῇ | ἀδελφῇ Αὐρ. Βάσσῃ, | μνείας <ς> χάριν.

554. Ancyrae. — Le Bas et Waddington, n. 1013.

['Απο]λλοφάνης | ['Ε]στίη θεᾷ | εὐχήν.

---

555. Ancyrae. — Le Bas et Waddington, n. 1011.

['Η βουλὴ καὶ ὁ δῆμος ὁ 'Α]ν[κυρα]νῶν ἐτίμησ[εν | Με]νέλα[ον Μητρ]οτίμου
τὸν στεφανηφό|[ρ]ον καὶ γραμματέα, γυμνασιαρχήσαντα | καὶ ἀλίψαντα τὸν
5 δῆμον ἐκ λουτήρω[ν] ¹ ‖ καὶ λούσαντα ἐκ τῶν ἰδίων καὶ ἄρξαν|τα τῆς ἱερωτάτης
τοῦ θεοῦ 'Απόλλω|νος πανηγύρεος ἐν τῷ ἄλσει καὶ ἑστιά|σαντα τὴν πατρίδα,
10 κυνήγιόν τε πολυτε|λὲς κ[αὶ παρ]άδοξον μετὰ πάσης σπουδῆς πα‖ρα[σχόμε]νον, ἔν
τε ἀγορανομίᾳ καὶ στρα|τη[γίᾳ καὶ] χρεοφυλακίᾳ ἁγνῶς καὶ φιλαγά|[θως ἐν
ἅπ]ασι πολειτευσάμενον, συντε|[λέσαντα χρέα ὑπὲρ τ]ῆς πατρίδος φιλοδόξ‖[ως,
15 πρεσβεύσαντα εἰς 'Ρώ]μην, εὐεργετήσαν‖[τα πολλοὺς πολείτας, ἀνα]κτησάμενον
καὶ κατῳκ[ο|δο]μηκότα τὸ βουλευτήρ]ιον?, ἐπισκευάσαντα |. διαυ...... [βαθ]μοῖς?
τοῦ Διὸς 'Ολυμπίου η|........ τε πάντα, τὴν τοῦ βίου ε..|... καὶ...... [τ]ῇ
20 πατρίδι παρεσχημένον · ‖ [καὶ ἐ]ν [τῷ ἄλσει κατεσκεύα]σεν κρήνας αῑ ἐκ τῶν
ἰδίων | ....ης .... 'Ετείμησαν καὶ Λαοδί[κ]ην Αἰ[νείου?, γυναῖκα] δὲ τοῦ
Μενελάου, ἱερε[ι|αν] νέω[ν ὁμοβωμίων? ², δ]ωδεκάδοιόν τε θυ|[σίαν ἀεὶ κατ' ἔτο]ς
στήσασαν.

1. Cf. n. 522. — 2. Augustus et Livia. Cf. n. 536.

---

556. Ancyrae. — Le Bas et Waddington, n. 1021.

.... | [στερα]νηφόρος καὶ ἀγωνοθέτης [καὶ ἱερεὺς δεκα|έτη]ς? μὲν τῶν
ὁμοδωμίων θεῶν Σεβασ[τῶν ¹, | δ]ιὰ βίου δὲ τῶν βουλαίων ², καὶ ἐπὶ τῆς
5 εὐκο[σ]‖μίας ἄρχων ³, τὸ πρόναον ἐκ τῶν ἰδίων χρη|μάτων ἀγέθηκεν σὺν τῷ
ἐπιφερομένῳ κόσ|μῳ παντὶ καὶ τοῖς ξυλίνοις φατνώμασ[ιν] ⁴ | καὶ τῷ κεράμῳ.

1. Augustus et Livia. Cf. nn. 582-584. — 2. Bulaei vocabantur dei in curiis senatorum
culti, praecipue Jupiter, Minerva et Vesta. Cf. n. 22. Dittenberger, *Orient. gr. inscr.
scl.*, n. 332, not. 33. — 3. Morum praefectus, censor virginibus maxime custodiendis
praepositus. Cf. n. 582 et *C. I. Gr.*, 3185 : Liebenam, *Städteverwalt.*, p. 350-351. —
4. Ligni sculpti tabulae, quibus ornabantur porticus lacunaria.

557. Aezanis. — Le Bas et Waddington, n. 851.

Διὶ καὶ τοῖς κυρίοις Κάρπων Αἰνήου ἱερὸς ¹ ἀνέθηκεν.

1. = ἱερεύς. Cf. C. I. Gr., 2339 b, 5937.

---

558. Aezanis. — Le Bas et Waddington, n. 848.

[Τιβέρ]ιο[ν Κλαύδιον Καίσαρα Σε]|6αστὸν Γερμανικὸν τὸ[ν] | αὐτοκράτορα
5 καθιέρωσαν | πρῶτοι ἐκ τῶν ἰδίων Διον[ύ]‖σιος Διονυσίου τοῦ Μην[ο]|φίλου καὶ
Ἀσκληπιάδης Δη|μοσθένους, οἱ νεωκόροι | αὐτοῦ διὰ βίου.

---

559. Aezanis. — Le Bas et Waddington, n. 856.

[Τὸν βωμὸν? καὶ τὴν εἰκόνα] Τιβε|[ρίου Κλαυ]δίου Καίσαρος Σεβασ|[τοῦ
5 Γερμα]νικοῦ τοῦ αὐτοκρά|[τορος καὶ] Καίσαρος Βρι‖[ταννικ]οῦ πατρὸς, | [Τιβ.
Κλαύ]διος, Ναννᾶ υἱὸ[ς, Μηνο|γένης ¹ ἐκ τ]ῶν ἰδίων χρημ[άτων ἀνέθηκεν].

1. Inscriptus in nummo Aezanitarum. Cf. Babelon, Invent. de la coll. Waddington.
n. 5567.

---

560. Aezanis. — Körte, Athen. Mittheil., XXV (1900), p. 401, n. 2.

.... τῷ κόσμῳ [καὶ] εὐτυχέστατα τῇ πόλει ἡμῶν ¹ .... | [Νέρωνα Κλαύ]-
διον Καίσαρα Δροῦσον Γερμανικὸν τὸν υἱὸν φύ[σ]ει [Θ]εᾶς [Ἀγριππείνης ² | ...
τῷ μεγί[στῳ [τῶν] Σεβαστῶν [οἴ]κῳ, ἐψηφίσατο στεφανηφ[ο]ρῆ[σ]α[ι ....|.....
5 καὶ] ἐν ἀγῶσιν ὁ[μ]οίως, ἄξιόν με νομίσασα καὶ ταύτ[ης τῆς τιμῆς] ‖ ..... ὥστ'
ἂν? δύο θεῶν ³ μιᾷ προγραφῇ μιᾷ ἀτελήᾳ ..|.... ἡ καὶ εὐ....

1. Epistula est, ut videtur, viri apud Aezanitas nobilis ad panegyriarchas de cultu
Caesarum. — 2. Anno 50 post C. n. — 3. Nero et Agrippina.

---

561. Aezanis. — Dittenberger, Orient. gr. inscr. sel., n. 475.

Col. a. Ἀπὸ Ῥώμ[ης¹.] | Νέρων ² Μηνοφίλῳ χαίρειν · | Μενεκλῆς καὶ Μητρό-
5 δωρος οἱ υἱοί σου ἐλθόν|τες πρός με ἅπαντα ἐδήλωσαν ὅσα τε αὐτὸς ‖ ἐφιλο-

τιμήθης πρὸς ἡμᾶς καὶ ὅσα εἰσηγήσω τῆι | πόλει περιέχοντα τὰς ἡμετέρας τιμάς · ἐφ' οἷς οὐ | μετρίως ἀπεδεξάμην σοῦ τὸ βέβαιον τῆς εἰς με | εὐνοίας καὶ τὸ ἀεὶ μέλειν σοι προσεπινοεῖν τι τῆι | ....

10 αι ⫴ .... ω γε | ..... ην ει | [παν]τὸς ἀναλώ-ματος εἴη σοι ἡ περὶ ἡμᾶς φιλοτιμία | [τα]ῦτα ἤδη δεδηλωκότι, ὅτι οὐδὲ τῶν

15 ἰδίων ἕνε‖[κά γε] αὐτῆς φείδεσθαι προαιρῇ. Μενεκλῆς δὲ ὁ ⫴ [υἱὸς ἑτ]οίμως εἶχεν καὶ προσμένειν μοι χρόνον |

Col. b. ὅσον ἂν βο[υλωμαι..........................] | ὃν ἐγὼ δίκ[αιον ἡγούμε-νος ἐπιμελεῖσθαι τοῦ σοῦ] | γήρως ἀπέ[λυσα τῆς παρ' ἐμοὶ ἐν Ῥώμῃ καταμο-

20 νῆς] | καὶ πρὸς σὲ [ἀπελθεῖν ἐκέλευσα γηροτροφήσον]‖τα, ἔγραψα δ[ὲ].......... .... | ἐπιμελέστα[τα........................ πρὸς τὴν] | πόλιν ὑμῶν .... [ἔγραψα] | δὲ καὶ πρὸς Α.................... | δηλώσας

25 ὡς.................... ⫴ γὰρ εὔνους μα[.........γρά]|φειν, ἐάν του δ[έη.......].| παρέχεσθαί σο[ι.........] | δέχομαι τὴν ἀ....... | δέ μοι μένει[ν.........]|τεν ἢ Μην[οφιλ...].......

1. « Pars praescriptorum deest, quae et diei, mensis, anni significationem et titulos Αὐτοκράτωρ Καῖσαρ continuit. Utrum haec interciderint, an Menophilus ipse praescripta contraxerit, vix discernas. » Dittenberger. — 2. Annis 54-68 post C. n.

---

562. Aezanis. — Le Bas et Waddington, n. 864.

Αὐτοκράτορι Ἀδριανῷ | Γενέτορι [1], εἰσανγείλαν|τος Ποπλίου Κ[λ.] [2] Διο-
5 ν|υσίου, συνέδρου τοῦ ⫴ Πανέλληνος [3].

1. Apollinis cognomen; saepe etiam γενέθλιος vocatus est Jupiter. — 2. ΚΑΙ lapis. — 3. Cf. n. 573.

---

563. Aezanis. — Le Bas et Waddington, n. 865.

Σαβείνη | Σεβαστῇ.

---

564. Aezanis. — Le Bas et Waddington, n. 871.

[Αὐτοκράτορα Καίσαρα Μ. Αὐρή]λιον | [Ἀντωνεῖνον Σεβαστὸν, ἀρχ]ιερέα |

5 [μέγιστον], δημαρχικῆς ἐξουσί|[ας τὸ.., ὕπατον τ]ὸ γ´ ¹, Θεοῦ Ἀντω‖[νείνου
υἱὸν] Θεοῦ Ἀδριανοῦ | [υἱωνὸν Θεοῦ Τρ]αιανοῦ Παρθικοῦ | [ἔ]κγονον Θεοῦ
Νέρουα ἀπόγονον, | Αὐτοκράτορ[α Καίσαρα Λ. Αὐρήλι]ον Οὖῆρον Σ[εβαστὸν,
10 δημαρ‖χικῆς ἐξουσί[ας τὸ.., ὕπατον τὸ..], | Θεοῦ Ἀντωνε[ίνου υἱὸν Θεοῦ] |
Ἀδριανοῦ υἱω[νὸν Θεοῦ Τραια]|νοῦ Παρθικο[ῦ ἔκγονον Θεοῦ] | Νέρουα ἀπό-
15 γ[ονον], ‖ Μ. Οὐλπίου Ἀππουλ[ηί]ου Εὐρυκλέους ², ἀρχιερέως ἀποδεδιγμένου
Ἀσίας, | .... [ἐπιμεληθέντος τῆς ἀναστάσεως].

1. Anno 161 post C. n. — 2. Vide nn. 573-576 et ejus epistolam ad Aphrodisienses,
C. I. Gr., 2741.

---

565. Aezanis. — Le Bas et Waddington, n. 873.

[Αὐτοκράτορι Κ]αίσαρι Λ. Αὐρ. Κομόδῳ.

---

566. Aezanis. — Le Bas et Waddington, n. 874.

[Αὐ]τοκράτωρ Καῖσαρ Θεοῦ Μά[ρκου Ἀντωνεί]|νου Εὐσεβοῦς Γερμανικοῦ
Σ[αρματικοῦ υἱὸς] | Θεοῦ Κομμόδου ἀδελφὸς Θ[εοῦ Ἀντωνείνου] | Εὐσεβοῦς
5 υἱωνὸς Θεοῦ Ἀδριαν[οῦ ἔκγονος Θε]‖οῦ Τραιανοῦ Παρθικοῦ καὶ Θεοῦ Ν[έρουα
ἀπό]|γονος Λούκιος Σεπτίμιος Σεουῆρος Εὐσε|βὴς Περτίναξ Σεβαστὸς Ἀρα-
βικὸς Ἀδιαβηνι|κὸς, ἀρχιερεὺς μέγιστος, δημαρχικῆς ἐξουσίας τὸ γ´ ¹, αὐτο-
10 κράτωρ τὸ η´, ὕπατος τὸ β´, πατὴρ ‖ πατρίδος, Αἰζανιτῶν τοῖς ἄρχουσι καὶ
τῇ | βουλῇ καὶ τῷ δήμῳ χαίρειν. |

Τὴν ἡδονὴν ἥν ἐπὶ τοῖς κατωρθωμένοις | ἔχετε καὶ ἐπὶ τῷ τὸν υἱόν μου
15 Μᾶρκον Αὐρήλιον Ἀντωνεῖνον ἐπιβαίνειν ἀγαθῇ τύχῃ ‖ τῶν τῆς ἀρχῆς ἐλπί-
δων καὶ τετάχθαι μ[ετὰ] | τοῦ πατρὸς ², φανερώτατα ἔγνων δι[ὰ] | τοῦ ψηφίσ-
ματος καὶ ἥσθην ὅτ[ι δη]μ]οσίαν ἠγάγετε ἑορτὴν καὶ ἔθυ[σατε | τ]οῖς θεοῖς
20 θυσίας χαριστ[ηρ]ίους, [πό]‖λις ὄντες ἔνδοξος καὶ ἐκ παλαίο[υ Ῥω]μαίων ἀρχῇ
χρήσιμος · τὴν νείκ[ην ³ δὲ] | ὡς εἶδον ἐπὶ μαρτυρίᾳ τῶν κατωρθωμ[έ]|νων
ἐλθοῦσαν μετὰ τοῦ ψηφίσματος, | ἀπέπεμψα τὸ [γ]ρ[ά]μμα ὑμεῖν παρὰ τοῖς ‖
25 ἐγχωρίοις θεοῖς ἐσ[ό]μενον. |

Ἐπρέσβευον Κλαύδιος Καμπανὸς Φλα|ουιανὸς, Κλαύδιος Ἀπολλινάριος
Αὐ|ρηλιανὸς, Φιλότιμος Μηνοφίλου, Κλαύ|διος Πασί[τ]εχνος, Βεῖθυς Δημη-
30 τρίῳ, ‖ Αὐρήλιος Κάτ[υ]λλος, Μηνόφιλος Φ[ι]|λίππου, Φίλιππος Μηνοφίλου.

Μεν[ε]|κράτην δὲ Μειλήτου ἔφασαν [ἀπο]|λυθ[ῆν]αι οἷς τὸ ἐφόδιον ἀπο[δοῦναι |
.... προ]ῖκα ὑπέσχηνται.

Septimius Severus Aezanitis gratias agit quod eorum legati sibi nuntiaverint feriis in
illa civitate celebratam esse felicitatem temporum.

1. Errore lapicidae pro Δ; nam erat imperator illa aetate tribunicia potestate IIII. —
2. Caesarem nuper salutari Caracallam jusserat. — 3. Profecto captum Byzantium mense
Julio anni 196 post C. n. Cf. Goyau, *Chronol. de l'emp. rom.*, ad annum 196.

---

567. Aezanis. — Le Bas et Waddington, n. 988.

[M.] Α[ὐρ]. Ἀντωνεῖ[ν]ον [Καίσαρα | Σεβα]σ[τ]ὸ[ν], υ[ἱὸν | Αὐτοκρά]τορος
5 [Λ. ∥ Σ]επτιμίου Σεου|[ή]ρου Περτίνακος | [Σ]ε[βα]στοῦ ἡ βου|[λ]ὴ καὶ ὁ
10 νεωκόρ|[ος] τ[οῦ Δ]ιὸς[1] ἱερὸς ∥ καὶ [ἄσυλ]ος [Α]ἰ[ζα|νειτῶν] δῆμος | [ἐκ τῶ]ν
15 ἰδίων θεοῦ, | [ἐπ]ιμεληθέντ[ων | τῶ]ν π[ερὶ Κ]λ. Ῥου|[φει]νιανὸν ἀρ∥χόντων.

1. De Jove apud Aezanitas culto vide nummos : Babelon, *Invent. de la coll. Waddington*,
nn. 5541-5585, et inter ceteros 5581, in quo dicuntur Jovis neocori.

---

568. Aezanis. — *C. I. Gr.*, Add. 3841 *l*.

[Αὐτοκρά]τορι Καίσαρ[ι] | Διοκ[λητ]ιαν[ῷ] Σ[εβ]α[σ]τῷ Α[ὐρ. Εὔ]|μη-
5 νος Μηνογένους Ἀ[πολ]|λι[ν]αρ[ί]ο[υ] κατεσ[κεύα]σεν ὑ∥[πὲρ τῆς σωτηρίας
αὐτοῦ].....

---

569. Aezanis. — Le Bas et Waddington, n. 876.

.... [Παρθικ]ῶι μεγίσ[τωι].......

---

570. Aezanis. — Le Bas et Waddington, n. 884.

5 Τὸν μέγαν | εὐεργέτην καὶ | σωτῆρα καὶ κτίσ|την τῆς πόλε∥ως Κλ. Στρατό|-
νικον ὕπατον[1] | ἡ πατρὶς, στρα|τηγοῦντος | τὸ β΄ Κλ. Ἀπολ∥λιναρίου.

1. Cos. suffectus anno incerto aetatis fere Commodi vel Septimii Severi. *Prosop. imp:
Rom.*, I, p. 401, n. 818.

571. Aezanis, in templo Jovis, in pariete interiore lateris meridionalis. — Dittenberger, *Orient. gr. inscr. sel.*, n. 502; *C. I. L.*, III, 356 et 14191.

Ἀουίδιος Κουιῆτος ¹ Αἰζανειτῶν ἄρχουσι βουλῆι | δήμωι χαίρειν. Ἀμφισ-
δήτησις περὶ χώρας ἱερᾶς, ἀνα|τεθείσης πάλαι τῶι Διὶ ², τρειδομένη πολλῶν
ἐτῶν, τῇ προνοίᾳ τοῦ | μεγίστου αὐτοκράτορος τέλους ἔτυχε. Ἐπεὶ γὰρ ἐπέστειλα
5 αὐτῷ δη‖λῶν τὸ πρᾶγμα ὅλον, ἠρόμην τε ὅτι χρὴ ποεῖν, δύο τὰ μάλιστα τὴν |
διαφορὰν ὑμεῖν κεινοῦντα καὶ τὸ δυσεργὲς καὶ δυσεύρετον τοῦ | πράγματος
παρεχόμενα ³, μείξας τῷ φιλανθρώπῳ τὸ δίκαιον, ἀκολούθως τῇ περὶ τὰς κρί-
σεις ἐπιμελείᾳ, τ[ὴν] πολυχ[ρ]όνιον ὑμῶν μάχην καὶ ὑποψίαν πρὸς ἀλλήλους
10 ἔλυσεν, καθὼς ἐκ τῆς ἐπιστολῆς, ἣν ἔπεμφεν πρός με, ‖ μαθήσεσθε, ἧς τὸ ἀντί-
γραφον ὑμεῖν πέπομφα. Ἐπέστειλα δὲ Ἑσπέρῳ τῷ ἐπι|τρόπῳ τοῦ Σεβαστοῦ ⁴,
ὅπως γεωμέτρας ἐπιτη(δ)[είους] λεξάμενος ἐκείνοις | προσχρήσηται τὴν χώραν
διαμετρῶν κἀκ [τούτου ἀγαθὸ]ν ὑμεῖν γενήσεται. | Καὶ ἐκ τῶν ἱερῶν τοῦ
Καίσαρος γραμμάτω[ν ὑμεῖν δ]εδήλωκα ὅτι <ο> δεῖ τε|λεῖν ὑπὲρ ἑκάστου
15 κλήρου κατὰ τὴν [τοῦ Καίσαρος ἀπό]φασιν ἐξ ἧς ἂν ἡ‖μέρας λάβητε τὴν
ἐπιστολήν. Ἕκαστ[ος δὲ τὸ τέλος τῷ] ἱερο[ταμίᾳ τῆς] | χώρας τελέσει, ἵνα μὴ
πάλιν τινὲς ἀ[μφισβητοῦντες περὶ αὐτῆς τοῦ] | βράδειον ἀπολαῦσαι τὴν πόλιν
τῆς [προσηκούσης προσόδου παραίτιοι] | γένωνται · ἀρκεῖ γὰρ αὐτοῖς τὸ μέχρι
ν῏υν ἀπολελαυκέναι τούτων. Πέπομ[φα δὲ καὶ τῆς πρὸς Ἕσπερον ἐπιστο[λῆς
20 τὸ ἀντίγραφον καὶ ἧς Ἕσπερος ἐ‖μοὶ γέγραφεν. Ἐρρῶσθαι ὑμᾶς εὔχο[μαι]. |
Exempl(ar) epistulae C[ae]saris scriptae ad | Quietum. | Si in quantas parti-
culas, [q]uos [cle]ros appellant, ager Aezanen|si Ioui dicatus a regibus diuisu[s
25 sit], non apparet, optimum est, ‖ sicut tu quoque existimas, [modu]m, qui in uici-
nis ciuitatibus | clerorum nec maximus [nec mi]nimus est, obseruari. Et si, cum |
Mettius Modestus ⁵ cons[titueret], ut uectigal pro is pendere|tur, constitit qui
es[se]nt c[leruc]hici agri, aequum est ex h[oc] | tempore uectigal pendi. Si [non
30 co]nstitit, iam ex hoc tem[po]‖re uec[tig]al pendendum e[s]t. [At] si quae morae
qu[aerantur] | us[que dum penda]nt inte[grum, dentur]. |
Exempl(ar) epistulae Quieti scriptae ad | Hesperum. | Cum uariam esse clerorum
35 mensuram ‖ cognouerim, et sacratissimus imp[erator] con[stitutionis suae causa
neq[ue] maximi neq[ue] | [min]imi mensuram iniri iusserit in ea re[[gione], quae
40 Ioui Aezanitico dicata dicitur, | [mando tib]i, Hesper[e] carissime, explores qu‖[ae
maximi cl]eri mensura, quae minimi [in | uicinia et in] ipsa illa regione sit, et
id | [per literas n]otum mihi facias. |
45 Exempl(ar) epistulae scriptae Quie|to ab Hespero. ‖ Quaedam negotia, domine,

non ali|ter ad consummationem perduci | possunt, quam per eos qui usu sunt | eorum periti. Ob hoc, cum mihi iniunxisses ut tibi renuntiarem, quae | mensura
50 esset clerorum ❚ circa re|gionem Aezaniticam, misi in rem | praesentem ei..... ⁶.

1. Proconsul Asiae anne 125/126 post C. n.; *Prosop. imp. rom.*, I, p. 189, n. 1171. —
2. « Apparet has dissensiones et ad fines et magnitudines partium, per quas hic ager civibus divisus erat a regibus Seleucidis vel Attalidis, et ad vectigal, a Mettio Modesto proconsule eis impositum, spectare. Sed de locatione modo, perpetua et hereditaria sane, fundorum, qui non desierant Jovis sacri esse, haec interpretanda sunt. » Ditten-berger. — 3. Supplendum est omissum participium, veluti πχύσχς. — 4. « Vectigal in arcam sacram Jovis numeratum videtur, sed pars ejus certa in fiscum Caesaris perve-nisse; propterea non proconsul, sed procurator Caesaris hanc rem curare debet. » Dit-tenberger. — 5. Proconsul Asiae aliquot annis ante Quietum, extremis temporibus Trajani aut primis Hadriani : *Prosop. imp. rom.*, II, p. 373, n. 404. — 6. Nihil amplius in lapide scriptum est; quam ob causam, latet.

---

572. Aezanis. — Le Bas et Waddington, n. 841.

...... [Π]οστουμετ[νος.. ¹ ....|... Αἰζανειτῶν ἄρχου]σι, βουλῇ, δήμῳ χαί-
ρειν .....|....... [κατὰ τὴ]ν πρώτην ἀρχήν μου τῆς ἀνθυπατείας, ἀκο|[λούθως
5 .....]ον τε ταῖς ἐντολαῖς ἡγησάμενος καὶ ἀνανκαῖ❚[ον .... κα]ὶ ποιήσασθαι
τὴν παρ' ὑμεῖν ἐπιδημίαν, ἧκον|....... μως · ἰδὼν δὲ πόλιν εὐγενῆ τε καὶ
ἀρχαίαν..|........ νεωστὶ [δ]ὲ π[ρ]οσκατασκευαζομένοις οὐδενὸς |........ν ἀκμά-
ζειν δοκουσῶν ἐπι[φ]α[νέσ]τερον συναύ|[ξειν].........

1. Fabius Postuminus, ut videtur, proconsul Asiae sub Trajano.· Cf. Waddington, *Fastes des prov. asiat.*, n. 115, et *Prosop. imp. rom.*, II, p. 50, n. 45.

---

573. Aezanis in parietinis templi Jovis. — Dittenberger, *Orient. gr. inscr. sel.*, n. 504.

Ὁ ἄρχων τῶν Πανελλήνων καὶ ἱερεὺς Θεοῦ Ἀδριανοῦ Π[ανελληνίου] | καὶ
ἀγωνοθέτης τῶν μεγάλων Πανελληνίων Τίτος [Φλάβιος Κύλλος] | καὶ οἱ Πανέλ-
ληνες ¹ Αἰζανειτῶν τῆι βουλῆι καὶ τῷ [δήμῳ χαίρειν]. | Καὶ αὐτοῖς ἡγούμε-
5 νοι προσῆκον εἶναι τὰς πρὸς τοὺς ἀγαθοὺς ἄνδρας ἀποδείκνυ❚σθαι τειμὰς
διαρκῶς καὶ ὑμεῖν συνήδεσθαι τῆς τῶν τοιούτων πολιτῶν κτή|σεως ἀκόλουθον
ὑπολαμβάνοντες, ο[ἷό]ς ἐστιν οὗτος Οὔλπιος Εὐρυκλῆς, συν|πεπολιτευμένος ²
ἡμεῖν πάντα τὸν τῆς συνεδρείας χρόνον μετρίως καὶ ὡς | τούς τε καθ' ἕκασ-
τον ἡιρηκέναι φιλίαι καὶ ἐν τῶι κοινῶι ἐπὶ παιδείαι τε καὶ | τῆι ἄλληι ἀρετῆι
10 καὶ ἐπιεικείαι διάδηλον ἑαυτὸν πεποιηκέν[αι], εὔλογον ἡγη❚σάμεθα μαρτυρῆσαι

αὐτῶι παρ' ὑμεῖν καὶ εὐφρᾶναι ὑμᾶς ἐνδειξάμενοι | ἣν πρὸς αὐτὸν εὔνοιαν ἔχο-
μεν πρός τε τὸ κοινὸν τοῦ Πανελληνίου καὶ ἰδίᾳ | πρὸς τὸν θαυμασιώτατον
ἡμῶν ἄρχοντα Φλάβιον Κύλλον φιλοτιμίᾳ κεχρη|μένον κοσμούσῃ οὐκ αὐτὸν
μόνον τὸν Εὐρυκλέα, ἀλλὰ καὶ τὴν διασημο|τάτην ὑμῶν πόλιν, ἧς ἄξια καὶ
15 τοῦ γένους καὶ τῆς ἐκ προγόνων ἀνδραγαθίας ‖ καὶ λέγων καὶ πράττων παρὰ
πάντα τὸν χρόνον διατετέλεκεν Ἐ(π)εστείλα|μεν³ δὲ καὶ πρὸς τὸ ἔθνος⁴ ὑπὲρ
αὐτοῦ καὶ πρὸς τὸν θειότατον αὐτοκράτορα⁵, καὶ τη|λικαύτης μαρτυρίας ἄξιον
αὐτὸν ὑπολαβόντες. Ἔρρωσθε.

1. Anno 128/129 post C. n. « Hadrianus una cum delubro Jovis Panhellenii et ludis
magnificentissimis concilium Panhellenum, qui Athenas convenirent, constituerat, » ita
ut, « quae ubique per imperium Romanum essent, civitates Graecas comprehenderet.
Nomen Πανέλλτ,νες et populos foederatos significat et eorum legatos. Qui horum conventi-
bus praesidet archontis nomen gerit. » Dittenberger. Cf. Hertzberg, *Gesch. Griechenl.
unter der Herrschaft der Römer*, II, p. 30. Non dubium videtur quin omnes archontes
Panhellenum etiam sacerdotio Hadriani et agonothesia functi sint. — 2. Vir non civita-
tis, sed domicilii aut sodalitatis vinculo cum alio conjunctus. — 3. ΕΝΕΣΤ. lapis. —
4. Concilium provinciale Asiae. — 5. Illae epistulae T. Flavii Cylli ad commune Asiae et
ad imperatorem Antoninum, quae non exstant, datae sunt anno 156 post C. n., ut hoc
ipsum decretum Panhellenum ad Aezanitas missum. Cf. n. 573.

---

574. Aezanis, in parietinis templi Jovis. — Dittenberger, *Orient. gr. inscr. sel.*, n. 505.

Ἡ ἐξ Ἀρείου πάγου βουλὴ καὶ ὁ κῆρυξ αὐτῆς καὶ ἀγωνοθέ|της τῶν τῆς
Σεβαστῆς ἀγώνων¹ Νούμμιος Μῆνις² | Αἰζανειτῶν ἄρχουσι, βουλῆι, δήμωι
χαίρειν. | Ὁ πολίτης ὑμῶν Μ. Οὔλπιος Εὐρυκλῆς ὁ ἀξιολογώτατος ἐπε‖-
5 δήμησεν ἡμῶν τῆι πόλει παντὶ τούτωι τῶι χρόνωι ἀξίως τοῦ τε | αὐτοῦ
ἀξιώματος καὶ τῆς ὑμετέρας πόλεως, ὡς ἐν πατρίδι | ταῖς Ἀθήναις³ τὴν
διατριβὴν ποιησάμενος, παιδείᾳ τε ὁμι|λῶν καὶ πᾶσαν ἐνάρετον προαίρεσιν ἀπο-
δεικνύμενος | διὰ τῆς περὶ τὰ κάλλιστα καὶ σεμνότατα σπουδῆς · καὶ διὰ ταῦτα
10 ἐτιμήσαμ[εν] ‖ αὐτὸν τιμαῖς ταῖς προσηκούσαις καὶ ἀνδριάντος ἀναθέσει καὶ
εἰκόνος⁴ | ἔν τε τῆι ἡμετέρᾳ πατρίδι ταῖς Ἀθήναις ἐν ὧι ἂν βούληται τόπωι
καὶ | παρ' ὑμῖν. Καὶ αὐτὰ ταῦτα δίκαιον ἡγησάμεθα μαρτυρῆσαι τῶι ἀν|δρὶ
παρ' ὑμῖν τῆς τε κ[ο]σ[μιότ]ητος εἵνεκεν καὶ τοῦ τρόπου καὶ τῆς πε|ρὶ παι-
δείαν φιλοτιμίας.

1. Quam Augustam, uxorem imperatoris, illis ludis celebraverint Athenienses, pror-
sus ignoratur. Cf. *C. I. Att.*, III, 10, 13, 16. Haec quidem patet scripta esse in honorem

M. Ulpii Euryclis, aeque ac n. 573, anno 156 post C. n. De eo cf. n. 564. — 2. Archon eponymus Athenarum Antonini aetate : *C. I. Att.*, III, 904, ɪ; 903, ɜ; 1027, ɜ; 1103, ɜₒ. — 3. Intellige : ἐν ταῖς Ἀθήναις ὡς ἐν πατρίδι. — 4. ἀνδριὰς statua, εἰκών imago picta.

---

575. Aezanis, in parietinis templi Jovis. — Dittenberger, *Orient. gr. inscr. sel.*, n. 506.

[Αὐτ]οκράτωρ Καῖσαρ Θεοῦ Ἀδριανοῦ υἱὸ[ς | Θεο]ῦ Τραιανοῦ Παρθικοῦ
υἱωνὸς Θεο[ῦ | Νέρ]βα ἔκγονος Τίτος Αἴλιος Ἀδριανὸς | [Ἀντ]ωνεῖνος Σεβασ-
₅ τός, ἀρχιερεὺς μέ‖[γιστ]ος, δημαρχικῆς ἐξουσίας τὸ κ΄, αὐ|[τοκρ]άτωρ τὸ β΄,
ὕπατος τὸ δ΄, πατὴρ πα|[τρίδ]ος ¹, τῶι Πανελληνίωι ² χαίρειν. | [Ὅτι οἱ] πρὸ
₁₀ ὑμῶν Πανέλληνες ³ Οὐλ|[πιο]ν Εὐρυκλέα ἀπεδέξαντο ὡς ἐπι‖[ειι]κῆ, ἔμαθον ἐκ
τῶν ὑπ᾽ αὐτῶν ἐπ|[εστ]αλμένων. Εὐτυχεῖτε. Πρὸ μι[ᾶς | κα]λανδῶν Δεκεμ-
βρίων ⁴ ἀπὸ Ῥώμη[ς].

1. Anno 157 post C. n. — 2. Cf. n. 573. — 3. Panhellenes, qui anno superiore (156) officio suo fungebantur, ad Antoninum de ea re scripsisse refertur n. 573, v. 16. — 4. Die xxx Novembris.

---

576. Aezanis, in parietinis templi Jovis. — Dittenberger, *Orient. gr. inscr. sel.*, n. 507.

Ὁ ἄρχων τῶν Πανελλήνων καὶ ἱερεὺς Θεοῦ Ἀδριανοῦ Πανελληνίου | καὶ
ἀγωνοθέτης τῶν μεγάλων Πανελληνίων Κλ. Ἰάσων ¹ καὶ οἱ | Πανέλληνες τοῖς
ἐπὶ τῆς Ἀσίας Ἕλλησι ² χαίρειν. | Μ. Οὔλπιον Ἀπουλήιον Εὐρυκλέα τὸν
₅ Αἰζανείτην φθάνομεν ἤδη καὶ δι᾽ ‖ ἑτέρων γραμμάτων μαρτυρίας τῆς παρ᾽
ἡμῶν ἠξιωκότες, ἐπεσταλκό|τες ὑμεῖν τε αὐτοῖς ³ ὑπὲρ αὐτοῦ καὶ τῇ πατρίδι ⁴
καὶ τῶι μεγίστωι αὐτο|κράτορι ⁵ · δίκαιον δὲ ἡγησάμεθα καὶ τοῦ κρατίστου
Κλ. Ἰάσονος παραλαβόν|τος τὴν ἀρχὴν μαρτυρῆσαι αὐτῶι τὰ αὐτὰ ἐπιεικείᾳ
τε καὶ αἰδοῖ πάσῃ | κεχρημένωι περὶ τὴν πολιτείαν τῶν Συνπανελλήνων καὶ
₁₀ τὸ ἀξίωμα ‖ τὸ ὑπάρχον αὐτῶι, ἄνωθε καὶ ἀπὸ γένους ἔτι μᾶλλον προάγοντι
ἐν οἷς | λέγων καὶ πράττων διατετέλεκε παρὰ πάντα τὸν τῆς συνεδρείας |
χρόνον. Ἐρρῶσθαι ὑμᾶς εὔχομαι.

1. Claudius Jaso vix dubium est quin fuerit archon Panhellenum anno 157 post C. n., protinus post Flavium Cyllum. Cf. n. 573. — 2. Commune concilium Asiae provinciae. — 3. Illa epistula ad commune anno superiore scripta, quae periit, memoratur n. 573, v. 15-16. — 4. Illam epistulam ad Aezanitas anno superiore scriptam habes ibidem. — 5. Ad illam epistulam (cf. n. 573, v. 16), quae periit, respondit Antoninus imperator litteris n. 575.

577. Aezanis. — Le Bas et Waddington, n. 885.

5 Ἀγαθῇ τύχῃ · | ἡ βουλὴ καὶ ὁ | δῆμος Μ. | Αὐρ. Σεουῆρον ‖ ἀρχιερέα Ἀσίας | ναῶν τῶν ἐν | Περγάμῳ κὲ τῆς πα|τρίδος τὸ γ΄, στρα|τηγήσαντα τὸ
10 ε΄, ‖ τὸν εὐεργέτην | κὲ φιλόπατριν.

578. Aezanis. — Le Bas et Waddington, n. 883.

5 Ἡ ἱερωτάτη βου|λὴ ἐκ τῶν ἑαυτῆς | προσόδων ἐτεί|μησεν Τιβ. Κλαύ‖διον Καμπανὸν | Αὐρηλιανὸν, Ἀσίας ἀρχιερέων ἔγγο|νον, στρατηγήσαν|τα τῆι
10 πατρίδι καὶ δεύ‖τερον τοὺς πρώτους | τόπους ¹, ἐπιδόντα | καὶ τ[ῶ]ν ἑαυτοῦ
15 [πολ]|λὰ, Τιβ. [Κλαυδίου | Ἀ]πο[λλιναρίου? ἐπιμε‖λ]ηθέντος τῆς ἀναστάσεως].

1. Primus strategorum bis fuit.

579. Aezanis. —Le Bas et Waddington, n. 879.

..... [ἀρχιερέα Ἀ]|σίας ναῶ[ν τῶν ἐν ..... σ]|τεφανηφορήσαντα καὶ ἀ[γῶ]|-
5 νοθετήσαντα τρὶς τῶν μ[εγ]άλων πενταετηρικῶ[ν | ἀ]γώνων, στρατηγήσαν[τα | κ]αὶ ἱερατεύσαντα τοῦ | [Διός] ....

580. Aezanis. — Dittenberger, *Orient. gr. inscr. sel.*, n. 511.

.... χρεω[φυλακήσαν]|τα ¹, δόντα [ἀργύριον | εἰς τὸ γυμνάσι|ον ὁμοίως καὶ
5 εἰς ‖ τὰ σειτωνικὰ, ἐρ|γεπιστατήσαντα | πολλάκις, παρα|σχόντα τῷ κυρίῳ |
10 Καίσαρι ² σύμμαχον ‖ διωγμείτην ³ παρ᾽ ἑ|αυτοῦ κατὰ ἀνθύ|πατον Κυιντίλιον |
15 Μάξιμον ⁴, ἀναθέντα | καὶ τὰ ἱερὰ τὰ ἐν τῇ ἐ‖ξέδρᾳ τῆς βασιλικῆς.

1. « Magistratus apud quem litterae contractuum de pecuniis mutuis dandis et fundis hypothecae loco oppignerandis deponebantur. » Dittenberger. Cf. Dareste, *Nouv. études d'hist. du droit*, VI, p. 105. — 2. M. Aurelius. — 3. Diogmitae fuerunt homines ire-narchis subditi, qui publicae pacis turbatores persequi et deprehendere jubebantur. Cf. R. Cagnat, *De municipalibus et provincialibus militiis*, p. 38. M. Aurelio, bellum cum Marcomanis gerenti, vir ille de suo praestiterat diogmitam ; in summa enim militum inopia, quae ex pestilentia nata erat, imperator non modo diogmitas, sed etiam gladia-tores, imo latrones fertur armavisse (Capitolin., *Vita M. Antonin.*, 21). Σύμμαχον = ὅπως συμμάχοιτο. — 4. Sex. Quintilius Valerius Maximus cos. anno 151 post C. n., proconsul Asiae circa annos 165–166. Cf. *Prosop. imp. rom.* III, p. 117, n. 24.

581. Aezanis. — Le Bas et Waddington, n. 875.

[Τῆς ἱερᾶς καὶ] ἀσύλου καὶ | [νεωκόρο]υ τοῦ Διὸς | [Αἰζανει]τῶν πόλεως |
5 [ἡ φιλοσέβα]στος βουλὴ ‖ [καὶ ὁ νεωκόρ]ος δῆμος | ..... | ....

---

582. Aezanis. — Le Bas et Waddington, n. 857.

[Ψήφισμα τ]οῦ δήμου τοῦ Αἰζαν[ειτῶν. | Ἐπὶ ἀρχόντων ....ἐπὶ τῆς
ε]ὐκοσμίας ἄρχοντος ¹ διὰ βίου καὶ Μηνορί[λου......|.......καὶ Τιβε]ρίου
Κλαυδίου, Εὐδόξου ² υἱοῦ, Κουιρείνᾳ, Εὐδ[όξου καὶ] .|......... Ζεύξιδος. ‖
5 ....[τὴν τῶν γυμ]νικῶν ἀγώνων δευτέραν ἀγωνοθεσίαν ἐκ τῶν ἰδίων....|
....ιον πρόσοδον καθιερῶσαι ἐπὶ τοῖς ὑπ' αὐτοῦ διὰ τοῦ ἀρχ[είου....|.....
τὴν λε]γομένην κώμην Πάλοκα ³ καὶ τὸ ἀπὸ τῆς προσόδου αὐ[τῆς ἀεὶ] |
γιγνόμενον...... ματος καθιέρωσεν.|
.....[ἐκ τῶν ε]ὐεργεσιῶν τοῦ Ναννᾶ ⁴ καὶ τῆς εἰς τοὺς Σεβαστοὺς ὁ[μοβω-
μίους θεούς] ⁵.

Decretum est Aezanitarum, quo accipiuntur reditus vici Palocis, ad celebrandos ludos
Augusti et Liviae collati. Cf. n. 584.

1. Cf. n. 556. — 2. Eudoxus pater profecto memoratus est in nummo Aezanitarum, qui
ictus est Claudio principe : Babelon, l. c., n. 5569. — 3. Cf. n. 583. — 4. Aezanitarum
stephanophorus principe Caligula : Babelon, l. c. n. 5563. — 5. Cf. n. 583.

---

583. Aezanis. — Le Bas et Waddington, n. 859.

......υ........|........ ἀτελῆ ἂν θνητοῦ ὄν[τος .....ι.|.... τῶν γεν]ομένων εἰς
5 τοὺς ἀγῶνας | ἀν[αλ]ωμάτων ....‖..... [τὴν κώμη]ν Πάλοκα ¹ καθὼς μεγίστη
καὶ καλλίστη ....|.... [Γερ]μανικοῖς αὔξουσι Σεβαστοῖς ὁμοβωμίοις ² ....|.
.......[τὴν στεφα]νηφορίαν καὶ τὴν ἀγωνοθεσίαν ....|.......ας ἐκεῖνος διακα-
θέξει τοῖς αὐτοῖς .....|...[.ὅταν δέ τις τῷ γ]ένει μου προσήκων στεφανη-
10 φορήσῃ ἢ ἀγωνοθετήσῃ ‖ .....[τ]ῆς διαδοχῆς εἰς τὸν αἰῶνα τῷ ἐμῷ [γένει]|
.... ἡ κώμη καὶ ἡ π[ρό]σοδος [σω]θῇ ου.........

1. Cf. n. 582. — 2. Cf. n. 536.

584. Aezanis. — Le Bas et Waddington, n. 838.

.... ἀ[γ]ῶνος .....|....... ἀγωνοθέτης τὸ δεύτερον Σεβαστῶν Κλαυδι[ήων ¹
καὶ | στήσας ἀγῶνα πενταετηριχ]ὸν τῶν Σεβαστῶν νέων ὁμοβωμίων ² ἐ[χ]
τῶν ἰδίων χρημάτων, | [καὶ νεωχόρος τοῦ Διὸς δι]ὰ βίου καὶ Τιβερίου
5 Κλαυδίου Καίσαρος Σεβαστοῦ Γερμανι||[χοῦ τοῦ αὐτοχράτορος, θεοῦ σ]ωτῆρος
καὶ εὐεργέτου, διὰ βίου, καὶ Τιβερίου Κλαυδίου Καί[[σαρος Βρεταννιχοῦ θεοῦ
ἐπιφαν]οῦς ³, τοῖς πανηγυριάρχαις καὶ Ἑρμαιέρῳ τῷ πρὸς τοῖς δημο|[σίοις
.... χαίρειν]. |

[Γνοὺς μὲν ἐμὲ φιλοτιμεῖσθαι εἰς τὸ Σ]εβαστὸν γένος, ὑπηρετεῖν δὲ ἐν πᾶσι
τῇ πατρίδι καὶ τούτων | [ἕνεχεν ὁ δῆμος ὁ Αἰζανετῶν ἔδω]χέν μοι τάγειον ⁴
10 μὲν τῶν μεγάλων θεῶν ὁμοβωμίων Σεβασ||[τῶν τὴν ἱερωσύνην, ἔπειτα δὲ καὶ]
Σεβαστῆς Προνοίας ⁵ προσονομάσας ἅ τε διὰ τ[ὸ δ]οχιμα[σθῆναι]........

1. Ludi in honorem Claudii imperatoris. — 2. Augustus et Livia. Cf. v. 9 et nn. 582,
583. — 3. Neocorus Claudii et Britannici. Cf. n. 559. — 4. = primum. — 5. Providentia
Augusta dea in nummis Romanorum saepius memorata; cf. Blanchet, apud Daremberg et
Saglio. *Dict. des Antiq. gr. et rom.*, s. v.

585. Aezanis. — Le Bas et Waddington, n. 845.

Ἀγαθῇ τύχῃ · | ἡ βουλὴ καὶ | ὁ δῆμος ἐτεί|ίμησεν Ἰουλι|ανὸν Τρύφω|νος,
10 νεωχό|ρον τοῦ Διὸς | διὰ βίου, εἰρη|ναρχήσαντα || καὶ ἀγορανομή|σαντα καὶ
15 στρα|τηγήσαντα καὶ | χρεοφυλακή|σαντα ¹ καὶ πά||λιν στρατηγή|σαντα τὸν
20 πρῶ|τον τόπον | καὶ ἐν τοῖς | λοιποῖς χρή||σιμον ἑαυτὸν | παρασχόντα τῇ
πατρί|δι.

1. Hypothecarum et pactionis cujusque privatae custos. Thalheim apud Pauly et Wis-
sowa, *Realencyclopädie*, s. v. Cf. supra n. 580.

586. Aezanis. — Le Bas et Waddington, n. 842.

Ἡ Ἡραχλεὰς φυλὴ | Α. Κλ. Λέπιδον, τὸν | ἀρχινεωχόρον, ἱε|ρέα τοῦ
5 αὐτοχράτο||ρος διὰ βίου, ἀρχιερέ|α Ἀσίας ναῶν ἐν | Σμύρνῃ ¹, στεφανη|-
10 φόρον καὶ ἀγωνο|θέτην ἀποδεδει||γμένον τῆς πατρί|δος τὸν εὐεργέ|την, ἐπιμε-
ληθέν|[τος]........

1. Cf. n. 643.

587. Aezanis. — Körte, *Athen. Mitth.*, XXV (1700), p. 404, n. 6.

5   Π. Αἰλ. | Βωλανὸς καὶ Μηνό|θεμις καὶ | Σωσάνδρ‖α Νεικομ|άγῳ ἀδε|λφῷ
νο|μικῶι | ἐτ(ῶν) κα΄.

---

588. Aezanis. — Le Bas et Waddington, n. 898; Mordtmann, Ὁ ἐν Κωνστ. Ἑλλ. φιλολ.
σύλλογ., XV (1884), p. 66, n. 15.

   a. Μητρόδωρος Ἀρτεμιδώρῳ | [νομ]ικῷ ἤροι μνήμης χάριν. |

5   *b.* Ἀρτεμ|ιδώρῳ | νομικ|ῷ ἤροι ‖ ἐτῶν | κε΄.

---

589. Aezanis. — Le Bas et Waddington, n. 839.

.... [οὐε]τερανὸς [β]:[ώ]σας ἔτη γκ΄.

---

590. Aezanis. — Kaibel, *Epigr. gr.*, n. 375.

[Μη]νογένης ὅ[δ᾽ ἐγώ], | τέχνην δ᾽ ἱπποι[σιν] | ὀχεῖσθαι
5   εὖ εἰ[δώς], | ἔθανον λοιμοῦ [νε]‖φέλη καταλη[φ]θείς [1].

1. Correptus fortasse pestilentia, qua laboravit Asia anno 167 post C. n.; videtur enim
poeta versu 2 meminisse oraculi, quod de ea tabe ediderat Alexander ille **Abonuticheus**
(Lucian., *Alex.*, 36; Martian. Capell, *Nupt.*, I prol.). Cf. Perdrizet, *Comptes rendus de*
l'Acad. des Inscr. (1903), p. 65, not. 2.

---

591. Aezanis. — Körte, *Athen. Mittheil.*, XXV (1900), p. 406, n. 11.

Λικι(νία) Κλαυδιανὴ Λικι(νίῳ) [Ῥ]ούφῳ [π]α[τρ]ὶ | κὲ Ἰουνίᾳ Μαρκιανῇ
μητρὶ κὲ | Λικινί(ῳ) [1] Ἀρτεμιδώρῳ τ[ῷ] Ἀπ|ριανῷ υἱῷ κὲ Καπετωλίνῳ κ[ὲ]
5   Ῥο[ύφῳ] ‖ κὲ Μαρκιανῷ ἤρωσι κὲ ἑαυτῇ | ζῶσα.

1. ΛΙΚΙΝΙΟC lapis.

---

592. Meri. — Ramsay, *Journ. of hellen. studies*, VIII (1887), p. 498.

[Ὑπὲρ Αὐτοκράτορος Γαλλιηνοῦ [1] ..... | Γερ]μανικο[ῦ Καίσαρος αἰδίου |
5 διαμον]ῆς καὶ δή[μου Πρυμνησσέων | καὶ] δήμου Ναχ[ολ]έων [2] ...... ‖ Ἀππᾶ

μισ[θ]ωτὴ[ς χωρίων | τ]οῦ Καίσαρος [3] τῇ ἑαυ[τοῦ γυναικὶ | Ῥό]δῳ τὴν
κατασκευὴν το[ῦ ναίσκου? | ἐκ τ]ῶν ἰδίων ἀνέθη[κεν. | Ἐπιμέλει]αν ποιή-
10 σεται τοῦ Διὸς το[..... ‖ ....]ος Ἀλεξάνδρου [χ]ώμαρ[χος] [4].

1. .... ΟΥΙΑΙ.... lapis. Supplevit Ramsay, quibus indiciis fretus, non constat.
Cf. n. 593. — 2. Prymnessus, Nacolea, Phrygiae urbes vicinae. Cf. nn. 542-545, 671-678.
— 3. Conductor praediorum Caesaris. Cf. n. 598. — 4. Magister vici in quo sedem suam
habebant coloni praediorum : Chapot, Prov. rom. d'Asie, p. 97 et 374.

---

593. Meri. — Anderson, Journ. of hellen. studies, XVII (1877), p. 422, n. 21.

5   Ἀγαθῇ τύχῃ · | Κορνηλίαν Σα|λωνείναν | Σεβαστὴν [1] ‖ ἡ Μειρηνῶν |
κατοικία [2].

1. Cornelia Salonina Augusta, uxor imperatoris P. Licinii Gallieni Augusti (annis 253-
268 post C. n.), Prosop. imp. rom., I, p. 471, n. 1227. — 2. Idem valet atque κώμη :
Foucart, Bull. de corr. hellén., IX (1885), p. 395; suus est enim Mero κώμαρχος. Cf. n. 592;
πόλις tamen vocatur recentiore titulo ibidem relato, n. 22. Cf. Chapot, Prov. rom. d'Asie,
p. 97.

---

594. Synai. — Körte, Inscr. Bureschianae, Wissensch. Beilage der Universität Greifswald
(1902), p. 21, n. 27; Wiegand, Athen. Mittheil., XXIX (1904), p. 325.

[Αὐτοκράτορα Καίσαρα | Θεοῦ Ἀδριανοῦ υἱὸν] | Θεοῦ Τραιανοῦ Παρθι|κοῦ
5 υἱωνὸν Θεοῦ Νέρουα ‖ ἔκγονον Τ. Αἴλιον Θεὸν | Ἀδριανὸν Ἀντωνῖνον Σεβασ-
τὸν ἡ βουλὴ | καὶ ὁ δῆμος, ἐπιμελη|θέντος τῆς ἀναστά|σεως Μενάνδρου
10 Ἀσκλη‖πιάδου τοῦ Μενεκλέ|ους, ἄρχοντος πρώτου τὸ γ'.

---

595. Cadis. — Körte, Inscr. Bureschianae, Wissensch. Beilage der Universität Greifswald
(1902), p. 28, n. 50.

Αὐρ. Λουκιανὴ Λουκίου, ματρῶνα | στολᾶτα [1], Αὐρ. Ἀντιόχῳ κρ(ατίστῳ) [2]
5 πρει|μοπειλαρίῳ, τῷ γλυκυτάτῳ ἀν|δρὶ, κὲ ἑαυτῇ τὴν σορὸν κατεσκεύ‖ασεν ·
εἴ τις δὲ βουληθῇ ἕτερος | ἐνβληθῆναι, δώσει τῷ ἱερωτάτῳ τα|μείῳ λαμπροῦ
διχαράκτου [3] δηνάρια μύ(ρια) πέντε.

1. Matrona stolata (C. I. L., III, 5225, 5283, 5293, 6155, 8754) ea dicitur, quae stola
ornata est, utpote jus trium liberorum assecuta. Cf. Propert. V, 11, 61; Hübner,
Comment. in honor. Mommseni, p. 104. — 2. Vir egregius. — 3. Nummis splendidis, bis

signatis. Cf. ea quae dicta sunt de denariis « asperis » et de « aspratura » ad nn. 352, v. 25, et 494, v. 4. Cavebatur ut nummi cujusque effigies non deletae, sed in utraque facie asperae et clarae essent.

---

596. Cadis. — Körte, *Inscr. Bureschianae, Wissensch. Beilage der Universität Greifswald* (1902), p. 27, n. 48.

['Ο] δῆμος | [ἐτίμησεν Ἀσκλ]ηπιάδην Ἀρίσ[τ]ωνος ἄ|[νδρα καλὸν καὶ
5 σ]πουδαῖον ὄντα περὶ | [τὴν πατρίδα ε]ὐεργέτ(ην) καθένα καὶ κο[ι‖νῇ πάντων
τῶν π]ολειτῶν, ἔν τε ἀρχαῖς καὶ | [λειτουργίαις] πάσαις κοσμίω[ς καὶ φ]ιλο|-
[τείμως ἀνασ]τραφέντα, πρεσβεύσα|[ντα ... πρὸς] τοὺς αὐτοκράτορας.

---

597. Cadis. — Le Bas et Waddington, n. 1716.

Λύρ. Μηνόφιλος | Καδ[ο]ηνὸς Εὐτύχ[ῳ] | πάτρωνι, Ἐπιγάρ[μῳ | γα]ν[6]ρῷ
5 καὶ Ἀσκλη‖πιάδῃ πατρὶ μνήμης | χάριν.

---

598. Japuldschan. — Dittenberger, *Orient. gr. inscr. sel.*, n. 519; *C. I. L.*, III, 14191.

a. Ἀγαθῇ τύχῃ · | Imp. Caes. M. [Iulius P]hi[lippus P. F. Aug.] et [M. Iulius
Philippu]s n[o]bi[l]issimus Caes. ¹ M. Au[r. Eglecto] | pe[r] Didymum mili[t]e[m
f]rum. ² Pro co[n]sule u(ir) c(larissimus) ³, perspecta fide eorum quae [adlegastis,
ne] | quid iniuriose geratur, ad sollicitudinem suam reuocabit ⁴. [V]a[le] ⁵. |

b. Αὐτοκράτορι Καίσαρι Μ. Ἰουλίῳ Φιλίππῳ Εὐσεβεῖ Εὐτυχεῖ Σεβ. κ(αὶ)
[Μ. Ἰουλίῳ] | Φιλίππῳ ἐπιφανεστάτῳ Καίσαρι δέησις ⁶ παρὰ Αὐρηλίου Ἐγλέκ-
[του ⁷ ὑπὲρ τοῦ κοι]|νοῦ τῶν Ἀραγουηνῶν ⁸ παροίκων κ(αὶ) γεωργῶν τῶν
ὑμετέρων ⁹, πρεσβείας γενομένης δαπ]|άνῃ ¹⁰ δήμου κοινο[ῦ Τ]ο[τ]τεανῶν ¹¹
5 Σοηνῶν ¹² τῶν κατὰ Φρυγίαν τόπων, διὰ τοῦ [ὑμετέρου ?] ¹³ ‖ στρατιώτου.
Πάντων ἐν τοῖς μακαριωτάτοις ὑμῶν καιροῖς, εὐσεβέσ[τατοι καὶ ἀλυ]|πότατοι
τῶν πώποτε βασιλέων, ἤρεμον καὶ γαληνὸν τὸν βίον διαγ[όντων πο]|νηρίας
καὶ διασεισμῶν πε[π]αυμένων, μόνοι ἡμεῖς ἀλλότρια τῶν ε[ὐτυχεστάτων] |
καιρῶν πάσχοντες τήνδε τὴν ἱκετείαν [ὑ]μεῖν προσάγομεν. Ἔχε[ται δὲ τὸ
τῆς δε]|ήσεως ¹⁴ ἐν τούτοις. Χωρίον ὑμέτερον [ἔ]σμεν ἱερωτάτ[ου ταμείου ¹⁵
10 δῆ]‖μος ὁλόκληρος οἱ καταφεύγοντες κ(αὶ) γεινόμενοι τῆς ὑμετέρας [ἐξουσίας · ¹⁶
δια]|σειόμεθα δὲ παρὰ τὸ ἄλογον καὶ παραπρασσόμεθα ὑπ' ἐκείνων ο[ὓς φρουρεῖν

τὸ δημό]|σιον [17] ὀφ(ε)ίλει · μεσόγειοι γὰρ τυγχάνοντες καὶ μ[ή]τε παρὰ στρα-
τά[ρχου μήτε παρ' ἄλλου κακὰ παθόντες νῦν πᾶσ]|χομεν ἀλλότρια τῶν ὑμετέρων
μακαριωτάτων καιρῶν · [πιέζουσι γὰρ ἡμᾶς οἱ πεμφθέντες εἰς] | τὸ Ἀππια-
15 νῶν [18] κλίμα [19] παραλιμπάνοντες τὰς λεωφόρους ὁ[δοὺς, προσέτι δὲ στρα]|τιῶται
κ(αὶ) δυνάσται τῶν προυχόντων κ[ατ]ὰ τὴν πόλιν [Καισαριανοί [20] τε ὑ]|μέτεροι
ἐπεισε[ρ]χόμενοι καὶ καταλιμπάνοντες τὰς λε[ωφόρους ὁδοὺς καὶ ἀπὸ τῶν] |
ἔργων ἡμᾶς ἀριστάντες καὶ τοὺς ἀροτῆρας βόας ἀν[αρπάζοντες [21] καὶ τὰ ὀφει]|-
λόμενα αὐτοῖς παραπράσσουσιν καὶ συνβαίνει οὐ [τὰ τυχόντα ἡμᾶς ἐκ τ]|ούτου
ἀδικεῖσθαι δι[α]σειομένους. Περὶ ὧν ἄπα[ξ ἤδη κατήλθομεν εἰς τὸ σὸν, [22]] |
20 Σεβαστὲ, μέγεθος, ὁπότε τὴν ἔπαρχον διεῖπε[ς ἀρχήν, ἐκφαίνοντες τὸ γεγο]|-
νὸς [23] καὶ ὅπως περὶ τούτων ἐκειν[ή]θη σοῦ ἡ θειότης, ἐπιστολὴ δηλοῖ ἡ |
ἐντεταγμένη. Quae libe[l]lo complexi esti[s ad procos. misimus], | qui dabit
operam ne d[iu]tiu<i>s querell[is locus sit]. | Ἐπειδὴ οὖν οὐδὲν ὄφελο[ς
25 ἡ͵μεῖν ἐκ ταύτης τ[ῆς δεήσεως γέγονε, συνβέ]|βηκεν δὲ ἡμᾶς κατὰ τὴν ἀγροι-
κίαν τὰ μὴ ὀφει[λόμενα παραπράσσεσθαι, ἐ]|πενδαινό[ν]των τινῶν καὶ συμπα-
τούντων ἡμᾶς [παρὰ τὸ δίκαιον, ἐπειδὴ δ]|ὲ ὑπὸ τῶν Καισαριανῶν οὐ τὰ τυχόντα
δι[ασ]είεσ[θαι ἡμᾶς συνέβη καὶ τοὺς καρποὺς | ἀναλί]σκεσθαι καὶ τὰ χωρία
ἐρημοῦσθαι καὶ ...αν .....|........ς καὶ οὐ παρὰ τ[ὴν ὁ]δὸν κατοικοῦντ[ων]
30 ....▌....... δυνάμενα ..... ταύτι ...ει.. .....|........

a. Epistula Philipporum Augusti et Caesaris, rescribentium petitioni M. Aurelii Eglecti.
b. Petitio ipsa ab Eglecto ad imperatores missa.

1. Inter annos 244 et 247 post C. n. — 2. Frum(entarium) conjecit Hülsen. MIVIGENERVM
lapis; lectio incerta. — 3. *Pro consule* de more majorum pro nominativo *proconsul* etiam
tum usurpatur. — 4. Cf. *Cod. Justin.*, VIII, 52, 1. — 5. XA lapis. — 6. Petitionem omnino
similem habes supra, t. I, n. 674. — 7. Profecto magister vici. — 8. Aragua, vicus cete-
rum ignotus, cujus in situ lapis inventus est, in tractu Tembrii, inter Aliam et Appiam.
— 9. Inquilini et coloni in praediis imperatorum habitantes. Cf. *Cod. Theod.*, V, 10, 1,
p. 473*, Haenel; *Cod. Just.*, III, 38, 11; XI, 53, 1; 66, 1; *Digest.*, XXX, 112. — 10. « Cum
vicani Aragueni ipsi impensis legationis tolerandis impares essent, duo populi conjuncti
illius regionis, in quorum alterius finibus illi habitabant, integri pecuniam eis praebue-
rant. » Dittenberger. — 11. KOINOMOTTEANωN lapis. Tottoea (Bech Karich Eyuk)
vicus proximus monti Altyn Tach. Cf. *Journ. of hellen. studies*, VIII (1887), p. 513. — 12. Soa
vicus Appiae vicinus, in ripa fluminis Tymbris. Cf. nn. 603-606, maxime 605, not. 2. —
13. διὰ Τ. Οὐ[ινίου Διδύμου] Dittenberger parum certe. Cf. v. 3 et supra, t. I, n. 674, v. 5. —
14. προσάγομεν ἐγέ[γγροι τοῦ δικαίου τῆς δε]ήσεως Schulten, *Bullett. dell' Istit. arch.*, 1898, p. 241.
— 15. ἱερώτατ[ον καὶ ὥσπερεὶ δῆ]|μος, Dittenberger, quod Aragua vere civitas non fuerit;
cf. v. 7-8. — 16. [θειότητος ἱκέται] Dittenberger. — 17. ο[ὓς ἥκιστα ἀδικεῖν τὸν πλή]σιον, Anderson,

Schulten, Dittenberger. — 18. Appia, urbs vicina. Cf. n. 602. — 19. Ager, territorium. — 20. Cf. v. 31 « Officiales Caesaris, quorum erat bona publicata aut alio quovis nomine ad fiscum delata occupare. » Dittenberger. Cf. Seeck ap. Pauly et Wissowa, *Realencyclopädie*, s. v. Vide eosdem questus de eorum avaritia : *C. I. Att.*, III, 48, v. 24 et 33. — 21. ἀνε[ρευ- νῶντες] Dittenberger, ratus « colonos, ut suas res conservarent, abscondere conatos esse jumenta. » — 22. ἀπά[ντων ἐγράφη, πρὸς τὸ σὸν] Dittenberger. — 23. « Cum praefecturam praetorio administrabas. » Eo enim officio functus erat Philippus pater anno 243 : *Pro- sop. imp. rom.*, II, p. 204, n. 307. Supplendum tamen arbitratur Dittenberger : διεῖπε[ν ἐξουσίαν.........]νος, cum praeerat praetorio.........nus, vir aliquis incertus, cujus nomen totum et cognominis initium perierunt.

---

599. Ghedjeler prope Appiam. — Le Bas et Waddington, n. 787.

Αὐτοκράτορι Κ(αί)σαρι | Λ. Σεπτιμίῳ Σεουήρῳ | Σεβαστῷ Ἀραβικῷ |
5 Ἀδιαβηνικῷ Παρθικῷ ‖ μεγίστῳ | [καὶ Αὐτοκράτορι] Καί(σαρι) Μ. Αὐρηλίῳ
Ἀντωνείνῳ | [Σεβαστῷ καὶ Π. Σεπτι|μίῳ Γέτᾳ Καίσαρι] ¹ | κ(αὶ) Ἰουλίᾳ
10 Δόμνῃ Σεβαστῇ. ‖ Μί(λια) ..

Est miliarium viae Appia Acmoniam. — 1. Annis 209-211 post C. n.

---

600. Ghedjeler prope Appiam. — Le Bas et Waddington, n. 788.

Τοῖς κυρίοις ἡμ[ῶν] | Γ[α]. Οὐαλ. | Διοκλητιανῷ | καὶ Μ. Αὐρ. Οὐαλ. ‖
5 Μαξιμιανῷ Σεβ[αστοῖς] | καὶ Φλα. Οὐαλ. | Κωνσταντίῳ | καὶ Γαλερ. Μαξι-
10 [μ]ια[νῷ] | τοῖς ἐπιφανεστάτοις ‖ Καίσαρσι ¹. | Ἀπὸ Ἀππίας | Μί(λια) ς.

Miliarium VI viae ejusdem. — 1. Annis 292-305 post C. n.

---

601. Haidarlar prope Appiam. — Ramsay, *Journ. of hellen. studies*, VIII (1887), p. 515, n. 4.

[Τ]οῖς [κυρ]ίοις ἡμῶν Γαε(ίῳ) Οὐαλ. [Δι]οκλετιανῷ καὶ | Γαλ. Οὐαλ. Μαξι-
μιανῷ Σεββ. [καὶ Φλ. Οὐ]αλ. | [Κ]ωνσταντίῳ καὶ [Οὐαλ.] Μαξιμιανῷ [τοῖς |
ἐπιφ]ανεστάτοις [Καίσ]αρσι ¹. Ἀπὸ Ἀ[π]πίας Μ(ίλια) ι[γ΄?].

Miliarium XIII viae ejusdem. — 1. Annis 292/303 post C. n.

602. Appiae. — Anderson, *Aberdeen University studies*, XX (1906), p. 214, n. 12.

Αὐρ. Ζωτικὸς Μαρχίωνος τοῖς ἑαυτοῦ γο|νεῦσι ἔτι ζῶν Μαρχί(ω)νι | χὲ Ἄππη
5 χὲ ἀδελφῷ Ἀρτε|μᾶ μνήμης χάριν ‖ Χρειστιανοὶ Χρειστιανοῖς [1].

1. Quanquam Christiani publice suam religionem in sepulcris vix professi sunt ante pacem Ecclesiae (Ramsay, *Cities of Phrygia*, p. 490 et 536, n. 393), illa tamen formula apud Phryges legitur in titulis funebribus jam ab anno 248/249 post C. n. (Cf. n. 609). Eamdem fere aetatem denuntiat hujus viri nomen Aurelius. Titulos similes habes *ibidem*, nn. 13, 14, 15, 17, etc.

---

603. Bennisoae. — Perrot, *Explor. arch. de la Galatie* (1872), p. 123, n. 86.

Ὑπὲρ τῆς Αὐτοχράτορος | Νέρουα Τραιανοῦ Καίσαρος | Σεβαστοῦ Γερμα-
5 νιχοῦ | Δαχιχοῦ νείχης Διὶ Βεννίῳ [1] ‖ Μηνοφάνης Τειμολάου | τὸν βωμὸν ἀνέσ-
τησεν | Βεννεισοηνῶν [2].

1. Cf. n. 535. — 2. Intellige (ὑπὲρ) Βεννεισοηνῶν.

---

604. Bennisoae. — Ramsay, *Classical review*, XIX (1903), p. 427, n. 13.

5 Ὑπὲρ τῆς τοῦ χυ|ρίου Ἀντωνείνο[υ | τ]ύχης χὲ νείχης χὲ | [ἐ]ωνίου διαμο‖νῆς
χὲ τῆς χώμης [Τ]|[άτου [1] Νάνα σύν|6ιος Μενεχλέος | Μητρὶ Κιχλέᾳ [2] εὐχή[ν].

1. Tatas vicus hujus regionis. Cf. Ramsay, *Histor. geogr. of Asia minor*, p. 145, et *Journ. of hellen. studies*, VIII (1887), p. 312. — 2. Cognomen Matris deorum, de quo nihil traditum est.

---

605. Bennisoae. — Perrot, *Explor. arch. de la Galatie* (1872), p. 124, n. 87.

5 Γῆς [χαὶ θαλ]|άσσης ὁ[εσ]|πότην [1] ἡ βουλὴ | χαὶ ὁ δῆ‖μος | Σοηνῶν [2].

1. Imperator incertus. — 2. Idem populus atque Βεννεισοηνοί, cultores Jovis Bennii. Cf. n. 603.

---

606. Bennisoae. — Perrot, *Explor. arch. de la Galatie* (1872), p. 127, n. 91; Kaibel, *Epigr. gr.* (1878), n. 372.

Τρόφιμος Εὐτύχους ἔνθ[α] | πρὸς πατέραν αἴλυθον. |

Τὸν σο[φί]ης ἐμὲ διδάσχαλο[ν | γ]ενόμ[εν]ον ἔνθα

5   λά[x]ε τέ[λος] ‖ θανάτοιο καὶ Πλουτέος | οἰκία νήω,
     ὃς πάντων | νεκύων ψυχὰς παρεδέξα|το χήρ(ω)ν.
10   Οὐδ᾽ ἄν τις θά|[νατ]ον λισσόμενος ἐπὶ κόσ‖[μο]ν πάλιν ἔλθῃ,
     οὐδ᾽ ἔ[ν]θεν ....., |ιοὐδ᾽ αἰελίου [προ]|κύψ[ο]ντο[ς] ἰδέσθη · |
     οὐκ ἄστρων δρόμος ἐστίν, | οὐρανόθεν δὲ σελήνης, ‖
15   [φ]έγγος οὐκ ἰσορᾶτη, σκοτό|ε(σ)σα δὲ νύξ.
     Ἀλλὰ παύσα[σ]|θε δακρύων, κὲ Ἀίδη μὴ πο|ιε[τ]τε θρηνοὺς,
     μαιδέ γε ψυχὰς δακρύοις μ[αρ]|α[ίν]ε[τε, φίλ]οι,
20   ὧν τα[ὐτὸν ‖ τ]έλος ἐστὶν .... |
     ....|...................................... |
     αἴλυθον ἰς Ἄιδα δόμου | τὸν ἀφενγέα χῶρον.
25   Τὸν τῆς ‖ σοφίης ἐμὲ διδάσκαλον, ὅς π[ο]|τ᾽ ἐκλήθην ·
     ἀλ[λ]᾽ ἀγόμην Δόμν[ας] | γόνην, ἡ θάνε[ν] [ἔ]τει ἑ|βδομηκοστῷ, |
30   [μνῆ]μα δ[ὲ] μοι τεῦξαν Ἀμμία | θυγάτηρ, θρεπτὸς δὲ Τελεσ[φ]|όρος ·
     λιπόμην κουριδίην.

In lateribus scripta sunt epitaphia, ut videtur, uxoris et filiae Trophimi, quae hic omittimus.

V. 2. αλυθον = ἤλυθον.
V. 3. philosophiae magister publicus.
V. 4. ἔ[ν]νομον Perrot, fortasse recte.
V. 8. χήρων = χαίρων. XHPON lapis.
V. 11. αἰελίου = ἠελίου.
V. 15. ἰσορᾶτηι = εἰσορᾶται.
V. 18. μαιδὲ = μηδὲ.
Traditur. V. 11. ꓕNꓳCIC. V. 21. ΚΛΑΠΕ | ΛΛΕΗΕΓ////ΤΙΗΘ... | ..ΝΤΩΝ. V. 22.
ΤΗ.ꓶC.... | ΑCΚΔΔΕΚΑΤΩΛΝΙ.

---

607. Doghan Arslan. — Souter, *Class. review*, XI (1897), p. 136, n. VI. Cf. Ramsay. *Cities of Phrygia,* I, p. 790.

     [Εἰσβάιν]ων οἶμους πολυ[π]ειρ[ή]τοιο κελεύθου
     ἤλυθες ἀ[μφὶ κ]όρης [σ]ώματος ἰδροσύνας
     τέρπει δ᾽ ἀψίδεσσι πολυτροχά[λ]οις ἐνὶ κέντρ[οις]
     ἄντυγος αἰθερίης τείρεσι λανπομέναις,
     ἠελίῳ τ᾽ ἀνὰ μέσσα πολυ[φ]ενγεῖ τε σελήνῃ,
     ἐξ ὧν δὴ πάντων ἐστὶ βίος μερόπων.
     Ἐν τούτο[ι]ς φύεται τρέφεται γήρᾳ τε τελεῖται

ζωῆς x(αὶ) θανάτου κλῆρος ἐν οἷς πέλεται.
Τῆσδε μαθημοσύνης Ἐπιτύνχανον ¹ ἴδριν ἔοντα,
πνοιῆς δ᾽ ἀ[π]λάνκτους εἰδότα μαντοσύνας,
θέσφατά τ᾽ ἀνθρώποισιν ἀληθέα φημίζοντα
ὄντων μελλόντων ἐσσομένων πρότερο[ν].
Ἄστεσι δ᾽ ἐν πολλοῖσιν ἰθαγενέων λάχε τειμὰς,
λείψας x(αὶ) κούρους οὐδὲν ἀφαυροτέρους.
Σρῇ δ᾽ ἀρετῇ x(αὶ) μέτρα δαεὶς x(αὶ) πείρατα κόσμου
εἰς ὄρ(φ)νην ἱκόμην πᾶσιν ὀφειλομένην.

Divisio versuum non indicatur.

1. Epitynchanus, doctus astrologiam, definitam versibus 1-8, videtur is esse sacerdos maximus, quem memorat titulus Acmonensis anno 313/314 post C. n. exaratus; ex illo monumento jure videtur collegisse Ramsay (Cities of Phrygia, I, p. 566, n. 467) Epitynchanum fuisse christianis inimicum. Haec autem paulo ante scripta existimat (ibid., p. 790. V. 9-12 accusativo casu Epitynchanus designatur, ut in titulis honorariis; v. 13-15 nominativo; v. 16 ipse loquitur.

---

608. Kara-agatch. — Anderson, *Aberdeen University studies*, XX (1906), p. 206, n. 3.

[Φ]αιδροτάτων ἐρ[γ]ων ἡγήτορα τά[ξ]᾽ ἔ|μ᾽ ἔπαρχος ¹
ὅπως | χρυσοχόοι χρυ∥[σ]ώρυφα ἔργ᾽ ἐποί[η]σαν ² ·
ἐν δ᾽ ἐμ[ο]ὶ φιλίαι μεγά[λ]αι xὲ δῶρ[α μέγιστα · ∥
[ἀ]λλ᾽ ὅτε δὴ | xὲ ταῦτα θε[ῶν προνοί]ης ἐτέ[λεσ]σα |
[στέ]μμασι⁷ φαιδροτάτοις [ἀ]πέλυσέ με α[ὐτ]ὸς ἔπαρχο[ς], |
ἤλυθον ἐς φ[ήμ]η[ν] ἀνύσα[ς τ]άξ(ε)ις τε μεγίστας · |
δὴ τότε μοι [σ]τύγι[ό]ν τε xαxὸν ζωῆς τέλος ἦλθε, |
[π]εντά[x]ι πέντε [μ]όνους διανυσάμην ἐνιαυτούς · ∥
[ἆ]θλα................................... ³ ᾽στέφος ἔσχον |
[ἀλλὰ τά]χος μοῖ[ραι] τέλος ὥρισαν [x]αὶ Κρόνου [αὐ]γ[ὴ ⁴ |
.....γον]εῦσι δ..ου πολύσ[τ]ονο[ν].. ιὂ..αδις... |
.....ιητο........................... βαθύ[ζ]ωνο[ι] |
.... ε[ἴ]δρυσ[αν].

1. Procurator imperatoris. — 2. Intellige sine dubio illum praepositum fuisse metallis aurariis (ἔργα χρυσώρυφα = χρυσωρύχα). — 3. Traditur ....ΝΘ ΕΝΟΥΝΥΙΙΝΚΟΝΙ. — 4. Saturnus planeta vitam hominum brevem facit : Vettius Valens, *Catal. cod. astrol. gr.*, II, 89, 35 Cumont.

609. Kurd-Keui. — Anderson, *Aberdeen University studies,* XX (1906), p. 214, n. 11.

[τ]λγ´ [1] | Χρειστιανοὶ | Χρειστιαν[ῷ] · | Αὐρ. Ἀμμεία [2] ‖ σὺν τῷ γαμϭρ[ῷ] | αὐτῶν Ζωτι|κῷ κὲ σὺν τοῖς | ἐγ(γ)όνοις αὐτῶ[ν] | Ἀλεξανδρείᾳ ‖ κὲ Τελεσϕόρῳ | κὲ Ἀλ<λ>εξάνδρῳ | συνϭίῳ ἐποίησαν.

1. Anno 333 aerae Sullanae = 248/249 post C. n. — 2. Omissum est nomen mariti.

610. Zemmeh. — Perrot, *Explor. arch. de la Galatie* (1872), p. 133, n. 93.

Γ. Σεουινὸν Λαουινὸν ἀρχιερέα.

611. Docimaei. — *C. I. Gr.,* 3883 *i.*

Τὸν μέγιστον καὶ θειὸν | Αὐτοκράτορα Καίσαρα Λούκιον | Σεπτίμιον Σεουῆ-
ρον Περτίνα[κα] | Σεϭαστὸν Ἀραϭικὸν Ἀδιαϭηνικὸν ‖ Παρθικὸν μέγιστον [1] γῆς
καὶ | θαλάσσης δεσπότην | ἡ πόλις.

1. Annis 199-211 post C. n.

612. Docimaei. — *C. I. Gr.,* 3883 *b.*

..... [τοῖς] ὁσι[ωτά]|τοις κυ[ρίοις ἡμῶν Γα.] Οὐα[λ. Διοκλητι]αν[ῷ] | καὶ
[Μ.] Οὐαλ. [Μαξιμιανῷ Σεϭϭ.] | καὶ Φλα. Οὐαλ. Κ[ω]ν[σταντίῳ] ‖ καὶ Οὐαλ.
[Μαξιμιανῷ Καίσαρσιν ἐπιφανεστάτοις] | [1].

............[Φ]λ. Κωνσταντίν[ῳ καὶ Οὐαλ. Λικι]|νίῳ καὶ Φ[λ.] Κ[λ. Κ]ων[σ-
ταν]|τείνῳ [2] Δοκιμέων [ἡ πόλις].

1. Annis 292-305 post C. n. — 2. Annis 317-323 post C. n.

613. Temenothyris Flaviopoli. — Körte, *Inscr. Bureschianae, Wissensch. Beilage der Universität Greifswald* (1902), p. 31, n. 56.

[Αὐτοκράτορι Καίσαρι Ἀντωνινῶ]ι Σεϭαστῶι Εὐσεϭεῖ [1] κ[αὶ]...........

1. Aut Commodus aut imperator aliquis eo recentior.

614. Temenothyris Flaviopoli. — Weber, *Athen. Mittheil.*, XXV (1900), p. 467.

.:... II [Σεβαστ]ὸν τὸν [γῆς καὶ] | θαλάσσης δεσπό[την] | ἡ λαμπροτάτη Τη[μενο]|θυρέων πόλις.

---

615. Temenothyris Flaviopoli. — Legrand et Chamonard, *Bull. de corr. hellén.*, XVII (1893), p. 265, n. 49 ; Ramsay, *Cities of Phrygia*, I, p. 612, n. 517.

Ἀγαθῇ τύχῃ · ἡ βουλὴ | Αὐρήλιον Κλώδιον | Εὐτύχην ἱππικὸν καὶ | ἡ
5 λαμπροτάτη Τημενο|θυρέων πόλις ἡ πα|τρὶς τὸν εὐεργέτην | ἐκ τῶν ἰδίων
10 πόρων | ἐτείμησεν, ἐπιμελησα|μένου τῆς ἀναστάσε|ως τοῦ ἀνδριάντος | Αὐρη-
λίου Σκο[π]ελιανοῦ ¹ | Ζεύξιδος βουλευτοῦ.

1. Archon ejusdem cognominis inscriptus est in nummo Temenothyreorum. Babelon, *Invent. de la coll. Waddington*, n. 5320.

---

616. Temenothyris Flaviopoli. — Legrand et Chamonard, *Bull. de corr. hellén.*, XVII (1893), p. 266, n. 52.

Πέντ' ἐπὶ πεντήκον|τα τελέσαντα | πρόωρον
5 μῆνας Μη|νιανὸν μοῖρα βίου ‖ στέρεσεν ·
τοῦτον δ' αὖ|τ' Ἀκύλας σίγνων θε|ράπων λεγιῶνος |
Ἰταλικῆς <τε> πρώτης ¹ | βωμὸν ἔτευξε τέχνῳ, ‖
10 Οὐαλερία δ' ἅμα τῷ | μήτηρ δακρύων ἀ|κόρεστος,
ὄφρα | καὶ ἐν ξείνῃ σχῶ|σι παρηγορίαν.

1. Signifer legionis I Italicae, quae in Moesia tendebat.

---

617. Temenothyris Flaviopoli. — Legrand et Chamonard, *Bull. de corr. hellén.*, XVII (1893), p. 265, n. 50.

[Μονομ]άχων ¹ [Τ.] Ἀ[ρ]ουν|τίου Νεικομάχου | Τεβερεινιανοῦ υἱ|οῦ καὶ ἐγγό-
5 νου, ἀρ|χιερέων Ἀσίας ἀπο'γόνου, πρειμιπει|λαρίου, ὑπατικῶν | ἀνεψιοῦ καὶ
10 συγγενοῦς, ἀρχιερέ|ως πρώτου τῆς πα|τρίδος, καὶ Τυλλίας | Οὐαλερίας, ἀρχιε|-
ρείας, γυναικὸς αὐτοῦ.

1. Sepulcrum quo conditi sunt gladiatores summi sacerdotis Asiae, ut videtur. Cf. t. III, n. 97 et t. IV in Indice.

618. Temenothyris Flaviopoli. — Bérard, *Bull. de corr. hellén.*, XIX (1895), p. 357, n. 2.

Κατὰ τὰ δόξαντα τῇ βου|λῇ καὶ τῷ δήμῳ τῆς λαμ|προτάτης μητροπόλε|ως
5 τῆς Μοκαδηνῆς [1] Τη‖μενοθυρέων πόλεως, | Μᾶρ[κον] Ἀριστόνεικον Τε[ι]|μο-
10 [κρ]άτη καὶ ἐπὶ τῆς λα|μπροτάτης μητροπόλε|ως Σμυρναίων πόλεως ‖ ἡγησά-
μενον Μουσείου | ἐπὶ τῶν νόμων ἐ(μ)πειρί|ᾳ [2], καὶ παρὰ τοῖς βήμασι τῶν | ἡγη-
15 μόνων ἐπὶ τοῦ ἔθνους | πρόκριτον γενόμενον [3] ‖ ἐπιφαν.......

1. De Mocadenis, quorum erant Temenothyrae, cf. Ptolem. V, 2, 27 : Ramsay, *Cities
of Phrygia*, I, p. 399 et 664. — 2. Princeps Musaei Smyrnaei, ubi jus docebat. — 3. Elec-
tus ut ad tribunalia Romanorum praesidum et imperatorum causas populi sui diceret,
profecto ut σύνδικος aut ἔκδικος. Liebenam, *Städteverwalt.*, p. 303.

---

619. Temenothyris Flaviopoli. — Bérard, *Bull. de corr. hellén.*, XIX (1895), p. 357;
Ramsay, *Cities of Phrygia*, I, p. 612, n. 318.

...... | τὸν ἀξιολογώτατον ἄρ|χοντα αʹ τῆς λαμπροτάτης | Τημενοθυρέων
5 πό‖λεως διὰ πασῶν ἀρ|χῶν καὶ λειτουργι|ῶν ἐνδόξως ἐλ|θόντα ἡ λαμπρο|τάτη
10 Ἀμοριανῶν [1] ‖ πόλις καὶ σύμμαχος | Ῥωμαίων καὶ δεξιαῖς [2] | τετειμημένη πολ-
15 λά|κις ὑπὸ βασιλέων [3], κα[τὰ] | τὰ δόξαντα καὶ ψη‖φισθέντα ὑπό τε τῆς | παρ'
αὐτῇ βουλῆς <τε> | καὶ τοῦ δήμου, τὸν κοι|νὸν τῶν πατρίδων εὐ|εργέτην ἐν τῇ
20 ἀδελ‖φῇ ἀνέστησεν πόλει, | ἀμειβομένη τήν τε ἐκ | γένους ἀξίαν τοῦ ἀν|δρὸς καὶ
25 τ(ὰς) περὶ ἑκα|τέρας τὰς πατρίδας ‖ αὐτοῦ εὐεργεσίας καὶ | φιλοστοργίας, ἐπιμε-
λη|σαμένου τῆς τειμῆς | τοῦ ἀνδριάντος Αὐρ. Θεσ|σαλοῦ Μακεδῶνος βουλευτοῦ.

1. Amorium, urbs Phrygiae. — 2. Ut σπονδαῖς, foederibus. — 3. Romani imperatores.

---

620. Temenothyris Flaviopoli. — S. Reinach, *Rev. des ét. gr.*, 1890, p. 56; Ramsay,
Cities of Phrygia, I, p. 613, n. 319.

Ἡ βουλὴ καὶ ὁ δῆμος ὁ [Φλαβι]|ο[πολ]ειτῶν [Τ]ειμενοθ[υρέ]|ων ἐτεί[μ]ησεν
5 Εὖσιν Ἀ[πο]|λλωνίου ἥρωα τὸν ἑαυτ[ῶν] ‖ εὐεργέτην.

---

621. Temenothyris Flaviopoli. — Wiegand, *Athen. Mittheil.*, XXX (1905), p. 327.

Ἔτους τνδʹ | Δαισίου ηʹ [1] | Αὐρ. Διογενιανὸς Διογένους | κὲ Αὐρ. Σεκόνδας ‖
5 υεὶος ἐκδημήσας | Ῥώμην (ἐκ) [2] Συρ[ί]|ας καὶ Αὐρ. Τρο|φίμη Γλύκωνος | ζῶντες
10 τῇ θυγατρὶ ‖ κὲ αὐτοῖς τὸ ἡρῷον | κατεσκεύασαν. Ἐτείμη|σαν καὶ οἱ ἀδελφοὶ τὴν

15 Γλυκω|νίδα Αὐρ. Ἰουλιανὴ καὶ Αὐρ. Τατια|νὸς καὶ ὁ πάτρων ³ Ἀγαθόπους ‖ κὲ
ἡ πάτρα ⁴ Ἰουλιανὴ κὲ ὁ ἀδελφι|δῆς Δειογένης κὲ ἡ ἀδελφιδῆ|σα ἡ Εὐγνωμονὶς
20 κὲ οἱ λοιποὶ | συγγενεῖς μνήμης χάριν. | .... Εἰ <ε> τις δὲ παραμαρ‖τήσι
τῇ στήλῃ ἢ τῷ ἡρῴῳ, ἐξ|<ζ>ει τὴν οὐρανείαν Ἑκάτην | κεχωλομένην.
Ταῦτα ⁵. Χέρετέ | μοι, παροδεῖται.

1. Anno 354 aerae Sullanae (= 269/270 post C. n.), mensis Daisii die VIII. — 2. KAI
lapis. Fortasse intelligendum καὶ (εἰς) Συρίας (plur.). — 3. patruus. — 4. amita. V. 19 tra-
ditur ZH.ET.Δ. — 5. (ὁ βίος) ταῦτα, « haec est vita hominum », formula in sepulchris
saepius usitata : E. Loch, *Fetschrift für L. Friedländer*, Leipzig, 1895, p. 289.

---

622. Temenothyris Flaviopoli. — *C. I. Gr.*, 3863.

In sepulcro cujusdam Aur. Marcelli :

V. 5 : εἰς τὸ ἱερώτατον ταμεῖον δηνάρια φ'.

---

623. Trajanopoli. — *C. I. Gr.*, *Add.*, 3865 *b*; Ramsay, *Cities of Phrygia*, I, p. 611, n. 515.

Ἀγα[θῇ τύχῃ ·] | Αὐτ[οκράτορα Καίσαρα] | Θεοῦ [Τραιανοῦ Παρθικοῦ] | υἱὸν
5 Θεοῦ Νέρουα υἱωνὸν ‖ Τραιανὸν Σεβαστὸν Ἀδρια|νὸν, δημαρχικῆς ἐξουσίας, | ἡ
Τραιανοπολειτῶν πόλις | τὸν εὐεργέτην καὶ κτίστην, | ἐπιμεληθέντων [Σωσ]θ[έ-
10 ν]ους Ἀρτε[μι]‖δώρου τοῦ Μενίππου καὶ | Φιλάνθου Σωσθένους, ἔτους σδ', |
μη(νὸς) Δείου β' ¹.

1. Anno 204 aerae Sullanae (= 119/120 post C. n.), mensis Dii die II. Sed erat illo
anno Hadrianus trib. pot. III, qui numerus v. 6 in fine omissus est. Trajanopolin vere
condidisse videtur Hadrianus loco civitatis Grimenothyrarum. Cf. Ptolem. V, 2, 15. Ram-
say, *op. cit.*, p. 595.

---

624. Trajanopoli. — Le Bas et Waddington, n. 1676.

Αὐτοκράτορι Καίσαρι Σεβασ|τ·[ῷ] <Καίσαρι> Θεοῦ Τραιανοῦ | [υἱῷ] Θεοῦ
5 Νέρουα υἱωνῷ Τρα|ιαν[ῷ] Ἀδ[ριανῷ] Μητροφάνης ‖ Ἀττίνου τοῦ Μενεχλέους |
ἐκ τῶν ἰδίων τὸν [β]ωμὸν ἐποί|ησεν ἐν τῇ Καυαληνῶν κατοικία ¹, | ἔτους σιε'
μ(ηνὸς) Δαισ[ί]ου Σεβαστῇ ς' ².

1. Vicus Trajanopolitanorum ignotus. — 2. Anno 215 aerae Sullanae (= 130/131 post C.
n.), mensis Daesii die VI; sed Augusta saepius dicebatur mensis cujusque dies I. Cf. n. 353.

625. Trajanopoli. — *C. I. Gr.*, *Add.*, 3865 c ; Ramsay, *Cities of Phrygia*, I, p. 612, n. 516; Körte, *Inscr. Bureschianae, Wissensch. Beilage der Universität Greifswald* (1902), p. 34, n. 62.

Ἀγαθῇ τύχῃ · | Αὐτοκράτορα Καίσαρα | Μ. Αὐρήλιον Ἀντ[ω]νεῖνον | Σεβασ-
5 τὸν Ἀρμ[ε]νιακὸν ‖ Παρθικὸν κὲ Αὐτοκράτορα | Καίσαρα Λούκιον Αὐρήλιον |
10 Οὖῆρον Σεβαστὸν Ἀρμε|νιακὸν κὲ Μηδικὸν | ἡ πόλις ‖ ἐπὶ Ἱεροκλέους Ἀρχε-
τεί|μο[υ] ἄρχοντος τὸ β´ κὲ Ἀρτέμωνος | Ἑρμογένους | κὲ Φιλάνθου Τρύ|φωνος
15 κὲ γραμματέος ‖ Διονυσίου Π[υ]θοδώρο[υ], | ἐπιμεληθέντος Νεικο|μάχου β´, ἔτους
σνα´, | μηνὸς ις´ γα ¹ | γ ².

1. Anno 251 aerae Sullanae (= 166/167 post C. n.), mense XII. Quid sibi velint litterae ΓΑ incertum est; desideratur numerus diei. — 2. Γ Ramsay interpretatur ut « tertium » exemplum tituli a lapicida notatum.

---

626. Trajanopoli. — Körte, *Inscr. Bureschianae, Wissensch. Beilage der Universität Greifswald* (1902), p. 33, n. 60.

Ἡ βουλὴ καὶ ὁ δῆμος | Τραιανοπολειτῶν Α[ὐ]τ[ο]κράτ[ορα Καίσαρα | Γ.
5 Οὐίβιον Γάλλον | Σεβασ]τὸν γῆς καὶ θαλά[σ]‖σης δεσπότην, | τῆς ἀνασ-
10 τάσεως | ἐπιμεληθέντων | Μενάνδρου Κελέρο[υ] | καὶ Φιλίππου Εὐόδου ‖ καὶ
Αἰλιανοῦ Οὐαλερίου | ἀρχόντων καὶ τοῦ γραμ|ματέως Γαίου Ὀνησίμου, | λογισ-
τεύοντος Φλ. Πρείσκου, ἔτους σπβ´ ¹.

1. Anno 282 aerae Actiacae = 251/252 post C. n.

---

627. Trajanopoli. — Körte, *Inscr. Bureschianae, Wissensch. Beilage der Universität Greifswald* (1902), p. 33, n. 59.

Ἀγαθῇ [τύχῃ]. | Ἡ βουλὴ [καὶ ὁ δῆμος] | ὁ Τραιαν[οπολειτῶν] | ἐτείμησ[αν
5 Ἀσκληπι‖άδην Λο......[τὸν] | φιλόσοφ[ον].

---

628. Trajanopoli. — Kaibel, *Epigr. gr.*, n. 391.

[Οὐδε]ὶς ο[ἰ]ω[νὸς, ο]ὔ[τ]ις οἰων[ο]σκόπο[ς] |

....

Μάρκου Πολείτου φιλοσόφου, | πάντων φίλου ¹.

1. « Sententiam talem fingo : Nullum auspicium neque ullus unquam auspex certior fuit quam Polites philosophus. Idque pluribus videtur expositum fuisse. » Kaibel.

629. Trajanopoli. — Le Bas et Waddington, n. 722.

Συντύχη Ἰεραχλέους | Ἀχιλλεῖ ἀνδρὶ μνήμης | χάριν καὶ ἑαυτῇ κατεσ-
5 κε[ύα]|σεν σὺν καὶ τοῖς τέχνο[ις ‖ α]ὐτοῦ Ἀχιλλεῖ καὶ Σευήρ[ῳ] | ἔτο[υ]ς
σπη ¹. | [Μ]ετὰ τὸ τεθῆνα[ι] αὐτὴν ἐ]ν τ[ῷ] μν[ημείῳ, | ὅς] ἂν ἀνύξει θή[σει |
10 εἰ]ς τὸ ταμῖον δηνά[ρ]‖ια χίλια. | Τούτου ἀ[ν]τίγραφον ἐτέθ[η | εἰς τὰ ἀρχεῖα].

1. Anno 288 aerae Sullanae (= 203/204 post C. n.).

---

630. Trajanopoli. — Le Bas et Waddington, n. 727.

Ἔτους τξγ, μη(νὸς) Περειτίου ι´ ¹, | Εὐτύχης Εὐτύχου Τατία γυναικὶ καὶ
5 πατρὶ μνή[μ]ης χάριν Χριστιανοῖ[ς ‖ καὶ ἑαυτῷ. Φελλίνας [Τ]ημενοθυ[|ρ]ε[ύ]ς.

1. Anno 363 aerae Sullanae (= 278/279, p. C. n.), mensis Peritii die X.

---

631. Aliae. — Körte, *Inscriptiones Bureschianae*, *Wissensch. Beilage der Universität
Greifswald* (1902), p. 26, n. 44.

5 Μ. Οὔλπιος |......ρος | Λ......τατι|αγ Ἀγκυρα‖νὸ[ς] κὲ Αἰζε|ανί[τ]ης βο|υ-
10 λευτὴς ¹ Μά[ρ](κοις) Οὐλπ|ίοις Ἑρμο|γενιανῷ ἱππικῷ Ῥωμαίων, κὲ ‖ Γρατιλ-
λι|ανῷ, τέχ|νοις γλυκυτά|τοις, μνήμης χάριν.

1. Senator Ancyrae et Aezanis, in urbibus Phrygiae vicinis. Cf. nn. 554-591.

---

632. Aliae. — *C. I. Gr.*, 3874; Ramsay, *Cities of Phrygia*, I, p. 641, n. 533.

[Ἡ βουλὴ καὶ ὁ δῆμος] | κ[α]ὶ οἱ κατοικοῦντ[ες Ῥω]|μαῖοι ἐτείμησαν |
5 Τιβέριον Κλαύδιον Θεμισ‖ταγόρου [υἱ]ὸν Κυρείνα Ἀσ|κληπι[άδη]ν, υἱὸ[ν] τῆς
πόλ[ε]|ως ¹, [ἄνδρα ἐκ πρ]ο[γ]όν[ων ε]ὐε[ργε]|τηκό[τ]α τήν τε πόλι[ν καὶ |
τ]ὸν δῆμον, π[ρ]ε[σβε]ύ[σαντα πρὸς τὸν Σεβαστόν].

1. Cf. t. III *Indicem* IX, 4.

---

633. Aliae. — Duchesne, *Bull. de corr. hellén.*, III (1879), p. 482, n. 3.

5 Γάιος Ἰού|νιος Ἰοῦ|στος οὐ[ε]|τρανὸς κατὰ ‖ διαθήκην.

634. Aliae. — Legrand et Chamonard, *Bull. de corr. hellén.*, XVII (1893), p. 272; Ramsay, *Cities of Phrygia*, I, p. 615, n. 527.

Στράτων σαλτά[ρι]|ος ' Καλλίστῃ γυναι|κὶ κὲ Πολυνείκῃ θυ|γατρὶ καὶ Γλαυ-
5 κ[ίπ]|πῳ ὑῷ μνήμης χάριν | καὶ ἑαυτ[ῷ σ]ὺν κ|[ὲ Α]ἰλ. Ὀρέ[σ]τῃ ζῶν |
10 ἐπύησα · καὶ τὰ τέ|χνα αὐτῶν Ἰουλια|νὸς καὶ Στράτων καὶ | Νεικήτης · εἴ τις
15 δὲ ἐ|πιδουλεύσει μετὰ τὸ | τεθῆναι τὸν Στράτω|να, τέχνων ἀώρων πε||ριπέσοιτο
συνφορα[ῖς] ².

1. *Saltuarius*, saltus custos in praediis Augustorum, quae, ad ripas Tembris fluminis sita, dicebantur Tembrion. Cf. *C. I. L.*, III, 7004 et Ramsay, *Hist. geogr. of Asia minor*, p. 178, 213, 246; Anderson, *Aberdeen University studies* (1906), p. 183-227. — 2. = ἄωρα τέχνα προθοῖτο, exsecratio in illa parte Phrygiae communis : Ramsay, *loc. cit.*, p. 614 ad n. suum 522. Cf. titulum nostrum n. 663.

---

635. Dioscomae. — Ramsay, *Journ. of hellen. studies*, IV (1883), p. 415, n. 29; *Cities of Phrygia*, I, p. 608, n. 498.

Αὐτοκράτορι [Καίσαρι | Μ. Ἰουλίῳ Φιλίππῳ | Γερμανικῷ καὶ τῷ σύμ]|-
5 παντι οἴκῳ [τ]ῶν Σεβαστ[ῶν. || Ἔ]τους ρλ', [μηνὸς] δεκάτου ¹, ἡ | Διοσκω-
μ[ητ]ῶν κατοικία | [τῆ]ς λαμπροτάτης Σεβα[σ|τ]ηνῶν πόλεως ² ἐκ τῶν [ἰ|δ]ίων
10 πόρων.....ον κα[τ]||εσκεύ[ασεν], ἐπιμελησα|μένων [? Λ. Ἐγν]ατί[ο]υ Γλυ-
15 κ|[ων]ιανοῦ [καὶ ?| Λ. Ἐγνα]τια|[ν]οῦ Πετρων[ια]νοῦ καὶ [Λου||κ]ίου Ἐγνατίου
[Λ]όγγου κα[ὶ | Γ]αίου Ἐγνατίο[υ Π]αίτου καὶ | ..τιανοῦ Ἐγνατίου Κλωδια|-
νοῦ κα[ὶ.....Λόν]|γου.

1. Anno 330 aerae Sullanae (= 245/246 post C. n.), mense X. — 2. Dioscoma unus erat ex vicis (κατοικίαις) pertinentibus ad urbem Sebastam. Cf. Ramsay, *op. cit.*, p. 581-583 et titulos nn. 593 et 682-684.

---

636. Keramon agorae. — *C. I. Gr.*, 3861 c; Ramsay, *Cities of Phrygia*, I, p. 643, n. 538.

[Αὐτοκράτορι Καίσαρι Τί]τῳ Οὐεσπασιανῷ καὶ Τίτῳ Αὐτοκράτορι Καίσαρι
[Δομιτιανῷ | ἡ θυγά]τηρ Ῥούφιλλα, ἐξ ὑποσχέσεως Μάρχου Κλωδίου Ποσ-
τόμου τοῦ πατρὸς, τὸ πρόπυλον ἐπὶ τῆς [ἀγορᾶς | κα]τ[α]σκευάσασ(α) ἀποκα-
θέστησεν.

687. Keramon agorae. — Ramsay, *Cities of Phrygia*, I, p. 643, n. 540.

......πατρὶ πατρίδος ' καὶ ......| [ἡ] θυγάτηρ αὐτοῦ ['Ρούφιλλα].

1. Fortasse Vespasianus. Cf. n. 636.

688. Keramon agorae. — Ramsay, *Cities of Phrygia*, I, p. 654, n. 566.

Γάιος..... ζῶν κατ[εσκεύασεν..... μετὰ δὲ τὸ] τοὺς δοίο τεθῆναι, ὃς ἂν ἀνοίξει
ἢ καθελεῖ ἢ πολήσει τὸ γουτάριον ', ἔσται αὐτῷ ἀρὰ ἰς τὸν οἶκον καὶ τέκνα
τέκνων.

Divisio versuum non indicatur.

1. *Guttarium*, canalis, stillicidium.

689. Keramon agorae. — Ramsay, *Cities of Phrygia*, I, p. 655, n. 576.

.....[ἔξεσται] δὲ οὐδέ[να ἕ]τερον θεῖναι ἢ ἐ[πιβο]υλεῦσ[αι · ε]ἰ δ'οὖν, εἰσοίσει εἰς
τὸν φίσκον προστίμου [δην(άρια)] βφ'. Τούτου ἀντείγραφον ἐτέθη εἰς τὰ ἀρχεῖα.

Divisio versuum non indicatur.

640. Acmoniae. — Legrand et Chamonard, *Bull. de corr. hellén.*, XVII (1893), p. 273,
n. 63; Ramsay, *Cities of Phrygia*, I, p. 660, n. 612.

[Διονύσῳ] καὶ Αὐτοκράτορι Καίσαρι Τραιανῶι 'Αδριανῶι 'Ολυμπ[ίωι τὴν].....|
ιν καὶ τὴν στόαν ἐκ τῶν ἰδίων ἀνέθηκεν.....

1. Annis 129-138 post C. n.

641. Acmoniae. — Le Bas et Waddington, n. 768; Ramsay, *Cities of Phrygia*, I, p. 645,
n. 547.

[Δι]ονύσῳ κὲ Αὐτοκ[ράτορι Κα]ίσαρι | Μ. Α[ὐρ. Σεου]ήρῳ 'Αλεξάνδρῳ κὲ
[τῷ | σύμπ]αντι οἴκῳ αὐτοῦ καὶ τῇ 'Εο[...... κ]ατοικίᾳ ' Αὐρ. Πολυνεί[κης |
5 Πολυνεί]κους ἱερεὺς τὸν βωμὸν [σὺν τοῖς πέντε? ‖ περιφ]ερομένοις κίοσι καὶ
κόσμ[ῳ παντὶ ἐκ τῶν | ἰδ]ίων ἐπύησεν..

1. Vicus, cujus nomen periit. Cf. nn. 593, 635.

642. Acmoniae. — Ramsay, *Rev. des études anc.*, 1901, p. 275; cf. 1902, p. 270.

Ἀγαθῇ τύχῃ · | κατὰ ψήφισμα πάνδη|μον ἡ βουλὴ καὶ ὁ δῆμ|[ος καὶ ἡ]
5 γερουσία καὶ ‖ φ[υλὴ Ἀρτε]μεισιὰς ἐτεί|μ[ησαν Λεύ]κιον Ἐγνάτι|ο[ν Λ. υἱ]ὸν
Τηρητείνᾳ Κουᾶρ|[τον ἔ]παρχον σπείρης ε'..... διανῆς ¹, ἐπιμελη[τὴν] ² εἰλῆς
Σεβαστῆς Διδύμου ³, χειλίαρχον λεγιῶνος η' Αὐγούστης, ἔπ[αρ]χ/ον εἴλης.....
Α[ὐ]γού[στης], κτίστην καὶ ε[ὐεργέτην] τῆς πατρίδος.

Post septimum divisio versuum non indicatur.

1. Forsitan [Gor]diana, quanquam titulus alteri p. C. saeculo, potius quam tertio, tri-
buendus videtur. — 2. Curator pro praefecto. — 3. Ala I Augusta Gemina colonorum
in Cappadocia tendebat.

---

643. Acmoniae. — *C. I. Gr.*, 3858 *e*; Ramsay, *Cities of Phrygia*, I, p. 642, n. 534.

[Ἀγα]θῇ τύχῃ · | [Λ.? Σά]λουιον Ἱέρ[ων|ο]ς υἱὸν Κυρείνᾳ | [Μ]οντανὸν,
5 δὶς ἔπα[ρ]χ[ο]ν τεχνειτῶν, ἀρ‖χιερέα Ἀσίας ναοῦ | τοῦ ἐν Ἐφέσῳ κοι|νοῦ τῆς
10 Ἀσίας ¹, Σεβαστοφάντην ² καὶ | [ἀ]γωνοθέτην διὰ | [β]ίου, ἡ τῶν γνα‖φέων
συνεργασία τὸν ἑαυτῶν εὐεργέτην.

1. Totius provinciae sumptibus templa Augustorum non una civitas, sed Pergamum
Smyrna, Cyzicus, Ephesus, Sardes, pariter tuebantur, quorum cuique suus praeerat ἀρχιε-
ρεὺς Ἀσίας; qua de re vide Brandis ap. Pauly et Wissowa, *Realencyclopädie*, II, col. 474, 24
et 1573, 63. — 2. Flamen Augusti municipalis Acmoniae.

---

644. Acmoniae. — Ramsay, *Cities of Phrygia*, I, p. 647, n. 552; Dittenberger, *Orient.
gr. inscr. sel.*, n. 482.

Ἡ πόλις [ἐ]τείμησεν | [Λούκι]ον Σερουήνιον Λο[υκίου υἱὸν | Αἰμι]λίᾳ Κορ-
5 νοῦτον ¹, δέ[ξανδρον | ἐπ]ὶ τῶν κληρονομικῶν δικα[στηρίων], ‖ ταμίαν δήμου
Ῥωμαίων ἐπα[ρχείας] | Κύπρου, ἀγορανόμον, στρατηγ[ὸν,] | πρεσβευτὴν καὶ
ἀντιστράτηγο[ν] | Μάρκῳ Ἀπωνίῳ Σατουρνείνῳ Ἀσί[ας] | ἐπαρχείας ², τὸν
ἑαυτῆς εὐεργέτην.

1. L. Servenius Cornutus, filius fortasse Servenii Capitonis, de quo cf. nn. 634, 635;
Prosop. imp. rom., III, p. 224, n. 404. — 2. M. Aponius Saturninus (*Prosop. imp. rom.*,
I, p. 115, n. 755), cos suffectus anno incerto sub Nerone, procos. Asiae Flavianis tem-
poribus.

645. Acmoniae. — Le Bas et Waddington, n. 751.

[Λούκιον Σερουήνιον Λουχίου υἰὸν Αἰμιλίᾳ Κορνοῦτον δέκανδρον ἐπὶ τῶν κληρονο]|μιχῶν [1] δικαστηρίων. ταμία[ν] δήμο[υ Ῥωμαίων ἐπαρχείας Κύπρου οἱ γον.|εἰς αὐτοῦ τὸ ἡρῷον κατεσκεύασαν σ[ὺν τῷ κόσμῳ] [2].

1. Restituerunt Legrand et Chamonard, *Bull. de corr. hellén.*, XVII (1893), p. 262, ad n. 641. — 2. Cf. n. 644.

646. Acmoniae. — Le Bas et Waddington, n. 765.

[Λούκιον Σερουήνιον Λουχίου υἰὸν Αἰμιλίᾳ Κορνοῦτον, δέκανδρον ἐπὶ τῶν κληρονομικῶν δικαστηρίων, ταμίαν δήμου Ῥωμαίω]ν ἐπα|[ρχείας Κύπρου, ἀγορανόμον, στρατηγόν, πρεσβευτὴν καὶ ἀντιστράτηγον Μάρκου Ἀπωνίου Σ]ατο[ῦ]ρ-(νίν)ου [Ἀσίας ἐπαρχείας] [1]........

1. Cf. nn. 644, 645.

647. Acmoniae. — Le Bas et Waddington, n. 750.

[Λούκιον Σερουήνιον Λουχίου υἰὸν Αἰ]μιλίᾳ Κο[ρνοῦτον | ζήσ]αντά [τε κοσμίως καὶ] [1].......

1. Cf. nn. 644-646.

648. Acmoniae. — Ramsay, *American journ. of archaeology*, I (1885), p. 147.

..... [στ]ρατη[γ]ὸς, πρεσβε[υτὴς καὶ ἀντιστράτηγος] [1] ....

1. Profecto L. Servenius Cornutus. Cf. nn. 644-647; Ramsay, *Cities of Phrygia*, I, p. 648.

649. Acmoniae. — *C. I. Gr.*, 3860 k, 7.

..... νεπα....|.... ατοι Κορνοῦ[τος] [1] | ...ο γειξη.....

1. L. Servenius Cornutus. Cf. n. 644-648.

650. Acmoniae. — *C. I. Gr.*, 3858 *Add.*; Ramsay, *American journ. of archaeology*, I (1885), p. 146.

..... τὸ κοινὸν Γαλατῶν ¹....

1. Monumentum Ramsay arbitratur fuisse a communi Galatarum positum L. Servenio Cornuto (cf. nn. 644-649) eam ob causam, quod Serveniis, cum Acmoniae tum Ancyrae, praecipua accederet auctoritas. Cf. t. III, n. 192.

---

651. Acmoniae. — Le Bas et Waddington, n. 752; Ramsay, *Cities of Phrygia*, I, p. 647, n. 551.

.... τοῦ κόσμου τοῦ τε ἐν...... | ... [Σε]ρουηνίαι Κορνούται ¹ καὶ....... ἀ[ρ]-
χ[ιερείαι].

1. Soror aut filia L. Servenii Cornuti, qui fuit legatus pr. pr. proconsulis Asiae. Cf. nn. 644-650.

---

652. Acmoniae. — Le Bas et Waddington, n. 1677; Ramsay, *Cities of Phrygia*, I, p. 642, n. 535.

[Σύμ]μαχον Συμ|[μάχ]ου υἱὸν τὸν | [ῥήτ]ορα καὶ πρῶτον | [ἐν] τῇ πόλει,
5 λογισ|[τὴ]ν βουλῆς τε κα|[ὶ γερ]ουσίας ¹, ἀδελφὸν | [Λολ]λίου Δημητρίου |
10 [τοῦ] τῆς ἀρίστης μν[ήμης] ἀξίου, Λόλλιο|[ς Λολλι?]ανὸς ὁ κράτισ||τος ²
ἐ]πίτροπος το|[ῦ Σεβα]στοῦ τὸν θεῖον.

1. Curator senatui et gerusiae civitatis ab imperatore datus. — 2. Vir egregius, eques romanus.

---

653. Acmoniae. — Le Bas et Waddington, n. 758; Ramsay, *Cities of Phrygia*, I, p. 640, n. 534.

5 Ἀγαθῇ τύχῃ · | Τ. Φλ. Πρεῖσκον | Οὐιβιανὸν, τὸν | ἀρχιερέα ¹ καὶ κτίσ||την
καὶ προστάτην | τῆς πόλεως ἡ πα|τρὶς, τὴν ἀνάστασιν ποι|ησαμένης φυλῆς |
10 Ἀσκληπιάδος, ἐπι||μεληθέντος Γαίου Ἰουλίου Λευκιλίου.

1. Flamen Augusti municipalis Acmoniae. Hujus filius fortasse fuit ille Flavius Priscus, qui in nummis Acmonensium inscriptus est sub Severis : Babelon, *Invent. de la coll. Waddington*, nn. 5503-5511. Titulum hujus omnino similem Vibiano posuit tribus [Ἀρ]τ[ε]-μι[σ]τάς : S. Reinach, *Rev. des études gr.*, III (1890), p. 66.

654. Acmoniae. — Le Bas et Waddington, n. 754; Ramsay, *Cities of Phrygia*, I, p. 637, n. 530.

Ἀγαθῇ τύχῃ · | ὁ δῆμος καὶ ἡ βου|λὴ ἐτείμησεν Νικί|αν Ἀσκληπιοδώρου ‖
5 Λούκιον ¹, ἱερέα Σεβασ|τῆς Εὐβοσίας ² διὰ βί|ου, ἀγορανομήσαντα | πολυτελῶς
10 καὶ στρα|τηγήσαντα ἁγνῶς ‖ καὶ γυμνασιαρχήσαντα | δύο πενταετερικοὺς ³
ἐπὶ Ἰουλίας Σεουήρας | καὶ Τυρρωνίου Ῥάπωνος ⁴, | καὶ γραμ(μ)ατεύσαντα
15 πισ|τῶς, τὴν ἐπιμέλειαν ποι‖ησαμένου τῆς ἀναστάσε|ως Συμμάχου ἐφηβάρχου
καὶ ἱερέως, τοῦ ἀδελφοῦ | αὐτοῦ.

1. Nicias qui et Lucius. — 2. Copiam Augustam dictam esse Agrippinam opinatur Waddington, Poppaeam Ramsay. — 3. Intellige ἀγῶνας. — 4. De Julia Severa, quae sub Nerone vixit, cf. n. 655; cum Tyrrhonio Rapone archon fuit, potius quam sacerdos maxima Asiae, ut conjicit Ramsay, qui eam putat nuptam esse primum Servenio Capitoni ac postea Tyrrhonio Raponi.

---

655. Acmoniae. — Ramsay, *Cities of Phrygia*, I, p. 649, n. 559; *Rev. des études anc.*, 1901, p. 269; 1902, p. 270.

Τὸν κατασκευασθέντα οἶκον ὑπὸ | Ἰουλίας Σεουήρας Γ. Τυρρώνιος Κλά|δος
5 ὁ διὰ βίου ἀρχισυνάγωγος καὶ | Λούκιος Λουκίου [ἀρχισυνά]γωγος ‖ καὶ
Ποπίλιος [πρῶτος ἄ]ρχων ¹ ἐπεσ|κεύασαν ἐκ τ[ῶν ἰδίων κ]αὶ τῶν συν|κατα-
θεμένων........ιν τοὺς τοί|χους καὶ τὴν ὀροφ[ὴν, καὶ] ἐποίησαν | τὴν τῶν θυρίδων
10 ἀσφάλειαν καὶ τὸν ‖ λυπὸν πάντα κόσμον · οὕστινας κ[αὶ] | ἡ συναγωγὴ
ἐτείμησεν ὅπλῳ ἐπιχρύ|σῳ διά τε τὴν ἐνάρετον αὐτῶν [βί]ω|σιν καὶ τὴν
π[ρ]ὸς τὴν συναγωγὴν εὔνοιάν | τε καὶ σπουδήν.

1. Archisynagogus et archon Judaeae synagogae praefuerunt. Julia autem Severa et Servenius Capito archontes inscripti sunt in nummis Acmonensium, principe Nerone cusis. Babelon, *Invent. de la coll. Waddington*, nn. 5487-5493. De Judaeis in Phrygia consistentibus cf. Ramsay, *Cities of Phrygia*, II, p. 667, cap. XV.

---

656. Acmoniae. — Ramsay, *Cities of Phrygia*, I, p. 647, n. 550.

......[πατρὶ] πατρίδος καὶ τοῦ κόσμου τοῦ τε ἐ[ν]........ | Ἰουλίαι
Σ[εο]υήραι ¹ ἀρχιερείαι καὶ ἀγωνοθέτ[ιδι].....

1. De Julia Severa cf. n. 655.

657. Acmoniae. — Legrand et Chamonard, *Bull. de corr. hellén.*, XVII (1893), p. 261 ; Ramsay, *Cities of Phrygia*, I, p. 646, n. 549.

Ἡ βουλὴ καὶ ὁ δῆμος | ἀγορανόμον. | Ἡ βουλὴ καὶ ὁ δῆμος | στρατηγόν. ‖
5 Ἡ γερουσιά τὰ ζυγο|στάσια ¹ πρὸς | τῷ μακέλλῳ ² ἐκ τῶν ἰδίων ποιήσαντα. |
10 Ἡ βουλὴ καὶ ὁ δῆμος | δεκαπρωτεύσαντα. ‖ Ἡ βουλὴ καὶ ὁ δῆμος χρεο-
φυλακήσαντα ³. | Νέοι καὶ ὑμνωδοὶ ⁴ ἀργυροταμίαν γενόμενον.

1. Aedes in qua pondera publice exigebantur. Cf. *Cod. Justin.*, X, 71, 2; XI, 27, 1 ; *C. I. Gr.*, 3705. — 2. Macellum. — 3. Χρεωφύλαξ, custos hypothecarum. Cf. n. 585 et Liebenam, *Städteverwalt.*, p. 290, not. 1 et 5. — 4. Hymnodi Romae et Augusti. Cf. n. 353.

---

658. Acmoniae. — Ramsay, *Cities of Phrygia*, I, p. 653, n. 564; Legrand et Chamonard, *Bull. de corr. hellén.*, XVII (1893), p. 264, n. 48.

In lateribus sepulcri, quod sibi faciendum curavit quidam T. Flavius Alexander, anno 244 p. C. n., haec verba coronis inscripta sunt :

Εἰρη|ναρχία, | Σειτω|νία. ‖
5 Βουλαρ|χία, | Ἀγορα|νομία. |
10 Στρα‖τηγία, | Σειτω|νία.

In fine autem ipsius tituli legitur :

V. 18 : εἴ τις δὲ | ἐπιχιρήσῃ ἀνῦξαι, θήσι | ἰς τὸ ταμῖον προστίμου δηνάρια φʹ.

---

659. Acmoniae. — *C. I. Gr.*, 3858 *m* et 3861 *d;* Ramsay, *Cities of Phrygia*, I, p. 643, n. 537.

5 Τ. Φλ. Λαρτίδιος ¹ | Συνκλητικὸς | καὶ Τ. [Φλ.] Διογενια|νὸς Συνκλητι‖κὸς
[? ἱερέ]ως [υἱοί?].

1. Avi ejus civitatem fortasse acceperant a Sex. Lartidio, leg. pr. pr. Asinii Galli, proconsulis Asiae anno 6-5 ante C. n. : *Prosop. imp. rom.*, II, p. 265, n. 70.

---

660. Acmoniae. — Ramsay, *Revue des ét. anciennes*, III (1901), p. 274.

Τι. Φλάουιος Πραξίου υἱὸς Κυρείνᾳ Πραξίας ¹ Πρα|ξίᾳ υἱῷ καὶ Τατίᾳ Ἀγα-
θοκλέους τῇ μητρὶ καὶ ζῶσι | ἑαυτῷ τε καὶ Φλαουίοις Ἀσκληπιάδῃ καὶ

5 Θεοδότῳ | τοῖς υἱοῖς καὶ τοῖς τούτων ἐγγόνοις καὶ ἀπελευθέρ[οις] ‖ ἰδίοις
ἐποίησαν, ἀρὰν [προσεπι]θέμενος, ὅπως μ[η]‖δενὶ ἐξέσται μή[τε πωλῆσα]ι μήτε
ἀγοράσαι μήτ[ε] | τὸ μνημεῖον μή[τε τι τῶν περὶ α]ὐτοῦ οἰκοδομημάτ[ων] |
ἢ φυτείαν προν....... ἑαυτοῦ.

1. Cf. n. 661.

_____

661. Acmoniae. — Ramsay, *Rev. des études anc.*, 1901, p. 273; Chapot, 1902, p. 77;
Ramsay, p. 267.

.......[δ]ιανομῆς με[....] | ὑπὸ τοῦ Πραξίου πρὸς τῷ μνημείῳ αὐτοῦ
ἀπε...|...ους, ἐξαναριθμεῖσθαι δὲ ἰς τὸν τῶν τελευτῶν τῶν... | τοὺς ἐξ αὐτῶν
5 ἐπιγεννωμένων μέχρι τ[ῶ]ν ἐξ, γείν[εσ]‖θαι δὲ τὴν κατάκλισιν μηνὸς Πανήμου
ἡμέρᾳ εὐδαιμοσύνης | καὶ ἀπὸ τῆς προσόδου ταύτης ἐπὶ τὸ μνημεῖον τοῦ Πρα-
ξίου ἀ[πο]|φέρεσθαι ὑπὸ τῶν ἀρχόντων τῆς πόλεως καὶ τοῦ γραμματέως | τῆς
βουλῆς ῥόδα δηναρίων δέκα δύο · προνοεῖν δὲ τήν τε [β]ουλ[ὴν] καὶ | τοὺς κατ'
10 ἐνιαυτὸν ἰς τὰς ἀρχὰς καθισταμένους πάντας τῶν τ[ε] ‖ ἀπελευθέρων, καὶ ὅπως
μηδὲν τοῦ μνημείου τούτου ἢ τῶν περὶ [αὐ]|τὸ φυτειῶν ἢ οἰκοδομιῶν ἐλασσωθῇ
ἢ ἐξαλλοτριωθῇ κατὰ μηδέ|να τρόπον · τοῦτο δὲ τὸ ψήφισμα νενομοθετῆσθαι
τῷ αἰῶνι τῆς Ῥωμαίων ἡγεμονίας φυλαχθησόμενον, μηδενὸς ἐξουσίαν ἔχοντος |
15 ἀλλάξαι τι τῶν δεδογμένων ἢ μεταποιῆσαι ἢ εἰς ἑτέραν τινὰ ‖ χρείαν μετε-
νενκεῖν κατὰ μηδένα τρόπον · πάντας δὲ κοινῇ | καὶ καθ' ἕνα προνοεῖσθαι
ὑπὲρ τοῦ φυλαχθῆναι τὰ ἐψηφισμένα | κοινὰ καὶ ἀνεπιχείρητα πρὸς τῇ Τίτου
Πραξίου διαταγῇ · κ[αὶ] ἐμοὶ | μόνῳ ἐξεῖναι τῶν ἐν τῷ ψηφίσματι γεγραμμένων
ἀ[λλ]άξα[ι] | τι ἢ διορθῶσαι ἢ τοῖς γεγραμμένοις προσδιατάξασθαι · εἶν[αι] ‖
20 δὲ τοῖς δεδογμένοις πᾶσι καὶ μάλιστα ἵνα μόνοι οἱ παρόντες | καὶ κατακλεινό-
μενοι βουλευταὶ λαμβάνωσι τὴν διανομὴν | [τα]ύτην, ἐπι[σ]κό[που]ς καὶ
μάρτυρας θεοὺς Σ[εβ]αστοὺς καὶ θε|[οὺς] πατρίου[ς] καὶ Δία Στοδμηνὸν καὶ
Σωτῆρα Ἀσκληπιὸν καὶ Ἀρ[τέμιδα] Ἐφεσίαν κοινῇ τε ὑπὸ πάντων καὶ
25 καθ' ἕνα ἐπικεχλημέ[νοι] τῶν ‖ οὕτω]ς ἐψηφισμένων φύλακας · παρακεκλῆσθαι
δὲ τὸν γραμ[ματ|έα τῆς β]ουλῆς καὶ ἱερέα Ἀσκληπιάδην, ὅπως καὶ μετὰ
τὸν ......|.... αὐτὸν πρόνοιαν ποιῆσαι [τ]ῶν ὑπὸ τοῦ Πραξ[ίου διατεθει|μέ-
νων? τε] καὶ διατεταγμένων εἰς τὸ διηνεκές, καθὼς καὶ... | [ὑπὸ τοῦ Πραξί]ου
30 παρεκλήθη · λαχόντων δογματογράφων Πον[τικοῦ? ‖ Διο]ράντου Ἑκατέου
τοῦ Ποντικοῦ Ἀλεξάνδρου | ....ἐκυριώθη πρὸ τ[ριῶν] Νωνῶν Μαρτίων

[Αὐτοκρά|τορι Δομι]τιανῷ Καίσαρι Σεβαστῷ Γερμανικῷ τῷ αι', | [ἔτους ρξ]θ', μηνὸς Ξανδικοῦ τρισκαι[δεκάτου, | ἐγράφη? δ]ιὰ Ἑρμογένου δημοσίου.

Testamentum quo T. Praxias honores instituit memoriae suae, postquam decesserit, praestandos. Idem profecto vir ille fuit ac T. Flavius Praxias, de quo cf. n. 660; imo duos titulos patet eidem sepulcro inscriptos fuisse.

V. 1-5. Parentandi causa pecuniae, quam legavit Praxias, reditus stata die dividentur senatoribus civitatis et ii epulo accumbent. Cf. v. 19-22.

V. 5-8. In sepulcro Praxiae rosalia quoque anno celebrabuntur ab archontibus et scriba senatus, mensis Panemi die dicta Felicitatis; Panemus autem incipiebat die Maii XXIV.

V. 12. Decretum senatus populique Acmonensis, quo legatum acceptum est, serva-bitur quamdiu Romanorum imperium manebit, in aeternum. Cf. v. 28.

V. 17. καὶ ἐμοί... Jam loquitur ipse Praxias.

V. 23. Ζεὺς Στοδμηνὸς quis deus fuerit, plane ignoratur. Diana autem Ephesia custos erit decreti, utpote maxima dea Ephesi, capitis provinciae.

V. 29. De dogmatographis, qui in scribendis decretis scribae publico ut testes aderant, cf. Liebenam, *Städteverwalt.*, p. 289.

V. 31. A. d. III nonas Martias = die V Martii, XIII Xanthici.

V. 32-33. Anno 169 aerae Sullanae = 85 post C. n., Domitiano XI consule.

---

662. Acmoniae. — Ramsay, *Cities of Phrygia*, I, p. 644, nn. 341, 342; *C. I. L.*, III, 13658.

.....redemptis a se d.......... suo pecu[nia sua]. |

......σὺν τοῖς προσκει[μένοις ἐργαστηρίοις? τοῦ πυλῶνος] τοῦ τριστόου [1] ἐξαγορασ.....

1. Triplici porticu ornatus.

---

663. Acmoniae. — Le Bas et Waddington, n. 766.

.....[μνή]μης χάριν · | εἰ δέ τις [ἐπιβ]ο[υλ]εύ[σ]ε[ι]? τούτους τοὺς | τόπους, θήσει εἰς τὸ τῶν κυρίων αὐτοκρα|τόρων ταμῖον δηνάρια πεντακόσια.

Has etiam multas funerales habes : Legrand et Chamonard, *Bull. de corr. hellén.*, XVII (1893), p. 263, n. 48, v. 19 : θήσει | ἰς τὸ ταμῖον προστίμου δηνάρια φ'; p. 259, n. 41, v. 8 : ἀποτείσει τῷ | φίσκῳ δηνάρια βφ'. Ramsay, *Cities of Phrygia*, I, p. 657, n. 594 : εἰς τὸ τ[α]μεῖον δην(άρια) αφ'; n. 596 : εἰς τὸ ταμεῖον δην(άρια) βφ'.

664. Diocleae. — Ramsay, *Journ. of hellen. studies,* IV (1883), p. 422, u. 34; *Cities of Phrygia,* I, p. 660, n. 615.

[Λεύ]χιον Σεπτίμιον | Σευῆρον Περτί|νακα Σαρματικὸν Γερ|μανικὸν Βρετανι-
5 χὸν ¹ ‖ Σεβαστὸν νέον Ἥλιον | ἡ προχεχριμένη τοῦ Μοξε|ανῶν δήμου Διόχλεια ², |
10 [ἀ]ναστησάντων παρ' ἑ|αυτῶν Κ. Πετρωνίου Κα‖πίτωνος Ἐγνατιανοῦ ὑπὲρ |
τοῦ υἱοῦ Μάρχου καὶ Ῥούφου Ῥου|φρίου Κρίσπου καὶ Φιλαδέλφου | Διμιτρίου,
15 γραμματεύ|οντος τοῦ δήμου ‖ Μάρχου β' τοῦ Οὐα|λερίου, ἔτους σπα' ³.

1. Nomina Commodi errore translata sunt ad Severum, qui nec Sarmaticus, nec Germanicus unquam, Britannicus autem anno demum 210, vocatus est. — 2. Moxeanorum populi, cujus nomen etiam in nummis illius regionis legitur, civitates praecipuae fuerunt Dioclea et Siocharax : Ramsay, *Cities of Phrygia,* I, p. 632. — 3. Anno 281 aerae Sullanae = 196/197 post C. n.

---

665. Diocleae. — Ramsay, *Cities of Phrygia,* I, p. 661, n. 620.

Τρόφιμος δοῦλος Ἀπολλω|νίου Κουαρτια|νοῦ Ἀσιάρχου ἐποίησεν Ἑρμῇ |
5 τέχνῳ γλυχυτάτῳ μνήμης χάριν ‖ καὶ Νειχηφορίδι συνβίῳ καὶ ἑαυτῷ ζῶν. | Εἰ
δέ τις ἐπιβουλεύσι τὸ μνημεῖον | τοῦτο, ἢ ξένον ἐν τοῦ | γένους θήσι τινά, οὗτος
10 ἄωρα τέχνα προθοῖτο ¹, | μή(τ)ε γῆς χαρπὸν ἀνέλη|ται ². ‖ Ἔτους τχς' ³.

1. Versuum 7-9 ordo in lapide pessime turbatus est. — 2. De illis exsecrationibus cf. n. 634. — 3. Anno 326 aerae Sullanae = 241/242 post C. n.

---

666. Diocleae. — Le Bas et Waddington, n. 770; Ramsay, *Cities of Phrygia,* I, p. 660, n. 616.

Ἀγαθῇ τύχῃ · | Αὐρ. Μουχια|νὸν Μ. [υ(ἱὸν)] Ἐγνατιανὸν, τὸν ἀ|ξιολογώ-
5-10 τατον ‖ καὶ εὐεργέτη|ν καὶ πρῶτον | τῆς πόλεως, | Μενεκλῆς | ὁ ἀρχιερεὺς ‖ τὸν
πατέρα.

---

667. Diocleae. — Ramsay, *Cities of Phrygia,* I, p. 652, n. 562.

Ἔτους τμε' ¹ Αὐ[ρ.] Ἀλέξανδ[ρος] Ἰουδαῖος ζ[ῶν] κατεσκεύ[ασε] τὸ μνη-
[μῖον].

Divisio versuum non indicatur.

1. Anno 342 aerae Sullanae = 257/258 post C. n.

668. Cidyessi. — Ramsay, *Cities of Phrygia*, I, p. 662, n. 626.

['Η βουλὴ καὶ ὁ δῆμος ἐ]τείμησεν [τ]ὸν [ἀξ]ιολογώτατον Αὐρ. Μεννᾶν ἱππέα Ῥωμαίων καὶ ἐν πᾶσιν φιλόπατριν.

Divisio versuum non indicatur.

---

669. Fellelu. — Hogarth, *Journ. of hellen. studies*, XI (1890), p. 160, n. 4.

['Επὶ τῆς]......... ὀν[θυ]|πατείας Αἰσχίνη[ς] | ..... | Παπᾶ τοῦ καὶ Χαίτου ‖
5 ὑπὲρ τῆς τῶν κ[ρα]τ[ί]σ[τ]|ων αὐτοκρατόρων | αἰωνίου διαμο|νῆς καὶ νείκης |
[κ]αὶ τῶν .... καὶ πο[λιτῶ]ν καὶ.....

---

670. Hodjalar. — Ramsay, *Journ. of hellen. stud.*, IV (1883), p. 428; *Cities of Phrygia*,
I, p. 717, n. 651.

Αὐρήλιοι | Γάιος καὶ Μηνόφιλος ἀπὸ σστρατειῶν, | παῖδες Αὐρ. 'Ασκλᾶ
5 Φαύστου καὶ Αὐρ. | Δόμνης Εἰρηνα[ίο]υ τὸν βωμὸν καὶ τὴν ‖ κατ' αὐτοῦ σορὸν
σὺν τῷ περιβόλῳ κοι|νῶς κατεσσκεύασαν ἑαυτοῖς καὶ | ταῖς γυναιξὶν αὐτῶν
10 Μεσσαλείνῃ | Παπᾶ καὶ Βασιλῷ Εὐξένου, ὡς μηδενὶ | ἑτέρῳ ἐξεῖναι ἐπισε-
νενκεῖν ἢ θεῖναι ‖ ξένον νεκρὸν ἢ σορόν, μόνοις γνησίοις | ἡμῶν τέκνοις · εἰ δέ
τις ὑπεναντίον ποιή|[σει...]ον.ῳ, ἔσται αὐτῷ πρὸς τὸν Θεὸν [1] | [καὶ δώσει] τῷ
ταμείῳ [δήν(αρια) .. · τούτ]ου ἀν[τίγρ]α[ρον ἀπετέθη εἰς τὰ ἀρχεῖα].

1. = δώσει Θεῷ λόγον. De utraque formula, qua christiani jam initio saeculi III in Phry-
gia usi sunt, cf. Ramsay, *Cities of Phrygia*, I, p. 496. Notabile est illa aetate virum
christianum fuisse a militiis.

---

671. Prymnessi. — Le Bas et et Waddington, n. 1709.

5 Αὐτοκράτο|ρα Καίσαρα | Μ. Αὐρήλιον | 'Αντωνεῖνον ‖ Σεβαστὸν [1] | Γ. Αντώ-
10 νιος | Παυλεῖνος Αὐ|ρηλιανὸ[ς] Σεβ(αστοῦ), | [ἐκ] καταλείψ[ε]ως ‖ Αὐρηλίου
Κί[σ]|σου τοῦ πα[τρὸς αὐτοῦ].

1. M. Aurelius, Commodus, aut Caracalla.

672. Prymnessi. — *C. I. Gr.*, 3878.

Post decem versus valde mutilos :

Αὐτοκράτωρ Καῖσαρ Θεοῦ Μ. Ἀντωνείνου Εὐσεβοῦς] | Γερμανικο[ῦ Σαρμα-
τικοῦ υἱὸς Θεοῦ Ἀντωνείνου Εὐσεβοῦς] | υἱωνὸς Θεοῦ [Ἀδριανοῦ ἔγγονος Θεοῦ
Τραιανοῦ Παρθικοῦ] | καὶ Θεοῦ Νέρ[ουα ἀπόγονος Λ. Σεπτίμιος Σεουῆρος] ‖
5 Περτίναξ Σε[βαστὸς Ἀραβικὸς Ἀδιαβηνικὸς, ἀρχιερεὺς] | μέγιστ[ο]ς, δημαρ-
χικῆς ἐξουσίας τὸ γ΄ ¹, αὐτοκράτωρ τὸ ζ΄, ὕπα|τος τὸ β΄, ἀνθ[ύπατος...... τῇ
10 βου]|λῇ καὶ τῷ δή[μῳ] .... | τοῖς οὕ[τ]ως....... ‖ χαίρειν ἀνθ᾽ [ὧν]? ..... |
νομίζετε θε[οὺς] .....|μην ὑμῶν..... [μαρ|τ]υρ[ή]σας ἐπισ[τολῇ]?....... |
15 [π]ρο[αι]ρέσεως ὑ[μῶν]..... ‖ ἡμεῖν γὰρ αἱ πρὸς....... | [π]ρεσβεύε[ι]ν....... |
σονα πολε.......

1. Anno 195 post C. n. Epistula Septimii Severi imperatoris ad senatum populumque
civitatis.

---

673. Prymnessi. — *C. I. Gr.*, *Add.*, 3878 *b*.

5 [Αὐτοκράτορα Καίσαρα | Λ. Σεπτίμιον] | Σεουῆρον Περ|τίνακα Εὐσε‖βῆ
10 Σεβαστὸν | Γαία Κορδία | Φροντεῖνα, | ἐπιμεληθέν|τος Κλ. Θεο‖δώρου, τὸν
ἀν|[δριάντα ἀνέστησεν].

---

674. Prymnessi. — Le Bas et Waddington, n. 1707.

5 Ἰουλίαν Δ[ό]|μναν Σεβ(αστὴν), μη[τέ]|ρα κάστρων, | ἐπὶ ἀνθ(υπάτου) Τιν[ηί]‖ου
Σαχέρδ[ω]|τος ¹, πρεσβε[υ]|τοῦ δὲ Δομι|τίου Ἀριστα[ί]|ου Ἀραβιανοῦ ².

1. Q. Tineius Sacerdos cos. suff. sub Commodo, procos. Asiae sub Septimio Severo.
Prosop. imp. rom., III, p. 322, n. 170. Cf. n. 171. — 2. Domitius Aristaeus Arabianus,
legatus provinciae Asiae : *Prosop. imp. rom.*, II, p. 19, n. 115.

---

675. Prymnessi. — *C. I. L.*, III, 7043.

L. [A]rrun[ti]o L. f. S[criboniano] | Pompei Magni ab[nepoti] | An(iensi ?),
5 praef. urb. au[g.]... ¹ | Prymness. et c. r. [qui ibi nego]‖tiantur, cura[m agente] |
C. Caecillio L. f. M....... |

Ὁ δῆμος καὶ ο[ἱ κατοικοῦν]|τες Ῥωμαῖοι Λε[ύκιον Ἀρρούν]|τιον Λευκίο[υ

10 υἱὸν Ἀνιήσης?] ❙ Πομπηίου Μ[άγνου ἀπόγο]|νον Σκριβων[ιανὸν, ἔπαρ]|χον
Ῥώμ(ης), αὔ[γουρα].....

1. Filius videtur fuisse L. Arruntii Camilli Scriboniani, consulis anno 32 post. C. n.;
Prosop. imp. rom., I, p. 146, n. 942. Cf. n. 936.

---

676. Prymnessi. — Rostowzew in schedis Instituti archaeologici Vindobonensis.
(1899).

Λιλ(ίαν) Μαξίμιλλαν ¹ | τὴν σεμνοτάτην | γυναῖκα Αὐρηλίου | Μαρκίωνος,
5 ἐπιτρό|που τῶν κυρίων | αὐτοκρατόρων ², | κτίστου τῆς πόλεως, | Αὐρ. Δημή-
10 τριος | ἀρχιερεὺς τῶν ❙ Σεβαστῶν.

1. Cf. *C. I. L.*, III, 6997. — 2. M. Aurelius Aug. lib. Marcio, proximus rationum, pro-
curator marmorum, procurator provinciae Britanniae, procurator summi choragi, procu-
rator provinciae Phrygiae. Cf. n. 704 et *C. I. L.*, III, 348.

---

677. Prymnessi. — *C. I. L.*, III, 14192 ².

Pactumeiae Saluiae | C. Sallustius Serapa uxori suae. |
Πακτουμηίαι Σαλουίαι | Γάιος Σαλλούστιος Σεραπᾶς ἰδίαι γυναικί.

---

678. Prymnessi. — *C. I. Gr.*, 3882 i.

In sepulcro cujusdam Aurelii Irenaei :

V. 12 : τῷ ἱερωτάτῳ τα|μείῳ δηνάρια δισχίλια πεντακόσια.

---

679. Eulandrae. — Anderson, *Annual of the british school at Athens*, IV (1897-98),
p. 50.

[Ἀγ]αθ[ῇ τύχῃ. | Τ]ὸν γῆς [καὶ θαλάσ|σ]ης δεσπ[ότην] | Αὐτοκράτορα Καί-
5 σα[ρα] ❙ Μαρκ. Αὐρ. Σ[εβαστὸν] | Σεβ(αστοῦ) Ἀντωνεί[νου υἱὸν] | ὁ δῆμος
10 Εὐλα[νδρέων], | πᾶσαν πρόνοιαν | καὶ ἐπιμέλια[ν] ❙ ποιησαμέν[ου] | Χρήστου
Ἀπελ[λᾶ] | ταβλαρίου ¹.

1. Tabularius dispensatoris, qui praedia Caesaris, ut videtur, in illa regione adminis-
trabat.

680. Kyorz Keui. — Anderson, *Aberdeen University studies*, XX (1906), p. 210, n. 8.

Post 15 versus :

Ἐὰν δέ τις τολμήσῃ πωλ[ῆσαι] | ἢ ἀγοράσαι, ἔστω ἡ μετο[υσία] ¹ | τοῦ χωρίου δήμου Ῥωμαί[ων].

1. Mancipium. Cf. Xen., *Cyrop.*, VIII, 5, 23.

---

681. Brouzi. — Ramsay, *Bull. de corr. hellén.*, VI (1882), p. 514, n. 1; *Cities of Phrygia*, I, p. 700, n. 634.

Λ. Σεπτίμιον Σ[εου]ῆρον Εὐσεβῆ Πε[ρτίνα]|κα Σεβ[αστὸν] Ἀραβ[ικὸν] Ἀ[δια-
5 βηνι.]|κὸν Παρθικὸν [μέγισ]|τον ¹ ἡ Βρουζη[νῶν] ‖ πόλις, | τὴν ἀνάστασιν ποι[η-
10 σαμένων τῶν πε|ρὶ Ἀπελλ[ῆ]ν β′ τοῦ Λουκίου | ἀρχόντων, καὶ Σκ[ει]‖πίωνος
β′ καὶ Πωλίωνος | καὶ Ἀπολλωνίου Πά|που ².

1. Annis 199-210 post C. n., quoniam deest Βριταννικός. — 2. Post ἀρχόντων nomina trium archontum minorum litteris minoribus posterius addita sunt.

---

682. Sebastae. — Legrand et Chamonard, *Bull. de corr. hellén.*, XVII (1893), p. 269, n. 57; Fr. Cumont, *Rev. arch.*, 1896, I, p. 173; cf. Buresch, *Wochenschr. f. klass. Philol.*, XI (1894), p. 106.

..............αντα τόδ᾽ εἰς...................... |
...... [ἐν Θ]άρσῃ 5δι γείνατο [πότνια μήτηρ?] |
.... ὕψος ἐπ᾽ ἀκρότατ[ον].............. |
..............ονδ᾽ ἔνθα καὶ εἰ παῖς .... ‖
5 ......? συμβ]ληθέντα μετήορον α.............. |
[ἄνδρες νῦν] γὰρ ἐκεῖνο ποτὶ ῥίον οὐδδ[ν ἀγαυὸν |
κτίζεσθ]αι μεμάασι, τεθηπότες ὄρθιο[ν οὖρος |
καὶ πλίν]θον κεράμοιο τετυγμένον ὑψό[σ᾽ ἀεῖραι, |
νήπιο]ι, ὥστε νέφεσσ᾽ ἔνι κείμενον οὐραν[ίοισιν. ‖
10 Ὡς φάτ]ο τοῖς μάλα τοῦτο Διονύσου ἄ[δε ῥῆμα, |
πατρὶς] θ᾽ ἡμετέρη (ὡ)ς καὶ Διὸς ἥραρε θυμ[όν. |
Εὖτε δὲ] παῖς πό[μα] ἱ[ρ]ὸν ἐγείνατο νεκταρο[ειδὲς |
ἀνθρ]ώποις, αὐτὸς δὲ θεῶν ἐπὶ νέκταρ ἐδέγ[θη |
οὐρα]νῷ ἀθανάτοισι μετέμμεναι υἱέα Ζηνό[ς. ‖

15 Δεῦρ]ο πάλαι δ' Αὐγοῦστος, ἐπὶ χρέα δύνεα Φοίβο υ, |
    ἦλυ]θ' ἑλὼν πτολίεθρα περικτιόνων ἀνθρ[ώπων |·
    κὰς ταύτ]ην κατένασσεν ὃς Αὔσονας ἐνβασίλευσεν |
    [τήν τε πόλι]γ καὶ κλῆσεν ἐπ' οὔνο[μ]α τοῦτο Σεβαστὴ[ν |
    'Ρωμαίων παρ' ἄν]ακτας ἐπώνυμον, οἵ ῥα Σεβαστοὶ ‖
20 [κικλήσκονται, ἄγαν γ]ὰρ ἐφείλατο πατρίδα γαῖαν |
    [ἡμείων, πεδίον τ' εὖ κ]είμενον · ἢ γὰρ, ὅτ' ἀὴρ |
    [λευγαλέος καὶ Ἄρης ἐμφ]ύλιος 'Αίδι πολλὸν |
    [πέμπεσχον λαὸν, τόδε χωρίο]ν εἰσαφίκανον |
    οἰωνῶν............................

Hoc carmine, circa finem saeculi II conscripto, referebatur ubi ab Augusto condita fuisset Sebasta.

V. 1-11. Videtur Bacchus inter deos quaedam praedixisse de templo Sebastae alte exstructo.

V. 12-14 pertinent ad Ganymedem, effictum in nummis Sebastenorum : Babelon, *Invent. de la coll. Waddington*, n. 6472.

V. 15-20. Anno 30 ante C. n. Augustus, cum Asiam peragraret, jubente Apollinis Phrygii oraculo, quod adierat, plures vicos (κώμας), ut in Asia saepe evenit, contraxit in unam civitatem (πόλιν), dictam ab eo Sebastam. Cf. Chapot, *Prov. rom. d'Asie*, p. 101.

V. 15. Fortasse interpretandum ἐπ(ε)ὶ ἔχρα, cum consulenti respondissent sententiae Phoebi.

V. 21-23. Profecto de peste aliqua agebatur, quae simul cum bello civili locum vastaverat.

V. 23. εἰσαφικάν(ω)ν intellige. Augustus, postquam advenit, incolas superstites in urbem novam bonis auspiciis convocavit.

---

683. Sebastae. — Ramsay, *Journ. of hellen. studies*, IV (1883), p. 413, n. 27; *Cities of Phrygia*, I, p. 609, n. 501.

Τι[βε]ρίωι Καί|σαρι Θ[εοῦ Σε|6]ασ[τ]οῦ [υἱῷ] Σε|6αστῷ ἱε[ρ]ε[ῖ μεγίστῳ]..

---

684. Sebastae. — Legrand et Chamonard, *Bull. de corr. hellén.*, XVII (1893), p. 267, n. 54; Ramsay, *Cities of Phrygia*, I, p. 601, n. 474.

['Αγαθῇ τ]ύχῃ. | ['Υπὲρ τῆς Αὐτ]οκράτορος [Δομιτιανοῦ | Κα]ίσαρος Σεβασ-
5 τοῦ Γερμ[ανικοῦ] | [ν]είκης καὶ δήμου 'Ρωμ[αίων ‖ κ]αὶ δήμου Σεβαστηνῶν |
.... κα[ὶ τ]ῶν [πραγμα|τευομ]ένων [ἐν Σεβα]στ[ῇ 'Ρωμαίων] | διαμονῆς

10 [καὶ σωτηρίας] | Διὶ [χ]αρ[ι]σστή[ριον] ‖ [Μᾶ]ρκος Ἀθάλιος, Μάρκου υἱὸς, |
[?Αἱμιλί]ᾳ Λονγεῖνος τὸν βω|[μ]ὸν ἀνέστησε ἐκ τῶν ἰδ[ίων σὺν | π]άσῃ κατα-
15 σκευῇ καὶ δαπάνῃ, | ἔτους ρογ΄ [1], ἐπιμε‖λησαμένου Ἡρακλείτου [τοῦ] |
Φιλίππου.

1. Anno 173 aerae Sullanae = 88/89 post C. n.

---

685. Sebastae. — *C. I. Gr.*, 3884 ; Ramsay, *Cities of Phrygia*, I, p. 604, n. 478.

[Αὐτ]οκράτορα Καίσαρα [Θεοῦ] | Ἀντωνείνου [υἱὸν] | Θεοῦ Ἀδριανοῦ υἱω|-
5 νὸν Θεοῦ Τραια[νοῦ] ‖ Παρθικοῦ ἔγγο[νον | Θ]εοῦ Νέρουα [ἀπόγ]|ονον Μᾶρκον
10 [Αὐρή]|λιον Ἀντωνε[ῖνο]|ν Σεβαστὸν ἡ βου‖[λὴ] καὶ ὁ δῆμος ὁ Σεβασ[την]|ῶν
τὸν ἴδιον θεὸν | [καὶ] εὐεργέτην, [ἐπι]|μεληθέντος τ[ῆς | κατα]σκευῆς καὶ
15 ἀν[αστά]‖σεως τῶν τε ἀ[νδρι|ά]ντων καὶ τῶν ὑπ[ο]|6άσεων [1] [Λ. Τυ]ρρων[ί]ου
Ἑρμέου.

1. Altera certe fuit ibidem statua, L. Veri, ut videtur.

---

686. Sebastae. — *C. I. Gr.*, 3871 ; Ramsay, *Cities of Phrygia*, I, p. 600, n. 472.

Ἡ πόλις Μᾶρκον Αὐρήλιον [Σεουῆρον] | Ἀντωνεῖνον Σεβαστὸν [1], [στρα]τη-
γούντων τῶν | [περὶ] Εὔξενον Ἀπολ[λωνίου ἀρ]χόντων [2].

1. Caracalla. — 2. Inde liquet, ut in aliis urbibus, ita Sebastae etiam unum et eumdem
fuisse magistratum archontis ac strategi.

---

687. Sebastae. — Paris, *Bull. de corr. hellén.*, VII (1882), p. 449. Cf. Ramsay, *Journ. of
hellen. studies*, IV (1883), p. 411 ; *Cities of Phrygia*, I, p. 603, n. 476.

5 Κατὰ τὰ πολ|λάκις δόξαντα | τῇ βουλῇ καὶ | τῷ δήμῳ ‖ Μεμμίαν Ἀρίσ|την
10 Τευθραν|τίδα, ἀρχιέρειαν τῆς Ἀσίας [1], | οἱ ἴδιοι θρεπτοὶ ‖ παρ᾽ ἑαυτῶν, |
15 ἐπιμελησαμέ|νου Κλ. Μεμμίου | Κύρου τοῦ τρο|φέως αὐτῆς. ‖ Ἔτους σπθ΄,
μη[νὸς] ια΄, κ΄ [2].

1. Cf. n. 688. — 2. Anno aerae Sullanae 289 = 204/205 post C. n., mense XI, die XX.

688. Sebastae. — Paris, *Bull. de corr. hellén.*, VII (1883); p. 51. Cf. Ramsay, *Journ. of hellen. studies*, IV (1883), p. 411; *Cities of Phrygia*, I, p. 603, n. 477.

['Ἀγ]αθῇ τύχῃ | Ἡ βουλὴ καὶ ὁ δῆμος | ἐτείμησαν Κο. Μέμ|μιον Χαρί-
5 δημον Τευ‖θράντα ¹ Ἀσίας ἀρχιε|ρέων ἔγγονον, ἥρω|α, ἄριστον ῥήτορα, | τῆς
10 ἀναστάσεως | προνοησαμένης ‖ Στατειλίας Καλλιγόνης τῆς μητρὸς | αὐτοῦ. |
Ἔτους τκθ΄, μη(νὸς) θ΄ ².

1. Hujus viri forsitan avia fuerit Memmia Ariste Teuthrantis. Cf. n. 687. — 2. Anno aerae Sullanae 329 = 244/245 post C. n., mense IX.

---

689. Sebastae. — Kontoleon, *Rev. des ét. gr.*, XIV (1901), p. 303.

5 Ἡ βουλὴ καὶ ὁ | δῆμος ἐτίμη|σαν Καπίτωνα | Σωκράτους ‖ πρεσβεύσαντα |
ἐπὶ τοὺς κυρίους | αὐτοκράτορας | σὺν καὶ τῷ ὑῷ Σωκράτῃ | σπουδαίως καὶ
πιστῶς.

---

690. Sebastae. — Paris, *Bull. de corr. hellén.*, VII (1883), p. 452. Cf. Ramsay, *Journ. of hellen. studies*, IV (1883), p. 411; *Cities of Phrygia*, I, p. 602, n. 475.

Index hominum 71, qui anno 183 aerae Sullanae (= 98/99 p. Cn.) in γερουσίαν admissi sunt. Inter quos satis erit memorare :

V. 12. Θεογένης Θεογένους ἰατρός,
19. Εὔφραστος Καίσαρος,
20. Μᾶρκος Οὐαλέριος Κρίσπος στρατιώτης,
37. Γάιος Καρβείλις Γαίου υἱὸς Φαβίᾳ Μιθραδάτης.

---

691. Tatar Keui. — Anderson, *Journ. of hellen. studies*, XVII (1897), p. 416, n. 16; Körte, *Inscr. Bureschianae; Wissensch. Beilage der Universität Greifswald* (1902), p. 36, n. 64.

5 Διὶ καὶ Σεβασ|τῷ Καίσαρι | Εὔξεινος Ἀσκλη|πιάδου ὁ ἱερεύς. ‖ Χέρων
Γεσσίου ¹.

1. Lapicida, ut videtur.

692. Otroi. — Legrand et Chamonard, *Bull. de corr. hellén.*, XVII (1893), p. 277; Ramsay, *Cities of Phrygia*, I, p. 702, n. 638.

Ἀλέξανδρον Μακεδόνα, | κτίστην τῆς πόλεως¹.

1. Alexandrum conjicit Ramsay illum fuisse Asiarcham, nummis civitatis inscriptum circa annos 200-215 post C. n. (Babelon, *Invent. de la coll. Waddington*, nn. 6368, 6371), quem fingit originem suam duxisse a Macedonibus militibus, regum Pergamenorum colonis (Cf. Ramsay, *loc. cit.*, p. 688). Rectius vero ad regem Alexandrum Magnum videtur referri titulus; colebatur enim in Asia altero etiam saeculo post C. n. : Chapot, *Prov. rom. d'Asie*, p. 458.

---

693. Otroi. — Ramsay, *Bull. de corr. hellén.*, VI (1882), p. 517, n. 4; *Cities of Phrygia*, I, p. 703, n. 639.

5   [Αὐτοκρά]τορα | [Καίσαρα] Λ. [Σ]ε|[πτίμιον] Σεουῆ|[ρον Περ]τίνακα ‖ [Σεβασ-
τ]ὸν ἡ βου|[λὴ καὶ ὁ δ]ῆμος Ὀ|[τροηνῶν], ἐπιμε|[ληθέντ]ων τῆς ἀν|[αστάσεω]ς
10   Ἑρμογε‖[νιανοῦ] καὶ Εὐτύ|[χου καὶ Μ]ούτου καὶ | ......υντανοῦ | [ἀρχόν]των.

---

694. Otroi. — Duchesne, *Mélanges de Rome*, XV (1895), p. 155, pl. I; Ramsay, *Cities of Phrygia*, I, p. 720, n. 656.

[Ἐκ]λεκτῆς πό|[λε]ως ὁ πολεί|[της τ]οῦτ' ἐποί[ησα |
5   ζῶν, ἵ]ν' ἔχω φανε[ρῶς] ‖ σώματος ἔνθα | θέσιν.
Οὔνομα | Ἀλέξανδρος Ἀντω|νίου, μαθετὴς | ποιμένος ἁγνοῦ¹.
10   Οὐ μέντοι τύμβῳ ‖ τις ἐμῷ ἕτερόν τι|να θήσει ·
εἰ δ' οὖν, Ῥω|μαίων ταμείῳ θήσει | δισχείλια χρυσᾶ |
15   καὶ χρηστῇ πατρίδι ‖ Ἱεροπόλει χείλια | χρυσᾶ.
Ἐγράφη ἔτει τ', | μηνὶ ϛ'², ζόντος. |
Εἰρήνη παράγουσιν καὶ | μνησκομένοις περὶ ἡμῶν³.

1. Alexander ille, vir christianus, imitatus est epitaphium Avircii. Cf. n. 696. — 2. Anno aerae Sullanae 300 = 215/216 post C. n., mense VI. — 3. « Pax transeuntibus et iis qui mei meminerint. » De hac formula christiana cf. *C. I. Gr.*, 9266.

---

695. Hieropoli. — Ramsay, *Journ. of hellen. studies.*, IV (1883), p. 430, n. 41; *Cities of Phrygia*, I, p. 698, n. 630.

Ἀγαθῇ τύ[χῃ]. | Τῷ αἰωνίῳ [ἡμ]ῶν | αὐτοκράτορι Μ. Αὐρ. Διοκλη-

5 τιανῷ ' [Σ]εϐασ[τῷ] | ἡ λαμπροτάτη ‖ Ἱεροπολειτῶν | πόλις. Μ(ιλιάριον) Ι.

1. Anno 284 p. C. n. nomen Diocletiani scriptum est, loco nominis Πρόϐῳ erasi, ex quo superest fragmentum litterae Π.

Anno 286 alter titulus additus est in parte sinistra :

Dd. nn. Impp. Diocletiani et Maximiani inuict. Aug[g.].

Anno 292 haec etiam addita sunt :

5 Τοὺς ἐπι|φανεστά|τους Καί|σαρας Φλα. Οὐαλ. ‖ [Κωνστάντι]ον ' | καὶ
Γα[λ]. Οὐαλ. Μαξιμιανὸν | ἡ Ἱεροπολειτῶν | πόλις.

1. Post annum 292 erasum.

---

696. Hieropoli. — Marrucchi, *Nuovo bullettino di archeologia cristiana*, 1893, pl. III-VII (photogr.); Ramsay, *Cities of Phrygia*, I, p. 722, n. 657.

['Εκλεκτῆς πόλεως ὁ πολείτης τοῦτ' ἐποίησα
    ζῶν ἵν' ἔχω φανερῶ(ς) σώματος ἔνθα θέσιν,
οὔνομ' 'Αουίρκιος (ὢν ὁ) μαθητὴς ποιμένος ἁγνοῦ,
ὃς βόσκει προϐάτων ἀγέλας ὄρεσι(ν) πεδίοις τε,
ὀφθαλμοὺς ὃς ἔχει μεγάλους (καὶ πάνθ') ὁρόωντας ·
οὗτος γὰρ μ' ἐδίδαξε (τὰ ζωῆς) γράμματα πιστά],
εἰς 'Ρώμη[ν ὃς ἔπεμψεν] | ἐμὲν βασι(ι)λῆ[αν ἀθρῆσαι] |
καὶ βασίλισ[σαν ἰδεῖν χρυσόσ]|τολον χρ[υσοπέδιλον] · ‖
5   λαὸν δ' εἶδον [ἐκεῖ λαμπρὰν] | σφραγεῖδαν ἔ[χοντα] · |
καὶ Συρίης πέ[δον εἶδα] | καὶ ἄστεα πά[ντα, Νίσιϐιν], |
10 Εὐφράτην δια[ϐάς · πάν]‖τη δ' ἔσχον συνο[μήθεις] · |
Π(α)ῦλον ἔχων ἐπό[μην, | Π]ίστις [πάντη δὲ προῆγε] |
καὶ παρέθηκε [τροφὴν] | πάντη, 'Ιχθὺν ἀ[πὸ πηγῆς], ‖
15 πανμεγέθη, καθ[αρὸν, ὅν] | ἐδράξατο Παρθέ[νος ἁγνὴ], |
καὶ τοῦτον ἐπέ[δωκε φί]|λοις ἔσθ[ειν διὰ παντὸς, |
οἶνον χρηστὸν ἔχουσα, κέρασμα διδοῦσα μετ' ἄρτου.
Ταῦτα παρεστὼς εἶπον 'Αουίρκιος ὧδε γραφῆναι ·
ἑϐδομηκοστὸν ἔτος καὶ δεύτερον ἦγον ἀληθῶς.
Ταῦθ' ὁ νοῶν εὔξαιθ' ὑπὲρ αὐτοῦ πᾶς ὁ συνῳδός ·
οὐ μέντοι τύμϐῳ τις ἐμῷ ἕτερόν τινα θήσει ·

εἰ δ' οὖν, Ῥωμαίων ταμείῳ θήσει δισχείλια χρυσᾶ,
καὶ χρηστῇ πατρίδι Ἱεράπολι χείλια χρυσᾶ].

Hujus tituli commentarium habes plenissimum : H. Leclercq apud Dom Cabrol, *Dict. d'arch. chrétienne*, I, p. 66 et suiv.

Epitaphium est Avircii Marcelli, episcopi Hieropolitani, nati, ut ferunt, circa annum 120 post C. n., vita defuncti paulo post annum 192, quo ipse de se hos versus composuit (cf. v. 18). Eos postea in sepulcro vidit et descripsit auctor ille incertus Actorum Sancti Abercii, anno fere 400, ex cujus exemplari supplentur non modo verba singula, sed etiam versus 1-6 et 16-22, qui in lapide desunt. Cf. etiam n. 694.

V. 1. ἐκλεκτὴ πόλις, Hieropolis, sed occulto sensu caelestis civitas, inter ceteras electa.

V. 2. ἔχω καιρῷ mss., φανερῶς lapis in n. 694.

V. 3. « discipulus sancti pastoris », Christi.

V. 6. τὰ ζωῆς supplevit de Rossi; λόγους καὶ Zahn, Schultze.

V. 7. ἐμὲν = ἐμὲ ; βασιλῆαν = βασιλέα, imperatorem (Ramsay). Alii autem interpretantur βασιλείαν, regiam dignitatem Romae, reginae gentium (Duchesne).

V. 8. βασίλισσαν, imperatoris uxorem, aut fortasse romanam Ecclesiam, orbis reginam.

V. 9. Populus Christianus, splendido sigillo baptismatis impressus.

V. 10. Avircius, Roma in Phrygiam redux, postea Syriam peragraverat usque Nisibim, ad urbem Mesopotamiae, sitam in ipso limite imperii inter Euphratem et Tigrim, quae a Trajano capta erat; coloniam autem eo deducendam primus jussit Septimius Severus. Ibidem Romani cum Persis nundinabantur.

V. 11. συνομηγύρους mss. barbare; συνομήρεις conjunctos, aut συνομήθεις, iisdem moribus utentes (Ramsay), Christianos, fratres in Christo.

V. 12. Paulum apostolum secutus est itineris et vitae ducem, nisi falluntur commentatores.

V. 12-13. Fides christiana viam ostendit peregrinanti et eum ubique aluit; nam ei praebuit comedendum Piscem, symbolum Christi notissimum, quem in fonte baptismatis ceperat Virgo casta, Ecclesia fidelium; et eum cibum dabat etiam ejusdem religionis amicis.

V. 16. Vinum et panis eucharisticus. Κέρασμα, vinum aqua mixtum.

V. 18. Annos septuaginta duos natus erat Avircius eo tempore quo epitaphium suum lapidi curavit incidendum; id autem tempus videtur congruisse cum fine principatus Commodi (176-192), quia religionem suam difficilius professus esset annis anterioribus; anno autem 216 jam ejus versus excerpsit Alexander, Antonii filius. Cf. n. 694.

V. 19. ὁ νοῶν, omnis Christianus, qui occultum sensum hujus epitaphii intelligit et cum auctore concinit. Deum pro eo precatur; αὐτοῦ = μου.

---

697. Synnadis. — Legrand et Chamonard, *Bull. de corr. hellén.*, XVII (1893), p. 281, n. 82.

.... | Αὐτοκράτορα Καίσαρα | Σεπτ. Σεουῆρο[ν] | Περτίνακα Εὐτυχ[ῆ] |
5 Εὐσεβῆ Σεβαστὸν | ἡ πόλις.

698. Synnadis. — Le Bas et Waddington, n. 1707.

5　Ἰουλίαν Δ[ό]‖μναν Σεβ(αστὴν), μη[τέ]‖ρα κάστρων, | ἐπὶ ἀνθ(υπάτου) Τινε(ί)‖ου Σαχέρδ(ω)‖τος¹, πρεσβε[υ]‖τοῦ δὲ Δομι|τίου Ἀριστα[ί]|ου Ἀραβιανοῦ².

1. Q. Tineius Sacerdos cos. suff. anno incerto sub Commodo, proconsul Asiae sub Septimio Severo; cf. n. 674 et *Prosop. imp. rom.*, III, p. 322, nn. 170, 171. — 2. Domitius Aristaeus Arabianus, legatus provinciae Asiae; cf. *Prosop. imp. rom.*, II, p. 19, n. 113.

699. Synnadis. — Le Bas et Waddington, n. 1708.

Αὐτοκράτορα | Καίσαρα Μ. Αὐρή|λιον Ἀντωνεῖνον | Σεβ. μέγιστον, υἱὸν ‖
5　Αὐτοκράτορος | Καίσαρος Λ. Σε|πτιμίου Σεουή|ρου Σεβ. | Αὐρήλιος Σάν‖κτος
10　καὶ Πλω|τία Ἀγριππεῖνα | συνκλητικοί.

700. Synnadis. — Perrot, *Rev. archéol.*, XXXI (1876), p. 195, n. 1.

Τὸν ἐπιφανέστατον Καί|σαρα Φλ. Οὐαλέριον | Κωστάντιον ἡ λαμπρὰ | τῶν
5　Συνναδέων μητρό‖πολις καὶ δὶς νεωκόρος | τῶν Σεβ(αστῶν) διὰ τῶν πε|ρὶ τὸν
κρ(άτιστον) δουκηνάριον¹ | Φλ. Αὐρ. Ἀχιλλέα, πρῶ|τον ἄρχοντα τὸ τρίτον, ‖
10　ἀρχόντων.

1. Vir egregius ducenarius, procurator ad sestertium ducena millia. Annis 293/305 post C. n.

701. Synnadis. — Ramsay, *Bull. de corr. hellén.*, VII (1883), p. 297, n. 22.

5　[Λ]εύκιον | [Λ]ικίννιον | Λευκίου | υἱὸν ‖ Λεύκο[λλ]ον | ἀντιταμίαν |
πατρῶνα | καὶ | εὐεργέτην¹.

1. L. Licinius L. f. Lucullus Ponticus, quaestor et proquaestor in Asia « per multos annos (88-80) admirabili laude provinciae praefuit »; Cic. *Acad. pr.* 1, 1. De rebus tum ab eo gestis cf. Plut. *Luc.* 2-4. Quomodo bellum, postea quam consulatum suscepit (anno 74), cum Mithridate gesserit, omnibus notum est. Cf. Dittenberger *Sylloge*, ed. II, nn. 331, 332, 334, 335.

702. Synnadis. — Perrot, *Rev. archéol.*, XXXI (1876), p. 198, n. 2.

5　Ἀγαθῇ τύχῃ · | Αὐρήλιον | Ἀρισταίνετο[ν] | τὸν ‖ δικαιότατον | τῆς Φρυ-

10 γίας | ἐπίτροπο[ν] ¹ | ἡ πόλις, | τὴν ‖ ἐπιμελεία[ν] | τῆς ἀναστάσεω[ς] |
15 ποιησαμέν[ων] | τῶν περὶ | Αὐρ. Ἀθήναιο[ν] ‖ Ἀχύλιον | πρῶτον | ἄρχοντα |
ἀρχόντων.

1. *Prosop. imp. rom.*, I, p. 196, n. 1210. Saeculo III post C. n., cum rationem reliquae
provinciae tractaret, ut antea, procurator Augusti, fuit etiam Phrygiae suus : Chapot,
Prov. rom. d'Asie, p. 334.

---

703. Synnadis. — Legrand et Chamonard, *Bull. de corr. hellén.*, XVII (1893), p. 282,
n. 83.

5 Ἀγαθῇ τύχῃ. | Ἡ κρατίστη βουλὴ | ἐτείμησεν | [τὸ]ν ἐν πᾶσι εὐεργ‖[έ-
την] καὶ κτίστην τῆς πα|[τ]ρίδος Αὐρ. Ἀρισ|ταίνετον ἐπίτρο[π]|ον Σεβαστοῦ ¹, |
10 γραμματεύοντος ‖ τῆς βουλῆς Μ. Αὐρ. | Ἀλεξάνδρου Ἀχιλ|λέως.

1. Cf. n. 702.

---

704. Synnadis. — Legrand et Chamonard, *Bull. de corr. hellén.*, XVII (1893), p. 283,
n. 85.

5 .... | ον ἀγαθὸν καὶ δίκαι|ον Αὐρ. Μαρχίωνα | ἐπίτροπον τῶν θει‖οτάτων
αὐτοκρατόρων ¹ | διὰ τὰς εἰς τὴν πατρί|δα εὐεργεσίας, | τὴν ἐπιμέλειαν τῆς |
10 ἀναστάσεως ποιησα‖μένων παρ᾿ ἑαυτῶν | Αὐρ. Χρυσαντίωνος | καὶ Μαρχιανοῦ
15 Ζωτικοῦ | Κάστορος καὶ Διονυσίου | Ἀνδρέστου καὶ Ἑρμογέ‖νους Θεμίσωνος
καὶ | Αὐξάνοντος Γαίου, | ἀρχόντων τῆς πόλεως.

Cf. n. 676.

---

705. Synnadis. — Perrot, *Rev. archéol.*, XXXI (1876), p. 200, n. 3.

5 Ἀγαθῇ τύχῃ. | Τὴν κρατίστην | Κλ. Σεπτιμίαν | Νικαρέτην, ‖ γυναῖκα
10 Αὐρ. | Ἐλπιδηφόρου | τοῦ κρατίστου, | Αὐρ. Εὔαγρος | Εὐάγρου, ‖ πρῶ-
τος ἄρχων | τὸ δεύτερον, | ἀρετῆς καὶ | σωφροσύνης | ἕνεκα.

---

706. Synnadis. — Körte, *Athen. Mittheil.*, XXII (1897), p. 28.

5 Ἡ γερουσία | Κλ. Λωρεντίαν | ἀρχιέρειαν τῆς | Ἀσίας, ἐπιμελη‖θέντων
τῆς ἀ|ναστάσεως | Οὐαλερίων Κορ|ονείνου καὶ Φρόν|τωνος ἀρχόντων.

707. Synnadis. — Legrand et Chamonard, *Bull. de corr. hellén.*, XVII (1893), p. 286, n. 88.

Ἀρχιερεὺς | Ἀσίης Δημή|τριος οὗτος | ἐκεῖνος, |
ὃν πάντων | φωναί φασι | πολυστέφανον.
Θυνναρίδαι ¹ | δ' ἔστησαν ἐν | εἰκόνι δόγμ[α]|ͱι κοινῷ |
βουλῆς καὶ | δήμου, κλε[ι]|νὸν ἄγαλμα | πάτρης.

1. Ipsi profecto Synnadenses, quorum heros Thynnarus nummo quodam notus est : Mionnet, IV, p. 364, n. 962.

---

708. Synnadis. — Legrand et Chamonard, *Bull. de corr. hellén.*, XVII (1893), p. 284, n. 86.

Ὁ δῆμος ἐτείμησε Ἀρτέμωνα | Ἡροδώρου εὐσεβῆ ἀρχιερέα τῶν | κατὰ
πόλιν θεῶν ¹ καὶ ἱερέα | Ὑγείας τε καὶ Σωφροσύνης | γυμνασιαρχήσαντα
ἐκ τῶν ἰδίων | χρημάτων διετίαν.

1. Sacerdos maximus κοινοῦ profecto alicujus. Cf. Brandis ap. **Pauly et Wissowa,** *Realencyclop.*, II, col. 477, v. 27 et col. 481, v. 62.

---

709. Synnadis. — Ramsay, *Bull. de corr. hellén.*, VII (1883), p. 299, n. 23.

[Τὸ σ]υνέδριον τῶν [φιλ]οσε[6ά]στων νέων | [ἐτεί]μησεν Τίτον Αὐ[ρ]ήλ[ιον
Κλα]ύδιον Ἄττα|λον Σατ......, | Κλαυδίου Αὐρηλίου Σατ...... Τερτυλλεί-
νου υἱὸν, [διὰ τὰ]ς τοῦ | πατρὸς αὐτοῦ ε[ἰς τὸ σ]υνέδριον ἀνυπερ|6λή[του]ς
[εὐερ]γεσίας, ἀναθέντος [τὰς τ]ει|μὰς Ἀσάνδρου β' [Σ]ωκράτους τοῦ συγ|γε-
νοῦς αὐτῶν.

---

710. Synnadis. — *C. I. L.*, III, 7047.

Arruntiae L. f. Attice | cont[uber]nali et Q. [Arrunt]io | Ius[tin]o carissim[o
filio] | Hya[cinthus?.........r | Caes[ar]..... p. d. s. |
Ἀρρο[υντίαι Ἀ]ττικῆι | γυναικ[ὶ ἑαυτοῦ καὶ Κο]ίντῳ | Ἀρρουν[τίῳ] Ἰ[ο]υ[σ-
τίνῳ] | μει////.....ν.ων., | κα.........υς | ει.

711. Synnadis. — *C. I. L.*, III, 13656.

Titus Flauius Au..... | Alter(um) in hoc m(onumento) condi nisi concess[e]ro
di......... |
... τούτου τοῦ μνημείου τολ[μησ].....

---

712. Nai. — Ramsay, *Cities of Phrygia*, I, p. 610, n. 513.

[Αὐτοκράτορι Νέρων]ι ¹ Καίσαρι Σεβασ[τῶι Γερμανικῶι κ]αὶ τῶι δήμωι
.... ² Μάκερ τὸ πρόπυλον ἀνέθη[κεν καὶ τ]ὰ ἐργαστήρια.

1. Divisio versuum non indicatur. Supplementa admodum incerta. — 2. ...ΙΣ..... tra-
ditur.

---

713. Nai. — Ramsay, *Journ. of hellen. studies*, IV (1883), p. 432, n. 4; *Cities of
Phrygia*, I, p. 610, n. 511.

Αὐτοκράτορι | [Δομιτιανῷ] Καίσαρι Σεβαστῷ Γερμ|ανικῷ τὸ δι΄, Λουκίῳ
5 Μινουκίῳ | Ῥούφῳ ὑπ(άτοις), ἔτους ροϛ΄, μη(νὸς) Πανήμου ¹, ‖ οἱ ἐν Νάει
κατοικοῦντες Ῥωμαῖοί τε καὶ [ξένοι?]

1. Anno 172 aerae Sullanae, Domitiano XIV, L. Minucio Rufo coss., = anno 88 post C. n.

---

714. Blaundi. — Buresch, *Aus Lydien* (1898), p. 122, n. 61.

Τιβέριον Καίσαρα Σεβαστόν.

---

715. Blaundi. — *C. I. Gr.*, 3868.

Ὁ δῆμος [Αὐτοκράτορι Τί]τωι Καίσαρι Σεβαστῶι | καὶ πατρὶ θεῶι.

---

716. Blaundi. — Le Bas et Waddington, n. 1678.

[Αὐτοκράτορι Καίσαρι Τ. Αἰλίῳ Ἀδριανῷ Ἀντωνείνῳ | Σεβ]αστῷ Εὐσε-
βεῖ κ[α]ὶ Οὐήρῳ Καίσαρι υἱῷ τοῦ Σεβαστ[οῦ] καὶ Φαυστείνῃ Σεβασ[τ̄ῃ]...... | ..
εἰσόδῳ ἐκ θεμελίων σὺν παντὶ τῷ κόσμῳ | Φλαουία Μάγνα ἀρ[χ]ιέρεια ἀνέθηκεν
σ......

717. Blaundi. — *C. I. Gr.*, 3866; Ramsay, *Cities of Phrygia*, I, p. 611, n. 514.

5 Βλαυνδέων'| Μακεδόνων ' | ἡ βουλὴ καὶ ὁ | δῆμος τὸν ἀγνότατον ‖ Γ. Ἀσίν(ιον)
Ἰουλια|νὸν ², τὸν κράτισ|τον ὑὸν Γ. Ἀσιν(ίου) Προτείμου | Κουαδράτου | ὑπα-
10 τικοῦ ³, τὸν ‖ ἐν πᾶσιν εὐεργέ|την καὶ κτίστην | τῆς πόλεως, | ἐπιμελησαμέ|νου
15 Αὐ[ρ]. Γλύκω|νος β' [τ]οῦ Νίγρου ⁴.

1. Colonia a Seleucidis regibus olim condita. Idem cognomen in nummis Blaundenio-
rum legitur. Cf. Schuchardt, *Athen. Mittheil.*, XIII (1888), p. 1. — 2. *Prosop. imp. rom.*,
I, p. 162, n. 1018. Cf. 1023. — 3. C. Asinius Protimus Quadratus consularis saeculo III
ineunte : *Prosop. imp. rom.*, I, p. 168, n. 1029. — 4. Filius, ut videtur, Glyconis, primus
archon, inscriptus est in nummis civitatis circa annum 250 post C. n.

---

718. Blaundi. — *C. I. Gr.*, 3867.

Γάιον Μούμμιον Μάρχου υἱὸν Κολλείνᾳ Μᾶρχον φιλόπατριν Γάιος Μούμμιος
Κάνων καὶ Μουμμία Ἀγάπη τ[ὸ]ν πάτρων(α) ἐκ τῶν ἰδίων.

---

719. Blaundi. — *C. I. L.*, III, 361.

....cnia templum et porticu...

.....ον χι.......|..... Κλαυδιο.

---

720. Blaundi. — *C. I. Gr.*, 3870; Buresch, *Aus Lydien* (1898), p. 119, n. 58.

Λ. Σάλουιος [Κρίσ]πος ἑαυτῶι καὶ | Κουσινίαι Φ[ιρμίλλ]ηι πῆι γυναικὶ | τὸ
μνημεῖ[ον ἐ]ποίησεν ζῶσιν. | Τοῦτο τὸ μνημεῖον κληρονόμοις οὐκ ἀκολουθήσει '
5 οὐδέ τινι ‖ ἐξέσται ἐν αὐτῶι θά[ψ]αι τινὰ ἢ Σαλ|ουίους Ἀρτε[μ]ί[δ]ωρον καὶ
Σώρρονα ἀπε|λευθέρους καὶ [Ε]ὐπλοίδα καὶ Σωζομέ|νην τὰς [γυ]ναῖκας αὐτῶν
ἐν τῆι σ[ο|ρ]ῷ .... · [ἐ]ὰν δέ τις [ἐπιχειρ]ήσῃ, [ἀπο|τίσει τῶι μ]ὲν φίσκω[ι
10 δηνά]ρια πεν‖τάκις χείλια καὶ τ[ῷ Β]λ[α]υν[δέων] | δήμῳ..........

1. Hoc monumentum heredes non sequetur.

---

721. Pecmisch. — Körte, *Inscr. Bureschianae; Wissensch. Beilage der Universität
Greifswald* (1902), p. 37, n. 66.

a. ....νούσιον | ....[ἄνδ]ρα ἀγαθὸν | ...... παρεσχε|[κότα...... τὴ]ν
5 ἀνάστα‖[σιν.... ἐκ τ]ῶν ἰδίων......

b. ......Σερουείλιον ......[υἱὸν Κλαυ]|δία Δαμοκρά[την ἱερέα τῶν Σε]|βαστῶν
5 ἄνδ[ρα ἀγαθὸν ἐκ προ]|γόνων πολ[ὺ....... τῇ] ‖ πατρίδι τι....

---

722. Pepouzae. — Ramsay, *Cities of Phrygia*, I, p. 600, n. 470.

Αὐρ. Τατία Σωσθένους σὺν τῷ υἱῷ Ἱέρωνι Τ[ρύ]φων[ι] τῷ ἑαυτῆς ἀνδρὶ
κατεσκεύασεν ἐκ τῶν ἰδίων αὐτοῦ μνήμης ἕνεκεν, ἐν ᾧ κηδευθήσετε καὶ αὐτὴ καὶ
τὰ κοινὰ αὐτῶν τέκνα · ἄλλῳ οὐκ ἐξέστε · εἰ δὲ μή, θήσι τῷ ταμείῳ προστίμου
δην(άρια) αφ'.

Versuum divisio non indicatur.

---

723. Eumeniae. — Paris, *Bull. de corr. hellén.*, VIII (1884), p. 245, n. 9; Ramsay,
Cities of Phrygia, I, p. 377, n. 201.

[Ὁ δ]ῆμος καθιέρωσεν | [Γε]ρμανικὸν Καίσαρα ὕπατο[ν [1], | σ]ωτῆρα καὶ
5 εὐεργέτην | τῆς πόλεως, ἐπιμελη|θέντων Ἑρμαγένους τοῦ | Μελίτωνος, καὶ
Μνησιθέ|ου τοῦ Φαινίππου, καὶ Ἀρτε|μιδώρου τοῦ Ἀρτε|μιδώρου τοῦ Γλύκωνος ‖
10 ἀρχόντων.

1. Anno fortasse 12 post C. n., potius tamen anno 18, quo Germanicus cos. II, missus
in transmarinas provincias cum potestate extraordinaria, Asiam peragravit. Cf. *Prosop.
imp. rom.*, II, p. 178, n. 146. At negat Ramsay spatium fuisse scribendo ὕπατο[ν β'].

---

724. Eumeniae. — Paris, *Bull. de corr. hellén.*, VIII (1884), p. 236, n. 6.

Ὑπὲρ τῆς ὑγείας..... | αὐτῶν καὶ τῆς αἰω[νίου διαμονῆς] [1].....

1. Caesarum incertorum.

---

725. Eumeniae. — *C. I. Gr.*, 3902 *b*; Dittenberger, *Orient. gr. inscr. sel.*, n. 458,
v. 51-67.

Decreti de mutandis Asiae fastis fragmentum est. Totum vero decretum edetur inter
titulos Prienenses.

726. Eumeniae. — Ramsay, *Cities of Phrygia*, I (1895), p. 387, n. 205.

V. 7-10. τῇ πόλει ὑπ[ὲρ ἑαυτοῦ] καὶ τοῦ υἱο[ῦ Λ.?] Λι[κιννί]ου Τερε[ν-
τίου]..... ιανοῦ παιδὸς...... νου.... ἱππικο '.. ....ς πέντε εἰς ὀρ...., σειτω-
νι[κ]ὸν πό[ρον?]........... ².

V. 1-6 legere non potuit editor, qui divisionem versuum non indicat. — 1. Eques
romanus? — 2. Sequuntur vv. 11 et 12.

---

727. Eumeniae. — Paris, *Bull. de corr. hellén.*, VIII (1884), p. 241, n. 2; Ramsay,
Cities of Phrygia, I (1895), p. 392, n. 239.

In capitulo :

Μελίτωνος τοῦ ἀρχιτέ[κτονος]. |

In stela :

Τὸ μνημεῖον Θεογένους καὶ Μελίτωνος τῶν | Καπίτωνος, τοῦ βωμοῦ ἐπιτε-
θέντος ὑπὸ Γαίου β' | Ζωτικοῦ, ἐπιτρόπου, υἱοῦ τοῦ Μελίτωνος.

---

728. Eumeniae. — *C. I. Gr.*, 3902 *c*; Ramsay, *Cities of Phrygia*, I (1895), p. 381, n. 216.

['Η βουλὴ καὶ ὁ δῆμος ἐτεί]μη[σ]αν [Π. Αἴλ]ιον Φα[υστια]νὸν ¹, χε[ιλίαρχ]ον
χώ[ρτης] ἕκτης Ἰσ[πανῶν] καὶ χειλί[αρχον χ]ώρτης [πρώ]της '[Ρ]αιτῶ[ν ², τὸν]
ἑαυτῶν εὐε[ργέτην].

1. Aut [Γ. Ἰούλ]ιον Φα[6ωρῖ]νον aut Φα[ννια]νόν, aut tale aliquid. — 2. De cohorte VI His-
panorum fere nihil rescivimus. Cohors autem I Raetorum equitata videtur in Cappadocia
militavisse : cf. Cichorius, s. v. *Cohors* ap. Pauly et Wissowa, *Realencyclop.*, col. 302,
v. 55; col. 326, v. 3 et 14. Cf. titulum sequentem.

---

729. Eumeniae. — *C. I. Gr.*, 3902 *q*; Ramsay, *Cities of Phrygia*, I (1895), p. 381, n. 215.

Πῶλλα Ἀντωνείίνῳ στρατιώτῃ | σπείρης πρώτης | Ῥαιτῶν ¹ ἰδίῳ ἀνδρὶ ‖
5 μνήμης χάριν ἱς ὃ | ἡρῷον οὐδενὶ ἑτέίρῳ ἐξέσται τεθῆνα[ι] · | εἰ τις δὲ ἐπιχει-
10 ρήίσει, θήσει ἱς τὸν φίσ‖κον δην(άρια) βφ'.

1. Cf. n. 728.

730. Eumeniae. — Paris, *Bull. de corr. hellén.*, VIII (1884), p. 232, n. 21; Ramsay, *Cities of Phrygia*, I (1895), p. 382, n. 218.

Ἔτους τκ΄ μη(νὸς) θ΄ αι΄ [1] | Διονύσιος στρατιώ|της ὁ καὶ βετρανός. | [Δ]ιονύ-
5 σιος στρατιώτης κα[ὶ] ‖ Στράτων κατεσκεύα[σαν] | τὸ ἡρῷον ἑαυτοῖς. [Αὐρ.]
Ἰοῦσ[τ]α Σεβα[στηνὴ κα]ὶ Πρειζηνή [2], γυνὴ | Διο[νυσίου Αὐ]ρ. Διον[υσίῳ τῷ
10 ἀνδρὶ | καὶ Σ]τράτων τῷ γλυκυτάτῳ | [π]ατρὶ Αὐρ. Διονυσίῳ ‖ [βετρα]νῷ κ[α]ὶ
Στρά]τω[ν τῷ ἀδελ]φῷ.

1. Anno 320 aerae Sullanae = 235/236 post C. n., mense IX, die XI. — 2. Sebasta urbs Phrygiae vicina; cf. nn. 682-690. Priza autem forsitan eadem fuerit, ut contendit Ramsay, quae Bria dicebatur.

---

731. Eumeniae. — Ramsay, *Cities of Phrygia*, I (1895), p. 529, n. 373; Dessau, *Inscr. lat. sel.*, II, 8881.

Αὐρ. Νεικέρως β΄ κατεσ|κεύασεν τὸ ἡρῷον | [ἑ]αυτῷ καὶ γυναι(κὶ) καὶ | τέκ-
5 νοις · ἔθηκα δὲ φίλον · ἐνθάδε ‖ κεκήδευτε Αὐρ. | Μάννος [1] στρατιώτης | ἱππεὺς
σαγιττάρις | δρακωνάρις [2] ἐξ ὀφικ[ί]ου τοῦ λαμπροτάτου | ἡγεμόνος Καστρίο[υ] ‖
10 Κώνσταντος [3] · | ὃς ἂν δ᾽ ἐπιτηδεύ|σει ἕτερος, ἔστε αὐ|[τῷ πρὸς τὸν Θέον].

1. Aur. Niceros in hoc sepulcro, quod sibi uxorique et liberis paraverat, deponendum curavit amicum Aur. Mannum. — 2. Draconarius, signifer, qui draconem, cohortis signum, ferebat : Fiebiger apud Pauly et Wissowa, *Realencyclop.* s. v. De sagittariis autem equitibus cf. Cagnat ap. Saglio, *Dict. des antiqu.* s. v. — 3. Κάστριος fortasse errore lapicidae pro Καστρί(κι)ος : cf. v. 3 γυναι(κὶ) κχί; tamen non inauditus est Castrius (Cf. *Prosop. imp. rom.*, I, p. 319, n. 434). Asiaene vir ille praefuerit non constat; circa Diocletianum imperantem exaratum titulum arbitratur editor.

---

732. Eumeniae. — Paris, *Bull. de corr. hellén.*, VIII (1884), p. 244, n. 6; Ramsay, *Cities of Phrygia*, I (1895), p. 381, n. 217.

5 Διόδωρος Φλ. | Διοδώρῳ στρα|τιώτῃ τέκνῳ μνή|μης χάριν · εἴ τις ‖ ἀνορύξε
τὸ [μνῆ]|μα, θήσει ἰς [τὸ τα]|μεῖον δηνάρια ε΄.

---

733. Eumeniae. — *C. I. L.*, III, 369; Ramsay, *Cities of Phrygia*, I (1895), p. 381, n. 214.

5 Ilus Gemelus | eq. armorum | custos [1] Eu|taxiae conju|[gi] merenti fecit. |
10 Ἶλος Γέμελος ἱπ|πεὺς ὁπλοφύλαξ | Εὐταξίᾳ συμβίῳ | μνήμης χάριν ‖ ἐποίησεν.

734. Eumeniae. — *C. I. Gr.*, 3898; Ramsay, *Cities of Phrygia*, I (1895), p. 379, n. 209.

Ἀγαθῇ τύχῃ · | τὸ ἡρῷον καὶ τὸν ἐπ' αὐ|τοῦ βωμὸν κατεσκε|ύασεν Γ. Ἰουβέν-
5 τιος ‖ Ῥοῦφος στρατιώτη|ς ἑαυτῷ καὶ τῇ γενο|μένῃ αὐτοῦ γυναικὶ | Σεπτιμίᾳ
10 Λουκίλλῃ, | εἰς ὃ αὐτοὶ κηδευθή‖σονται, ἕτερος δὲ οὐ|δεὶς παρὰ γνώμην | τοῦ
15 Ῥούφου ἢ διαταγή|ν · ὁ δὲ ἐπιχειρήσας | κηδεῦσαι ἕτερον τινα, ‖ ἀποτείσει εἰς τὸν
20 ἱε|ρώτατον φίσκον | δην(άρια) 6ρ' δισχί|λια π|εντακ‖όσια.

---

735. Eumeniae. — Legrand et Chamonard, *Bull. de corr. hellén.*, XVII (1893), p. 242;
Ramsay, *Cities of Phrygia*, I (1895), p. 380, n. 210.

Γάιος Ἰούλιος Μύρτιλος | [οὐ]ετρανὸς, βουλευτὴς τῆς | Εὐμενέων πόλεως,
5 ἑαυτῷ | κατεσκεύασεν αἴμνηστον ‖ οἶκον ἐν ᾧ τεθήσομαι, προ|κειμένης μου | τῆς
10 γυναικὸς | Λαΐδος τῆς γλ|υκυτάτης, πρὸς ‖ τὸ μηδένα ποτὲ | ἐπιχειρῆσαι μη|δὲ
15 κεινῆσαι · εἰ | δέ τις ἂν ρανεί|η μετὰ τὸ ἐμὲ ‖ τεθῆναι, ὑπεύθυνος ἔσ|ται τῷ
ἱερωτάτῳ ταμεί|ῳ δηνάρια βφ'. Ὑγιαίνιν δὲ λέγω | πᾶσι τοῖς παροδείταις. |
Θύρα [1].

1. Janua, qua ex hoc mundo viventium in alterum intrabatur, cum in sepulcro deerat,
ejus certe nomen lapidi Phryges incidebant, ut constat ex multis titulis in illa regione
repertis. Cf. Ramsay, *loc. cit.*, p. 395, ad n. suum 280.

---

736. Eumeniae. — Ramsay, *Cities of Phrygia*, I (1895), p. 380, n. 211.

Ἰούλιος Παπίας ὁπλοφύλαξ σπείρ[ης π]ρώτης Ῥαιτῶν [1] ζῶν ἑαυτῳ κατεσ-
κεύασεν [κ]αὶ Μενεκρά[τει τ]οῦ Γαίου τῷ ἀ[νεψ]ιῷ μου καὶ οἷς ἂν Μενεκράτη[ς]
βουληθῇ.

1. Cf. supra, n. 729, not. 2.

---

737. Eumeniae. — Legrand et Chamonard, *Bull. de corr. hellén.*, XVII (1893), p. 243,
n. 7; Ramsay, *Cities of Phrygia*, I (1895), p. 381, n. 212.

Ἀγαθῇ τύχη · | Κ. Οὐίβιος Ῥοῦφος οὐ[ετ]|ρανὸς τὸ σύνκρους|τον [1] καὶ τὸν
5 ἐπ' αὐτο[ῦ] γράδον [2] σὺν τῷ βωμ[ῷ] ‖ ζῶν ἑαυτῷ καὶ Ἀμμ[ίᾳ τ]|ῇ γυναικὶ κὲ
Ῥ]ουφίνῃ θυ[γ]ατρὶ κατεσκεύασεν · ε[ἰς τὸ] | ἡρῷον οὐδε[ν]ὶ ἑτέρῳ ἐξουσία

ἔστ[αι] τεθῆναι, πλὴν ἐμοῦ κ[αὶ] τῆς γυναικός μου · ἐὰν δέ τις ἕτερος ἐπιχει-
ρ[ήσ]ει τινὰ θεῖναι, ἀποδώ[σει] εἰς τὸν τῶν κυρίων φίσκ[ον δην(άρια) βϡ'].

1. Basis. — 2. Gradus in basi, quibus ad altar ascendebatur.

---

738. Eumeniae. — *C. I. Gr.*, 3962 *i;* Legrand et Chamonard, *Bull. de corr. hellén.*, XVII
(1893), p. 242; Ramsay, *Cities of Phrygia*, I (1895), p. 381, n. 213.

5   Μ. Σήϊος Δημα|γόρας οὐετρα|νὸς τὸ σύνκρουσ|τον καὶ τὸν γρά‖δον [1] σὺν τῷ
βω|μῷ ἑαυτῷ καὶ | Μελιτίνη τῇ | γυναικὶ ζῶν | ἐποίησεν.

1. Cf. n. 737.

---

739. Eumeniae. — *C. I. Gr.*, 3886 et *Add.*, p. 1103; Ramsay, *Cities of Phrygia*, I (1895),
p. 246, n. 88 et p. 375, n. 197.

       Ὁ δῆμος ἐτεί[μησεν? Μ. Αὐρ.] | Μόνιμον Ἀρίστων[ος | Ζηνόδο]τον λαμπα-
5 δάρχην [1], ἱ[ερέα Διὸς] | Σωτῆρος καὶ Ἀπόλλ[ωνος καὶ] ‖ Μηνὸς Ἀσκαηνοῦ [2] [καὶ
   Μητρὸς] | θεῶν Ἀνγδίστεω[ς [3] καὶ Ἀγαθοῦ] | Δαίμονος καὶ Εἴσε[ιδος καὶ Σε]‖6ασ-
10 τῆς Εἰρήνης [4], σ[τρατηγὸν] | τῆς πόλεως τὸ ἕκτον, [χρεοφυλα]‖κήσαντα καὶ
   ἐγλογισ[τεύσαντα] [5] | καὶ ἀγορανομήσαντα [καὶ εἰρηναρ]|χήσαντα καὶ παραφ[υ-
   λάξαντα | καὶ γραμ]μ[α]τεύ[σαντα].

1. Simile officium implebat in mysteriis Eleusiniis ὁ δᾳδοῦχος. — 2. Men deus sub nomine
Ascaeno, non solum in illa parte Phrygiae, sed etiam in Lydia et in Pisidia colebatur.
Nihil ad nos traditum est de hujus nominis origine. Cf. Cumont, apud Pauly et Wissowa,
Realencycl. s. v. — 3. Magna mater deorum Angdistis dicta est, aut Agdistis, a monte
Agdo, sito in finibus Phrygiae, unde videtur fabula Attidis initium suum traxisse.
Cf. Knaack s. v. ap. Pauly et Wissowa, *loc. cit.* — 4. Pax Augusta, dea Romanorum. —
5. Cum ille curator sit ipsius Eumeniae civis, veri similiter sumit Ramsay titulum non
scriptum esse ante annum 200 post C. n.

---

740. Eumeniae. — Ramsay, *Cities of Phrygia*, I (1895), p. 378, n. 203.

   [Μ. Κλαύδιον?] Βερενεικιανὸν, υἱὸν Μ. Κλαυδίου Νεικηράτου Κερεαλίου [1]
Ἀσιάρχου, ἄνδρα ἀγαθὸν, Πυθιονείκην, χρυσοφορήσαντα [2] τῇ πατρί᾽, γραμ-

ματεύσαντα, ἀγορανομήσαντα, εἰρ[η]ναρχήσαντα, βου[λα]ρχήσαντα καὶ ἐν σει-
τωνίαις πολλαῖς καὶ ἑτέραις ὑπηρεσίαις χρήσιμον τῇ πατρίδι γενόμενον.

1. Cerealis. — 2. Χρυσοφόροι videntur sacerdotes fuisse, veste aurata induti. Cf. Ram-
say, *op. cit.*, p. 360. Non abest suspicio titulum inter Trallenses numerandum esse.

---

741. Eumeniae. — *C. I. Gr.*, 3887; Ramsay, *Cities of Phrygia*, I (1895), p. 377, n. 199.

Ὁ δῆμος | Ἐπίγονον Μενεκράτους | Φιλόπατριν ¹ τὸν ἱερέα τῆς | Ῥώμης
5 σωτῆρα καὶ εὐεργέτην ‖ διὰ προγόνων.

1. Nomen Epigoni Philopatridis legitur in nummo aetate Augusti cuso : Babelon,
Invent. de la coll. Waddington, n. 6027.

---

742. Eumeniae. — Ramsay, *Cities of Phrygia*, I (1895), p. 374, n. 196.

Τι. Κλαύδιον Τρύφωνος υἱὸν Κυρίνᾳ Ἀθηνόδοτον [Φ]ιλ[α]λήθη ἱερέα Προπυ-
λ[αίου Ἀπό]λλωνος.

---

743. Eumeniae. — Paris, *Bull. de corr. hellén.*, VIII (1884), p. 240 ; Ramsay, *Cities of
Phrygia*, I (1895), p. 386, n. 232.

In prima facie altaris :

a.   Ζωὸς ἐὼν τοῦτον τύμβον τις ἔτευξεν ἑαυτῷ |
     Μούσαις ἀσχηθεὶς Γάιος πραγματικὸς ¹ |
     [ἡ]δ᾽ ἀλόχῳ φιλίῃ Τατίῃ τέκεσίν τε ποθητοῖς, |
     οἵ ῥα τὸν αἴδιον τοῦτον ἔ[χ]ωσι δόμον, ‖
5   σὺν Ῥουβῇ μεγάλοιο θ[εοῦ] θεράποντι ²...... |
     .... |
     ....[νῦν δ᾽αὖθις] ἰσόψηφος δυσὶ τούτοις |
     Γάιος ὡς ἅγιος, ὡς ἀγαθὸς, προλέγω. |

In altera facie :

b.   [Οὐ]κ ἔσχον πλοῦτον πολὺν εἰς βίον, οὐ πολὺ χρῆμα, ‖
10   γράμμασι δ᾽ ἠσκήθην ἐκπονέσας μετρίοις · |
     ἐξ ὧν τοῖσι [φ]ίλοισιν ἐπήρχεον ὡς δύναμίς μοι, |

σπουδὴν ἦν εἶχον πᾶσι χαριζόμενος. |

Τοῦτο γὰρ ἦν μοι τερπνὸν ἐπαρχεῖν εἴ τις ἔχρηζε, |

ὡς ἄλλων ὄλϐος τέρψιν ἄγει κραδίη. ‖

15 Μηδεὶς δ'οὖν πλούτῳ τυφλωθεὶς [κοῦ]φα φρονείτω, |

πᾶσι γὰρ εἰς Ἀΐδης καὶ τέ<θ>λος ἐστὶν ἴσον. |

Ἔστιν τις μέγας ὢν ἐν κτήμασιν; οὐ πλέον οὗτος, |

ταὐτὸ μέτρον γαίης πρὸς τάφον ἐκδέχεται. |

Σπεύδετε, τὴν ψυχὴν εὐφραίνετε πάντοτε, [θ]νη[τοί], ‖

20 ὡς ἡδὺς βίοτος, καὶ μέτρον ἐστὶ ζοῆς. |

Ταῦτα, φίλοι · μετὰ ταῦτα τί γὰρ πλέον; οὐκέτι ταῦτα · |

στήλλη ταῦτα λαλεῖ καὶ λίθος, οὐ γὰρ ἐγώ. |

In tertia facie :

c.   Θύραι μὲν ἔνθα ³ καὶ πρὸς Ἀΐδαν ὁδοὶ |

     ἀνεξόδευτοι δ' εἰσὶν ἐς φάος τρίϐοι · ‖

25   [ο]ἰ δὴ δ[ειλ]αιοι πάντ[ες] εἰς ἀ[νά]στασιν ⁴ |

                                    |

1. Negotiator aut procurator privatus, nisi potius accipiendum est γραμματικὸς, quod in uno exemplari scriptum habet Ramsay. Cf. v. 10. — 2. Videtur fuisse Judaeus ille Ῥουϐῆς aut Ῥουϐὴν (Ruben), quem cum altero amico (vv. 6, 7) Gaius juxta conjugem et liberos suos suo in monumento sepeliendum curaverat. Quippe vix dubium est quin Rubes coluerit ὕψιστον θεὸν, deum Judaeorum, quanquam graecam philosophiam, et illam quidem epicuream, sapiunt ipsius Gaii sententiae (v. 9-22). — 3. Cf. supra n. 735. — 4. Forsitan ea, quae de resurrectione mortuorum sentiebant Christiani, vv. 23 et sq. refellerentur. Haec existimantur circa principatum Alexandri Severi scripta esse.

V. 26 ...ΑΞ.....ΟΥΣΠ..ΤΟ........ΕΛΣ traditur. Sequuntur quatuor versus iambici, quos nemo legere potuit.

---

744. Eumeniae. — Ramsay, *Cities of Phrygia*, I (1895), p. 383, n. 222.

Ἀλέξανδρος Γ[αἰ]ου τοῦ Ἀττάλου ἑαυτ[ῷ κὲ τῇ γυ]ναικί μου Τ[ερ]τύλλη
καὶ το[ῖς τέχνοις ὁλ]ωλ[όσιν] καὶ τῇ μητ[ρ]ὶ [Ἀπφί]ῳ κατεσ[κεύασε τὸν
γρά]δ[ο]ν ¹.....

1. Cf. n. 737, not. 2.

745. Eumeniae. — Ramsay, *Cities of Phrygia*, I (1895), p. 394, n. 277.

Τὸν βω[μὸν σὺν τῷ γρά]δῳ ¹ ἐπο[ίησεν? Ἀττα]λος Λε[υκίππου? πα]ρὰ ἑαυ-
[τοῦ τοῖς τέκνοις] Διοφάν[τῳ καὶ]... μνήμης χάριν.

1. Cf. n. 737., not. 2.

---

746. Eumeniae. — *C. I. Gr.*, 3900 et p. 25; Ramsay, *Cities of Phrygia*, I (1895), p. 393, n. 268.

5　Τερτία αὐτῇ | ζῶσ[α] κὲ φρονοῦ|σα κατεσκεύασ|εν [τὸ] ἡρ[ῷ]ον σὺν τ‖ῷ
σ[υ]νκρού[σ]τῳ | κ(ὲ) τῷ γράδῳ ¹ κὲ | τῷ βωμῷ, κὲ Ἀ[μ]|μίᾳ τῇ ἀνεψιᾷ · |
10　ἐξὸν ἐ[ν]τεθῆν[α]ι ‖ τὸν ἄνδρα αὐτῆ|ς κὲ Ἀμμιανὸν τὸ|ν υὸν α[ὐ]τῆς καὶ |
15　τῇ γυναικὶ αὐτοῦ · ἐὰν | δέ τις ἐπιχ[ε]ιρήσ[η], θήσ[ε]ι εἰς τὸ‖ν φίσκον δηνά-
ρια [β′].

1. Cf. n. 737, not. 1 et 2.

---

747. Eumeniae. — *Bull. de corr. hellén.*, VIII (1884), p. 236; Ramsay, *Cities of Phrygia*, I (1895), p. 390, n. 248.

Ἰουλία Μάρκῳ Εὐβούλῳ ἰδίῳ ἀνδρὶ μνήμης χάριν, εἰ|ς ὃ μνημεῖον ἐξέσται |
5　τεθῆναι τῇ Ἰουλίᾳ καὶ | τέκνοις αὐτῆς · εἰ δέ τ[ις] ‖ ἕτερος ἐπιχειρήσει, θή|σ[ει
ἰς] τὸν Καίσαρος φίσκον | δηνάρια δισχίλια πεντακόσια, καὶ ὃς ἀνορύξει ἀπὸ |
10　τεσσάρων ποδῶν τοῦ | μνημείου θήσει καὶ αὐ‖τὸς ἰς τὸν Καίσαρος φίσ|κον δηνά-
ρια δισχίλια πεντακόσια · ἐξέσται | δὲ τῇ Ἰουλίᾳ καὶ ἕτερον κηδεῦσαι ὃν | ἂν
αὐτὴ βουληθῇ.

---

748. Eumeniae. — Paris, *Bull. de corr. hellén.*, VIII (1884), p. 244, n. 7; cf. Ramsay, *Cities of Phrygia*, I (1895), p. 394, n. 274.

[Ἡ σορὸς....] ¹ τοῦ Δημητρίου · οὐδε[νὶ δὲ | ἐτ]έρῳ ἐξέσ(τ)αι κηδ[εῦσα]ι
ἐν τῇ σορῷ ταύτῃ πλὴν Μελτίνη[ς | τῆς γυναικὸς αὐτοῦ · ἐὰν δ]έ τις παρὰ
ταῦτα ἐπιχειρήσει, ἀποδώ[σει | εἰ]ς τ[ὸν μέγι]στον τῶν κυρίω[ν αὐτ]οκρατόρων
[φίσκον δηνάρια 6φ].

1. ΔΙΑΤΑΣΙ ΙΟ traditur.

Multas funerales alias habes : *Ibid.*, n. 10 : ἰς τὸν φίσκον [δηνάρια βφ'] ; Legrand et Chamonard, *Ibid.*, XVII (1893), p. 242, n. 5 ; v. 16 : τῷ ἱεροτάτῳ ταμείῳ δηνάρια βφ' ; Ramsay, *Cities of Phrygia*, I (1895), p. 383, n. 220 : [ε]ἰς τὸν φίσκον τῶν κυρίω[ν] δηνάρια δισχίλια κὲ ἰς τ[ὴ]ν ἱερ[ο]ὰν βουλὴν δηνά[ρ]ια δισχίλια; p. 385, n. 229 : ἰς τὸν φίσκον η' (?): p. 389, n. 238 : τῷ φίσκῳ δην(άρια) βφ'; p. 391, n. 251 : [τῷ τῶ]ν Κ]αισάρ[ων φίσκῳ δηνάρια φ'?]; n. 254 : δην(άρια) βφ'; p. 392, n. 260 : ἰς [τ]ὸ ἱερ[ώτατον ταμεῖο]ν δην(άρια) ͵ε; p. 393, n. 267 : εἰς τὸν φίσκον δην(άρια) ς'; p. 394, n. 276 : [ἰς] τὸν Καίσαρος [φίσκ]ον δην(άρια) ͵β.

---

749. Stectorii. — *C. I. Gr.*, 3888 ; Ramsay, *Cities of Phrygia*, I (1895), p. 704, n. 641.

Ἡ βου[λὴ] καὶ ὁ δ[ῆ]μο[ς] | ἐτείμησεν Μ. Αὐρ. | Σεβαστῶν [1] ἀπε[λ]εύ-
5 θε|ρον Κρήσκεντα, [ἐ]π[ί]∥τροπον Λυγδού|νου Γαλλίας καὶ ἐπ[ί]τρο|πον Φρυγίας
10 καὶ ἐπίτρ|οπον καστρῆσιν [2], ἐν παν|[τὶ] καιρῷ ε[ὐ]ε[ργετή]σαντα ∥ τὴν πόλιν
ἡμῶν, τοῦ ἀν|[δ]ριάντος τὴν ἀνάστασιν | [π]οιησαμένου [Μ.] Αὐρ. Σε[β]αστῶ|ν
ἀπελευθ[έ]ρου | Ζωσίμου.

1. Annis 161-169 aut 176-180. — 2. Procurator rationis, sive fisci castrensis, rem familiarem Augusti in ipsa illius domo administrabat. Cf. Hirschfeld, *Verwaltungbeamt.*, II. p. 307 et seq.

---

750. Melissae. — *C. I. L.*, III, 14199, 10.

In miliario :

Imp. Caesar | [C. Val. Diocle]t[ianus | P. F. i]n[v. Aug.] |
Τοῖς κυρίοις [ἡμῶν] Γ. Οὐαλ. Δι[οκλητιανῷ] καὶ [Μ.] Οὐαλ. [Μαξιμιανῷ ∥
5 αἰ͵ωνί[ο]ι[ς] | Σεβ(αστοῖς) | Φλα. Οὐαλ. [Κωνσταντίῳ] | καὶ Γ(αλερίῳ) Οὐ[αλ.
Μαξιμιανῷ] | ἐπιφανεστάτοις Καίσ[αρσι] [1]. ∥
10 Φλ. Οὐαλ. Κ[ρ]ίσ[π]ος [κ]αὶ Οὐα[λ.] | Κωνσταντεῖνος Λικί[νιος | κ]αὶ Φλ.
[Κ]λ. Κ[ωνστ]αν[τεῖνος | οἱ ἐ]πιφανέ[στατοι Καίσαρες] [2].

1. Annis 292-305 post C. n. — 2. Annis 317-326 post C. n.

---

751. Motellae. — Hogarth, *Journ. of. hellen. stud.*, VIII (1887), p. 394, n. 23; Ramsay, *Cities of Phrygia*, I (1895), p. 155, n. 61.

Ἀγαθῇ τύχῃ · Διὶ Σωτῆρι | καὶ θεοῖς Σεβαστοῖς [1] καὶ | τῷ δήμῳ τῷ

5 Μοτελλήνων | Ἄτταλος Ἀττάλου Ζήν‖ωνος τὴν ἐξέδραν καὶ | τὴν στουὰν παρ' ἑαυτοῦ ἀπο|κατέστησεν, ἔτους σκα', | μ(ηνὸς) Ὑπερβερταίου δεκάτῃ [2].

1. Hadrianus et L. Ceionius Commodus (L. Aelius Caesar), filius ejus adoptivus. — 2. Anno 221 aerae Sullanae = 136/137 post C. n., mensis Hyperberetaei die X.

---

752. Lysiade. — Dittenberger, *Orient. gr. inscr. sel.*, n. 436; Foucart, *Mém. de l'Acad. des inscr. et b. lettres*, XXXVII (1903), p. 317, not. 1.

.... [ο]ὕτως | ....ν διωρθώ|[θη,] ....
5 ἐγένετο πρό|[τερον] ....ος, ταῦτα κύρια μέ‖[νειν ....
δόγ]μα συνκλήτου. |
[Περὶ ὧν Κόιντος Φάβιος .. υἱὸς Μάξιμος, Γ]άιος Λικίννιος Ποπλίου |
[υἱὸς Γέτας ὕπατοι [1] λόγους ἐποιήσαν]το, περὶ τούτου πράγματος οὕ-|
[τως ἔδοξεν · ὅσα βασιλεὺς Μιθραδάτη]ς ἔγραψεν ἢ ἔδωκέν τινι ἢ ἀφεῖ-|
[κεν, ἵνα ταῦτα κύρια μείνῃ οὕτω καθὼς] ἐδωρήσατο εἰς ἐσχάτην ἡμέραν [2], ‖
10 [περὶ δὲ τῶν λοιπῶν ἵνα κρίνωσιν οἱ δέκα] πρεσβευταὶ εἰς Ἀσίαν διαβάντες [3].

1. Consules anno 116 ante C. n. « Post Aristonici bellum, anno 129 ante C. n., M' Aquillius consul Phrygiam majorem Mithridati (VI Evergetae) regi Ponti concesserat, praemium auxilii, quod Romanis per illud bellum tulerat. Sed eo rege defuncto (anno 120) senatus heredibus impuberibus Phrygiam rursus ademerat, quia Aquillius pecunia corruptus eam illi dedisset. » Dittenberger. Cf. Justin., XXXVIII, 5, 3; Appian., *Mithrid.*, 11, 12, 57. Hoc autem senatus consulto sanciuntur ea quae Mithridates in Phrygia majore jusserat annis 129-120. — 2. Cf. n. 301, vv. 8-10 et 13-16. — 3. De legatis, numero plerumque decem, quos solebat senatus rebus populorum componendis mittere, cf. Mommsen, *Droit public romain*, IV, p. 406 et 413.

---

753. Lysiade. — Anderson, *Journ. of hellen. studies*, XVIII (1898), p. 108, n. 46.

[Ἄ]μιον Καίσαρος δούλ[η] | τὸ ἡρῷον Διαδουμένῳ | [τ]ῷ ἰδίῳ ἀνδρὶ Καίσαρος δού|[λῳ].

---

754. Kabalar. — Ramsay, *Cities of Phrygia*, I (1895), p. 157, n. 66.

Ῥουφίων Κλ. Κλήμεντος [1] δοῦλος εὐχήν.

1. Claudius Clemens fortasse fuit Claudii imperatoris libertus, ut editori placet. Cf. n. 755.

755. Kabalar. — Ramsay, *Cities of Phrygia*, I (1895), p. 136, n. 63.

Μητρὶ Σαλσαλουδηνῇ ¹ Τίτος Φλάβις Ἐπαφρόδειτος ² εὐξάμενος ἀνέθηκα.

Divisio versuum non indicatur.

1. Mater magna deorum, culta, ut videtur, in vico Salouda, de quo mentionem facit alter titulus eodem in situ inventus. *Ibid.*, n. 64. — 2. Eum conjicit editor libertatem a Tito imperatore accepisse.

---

756. Dionysopoli. — Ramsay, *Journ. of hellen. studies*, IV (1883), p. 387, n. 10; *Cities of Phrygia*, I (1895), p. 142, n. 29; Judeich, *Alterth. von Hierapolis* (1900), p. 179, n. 4.

Ὁ δῆμος ὁ Ἱεραπολειτῶν | καὶ ὁ δῆμος ὁ Διονυσοπο[λειτῶν | καὶ] ὁ δῆ[μος]
5 ὁ Βλαυνδέων | καὶ τ[ὸ] κοινὸ[ν τ]οῦ Ὑργαλέων ▌ π[ε]δίου ¹ ἐτείμησαν | [Κοί]ν-
τον Πλαύτιον Οὐεν[ῶκα] ².

1. Hierapolis, Blaundus, civitates Phrygiae vicinae; cf. nn. 715-721. Hyrgaleticus autem campus (Plin., *Nat. hist.*, V, 113) situs erat in ripa Maeandri inter Loundam et Dionysopolim (Ramsay, *Cities*, p. 126 et 128); per vicos colebatur, quibus erat suum commune. — 2. Romanus profecto magistratus aut procurator.

---

757. Dionysopoli. — *C. I. L.*, III, 7031.

[M.] Iulius Capito beneficiaris | Galli pra(e)fecti mile(s?) |

[M]ᾶρχος Ἰούλιος Καπίτων βενεφικιᾶρις | Γάλλου πραιφέκτου [στρ]ατιώτ(ης?). |

---

758. Dionysopoli. — Hogarth et Ramsay, *Journ. of hellen. studies*, VIII (1887), p. 376, n. 1.

Ἀπόλλων[α] | Λαιρμηνὸν ¹ θε[ὸν] | ἐπιφανῆ κατὰ ἐπ[ι]|ταγὴν Χαρίξενο[ς] ▌
5 Μενεχλέους [Διο]|νυσοπολείτη[ς]. |

Haec infra addita sunt litteris minoribus:

Ἔτους σλγ´, μηνὸς ς´ κ´ ², | Ἀπόλλωνι Λαιρμην[ῷ] | Μᾶρχος Διονυσοδ[ώ]▐-
10 ρου Μοτελληνὸς ³ κατ[αγρά]|φω ⁴ Ἀμμίαν τὴν θρε[πτήν] | μου κατὰ τὴν ἐπι-

15 ταγὴν | θεοῦ · εἰ δέ τις ἐπενκα[λεῖ], | θήσει ἰς τὸν θεὸν προστεί‖μου δηνάρια βφ΄ καὶ ἰς τὸν φίσκον | ἄλλα δηνάρια βφ΄.

1. Aut Lairbenus, Lermenus etc., Phrygius deus incertae originis, cum Latona matre in illa civitate cultus religione diligentissima. Cf. Ramsay, *Cities of Phrygia*, I (1895), p. 133. — 2. Anno 293 aerae Sullanae = 208/209 post C. n., mensis VI die XX. — 3. Cf. n. 751. — 4. Servam suam iis in templo adscribit qui libertate donati sunt, utpote deo sacri. Servorum liberatorum titulos similes, in quibus eaedem multae indicantur, cf. *ibid.*, nn. 3, 6, 7 et IV (1883), p. 380, nn. 3, 4. Cf. Ramsay, *Cities of Phrygia*, I (1895), pp. 147, 148, nn. 37, 40.

---

759. Sungurlu. — Ramsay, *Cities of Phrygia*, I (1895), p. 232, n. 79.

Φαμιλλία M..ρου Ἀ.ρελλίου Ἀττικῶ.

Divisio versuum non indicatur.

Inscriptus erat titulus sepulcro gladiatorum summi alicujus viri. Cf. n. 617.

---

760. Sungurlu. — Ramsay, *Cities of Phrygia*, I (1895), p. 232, n. 80.

[Πο]σειδῶνις Τειμοθέου Εὐμενεὺς ἑαυτῷ ζῶν καὶ τῇ γυναικί [μ]ο[υ] Χρυσο-γόνῃ καὶ Ποσειδωνίῳ τῷ ὑῷ [μ]ου καὶ τῇ γυναικὶ αὐτοῦ καὶ ἐκγόνῳ κατεσ-σκεύασα τοῦ[το τὸ ἡ]ρῷ[ον] · μετὰ δὲ ἡμᾶς ἐμ[βεβλῆσθαι κὲ] τοὺς ὧδε ἐνγεγραμ-μένους [ἐπ]ὶ τοῦ βωμοῦ [ἐξουσία οὐκ] ἔσται ἕτερον βαλεῖν · εἰ δέ τις ἐπιχειρήσει ἀνῦξαι ἢ ἕτερον ἐμβαλεῖ, μὴ τῶν ὧδε ἐνγεγραμμένων ....¹, ἔσται ἐπάρα-τος καὶ θήσει ἰς τὸν ἱερώτατον φίσκον προστ[εί]μου δηνάρια βφ΄ · τούτου ἀντί-γραφον ἄ[λλο] ἀπετέθη ἰς τὰ ἀρχεῖα.

Divisio versuum non indicatur.

1. ..ΠΑΡΕΑCΗCC, lapis.

---

761. Sibliae. — Anderson, *Journ. of hellen. studies*, XVIII (1898), p. 93, n. 32.

V. 4. ἰς τὸ ἱερώτ[ατον τα]μεῖον Ἀττικὰς δ]ισχειλίας.

762. Duman. — Ramsay, *Cities of Phrygia*, I (1895), p. 232, n. 76.

Τίτος Καμόριος Τίτου υἱὸς Κυρίνᾳ Μαρίν[ῳ τῷ] ἀπ[ελευθέρῳ].

Divisio versuum non indicatur.

763. Duman. — Ramsay, *Cities of Phrygia*, I (1895), p. 232, n. 73.

Φλάβις Σύμφορο[ς] ἐποίησα τὸ μνημε[ῖ]ον τῇ γυναικί μου ['Ρ]ουφείνῃ, ἰς ὁ καὶ αὐτὸς τεθήσομαι, ἐχόντων ἐξουσίαν μοι καὶ τῶν τέκνων · εἰ δέ τις ἕτερος ἐπιτηδεύσει, θήσει ἰς τὸ ταμεῖον δηνάρια φ΄.

Divisio versuum non indicatur.

764. Metropoli. — Ramsay, *Cities of Phrygia*, I (1895), p. 760, n. 703.

Τὸν γῆς καὶ θ[αλάσσης] δεσπότη[ν Αὐτοκρά]το[ρ]α Καίσαρα [Λ. Σεπτίμι]ον Σευῆρον Περτ[ίνακα] Αὔγουστον [ἀνίκητον?] Εὐσεβῆ ['Αραβικὸν 'Αδιαβη]νικὸν [Παρθικὸν μέγισ]τον, σωτῆρα [πάσης] τῆς οἰκο[υμένης, ἐκ τ]ῶν ἀναλωμά[των συνόλ]ω[ς?] Αὐρ. Ζωσ[ίμου].

Divisio versuum non indicatur.

765. Metropoli. — Ramsay, *Cities of Phrygia*, I (1895), p. 760, n. 699.

['Η βουλὴ καὶ ὁ δῆμος? ἐτείμησαν 'Αρτε]μίδωρον Σωσθένους τοῦ 'Αρτεμίδ[ώρ]ου σχολαστικοῦ [1], ἄνδρα ἐπίσημον καὶ ἐν πολλοῖς χρήσιμον γεγονότα τῇ πατρίδι, δόντα καὶ ἀργύριον εἰς ἀγῶνος διάθεσιν, καθὼς τὸ [δοθὲν αὐτῷ ψήφισμα μαρτυρεῖ?]

Divisio versuum non indicatur.

1. Advocatus civitatis suae defensor : Godefroy ad *Cod. Theod.*, VIII, 10, 2; Waddington, n. 594.

766. Mossynae. — Ramsay, *Cities of Phrygia*, I (1895), p. 146, n. 33.

Διὶ Μοσσυνεῖ [1] καὶ τῷ δήμῳ Γ. Νώνιος 'Απολλωνίου υἱὸς 'Ανιηνσίᾳ Διόφαντος, ὁ διὰ γένους ἱερεύς, τὸ ἄγαλμα καὶ τὸν βωμὸν σὺν τῇ ὑποσκευῇ πάσῃ ἀνέστησε, δοὺς ἐκ τῶν ἰδίων δην(άρια)..., τὰ δὲ λοιπὰ οἱ ἐπανγειλάμενοι καθὼς ὑπογέγραπται.

Sequuntur nomina virorum 17, quorum quisque pecuniam ad ornandum sacrarium contulit. Haec referre satis erit :

Κλ. Ἑρμογένης

Τ. Φλ. Ἀγαθήμερος

Ἀπολλόδοτος Ζωσίμου Γάλβας.

Ex quibus apparet titulum circa finem saeculi I scriptum esse.

Divisio versuum non indicatur.

1. Deus ex nomine Mossynae civitatis suae cognominatus.

---

767. Cagyettae. — Ramsay, *Journ. of hellen. studies*, X (1889), p. 223, n. 10; *Cities of Phrygia*, I (1895), p. 155, n. 62.

Ὁ δῆμος ὁ Καγυεττέων ἐ|τίμησεν Εὐτύχην Ἰόλλου φι|λ[ο]κ[αίσα]ρ[α φιλό]πατριν.

---

768. Cagyettae. — Hogarth et Ramsay, *Journ. of hell. studies*, VIII (1887), p. 393, n. 22; Ramsay, *Cities of Phrygia*, I (1895), p. 155, n. 63.

[Τὸ] ἡρῷον καὶ ὁ π[ερ|ὶ α]ὐτὸν τόπος Ἀ[ρτ|έ]μωνος Διομήδο[υς | το]ῦ
5 Ἀρτέμωνος, συ[γχ‖ώ]ρησιν λαβὼν τοῦ [τό|πο]υ παρὰ τοῦ δήμου [Καγυ]|εττέος,
10 ἐν ᾧ κηδεύσε|τε δὲ ὁ Ἀρτέμων κα[ὶ ἡ γ|υν]ὴ αὐτοῦ Χρυσόπ[ολ‖ι]ς · ἑτέρῳ
δὲ μηδενὶ ἐ[ξέσ]|ται παρὰ τὰ γεγραμμ[έν|α] · εἰ δέ τις ἐπικηδεύσε[ι, | θ]ήσει
15 τῷ ἱερωτάτῳ τα[μ]ίῳ δραχμὰς βφʹ · τού|του τὸ ἀντίγραφον ἀπετέ‖θη ἰς τὰ
ἀρχεῖα.

---

769. Loundae. — Ramsay, *Journ. of hellen. studies*, IV (1883), p. 396, n. 16; *Cities of Phrygia*, I (1895), p. 246, n. 86.

Λ[ὐ]τοκράτορα Καίσαρα | Ἀδριανὸν Ἀντωνεῖνον | Σεβαστὸν Εὐσεβῆ Ἀπολ|-
5 λέδοτο[ς] Δι[ο]δώρου, ‖ [σ]τρατηγῶν τῆς πατρίδος | μετὰ τοῦ πατρὸς, ἐκ τῶν |

ἰδίων ἀνέστησεν ὑπὲρ εὐ|σεβείας τ[ῆ]ς [ε]ἰς τὸν κύριον | καὶ φιλοτειμίας τῆς
10 εἰς ‖ τὴν πατρίδα, κόψας καὶ [νο|μ]ίσμα[τα] '.

1. Nulli noti sunt hujus civitatis nummi; eos tamen feriendos forsitan primus curaverit
ille Apollodotus.

---

770. Loundae. — Ramsay, *Journ. of hellen. studies*, IV (1883), p. 393, n. 15; *Cities of Phrygia*, I (1895), p. 245, n. 84.

[Αὐτοκράτορα Καίσαρα | Λούκιον Σ]επτίμιο[ν Σε|ουῆρ]ον Περτίνακ[α ἀ|νί-
5 κη]τον Αὐγοῦστ[ον ‖ Ἀρα]6ικὸν Ἀδιαβηνικὸν | [ἡ β]ουλὴ καὶ ὁ δῆμ[ος | ὁ
Λ]ουνδέων.

---

771. Loundae. — Ramsay, *Cities of Phrygia*, I (1895), p. 246, n. 87.

Ἀγαθῇ [τύχη] · Αὐτοκράτορι [Καί]σαρι Γ. Μεσσίῳ [Κυ]ίντῳ Τρ[αι]ανῷ
Δεκίῳ καὶ Ἑρενίᾳ [Ἐ]τρουσκί[λλ]ῃ Σε6αστῇ. Μί(λια) δ'.

Posterius haec addita sunt litteris minoribus :

[Κυ]ίντῳ Ἑρεννί[ῳ] Δεκ[ί]ῳ καὶ Ἐ[τρ]ουσκίλλει.

Divisio versuum non indicatur.

Miliarium est IV viae Lounda Peltas, ut videtur. Pars prior scripta est anno 249 post
C. n., altera anno 250, cum Herennius Decii Augusti filius major Caesar audiit.

---

772. Loundae. — *C. I. L.*, III, 13659.

C. Apla[sius] .. f. | Ani(ensi). |
Γά(ι)ος Ἀπ[λάσιος] .. | υἱὸς Ἀ[νιήνσι].

---

773. Apameae. — Bérard, *Bull. de corr. hellén.*, XVII (1893), p. 313, n. 7; Ramsay,
Cities of Phrygia, I (1895), p. 457, n. 281.

Πλωτεῖναν Σε[6ασ]|τὴν ¹ ἡ βουλὴ καὶ | ὁ δῆμος καθειέ|ρωσεν, ἐπιμε-
5 λη‖θέντος Μάρκου | Ἀττάλου ἀργυρο|ταμείου ² τῆς πόλεως.

1. Uxor Trajani Augusta dicta est inter annos 100 et 108 post C. n.; obiit anno 122 :

Prosop. imp. rom., III, p. 73, n. 509. — 2. Magistratus illius, quem constat alium fuisse ac τχμίχ, quod maxime fuerit munus in pecuniis publicis administrandis, non liquet : Oehler s. v. ap. Pauly et Wissowa, *Realencyclop.*, II, col. 802 ; Liebenam, *Städteverwalt.*, pp. 293 et 565.

---

774. Apameae. — *C. I. Gr.*, 3958 ; Ramsay, *Cities of Phrygia*, I (1895), p. 457, n. 282.

Μαρχιαν[ὴν] Σεβαστὴν [1] | ἡ βουλὴ καὶ ὁ δῆμος | καθειέρωσεν, ἐπι|μεληθέντος
5 Μάρ‖κου Ἀττάλου ἀργυ|ροταμίου τῆς πό|λεως.

1. Titulus positus est inter annum 105, quo Marciana, soror Trajani, Augusta videtur appellata esse, et annum 115, quo mortua est : *Prosop. imp. rom.*, III, p. 466, n. 584.

---

775. Apameae. — *C. I. Gr.*, 3959 ; Ramsay, *Cities of Phrygia*, I (1895), p. 458, n. 283.

Ματτιδίαν Σεβαστὴν [1] | ἡ βουλὴ καὶ ὁ δῆμος | καθειέρωσεν, ἐπι|μεληθέντος
5 Μάρ‖κου Ἀττάλου ἀργυ|ροταμίου τῆς πόλεως.

1. Matidia, Marcianae filia, Augusta vocata est anno 107 p. C. n. ; Trajanum in Asiam comitata, mortui ejus cineres Romam detulit anno 117 ; ipsa obiit anno 119 : *Prosop. imp. rom.*, II, p. 353, n. 277.

---

776. Apameae. — *C. I. L.*, III, p. 1257, ad n. 6956/57 ; Ramsay, *Cities of Phrygia*, I (1895), p. 458, nn. 285, 286.

[Τὸν] θεοφιλέστατον Καίσαρα | ... Σαλωνεῖνον Οὐαλεριανὸν | Σεβαστὸν, υἱὸν
5 τοῦ χυρίου | ἡμῶν Γαλλιηνοῦ Σεβαστοῦ, ‖ ἡ λαμπρὰ τῶν Ἀπαμέων | πόλις. |
Τὸν θεοφιλέστατον Καίσαρα Κορνήλιον | Σαλωνῖνον Οὐαλεριανὸν Σεβαστὸν, |
10 υἱὸν τοῦ χυρίου ἡμῶν Γαλλιηνοῦ Σεβαστοῦ, ‖ ἡ λαμπρὰ τῶν Ἀπαμέων |
πόλις [1].

1. Inter annum 257 post C. n., quo filius Gallieni minor salutatus est Augustus, et 259, quo major decessit.

---

777. Apameae. — Doublet, *Bull. de corr. hellén.*, XVII (1893), p. 304, n. 3 ; Ramsay, *Cities of Phrygia*, I (1895), p. 458, n. 284.

Τὴν [θ]εοφιλεστάτην | Κορνηλίαν Σαλωνεῖναν | Σεβαστὴν, γυναῖκα τοῦ. |

5 χυρίου ἡμῶν Ποπλίου ‖ Λιχιννίου Γαλλιηνοῦ Σεβαστ[οῦ] ¹, | ἡ λαμπρὰ τῶν
Ἀπαμέων πόλις.

1. Cf. n. 776.

---

778. Apameae. — *C. I. L.*, III, 12241; Ramsay, *Cities of Phrygia*, I (1895), p. 470,
n. 307.

[Γάιον Ἀντίστιον Γα]ίου υἱὸν Οὐέτερα ¹ | τὸν πάτρωνα | [Μηνόφιλος Ἀττ]ά-
λου καὶ Φιλίσκος καὶ | [Διοκλῆς Διοκλ]έους Μητροπολῖτα[ι] ². ‖
5   [C. Antis]tium C. f. Veterem | [? Meno]philus [At]tali f. et | [Philiscus et Dio-
c[les] Diocli f. | [Met]ropolit(ani).

1. *Prosop. imp. rom.*, I, p. 87, n. 604. Vir fortasse idem ille est qui consulatum gessit
anno 6 ante C. n. et paulo post proconsulatum Asiae (*Prosop.*, *ibid.*, n. 607), patronus
Pergamenorum (cf. titulum n. 399); certe ex eadem gente ortus erat. — 2. Metropolis,
urbs Phrygiae vicina. Cf. nn. 764, 765.

---

779. Apameae. — Bérard, *Bull. de corr. hellén.*, XVII (1893), p. 305, n. 4; Ramsay,
Cities of Phrygia, I (1895), p. 460, n. 291.

Ἡ βουλὴ καὶ ὁ δῆμος ὁ Ἀ|παμέων καὶ οἱ κατοικοῦν|τες Ῥωμαῖοι ἐτεί-
5 μησαν | Σοσσίαν Πῶλλαν ¹, θυγατέ‖ρα Σοσσίου Σενεκίωνος, | τὸ β΄ ὑπάτου ²,
ἐκγόνην Ἰ|ουλίου Φροντίνου ὑπά|του τὸ γ΄ ³, γυναῖκα δὲ Πομ|πηίου Φάλ-
10 κωνος ἀνθυπά‖του τῆς Ἀσίας ⁴, ἡρωίδα, διά | τε τὴν ἐκ προγόνων εὔνοι|αν
εἰς τὴν πόλιν καὶ διὰ τὴν | ἰδίαν αὐτῆς ἀνυπέρβλητον ἀρε|τὴν καὶ διὰ
15 τὸν ἄνδρα αὐτῆς Πομ‖πήιον ἀνθύπατον ἄν(ω)|θε(ν) εὐεργέτην τῆς πόλεως
ἡμῶν | καὶ σωτῆρα, ποιησαμέ|νου τὴν ἐπιμέλειαν τῆς ἀνασ|τάσεως Ἀλεξάν-
δρου ‖ Ἀττάλου.

1. Sossia Polla : *Prosop. imp. rom.*, III, p. 256, n. 566. Totum ejus stemma vide *ibid.*. II.
p. 66, n. 459. — 2. Q. Sossius Senecio, cos. II anno 107 post C. n., amicus Plinii minoris
et Plutarchi : *Prosop. imp. rom.*, III, p. 255, n. 560. — 3. Sex. Julius Frontinus, procos.
Asiae inter annos 78 et 97 post C. n., cos. III anno 100, amicus Plinii minoris et Mar-
tialis, scriptor ipse nobilis : *Prosop. imp. rom.*, II, p. 192, n. 216. — 4. Q. Roscius Coelius
Pompeius Falco, cos. circa annum 109, procos. Asiae circa annum 128, cum monumen-
tum mortuae uxori positum est : *Prosop. imp. rom.*, III, p. 134, n. 68.

780. Apameae. — Bérard, *Bull. de corr. hellén.*, XVII (1893), p. 306, n. 5; Ramsay, *Cities of Phrygia*, I (1895), p. 461, n. 292; Dittenberger, *Orient. gr. inscr. sel.*, n. 490.

Ἡ βουλὴ καὶ ὁ δῆμος ὁ Ἀ|παμέων Σοσσίαν Πώλλαν, | θυγατέρα Σοσσίου
5 Σενεκίω|νος β΄ ὑπάτου, ἐκγόνην Ἰουλί|ου Φροντίνου ὑπάτου γ΄, γυ|ναῖκα δὲ
Πομπηίου Φάλκω|νος ἀνθυπάτου τῆς Ἀσίας, ἡρωίδα[1], | ἀναστήσαντος τὸν
10 ἀνδρι|άντα ἐκ τῶν ἰδίων Κλαυ|δίου Μιθριδάτου ἀρχι|ερέως τῆς Ἀσίας[2], καθὼς
ἐν | τῶι κοινῶι βουλίωι τῶι τῆς | Ἀσίας ἐν Μιλήτωι[3] ὑπὲρ τῆς | πατρίδος
ὑπέσχετο.

1. Cf. n. 779. — 2. Cf. n. 787. — 3. Quamobrem Miletum, ubi nullum videtur fuisse illa quidem aetate templum Augustorum provinciale, commune Asiae convenisset, ambigitur : Chapot, *Prov. rom. d'Asie*, p. 465, note 10.

---

781. Apameae. — Anderson, *Athen. Mittheil.*, XXV (1900), p. 111; Dittenberger, *Orient. gr. inscr. sel.*, n. 458.

Fragmentum decreti de fastis provincialibus, quod infra totum edetur inter titulos Prienenses.

---

782. Apameae. — Doublet, *Bull. de corr. hellén.*, XVII (1893), p. 301, n. 1; Ramsay, *Cities of Phrygia*, I (1895), p. 469, n. 306.

[Τὸ σε]μνό[τ]α[τ]ο[ν συνέδρι|ο]ν τῶν γερό[ντ]ων[1] | [Τιβ]έριον Αἴλιον
5 Σα|[το]υρνεῖν[ο]ν Μαρει||[νια]νὸν τὸν ἴδιον | [κτ]ίστην[2], ἔγγονον | ἀρχιερέων καὶ
10 ὑπ|ατικῶν συνγ[εν]ῆ, | ἐπιμεληθέντος τῆς || ἀναστάσεως Μάρκου | Φο[ρ]βιανοῦ,
ἄρχοντος | τῶν γερόντων[3].

1. Cf. n. 783. — 2. Quia pecuniam collegio contulerat. — 3. De gerusiae principe et aliis dignitatibus cf. Isid. Lévy, *Rev. des études gr.*, VIII (1895), p. 231. Gerusias Asiae recensuit Chapot, *Prov. rom. d'Asie*, p. 216.

---

783. Apameae. — Legrand et Chamonard, *Bull. de corr. hellén.*, XVII (1893), p. 247, n. 18; Ramsay, *Cities of Phrygia*, I (1895), p. 468, n. 305.

Οἱ γέροντες | ἐτείμησαν Λούκιον Ἀτίλιον | Λουκίου υἱὸν Πρόκλον | νεώ-
5 τερον ἱερέα τῶν Σεβαστῶν || φιλογέροντα καὶ φιλόπατριν, | πρεσβεύσαντα πρὸς
τοὺς Σεβασ|τοὺς δωρεὰ(ν) ὑπὲρ τῶν εἰς τὴν κτί|σιν[1] διαφερόντων, ἔν τε ταῖς

10 λοιπαῖς | τῆς πόλεως καὶ τῆς γερουσίας ‖ χρείαις ἁγνῶς καὶ δικαίως ἐκ προ|-
γόνων πολιτευόμενον, σ[υ]νή|γορον ² τῆς γερουσίας.

1. Fortasse condita ipsa γερουσία. — 2. Advocatus qui aut pro civitate aut pro collegio
apud praesides romanos orat, haud secus atque ὁ πρόδικος, ἔκδικος, sive σύνδικος : Liebe-
nam, *Städteverwalt.*, p. 305-306.

---

784. Apameae. — Bérard, *Bull. de corr. hellén.*, XVII (1893), p. 319, n. 10; Ramsay,
Cities of Phrygia, I (1895), p. 467, n. 304.

[Κατὰ τὰ δόγμ]|α[τ]α τῆς βου[λῆς] ὁ λαμπρό|τατος δῆμος ἐτ[είμ]ησαν τοὺς
5 εὐ|γενεστάτους [καὶ] ἀξιολογωτά‖τους υἱοὺς [Πρ]οκλιανοῦ | Τρύφωνος ¹ [ἀρχι]ε-
ρέως [καὶ] Αἰ|λ[ι]αν[ῆς] Ῥη[γ]εί[νης ² Ἀ]σίας ἀρχιερέων, | ἐγγόνους τῆς
ἀρ[χιερ]είης?, M. Αὐρ. Ἀντώ|νιον Τρύφωνος [Ῥηγ]εῖνον καὶ Μ. Α[ὐ]ρ. ‖
10 Ἀντώνιον Τ[ρυφωνιαν]ὸν Ἀπολλινάριον, | ἐπὶ εὐκτ...... ιναις τε πόλε|ως
ἀνατ.......ους ἐλπίσιν.

1. Cf. n. 802. Idem nomen legitur in nummo Apamensi Gallieni imperatoris : Babelon,
Invent. de la coll. Waddington, n. 5734. — 2. ΑΙΛΑΝΓ.ΡΗΓΕΙΝ traditur.

---

785. Apameae. — Doublet, *Bull. de corr. hellén.*, XVII (1893), p. 302, n. 2; Ramsay,
Cities of Phrygia, I (1895), p. 466, n. 300.

Ἡ βουλὴ κ(αὶ) ὁ δῆμος κ(αὶ) οἱ κατο|ικοῦντες Ῥωμαῖοι ἐτείμη|σαν ταῖς
5 ἀρίσταις τειμαῖς Μ. | Αὐρ. Ἀρίστωνα Εὐκλαιανόν, ‖ ἄνδρα ἀγαθὸν καὶ ἐκ
προγό|νων εὐεργέτην γενόμενον τῆς | πατρίδος κ(αὶ) ἐν πᾶσι δημωφελ[ῆ] | καὶ
10 θρέψαντα τὴν πόλιν ἐν δυσ|χρήστοις καιροῖς σείτου τε ἐπ[ιδό]‖σει καὶ τῇ λοιπῇ
εὐνοίᾳ χρησ[ά]με|νον ἀδιαλεί[π]τως, στρατηγήσαν|τα <τ> ἁγνῶς, ἀγωνοθε-
τήσαντα | φιλοτείμως, εἰρηναρχήσαντα | κοσμίως, ἀργυρ<ι>οταμιεύσαντα ‖
15 πιστῶς, καὶ ἐπὶ τῇ προαιρέσει | τοῦ βίου ἐπαινεθέντα.

---

786. Apameae. — Weber, *Athen. Mittheil.*, XVI (1891), p. 147; Ramsay, *Cities of
Phrygia*, I (1895), p. 466, n. 301.

Ἡ βουλὴ καὶ ὁ δῆμος | καὶ οἱ κατοικοῦντες | Ῥωμαῖοι ἐτείμησαν | Ἰουλ.
5 Λίγυν τὸν κράτισ‖τον π(ριμι)π(ειλάριον), εὐεργέτην τῆς | πόλεως, | ἐπιμελη-

10 θέντος | τῆς ἀναστάσεως | Μ. Αἰλ. Σεργία Ἀπολ‖λιναρίου ', γραμμα|τέως τοῦ δήμου.

1. Vir idem profecto inscriptus est in nummo Apamensium principe Antonino : Babelon, *Invent. de la coll. Waddington*, n. 3712. Primipilarem jam illa aetate adscitum fuisse ad ordinem equestrem non sine exemplo est, quanquam de supplemento dubitari potest.

---

787. Apameae. — *C. I. Gr.*, 3960; *Cities of Phrygia*, I (1895), p. 461, n. 293.

Ὁ δῆμος ὁ Ἀπολλωνιατῶν | τῶν ἀπὸ Ῥυνδάκου ' ἐτείμη|σεν Τιβέριον
5 Κλαύδιον Τιβε|ρίου υἱὸν Κυρείνα Μιθριδάτην ‖ ἀρχιερέα τῆς Ἀσίας ², τὸν
ἑαυτῶν | προστάτην καὶ εὐεργέτην, διά τε | τὴν ἐκ λόγων καὶ ἤθει ἀρετὴν |
10 καὶ διὰ τὴν πρὸς αὐτὸν εὔνοι|αν, τὴν ἐπιμέλειαν ποιησαμέ‖νου τῆς τοῦ ἀνδριάν-
τος ἀνασ|τάσεως Ξένωνος Ἀπολλωνίου, | ἀνδρὸς κρατίστου τῶν πολειτῶν.

1. Apollonia a Rhyndaco amne, urbs Mysiae. Cf. nn. 120-127. — 2. Cf. sub n. 780 titulum ab eo positum anno fere 128 post C. n.

---

788. Apameae. — Bérard, *Bull. de corr. hellén.*, XVII (1893), p. 308, n. 6; Mommsen, *Ephem. epigr.*, VII, p. 435; Ramsay, *Cities of Phrygia*, I (1895), p. 462, n. 297.

Ἡ βουλὴ καὶ ὁ δῆμος καὶ οἱ κατοικοῦντες Ῥωμαῖοι | ἐτείμησαν Τιβέριον
Κλαύδιον Τιβερίου Κλαυδίου Μι|θριδάτου υἱὸν Κυρείνα Πείτωνα Μιθριδα-
5 τιανὸν, ἱερέα | διὰ βίου Διὸς Κελαινέως ', γυμνασιαρχήσαντα δι' ἀγο‖ραίας καὶ
ἀγορανομήσαντα δι' ἀγοραίας, καὶ ἐφηβαρχήσαντα, | καὶ ὑποσχόμενον ὑπὲρ
Κλαυδίου Γραν<ν>ιανοῦ τοῦ υἱοῦ | γυμνασιαρχίαν δι' ἀγοραίας ἐκ τῶν ἰδίων
καὶ χαρισάμενον | τῇ πόλει τὸν ἐξ ἔθους διδόμενον ὑπ' αὐτῆς τῷ γυμνα|σιαρ-
10 χοῦντι πόρον δηνάρια μύρια πεντακισχείλια καὶ τῇ μὲν ‖ πρώτῃ ἑξαμήνῳ,
ἐν ᾗ καὶ ἡ ἀγόραιος ² ἤχθη, θέντα τὸ | ἔλαιον, ὑπὲρ δὲ τῶν λοιπῶν μηνῶν
ἐξ δεδοκότα, | καθὼς ἡ πόλις ἠξίωσεν, δηνάρια μύρια ἐνακισχεί|λια, ὥστε προσ-
τεθέντα καὶ τοῦτον τὸν πόρον | τοῖς μυρίοις πεντακισχειλίοις δηναρίοις σώζειν ‖
15 τόκον δραχμιαῖον ³ εἰς τὸ τῶν κουρατόρων ἐπι|ζήμιον τὸ κατὰ ἔτος ὑπ' αὐτῶν
διδόμενον, ὥσ|τε τοῦ λοιποῦ χρόνου μηκέτι εἶναι κουράτο|ρας, καθὼς ἡ πόλις
20 ἐψηφίσατο, δι' ὅλου | τοῦ αἰῶνος ⁴, τὴν ἀνάστασιν ποιησαμένων ‖ ἐκ τῶν ἰδίων
τῶν ἐν τῇ Θερμαίᾳ πλατείᾳ ⁵.

1. Cf. n. 790. — 2. ἡ ἀγόραιος ut ἡ ἀγοραία (σύνοδος) vv. 4-5, 6; cf. nn. 789, 790. Kornemann,

Conventus, ap. Pauly et Wissowa. *Realencyclopädie*, col. 1174. — 3. Mithridatianus civitati dederat pro gymnasiarchia filii denarios 15,000, quibus addidit alios 19,000; summae autem denariorum 34000 reservavit usuram, quae mensibus singulis fuit drachmae unius per denarios 100 (Mommsen). — 4. Multam enim pensari voluit, quam solvere debebant quoque anno curatores civium romanorum Apameae consistentium, ne reliquo tempore jam essent curatores, ut civitas decreverat, in perpetuum. Locus obscurissimus est; nam de qua multa agatur, quam ob causam sublati essent curatores, nemo novit. Vide quae tentavit Mommsen, *l. c.*, et Kornemann, *l. c.*, col. 1191. — 5. Cf. n. 789.

---

789. Apameae. — Bérard, *Bull. de corr. hellén.*, XVII (1893), p. 309; Ramsay, *Cities of Phrygia*, I (1895), p. 462, n. 296.

Ἡ βουλὴ καὶ ὁ δῆμος καὶ οἱ κα|τοικοῦντες Ῥωμαῖοι ἐτείμη|σαν Τιβέριον
5 Κλαύδιον Τι|βερίου Κλαυδίου Πείσωνος ‖ Μιθριδατιανοῦ υἱὸν Κυρεί|νᾳ Γρα-
νιανὸν ¹ γυμνασιαρ|χοῦντα δι' ἀγοραίας ² ἐκ τῶν | ἰδίων τῇ σεμνοτάτῃ πατρίδι, |
10 δίχα τοῦ πόρου ἐκ τοῦ δη‖μοσίου διδομένου, δηναρί|ων μυρίων πεντακισχει|-
15 λίων, τὴν ἀνάστασιν | ποιησαμένων ἐκ τῶν ἰ|δίων τῶν ἐν τῇ Θερμαίᾳ ‖ πλα-
τείᾳ ³, ἐπιμεληθέν|των Μάρκου Μάρκου τοῦ | Οὐικκίου ⁴ καὶ Δάμα Ἀβασκάν|του
καὶ Τρύφωνος Ἀλεξάν|δρου τῶν ἀνδριάν(τ)ων.

1. Cf. n. 788. — 2. Cf. nn. 788, 790. — 3. Cf. n. 788. Per illam plateam ibatur ad Thermarum calidos fontes, in nummo memoratos (Ramsay, *op. cit.*, p. 401 et pl. I, 1), qui prope urbem scaturire non desierunt, ut recentius exploratum est. — 4. Sane errore scriptum pro Μάρκου Οὐικκίου τοῦ Μάρκου (υἱοῦ).

---

790. Apameae. — Mommsen, *Ephem. epigr.*, VII, p. 437; Ramsay, *Cities of Phrygia*, I (1895), p. 461, nn. 294, 295.

[Ἡ βουλὴ καὶ ὁ δῆμος καὶ οἱ | κατοικοῦντες Ῥωμαῖοι ἐτείμησαν] | Τι.
5 Κλαύδιον Τι. Κλαυδίου [Μιθρι|δάτου υὸν Κυρείνᾳ Πείσωνα ‖ Μιθριδατιανὸν,
ἱερέα διὰ βίου | Διὸς Κελαινέως ¹, ἐφηβαρχήσαντα | καὶ γυμνασιαρχήσαντα καὶ
ἀγορα|νομήσαντα διὰ ἀγοραίας ² καὶ ὑπεσ|χημένον ὑπὲρ τοῦ υἱοῦ Κλαυδίου ‖
10 Γρανιανοῦ γυμνασιαρχίαν δι' ἀγο|ραίας ἐκ τῶν ἰδίων, δίχα πόρου τοῦ | διδομένου
ἐκ τοῦ δημοσίου, δηνα|ρίων μυρίων πεντακ(οσίων) χειλίων, | τὴν ἀνάστασιν
15 ποιησαμένων ‖ ἐκ τῶν ἰδίων τῶν ἐν τῇ Σκυτικῇ | Πλατείᾳ τεχνειτῶν ³. |

Ἡ βουλὴ κ[αὶ ὁ δῆμος καὶ | οἱ] κατοικοῦ[ντες Ῥωμαῖ]οι ἐτείμησα[ν Τ]ιβέ-
20 ριον ‖ Κλαύδιον Τιβερίου Κλαυ|δίου Πείσωνος Μιθρι|δατιανοῦ υὸν Κυρείνᾳ |
25 Γρανιανὸν, γυμνασιαρ|χοῦντα δι' ἀγοραίας ἐκ ‖ τῶν ἰδίων τῇ γλυκυτά|τῃ πατρίδι,

δίχα τοῦ πό|ρου τοῦ ἐκ τοῦ δημοσίου | διδομένου, τὴν ἀνάσ|τασιν ποιησαμένων ‖
30 ἐκ τῶν ἰδίων τῶν ἐν τῇ | Σκυτικῇ Πλατείᾳ τεχνειτῶν. |

'Επιμεληθέντων Παπίου Δείδα τοῦ Αἰδούχου καὶ Τυράννου Μύτα | καὶ
Λουκίου Μουνατίου Ἄνθου καὶ Τρύφωνος Διογᾶ.

Geminis statuis simul honorantur Ti. Claudii duo, pater Mithridatianus et filius Gra-
nianus; pater autem natus erat ex Mithridate, qui titulum n. 787 posuit anno fere
128 post C. n.

1. Jupiter Celaeneus dictus est ab urbe Celaenis, cujus loco Apameam condiderat Antio-
chus I Soter (ann. 281-261 ante C. n.). Cf. Ramsay, op. cit., p. 420 et 434. In nummis
civitatis saepe efflictus est: Babelon, Invent. de la coll. Waddington, nn. 5658-5668, 5684,
5685. — 2. ἀγοραίας (συνόδου). Conventus juridici Apameae rite agebantur, sed non singu-
lis annis, ita ut eo anno, quo quisque agebatur, graviora essent impendia magistratibus
toleranda. Ramsay, op. cit., p. 428; Chapot, Prov. rom. d'Asie, p. 332. Cf. nn. 788, 789. —
3. Collegium artificum in Platea Coriaria consistentium. Cf. t. III, nn. 711-713, t. IV, n. 425.

---

791. Apameae. — Bérard, Bull. de corr. hellén., XVII (1893), p. 313, n. 8; Ramsay
Cities of Phrygia, I (1895), p. 464, n. 299.

['Η βουλὴ καὶ ὁ δῆμος καὶ οἱ κατοικοῦντες] | 'Ρωμαῖοι ἐτείμησαν | Π(όπλιον) [1]
5 Μαννήιον | Ποπλίου 'Ρωμιλίᾳ ‖ 'Ρούσωνα, ἀγομένης | πανδήμου ἐκκλησίας [2],
ἄν|δρα ἀγαθὸν καὶ μεγαλόφ[ρο]|να δι(ά) τε τὰς ἐκ προγόνων | αὐτοῦ καὶ τὰς
10 ἰδίας εἰς τὴν πα‖τρίδα συνκρίτους εὐεργεσί|ας, θρέψαντά τε τὴν πόλιν ἐν |
δυσχρήστοις πολλάκις και|ροῖς [3] καὶ πρεσβεύσαντα πρὸς | τοὺς Σεβαστοὺς περὶ
15 τῶν ‖ συνφερόντων πραγμάτων | καὶ ἐπιτυχόντα τὰς παρὰ τῶν | ἀρχιερέων φιλο-
δοσίας [4], | [ὑπὲρ] τε τῆς πόλεως ἐν παντὶ | [καὶ]ρῷ δημοφελ[ῆ]<ως>? γενο-
20 με‖[νο]ν καὶ συναυξήσαντα τὰς | [δημ]οσίας προσόδους, ἀνασ|[τη]σάντων τὸν
ἀνδριάντα τῶν | ἐπὶ τῆς Θερμαίας πλατείας ἐργασ|τῶν [5] ὑπὸ ἐπιμέλειαν Εὐμέ-
25 νου[ς] ‖ Διονυσίου καὶ 'Ιουλ. Δουβασσίωνο[ς] | κατὰ τῆς πόλεως ψήφισμα.

1. ΠΡΟΚΛΟΝ lapis. — 2. Concilium totius populi Apamensis, civium cum Graecorum,
tum Romanorum. — 3. Fortasse terrae motus. Cf. Ramsay, op. cit., p. 431. — 4. Profecto
summi sacerdotes Asiae multa civitati, eo postulante, largiti erant. — 5. Cf. n. 789.

---

792. Apameae. — Legrand et Chamonard, Bull. de corr. hellén., XVII (1893), p. 246,
n. 17; Ramsay, Cities of Phrygia, I (1895), p. 459, n. 290.

Δῆμον τῶν 'Απαμέων | καθιέρωσαν | Λεύκιος Μουνάτιος Λευ|κίου υἱὸς Κα[μ]ι-

5 λ[ί]ᾳ Τέρτιο[ς], ‖ Λεύκιος Ἀτίλιος Λευκίου | υἱὸς Παλατίνᾳ Πρόκλος, | Πόπλιος
Καρουίδιος Μάρχου | υἱὸς Κολλίνᾳ Πολλίων, | Μᾶρχος Οὐίκχιος Μάρχου υἱὸς ‖
10 Τη[ρη]τίνᾳ Ῥοῦφος, | Μᾶρχος Πόρχιος Ὀνησιμίων, | ἄρξαντες [1] ἐν τῷ λ΄ χαὶ
ρ΄ ἔτ(ει) [2] Ῥωμαῖοι πρώτως, ἐκ τῶν ἰδίων | ἀνέστησαν.

1. Illi cives Romani quinque strategi aut archontes civitatis fuerunt, quod antea
Romanis nunquam contigerat. — 2. Anno 130 aerae Sullanae = 45/46 post C. n.

---

793. Apameae. — Weber, *Athen. Mittheil.*, XVI (1891), p. 147; Ramsay, *Cities of Phrygia*, I (1895), p. 467, n. 302.

5 Ὁ δῆμος | καὶ οἱ κατοικοῦν|τες Ῥωμαῖοι ἐτή|μησαν Μύταν Διο‖κλέους ἱερέα
Ῥώμης | καὶ γραμματέα δήμου | γυμνασιαρχήσαντα | καλῶς καὶ φιλοδορέως.

---

794. Apameae. — Ramsay, *Cities of Phrygia*, I (1895), p. 464, n. 298.

Ἡ βουλὴ καὶ ὁ [δῆμος καὶ οἱ] κατοικοῦντες Ῥω[μαῖοι] ἐτείμησαν Λεύχιον
Ῥουτε[ίλιον] Λευκίου υἱὸν Οὐελίνᾳ Πρόκλο[ν], ἄνδρα καλὸν καὶ ἀγαθὸν,
ζήσαν[τα] κοσμίως καὶ σωφρόνως καὶ ἐμ παντὶ καιρῷ πρὸς τὴν πατρίδα
φιλοδόξως.

Divisio versuum non indicatur.

---

795. Apameae. — Ramsay, *Rev. des ét. gr.*, II (1889), p. 35, h; *Cities of Phrygia*, I (1895), p. 471, n. 312.

Ἔτους τλβ΄ [1]. | Τοῦτο τὸ ἡρῷον | ἐστὶν Αὐξάνοντος | τοῦ καὶ Ἑλλαδίου, ‖
5 πραγματευτοῦ [2] | Αἰλ. Τρύφωνος | Ἀσιάρχου τρὶς, | ὃ ἐποίησεν ζῶν | ἑαυτῷ τε
καὶ τῇ ‖ γυναικὶ αὐτοῦ | Ἀπάμῃ καὶ τῇ | μητρὶ αὐτῆς Ἀμμίᾳ · | εἰ δὲ ἐπιτη-
10 δεύσει | ἕτερος νεκρὸν ‖ ἐνθάδε θάψαι, | δώσει εἰς τὸν φίσκον | δηνάρια χείλια, |
13 κὲ χωρὶς τούτων τὸ[ν θεὸν] [3] | κεχολωμένον [ἕξει]. ‖ Ζῶμεν [4].

1. Anno 332 aerae Sullanae = 247/248 post C. n. — 2. Actor rerum, servus aut libertus
Asiarchae. Cf. Dittenberger, *Orient. gr. inscr. sel.*, n. 525, not. 1. — 3. Cf. n. 670. For-
tasse Christianorum Deus. — 4. Vivis uxori et matri, ut sibi, monumentum faciendum
curavit.

796. Apameae. — Ramsay, *Bull. de corr. hellén.*, VII (1883), p. 307, n. 29; *Cities of Phrygia*, I (1895), p. 470, n. 309.

'Απφία Παπίου μήτηρ | 'Ησύχω ἐνποριάρχῃ [1] | τέκνῳ κὲ αἰαυτῇ | ἐποίησε τὸ
5 ἡρῷον ‖ ἐκ τῶν ἰδίων, σπου|δασάντων [2] κὲ τῶν | συνβιωτῶν κὲ λβ´ ἄλλων. |
"Ηρως χρηστὲ χαῖρε.

1. Mercatorum sodalitatis (συνβιώσεως) magister. — 2. Monumentum ponendum ipsi etiam curaverunt. Cf. Ramsay, *op. cit.*, n. 60.

---

797. Apameae. — Bérard, *Bull. de corr. hellén.*, XVII (1893), p. 320, n. 15; Ramsay, *Cities of Phrygia*, I (1895), p. 473, n. 320.

Αὐρ. Ζώσιμος ἐποίησα τὸ ἡρῷον ἑαυτῷ | καὶ τῇ γυναικὶ ἑαυτοῦ Πε[λ]αγ[ία] ·
εἰ δέ [τις ἕτερος ἐπιτηδεύσει, θήσει] εἰς τὸ ταμεῖον δηνάρια φ´.

Ibid., n. 12 : δηνάρια φ´; Legrand et Chamonard, *ibid.*, p. 249, n. 21; p. 250, n. 26 :
δηνάρια φ´; p. 248, n. 19 : δηνάρια φ´, δηνάρια πεντακόσια; Ramsay, *Rev. des ét. gr.*, 1889,
p. 34 g : δηνάρια φ´; *ibid.*, p. 36 k : ἀττικὰς φ´, 37 l : δηνάρια φ´.

---

798. Apameae. — Bérard, *Bull. de corr. hellén.*, XVII (1893), p. 319, n. 11; Ramsay, *Cities of Phrygia*, I (1895), p. 473, n. 319.

5 ....Αὐρηλίου Ζωσίμου | πραγματευτὴς [1] | ἐποίησα τὸ ἐξυκο|δόμητον [2] ‖ καὶ
τὸν | βωμὸν | τέκνῳ Χρυσέρω|τι αώρῳ [3] μνή|μης χάρην.

1. Cf. n. 795. — 2. ἐξοικοδόμητον, quod vocatur in aliis titulis οἶκος, sepulcrum, cui erat altar superpositum. Cf. Ramsay, *op. cit.*, p. 367. — 3. ἀώρῳ.

---

799. Apameae. — Legrand et Chamonard, *Bull. de corr. hellén.*, XVII (1893), p. 254, n. 33; Ramsay, *Cities of Phrygia*, I (1895), p. 480, n. 351.

Αὐρ. Κυρίων Δαμ..... Φρόντων | ἐποίησα τὸ ἡρῷον ἐμαυτῷ καὶ τῇ | γυναικί
5 μου Δόμνῃ καὶ τοῖς τέκνοις · | εἰ δέ τις ἄλλος ἐπιτηδεύσει, δώ[σει] ‖ τῷ ταμίῳ
δηνάρια λφ´. 'Εγένετο ἔτι τκδ´, μ(ηνὶ) α´ [1].

1. Anno 324 aerae Sullanae = 239/240 post C. n.

800. Apameae. — Ramsay, *Cities of Phrygia*, I (1895), p. 536, n. 393.

Αὐρ. Πρόκλος | Ζωτικοῦ ἐποίησα | τὸ ἡρῷον ἐμαυτῷ | καὶ τῇ γυναικί μου ‖
5 Μελτίνῃ. Χρειστι|ανῶν.

---

801. Apameae. — Ramsay, *Cities of Phrygia*, I (1895), p. 475, n. 333.

.....[ἔστη]σε ἑ[α]υτῇ καὶ τῷ ἀνδρὶ [αὐτῆς Πρείμῳ Πρείμο?]υ ἀρχάς τε τετε-
λεκότι πάσας καὶ |χ]ρεοφυλακήσ[αν]τι καὶ ἀγορανομήσαντι, γρα[μματεύσαντι],
ἐργεπιστατήσαντι ¹ καὶ Πανέλληνι ² γενομ[ένῳ, ζήσα]ντι καλῶς. Π[ρ]εῖμε, ἥρως
χρηστὲ, χαῖρε.

Divisio versuum non indicatur.

1. Curator operum publicorum : Liebenam, *Städteverwalt.*, p. 384. — 2. Cf. nn. 573-576.

---

802. Apameae. —. Ramsay, *Bull. de corr. hellén.*, VII (1883), p. 308, n. 30; Ramsay,
Cities of Phrygia, I (1895), p. 475, n. 334.

[Π]ροκλιανὸς Τρύφων[ος..... | κ]ατεσκεύασα τὸν βω[μὸν καὶ τὴν | σορὸ]ν
5 τὴν ἐπικειμένην .....[ῇ κ]|ατεθέμην τὴν γενομένην [γυναῖκ]‖ά μου Κεκιλλίαν
Ἀμμ[ί]α[ν · εἰς ὃ ἔτε]|ρος οὐ τεθήσετ(αι) πλὴν ἐμοῦ [καὶ τῆς μ]|εταγενεστέρας
γυνεκός μου Αἰλ[ιαν]|ῆς · ὡς εἴ τις ἕτερος ἐπιτηδεύσει [παρὰ τ]|ὴν ἐμὴν γνώμην,
10 εἰσοίσει εἰς [τὸ ἱερ]‖ώτατον ταμεῖον ἀργυρίου [δηνάρι]α δισχείλια πεντακόσια.

Ibid. n. 34, v. 3 : εἰ δ[έ] | τις ἐπιτηδεύσ(ε)ι, θήσ(ε)ι (ε)ἰς τὸ ταμεῖον δηνάρια φ'. *Ibid.* n. 36,
δηνάρια ,α.

---

803. Apameae. — *C. I. Gr.*, 3965; *Ephem. epigr.*, II, 1044 (*C. I. L.*, III, 7056); Ramsay,
Cities of Phrygia, I (1895), p. 474, n. 329.

[Οὐαλέριος Ἰουλιανὸς Ἰουλιαν?]οῦ καὶ | [Κασσία Κουαρτεῖνα ἡ γυνὴ αὐτο]ῦ
ζῶν[τες καὶ φρονοῦντες ἑαυτοῖς] | ἐποίησαν [τὸ ἡρῷον καὶ....... καὶ] | τὴν
5 κατά[γαιον καμάραν...., ε]‖ἰς ἣν ἕ[τερος οὐ τεθήσεται · | ἐ]ὰν δέ τις ἕ[τερον
πτῶμα εἰσενένκῃ], | θήσει ἰς [τὸν Καίσαρος φίσκον δην(άρια) φ'. | Ἐγένετο ¹
ἔτ]ει σνε' ². |

10   D. M. ‖ Cassia M. f. Quartina uixi|t annos XXV. Valerius | Iul(i)anus centurio leg. VII Cl. ³ coiu[gi] | b. m. H. s. e.

1. Cf. n. 799, v. 5. — 2. Anno 255 aerae Sullanae = 170/171 post C. n. — 3. Legio VII Claudia videtur tum temporis in Asia tetendisse.

---

804. Apameae. — Ramsay, *Cities of Phrygia*, I (1895), p. 475, n. 330.

C. Vennonio C. l. Eroti heredes ex testamento.

Γαίῳ Ὀυεννωνίῳ Ἔρωτι κληρονόμοι κατὰ διαθήκην.

Divisio versuum non indicatur.

---

805. Apameae. — Giassas, *Athen. Mittheil.*, XXI (1896), p. 372.

87. V. 5 : εἰς τὸ ἱερότατον ταμεῖον δηνάρια φ'. |
88. V. 7 : ἰς τὸ ταμῖον δηνάρια φ'.

---

806. Apameae. — Legrand et Chamonard, *Bull. de corr. hellén.*, XVII (1893), p. 250, n. 27; Audollent, *Defixionum tabellae* (1904), p. 20.

5   *a.* Γράφω πά[ν]|τ[α]ς τοὺς ἐμοὶ | ἀντία π[ο]ιοῦν|τας μετὰ τῶν ‖ [ἄ]ώρων ¹ · |
10 Ἐπάγαθον, | Σαβῖναν, | Εὐτέρπην, | Τέρεντον, ‖ Ἀντίοχον, | Τέρτιον, | Ἀμμά-
15 λιον, | Ἀπολλώνιον τὸν Ἀμμαλίου, ‖ τὸν Νόσσον, | Ὀνήσιμον τὸν ἀντίον ²
ἀνινι|ασι ³. |

b. Ῥούσων[α], | Φιλημάτιον, | [Β]άκχαν, | Χελιδόνα.

Tabellae plumbeae duae (*a*, *b*), quibus diis mandantur adversarii ejus hominis qui scripsit imprecationem.

1. Ut sint cum mortuis, ante diem abreptis. Cf. Audollent, *op. cit.*, p. LXVII. — 2. Adversariorum omnium infensissimus. — 3. Quid his litteris significetur obscurum est.

---

807. Bos-Eyuk. — Legrand et Chamonard, *Bull. de corr. hellén.*, XVII (1893), p. 246, n. 15; Ramsay, *Cities of Phrygia*, I (1895), p. 232, n. 78.

Ἐν τούτῳ τῷ ἡρῴῳ κεῖται Παπίας Τυράννου | τοῦ Μοίτα μετὰ γονέων καὶ

συγγενῶν · ἐπέγραψε δὲ | τῷ μνημείῳ Αὐρήλιος Παπίας β' ὁ καὶ Κόιντος, εἰς ὃ
5 μνη|μεῖον ἕτερος οὐ τεθήσεται οὐδὲ συγγενὴς οὐδὲ ἐξω|τικὸς πλέον [1] Παπίας ὁ
ἐπιγράψας ἢ τέκνον αὐτοῦ. | Εἰ δέ τις τολμήσει θεῖναί τινα, θήσει προστείμου |
ἰς εἰκόνα Καίσαρος [2] δηνάρια ψν'.

1. πλήν. — 2. Cf. multas similes ἰς τὰς τῶν Σεβαστῶν θυσίας, *Bull. de corr. hellén.*, X, 419;
εἰς τειμὰς τῶν Σεβαστῶν, Liebenam, *Städteverwalt.*, p. 54.

---

808. Hierapoli in theatro. — Judeich, *Altertümer von Hierapolis* (1898), p. 68, n. 4.

Ἀπόλλωνι Ἀρχηγέτῃ [1] καὶ το[ῖ]ς θεοῖς [αὐτο]κράτορσι ....|.... [καλὸς
κἀγαθὸς ἄ]νθρωπος καὶ σωτὴρ ἀληθῶς καὶ [κτίστης | γενόμενος τῆς πόλεως τὸ
θέατρον] κατεσκεύασεν [ἐπὶ στρατηγῶν?] | Αἰλιανοῦ καὶ Δημητρίου σὺν παντὶ
5 τῷ κόσμῳ [καὶ τῇ λα]μ‖(π)ροτάτ[ῃ σ]κουτλόσει [2] εἰς τὴν εὐτυχῆ καὶ μακαρίαν
ὑπατ......|.... [ε]ύοντος κ(αὶ) Τινη[ίου] .... [3] πρ[ο]θύμως [4] συ[μβοη-
θ ή]σαντος διὰ χρημάτων εἰσκ[ομισθέντων ὑπ' αὐτοῦ? καὶ διὰ τ]ῆς τῶν | ἰδίων
ἀγροίκων βοηθείας.

1. ἀρχηγέτης τῶν μυστηρίων (Strab., p. 468), auctor mysteriorum, quae in templo Hiera-
politano celebrabantur. De summo illo deo in nummis efficto (Babelon, *Invent. de la coll.*
Waddington, n. 6103) cf. Ramsay, *Cities of Phrygia*, I, p. 96. — 2. Parietum incrustatio
marmorea. Cf. t. III, nn. 342, 424, 739, xix. — 3. Traditur ΓΑΛΛΟΓΟΥ. — 4. ΠΡΩΘΥΜΩΣ
lapis.

---

809. Prope Hierapolin. — Judeich, *Altertümer von Hierapolis* (1898), p. 179, n. 3.

Διὶ μεγίστῳ τὸν ἀετὸν | Διόδωρος Θεοφίλους | στρατευόμενος.

---

810. Hierapoli. — Judeich, *Altertümer von Hierapolis* (1898), p. 76, n. 26.

Τοῖς Σεβαστοῖς [καὶ] | τῷ δήμῳ [θ]εἀ(ν) Εὐπο|σίαν [1] Ζεῦξι(ς) Ζεύ(ξι)ι|(δ)ος τοῦ
5 Μενεστράτο[υ] ‖ (φιλό)πατρις ἀγο(ρ)ανο|μ[ή]σας ἐκ (τ)ῶν ἰδίων | ἀνέθηκε.

1. = Εὐβοσίαν, Copiam Cererem consentaneum est ab aedile coli. Cf. n. 654 : Waser,
ap. Pauly et Wissowa, *Realencyclopädie*, s. v. Ea profecto in nummis civitatis efficta
est, in quibus sub nomine Cereris aut Fortunae describitur : Babelon, *Invent. de la coll.*
Waddington, nn. 6116, 6119, 6120, 6128, 6163, 6164, 6166, 6173.

811. Hierapoli in porticu. — *C. I. L.*, III, 7059, 14192⁸.

.......[Brit]annico ¹, pont[ifici] max[imo], trib[unicia] pot(estate)...... [porta]m et tu[rres]. |

.......[Βρεττανικ]ῷ, ἀρχιερεῖ μεγίστῳ, δη[μαρχικ]ῆς ἐ[ξουσίας]...... καὶ τοὺς πύ[ργους].

1. Commodus, Septimius Severus aut Caracalla.

---

812. Hierapoli. — Judeich, *Altertümer von Hierapolis* (1898), p. 177, n. 353.

5 ...¹. | [T]ι. Καλπο[ύρνι]|ον Ποτα[μια]νὸν... | .... ▌ .... ² | [χρά]τιστ[ον].

1. Traditur Α. — 2. Traditur ΣΚΡΕ.... | ΑΙΣΤΩΝΡΙC..... | ΕΙΟΛ..... |

---

813. Hierapoli. — Judeich, *Altertümer von Hierapolis* (1898), p. 83, n. 35.

5 ...|τα.... | [τ]αμίαν..... | δήμαρχον, ▌ στρατηγὸν | ἀποδεδειγμένο[ν], | τὸν
10 ἀγνὸν κα[ὶ] | δίκαιον καὶ ἀγα|θὸν δικαστὴν ¹, ▌ προνοησαμένων τῆς | ἀναστάσεως
15 τοῦ | ἀνδριάντος τῶν | οἰκονόμων | τῆς πόλεως ² Τατιανοῦ ▌ καὶ Διοκλέους κατὰ κέ|λευσιν τῆς πόλεως.

1. Praeses Romanus aliquis. — 2. Oeconomi municipales, de quibus mentio est Ephesi et in aliis etiam urbibus, videntur auxiliati esse aedilibus : Liebenam, *Städteverwalt.*, p. 295, not. 6.

---

814. Hierapoli. — Judeich, *Altertümer von Hierapolis* (1898), p. 87, n. 43.

5 *a.* ....|......... τὸν | λαμπρότατον | διὰ παντὸς γέ▌νους ὑπατικὸ[ν] | ἡγε-
μόνα Φρυγ|[ίας καὶ] Καρίας ¹. |
10 *b.* ..... [τὸν ἀρισ]|τον ἄνδ[ρα πισ]|τὸν καὶ [ἀ]γ[νὸν] ! καὶ δίκ[α]ιον, ▌ Πο.
Τρε[βώ]ν[ιος] | Μενίσκος Φ[ι]λά|δελφος, πα[τ]ὴρ | τοῦ [πρ]ώτο[υ] ἄρ|χοντος ²
15 Με[νί]σ▌κου, τὸν ἑα[υ]το[ῦ] | καὶ τῆς πα[τρ]ίδο[ς] | ἐν πᾶσιν ε[ὐε]ργ[έ]|την.

1. Qua aetate suus fuerit Phrygiae et Cariae praeses, nemo novit; id tamen videtur factum esse paulo prius quam Diocletianus Asiam provinciam jussit in septem partes dividi. Chapot, *Prov. rom. d'Asie*, p. 86. — 2. Quin unus et idem fuerit magistratus archontum et strategorum, non potest dubitari. Cf. n. 686.

815. Hierapoli. — Judeich, *Altertümer von Hierapolis* (1898), p. 90, n. 48.

5 .....|...... ' | γενόμενον καὶ ..|......‖...... |...... ² [ἀπ]οδ[ε]|δειγμένο[ν] ...|
10 ....τον...|......‖..ων .... ἀρχ....|δον ... (π)ρεσ[6ευτὴν | ὑ]πατικὸν [Καπ]π[α]-
δο[κία]ς Π[ό]ντου Ἀρμεν[ίας] | Μεικρᾶς.

1. Traditur /////L////Λ//// | KE/////KTΗEI///////. — 2. Traditur Φ OLIANO TONKIΦ|
KVIM.

---

816. Hierapoli. — Judeich, *Altertümer von Hierapolis* (1898), p. 87, n. 42.

5 ......| τὸν κράτιστον | ἐπίτροπον τοῦ | Σεβαστοῦ ‖ ἡ σεμνοτάτη ἐργα|σία τῶν
πορφυρα|6άφων ' τὸν ἑαυτῆς | ἐν πᾶσιν εὐεργέ|την.

1. Cf. nn. 821, 822.

---

817. Hierapoli. — Judeich, *Altertümer von Hierapolis* (1898), p. 157, n. 280.

....['Ασ]ιά[ρ]χου? [Α]ἰλι[ανοῦ | x]αὶ Π. [Α]ἰ(λ). Ἀνδρο(νείχου) Νε[ι]κο-
δήμου.

---

818. Hierapoli. — Judeich, *Altertümer von Hierapolis* (1898), p. 81, n. 32.

[Ἡ λαμπροτάτη βουλὴ? | καὶ] ὁ λαμ[πρ]ό[τατος | δῆ]μος Ἱεραπόλε[ως | x]αὶ
5 ἡ γερουσία ‖ καὶ τὸ συνέδριον | τῶν Ῥωμαίων ' καὶ ο[ἱ ν]|έοι καὶ αἱ σύνοδο[ι] ² |
10 πλεονάκις ἐτίμ[η]|σαν Γ. Ἀγελήιον ['Α]‖πολλωνίδην Ἀν[ι(ῆνσις)], | ἄνδρα τῶν
15 ἀρίστων βο|υλευτῶν, στρατη[γή]|σαντα τῆς πόλεω[ς] | καὶ ἀγορανομήσ[αν]‖τα
καὶ δ(ε)καπρωτε[ύ]|σαντα καὶ κονδεντα[ρ]|γήσαντα τῶν Ῥωμ[αί]|ων ³ καὶ ἐλαιο-
20 θετή|σαντα καὶ ἐξετασσ[ὴν] ⁴ ‖ γενόμενον καὶ ἐ[ργε]|πιστατήσαντα | καὶ εἰς χρίας
κυρ[ια]|κὰς εὔχρηστο[ν] | γενόμενον ⁵.

1. Conventus civium Romanorum Hierapoli consistensium, οἱ κατοικοῦντες Ῥωμαῖοι.
Cf. nn. 785, 786, 788, 789, 790, 791, 793, 794. — 2. Artificum collegia. — 3. Civium
Romanorum conventus curator. Cf. n. 788. — 4. Exactor municipalis pecuniae publicae.
Cf. Liebenam, *Städteverwalt.*, p. 293, not. 4. — 5. Bene de imperatore meritus erat,
fortasse quia fiscum adjuverat, quanquam eum fuisse procuratorem Augusti, ut putat
editor, nihil palam facit.

819. Hierapoli. — Judeich, *Altertümer von Hierapolis* (1898), p. 80, n. 31.

5 [O]ἱ ἐπὶ [τῆ]ς ['Α|σ]ίας Ἕλλη|νες ' καὶ ἡ βο[υ]|λὴ καὶ ὁ δῆ||μος Π. Αἴλι|ον
10 Ζευξείδη|μον Ἄριστον | [Ζ]ήνωνα, υἱὸν | Π. Αἰλίου Ζευ||[ξε]ιδήμου Κα[σ|σι]ανοῦ
15 ἀρχι|[ερ]έως Ἀσίας, | συνήγορο[ν | τ]οῦ ἐν Φρυγί[ᾳ || ταμ]ιείου | [καὶ] τοῦ ἐν
Ἀσ[ίᾳ] ².

1. Commune Asiae provinciae. — 2. « Hadrianus fisci advocatum primus instituit »
(Hist. Aug., *Hadr.*, 20, 6). De advocatis, quibus imperator curam conferebat fisci in qua-
que provincia defendendi, vide Ruggiero, *Diz. epigr.*, I, p. 125. Notum est autem duos
fuisse in ipsa provincia proconsulari procuratores Augusti, unum Asiae, alterum Phry-
giae : Chapot, *Prov. rom. d'Asie*, p. 334; fiscum defendit ille Aelius primum in Phrygia,
posterius in Asia.

---

820. Hierapoli. — Judeich, *Altertümer von Hierapolis* (1898), p. 85, n. 39.

[Π]ό[π]λιον Ἀντώνιον Κοΐν|του υἱὸν Κορνηλίᾳ Οὐιτελλ[ει]|ανὸν φιλόπατριν,
5 ἀγαθὸν, | χρεοφυλακήσαντ[α] πιστῶς, || ἀγορανομήσαντα λαμπρῶς, | βουλαρχή-
σαντα ¹ ἁγνῶς, ἐν | πρεσβείαις τε καὶ ἄλλαις ἀρ|χαῖς ὑπηρετήσαντα τῇ πόλε[ι] |
10 καὶ ἀναστραφέντα ἐν πᾶσι σε||μνῶς κ[αὶ ἐν]δόξως.

1. Ὁ βούλαρχος, in unum annum creatus, praeerat civitatis senatui : Liebenam, *Städte-
verwalt.*, p. 246, n. 5.

---

821. Hierapoli. — Judeich, *Altertümer von Hierapolis* (1898), p. 85, n. 40.

5 Ἡ σεμνοτάτη | ἐργασία τῶν | ἐριοπλυτῶν ¹ | Τιβ. Κλ. Ζωτικὸ[ν] || Βοᾶ τὸν
10 πρῶ|τον στρατηγὸ[ν] ² | καὶ φιλότει|μον καὶ ἀγωνοθέ[την] | καὶ γραματέα || ναῶν
15 τῶν | ἐν Ἀσίᾳ ³ καὶ | πρεσβευτὴν | ἔνδοξον | καὶ ἀρχιερέα, || εὐεργέτην | τῆς
20 πατρίδο[ς], | προνοησάντω[ν] | τῆς ἀναστάσε[ως] | τῶν περὶ Μᾶρ. Αὐρ. || Ἀπολ-
λώνιον δὶς | Πυλῶνα [καὶ] Μᾶρ. Αὐρ. | Ἀμμιανὸν Ἀμμι|ανοῦ δὶς τοῦ Γλύ|κω-
25 νος (καὶ) Αὐρηλι||ανὸ(ν) Ἑρμίππου | [Ἀρ]ρουντιανόν.

1. Ut fullones, sic quoque purpurae confectores eidem viro monumentum posuerunt
n. 822. De lanificio Hierapolitano cf. Cichorius, *Alterth. von Hierap.*, p. 49. — 2. Primus
trium strategorum, qui civitatem administrabant : Cichorius, *op. cit.*, p. 28. — 3. Is
summo sacerdoti Asiae sine dubio aderat. Braudis ap. Pauly et Wissowa, *Realencyclop.*,
II, col. 1558, v. 64.

822. Hierapoli. — Judeich, *Altertümer von Hierapolis* (1898), p. 86, n. 41.

5 ['Η σεμνοτάτη] | ἐργα[σία τῶν] | πορ[φυραβάφων] | Τιб. Κλ. Ζω‖τιχὸ[ν Βοᾶ] |
10 τὸν [π]ρῶ[τον] | στρατηγ[ὸν] | χαὶ φιλό[τει]|μον ἀγω[νο]‖θέτην χαὶ [γρα]|ματέα
15 να[ῶν] | τῶν ἐν 'Ασί[ᾳ] | χαὶ πρεσбε[υ]|τὴν ἔνδοξο[ν] ‖ χαὶ ἀρχιερέα, | εὐεργέ-
την | τῆς πατρίδος '.

1. Cf. n. 821.

---

823. Hierapoli. — Judeich, *Altertümer von Hierapolis* (1898), p. 89, n. 46.

........ην 'Επιλήναιος ' | εἰχόνα χαλχῆν |
5   μαρτύριον προφέ|ρει τῶν ἰδίων χα‖μάτων
ἄθλων [ο'] | 'Ηραχλέους ' Κρατε|ρόρρονος ', ὧν διέθ[η]‖χεν
10   Ζωτιχὸς εὐπα|τρίδης, χλεινὸς ‖ ἀγωνοθέτης '.
Τεῦ|ξαι δὲ τὴν χεφα|λὴν Γλαбρίων ⁵ | χ(αὶ) ἐθήχατο χόσ|μον
15   ῥάбδῳ τειμη‖[θεὶ]ς? ηνιαλης ὑπα[τος?].

1. Nomen ignotum. — 2. Ludi in honorem Herculis. — 3. Cf. *Corp. inscr. Sic. It.*, 3,
7. — 4. Profecto Ti. Claudius Zoticus. Cf. nn. 821, 822. — 5. Glabrio, artifex ignotus,
videtur caput athletae et basis ornamenta sculpsisse. — Vv. 14-15 quid significent latet.

---

824. Hierapoli. — Judeich, *Altertümer von Hierapolis* (1898), p. 73, n. 15.

'Ιεραπολειτῶν νεωχόρω[ν] ' | "Αχτια Λητ<ι>όεια Πύθια ', πρῶτα | χωινὰ
'Ασίας Σμύρνα(ν) ³.

1. Hierapolis neocorus in nummis Caracallae primum dicitur : Babelon, *Invent. de la
coll. Waddington*, nn. 6160-6185. — 2. Λητόεια, in honorem Latonae, summae civitatis
deae. celebrata, in nummis, ut Actia et Pythia, memorantur : Babelon, nn. 6110, 6111,
6129, 6167, 6170, 6178, 6179, 6183, 6185; Ramsay, *Cities of Phrygia*, I, p. 89, 108. —
3. Ludi provinciales, per vices acti Smyrnae totius Asiae sumptibus, πρῶτοι etiam sae-
culo III videntur vocati esse, quia Smyrna prima ferebatur Asiae civitas : Chapot, *Prov.
rom. d'Asie*, p. 503, not. 1.

---

825. Hierapoli. — Judeich, *Altertümer von Hierapolis* (1898), p. 168, n. 324.

Γάιος Σήιος 'Αττιχὸς | ὁ χαλούμενος [Μ]οσ|[χ]ᾶς?, λεγιῶνος ἕχτης ' | ὁπτίων,
Μειλήσιος.

1. Profecto legio VI Ferrata, cujus castra in Syria fuerunt.

826. Hierapoli. — Judeich, *Altertümer von Hierapolis* (1898), p. 179, n. 2.

. . . .[Μ]ειδείῳ
ἀνδρὶ | θηροτρόφῳ ¹, μνεί|ας χάριν, ἥδ' ἀνέ|θηκεν.
Χῖρε || λέγι παροδῖτες ².

1. Feris venationum alendis praepositus. — 2. Χαῖρε λέγει παροδίταις.

827. Hierapoli. — Judeich, *Altertümer von Hierapolis* (1898), p. 84, n. 36.

Ἡ βουλὴ καὶ ὁ δῆμος... [κα]ὶ ἡ γε|ρουσία καὶ ἡ εἱροτάτη σοίνοδος καὶ | ο(ἱ)
ἀπὸ τῆς οἰκουμένης ἱερονῖκαι ¹ | Κυ(ί)[ντ]ον Φ[άβ]ιον Σεκοῦνδον παντύ[ς] || μέτρου
πυητὴν ἄριστον.

1. Dionysiacorum artificum collegium et oecumenici ludorum sacrorum victores. De
musicis illius civitatis agonibus cf. Cichorius, *Alterth. von Hierapolis*, p. 40.

828. Hierapoli. — Judeich, *Altertümer von Hierapolis* (1898), p. 107, n. 110.

Ἐν ταύτῃ τῇ σορῷ κεκήδευτα[ι] Π. Αἴλ[ιος 'Α]λέξ[α]νδρος ἀπελεύθερος |
Π. Αἰλ[ίου] Σευσιδήμου ¹ Κασσιανοῦ 'Ασιάρχου, κηδευθήσεται δὲ | [ἐ]ν [α]ὐτ[ῇ
κα]ὶ 'Αρτεμεισία ἡ γυνὴ τοῦ 'Αλεξάνδρου.

1. Ita lapis pro Ζευξιδήμου. De eo viro cf. n. 819.

829. Hierapoli. — Judeich, *Altertümer von Hierapolis* (1898), p. 172, n. 339.

Π. Αἰλ. 'Απολλιναρί|ου Μακεδόνος καὶ Νε|ρα[τί]ας 'Απολλωνίδος. |
Π. Αἴλιος Π. Αἰλίου 'Απολλιναρίου 'Ιουλιανοῦ υἱὸς Σεργίᾳ 'Απολλινάρις
Μακεδὼν ¹ || τὸν περίβολον τοῦ ἡρῴου καὶ τὸν βωμὸν κατεσκεύασεν, ἐν ᾧ
κηδευθήσονται οἷς ἂν αὐτὸς συνχωρήσῃ, ἕτερος δὲ οὐδείς. | Ὁμοίως ἐπέθηκε τῷ
βωμῷ σορὸν Θιουντηνὴν ², ἐν ᾗ κηδευθήσεται αὐτός, καὶ εἴ τινι ἑτέρῳ αὐτὸς
συνχωρήσῃ δι' ἐνγράφου, ἑτέ|ρῳ δὲ οὐδενὶ ἐξέσται κηδευθῆναι · εἰ δὲ μή, ὁ
κηδεύσας ἀποτείσει πρόστειμ[ον] τῷ φίσκῳ δηνάρια δισχείλια πεντακόσια καὶ

τῇ Ἱερα|πολειτῶν βουλῇ ἄλλο τοσοῦτον, καὶ τῷ ἐκδικήσαντι δηνάρια δισχείλια πεντακόσια, ἐξουσίαν ἔχοντος παντὸς τοῦ βουλομένου | ἐκδικεῖν.

Quae sequuntur hic describere non operae pretium erat.

1. Proprium hominis, non ethnicum, nomen. Cf. Judeich, *ibid.*, nn. 153 et 255. — 2. Ex marmore quod caedebatur Thiountae, in vico Hierapoli vicino. Cf. Judeich, *ibid.*, nn. 113, 178, 313 ; Ramsay, *Cities of Phrygia*, I, p. 124.

---

830. Hierapoli. — Judeich, *Altertümer von Hierapolis* (1898), p. 104, n. 94.

Ἡ σορὸς καὶ ὁ περ(ὶ) α|ὑτὴν τόπος Ἀμμίας Ἀ[π]πᾶς? [τοῦ Ἀδρ?]|άστου.... ὄρος, κηδευθή|σε[τ]αι δὲ καὶ ἡ Ἀμμί[α, ἄλλῳ δὲ οὐκ ἐξέσται · εἰ δ(ὲ) | μ[ή, ἀπ]οτίσ[ι] τῷ ταμείῳ δηνάρια χείλια κ[αὶ?]..... ‖ τοῦ ὑπατικοῦ τοῖς νεανίσκοις ¹ · ἀ[ντί]γραφον ἀπετέ|θη ἐν τῷ ἀρχίῳ.

1. Sensus prorsus incertus est.

---

831. Hierapoli. — Judeich, *Altertümer von Hierapolis* (1898), p. 171, n. 336.

Ἡ σορὸς καὶ ὁ βωμὸς καὶ ὁ περίβολος πᾶς ἐστιν Ἀπολλωνίου τοῦ Μενάνδρου τοῦ Ἀπολλωνίου σεκουνδαρούδου ¹.

Sequitur taxatio multae funebris civitati solvendae.

1. Gladiator secunda rudis, śi quidem de lectione constat. Cf. t. III, n. 215; Ramsay, *Classic. review*, XIV (1900), pp. 81 et 84.

---

832. Hierapoli. — Judeich, *Altertümer von Hierapolis* (1898), p. 144, n. 233.

Ἡ σορὸς καὶ ὁ περὶ αὐτὴν τόπος Ἀπολ[λ]ωνίου δὶς τοῦ Με|νάνδρου, ἐν ᾗ χηδευθήσεται αὐτὸς καὶ ἡ γυνὴ αὐτοῦ Νε|[ρ]α[τ]ί[α] Ἰταλία καὶ ὁ υἱὸς αὐτοῦ Ἀπολλεινά[ρ]ιος.

---

833. Hierapoli. — Judeich, *Altertümer von Hierapolis* (1898), p. 112. n. 125.

Ἡ σορὸς καὶ ὁ περὶ αὐτὸν τόπος Αὐρ. Ἀζείου (οὐ)αιτρανοῦ καὶ τῆς γυνῆς αὐτοῦ | Σεραπίας, ἐν ᾗ κηδευθήσεται αὐτὸς καὶ ἡ γυνὴ αὐτοῦ Σεραπία ·

οὐδενὶ δὲ | ἑτέρῳ ἐξέσται κηδευθῆναι · εἰ δὲ μὴ<γε>, ὁ ἐπιχειρήσας δώσει τῷ ἱερωτάτῳ | ταμείῳ δηνάρια μύρια.

---

834. Hierapoli. — Judeich, *Altertümer von Hierapolis* (1898), p. 138, n. 212.

Ἡ σορὸς καὶ ὁ περὶ αὐτὴν τόπος Αὐρ. Αὐγούστας Σω|τεικοῦ, ἐν ᾗ κηδευθήσεται αὐτὴ καὶ ὁ ἀνὴρ (αὐ)τῆς Γλυκωνιανὸς | ὁ καὶ Ἄπρος καὶ τὰ τέκνα αὐτῶν · εἰ δὲ ἔτι ἕτερος κηδεύσει, δ|ώσει τῇ κατοικίᾳ τῶν ἐν Ἱεραπόλει κατοι-
5 κούντων Ἰουδαί|ων ¹ προστείμου δηνάρια .. καὶ τῷ ἐκζητήσαντι δηνάρια δισχίλια. Ἀντίγραφον | ἀπετέθη ἐν τῷ ἀρχίῳ τῶν Ἰουδαίων.

1. Cf. n. 835.

---

835. Hierapoli. — Judeich, *Altertümer von Hierapolis* (1898), p. 96, n. 69.

Ἡ σορὸς καὶ τὸ ὑπὸ αὐτὴ[ν θέ]μα σὺν τῷ βαθρικῷ [καὶ] | ὁ τόπος Αὐρηλίας Γλυκωνήδος Ἀμμιανοῦ καὶ τ[οῦ] | ἀνδρὸς αὐτῆς Μ. Αὐρ. Ἀλεξάνδρου Θεοφίλου ἐπίκλ[ην? Ἄσ]|αφ [λ]αοῦ Ἰουδαίων ¹, [ἐ]ν ᾗ [x]ηδευθ[ή]σοντα[ι]
5 αὐτοί · ἑτέρῳ δὲ οὐ|δενὶ ἐξέσται κηδεῦσαι ἐν αὐτῇ τινα · ε[ἰ] δὲ μὴ, ἀποτείσει τῷ λαῷ | τ(ῶ)ν ² Ἰουδαί[ω]ν προστε(ί)μου ὀν[όμ]ατι δηνάρια χείλια · ταύτης τῆς | ἐπιγραφῆς ἁπλοῦν ἀ[ν]τίγραφον ἀπετέθη εἰς τὰ ἀρχῖα.

1. Judaei Hierapoli consistentes. Cf. n. 834. — 2. TON lapis.

---

836. Hierapoli. — Judeich, *Altertümer von Hierapolis* (1898), p. 98, n. 73.

Ἡ σορὸς καὶ ὁ περὶ αὐτὴν τόπος Μάρχου | Αὐρηλίου Ἰουλιανοῦ Λόγγου στρατιώτου, | ἐν ᾗ κεχήδευται ἡ μήτηρ αὐτοῦ Ἰουλία, κηδευθή|σεται δὲ καὶ ἱ
5 πατὴρ αὐτοῦ Μᾶρκος Αὐρη. Κε|ῖρᾶ[το]ς Ἀπολλωνίδου Λόγγος · ἄλλο δὲ οὐδενὶ | ἐξέσται κηδευθῆναι ἢ κηδεῦσαί τινα, εἰ μὴ ὁ Ἰουλια|νὸς συνχωρήσει · εἰ δὲ τις [τ]ῶν προγεγρ[αμμένω]ν ἄλλο [τι] | ἐπιχειρήσει, ἀποδώσει τῷ [σ]εμνοτάτῳ συνεδρίωι γερουσίας | δηνάρια χείλια.

---

837. Hierapoli. — Judeich, *Altertümer von Hierapolis* (1898), p. 152, n. 267.

[Ἡ σο]ρὸς καὶ ὁ περὶ αὐτὴν τόπος Αὐρηλίου Μάγνου | [οὐετ]ερ<ι>ανο:

λεγιῶνος τεσσαρεσκαιδεκάτης Γεμίνης ¹ · ἐν ᾗ κη|δευθήσεται ὁ Μάγνος καὶ ἡ σύνβιος αὐτοῦ Ἱλάρα.

1. Legio XIV Gemina Carnunti in Pannonia tendebat.

---

838. Hierapoli. — Judeich, *Altertümer von Hierapolis* (1898), p. 125, n. 180.

Τὸ θέμα τὸ παρὰ τῷ βω[μῷ] Ε[ὐ]τυ|χοῦς β′ Πομπηίου, ἐν ᾧ κηδευθήσε|ται αὐτὸς ὁ Εὐτυχῆς καὶ ἡ γυνὴ αὐτοῦ | Αὐρηλία Βρεισηὶς ἡ καὶ Ῥωμᾶνα... ‖
5 ...χον ὁ Εὐτυχῆς.. τη.. | ..τω μετεχόντων Εὐ[τυχ]... | δηνάρια ἑκατὸν καὶ το[ῖ]ς γρα[μ]μα[τεῦσι] ¹...

1. Scribis civitatis solvebatur pretium loci sepulturae, qui cavebant ut instrumentum emptionis in tabulas publicas referretur. Cf. Judeich, *Ibid.*, nn. 67, 4; 270, 7.

---

839. Hierapoli. — Judeich, *Altertümer von Hierapolis* (1898), p. 151, n. 261.

Ἡ σορὸς ἡ λευκὴ καὶ ἡ παλαιὰ ἡ παράκειται | καὶ ὁ βωμὸς ἐφ' οὗ ἐπίκεινται σὺν τῷ ἡρώῳ | Ζεύξιδος ἀρχιερέως καὶ Ἰουλιανῆς ἀρχιε|ρείας. Τούτων φρον-
5 τίζουσιν Ζευξιανὴ ἡ ‖ θυγάτηρ αὐτῶν καὶ ἡ ἔγγονος Μοδέστα.

---

840. Hierapoli. — Judeich, *Altertümer von Hierapolis* (1898), p. 99, n. 78.

Ἡ σορός ἐ[στι]ν [Τί]τ[ου] Σεικηνίου [Τ]ίτου υοῦ Παλατίνᾳ Τερτίου | καὶ τέχνων αὐτοῦ · συνχωρῶ Ἀπολλωνίδι Ἀπολλωνίου τοῦ | Βάρβου τεθῆναι · εἴ τις παρὰ τὴν διαταγὴν ¹ τὴν ἐμὴν ποιήσι, ἀποτίσι τῇ γερουσίαι | δηνάρια φ′
5 καὶ τῷ ταμίᾳ δηνάρια φ′, κὲ προνοησαίτω ² ‖ δηνάρια φ′ · τῆς ἐπιγραφῆς τὸ ἀντίγραφον | κῖται εἰς τὰρχῖα.

1. Excerptum testamenti, relati in tabularium civitatis. — 2. Ut provideatur sepulcro suo quotannis coronando, pecuniam reliquit. Cf. Judeich, *Ibid.*, nn. 195, 6; 278, 8; 336, 19.

---

841. Hierapoli. — Judeich, *Altertümer von Hierapolis* (1898), p. 92, n. 31; Cichorius, *ibid.*, p. 53.

Φλάουιος Ζεῦξις ἐργαστῆς, | πλεύσας ὑπὲρ Μαλέαν εἰς Ἰ|ταλίαν πλόας

5 ἑβδομήκοντα | δύο ¹, κατεσκεύασεν τὸ μνημεῖ‖ον ἑαυτῷ καὶ τοῖς τέκνοις
Φλα|ουίῳ Θεοδώρῳ καὶ Φλαουίῳ | Θευδᾷ καὶ ᾧ ἂν ἐκεῖνοι | συνχωρήσωσιν.

1. Faber ille 72 itinera confecerat in Italiam navigando ultra Maleam, Laconiae pro-
montorium infame (Strab., p. 378), ut merces suas venderet.

---

842. — Ex titulis Hierapolitanis has tantum excerpendas judicavimus multarum fune-
brium taxationes : Judeich, *Altertümer von Hierapolis* (1898).

n. 141 : [τῷ ἐπι?]τρόπῳ δηνάρια δισχίλια τετρακόσια.

n. 100 : τοῖς κο.... | τοῦ κυρίου δηνάρια τριακόσια πεντήκοντα καὶ τῇ
γερουσίᾳ τῇ Ἱεραπολειτᾶν δηνάρια διακόσια καὶ τῷ μηνύσαντι δηνάρια
πεντήκοντα.

n. 331 : τῷ κατὰ καιρὸν ταμίᾳ | δηνάρια χίλια πεντακόσια καὶ τῇ
γερουσίᾳ τῇ Ἱεραπο|λειτῶν δηνάρια χίλια πεντακόσια καὶ τῇ | βουλῇ
δηνάρια χίλια πεντακόσια καὶ τῷ<ν> ἐκδικήσαντι | δηνάρια πεντακόσια.

n. 307 : τῷ φίσκῳ δηνάρια ἑκατόν.

n. 153 : — — πεντακόσια.

n. 82 : τῷ ἱερωτάτῳ φίσ[κῳ] δηνάρια πεντακόσια.

nn. 270, 275, 343 : — — χείλια.

n. 130 : τῷ ἱερωτάτῳ φίσκῳ δηνάρια πεντακόσια καὶ τῷ προσαγγείλαντι
δηνάρια ἑκατόν.

n. 240 : [τῷ κυριακ]ῷ φίσκῳ δηνάρια δισχίλια πεντακόσια.

n. 158 : εἱερωτάτῳ φίσκῳ δηνάρια δισχίλια πεντακόσια καὶ τῇ γερουσίᾳ
δηνάρια χίλια πεντακόσια.

n. 74 : εἰ[ς τ]ὸν [χ]οι[ρια]κὸν φίσ[χ]ο[ν] δηνάρια ἑπτακόσια πεντήκοντα <η>
καὶ τ[ῇ βουλῇ δηνάρια πεντακόσια.

n. 119 : [τῇ] Ἱεραπολειτῶν βουλῇ ἀργυρίου δηνάρια χίλια καὶ τῷ κυριακῷ |
[φίσκῳ ἀργυρίου] δηνάρια χίλια πεντακόσια, καὶ ὁ ἐπεξελ[θ]ὼν λήψεται παρὰ
τοῦ.....

n. 241 : τῷ κυ|ριακῷ φίσκῳ δηνάρια χίλια καὶ (τῇ) γερουσίᾳ δηνάρια χίλια·

n. 327 : — [δισχίλια?] διακόσια.

n. 323 : τῷ ἱερωτάτῳ φίσκῳ δηνάρια ε πεντακισχείλεα.

n. 286 : τῷ | [φίσκ]ῳ δηνάρια χίλια καὶ τῇ Ἱεραπολιτῶν | γερουσίᾳ [δηνάρια]
πεντακόσια καὶ τῷ ἐκδικήσαντι δηνάρια πεντακόσια.

n. 100 : τῷ φίσκῳ δ[ηνάρι]α πεντακόσια καὶ ὁ ἐκ|δικήσας λήψεται δηνάρια πεντακόσια.

n. 250 : τῷ κυριακῷ φίσκῳ δηνάρια δισχίλια πεντακόσια καὶ τῇ Ἱεραπολιτῶν βουλῇ δηνάρια δισχίλια πεντακόσια | καὶ τῷ ἐκδικήσαντι δηνάρια δισχίλια πεντακόσια.

nn. 97, 182 : τῷ ταμείῳ δηνάρια χείλια.

n. 221 :   —   —   χείλια πεντακόσια.

n. 83 :   —   —   πεντακισχίλια.

n. 237 : τῷ ἱερω|τάτῳ ταμίῳ διακόσια πεντήκοντα [δηνάρια].

n. 198 : τῷ ἱερωτάτῳ ταμείῳ δηνάρια τριακόσια.

nn. 72, 104, 105, 222, 226, 243, 273, 313, 337 : δηνάρια πεντακόσια.

n. 88 :   —   —   χίλια.

n. 321 :   —   —   χίλια πεντακόσια.

n. 348 :   —   —   πεντακισχίλια.

n. 140 :   —   —   πεντακισχίλια πεντακόσια.

n. 97 :   —   —   μύρια.

n. 147 : τῷ ἱεροτάτῳ ταμείῳ ἀττικὰς πεντακοσίας.

n. 341 :   —   —   δισχιλίας πεντακοσίας.

n. 315 :   —   δηνάρια δισχίλια πεντακόσια, τῇ δὲ σεμνοτάτῃ γερουσίᾳ | [πεντακ]ό[σια]....

n. 80 : τῷ ἱεροτάτῳ ταμείῳ δηνάρια δισχείλεα πεντακόσια καὶ τῆι ἱερωτάτῃ γερουσίᾳ δηνάρια πεντακόσια καὶ τῷ μηνοιτῇ δηνάρια τρειακόσια.

n. 98 : τῷ ἱεροτάτῳ ταμείῳ δηνάρια χείλια καὶ τῇ σεμνοτάτῃ γερουσίᾳ δηνάρια τριακόσια.

n. 116 : τῷ ἱεροτάτῳ ταμείῳ δηνάρια πεντακόσια καὶ τῷ ἐ(κ)δεικήσαντει δηνάρια τριακόσια.

n. 340 : τῷ ἱεροτάτῳ ταμείῳ δηνάρια πεντακόσια καὶ τῷ ἐγδικήσαντι ἄλλο τοσοῦτο χρῆμα.

n. 133 : τῇ σεμνο[τάτῃ] | γερουσίᾳ <ς> δηνάρια πεντακόσια καὶ τῷ ἱερωτάτῳ ταμίῳ δηνάρια πεντακόσια καὶ τῷ ἐκδικοῦντι τὰ αὐτά.

n. 146 : τῇ σεμνοτάτῃ γερουσίᾳ | δηνάρια πεντακόσια κὲ τῷ [ἱε]ρωτάτῳ ταμείῳ δηνάρια πεντακόσια. Cf. 227.

n. 149 : τῷ ἱερωτάτῳ ταμείῳ ἀττικὰς πεντακοσίας | καὶ τῷ ἐ[γ]δικήσαντι δηνάρια διακόσια πεντήκοντα.

n. 186 : [τῷ ἱερωτάτ]ῳ ταμιείῳ δηνάρια χίλια καὶ τῇ [γερουσ]ίᾳ [δηνάρια] χίλια καὶ τῷ μηνύσαντι [τὸ αὐτό?].

n. 195 : [τῷ ἱερωτάτῳ ταμείῳ?] δηνάρια δισχίλια πεντακόσια καὶ τῷ Ἀπόλλωνι δηνάρια χίλια ἐπτακόσια καὶ τῷ ἐκδικήσαντι δηνάρια ὀκτακόσια.

n. 201 : τῷ ἱεροτάτῳ ταμιείῳ δηνάρια δισχίλια πεντακόσια καὶ τῇ σεμνοτάτῃ γερουσίᾳ δηνάρια χίλια καὶ τῷ μηνύ|σαντι δηνάρια ἑκατόν.

n. 218 : τῷ ταμίῳ δηνάρια πεντακόσια καὶ τῇ ἐργασίᾳ τῶν | ....[ἀ]ρ[γ]υρ(ίου?) δηνάρια τριακόσια.

n. 271 : τῷ ἱερωτάτῳ ταμείῳ δηνάρια πεντακόσια καὶ τῷ ἐγδικήσαντι δηνάρια πεντακόσια.

---

843. Attoudae. — Anderson, *Journ. of hellen. studies,* XVII (1897), p. 399, n. 2.

Ἀγαθῇ τύχῃ · | Μ. Αὐρ. Λύδιον ¹, ἐπί|τροπον Σεβαστῶν, | ἡ βουλὴ καὶ ὁ
5 δῆμος ‖ [Ἀ]ττουδέων τὸν | [αὐτῶ]ν εὐεργέτην.

1. [Κλ]αύδιον propositum est in *C. I. Gr.*, 3930.

---

844. Attoudae. — Le Bas et Waddington, nn. 743-744; Ramsay, *Cities of Phrygia,*
I (1895), p. 182, n. 70.

Ἡ βουλὴ καὶ ὁ δῆμος ἐτείμησαν] | Νεικίαν παῖδα | τῶν εὖ γεγον[ό]των, |
5 υἱὸν Παυσανίου β' ‖ τοῦ Διονοισίου | ἀνδρὸς βουλευτοῦ | καὶ πάσας ἀρχὰς κὲ |
10 λειτουργίας λαμπρῶς | κὲ ἐπιφανῶς ἐκτετ[ε]‖λεκότος, νεικήσα[ν]|τα τὸν πρώτως
15 ἐπι|τελεσθέντα τῶν | Ποιθίων ἀγῶνα ¹, νε|[ικήσαν]τα κὲ ‖ Ἀδριάνεια ² παίδων |
πάλην · ἀναθέντος | τοῦ ἀγωνοθέτου Ἀν|δρέου τοῦ Περείτου | τὸν ἀνδριάντα, ‖
20 τῆς ἀναστάσεως | γενομένης δι' ἐπιμε|λητῶν Παυσανίου τοῦ | Παυσανίου γ'
25 κὲ Παυ|σανίου τοῦ Ἐπιγόνου, ‖ τῶν ὑπὸ τῆς πόλεως | προτραπέντων. |
30 Ἀγωνοθετ[ή]|σαντος Ἀνδρ|έου τοῦ Περεί|του, [ὑπ]ού[ργη]σε ἀγ[ω]νο|θέτ[η]ς
διὰ βίου | τῶν Ποιθίων Μ. | Αὐρ. Ἀχιλλεύς · προ|εστὼς διὰ χρό[νου] ‖
35 Ποιθίων [ὁ] ἀξιολογώτ|ατος Δι[ο]γέ[νης · ἀ]|γωνοθέτις [Δημη]τρί[α Ν]|όσσ[ου ·
40 ἐπι|μελησά[μ]|ενος [τῆς] ἀγωνο[θε]‖σίας [Ἱερ]οκλέ|ης, [ἐν τῇ] πατρίδι |
ἀ[ρχιερ]εύοντος | Αὐρ[ηλ]ί. Μοσχί[ων]|ος Διοφάντου.

1. Ludi in honorem Apollinis, Pythiorum instar, Laodiceae celebrati, ut ferunt nummi, Caracalla principe : Babelon, *Invent. de la coll. Waddington,* n. 6311. — 2. Νε[ρώνια στεφανω]τὰ κὲ ἀνδειάντεια, Ramsay. Ludi Laodicenorum incerti.

845. Laodiceae ad Lycum, in stadio. — *C. I. Gr.*, 3935; Ramsay, *Cities of Phrygia*, I (1895), p. 73, n. 4.

[Αὐτοκρ]ά[τορι] Τίτῳ Καίσαρι Σεβαστῷ Οὐεσπασιανῷ ὑπάτῳ τὸ ζ' ¹ Αὐτο-
κράτορος Θεοῦ Οὐεσπασια|νοῦ υἱῷ καὶ τῷ δήμῳ Νεικόστρατος Λυκίου τοῦ
Νεικοστράτου τ[ὸ στάδιον ἀνρι]|θέατρον ² λευκόλιθον ἐκ τῶν ἰδίων ἀνέθηκεν, τὰ
προσλείψαντα τοῦ ἔργου τελειώσαντος Νεικοστρά|του τοῦ κληρονόμου αὐτοῦ,
καθιερώσαντος Μάρκου Οὐλπίου Τραιανοῦ ³ τοῦ ἀνθυπάτου.

1. Anno 79 post C. n. — 2. Stadium circumcirca gradibus cinctum in morem et usum
amphitheatri. Cf. n. 861 et Ramsay, *Ibid.*, p. 34, 47. — 3. M. Ulpius Trajanus, pater
Trajani imperatoris, proconsul Asiae anno 79/80 post C. n. : *Prosop. imp. rom.*, III,
p. 463, n. 574.

---

846. Laodiceae ad Lycum. — Sarre, *Arch. epigr.*, *Mitth.*, XIX (1896), p. 30, n. 5.

Αὐτοκράτορα Τίτον | Καίσαρα Οὐεσπασιανὸν | Σεβαστὸν ὕπατον τὸ ζ' ¹ |
5 Αὐτοκράτορος Καίσαρος ‖ Οὐεσπασιανοῦ | Σεβαστοῦ | Θεοῦ υἱὸν, | Νεικόστρατος
10 Νεικοστράτου | τοῦ Νεικοστράτου θεογενῇ ‖ φιλοκαῖσαρ ἐκ τῶν ἰδίων.

1. Anno 79 post C. n.

---

847. Laodiceae ad Lycum. — Ramsay, *Cities of Phrygia*, I (1895), p. 74, n. 5; Ander-
son, *Journ. of hellen. stud.*, XVII (1897), p. 408, not. 1; *C. I. L.*, III, 14192, 10.

.......dedicante Sex(to)...... |

Δ[ιὶ] μεγίσ[τῳ] Σ[ω]τῆρι καὶ Αὐτοκράτορι [Δομιτιαν]ῶι Καίσαρι Σεβαστῷ |
ἀρχιερεῖ μεγίστῳ, δημαρχικῆς ἐξ[ουσίας τὸ .., ὑπάτῳ τὸ ., αὐτοκράτορι τὸ .. |
5 Τιβ]έριος Κλαύδιος, Σεβασ|τοῦ ἀπελεύθερος, Τρύφων τοὺς πύργους καὶ ‖ τὰ
περὶ τοὺς πύργους καὶ τὸ τρίπυλον ¹ σὺν [παντὶ τῷ κόσμῳ καθιέρωσεν].

1. Porta trigemina, etiam nunc superstes, qua in urbem via publica ducebat; eodem
tempore turres utrinque exstructae sunt aut refectae.

---

848. Laodiceae ad Lycum. — Ramsay, *Cities of Phrygia*, I (1895), p. 72, n. 1.

[Αὐτοκράτορι Τρα]ιανῷ Ἀδριανῷ Καίσαρι Σεβαστῷ καὶ Σαβείνῃ Σεβ[αστῇ] |

Λαοδιχέων τῶν ἐπὶ Λύκῳ ἡ βουλὴ καὶ ὁ δῆμος? ἐ]πὶ ἀνθυπάτου Γαργιλίου Ἀντε[ί]χου ¹ καθιέρωσαν τὸ [γυμνάσιον?] ².

1. Gargilius Antiquus proconsul Asiae inter annos 123 et 125 post C. n. : *Prosop. imp. rom.*, II, p. 110, n. 41 ; Chapot, *Prov. rom. d'Asie*, p. 311. — 2. Titulus repertus est in ruderibus aedificii, quod fertur fuisse gymnasium : Ramsay, *Ibid.*, p. 47.

---

849. Laodiceae ad Lycum. — Sarre, *Arch. epigr. Mittheil.*, XIX (1896), p. 32, n. 12.

....Ἀδριανοῦ Ἀ[ντωνείνου]... | ...προβουλο......

---

850. Laodiceae ad Lycum. — Weber, *Athen. Mittheil.*, XXIII (1898), p. 363.

5   ....Θείου Α[ὐ]|τοκράτορος Λ. Σε|πτιμίου Σεουήρου | Περτίναχος Σεβα‖σ-τοῦ καλούμενον | Ἀντωνῆα Γετεῖα | Ὀλύμπια, | (ἐ)π' ἀγωνοθετησάν|[τω]ν τοῖς
10 χυρίοις [τ]ῆς ‖ [δε]υτέρας διετηρί|[δος] Π. Καλπουρνίου...........

---

851. Laodiceae ad Lycum. — *C. I. Gr.*, 3940.

Ἰουλίᾳ Δόμνῃ Σε[βαστῇ].

---

852. Laodiceae ad Lycum. — Weber, *Athen. Mittheil.*, XXIII (1898), p. 364.

.....Ἀνίχιον Ἄσπρον, τὸν | ὑπατιχὸν καὶ κτίστην, | ἀνθ' ὧν εὐεργέτηται ἀνέθ(ηκαν).

---

853. Laodiceae ad Lycum in arcu triumphali. — Weber, *Athen. Mittheil.*, XXII (1897), p. 485.

....σχλ.. |
.....................................λλιη σεσ... |
.....................Εὐρώπην Λιβ[ύην]... |
.....................['Ε]σπερίην ἱερευ... ‖
5   ....[ἔ]λαχε ἀρχιερευ.... |

..................μπούδων ἐθνέων... |

..................γαμβρὸν ἔθεντο θ.... |

..................γήτου. ἡγεμόνος... |

..................[Σ]επτιμίου Μάγνου....

---

854. Laodiceae ad Lycum. — Clerc, *Bull. de corr. hellén.*, XI (1887), p. 352, n. 8.

.....................................Λαοδικείη |

.............................ειλόμενον |

.... ¹ ειτο ὑπὸ φωναῖς |

μείλιτον εὐρέκτην φέρτατον ἀνθυπάτων.

1. ЄΛ<..I.PICOu.CII...ιII traditur.

---

855. Laodiceae ad Lycum. — Clerc, *Bull. de corr. hellén.*, XI (1887), p. 352, n. 7.

..Λαρχίαν .. ¹ | τὴν κρατίστη[ν].... | τοῦ κρατίστου Στα[τιλίου] | Τριτω-
5 νιανοῦ ² [Γ.] Ἰούλι[ος] ‖ Πάτερκλος βουλευτ[ὴς] | ἱερονείκης π[α]ράδο[ξος] |
τὴν εὐεργέτιν τῆς [πα]τρίδος. |

In altera facie :

5 ......|ου ειματιοπώ[λ|η]ς ³ ἐκ τῶν ἰδίων | [ἀν]έστησ[ε] σὺν [τῇ ‖ βά]σει καὶ
τῷ βωμῷ.

1. .ΛΑΛΑΡΚΙΑΝ⊿ traditur. — 2. Statilius Tritonianus, aut Critonianus, procurator
Augusti in Thracia : *Prosop. imp. rom.*, III, p. 260, n. 596. De ejus uxore Larcia, cf. *Ibid.*,
II, p. 264, n. 61. — 3. Cf. n. 863.

---

856. Laodiceae ad Lycum. — *C. I. Gr.*, 3939.

5 .....Μακριανὸν | [τὸ]ν κράτιστ[ον | ἐπί]τροπον | τοῦ Σεβαστοῦ ¹ ‖ Π. Αἴλιος
Ἀμ[μιανός?].

1. Vir ignotus. Cf. *Prosop. imp. rom.*, II, p. 312, n. 14.

857. Laodiceae ad Lycum. — *C. I. Gr.*, 3942 et p. 1103; Ramsay, *Cities of Phrygia*, I (1895), p. 75, n. 10.

Μνῆμα μονομάχ[ων ¹ τ]ῶν δοθέντων | ὑπὸ ἀρχιερέως ² καὶ στεφανηφόρου ³ | Διοκλέους τοῦ Μητροφίλου.

1. Sepulcrum gladiatorum; μονομχ[ίων] Boeckh a verbo μονομάχιον, munus gladiatorium; sed graece translatum est « dare gladiatores ». — 2. Flamen Laodiceae municipalis. — 3. Coronatus sacerdos, qui non videtur idem fuisse atque flamen Augusti : Ramsay, *Ibid.*, p. 55; Liebenam, *Städteverwalt.*, p. 347.

---

858. Laodiceae ad Lycum. — Anderson, *Journ. of hellen. studies*, XVII (1897), p. 499, n. 12.

[Λ.] Σέξ[τιον]......|λον Παπε[ιριανὸν πατέρα] | καὶ θεῖον κα[ὶ ἀδελφὸν
5 συγ]|κλητικοῦ καὶ [ἀρχιερέα] ‖ καὶ ἀγωνοθέτην [τῆς τρίτης?] | πενταετηρίδος
τ[ῶν μεγά]|λων ἀγώνων Δίων κ[αὶ 'Ολυμ]|πίων ἱερῶν εἰσελα[στικῶν] ¹ | ......
10 [π]ᾶσαν τὴν οἰκ[ουμένην] ‖ Μ. Αὐρ.?... | ..[θ]ρέμμα τιμήσας ἀνέθ|ηκεν?].

1. Δεῖα Σεβαστά, ludi quinquennales in honorem Jovis Laodiceni in ipsa urbe celebrati, de quibus cf. Ramsay, *Ibid.*, p. 51, et nummos ap. Babelon, *Invent. de la coll. Waddington*, nn. 6274, 6279, 6295.

---

859. Laodiceae ad Lycum. — Weber, *Athen. Mittheil.*, XXIII (1898), p. 364, n. 4.

5 ......|...... ¹ [ἡ] | Σεβασ[τὴ] | νεωκόρ[ος] ² ‖ μητρόπ[ο]|λις τῆς ['Ασ]ί|ας
Λαο[δι|κέων].

1. I/////ΛΑΙΙΙ | ////ΑΕΝΦ traditur. — 2. Cf. n. 863.

---

860. Laodiceae ad Lycum. — Weber, *Athen. Mittheil.*, XVI (1891), p. 144.

Οἱ ἐπὶ τῆς 'Ασίας 'Ρωμαῖοι ¹ καὶ Ἕλληνες καὶ ὁ δῆ|μος ὁ Λαοδιχέων ἐτεί-
μησαν Κόιντον Πομπώ|νιον Κοίντου υἱὸν Γαλερίᾳ Φλάκκον ἥρωα, στρατη|γή-
5 σαντα τῆς πόλεως δημοφελῶς καὶ γενόμενον ἐπὶ τῶν δημοσ‖ίων προσόδων ²,
ἀγορανομήσαντά τε πολυτε|λῶς καὶ ἑκατέρους τοὺς θερμοὺς περιπάτους καύ-
σαντ[α] | πρῶτον καὶ μόνον, ἀλείψαντά τε ἐν ταῖς ἐπισήμοις ἡμέ|ραις παρ' ἑαυτοῦ
κατὰ μῆνα καὶ νομοφυλακήσαντά τε μετὰ | τοῦ καὶ τὰς ὑπὲρ τῶν οἰκονομημάτων

10 δαπάνας πεποι|ῆσθαι παρ' ἑαυτοῦ, καὶ στρατηγήσαντα διὰ νυκτὸς [3] ν[ο]|μίμως
καὶ πρεσβεύσαντα εἰς Ῥώμην ὑπὲρ τῆς πατρίδ[ος] | παρ' ἑαυτοῦ καὶ ἐπιδί-
δοντα ἐν εὐαγγελίοις εὐψύχω[ς], | στρώσαντά τε παρ' ἑαυτοῦ ἔνπροσθεν τοῦ Διὸς
15 [ἀ]|κολ[ού]θω[ς] καὶ ἀλείψαντα τὴν πόλιν πάλιν παρ' ἑαυτο[ῦ] ‖ τοῖς κατ'
ἄνδρα διάκτοις ἐγ λουτήρων · τελ[εσάν]|των τὸ μνημῆον Κοίντου Πομπωνίου
[Φλάκκου] | τῶν ἀδε[λφ]ῶν αὐτοῦ · ποιησαμεν........ | τυ.......ης καὶ συν-
δαγ....... | ..... [α]ὐτοῦ κο.......

1. Fuisse unum totius provinciae conventum civium Romanorum docuit Kornemann
ap. Pauly et Wissowa, *Realencyclopädie*, IV, col. 1185, 33 et 1187, 6. — 2. ταμίας, quaestor
aerarii municipalis : Liebenam, *Städteverwaltung*, p. 293, not. 4. — 3. νυκτοστρατηγός,
nocturnus, praefectus paci per noctem tuendae : Cagnat, *De municipalibus et provincia-
libus militiis*, p. 14 ; Hirschfeld, *Sitzungsberichte der Berl. Akad.*, 1891, p. 868 ; *Rhein.
Mus.*, 1892, p. 159.

---

861. Laodiceae ad Lycum. — *C. I. Gr.*, 3936 ; Ramsay, *Cities of Phrygia*, I (1895),
p. 72, n. 3.

Ἡ βουλὴ καὶ ὁ δῆμος | ἐτείμησαν Τατίαν | Νεικοστράτου τοῦ | Περικλέους
5 νέαν ‖ ἡρωίδα, διά τε τ[ὰς | τ]οῦ πατρὸς αὐτῆς | ἀρχάς τε καὶ λει[τ]|ουργίας
10 καὶ ἐργ[επι]|στασίας καὶ διὰ τ[ὸ]ν πρόθειον αὐτῆς [Νει]‖κόστρατον, ὅς, [μ]ε[τὰ
τ]|ῶν ἄλλων ὧν πα[ρέσ]|χεν, ἱεράτευσέν [τε] | τῆς πόλεως καὶ [ἀνέ]|θηκεν τό
15 τε στά[διον] ‖ ἀνφιθέατρον [1] [λευκό|λι]θον καὶ τὰς.....

1. Cf. n. 845.

---

862. Laodiceae ad Lycum. — Sarre, *Arch. epigr. Mittheil.*, XIX (1896), p. 28.

[Γ.] Τερέντιος Λονγεῖνος [θε]ὰν Ἑστίαν ἵλεων | τῇ πατρίδι σὺν τῇ βάσει
καὶ τῷ βωμῷ ἀντὶ | ἀρχῆς τῆς ἐπὶ τῶν προσόδων [1], | πεπρεσβευκὼς καὶ δὶς
5 προῖκα πρός τε ‖ Λούκιον Καίσαρα εἰς Παννονίαν [2] καὶ πρὸς | τὸν μέγιστον αὐτο-
κράτορα Τί. Αἴλιον | Ἀδριανὸν Ἀντωνε[ῖ]νον Σεβαστὸν Εὐσεβῆ | εἰς Ῥώμην
ἀντὶ στρατηγίας.

1. Cura pecuniae publicae, quaestura municipalis ; Liebenam, *Städteverwalt.*, p. 298.
— 2. L. Caesar adoptatus est ab Hadriano mense Julio anni 136, missus in Pannoniam
cum imperio proconsulari et mortuus primo die mensis Januarii anni 138.

863. Laodiceae ad Lycum. — *C. I. Gr.*, 3938; Ramsay, *Cities of Phrygia*, I (1895), p. 74, n. 8.

....

[ἀνέστησεν πλησίον τοῦ?] | ἐνπορίου [ἡ ἐργασία ποικιλ]τῶν γναρέ[ων βαφέων
5 καὶ] | ἀπλουργ[ῶ]ν ¹, ἐπιμεληθείσης ‖ τῆς ἀνα[στάσεως τῆς νε]‖οκόρου [τῶν
Σεβαστῶν ² καὶ] | τῆ[ς] Ἀσίας [μητροπόλεως] | Λαοδ[ι]καίων [τῶν ἐπὶ Λύκῳ.]

1. Plumarii, fullones, infectores et opifices earum vestium quae dicebantur *solae*,
ἀπλαῖ; Hesych. s. v. De lanificio Laodiceno cf. n. 855 et Ramsay, *Ibid.*, p. 40. — 2. Neo-
corus Laodicea videtur primum nuncupata esse temporibus Commodi imperantis.
Ramsay, *Ibid.*, p. 58; Chapot, *Prov. rom. d'Asie*, p. 451.

---

864. Laodiceae ad Lycum. — *C. I. L.*, III, 12242.

M. Sestio Philemoni. |
Μάρκῳ Σηστίῳ Φιλήμονι | οἱ Ῥωμαῖοι ¹, | ὁ δῆμος. ‖
5 Sacco liber[tus]. |
Σάκκων ἀπελεύ[θερος].

1. Cives romani in urbe consistentes.

---

865. Laodiceae ad Lycum. — Weber, *Athen. Mittheil.*, XXIII (1898), p. 364, n. 3.

Sub imagine gladiatoris :

Ἀμμία τῷ [ἀνδρὶ Σω]‖ζομέν[ῳ] ....|ναίῳ μν[είας χάριν].

---

866. Laodiceae ad Lycum. — Wide, *Athen. Mittheil.*, XX (1895), p. 209, n. 2. Cf. Sarre,
Arch. epigr. Mitth., XIX (1896), p. 29.

Ὁ περιοικοδομημένος τόπος καὶ οἱ ἐν | αὐτῷ πλάτοι δύο, εἷς ἔνγαιος καὶ
κατ' αὐτ|οῦ ὑπέργειος ¹, εἰσὶν Μ. Κλ. Φοίβου · ζῆ. Ἐν τῷ | ὑπερῴῳ πλάτῳ, ἐν
5 τῇ μέσῃ θέσει, κεκήδευ‖ται Κλαυδία ἡ γυνή μου, ἐν ᾗ κἀγὼ βούλο|μαι κηδευ-
θῆναι, ἕτερον δὲ οὐδένα, μη[δ]|ὲ ἔστω τινὶ περὶ τούτου ἐξουσία, ἐπ[εὶ ὁ] | παρὰ
ταῦτα ποιήσας ἀποδότω τῷ [ἱερωτ]|άτῳ φίσκῳ δηνάρια α̅φ̅ · μετὰ τὴν ἐμὴ[ν
10 τελε[υτὴν] ‖ κυριεύσουσι τοῦ ἡρῴου Κλ. Φοιβία .... [κα]|ὶ Κλ. Τιτιανὸ[ς

τὰ τέχνα μου καὶ οἱ ἐ[ξ αὐτ]|ῶν γενόμενοι, μηδεμιᾶς [οὔσης μηδε]|νὶ αὐτῶν
15 ἐξουσίας τοῦτ[ον] | τὸν τόπον κατ' οὐδένα τρόπον ἐ[άσει ὑ]‖πεναντίο[ις].

1. Tabulata, cubicula duo, unum sub terra, alterum super. Πλάτας eodem sensu usur-
patur in titulis Aphrodisiensibus : C. I. Gr., 2824-2827, 2844, 2850 bc. « Πλάτας nihil
potest aliud esse nisi hypobathrum amplum supra planum, intus cavum et concame-
ratum, ita quidem ut camerae partim sub solo, partim super solo esse potuerint. »
Boeckh. Cf. C. I. Gr., 3278; Petersen, Reisen in Lykien, p. 36, n. 56; Journ. of hellen.
studies, VI, p. 346, n. 75.

---

867. Laodiceae ad Lycum. — C. I. L., III, 14192[11].

.... us ... eius... |
5 ... ας ... χησιχα | υἱοῦ ..ἀπ.αι.γαοι | σόρο[ν οὐ]δενὶ ἐ[ξ]έσται .... ‖ ...τυ
...ησημη Καίκιλις | ...... δετ... ὁ κηδευσατ ...|.., [γ]ερο[υ]σίᾳ δηνάρια βφ'
...|..... τα[μείῳ] δηνάρια φ'.

Adde hanc etiam multam funeralem : Ramsay, Cities of Phrygia, I, p. 542, n. 408, v. 11 :
τῷ ἱερῷ φίσκῳ] δηνάρια α.

---

868. Colossis. — Clerc, Bull. de corr. hellén., XI (1887), p. 354, n. 12.

[Αὐτοκράτ]ορι Νέρουᾳ Τραιανῷ Καίσαρι Ἀρίστῳ Σεβαστῷ | Ἀπφία Ἡρα-
κλέου τοῦ Διὸς Κο[λοσσηνοῦ ¹ ἱέ]ρεια.

1. Cf. nummos civitatis : Babelon, Invent. de la coll. Waddington, nn. 5855, 5857,
5858, 5863, 5864.

---

869. Colossis. — Anderson, Journ. of hellen. studies, XVIII (1898), p. 90, n. 25.

5 Αὐτοκρά|τορι Καίσα|[ρ]ι Τραιανῷ Ἀ|δριανῷ Σε‖[6]αστῷ Ὀλ[υμ]|πίῳ
Λ. Μα|κεδὼν χε[ι]|λίαρχο[ς].

---

870. Colossis. — Le Bas et Waddington, n. 1693 b. Cf. Athen. Mittheil., XXIII
(1898), p. 365.

........ν θεὰν Τύχην τῆι πατρίδι | ....στρατηγήσας, ἀγορανομήσας, |

[.....ήσας], βουλαρχήσας, γραμματεύ|[σας, ..., τ]αμιεύσας, ἐφηβαρχήσας,
5 ε‖[ἰρηναρχήσας], νομοφυλακήσας, παραφυλάξας ¹, | [ἐπιμεληθεὶς τῆ]ς τοῦ ἐλ[α]ίου
θέσεως, ἐργεπιστα|[τήσας, ἐπιμελ]ηθεὶς χωρίων δημοσίων ², ἀναθεὶς θε|[οῖς]
.... ἀργυρᾶν, ἐκδικήσας καὶ ἐν σειτοδείᾳ πα|[ρασχὼν τὸν σεῖτο]ν ἐπὶ τὸ
10 εὐωνότερον καὶ εἰς κυριακὰς ‖ ....[ς] καὶ συνθύσας τῷ δευτέρῳ να|[ῷ ·
ἐπιμεληθέντος τῆς ἀνα]στάσεως Ἡλιοδώρου | [τοῦ ἀδελφοῦ].

1. Securitatis urbanae custos : Liebenam, *Städteverwalt.*, p. 357, not. 6. — 2. Cura-
torem agrorum (aut praediorum) publicorum civitatis Laodiceni quoque habuerunt;
C. I. Gr., 3945; cf. Liebenam, *Städteverwalt.*, p. 318, not. 5.

---

871. Colossis. — Weber, *Athen. Mittheil.*, XVI (1891), p. 199.

Τὸ μνημεῖον Αὐρηλίου | Μάρκου Κάρπωνος καὶ | τῆ[ς] γυναικὸς αὐ|τοῦ
5 Αὐρηλίας Τάταδος, ‖ ἐν ᾧ βούλομαι μηδέ|[να] ἕτερον κηδευθ[ῆν]|αι · εἰ δέ
10 τις ἕτερος | κηδευθήσεται, δώσει | εἰς τὸ ταμεῖον ‖ δηνάρια φ'.

Adde *Ibid.*, XVIII (1893), p. 206, n. 3, v. 13 : τῷ φίσκῳ | δηνάρια α'; p. 207, n. 4, v. 9 :
τῷ φίσκῳ | δηνάρια φ'.

---

872. Sanai. — Anderson, *Journ. of hellen. studies*, XVII (1897), p. 414, n. 15.

......[ἑτέρῳ δὲ οὐδενὶ ἐξέσται τεθῆναι χωρὶς τῆς] | σὺμβίου α[ὐ]το(ῦ) καὶ
[τῶν τέχνων? · ἐπεὶ ὁ] τολμήσας ἀποδώσει [τ]ῷ ἱερωτάτῳ | ταμείῳ Ἀτικὰς
<∗> βφ' χὲ τῷ Σαναηνῶν δήμῳ ἰς τειμὰς τοῦ Σεβ...... | Ἀττικὰς βφ'.
Ζῶντες δὲ ἐτέλεσαν ἑαυτοῖς τὸν ἑώνιον οἶκο[ν].

Adde *Ibid.*, n. 16 : εἰς τὸ ἱερώτατον ταμεῖ|[ον Ἀ]ττικὰς πεντακισχιλίας; *Ibid.*, XVIII (1898),
p. 91, n. 28, v. 10 : ἰς τὸν φίσκον δηνάρια πεντακισχ'λια; n. 30, v. 9 : ἰς τὸν φίσκον τῶν αὐτο-
κρατόρων | δηνάρια πεντακισχείλι(α).

---

873. Appa. — Cousin, *Kyros le Jeune* (1904), p. 432.

In coronis :

Οἱ Ῥωμαῖοι. |
Ὁ δῆμος.

874. Lampae. — Anderson, *Journ. of hellen. studies*, XVIII (1898), p. 94, n. 33.

V. 17 : εἰς τὸ ἱερώτατον ταμεῖον | ὀνόματι π(ρ)οσ[τεί|μ]ου δηνάρια δισχείλι|α πεντακόσια.

875. Bindae. — Sitlington Sterrett, *The Wolfe expedition* (1888), p. 413, n. 607; Ramsay, *Cities of Phrygia*, I (1895), p. 335, n. 158.

Τιβ[έριος]...... | φιλόπατρις [ἱερασά]μενος | Ἀδριανοῦ τὸν Ἡρακλέα ἐκ τῶν | ἰδίων ἀνέθηκεν.

876. Bindae. — Ramsay, *Cities of Phrygia*, I (1895), p. 334, n. 152.

[Αὐρ. Ἀ]ννιανὸς ζῶν φρονῶν [κατε]σκεύασεν τὸ ἡρῷον ἑαυτῷ τε [καὶ τῇ] γυνεκὶ αὐτοῦ Αὐρ. Ἀντωνίᾳ Μάρκου [κὲ τοῖ]ς τέχνοις Αὐρ. Ἀννιανῷ Καλ-λι[μόρφῳ] καὶ τῇ ' γυνεκὶ αὐτοῦ Αὐρ. Νιάρνῃ Μενά[νδρου] κὲ τοῖς τέχνοις αὐτῶν · τίς ἂν δὲ θ[ήσει ἄλλον, ἀποδώσει] τῷ ἱερωτάτῳ ταμίῳ δηνάρια ͵ρ.

Divisio versuum non indicatur.

1. THC lapis.

877. Iliade. — Sitlington Sterrett, *The Wolfe expedition* (1888), p. 423, n. 620; Ramsay, *Cities of Phrygia*, I (1895), p. 334, n. 151.

5 Αὐ[τ]οκράτο|ρα [Ν]έρου[α]ν | Τρ[αια]νὸν Καί|σαρ[α] Σεβαστὸν ‖ Γερ[μ]α-
νικὸν | Δα[χ]ικὸν Φλα|ου[ία] Τατ[ί]α κ[α]|τὰ [δ]ιαθ[ή]κην, | δι[ὰ] Φλαου[ίο]υ ‖
10 Οὐ[ι]β(ι)αν[ο]ῦ [τοῦ?] κλ[η]ρον[ό]μου.

878. Iliade. — Sitlington Sterrett, *The Wolfe expedition* (1888), p. 417, n. 613; Ramsay, *Cities of Phrygia*, I (1895), p. 333, n. 148.

Αὐτοκράτορα Καίσαρα Λ. Σεπτίμιον | Σεουῆρον Εὐσεβῆ Περτίνακα Σεβασ-
5 τὸν, | Ἰουλίαν Δόμναν Σεβαστὴ[ν] | μητέρα κάστρων, ‖ τοὺς τῆς οἰκουμένης δεσ-
πότας, Μ. Αἰμίλιος Λόγγος εὐσεβείας ἕνεκεν.

879. Iliade. — *C. I. L.*, III, 7057.

[Vict]oriae A[ugus|ti s]acr(um) Ul[pius | Val]erius Lo[ngus c(enturio)]. |

5   [Νίκ]η Σεβασ[τοῦ ‖ Οὖλπι]ος Οὐαλ[έριος | Λό]νγος ἑκατοντάρχης.

---

880. Tacinae. — *C. I. L.*, III, 7177. In miliario.

[M' Aquillius M' f.] | cos. | CCXXIII. |

5   [Μάν]ιος Ἀκύλλιος Μανίου | [ὕ]πα[τ]ος Ῥω[μαίων] [1] ‖ σκγ'.

1. Anno 129 ante C. n. Cf. n. 270. « Cippos miliarios M' Aquillii habemus praeter hunc viarum trium : ab Epheso Tralles (*C. I. L.*, III, nn. 479, 7204), ab Epheso Pergamum (n. 7165), a Pergamo Elaeam versus (n. 7183). Itaque cum duo capita viarum vel ea aetate fuerint in Asia Romana, verisimile est hunc cippum pertinuisse ad viam ducentem per Sardes, Philadelphiam, Hierapolin, Colossas ad fines Asiae quae tunc erat provinciae. » Mommsen. Cf. etiam Haussoullier, *Rev. de philologie*, XXIII (1899), p. 293 et suiv. et Foucart, *La formation de la province romaine d'Asie*, p. 330 et suiv.

---

881. Tacinae. — Le Bas et Waddington, 1700; Smith, *Journ. of hell. stud.*, VIII (1887), p. 231, n. 12; Ramsay, *Cities of Phrygia*, I (1895), p. 329, n. 138.

Ἀγαθῇ τύχῃ · [ὑπὲρ σωτηρ]ίας καὶ [νείκης κ]αὶ [αἰων]ίου διαμονῆς τῶν μεγίστων καὶ ἀ[νεικήτ]ων αὐτοκρατόρων | [Λ. Σεπτιμίου] Σεουήρο[υ καὶ] Μ. Αὐρ. Ἀντωνείνου [καὶ] | Νέας Ἥρας Ἰουλίας [1] [καὶ Π. Σεπτιμίου Γέτα......] καὶ τοῦ | σύνπαντος οἴκου τῶν Σεβαστῶν καὶ ἱερᾶς συνκλήτου καὶ δήμου τοῦ
5 Ῥωμαίων, ἐπὶ ἀνθυπάτου τοῦ λαμπροτάτου ‖ Ταρίου Τιτιάνου [2], τῇ γλυκυτάτῃ πατρίδι, τῷ Τακινέων δήμῳ μετὰ πάσας ἀρχάς τε καὶ λειτουργίας καὶ διαποντίου[ς] | πρεσβείας, ἃς ἤνυσεν ἐπὶ Θεοῦ Κομμόδου, Τρύφων Ἀπολλωνίδου ὑποσγόμενος ἀπὸ προικὸς Ἰάδος θυγα|τρὸς ἰδίας ἡρω[ΐδ]ος, καὶ προσφιλοτειμησάμενος μετὰ τῆς γυναικὸς Ἄμμας Δάου καὶ εἰς τὸν Βασιλῶ τῆς | [θυγατρὸς α[ὐτ]ῶν λό(γ)ον, ἐπὶ τῷ καὶ αὐτὰς διὰ βίου μετέχειν [3], ἐκτελέσ(ας) τὸ βαλανεῖον παρέδωκεν.

1. Julia Domna. Cf. hujus operis vol. III, n. 856. — 2. Tarius Titianus, proconsul Asiae anno fortasse 202 vel 203 post C. n.; nam praeter Getae nomen etiam Plautillae erasum videtur fuisse v. 3, quae nupsit Caracallae anno 202 : septuaginta enim litterae plus minus erasae sunt. — 3. Defunctae filiae Iadis dotem cum populo promisisset, Tryphon cum uxore sua novam pecuniam insuper addidit nomine alterius filiae superstitis, ea condicione ut in balneum uxori et filiae, dum viverent, certum jus esset.

882. Themisonii. — *C. I. Gr.*, 3953 *l*; Ramsay, *Cities of Phrygia*, I (1895), p. 271, n. 96.

Μ. Ούλπιον Ζ[ή]|νωνος υἰὸν Κυρίνᾳ | Τρύφωνα Μέγαν Ἀντω|νιανὸν, ἀρχιερέα
5 τῆς Ἀ‖σίας, χειλιαρχήσαντα | καὶ γενόμενον ἔπαρ|χον σπείρης πρώτης | Οὐλπίας
10 Γαλατῶν [1], ἐν | πᾶσιν πρῶτον τῆς πό‖λεώς τε καὶ τῆς ἐπαρχε[ί]|ας, τὴν ἀνάστα|-
15 σιν ποιησαμένης | Ἀντωνίας Ἀρίστης Ἀλ|6ίλλης τῆς ἐγγόνης αὐτοῦ ‖ ἐκ τῶν
ἰδίων.

1. Cohors I Ulpia Galatarum in Syria tendebat. Cf. Cichorius ap. Pauly et Wissowa, *Realencyclopädie*, IV, col. 287, 9.

---

883. Bedir Bey. — Bérard, *Bull. de corr. hellén.*, XV (1891), p. 554, n. 30.

5 Τι6. Κλ. Πολ[έμω]|να Ἀσιάρχην ἱπ|πικὸν [1] ἐν πᾶσιν | εὐεργέτην τῆς ‖ πόλεως
Μένι|π(πος) Ὀρθαγόρας | [τὸ]ν γλυκύτατον | [ἀ]δελφιδοῦν.

1. Cf. nn. 906-912.

---

884. Karajuk bazar. — Smith, *Journ. of hellen. studies*, VIII (1887), p. 226, n. 2 ; Cousin et Diehl, *Bull. de corr. hellén.*, XIII (1889), p. 341 ; Ramsay, *Cities of Phrygia*, I (1895), p. 331, n. 144.

[Τ]οῖς κυρίοις ἡμῶν | Αὐτοκράτορσιν | Διοκλητιανῷ καὶ | <καὶ> Μαξιμιανῷ
5 Σε66. ‖ καὶ Κωσταντίῳ | καὶ Μαξιμιανῷ | ἐπιφ(ανεστάτοις) Κέσαρσιν | μι(λιά-
ρισν) α΄.

1. Annis 293-303 post C. n.

---

885. Ceretapae. — Smith, *Journ. of hellen. studies*, VIII (1887), p. 264, n. 54 ; Ramsay, *Cities of Phrygia*, I (1895), p. 328, n. 132.

Διεὶ Καίσαρι.

---

886. Ceretapae. — Smith, *Journ. of hellen. studies*, VIII (1887), p. 266, n. 57 ; Ramsay, *Cities of Phrygia*, I (1895), p. 328, n. 133.

Χέρετε, παροδεῖται. Αὐρ. Εἰρηναῖος εἰστρατιώτης ἐστρατεύσετο [1] ἐνδόξως,

πολλοὺς ὤλεσε [λη]στὰς ² διὰ χιρῶν, ἐτελεύτησεν ἐν Λυκίᾳ Λιμύροις εἰδίῳ
θανάτῳ · οἱ [ἀ]δελποὶ αὐτοῦ Παπίας καὶ Τειμίας οἱ Ἀπολλωνίου τοῦ Συριχε......
τὸ κενοτάφιον μνήμης χάριν ἐποίησαν.

Divisio versuum non indicatur.

1. Profecto inter diogmitas, pacis in ipsa provincia custodes. Cf. Cagnat, *De munici-
palibus et provincialibus militiis*, p. 38. — 2. De latronibus qui montes Pisidiae et fines
Asiae infestos habebant cf. Ramsay, *Church in the Roman empire*, p. 31.

---

887. Ormelae. — Sitlington Sterrett, *An epigraphical journey* (1888), p. 65, n. 52;
Ramsay, *Cities of Phrygia*, I (1895), p. 287, n. 124.

[Ὑπὲρ σωτηρίας] | .... | κληρονόμων Φαυστείνη|ς Οὐ<Φαυστείνης
5 Οὐ>μ‖μη[δ]ίας Κορνοριχίας ¹, | Αὐρ. Ἀρτειμῆς Χάρη|τος Μόγγου ἐτ|είμησεν
10 τὸν δῆ|μον ἄριστον κα‖ὶ ἀττικὰς το' ², | [Μ]ῆνις κὲ Ἀρτειμῆς | οἱ υἱοὶ Ἀρτιμοῦ
15 Χάρ[η]||δος Μούνγου ἐστε|πάνωσαν τὸν δῆμ‖ον δηνάρια σ', ὧν ὁ τόκος [ὑπ|ο κω-
ρήσι κατ' ἔτος ὁ | γεινόμενος τοῦ ἀρ|γύρου ³.

1. Ummidia Cornificia Faustina, filia Ummidii Quadrati et Anniae Cornificiae Fausti-
nae, sororis M. Aurelii : *Prosop. imp. rom.*, I, p. 470, n. 605. Illi hereditate M. Aurelii
venisse praedia Augustorum circa Ormelam sita testantur tituli in eo loco reperti :
Chapot, *Prov. rom. d'Asie*, p. 376. Ummidiam Ramsay putat decessisse circa annum 198
post C. n. — 2. Drachmae Atticae 370. — 3. Dederunt populo denarios 200, ea condi-
cione ut foenori locarentur et usurae singulis annis consumerentur. De illis donis
colonorum cf. nn. 888-892.

---

888. Ormelae. — Sitlington Sterrett, *An epigraphical journey* (1888), p. 67-79, n. 53-55.
Cf. Bérard, *Bull. de corr. hellén.*, XVI (1892), p. 418, n. 40 ; Ramsay, *Cities of Phrygia*, I
(1895), p. 291 et 310, n. 128.

Ἀγαθῇ τύχῃ · [ἔτους | ..., μηνὸς...., ὑπὲρ σω]|τηρίας Ἀννίας Φαυσ|τείνης
5 καὶ δήμου Ὀρ‖μηλέων, ἐπὶ Ἀβασκάν|του πραγματευτοῦ ¹.

Sequuntur nomina virorum 110 in tres paginas divisa.

1. Cf. n. 889. Cum de Ti. Claudio sileatur, videtur nondum nupsisse Annia Faustina
Idem vero Abascantus negotiator memoratur ibidem v. 8. Haec Ramsay existimat scripta
esse circa annum 200 post C. n.

    T. IV   20

889. Ormelae. — Sitlington Sterrett, *An epigraphical journey* (1888), p. 51, nn. 44-46; Ramsay, *Cities of Phrygia*, I (1893), pp. 290 et 310, n. 127.

Ἀγαθῇ τύχῃ · ἔτους ρπϛ' [1] | οἱ μύσται τοῦ Διὸς Σαουάζου [2] | ὑπὲρ σωτη-
5 ρίας αὐτῶν καὶ | τοῦ δήμου Ὀρμηλέων καὶ σωτ‖ηρίας Ἀννίας Φαυστείνης | καὶ
Τιβερίου Κλαυδίου [3], ἐπὶ ἐ|πιτρόπου Κριτοβούλου, ἐπὶ | πραγματευτῶν [4] Ἀβασ-
10 κάν|του καὶ Ἀνθίνου καὶ Μαρκ‖ελλίωνος, ἐπὶ μισθωτῶν [5] | [Κλαυδ]ίου Ἀβασ-
κάντου καὶ | Μήνιδος Νεικάδου Ἡρα|κλείδου καὶ Νεικάδου δὶς, | ἱερατεύοντος [6]
15 Κιόραμᾱ‖ντος δὶς καὶ Ἐλπίδος τῆς | γυναικὸς [7] αὐτοῦ.

Sequuntur nomina virorum 15.

1. Anno 182 aerae Cibyraticae = 207/208 post C. n. — 2. Jupiter Sabazius, Phrygum deus, quem coloni in illo saltu Augustorum inter ceteros venerabantur : Eisele ap. Roscher, *Lexikon der Mythol.*, Ramsay, *loc. cit.*, p. 292. — 3. Anniam Faustinam Ramsay conjicit filiam fuisse Ummidiae Cornificiae (n. 887), matrem vero Aureliae Faustinae (n. 891) et nupsisse Ti. Claudio [Severo], cos. anno 200 post C. n. : *Prosop. imp. rom.*, I, p. 399, n. 814. — 4. Cf. n. 891. — 5. Conductores praediorum colendorum. — 6. Jovis Sabazii. — 7. Uxor cum marito sacerdotio Sabazii rite fungitur : Ramsay, *loc. cit.*

---

890. Ormelae. — Sitlington Sterrett, *An epigraphical journey* (1888), p. 45, n. 41-42; Ramsay, *Cities of Phrygia*, I (1895), pp. 291 et 312, n. 129.

[Ἀγα]θῇ τύχῃ · ἔτους | θ.., [μηνὸς].... [1], | [ὑ]πὲρ σωτηρίας αὐτῶν κα[ὶ] |
5 σωτηρίας Σεβήρου καὶ ‖ Φαυστείνης καὶ δήμο[υ] | Ὀρμηλέων ἐπὶ Ἀειθαλ|οῦς
πραγματευτοῦ, | Ἀπολλῶνις Ἀττάλου Μ|ουνδίωνος προάγων [2].

Sequuntur nomina virorum 34.

1. Traditur ΠΙΛΙ. — 2. Cf. n. 891. Collatis hominum nominibus Ramsay hunc titulum rettulit ad annum 213 post C. n.

---

891. Ormelae. — Sitlington Sterrett, *An epigraphical journey* (1888), p. 51, n. 43; Ramsay, *Cities of Phrygia*, I (1895), pp. 289, 310, n. 126.

Ἀ[γαθῇ τύχῃ · ἔτους] | τϛ' [1], [μηνὸς..., ὑπὲρ] | σωτηρίας Ἀνίας Αὐρη[λ]|ίας
5 Παυστ(ε)ίνης τῆς κ[ρατ]ίστης [2], [ἐ]πὶ ἐπιτρόπο[υ][3]....ος κὲ πρ[α]γ[μα]τευ|τοῦ [4];

κὲ ὑπὲρ σωτηρίας | τοῦ δήμου Ὀρμηλέων | Αὐρ. Κρατερὸς Κλαυδίου πρ(ο)ά|-
10 γων ⁵ ἔστησεν τὸν βωμὸν ‖ ἐκ τῶν εἰδίων ἀναλωμάτων.

Sequuntur nomina virorum 16, inter quos, v. 13-14, Ζώσιμος Ἀπολλωνίου Δέρ[ω]νος προάγων.

1. Anno 302 aerae Sullanae = 217/218 post C. n. — 2. ΠΑΥΣΤΡΙΝΗΣ lapis. Annia Aurelia Faustina, proneptis Marci Aurelii, quam Elagabalus uxorem anno 221 ducturus erat : *Prosop. imp. rom.*, I, p. 75, n. 547. — 3. Procurator unus praediis Augustorum administrandis praeerat; Ramsay, *loc. cit.*, p. 281; Chapot, *Prov. rom. d'Asie*, p. 377. — 4. Tres negotiatores aut actores, servi Augustorum, procuratori in saltu administrando aderant. Cf. n. 889. — 5. κώμαρχος, magister vici, a colonis praediorum electus.

---

892. Ormelae. — Collignon, *Bull. de corr. hellén.*, II (1878), p. 257; Sterrett, *An epigraphical journey* (1888), p. 57, n. 47-50; Ramsay, *Cities of Phrygia*, I (1895), p. 313, n. 131.

5 .....ἐτίμη|σε τ]ὸν ὄχλ[ον] ¹ | δηνάρια πεντήκοντα · | Ἄκεπτος Μήνι|δος
10 ἐτείμησεν | τὸν ὄχλον | δηνάρια πεντήκοντα · | Ἀγαθόπο|υς Ἄττη ἐσ‖τεπάνω|σε δηνάρια εἴκοσι καὶ πέντε.

1. Plebi, quae praedia Augustorum colit, dedit honoris causa pecuniam. Sequuntur aliorum virorum nomina 29, qui dona similia plebi contulerunt circa annos 220-240 post C. n., ut putat Ramsay. Quidam dederunt olei sextarios : B., v. 7 : Μῆνις ['A]ττάλου Κίχχου ἐτε[ί]μησε τὸν ὄχλον ἐλαίου ξ[έ]στας ἑπτά. Titulum ejusdem aetatis et generis, Ormelae inventum, habes apud Sterrett, p. 100, nn. 72-73; memorantur in eo 41 coloni Augustorum qui plebem suam donis ornaverunt, inter quos (A, v. 6-8) tres προάγοντες, sive magistri vicorum. Cf. n. 891.

---

893. Ormelae. — Sitlington Sterrett, *An epigraphical journey* (1888), p. 91, n. 59; Bérard, *Bull. de corr. hellén.*, XVI (1892), p. 418, 42; Ramsay, *Cities of Phrygia*, I (1895), p. 288, n. 125.

Ἀγ[αθῇ τύχῃ · ἔτους] δ ¹.., |τῶν κρατίστων τέ|κνων τοῦ λανπρο(τά)του ὑπα-
5 τικοῦ | Φλαβίου Ἀντιοχιανοῦ ² κα[ὶ τ]ῆς ἀ‖ειμνήστου μητρὸς αὐτῶν Πο[μ]|πω-
νίας Οὐμιδίας ³, ὑπὲρ σωτηρίας | αὐτῶν καὶ σωτηρίας δήμου Ὀρμη|λέων..... |
10 Αὐρ. Μῆνις β' Κασίου Βορίσ|κου ἐκ τῶν ἰδίων ἀναλωμ[ά]|των ἀνέστησε τὸν
βω|μὸν τοῖς συνιερεῖσιν | τοῦ Διός ⁴ · ἐγένετ[ο] ³ δαπάνη σ' δηνάρια. | Γάιος
15 Νίγρου Βαγανδεὺς ⁶, ‖ Αὐρ. Ἀπολλῶνις Στράτων|ος Ὀλβασεὺς ⁷ βουλευτής, |

Αὐρ. Κωβέλλις δὶς Ἰστράτωνο[ς], | Αὐρ. Νεικάδας δὶς Μήνιδος, | Αὐρ. Ἀλέξανδρος δὶς Ἀνδρέ[α].

1. Fortasse [τξ]δ′, anno 364 aerae Sullanae = 279/280 post C. n.; sed claudicant quae sequuntur. — 2. Flavius Antiochianus, praef. urbi annis 269, 270, 272, cos. II anno 270 : *Prosop. imp. rom.*, II, p. 63, n. 141. — 3. Videtur illa mulier genus suum duxisse ab Ummidia Cornificia Faustina, quae praedia Augustorum in illa parte Phrygiae ei legaverit. Cf. n. 887. — 4. Jupiter Sabazius. Cf. n. 889. — 5. ΕΓΕΝΕΤΑ lapis. — 6. Baganda, civitas hujus regionis ignota. — 7. Olbasa, civitas Pisidiae. Cf. hujus operis vol. III, nn. 410-416 et 1491.

---

894. Alasti. — Sitlington Sterrett, *An epigraphical journey* (1888), p. 111, n. 78 ; Ramsay, *Cities of Phrygia*, I (1895), p. 307, n. 114; cf. p. 314.

[Ἀ]πὸ κοίτης ¹ Μ. Κ[α]λ|πουρνίου Λόγγου ² | πατρῶνος ἰδίου | Μ. Καλπούρ-
5 νιος ‖ Ἐπίνεικος, μισθω|τὴς τῶν περὶ Ἄλαστο[ν] | τόπων ³, Διὶ Μεγίστῳ.

1. ἀπὸ κοιτῶνος, a cubiculo. Lectio dubia. — 2. M. Calpurnius Longus, is fortasse qui gessit proconsulatum Cypri : *Prosop. imp. rom.*, I, p. 372, n. 696; cf. 695. — 3. Conductor praediorum Augustorum quae circa Alastum sita erant. Cf. n. 889.

---

895. Alasti. — Sitlington Sterrett, *An epigraphical journey* (1888), p. 112, n. 79 ; Ramsay, *Cities of Phrygia*, I (1895), p. 307, n. 113.

[Ἀρ]τέμων Μ. Καλπουρ[νί]|ου Λόγγου ¹ δοῦλος οἰ|κονόμος ² Διονύσωι ³ θε|ῷ ἐπηκ(ό)ῳ εὐχήν.

1. Cf. n. 894. — 2. dispensator. — 3. ΔΥΟΝΥΣΩΙ lapis.

---

896. Alasti. — Duchesne et Collignon, *Bull. de corr. hellén.* (1878), p. 262; Ramsay, *Cities of Phrygia*, I (1895), p. 307, n. 115.

Οἱ [ἐ]ν Ἀλάσ[τῳ παρ]α[φ]υ|λακῖται ¹ Σασῦν Ἰάσον[α ? | Μόρ]μιος ἀρετῆς
5 ἕνεκεν | καὶ εὐνοίας, ἧς ἔχ‖ων διατελεῖ εἰς αὐτούς.

1. Milites qui sub procuratore pacem tuebantur in illo Augustorum saltu. Cf. n. 897; Chapot, *Prov. rom. d'Asie*, p. 377; Anderson, *Journ. of hellen. studies*, XVII (1897), p. 412.

897. Alasti. — Ramsay, *Historic. geography of Asia Minor* (1890), p. 175; *Cities of Phrygia*, I (1895), p. 308, n. 116.

Ἔτους λσ΄ [1], ἐπὶ μισθω|τοῦ Αὐρ. Τρο[κ]όνδου | .... Αὐρ. Τροκό|νδου
5 [Νεαν]ίσκου ἀνε‖... τοῦ μισθωτοῦ (ὑ)πὲ‖[ρ ὁρ]οφυλ[ά]κων [2] ἀνέστ[η|σεν].

1. Anno 230 aerae Cibyraticae = 255 post C. n. — 2. Saltuarii, qui fines saltus Augusti custodiunt. *Dig.*, XXXIII, 7, 12.

---

898. Cibyrae. — Collignon, *Bull. de corr. hellén.*, II (1878), p. 597, n. 3.

....[Τ]ιβερίῳ Κλαυδίῳ..... | [Καῖσαρ]ο(ς) Σεβα(σ)τοῦ υἱῷ Κα[ίσαρι..].. Βρ]ε-
ταννικῷ |.
5 .... [Κλ]αυδίῳ...‖... Τιβερί[ῳ]...

---

899. Cibyrae. — Heberdey et Kalinka, *Denkschr. der Akad. in Wien*, XLV (1896), p. 1, n. 2.

Τιβερίωι Κλ[αυδίωι] | Τιβερίου Κλαυδίου Κ[αί]σαρο[ς] | υἱῶι Καίσαρι Βρε-
ταννικῶ[ι] | ...Σεβαστο... [1].

1. Fortasse idem est titulus ac n. 898.

---

900. Cibyrae. — Lebas et Waddington, n. 1215.

Λούκιον Αἴλιον Κ|αίσαρα Αὐτοκράτορος | Καίσαρος Τραιανοῦ | Ἀδριανοῦ
5 Σεβασ‖τοῦ υἱὸν Θεοῦ Τρα|ιανοῦ Παρθικοῦ υἱ|ωνὸν Θεοῦ Νέρουα | προέγγονον,
10 δημαρ|χικῆς ἐξουσίας, ὕ‖πατον τὸ δεύτερον [1], | ἡ Καισαρέων Κιβυρατῶν |
πόλις [2] τὸν ἴδιον εὐεργέ|την, ἐπιμεληθέντων τῆς | ἀναστάσεως τῶν περὶ ‖
15 Μ. Κλαύδιον Φλαουια|νὸν ἀρχόντων καὶ τοῦ | γραμματέως Ποπλίου | Αἰλίου
Ὀρέστου.

1. Anno 137 post C. n. : *Prosop. imp. rom.*, I, p. 326, n. 503. — 2. Videtur Cibyra vocata esse Caesarea anno 23 post C. n., cum facta sunt, auctore Tiberio, senatus consulta, ut civitati terrae motu labefactae subveniretur remissione tributi in triennium. Cf. Tac., *Ann.*, IV, 13; Chapot, *Prov. rom. d'Asie*, p. 66.

901. Cibyrae. — Petersen et Luschan, *Reisen in Lykien*, II (1889), p. 189.

Ὁ δ[ῆμο]ς ἐτείμησεν καὶ καθιέρωσε[ν] Κοί[ντον] | Αἰμίλιον Λέπιδον δίκαιον
ἀνθύπατον ¹, | σωτῆρα καὶ εὐεργέτην καὶ πάτρωνα τῆς πόλεως, | ἀρετῆς ἕνεκα
5 καὶ δικαιοσύνης, ἐπιμεληθέν<η>τος ‖ τῆς μετακομιδῆς καὶ ἀναστάσεως τοῦ
ἀνδριάντος | κατὰ τὰ <υα> δόξαντα τῇ βουλῇ καὶ τῷ δήμῳ Μ. Κλ. | Φιλο-
κλέους Κασιανοῦ τοῦ γραμματέως τῆς πόλεως, | ἔτους ζμρ΄, μηνὸς Γορπιαίου
εἰκάδι ².

1. Q. Aemilius Lepidus, proconsul Asiae, aliunde non notus est. Cf. tamen *Prosop. imp.*
rom., I,. p. 33, n. 253. — 2. Anno 147 aerae Cibyraticae = 172 post C. n., mensis Gor-
piaei die XX.

---

902. Cibyrae. — Petersen et Luschan, *Reisen in Lykien*, II (1889), p. 189, n. 251.

[.....ὁ | δῆ]μος ἐτείμησεν | Κο[ίν]τον Οὐηρ[άνι]ον πρεσβευτὴ[ν | Τ]ιβερίου
5 Κλαυδ[ίου] ‖ Καίσαρος Σεβασ|τοῦ Γερμανικοῦ | ἀντιστράτηγο[ν] ¹, | ἐπιμελη-
10 θέντα | τῶν σεβαστῶν ἔρ‖γων ², ἀναλόγως | ταῖς τοῦ πιστεύ|σαντος Τιβερίου |
15 Κλαυδίου Καίσαρος | Σεβαστοῦ, τοῦ κτίσ‖του τῆς πόλεως, ἐντο|λαῖς, καὶ τῆς
Σεβασ|[τῆς συνκλήτου]...

1. Q. Veranius, legatus pro pr. Lyciae sub Claudio principe, fortasse primus post
Lyciam provinciam factam, anno 43 post C. n., cos. anno 49 : *Prosop. imp. rom.*, III,
p. 399, n. 266. Cf. hujus operis vol. III, nn. 577 et 703. — 2. Opera jussu imperatoris
facta, ut viae, pontes etc.

---

903. Cibyrae. — Heberdey et Kalinka, *Denkschr. der Akad. in Wien*, XLV (1896),
p. 2, n. 5.

[Ὁ δῆμ]ο[ς] καὶ οἱ ἐνταῦθα | π[ρα]γματευόμενοι Ρω|[μαῖ]οι ἐτείμησαν
5 Ἀπο[λ]|λώνιον Πολυδεύκου. ‖ Τρωΐλος καὶ Πολυδεύκης | Ἀπολλ[ω]νίῳ τῷ
πατρὶ | μνήμης ἕνεκεν.

---

904. Cibyrae. — Cousin et Diehl, *Bull. de corr. hellén.*, XIII (1889), p. 333, n. 1.

5 Ὁ δῆμος καὶ οἱ | πραγματευόμε|νοι ἐνταῦθα Ρω|μαῖοι ἐτίμησαν ‖ Ἀστρα-
νίαν....|....

905. Cibyrae. — Heberdey et Kalinka, *Denkschr. der Akad. in Wien*, XLV (1896), p. 2, n. 7.

Ὁ δῆμος ἐτεί|μησεν Γ[ῆ]ν Νεάρχου | χρυσῷ στεφάνῳ καὶ | εἰκόνι χρυσῇ. ‖
5 Οἱ πραγματευόμενοι | ἐν Κι(βύ)ρᾳ Ῥωμ(αῖ)οι ἐτεί|μησαν Γῆν Νεάρχου |
χρυσ[ῷ] στεφάνῳ καὶ | εἰκόνι χρυσῇ. ‖
10 Ὁ δῆμος ἐτεί|μησεν Μελέαγρον | Μελεάγρου | χρυσῷ στεφάνῳ καὶ | εἰκόνι
χρυσῇ. ‖
15 Οἱ πραγματευόμε|νοι Ῥωμαῖοι ἐν Κιβύρᾳ ἐτείμησαν | Μελέαγρον Μελε|ά-
20 γρου χρυσῷ στε‖φάνῳ καὶ εἰκόνι | χρυσῇ.

---

906. Cibyrae. — Heberdey et Kalinka, *Denkschr. der Akad. in Wien*, XLV (1896), p. 4, n. 10.

Τιβ. Κλ. Δ[η]ιοτ[η]|ριανὸν, Ἀσι[ά]ρχην, | ἱππικὸν, Τιβ. Κλ. | Πολέμων,
5 Ἀσιάρχης, ‖ ἱππικὸς, τὸν γλυκύ|τατον ἀδελφόν [1].

1. Cf. nn. 883, 907-912.

---

907. Cibyrae. — Dittenberger, *Orient. gr. inscr. sel.*, n. 495.

[Ἀγαθῇ] τύχῃ · | κατὰ τὰ δόξαντα τῇ βουλῇ | καὶ τῷ δήμῳ τῆς λαμ-
5 προ|τάτης Καισαρέων Κιβυρα‖τῶν πόλεως ἡ σεμνοτάτη | συνεργασία τῶν σκυτο-
βυρσέ|ων Τιβέριον Κλαύδιον | Πολέμωνα [1], Ἀσιάρχην, ἱπ|πικὸν, Τιβερίου
10 Κλαυδίου ‖ Ἱέρωνος, Ἀσιάρχου δὶς καὶ ἀρ|χιερέως [2] δὶς ὑὸν, Τιβερίου | Κλαυ-
15 δίου Δηιοτηριανοῦ [3] | Ἀσιάρχου ἀδελφὸν, Μαρχί|ου Δηιοτηριανοῦ Λυκιάρ‖χου
καὶ Φλαβίου Κρατεροῦ | Ἀσιάρχου δὶς καὶ ἀρχιερέ|ως ἔκγονον, ἀνθ' ὧν | τῶν
20 δημοσίων ἔργων | μετὰ ἐπιμελείας ‖ προενοήσατο.

1. Cf. nn. 906, 908-912 et *Bull. de corr. hellén.*, XXIV (1900), p. 53. — 2. Cibyrae
sacerdos maximus. — 3. « Quin a nobilissimo Dejotari regis nomine hoc derivetur non
dubium est. » Dittenberger. Cf. hujus operis vol. III, nn. 173 et 225.

---

908. Cibyrae. — Heberdey et Kalinka, *Denkschr. der Akad. in Wien*, XLV (1896), p. 3, n. 8.

Οἱ ἐπὶ τῆς Ἀσίας Ἕλληνες | ἐτείμησαν | Τιβέριον Κλαύδιον Κλαυδίου Πολ-

5 μω|νος ¹ υἱὸν Κυρείνᾳ Κέλσὸν Ὀρεστιανὸν, ▌ φιλόπατριν, κοσμόπολιν καὶ
Φλαουίαν | Φλαουίου Ἱέρωνος θυγατέρα Λυκίαν, θυγα|τέρα πόλεως, τὴν
γυναῖκα αὐτοῦ, ἀρχιερα|τεύσαντας τῆς Ἀσίας τῶν ἐν τῇ πρώτῃ | καὶ δὶς νεω-
10 κόρῳ Περγάμῳ ² ναῶν ἐπιφανῶς ▌ καὶ φιλοτείμως, | προνοήσαντος τῆς ἀνα-
στάσεως τῶν τει|μῶν τοῦ Καισαρέων Κιβυρατῶν δήμου τῶν | ἰδίων πολειτῶν
τῆς εἰς αὐτοὺς εὐχαρισ|τίας ἕνεκεν.

1. Cf. nn. 906, 907, 909-912. — 2. Pergamenorum neocoria II incipit anno 113/114
post C. n., neocoria III anno 215; cf. n. 432. Primae etiam civitates Asiae fuerunt ante
Pergamum Ephesus et Smyrna, quarum legati in pompis provincialibus ceteros antei-
bant : Chapot, *Prov. rom. d'Asie*, p. 144.

---

909. Cibyrae. — Heberdey et Kalinka, *Denkschr. der Akad. in Wien*, XLV (1896),
p. 4, n. 12.

Τιβ. Κλ. Πολέμων[α] | ἱππικὸν, ῥήτορα | ἄριστον, | Τιβ. Κλ. Πολέμων
5 τὸ[ν] ▌ θεῖον ¹.

1. Cf. nn. 906-908, 910, 912.

---

910. Cibyrae. — Heberdey et Kalinka, *Denkschr. der Akad. in Wien*, XLV (1896),
p. 4, n. 11.

Κλαυδίαν Τληπολε|μίδα, τὴν κρατίστην | [θ]υ[γ]ατέρα Κλ. Ἰουλιανοῦ |
5 [συ]γ[κ]λητικοῦ, Κλ. Ὀρέσ▌[τ]ο[υ ὑπα]τικοῦ ¹ ἐκγόν[ην, | ἀ]δελφὴν Κλ. Ὀρέσ-
του [συγ]|κλ[η]τ[ι]κοῦ, γυναῖκα Αὐ[ρ.] | Πολέμωνος συγκλητ[ι]|κοῦ, μητέρα
10 [Ἀ]ντ. Ἰουλι▌[αν]οῦ συγκλητικοῦ, | [Κλ.] Πολέμων, Ἀσιάρχη[ς, | ἱπ]πικὸς ²,
τὴν γλυκυτάτην | ἀνεψιάν.

1. Aut [συγκλη]τικοῦ. Vir ignotus. — 2. Cf. nn. 906-909, 912.

---

911. Cibyrae. — Le Bas et Waddington, n. 1216.

Καισαρέων Κιβυρατῶν ἡ βου|λὴ καὶ ὁ δῆμος ἐτείμησαν Τι. | Κλ. Φλαουια-
5 νὸν ¹, υἱὸν Τι. Κλ. | Παυλείνου ὑπατικοῦ ² καὶ ▌ Κλ. Μαρκιόλλης ³ ὑπατικῆς, |
προνοησαμένου τῆς κατα|σκευῆς καὶ ἀναστάσεως τοῦ | ἀνδριάντος Σακέρδωτος |

10 τρὶς τοῦ γενομένου γραμ‖ματέως τῆς πόλεως, ἐν τῷ | ἐνάτῳ πεντηκοστῷ ἑκα|-
τοστῷ ἔτει⁴.

1. *Prosop. imp. rom.*, I, p. 372, n. 695. — 2. Cf. *Ibid.*, p. 391, n. 757. — 3. Marciola. —
4. Anno 159 aerae Cibyraticae = 184 post C. n.

---

912. Cibyrae. — Heberdey et Kalinka, *Denkschr. der Akad. in Wien*, XLV (1896),
p. 4, n. 9.

Μαρκίαν Τλη[π]ολεμίδα, | μάμμην συγκλητικῶν, ἀρ|χιέρειαν τρὶς, ἐκγόνην
5 Φλ. | Κρατέρου Ἀσιάρχου δὶς καὶ ‖ ἀρχιερέως, θυγατέρα Μα[ρ]‖κίου Δηιοτηρια-
νοῦ Λυχι|άρχου, Τιϐ. Κλ. Πολέμων¹ | τὴν μητέρα.

1. Cf. nn. 906-910.

---

913. Cibyrae. — Sitlington Sterrett, *An epigraphical journey* (1888), p. 37, n. 36.

Ὁ δῆμος καὶ οἱ πραγμα|τευόμενοι ἐνταῦθα Ῥωμ[αῖ]|οι ἐ[τ]ίμησαν Μίθρην
5 Εὐ[ϐίου?] | χρυσῶι στεφάνωι τιμ(ὶ)ωι ‖ .... καὶ εἰκό[νι χρυσῇ].

---

914. Cibyrae in theatro. — Le Bas et Waddington, n. 1212.

[Ὁ δῆμος ἐτείμησεν Κ]οίντον Οὐ[ηρ]άνιον [Τ]ρωί[λ]ου υἱὸν Κ[λ]ου[στ]ου-
[μείνᾳ | Φίλαγρον¹ ἀγωνοθ]έτη[ν] διὰ [β]ίο[υ], πρεσ[6]εύσαντα δ[ω]ρεὰν [τ]ε[τρά-
κις | πρ]ὸς τοὺς Σεϐαστοὺς [εἰς Ῥώ]μην² καὶ περὶ μεγάλ[ω]ν πραγμάτω[ν] |
5 ἐπιτυχόντα καὶ ἐγδικήσαντα³ δημοσίας ὑποθέσεις πολλὰς καὶ μ[εγ]άλ[ας], ‖ ἐ[ξ]
ὧν [ἱ]κανὸν ἀ[ρ]γύριον ἐχώρησεν εἰς τὸν [χ]τισμὸν τῆς πόλεως⁴ καὶ δημοσίους
δούλου[ς] | ἐγνει[χ]ήσαντα ἑκατὸν ἑπτὰ⁵ καὶ κτῆσιν [χώ]ρα[ς]⁶, καὶ ἱερέα γε[ι-
ν]όμενον Καίσαρος Σεϐαστοῦ καὶ ἐ[π]ιδόντα τῇ πόλει ἐπὶ .... διαδ[ώ]μα-
τος⁷, εἰς εὐωχίαν | Καισαρ[ε]ίων, δραχμὰς Ῥοδίας⁸ πεντάκις μυρίας τετ[ρά]κις
χειλίας, καὶ δανείου δέκα | μυρ[ι]άδας [Ῥ]οδίας χαρισάμενον οἷς ὁ δῆμος
10 ἠθέλησεν, καὶ καταλύσαν‖τα συν[ω]μοσίαν μεγάλην τὰ μέγιστα λυποῦσαν τὴν
πόλιν⁹ · ἃ δὲ ἦν ἀναγκαι'ότατα τῶν ἐν ταῖς πρεσϐείαις ἐπιτευχθέντων, ᾐτη-
μένον ἀπὸ Τιϐερίου Κλαυ|δίου Καίσαρος ἀπεσκευάσθαι Τιϐέριον Νειχήφορον
πράσ[σο]ντα τὴ[ν] πόλιν | καθ᾽ ἕκαστον ἔτος δηνάρια τ[ρι]σχείλια καὶ λαμϐά-

νοντα ¹⁰, καὶ τὴν τοῦ σείτου | πρᾶσιν γείνεσθαι ἐν τῇ ἀγορᾷ κα[τὰ] ζεῦ[γ]ος
15 μοδίων ἑβδομήκοντα πέντε ‖ ἐκ πάσης τῆς χώρας ¹¹, ἐφ' οἷς ἡ πόλις ἔδωκεν
αὐτῷ τὰς [ἀ]ριστέως τειμάς ¹².

1. Is profecto civitatem acceperat a Q. Veranio, qui fuerat legatus Lyciae sub
Claudio. Vivebat etiamtum anno 74 post C. n. Cf. n. 915. — 2. Ad imperatores Tibe-
rium, Caium, Claudium. — 3. Fuit ἔκδικος, ecdicus, actor civitatis : cf. Liebenam,
Städteverwalt., p. 303. — 4. Cum civitatem, terrae motu labefactam, anno 23 post C. n.
iterum condidit Tiberius. Cf. n. 900. — 5. Servos publicos 107, qui libertatem detri-
mento civitatis post terrae motum usurpaverant, evicit, in servitutem iterum redegit.
Chapot, *Prov. rom. d'Asie*, p. 176. — 6. Eorum bona contra legem parta ut publicarentur
effecit. Sed lectio dubia est. KOM..PA lapis. — 7. HKAN..TH lapis : « ad ornandam
praecinctionem theatri » : διαδώματος = διαζώματος; cf. *C. I. Gr.*, 1625 ; κ[αλυπ]τῆ[ρ]α
δ[ώ]μττος Waddington : « ad tegulas aedificio publico imponendas. » Nondum correctus
est locus. — 8. De drachmis Rhodiis cf. n. 915. — 9. Conjurationem oppressit, qua
conflictabatur civitas. — 10. Nicephorus videtur fuisse aliquis Augusti libertus, quem,
cum Cibyratas expilavisset, ex officio suo Claudius imperator, petente Philagro, amo-
verat. — 11. Impetraverat ut frumentum ex tota regione Cibyram allatum in foro
venderetur per juga, quorum quodque esset 75 modiorum. — 12. Auctus honoribus
quibus fruebatur princeps quisque civitatis, ἀριστοπολειτευτής : Liebenam, *Städteverwalt.*,
p. 131-132.

---

915. Cibyrae in theatro. — Le Bas et Waddington, n. 1213. Cf. Petersen et Luschan,
Reisen in Lykien, II (1889), p. 186.

a. Κιβυρατῶν δῆμος, ἡ Σ[ίμου?] Πανκράτου φυλὴ ¹ ἐτείμησεν | Κοίντον
Οὐηράνιον Τρωίλου υἱὸν Κλουστουμείνᾳ | Φίλαγρον [ἱερέα Ἀρ]ετῆς ², γυμνα-
5 σίαρχον ἐπὶ ἔτη | δεκάδυο, ἃ [ἐγυμνασι]άρχησεν αὐτὸς ζῶν, ‖ ἐχαρίσατο δὲ τῇ
πόλει καὶ εἰς τὴν μετὰ ταῦτα γυμνασι|αρχίαν τὴν αἰώνιον μυριάδας δραχμῶν
Ῥοδίων τεσ|σαράκοντα, ὡς γυμνασιαρχεῖσθαι ἐκ τῶν τόκων, | τὰς δὲ τεσσαρά-
κοντα μυριάδας [μ]ένειν δανειζομέ|νας τὸν πάντα χρόνον · ἡ δὲ αἰώνιος γυμνα-
10 σιαρ‖χία ἤρξατο ἔτους ἐνάτου τεσσαρακοστοῦ τῆς | κτίσεως, ζῶντος τοῦ Φιλά-
γρου ³, | τοῦ Ῥωμαικοῦ δηναρίου ἰσχύοντος ἀσσάρια δεκαέξ · | ἡ Ῥοδία δραχμὴ
τούτου τοῦ δηναρίου ἰσχύει ἐν Κιβύρᾳ | ἀσσάρια δέκα, ἐν ᾗ δραχμῇ Ῥοδίᾳ
δέδοται ἡ δωρέα ⁴. ‖

15 *b.* .... [τ]αῖς τειμαῖ[ς τῶ]ν Σε[β]αστῶν καὶ τ[ῆ]ς συνκ[λή]|του, ὥστε
μένει[ν] τὴν γυμνασιαρχίαν ἐ[ν] | τῇ πό[λ]ει [δ]ι' αἰῶ[νο]ς, καθὼς ἔτα[ξ]εν
5 Κοίντ[ος] | Οὐηρά[ν]ιος [Φ]ίλαγρος. Ἐὰν δέ τινες γυμνα‖σιαρχῆσα[ι θ]ελήσωσιν

ἐκ τῶ[ν] ἰδίων ἀναλω|μάτων, τὴν πρόσοδον τῶν τεσσαράκον|τα μυ[ρ]ιάδων
πρασσέτω [ὁ] δῆμος μετὰ τῶν | γυμνασιάρχ[ω]ν καὶ ἐ[ξ] αὐτῆς ἀ[γ]οραζέτω |
10 κτήσεις σειτο[φ]όρους, εἰς ἄλλο δὲ μ[η]‖δὲν [ἐ]ξ[έστ]ω καταγρῆσθαι τῇ προ-
σόδ[ῳ | τα]ύτ[η], ὡς [πε]ρὶ τούτου τῷ αὐτοκράτ[ο]|ρι καὶ τῇ συνκλήτῳ
[λ]ό[γ]ου ἀπο[δ]οθ[η]σομέ[νου · | τὰς δ]ὲ [κτή]σεις κ[α]λεῖσ[θ]αι ταύτας γυμ-
νασ|[ιαρ]χικὰς Φι[λαγ]ρ[ι]ανάς ³.

    c. Ἐά[ν] τινες τ[ὴν] αἰώνιον [γ]υμν[ασ]ια[ρχ]ίαν θε]λ[ή]σωσιν [κα]τ[α]λ[ύ]|ει[ν]
καὶ [τ]ὰ χρήμα[τ]α αὐτῆς ἀλ[λοτρ]ιοῦν, ἐ[ναγ]εῖς ἔ[σ]τωσα]ν καὶ | ἀ[λιτή]ριοι τῶν
τε Σεβαστῶν καὶ [τῆς] συνκλήτου καὶ τῆς πα[τρ]ίδος καὶ τῶν ἐν ταύτη ἱερῶν
5 καὶ θεῶν καὶ [αὐ]το[ὶ] καὶ γενεαὶ [α]ὐ‖τῶ[ν]. Ὀμνύτωσαν δὲ καθ' ἕκαστον
ἐ[ν]ια[υ]τὸ[ν] οἱ ἔ[φ]η[β]οι | ἐν τῷ γυμνασίῳ τὸν πάτριον ὅρ[κ]ον ⁶ συνφυλά[ξ]ειν
τὴν | [γ]υμνασιαρχίαν καὶ πάντας τοὺς [π]όρους αὐτῆς. Ὀμνύ|τω δὲ καὶ ὁ
δῆμος ἐν τῇ τῶν κατευχῶν ἡμέρᾳ ⁷ διὰ τῶν | ἀ[ρ]χόντων καὶ τοῦ γραμματέ[ω]ς
10 τοῦ δήμου, [ὡ]ς ὑπὲρ σ[ω]‖τηριωδεστάτου πρά[γ]ματος, τηρήσειν τὴν γυμνα-
σι|αρχίαν ταύτην καὶ τὰ χρήματα αὐτῆς. Ἐὰν δέ ποτε | καθ' ὁνδηποτεοῦν
τ[ρό]πον καταλυθῇ ἡ γυμνασιαρχί|α, ὑπεύ[θ]υνος ἔστω ὁ δῆμος τῷ αὐτοκράτορι
15 καὶ τῇ | συνκλήτῳ εἰς τὸ ἀ[π]οκαταστῆσαι τὴν γυμνασιαρ|χίαν παρ' ἑ[α]υ[τ]οῦ
καὶ τοὺς πόρους αὐτῆς.

    Q. Veranius Philagrus (cf. n. 914) instituit gymnasiarchiam perpetuam, datis civitati
400.000 drachmarum, quarum ex reditu ludorum sumptus erogabuntur.

    1. Una ex Cibyrae tribubus, vocata nomine illius qui phylarchia illo anno fungebatur;
idem vero nomen fuerat antea dynastae cujusdam apud Cibyratas nobilis (Polyb., XXX,
9). — 2. [ἕνεκα ἀρ]ετῆς .....ἐν[δεκα]ετῆ Waddington. Corr. Petersen. Cf. Wernicke ap. Pauly
et Wissowa, *Realencyclopädie*, II, col. 678. Res tamen in incerto manet. — 3. Anno 49
postquam Tiberius Cibyram, terrae motu labefactam, iterum condidit (cf. n. 900) = anno
74 post C. n., vivo etiamtum Philagro. — 4. Cum romanus denarius valeat pro 16 assi-
bus, drachma Rhodia valebat pro 10 assibus, sive pro 5/8 denarii, eo tempore cum
Rhodias drachmas Philagrus civitati dedit. Cf. Hultsch ap. Pauly et Wissowa, *Realency-
clop.*, V, col. 1619, 34. Cavet ne minuatur donata pecunia, si quid detractum fuerit poste-
rius e drachmae Rhodiae pretio. — 5. Si qui privati gymnasiarchia fungi volent suis
sumptibus, tum reditum donatae pecuniae auferet populus cum gymnasiarchis et ex eo
emet agros frumentarios; neque in alium usum ille reditus convertetur et ratio reddetur
imperatori senatuique romano ; nam Asia provincia est senatoria; agri autem vocabun-
tur gymnasiarchici Philagriani. — 6. Patrium jusjurandum, per deos Cibyratarum. —
7. Vota publica pro imperatore et familia ejus quotannis celebrata ante diem III nonas
Januarias. Cf. Dio, LXXIX, 8.

916. Cibyrae. — Heberdey et Kalinka, *Denkschr. der Akad. in Wien*, XLV (1896), p. 2, n. 4.

Ὁ δ[ῆ]μος καὶ οἱ πρ[α]γματευόμενο[ι ἐν]|ταῦ[θ]α Ῥω<ι>μαῖοι ἐτείμη|σαν
5 Π[α]νκράτην Καλλικλέ‖ους χρυσ[ῷ] στεφάν[ῳ] κ[αὶ] | ε[ἰ]κόνι χρυσῇ, [ζήσ]αντ[α |
ε]ὐτ[άκ]τως.

---

917. Cibyrae. — Bérard, *Bull. de corr. hellén.*, XV (1891), p. 554, n. 32.

Ὁ δῆμος καὶ οἱ πραγμα|τευόμενοι ἐνταῦθα | Ῥωμαῖοι ἐτείμησαν | χρυ(σ)ῷ
5 στεφάνῳ Τάτ‖ην Διογένους, φύσ[ει δὲ Σωσαμμίου, μνή|μης ἕνεκα.

---

918. Cibyrae. — Heberdey et Kalinka, *Denkschr. der Akad. in Wien*, XLV (1896), p. 2, n. 3.

5 Ὁ [δ]ῆμος καὶ οἱ | πραγματευό|μενοι [ἐ]νταῦ[θ]α Ῥ[ω]μαῖοι ἐ‖τ[ε]ίμησαν
Τ[ρ]ο[ίλον Ὀρ<τ>[ἐσ]του, | ἄ[νδ]ρ[α] ἀγα[θὸν | χ]ρυσῷ στεφά|νῳ, μνήμη
10 τῇ ‖ ἀγαθῇ.

---

919. Cibyrae. — Collignon, *Bull. de corr. hellén.*, II (1878), p. 598, n. 5.

Ὁ δῆμο[ς κα]ὶ οἱ πραγμα|τευόμενοι Ῥωμαῖοι ἐ[τεί|μη]σα(ν) [κ]αὶ ἐστεφάνω-
5 σ[αν] | ..... αντος ἱε|ρῆ(α) Ἀπόλλωνος, ‖ ἀγαθῇ [μνήμη].

---

920. Cibyrae. — *C. I. L.*, III, 13663: Heberdey et Kalinka, *Denkschr. der Akad. in Wien*, XIV (1896), p. 6, n. 17.

Aelia A[s]teria Aelio Anti|[o]ch[i]ano, tesserario leg. | [X]I. Cl. ', dulcissimo
5 quando | marito suo instruxit mo‖nimentum et statuam | e[t ar?]ulam cum sub-
posi|to in terram sarcophago | lapideo secundum uolun|[t]atem s(upra) s(cripti)
10 Antiochiani, me‖moriae causa. Huius exem|plaria i[u]s[ta ce]ris duobus re‖posita
sunt in archia publi|ca Cibyratarum. |
15 Αἰλία Ἀστερία Αἰλίῳ Ἀντι‖οχιανῷ, τεσσεραρίῳ λεγ(ιῶνος) | ια' Κλ., τῷ
γλυκυτάτῳ γε|νομένῳ ἀνδρὶ αὐτῆς | [κα]τ[εσ]κεύασε τὸ μνημεῖ[ο]ν καὶ τὸν

20 ἀνδριάντα σὺν ‖ τῇ βάσει κ[α]ὶ τῇ ὑποκει|[μ]ένῃ ὑπὸ [γῇ σ]ορῷ, καθὼς | [α]ὐτὸς διετάξατο, μνείας | χάριν · τούτου ἀντίγραφα | δύο εἰς τὰ ἀρχεῖα ἀπετέθη.

1. Legio XI Claudia post Trajanum in Pannonia, post Antoninum in Moesia superiore tetendit.

---

921. Cibyrae. — Collignon, *Bull. de corr. hellén.*, II (1878), p. 609, n. 29.

Ἔτους ρκ΄, πρ(ώτῃ) μη(νὸς) Πανήμου [1], Ὀνήσιμος, δοῦλο[ς] | Τι. Κλ. Παυλείνου ὑπατικο[ῦ] [2], κατεσκεύασε | τὸν οἶκον ἑαυτῷ ζῶν καὶ Χαριτοῦ τῇ γυνα|ικὶ αὐτοῦ.

5 Ἀρτέ[μ]ων Ἀρτέ‖μωνος Ἀπριανὸς κατεσκεύασε | τὸν οἶκον πρὸς τῷ ἀλεκτορίῳ [3] ἑαυ|τῷ καὶ τοῖς τέκνοις, συνεχώρησατο [δὲ τό]|που [4] τοῖς συνεπιγεγραμμένοις · εἰ δέ τις.... [5].

1. Anno 120 aerae Cibyraticae = 145 post C. n., mensis Panemi die I. — 2. Ti. Claudius Paulinus : cf. supra titulum n. 911. — 3. Quid sit id ἀλεκτόριον non liquet. — 4. Supplevit Haussoullier. — 5. Cf. titulum omnino similem, eumdem sane, qui Trallibus inventus esse traditur (*Bull. de corr. hellén.*, X (1886), p. 519, n. 15).

---

922. Cibyrae. — Heberdey et Kalinka, *Denkschr. der Akad. in Wien*, **XLV** (1896), p. 5, n. 13.

In sarcophago ubi sepulti sunt quidam Nicostephes et uxor ejus :

Ἔτους αλσ΄, μηνὸς Δαι[σ]ίου Σεβαστῇ [1].

1. Anno 231 aerae Cibyraticae = 256 p. C. n., mensis Daesii die I, quae dicebatur Augusta. Cf. nn. 353 *b*, v. 4, et 624.

---

923. Cibyrae. — Heberdey et Kalinka, *Denkschr. der Akad. in Wien*, XLV (1897), I, p. 5, n. 16.

In operculo sarcophagi :

Ἔτους ..ρ΄, με(νὸς) Ἀπελλαίου ι΄. |

In ipso sarcophago :

Ἑτέρῳ δὲ οὐδε[νὶ] ἐ[ξέ]σται θάψαι τινὰ ἐν τῇ σορῷ ἢ ὑπε|ναντίον τι ποιῆσα·. ἐπὶ θήσει τῷ φίσκῳ (δηνάρια) αφ΄ · τούτου | ἀντίγραφον εἰς τὰ ἀρχεῖα ἐτίθη.

ASlA

318 **ASlA** Hedje, Senir Mesarlik

5 Ά έφαγον έχω, ά κατέλιπον άπώλεσα · άληθῶς εἶπε ‖ Φιλιστίων² · ὁ [β]ίος
τοχο³..

1. Anno 1.. aerae Cibyraticae, quae incipit anno 25 p. C. n.; cf. Kubitschek in Pauly
et Wissowa *Realencyclop.*, I, col. 639. Mensis Februarii die X. — 2. Philistio Bithynus
mimographus Romae sub Tiberio principe clarus habitus est : Maur. Croiset, *Hist. de la
litt. gr.*, V, p. 449. — 3. ταῦτα vel τόσονδε requiritur.

Hanc etiam habes ibidem multam funeralem : Collignon, *Bull. de corr. hellén.*, II
(1878), p. 600, n. 8 : v. 14 : [τῷ φίσκιω ὀη,]νάρια ρ' χείλια.

924. Hedje. — Sitlington Sterrett, *An epigraphical journey* (1888), p. 109, n. 76; Ramsay, *Cities of Phrygia*, I (1895), p. 331, n. 141.

[Τ]οῖς θεῶν [ἐπιφανεστάτοις] | Αὐτοκρά[τορι Καίσαρι Λουκίω] | Σεπτιμ[ίω
5 Σεουήρω Εὐσεβεῖ] | Περτίναχ[ι Σεβαστῷ Ἀραβικῷ] ‖ Ἀδιαβ[ηνικῷ Παρθικῷ
Μεγίστω] | καὶ Αὐτο[κράτορι Καίσαρι Μάρκω | Α]ὐρηλίω [Ἀντωνείνω Εὐσεβεῖ |
10 καὶ Ποπλίω Σεπτιμίω Γέτα] | υἱῷ καὶ ἀδελφῷ τῶν μεγά‖[λων] βασιλέων¹
[καὶ] Ἰουλία Σ[εβαστῇ] μητρὶ [κά]σ[τρων. | Ἀπ]ὸ Κιβύρας μ(ίλια) κ'.

Miliarium est XX viae Cibyra Themisonium.

1. Inter annum 198 post C. n., quo Geta Caesar appellatus est, et annum 209, quo
Augustus.

925. Tchamkeui. — Sitlington Sterrett, *An epigraphical journey* (1888), p. 36, n. 35 ;
Ramsay, *Cities of Phrygia*, I (1895), p. 331, n. 142.

Τοῖς θεῶν [ἐπιφανεστάτοις] | Αὐτοκράτο[ρι Καίσαρι Λουκίω] | Σεπτιμίω
5 Σευή[ρω Εὐσεβεῖ Περ]τίναχι Σεβασ[τῷ Ἀραβικῷ ‖ Ἀ]δ[ιαβ]ηνικ[ῷ] Π[αρθικῷ
Μεγίστω] | καὶ [Αὐτ]οκράτο[ρι Καίσαρι Μάρκω] | Αὐρηλί[ω] Ἀντων[είνω
10 Εὐσεβεῖ] | Σεβαστῷ [καὶ Ποπλίω Σεπτιμίω | Γέτα ἐπιφανεστάτω Καίσαρι¹ ‖ καὶ
Ἰουλ]ί[α] Δ[όμν]α | Σεβαστῇ [μ]η[τρὶ κάστρων. | Ἀπ]ὸ [Κι]βύ[ρας μ(ίλια)..]

Miliarium est viae Cibyra Themisonium.

1. Annis 198-209 post C. n. Cf. nn. 924, 926.

926. Senir Mesarlik. — Collignon, *Bull. de corr. hellén.*, II (1878), p. 596, n. 2.

Τοῖς θεῶν ἐπιφανεστάτοις | Αὐτοκράτορι Καίσαρι Λουκίω Σεπτιμίω |

Σεουήρω Εὐσ(ε6)εῖ Περτίνακι Σεβαστῷ | 'Αραβικῷ 'Αδια[6η]νικῷ Παρθικῷ
5 Μεγίστω ‖ καὶ Αὐτοκράτορι Καίσαρι Μάρκω Αὐρηλίω | [Σεουήρω] 'Αντωνείνω |
Εὐσεβεῖ Σεβαστῷ | [καὶ Ποπλίω Σεπτιμίω Γέτα, υἱῷ καὶ ἀδελφ]ῷ μεγάλων
10 βασιλέων ¹ | καὶ Ἰουλία Σεβαστῆ μητρὶ κάστρων. ‖ 'Απὸ Κ[ι6ύ]ρας | μί(λια) β΄.

Miliarium est II viae Cibyra in Pisidiam, ut videtur.

1. Annis 198-209 post C. n. Cf. nn. 924, 925.

---

927. Lagbae. — Ramsay, *Cities of Phrygia*, I (1895), p. 272, n. 192.

Αὐρ. Κρατερὸς Μήνιδος Κό[μ]ωνος κατεσκ[εύασ]εν τὴν σωματοθήκην ἑαυτῷ
ζῶν καὶ τῇ γυναικὶ αὐτοῦ Αὐρ. 'Αρτεμεῖ καὶ τοῖς τέκνοις μου Αὐρ. Τροχόνδα
καὶ Ἑρμαίω καὶ Κρατερῷ, ἑτέρῳ δὲ οὐδενὶ ἐξὸν ἔσται ἐπισενένκαι πτῶμα, ἐπεὶ
ὑποκείσετε προστείμου τῷ ἱερωτάτῳ ταμίῳ δην(άρια) βφ΄ καὶ τῇ Κιβυρατῶν
πόλει δην(άρια) αφ΄ καὶ τῷ κατὰ τόπον μισθω[τῇ τοῦ χωρίου δην(άρια) φ] ¹.

Divisio versuum non indicatur.

1. Ultima verba restituta sunt ex titulo simili n. 193, in quo eadem integra leguntur
(anno 241/242 post C. n.). Pars multae solvenda erit conductori loci, nempe quia is
locus pertinebat ad praedium Augustorum, a multis conductoribus cultum. Cf. nn. 889,
894, 897.

INSULA CHIUS

928. Chii. — *C. I. Gr.*, 2215.

Ἡ βουλὴ καὶ ὁ δῆμος | Γάιον Ἰούλιον Γαίου υἰὸν Καίσαρα, | τὸν ἀρχιερέα
5 καὶ αὐτοκράτορα | καὶ ὕπατον τὸ δεύτερον ¹, ‖ τὸν πάτρωνα τῆς πόλεως, ἀρετῆς
ἕνεκεν, | θεοῖς.

1. Anno 48 ante C. n.

---

929. Chii. — Studniczka, *Athen. Mitth.*, XIII (1888), p. 168, n. 8 : cf. Zolotas,
Ἀθηνᾶ, XX (1908), p. 238, n. 51.

Ὁ δῆμος | τὸν αὐτοκράτο[ρα] | Γάιον Ἰούλιον Γαίο[υ] | υἰὸν Καίσαρα ἀρχιε-
5 [ρέα], ‖ ὕπατον [β'] ¹, δικτάτορα | τὸ δεύτερον, εὐεργέ|την.

1. Aut [γ']. Anno enim 48 ante C. n. Caesar alteram dictaturam suscepit, consul ite-
rum ; anno 45 tertiam, consul IV. Cf. Mommsen, *C. I. L.*, I, p. 451. Titulus autem non
anno 48, sed 46 forsitan scriptus fuerit.

---

930. Chii. — Paspatis, Χιακὸν γλωσσάριον (1888), p. 408, n. 20.

Ὁ δῆμος | Δροῦσον Καίσαρα | Σεβαστοῦ υἱόν ¹.

1. Drusus Julius Caesar, Tiberii imperatoris filius, inter annum 14 et annum 23 post
C. n., quo obiit : *Prosop. imp. rom.*, II, p. 176, n. 144.

---

931. Chii. — Zolotas, Ἀθηνᾶ, XX (1908), p. 236, n. 50.

[Αὐτοκράτωρ Καῖσαρ | Θεο]ῦ Οὐεσπασιανοῦ υἱὸ[ς Δομιτιανὸς Σε|βαστὸς] Γερ-
5 μανικὸς ἀρχιερε[ὺς μέγιστος, | δημαρχι]κῆς ἐξουσίας τὸ ιγ' ¹, [αὐτοκράτωρ ‖ τὸ
κϛ', ὕπ]ατος τὸ ι[ϛ'], τειμητὴς [διὰ βίου, πατὴρ πατρίδ]|ος, Χίων ἄρχουσι,
βουλῇ, δ[ήμῳ | χα]ίρειν....|... αθην ἠξιώσαντα ἀπὸ τῆς......

1. Anno 93 post C. n.

932. Chii. — Sludniczka, *Athen. Mittheil.*, XIII (1888), p. 169, n. 9.

[Ἡ] φιλοσ[έ]βασ[τ]ο[ς γερου]σία | [τ]ὸ[ν μέγι]σ[τον] θ[εὸν] καὶ | σωτ[ῆρα]
5 τῆς οἰ[κ]ουμένης | αὐτοκράτορος Θεοῦ υἱὸν ∥ . . . . . . .ν αὐτοκράτορα | [Νέρουαν
Τ]ραι[αν]ὸν Καίσαρα. . . .

933. Chii. — *C. I. Gr.*, 2216.

Ἡ γερουσία | τὸν αὐτοκρά|τορα Τραιανόν.

934. Chii. — *C. I. Gr.*, 2217.

Ὁ δῆμος | Αὐτοκράτορα Καίσαρα Λού|κιον Αὐρήλιον Οὗἦρον Σε|βαστὸν,
5 δημαρχικῆς ἐξου∥σίας τὸ β′ ¹, Θεοῦ Ἀντωνείνου | υἱὸν Θεοῦ Ἀδριανοῦ υἱωνὸν |
Θεοῦ Τραιανοῦ ἔκγονον Θε|οῦ Νέρουα ἀπόγονον, | ἐπιμεληθέντος τῆς ἀναστά-
10 σεως Πομπηίου ∥ Λατρίου τοῦ πρώτου | στρατηγοῦ.

1. Anno 162 post C. n.

935. Chii. — Crispis, Μουσεῖον καὶ βιβλιοθήκη τῆς εὐαγγελικῆς σχολῆς, II (1876), p. 36;
Riemann, *Bull. de corr. hellén.*, I (1877), p. 82, n. 3.

Ὁ δῆμος | Κρισπεῖ|ναν Σε|βαστήν ¹.

1. Bruttia Crispina Augusta Commodo imperatori collocata est in matrimonium
anno 178 post C. n., ex Urbe expulsa anno 182 : *Prosop. imp. rom.*, I, p. 212, n. 143.

936. Chii. — Zolotas, Ἀθηνᾶ, XX (1908), p. 221, n. 20.

Θεῶν | Σεβα|στῶν.

Eadem verba leguntur in aliis titulis duobus : *Ibid.*, p. 224, n. 20; p. 226, n. 33.

937. Chii. — Zolotas, Ἀθηνᾶ, XX (1908), p. 232, n. 23.

Σεβα|στῶν.

938. Chii. — Zolotas, Ἀθηνᾶ, XX (1908), p. 240, n. 56.

a. ..... δημο...|.. οδώραν.. δεε...|ας ἐλάττονας ἐφ᾽ ἑα[υτ]....|ι ἐκ τῶν ἰδίων
5 ἐν οἷς καὶ...‖ς ποιήσεται οἵας ἂν προ.....| ὁ δὲ ἀφῆκε ἵν᾽ εἰς τε τὴν.....|
b. ..... να....| νει.. ι.. β.λεῖσθαι θελο.......|λομένη γράφεσθαι α....|..
10 αχεν ἀναθήμασιν..... ‖ δεδόχθαι καὶ κατὰ τοῦ... [το]‖ὺς θεοὺς Σεβαστοὺς χ....
..|ετευ ἀνδριὰς κοσμο......

---

939. Chii. — Zolotas, Ἀθηνᾶ, XX (1908), p. 234, n. 45.

..... Θεοῦ ο.....|.... [Σεβ]αστὸς Γερμ[ανικὸς....|.... δημαρχ]ικῆς ἐξου-
5 [σίας....|... ὕπ]ατος τὸ ....‖... Χίων γερο......|.........σιν...|..... [τ]ῆς
μεγάλ[ης]........

Fragmentum est epistulae imperatoriae ad Chios scriptae.

---

940. Chii. — Haussoullier, *Rev. des ét. gr.*, III (1890), p. 213; Zolotas, Ἀθηνᾶ, XX
(1908), p. 230, n. 41.

In prima facie :

5   Λεοκύδης, | Θεόδωρος, | Ζῆνις, | Ἀσπάσιος, ‖ Νικίας, | Μητρόδωρος, |
10 Ἀπολλωνίδης, | Φιλώτας, | Εὔμηλος, ‖ ...

In secunda facie :

5   .... Διογένους | γεγονὼς, Ἀπολ|λώνιος Ἀ[ρ]χε|στράτου φιλόκ[αι]‖σαρ, τὸ
10 τρ]ίτον | περιοδονείκης, | [β]ασιλεὺς μέγα[ς] | Ἀντίοχος φιλό|καισαρ ¹ ‖ ... απη.
βασιλέως.

In tertia facie :

...ηστρούθις | [Ῥοι]μητάλκας | [φιλό]καισαρ ².

1. Antiochus IV, rex Commagenorum, annis 38-72 post C. n. : *Prosop. imp. rom.*, I,
p. 83, n. 579. — 2. Rhoemetalces III, rex Thraciae annis 37-46 post C. n. : *Prosop. imp.
rom.*, III, p. 131, n. 52. Cf. titulum n. 941.

---

941. Chii. — Crispis, Μουσεῖον καὶ βιβλιοθήκη, τῆς εὐαγγελικῆς σχολῆς, II (1876), p. 36.

Ἀπολλώνιος Ἀπολλωνίου, στεφανηφόρος | ἀποδειχθεὶς εἰς τὸν ἐνιαυτὸν τὸν

μετὰ στε|φανηφόρον βασιλέα Ῥοιμητάλκην ¹, ἔδωκεν τῷ | δήμῳ δωρεὰν τῆς
5 στεφανηφορίας εἰς σίτου ‖ ὠνὴν δραγμὰς μυρίας.

1. Rhoemetalces III, ut videtur, rex Thraciae. Cf. n. 940.

942. Chii. — Zolotas, Ἀθηνᾶ, XX (1908), p. 239, n. 55; B. Haussoullier, *Rev. de philologie*, 1909, p. 17.

[Τ]ραιάνιος Σαβεῖνος | [ἀ]νέθηκεν, Βελλίκωι | [Τ]ορκουάτωι καὶ Σαλουί[|ωι
Ἰ]ουλιανῶι ὑπάτοις ¹.

1. C. Bellicius Torquatus et P. Salvius Julianus coss. anno 148 post C. n. : *Prosop. imp. rom.*, I, p. 235, n. 87; III, p. 166, n. 103.

943. Chii. — Dittenberger, *Sylloge inscr. gr.*, ed. II (1898), n. 355.

.....α....να.....υχ.....χ...... | Σταφύλου ὑπαρχόντων πρὸς τοὺς Χείων
πρέσβεις, ἀναγεινωσ[κόν]|των ἐπιστολὴν Ἀντιστίου Οὐέτερος τοῦ πρὸ ἐμοῦ
ἀνθυπάτ[ου], | ἀνδρὸς ἐπιφανεστάτου ¹, κατακολουθῶν τῇ καθολικῇ μου [προ]‖-
5 θέ[σ]ει τοῦ [τ](η)[ρ]εῖν τὰ ὑπὸ τῶν πρὸ ἐμοῦ ἀνθυπάτων γραφέντ[α, συ]|λάττειν
καὶ τὴν ὑπὲρ τούτων φερομένην ἐπιστολὴν Οὐέτε[ρος] | εὔλογον ἡγησάμην ·
ὕστερον δὲ ἑκατέρου μέρους ἐξ ἀντικα[τα]|στάσεώς περὶ τῶν κατὰ μέρος ζητη-
μάτων ἐν(τ)υχόντος διή[κου]|σα καὶ κατὰ τὴν ἐμὴν συνήθειαν παρ' ἑκατέρου
10 μέρους ἐπιμε[λέσ]‖τερα γεγραμμένα ᾔτησα ὑπομνήματα · [ἃ λ]αβὼν καὶ κατὰ
τὸ ἐπι[βάλ]|λον ἐπιστήσας εὗρον τοῖς μὲν χρόνο(ι)ς ἀρχαιοτάτου δό(· χ[τος] |
συνκλήτου ἀντισ[φρ]άγισμα, γεγονότος Λουκίῳ (Σ)ύλλα τὸ δε[ύτε]|ρον ὑπάτωι ²,
ἐν ᾧ μαρτυ(ρη)θεῖσι τοῖς Χείοις, ὅσα ὑπὲρ Ῥωμαίων δι[έθη]|κάν τε Μιθριδάτην
15 ἀνδραγαθοῦντες καὶ ὑπ' αὐτοῦ ἔπαθον ³, ἡ σύν[κλη]‖τος εἰ(δ)ικῶς ἐβεβαίωσεν
ὅπως νόμοις τε καὶ ἔθεσιν καὶ δικαίοις [χρῶν]|ται, (ἃ) ἔσχον ὅτε τῇ Ῥωμαίων
(φι)λίᾳ προσῆ(λ)θον, ἵνα τε ὑπὸ μηθ' ὡτινι[οῦν] | τύπῳ ὦσιν ἀ(ρ)χόντων ἢ ἀνταρ-
χόντων, οἵ τε παρ' αὐτοῖς ὄντες Ῥω[μαῖ]|(ο)ι τοῖς Χείων ὑπακούωσιν νόμοις.
Αὐτοκράτορος δὲ Θεοῦ υἱοῦ [Σε]|βαστοῦ τὸ ὄγδο(ο)ν ὑπάτου ⁴ ἐπιστολή(ν) πρὸς
20 (Χ)είους γράφοντ[ος] ‖ ....ις.εν τὴν πόλιν ἐ(π)ύθ[ετο].........

Epistula est ad Chios scripta a proconsule aliquo, qui Asiae praefuit inter annos 4 et
14 post C. n., ne laedatur civitatis αὐτονομία. Cf. Chapot, *Prov. rom. d'Asie*, p. 114, 125.

1. C. Antistius Vetus, consul anno 6 ante C. n., Asiam administravit Augusto impe-

rante, anno circiter 3 aut 4 post C. n. : *Prosop. imp. rom.*, I, p. 88, n. 607 et Dittenberger, *loc. cit.* — 2. Anno 80 ante C. n.; Chapot, *op. cit.*, p. 37. — 3. De Mithridatis adversus Chios ira et crudelitate cf. Appian, *Mithr.*, 25, 46, 57; Chapot, *op. cit.*, p. 27 et seq. — 4. Anno 26 ante C. n.

---

944. Chii. — *C. I. Gr.*, 2218.

Ὁ δῆμος ὁ Χίων Λ. Αἰμύλιον Δέκιον Ἀνδρόμαχον, | ἐπίτροπον τοῦ Σεβασ-τοῦ [1], εὐνοίας ἕνεκα τῆς | εἰς τὴν πόλιν.

1. *Prosop. imp. rom.*, I, p. 27, n. 222.

---

945. Chii. — Zolotas, Ἀθηνᾶ, XX (1908), p. 211, n. 9.

In altera facie :

```
    ...ωε.....ω..|σομέ[ν]ην [ἀπ]ὸ μη...... | γενεθλίου ἡμέρας [1] .....|ος Σ(ε)6ασ-
 5  τοῦ ἐνδο.....‖......σε[ν] γ.....|.....ις καὶ ....|.... κ.. ὁ......|....ιδσ..... |
10  πολείταις κα.......‖ομένων τῷ Σε6[αστῷ ......|τὰ]ς δὲ μετὰ τὴν δια..... |
    [κ]λησία κατὰ πίνακα ......|ότας ὅτι δ' ἂν αὐτοὶ ....|σεύσῃ ἐπιμεριοῦσι.... ‖
15  πολείταις, ἐὰν δὲ μ...... | τοὺς τὰ χρήματα τ.... [κα]|θῶς προγέγραπται
20  ....|των καὶ τῶν ἐνγυητ.. ...|τως ἐν ὑποθήκαις ατ..... ‖ καὶ ἐκ τῶν ἄλλων
    ὑπ..... | πανταχῆ(ι) ποιησομ..... |μένων ἀρχόντων τ...... | καὶ τῶν ἄλλων τῶν
25  τ......|κες ἐν τῷ δήμῳ κυ....‖ωνησαμένοις ὑπ......|υλακικῶν.........
```

In altera facie :

```
 5     .... ['Αντ]ίοχο[ς] .....|στον ....... | προπατόρων ......|ηθεις προνα.... ‖ ..σιν
       ἡμῶν σ........ | 'Απέλλῳ τῷ τρεο......|...τοε καὶ ...|...νι ... | ....σ..... ‖
10-15  ....... | ........ | ........ | σ........|ειαν ωθ......‖χεῖον ......|ην τεχ.....|οινης
20     παριδ..... | βασιλεὺς μέγα ...... | [π]εμφθεὶς εὔτεχνοι .....‖.ς νέον Ἥλιον Γερ-
       μ[ανικὸν] [2] ....|.ν καὶ πρέπουσαν α.....|μενος μαρτυρίαν....|ε ......επε....|[δ]υ-
25     ναστείας ων....‖λαύσασα καὶ γα......|.....σα τὰς πρε...........
```

1. Dies natalis Augusti alicujus, ut videtur, rite celebrandus. Cf. nn. 39, 353, et infra decreti de fastis provincialibus fragmentum Prienense. — 2. Jam Caligulae et Neroni cognomen « novus Sol » in Oriente inditum est. Cf. t. III, n. 345; Dittenberger, *Sylloge inscr. gr.*, ed. II, n. 365, 14; *Inscr. Gr. septentr.*, 2714; Cumont, s. v. *Sol*, ap. Daremberg et Saglio, *Dictionn. des antiq.*, p. 1385, not. 9. Augustus autem quisquis ille est, decretum fortasse Antiochi regis denuo sanxisse ferebatur, de sacris Chiorum prius factum.

946. Chii. — Zolotas, Ἀθηνᾶ, XX (1908), p. 236, n. 49.

  ....|.. ' βασιλέως Ἀντ[ιόχου]...|...ος x̄δ̄ | ....[οἱ ἐξε]τασταὶ ² εἶπαν
5 ἐπε[ὶ]... ‖ ..... φύσει δὲ Καλωβρο..... | [εὐ]σέβειαν Ἀσίαν τι|....ται δι' αὐτὸ δὲ
τοῦ | .... σε τὰς προαγούσας ...... | [Αὐτοκράτ]ορος Νέρωνος Κλαυ[δίου] ‖
10 .υάσασα βαλανῆα δι' ὧν...|. [ὠ]φελίας τὴν πόλιν ἐποιη....|... ἀναλώματα οὐ
15 τετ.... | [Νικ]ηφόρια καὶ ἀγων...|...ς καὶ τοὺς πατρίο[υς] ...‖... τῶν Σεβαστῶν
αι...|.[χ]ράσιμον εὐωχίαν τε|..ειαν καὶ τὰς ἐκτὸς ὑ.....|..[ἐ]κτὸς τῶν ἐν ἐπαν-
20 γελ...|...τα μέρος σύμπαν ἐδ...‖..γε καὶ νῦν [ἡ] μεγαλοψυ[χία] ....|..ἑνοις
βαλανῆοις θε...|...ιον τὴν δὲ ἀνάθε[σιν] ...|...ς τοῖς ὑπεσχη[μένοις].......

1. Traditur : ⌐ΙΣΙ∪ΛUιL | II. — 2. Curatores pecuniarum publicarum. Cf. Dittenber-
ger, *Orient. gr. inscr. sel.*, n. 229, not. 27. Cf. *Ibid.*, 4, 51, 55; 112, 113; 46, 5; 229, 48, 51,
52, 88. Decretum est civitatis de balneo publico sacrisque ita latum ut memorarentur
quaedam Antiochi regis et Neronis praescripta. Cf. n. 945.

---

947. Chii. — Zolotas, Ἀθηνᾶ, XX (1908), p. 222, n. 22.

5   ....|...... ἄρξασθαι... δια......|......[τύ]χηι τῆι ἀγαθῆι.. τὴν | .....‖......
κ]αταθέσθαι τοῖς θε....|......ασθαι κατὰ [τὴν ἐκ] Χίου ....|...... [διδό]ντας τ[αύ-
10 τας κα]ὶ λαμ...|......ρεινοχ.... δεκάτηι γ....|.... ἔργων καὶ τοὺς οἰκέτα[ς...‖...
ἀ]τελεῖς καὶ τὰς ἱερείας ἀ...|.... τῶν θεῶν πα[ρι]στάν[α]ι θυσ...|....ον καὶ
πολε[μάρ]χους ¹ καὶ ε....|.... [ἀγ]ωνοθέτας τῶν Καισαρ[εί]ων ² ...|.ο.. [μ]ετὰ
15 τῆς ἀγέλης τῶν π[αίδων ...‖... τ]ὸν ἄρχοντα τῆς τῶν πρεσβυτ[έρων] ....|...σ...
[τ]οὺς ἀπογόνους κα[ὶ ...|... ἄ]ρχοντα τὸν ἐπὶ τὰς ναυ....|.... τοῦ [δή]μου καὶ
....|.... [τοὺ]ς ἄρχοντας οὕ[ς]...........

De sacris instituendis profecto agebatur.

1. Polemarchi etiam post victam a Romanis Graeciam in nonnullis civitatibus fuerunt.
Liebenam, *Städteverwalt.*, p. 292, not. 6. — 2. Cf. nn. 948, 950.

---

948. Chii. — Fustel de Coulanges et Homolle, *Bull. de corr. hellén.*, XVI (1892),
p. 321.

  .....[εἶναι τὴν δάνεισιν | τοῦ χρήματος] ἄπα[ντο]ς, [οὐδενὸς ἔχοντ]]ος ἐξου-
5 σίαν τῶν δαν[ειστῶν]........ | καταβολὴ[ν] ποιήσασθαι οὐδ[εμίαν τοῦ] ἀργ‖[υ]ρίου

καὶ τῶν ἐπαχ[ο]λου[θ]ούντων τόκ[ων πρὶν ἢ | τ]ὸ διελθεῖν τὴν πενταετίαν ¹. Αἱρε-
[θῆναι | δὲ] ἄνδρας ὀκτὼ ἐν ταῖς ἀρχαιρεσίαις [ἐπὶ] τ[ὸ]ν] δανει[σ]μὸν τῶν χρη-
μάτων μετὰ τὴν αἵρ[εσιν τοῦ | ἀγω]νοθέτου τῶν Σεβαστῶν ἀγώνων ² · ἔ[πειτα
10 δ]ὲ ³ || τὴν μεταπαράδοσιν γείνεσθαι ὑπὸ τῶν τετε[λε]κότων τὴ[ν] χρείαν ἀνδρῶν
διὰ ἀπογραφῆς τῆ(ι) ἐνά[τη](ι) τῆ(ι) τοῦ Ποσειδεῶνος, [ἐ]σομένης ἀ[ντ]απ[ο]γ]ρα-
[φῆς] ὑπ[ὸ τῶν παραλα[μβαν]όντ[ω]ν ⁴, πα[ντὸ]ς | τοῦ χ[ρή]ματος ἐσομένης τῆς
15 δ[ανείσ]εως κα[[θ]ότι π[ρογέγ]ραπτ[αι, προ]καταβαλούντων τούτ[ων] | καὶ τῶ[ν
ἀ]εὶ χειρ[ο]τ[ο]νη[θ]ησομένων ἀ[νδρ]ῶν τὴ[ν | τ]οῦ πρώ[του ἔ]τους π[ρόσο]δον
πρ[ὸ ἡμερ]ῶν τρ[ιῶν | τῆς] τοῦ Σ[εβαστ]οῦ Γερμανικο[ῦ Καίσα]ρος ἡμέ[ρας |
20 γε]νεθλί[ο]υ δει[νά]ρια 0χ΄ ⁵ · κα[ὶ, ἐ]ὰν ἐμβόλιμος ἄγη[[ται μὴν, καὶ τ[ού]του
προσκαταβαλλό<ν>ντων ⁶.......

Decretum est Chiorum de certa pecunia administranda, quae donata fuerat civitati, ut
ludi in honorem Augustorum ederentur.

1. Supplevit Homolle collato titulo *C. I. Gr.*, 1869. Jubetur ut tota locetur foenori
pecunia, neve curatores quidquam de capite aut de usuris sumant, prius quam quintus
annus abierit; tum demum multiplicatas usuras licebit in praescriptum usum impendere.
— 2. Eligentur in comitiis octo curatores locandae pecuniae post electum agonothetam
Augustalium. — 3. ἐ[τείαν δ]ὲ conjecit Larfeld ap. Bursian, *Jahresber.*, LXVI, p. 260. —
4. Die IX mensis Posidonii (II Januarii), pecuniam scripto indice curatores transferent
ad successores suos, qui antigraphum ipsi parabunt. — 5. Curatores quicumque postea
electi fuerint solvent agonothetae, tertio die (aut mense [μην]ῶν?) ante natalem Germanici
Caesaris, reditum primi anni, sive denarios 9600. — 6. Cum inciderit mensis interca-
laris, profecto de reditu amplius solvetur agonothetae uncia una.

---

949. Chii. — Studniczka, *Athen. Mittheil.*, XIII (1888), p. 177, n. 22.

Ἐν Κυζίκῳ Φερσεφάσσια ¹. | Ἐν Ἀπολλωνίᾳ Καισάρεια ².

1. Cf. Plut., *Lucull.*, 10 et J. Marquardt, *Cyzicus*, p. 119, 123. — 2. Apolloniae Pisida-
rum celebrabantur magni ludi quinquennales Caesarei : cf. t. III hujus operis, n. 319.

---

950. Chii. — Studniczka, *Athen. Mittheil.*, XIII (1888), p. 173, n. 14.

Ἀθηνίων Συμμάχ[ου, γυμνα]|σιαρχήσας καὶ ξ[υσταρχήσας] | τῶν Θεοφα-
5 νικῶν [Σεβαστῶν] | Ῥωμαίων ¹ ἐπὶ Λε[υκίου Οὐαλ]|γίου, Ἑρμῇ καὶ Ἡρ[ακλεῖ].

1. Ludi in ipsa urbe Chio celebrati : Dittenberger, *Sylloge inscr. gr.*, ed. II, n. 676, v. 3.

951. Chii. — *C. I. Gr.*, 2226.

Πούπλ[ι]ον Αΐλιον | [Π.] Α[ἰλίο]υ υἱὸν Σερ|[γ]ίᾳ Λυ[σίμ]αχον.

952. Chii '. — Zolotas, 'Αθηνᾶ, XX (1908), p. 241, n. 58.

Ὁ δῆμος | Μᾶρκον Κόιντον Γαίου υἱὸν Ῥωμαῖον, | ἀρετῆς ἕνεκεν καὶ εὐνοίας τῆς εἰς ἑαυτόν.

1. Nisi Erythris Chium advectus est lapis, quod de aliis quoque inter hos titulos jure suspicari possis.

953. Chii. — Studniczka, *Athen. Mittheil.*, XIII (1888), p. 174, n. 16.

.... | [ἐπὶ στεφανηφ]όρου Φιλ.... | ... [Θεοπ]όμπου .|. [κ]αὶ γυμν[ασιαρ-
5 χήσας ‖ .... φ]ιλόκαι[σαρ .|.. τῷ] 'Απόλλ[ωνι] ... | ....ος Μαν ....|.. [φιλό-
και]σαρ ... | ... [τοῦ] ...ἕως φιλ[όκαισαρ]...

954. Chii. — Crispis, Μουσεῖον καὶ βιβλιοθήκη, τῆς εὐαγγελικῆς σχολῆς, II (1876), p. 35 ; Studniczka, *Athen. Mittheil.*, XIII (1888), p. 174, n. 15.

.....φάνης φιλόκαισαρ ἐδωρήσατο ... | ...ος [τ]άλαντα δεκαπέντε .... | ....α
5 πρεσβεύσαντος πρὸς [Σεβαστοὺς εἰς Ῥώμην | ......κ]ομίσαντος τοῦ ξένου ...‖...
π.ολω... Διογένους ...|..ε... τοῦ φιλοκαίσαρος.....

955. Chii. — Zolotas, 'Αθηνᾶ, XX (1908), p. 267, n. 160.

.....σωοχλ. .....|....νος θεο[ῦ] ....ς φιλόκαισ[αρ] | ...ιο ..... | ιανος...

Alios φιλοκαίσαρας vide in titulo fere oblitterato : *Ibid.*, p. 276, n. 187.

956. Chii. — Zolotas, 'Αθηνᾶ, XX (1908), p. 217, n. 15.

Ex indice mutilo, in quo supersunt fere viginti nomina virorum, et illa quidem omnia graeca, haec tantum excerpsimus :

5   In facie II, v. 2-12 : Διογένη[ς] | τὸ δεύτερον | φιλόκαισαρ, | 'Αντίοχος Λεω‖νίδου

φιλέ|καισ[αρ, | Δ]ιογένης Θε[ό]μνιδος φιλό|καισαρ, | [Π]εριγένης | [Π]εριγένους ‖
5 φιλόκαισαρ.

---

957. Chii. — *C. I. Gr.*, 2241.

Θεόμνηστος Θεοτίμου καὶ Διονύσιος Ἀστίου | ἐποίησαν. |
Κλαυδία Σεβαστοῦ ἀπελευθέρα Τερτόλλα ἑαυτῇ | καὶ Τιβερίῳ Κλαυδίῳ
5 Σεβαστοῦ ἀπελευθέρῳ Ἀσκληπιάδη ‖ ἀνδρὶ ἰδίῳ ἐκ τῶν ἰδίων μνημεῖον σὺν |
τῇ καμάρᾳ ἐποίησεν.

INSULA SAMUS

958. In Samo. — Stamatakis, Σαμιακά (1862), Συλλογή, n. 63.

5 ... Θεοῦ υἰὸν | ..ον Σεβαστὸν | Διὸς Πολιέως | καὶ ‖ ιεριον ¹ Καίσαρος.... |εον ἄποινον Θεὸν | Σεβαστὸν αὐτοκράτορα.... | Διὸς Πολιέως.

1. Ita traditur. Titulus imperfecte descriptus esse videtur.

959. In Samo. — Stamatakis, Σαμιακά (1862), Συλλογή, n. 42.

....κος τε Δέκιον Κλαύδιον ¹ | τὸν δὶς ὕπατον, δὶς αὐτο|κράτορα, δημαρχικῆς ἐξουσ|ίας τὸ πέμπτον, τὸν εὐεργέτην.

1. Male descriptum est nomen imperatoris; quo de principe agatur non liquet.

960. In Samo. — Stamatakis, Σαμιακά (1862), Συλλογή, n. 62; Waddington, *Fastes des prov. asiat.* (1872), p. 193, n. 127.

[..Οὐαλερίῳ ......υἱῷ ....υἱ]ωνῷ Δέκμου ¹ ἐκγ[ό|ν]ῳ Βουλτεινίᾳ Ταύρ[ῳ] |
5 Ἀσιατικῷ ², Οὐαλερίου | Ἀσιατικοῦ υἱῷ, ποντίφ‖κος, Σαλίου Κολλένου, |
ἐπάρχου Ῥώμης, τριῶν | ἀνδρῶν χαλκοῦ ἀργύρου | χρυσοῦ χαρακτηριάσαν|τος,
10 ταμία Ῥώμης, στρατη‖γοῦ, ὑπάτου, ἀνθυπάτου | Ἀσίας ³, | Γ. Σαλλούστιος,
15 Γαίου | καὶ τοῦ Σαμίων δήμου | ὑὸς, Σκαπτίᾳ Ἀττικὸς, ‖ φίλου καὶ εὐεργέτου υἱῷ....

1. D. Valerius Asiaticus, cos. designatus anno 69 post C. n. : *Prosop. imp. rom.*, III, p. 353, n. 26. — 2. Valerius Taurus Asiaticus : *Prosop. imp. rom.*, III, p. 378, n. 139. — 3. M. Lollius Paullinus Valerius Asiaticus Saturninus, cos. anno 93 post C. n., proconsul Asiae sub Trajano, cos. iterum anno 125 : *Prosop. imp. rom.*, II, p. 296, n. 233.

961. In Samo. — *C. I. Gr.*, 2260.

Πόπλιος Σα[τρ]|ίννιο[ς] Ποπλίου | υἱὸς Ο[ὐ]ελίνᾳ · | τούτ[ω]ν [δέ τι] ὃς ἂν ‖
5 λυμ[ή]νηται, ἐξώ|λη [εἶναι] καὶ γέ|νος αὐτοῦ.

962. In Samo. — *C. I. Gr.*, 2255.

...ροπην άρα..... | άπολαμβαν... | τὰ σύνπαντα......|ν. Ῥωμαίων... [? ἀγο-
5 ρανο]∥μήσαντ......|νοις .....|....σο.

---

963. Vathi. — Dittenberger, *Orient. gr. inscr. sel.*, n. 469.

Ὁ δῆμος Γαίῳ Οὐιβίωι Ποστόμ[ωι ¹] | τὸ τρὶς ἀνθυπάτωι ², ἥρωι ³ |
εὐεργέτηι.

1. C. Vibius Postumus cos. suff. anno 5 post C. n., proconsul Asiae per triennium,
ab anno fere 13 ad annum 16 : *Prosop. imp. rom.*, III, p. 423, n. 392. — 2. « Hoc est
antiquissimum omnium Asiae proconsulatus ultra annuum spatium prolati exemplum ».
Dittenberger. Cf. Dio, LV, 28, 2. — 3. Vivus inter heroas relatus. Cf. Lebas et Foucart,
Voy. archéol., II, n. 184.

---

964. Mavratzaei. — Fabricius, *Athen. Mittheil.*, IX (1884), p. 262, *f*.

...Γαίου Τιμοκράτους υἱὸς Κυρείνᾳ Φλαβιανὸς τρειχοπο|.....ονος, ἔπαρχος
σπείρης πρώτης Νουμιδῶν ¹ καὶ χειλί|[αρχος σπείρης πρώτη]ς Ἰταλικῆς ² καὶ
ἔπαρχος ἄλης δευτέρας Γά[λ]λων ³, | [τιμηθεὶς ....δώρ]οις στεφάνῳ πυργωτῷ
5 καὶ δόρατι καὶ βη[ξ]ίλλῳ ⁴, ∥ [ἱερεὺς] τῶν Σεβαστῶν καὶ ἀγωνοθέτης μεγάλων
Ἀχ[τι|ακῶν ἀγώνων ⁵], | ἥρως.

1. Fortasse non eadem atque cohors I Flavia Numidarum, quae in Lycia tendebat :
Cichorius ap. Pauly et Wissowa, *Realencyclop.*, s. v. *Cohors*, col. 320, v. 17-36. — 2. Cohors
I Italica civium Romanorum voluntariorum. Supplevit et interpretatus est Cichorius
loc. cit., col. 304, v. 12 ad col. 305, v. 8. — 3. Illam alam II Gallorum ad exercitum Cap-
padociae refert Cichorius *op. cit.*, s. v. *Ala*, col. 1446, v. 49-61. — 4. Donatus donis :
corona murali et hasta et vexillo. — 5. Ludi quinquennales Nicopoli in Epiro ab Augusto
instituti, anno 28 ante C. n., post victoriam Actiacam. Cf. nn. 975, 991.

---

965. Chora. — Fabricius, *Athen. Mittheil.*, IX (1884), p. 256, *d*.

Ἥρᾳ Σαμί[ᾳ] καὶ Αὐτοκρά|τορι Νέρουᾳ Καίσαρι Σεβαστῷ Τρα|ιανῷ Γερμα-
5 νικῷ καὶ τῷ Σαμίων | δήμῳ Κόιντος Νέριος Κάρπος κορ∥νικλάριος σὺν Φαύστᾳ
τῇ γυναικὶ | καὶ τοῖς τέκνοις τὸν Ἀσκληπιὸν | καὶ τὴν Ὑγείαν ἀνέθηκεν.

966. Chora. — Fabricius, *Athen. Mittheil.*, IX (1884), p. 257, *b*.

Ἡ [β]ουλὴ καὶ ὁ δῆμος | [Α]ὐτοκράτορα Καίσαρα Τ. Αἴλιον ['Αδριανὸν |
'Λ]ντωνεῖνον Σεβαστὸν εὐε[ργέτην, | δι]ὰ τῶν ἐστρατηγηκότων ἐν τῷ ρμ' [ἔτει] '‖
5 Μ. Οὐλπίου Κλαυδιανοῦ, Τ. Αἰλίου 'Αμφ.... | [Μ]αξίμου τοῦ β', Ἑρμία τοῦ
Φαλερίνο[υ].

1. Uno ex annis 140-149 aerae Samiae, quae initium suum habuit sub Augusto aut
Tiberio inter annos 11 ante C. n. et 21 post C. n.

---

967. Chora. — Kaibel, *Epigr. gr.*, n. 1073.

Εἰσορόων τόδε θαῦμα [Βολού]|μνιον ἡγε[μ]ονῆα
πολλὸν [ἐπαινήσας] | μέλπε πορευόμενος. |
5 Δίψῃ τιρομένοισιν μελισ‖ταγὲς [ἦ]γαγεν ὕδωρ |
καὶ [τιν'] ἀμηχανίης εὗρε πό|ρον ὕδασιν,
καὶ τά[δε] μὲν κατέ|θηκεν ἐπὶ σκοπέλοις κελα|ρύ[ζ]ειν,
10 τὸ πρὶν ξηροτέροις ‖ καυμάσει τειρομένοις · |
τᾷ νῦν μηδ' ἀπόληγε, κέλευ'ε δὲ πᾶσιν ὁδίταις |
ὑμνῖν, θαρσαλέως τῇδε | πορευομένους,
15 ἣ Χαρί‖των πόρον ε[ὗρ]εν ἐπι|τρέψαντος 'Αρίστου ', |
ὃς Θέμιν ἡμ[ε]ρίοις δεῖ|ξεν ἀγαλλομένην.

1. Aquae ductum faciendum jussit Volumnius quidam praeses, procurante Aristo.

---

968. Sami in Heraeo. — Kirchhoff, *Berichte der Berlin. Akad.*, 1859, p. 753 ; Löwy,
Inschr. griech. Bildhauer, n. 295.

Ὁ δῆμος ὁ Σαμίων Γναῖον Δομέτιον | Γναίου υἱὸν ', τοῦ δοθέντος ὑπὸ τῆς |
5 συνκλήτου πάτρωνος τῶι δήμωι, | ὑπέρ τε τῶν κατὰ τὸ ἱερὸν τῆς ‖ 'Αρτέμιδος |
τῆς Ταυροπόλου ², ἀρετῆς ἕνεκεν | τῆς εἰς ἑαυτὸν, Ἥρηι ³. | Φιλότεχνος
Ἡρώιδου ἐποίει.

1. Pater videtur unus fuisse ex decem legatis qui res Macedoniae composuerunt post
victum Perseum, anno 167 ante C. n. (Liv., XLV, 17); filius autem, legatus M' Aquillii in
Caria annis 129-127 ante C. n., cum ordinata est Asia provincia : Foucart, *La formation de
la province rom. d'Asie*, *Mém. de l'Acad. des inscr.*, XXXVII (1903), p. 330, not. 1. Cf. Mün-
zer, s. v. *Domitius* ap. Pauly et Wissowa, *Realencyclop.*, col. 1316, n. 11; col. 1317, v. 56.
— 2. Cn. Domitius Cn. f., cum Cariae praeerat, profecto bene meritus erat de Samiorum

populo in administrandis Dianae reditibus. Tauropolae vero Dianae, armentorum deae, cultum praecipuum adhibuerunt Samus (Herod., III, 48) et vicina Icaria (Strab., XIV, 639). Cf. Schreiber ap. Roscher, *Lexik. der gr. und röm. Mytholog.*, I, col. 567-568. — 3. De Junonis Samiae aede nobilissima cf. Theodor Wiegand, *Erster vorl. Bericht über die... Ausgrabungen in Samos*, Berlin, 1911 *(Abhandlungen der Akademie der Wissenchaften zu Berlin)*.

---

969. Sami in Heraeo. — Stamatakis, Σαμιακά (1862), Συλλογή, n. 43.

Ὁ δῆμος Κλαυδίαν Ὀκταουίαν, τὴν γυναῖκα τοῦ | Σεβαστοῦ Νέρωνος Κλαυδίου Δρούσου Καίσαρος | Γερμανικοῦ αὐτοκράτορος, Ἥρηι.

1. Claudia Octavia Neroni nupsit anno 53 post C. n., interfecta est 62 : *Prosop. imp. rom.*, I, p. 409, n. 871.

---

970. Sami in Heraeo. — Stamatakis, Σαμιακά (1862), Συλλογή, n. 40.

.... του καὶ πάτρωνος | τῆς πόλεως Γάιον υἱὸν Γαίου | Καίσαρος, ἀρετῆς
5 ἕνεκεν καὶ εὐνοίας, | ἣν ἔχων διατελεῖ καὶ κοινῶς πρὸς πάν‖τας τοὺς Ἕλληνας καὶ κατ᾽ ἰδίαν | εἰς ἑαυτόν, Ἥρηι.

---

971. Sami in Heraeo. — Perdrizet, Ἐφημερὶς ἀρχαιολογική (1896), p. 250, n. 5.

[Ἥρη]ι καὶ Αὐτοκράτορι Κα[ίσαρι].....|........... ' | ἀγονοθετῶν.

1. Traditur ΞΑΓΑΘΑΝΩΡΤΑΣΠΑΡ.

---

972. Sami in Heraeo. — Stamatakis, Σαμιακά (1862), Συλλογή, n. 36; Waddington, *Fastes des provinces asiatiques* (1872), p. 128, n. 83.

Ὁ δῆμος Πόπλιον [Σ]ουίλ[λι]ον Ῥοῦφον τὸν ἀνθύπατον ' Ἥρηι.

1. P. Suillius Rufus, qui uxorem duxit privignam Ovidii poetae, consul sub Caio aut primis annis Claudii, proconsul Asiae anno circiter 52 aut 53 post. C. n. : *Prosop. imp. rom.*, III, p. 280, n. 700.

---

973. Sami in Heraeo. — Stamatakis, Σαμιακά (1862), Συλλογή, n. 79.

5 ...|Ἥρηι Σαμί|ων Ἀρχ[ηγέ]|τιδι ἀνθύ‖πατος ἀνε|καίνησεν οα|καιος '.

1. Ita traditur.

974. Sami in Heraeo. — Decharme, *Bullett. dell' Istituto di Roma* (1866), p. 208 ; Waddington, *Fastes des prov. asiat.*, n. 68.

Ὁ δῆμος | Γάιον Ποππαῖον Σαβῖνον ¹ | Ἥρῃ.

1. C. Poppaeus Sabinus, cos. anno 9 post C. n., leg. Aug. pr. pr. provinciae Moesiae annis 12-35, avus maternus divae Poppaeae Augustae : *Prosop. imp. Rom.*, III, p. 86, n. 627.

---

975. Sami. — Stamatakis, Σαμιακά (1862), Συλλογή, n. 75.

Ὁ δῆμος Θεᾶι Ῥώμηι καὶ Αὐτοκράτορι Καίσαρι Θεοῦ υἱῶι Θεῶι Σεβαστῶι ¹.

1. Augustus « ab Actio Samum in hiberna se recepit » et in ipsa insula « anno 29 quintum consulatum iniit » (Suet., *Oct.* 17 et 26) ; Myronis statuas Minervam et Herculem, ab Antonio ablatas, Junoni restituit (Strab., XIV, 1, 14, p. 637 *c*). Quae maxime causae fuerunt cur a Samiis assumeretur aera Actiaca et summis honoribus statim colerentur Roma et Augustus.

---

976. Sami. — Perdrizet, Ἐφημερὶς ἀρχαιολογική (1896), p. 247, n. 1.

Αὐτοκράτω[ρ Καῖσα]ρ Σεβαστὸς αὐτοκράτωρ | τὸ ἔνατο[ν, δημαρ]χικῆς ἐξουσίας τὸ ε΄ ¹.

1. Augustus, qui hieme anni 21, cum in Asiam iter faceret, in insula Samo commoratus erat (Dio, LIV, 7), ibidem anno 20 iterum hibernavit et hospitem civitatem donavit libertate (Dio, LIV, 9). Initio autem anni 19, cum esset trib. pot. V, inde Athenas nondum navigaverat ut Romam rediret.

---

977. Sami. — Stamatakis, Σαμιακά (1862), Συλλογή, n. 59.

5 [Ὁ δῆμος] | Λευκίνιον [Αἴ]λιον | Γαίου υἱὸν Σάμιον, | εὐσεβῶς διακείμε‖νον πρὸς Αὐτοκρά|τορα Καίσαρα Θεοῦ υἱὸν Σεβαστὸν, φιλο|δόξως δὲ πρὸς τὸν | 10 δῆμον, Θεᾶι Ῥώμηι ‖ καὶ Σεβαστῷ Καίσαρι.

---

978. Sami. — Perdrizet, Ἐφημερὶς ἀρχαιολογική (1896), p. 250, n. 6.

....[Αὐτοκράτορι Καίσαρι Θ]εοῦ υἱῶι Σεβαστῶι κα[ὶ] ....|.ρα τὰ μέρη τῆς διὰ Φασ[ηλίδα?].... | Σεβαστῶν Καισαρείων......

979. Sami. — Perdrizet, Έφημερὶς ἀρχαιολογικί (1896), p. 248, n. 2.

Ὁ δῆμος | Γερμανιχὸν Καίσαρ[α] [1]. .

1. Germanicus Julius Caesar, missus in transmarinas provincias cum potestate extraordinaria anno 18 Asiam peragravit : Tac., *Annal.*, II, 54; *Prosop. imp. rom.*, II, p. 178, n. 146.

---

980. Sami. — Contoleon, *Athen. Mittheil.*, XIV (1889), p. 102, n. 42.

Ὁ δῆμος | Ἀγριππεῖναν Μάρκου θυγατέρα, | γυναῖκα Γερμανιχοῦ Καίσαρος [1].

1. Vipsania Agrippina, M. Agrippae filia, maritum Germanicum in Orientem comitata est anno 18 post C. n. : Tac., *Ann.*, II, 54; *Prosop. imp. rom.*, III, p. 443, n. 463. Cf. titulum n. 979.

---

981. Sami. — Girard, *Bull. de corr. hellén.*, II (1878), p. 180, n. 1.

Ἡγεμονέα Λεωνίδου τοῦ ἡγεμονέως Καλλι|σθένην, | [ἄνδρα κα]λὸν καὶ
ἀγαθὸν καὶ εὐεργ[έτη]ν, ἀπόγ[ο]νον | .... [1], εὐσεβείας μὲν [ἕν]εκεν τῆς
5 [εἰ]ς [τ]ε τὴν [ἀρχ]ηγέτιν ‖ Ἥραν καὶ Καίσαρα Γερμανιχοῦ υἱὸν Γερμανιχὸν |
Σεβαστὸν [2] καὶ τὸν οἶκον αὐτοῦ, εὐνοίας δὲ καὶ φιλο|δόξου διαθέσεως εἰς τὴν
πατρίδα καὶ τὴν γερου|σίαν.

1. Traditur ....ΑΛΚΙΝΑ.........ΝΕΛΣ...ΟΠ...Ο. — 2. Caligula imperator annis 37/41 post C. n. « Destinaverat Sami Polycratis regiam restituere » (Suet., *Calig.*, 21).

---

982. Sami. — Fabricius, *Athen. Mittheil.*, IX (1884), p. 256, n. 3.

Ὁ δῆμος | Μᾶρκον Λίβιον Δροῦσον, τὸν | πατέρα Θεᾶς Ἰουλίας Σεβασ|τῆς [1],
5 μεγίστων ἀγαθῶν αἴτιον ‖ γεγονότα τῶι κόσμωι.

1. M. Livius Drusus Claudianus, pater Liviae Augusti uxoris, praetor anno 50 ante C. n., mortem sibi conscivit Philippis anno 42 (Vell., II, 71, 3). Titulus autem non ante positus est quam Claudius imperavit (annis 41-54 post C. n.); primus enim aviam Liviam, defunctam anno 29, jussit inter divos referri : *Prosop. imp. rom.*, II, p. 291, n. 210. Cf. titulos, nn. 983, 984.

983. Sami. — Rayet, *Bull. de l'école franç. d'Athènes*, I (1877), p. 231, n. ix.

5 Ὁ δῆμος | Ἀλφιδίαν, τὴν μη|τέρα Θεᾶς Ἰουλίας | Σεβαστ[ῆ]ς ¹, μεγίσ‖των
ἀγαθῶν αἰτίαν | γεγονυῖαν τῶι κόσ|μωι.

1. Alfidia, uxor M. Livii Drusi Claudiani, mater Liviae Augustae; cf. nn. 982, 984;
Prosop. imp. rom., I, p. 50, n. 385. Titulus sub Claudio positus est; cf. nn. 982, 984.

---

984. Sami. — Vischer, *Rhein. Mus.*, Neue Folge, XXII (1867), p. 314, n. 1.

Ὁ δῆμος | τὴν ἱέρειαν τῆς Ἀρχηγέτιδος Ἥρας καὶ Θε|ᾶς Ἰουλίας Σεβαστῆς ¹
5 Λολλίαν Κοίντου θυ|γατέρα φιλοσέβαστον καὶ φιλόπατριν καὶ ‖ εὐέργετιν τοῦ
δήμου, δημιουργήσασαν ² | εὐσεβέστατα καὶ μετὰ πάσης ἐκτενείας | καὶ λαμ-
πρότητος.

1. Livia, uxor Augusti, ab imperatore Claudio inter divos relata. Liquet ei suum
fuisse Sami prope Junonem fanum, in quo cum avis suis colebatur. Cf. nn. 982, 983. —
2. Fuit una ex demiurgis, summis Samiorum magistratibus : Liebenam, *Städteverwalt.*,
p. 292 et 553.

---

985. Sami. — Ross, *Inscr. gr. ined.*, II (1842), p. 78, n. 194.

[Αὐτ]οκράτορι Τραιανῷ Ἀδριανῷ Καίσαρι Σεβαστῷ.

---

986. Sami. — Ross, *Inscr. gr. ined.*, II (1842), p. 78, n. 195; Stamatakis, Σαμιακά
(1862), Συλλογή, n. 61.

Ἀγαθῇ τύχῃ · | Ἀδριανῷ Καίσαρι | Διὶ Ὀλυμπίῳ ¹ ἐπι|φαν[εῖ] σωτῆρι ‖
5 καὶ κτίστῃ.

1. Inter annos 128 et 138 post C. n.

---

987. Sami. — Fabricius, *Athen. Mittheil.*, IX (1884), p. 258.

[Ἡ βουλὴ κα]ὶ ὁ δῆμος Αὐτο[κράτορα | Καίσαρα Τ. Αἴλιο]ν Ἀδριανὸν
Ἀντ[ωνεῖνον | Σεβα]στὸν Εὐσε[βῆ]....

988. Sami. — Ross, *Inscr. gr. ined.*, II (1842), p. 77, n. 192.

5 ['Αγαθῇ τ]ύχῃ · | [τὸν ἱερώτ]ατον | [Καίσαρα] Μ. Αὐρή|[λιον Ἀν]τωνεῖ‖[νον
10 Εὐσ]εβῆ Σε|[βαστὸν] Βρεταν|[νικὸν μ]έγιστο[ν |.......|...... ἀρχιε]ρέα ' ‖......|
...... Ἀρτεμ......|......

1. Caracalla annis 210-217.

---

989. Sami. — Girard, *Bull. de corr. hellén.*, II (1878), p. 181, n. 3.

......ος |...... Κοίντου υἱὸν λεμο|...... εὐεργετῶν το|...... ταχαπον ἱερὸν
5 ἐσ‖......νυμον στεφανο|...... καὶ λ[αμ]προτητο[ς]‖..... Σεβ[αστ].....

---

990. Sami. — Girard, *Bull. de corr. hellén.*, V (1881), p. 483, n. 7.

Ἐπι[κράτη.....] | Ἐπικράτους τοῦ ἱερέως τῆ[ς]..., | ἔκγονον Τ. Φ[λ]. ?
5 Ματρέου ', τοῦ <τοῦ> ἱερέ[ως] | τῆς Ἥρας καὶ ἀρχιερέως καὶ γυμ[να]‖σιάρ-
χου, καὶ Φλαβίας Ἄδα, ἔκγονον | καὶ προέκγονον καὶ ἀπόγονον ἱ[ε]ρέω]ν καὶ
ἀρχιερέων καὶ γυμνα[σ|ιάρχω]ν, ἀνεψιὸν συνκλητι[κοῦ | ....ω]ν, πατέρα.....

1. Traditur ΤΟΛΜΑΤΡΕΟΥ.

---

991. Sami in Heraeo. — Ross, *Inscr. gr. ined.*, II (1842), p. 74, n. 191; Stamatakis,
Σαμιακά (1862), Συλλογή, n. 43.

5 Ἐπὶ Ἀντιόχου, | ἔτους μα', | νεωποῖαι | Εἰσίδωρος ‖ Σεραπίωνος, | Φίλων
Χρυσέρμου. |
10 Ἔτους μ' καὶ β', | ἐπὶ Γαίου | Σκριβωνίου ‖ Φιλοποίμενος, | νεωποῖαι |
15 Εὔτυχος | Ἀρτέμωνος, | Ἀπολλώνιος ‖ Ξενονβρότου, | Μηνόδωρος | Μηνοφίλου
20 τοῦ | Δημητρίου, | Ἀντίπατρος, ‖ Διονύσιος | Μητροβίου, ῥύ[σει] δὲ...., |
Δαμασωκλῆς | Πυθάδος. |
25 Ἔτους μδ', ‖ νεωποίης | εὐσεβὴς | Διόδωρος, | Πανκ<κ>ράτου · | νεωποίης ‖
30 εὐσεβὴς | Ἡρώδης | Ὀνησίωνος. |
35 Ἔτους γ' | τῆς Καίσα‖ρος νίκης, | νεωποίης | εὐσεβὴς | Δημοκράτης |
Ἰσιδώρου. ‖

40 Ἔτους κθ' τῆς τοῦ | Σεβαστοῦ νίκης, | νεωποίης εὐσεβὴς | χιροτονητὸς ¹ |

45 Πόπλιος Κορνήλι|ος Λευκίου υἱὸς Ῥοῦφος · | νεωποίης | εὐσεβὴς Λεύκι|ος Πάπιος Δέ|κμου υἱός. ‖

0-55 Ἔτους ιη' τῆς | Καίσαρος νί|κης, | νεωποίης | εὐσεβὴς ‖ Ζήνων [Ζήνωνος]. |

60 [Ἔτους] δ' τῆς | κολωνίας, | νεωποίης | Λεύκιος ‖ Ποπλίου... |

65 Ἔτους δ' | νεωποίης | εὐσεβὴς | Προμηθίων ‖ Νυμφοκλέους. |

70 Ἔτους ζ' | νεωποίης | εὐσεβὴς | Ποσίδεος ‖ Σωπάτρου. |

Index est curatorum templi (νεωποῖαι) per annos digestus, cum longis intervallis: Aerarum trium anni vicibus citantur; pertinent enim : 1° ad aeram priorem civitatis · 2° ad Actiacam ; 3° ad aeram coloniae; sed numeri procul dubio male exscripti sunt.

V. 33. ργ' Ross; γ' Stamatakis. Fortasse ιγ' = 18 ante C. n.

V. 40. Annus 29 aerae Actiacae congruit cum anno 2 ante C. n.

V. 50. ιη' vix ferri potest. Vide an scribendum sit λη' = 7 post C. n.

V. 56. λ' Ross; δ' Stamatakis.

Cujus principis et quo anno colonia fuerit Samus, plane ignoratur : Chapot, *Prov. rom. d'Asie*, p. 109, not. 4. Insulam Vespasianus « libertate adempta in provinciae formam redegit » (Suet., *Vespas.*, 8); tum quoque civitatem fortasse adscripserit coloniis.

1. Postquam electus est, vir ille magistratum suum profecto non iniit.

---

992. Sami in Heraeo. — Szanto, *Ausgewählte Abhandlungen* (1906), p. 264.

5 ...|..ας... |.. [νεω]ποίης...... | [ε]ὐσεβέστατος.... ‖ Χησιεὺς ¹ Στράτ[ων?]....|
Ἀριστίππου γέν[ος?]..... | Βουπλευράδης ², | ἔτους .. τῆς κολωνίας ³ | Γάιος
10 Σχρειβώνιος Ἀνδρονί|κου ὑὸς Ἡρακλείδης | νεωποίης εὐσεβής, ἐφ' ο[ὗ] τῇ | θεᾷ
[τ]ἀναθέματα ἀπεδόθη.

V. 11-12. Traditur **ΕΦΟΑΤΗΙ|ϽΓΑ**.

1. Ex Chesia tribu Samiorum. — 2. Gens Samia, ut conjicit Vischer, *Rhein. Mus.*, XXII (1867), p. 328. — 3. Cf. n. 991.

---

993. Sami. — Stamatakis, Σαμιακά (1862), Συλλογή, n. 58.

5 .....¹ | Μ. Αὐρ. Τατιανὸν | Ζωίλου, τὸν ἐκ πρ|ογόνων λειτουργὸν ‖ καὶ φιλό-
τιμον νε|οποῖον καὶ ἔνδοξον | ἀγωνοθέτην τῶν | μεγάλων Σεβαστῶν | Ἡραίων,
10 πατέρα καὶ ‖ συγγενῆ πλειόνων | λειτουργῶν καὶ ἀρ|....ηκων .... Μ. Αὐρ.

15 Ζώσιμος ὁ εἰρήνα[ρ|χ]ος καὶ πανηγυριάρ║χος τὸν γλυκύτατον | ἀδελφὸν καθ' ἃ ὑπέ|σχετο σ......

1. Traditur WIAWA.

---

994. Sami. — Stamatakis, Σαμιακά (1862), Συλλογή, n. 74.

.... Θεα..... Καισ..... | Λούκιον Βιτέλλιον Τιβέριος Κλαύδιος Μητροδώ|ρου υἱὸς Κυρείνᾳ Ματρέας φιλο<σ>σέβαστος καὶ | Τιβέριος Κλαύδιος Τιβερίου 5 Κλαυδίου Ματρέου υἱὸς ║ Κυρείνᾳ Ματρέας Λωλλιανὸς [1] καὶ Λούκιος Βιτέλλιος | Τιβερίου Κλαυδίου Ματρέου υἱὸς Κυρείνᾳ Ἑρμάνδης | Κλαυδιανὸς καὶ Κλαυδία [2] Τιβερίου Κλαυδίου θυγάτηρ ἀπι...|.....σπλοκλιανὴ καὶ Βιτελλία Πῶλλα Τιβερίου Κλαυδίου | θυγάτηρ τε καὶ....., τὸν ἑαυτῶν εὐεργέτην.

1. Traditur ΛΩΜΙΑΝΟΣ. — **2.** Traditur ΚΛΑΥΔΙΟΣ.

---

995. Colona. — Waddington, *Fastes des provinces asiatiques* (1872), p. 128, n. 83; Stamatakis, Σαμιακά (1862), Συλλογή, n. 66.

Ὁ δῆμος | Πόπλιον Σουΐλλιον Ῥοῦφον | τὸν ἀνθύπατον [1] | Ἥρηι.

1. Cf. n. 972.

---

996. Colona. — Girard, *Bull. de corr. hellén.*, V (1881), p. 487, n. 11.

.... ἐπὶ τῶι ο....|.ων δὴ διασαφηθει .....|οντες ἐπὶ τοῖς ἀγαθοῖς τοῖς .....|ητος 5 ἀπολλύουσιν αὐτοῦ μ..[ἀνθ]║ρώπων καὶ παρ' αὐτὸν τὸν καιρὸν....|[εὐα]νγέλιον ἡμέραν καὶ στεφανη[φόρον... τὴν π]║όλιν καὶ τὴν χώραν θεοῖς ἔθυσ....|[εἰς τὸ ἀ]εὶ 10 χρόνον ἱερὰν καὶ ἑορταί αναγ......|..........║.......|ν τῶν ὑπὸ Καίσαρος δεδο-μέν[ων] ..|ραν ἐπιτήδειον δὲ ἐν μηδε.....|θαι Σαμίων μὲν καὶ χωρὶς οἰκού[ντων] 15 .|...ο.κα ἰδια τὸ μέγεθος ρ......║.. [τ]οῦ Σεβαστοῦ διαφυλάξου[σι]..|.... ὑπερμα-χοῦντας τῶν· ......|... ἔχεσθαι ὅταν ἡ εἰρ......|.. συναχθῆναι μὲν ....|.. ὅρκος 20 ἀναγνω...║.. τῶν στρατη[γῶν]|... τους..... [1].

1. Profecto agebatur de ludis in honorem Augusti alicujus celebrandis. Quae suppleri possunt addidit B. Haussoullier, collatis schedis quas reliquit Rayet.

997. Colona. — Girard, *Bull. de corr. hellén.*, V (1881), p. 496, n. 9.

['Η β]ουλὴ καὶ ὁ δῆμος | Γάιον Ἰούλιον Σωσιγένους υἱὸν | Ἀμυνίαν, τὸν
5 καλούμενον Ἰσοκράτη ¹, | φιλόσοφον Ἐπικούρηον, πλεῖ[σ]τα ‖ τὴν πόλιν ὠφελή-
σαν[τα], Ἥρηι.

1. Quod Isocratis eloquentiam aemularetur.

INSULA AMORGUS

998. Aegialae. — *I. Gr.*, XII, vii, 418.

[Ὁ]........ Ἀριστέας [Κρι]τολά]ου καὶ ὁ στεφα|[νηφό]ρος Διοκλῆς Ἀ|[ριστ]έου
5 καὶ οἱ μολ||[ποὶ ¹ Μ]ᾶρχος Βαβύλλ[ι]ος Λ]ευκίου υἱὸς, Ξ[ε]||...όκριτος Ἀριστέ||[ου
10 φιλ]όσοφος Ἐπι|[χουρεῖος] ², Ὀνησικράτης ‖ ....νου, Κριτόλαο[ς] | .....ου,
Εὐάκης Θε|[ο]...του, Κριτόλαος | [Ἀριστ]έου, Ἀπολλωνί|[δης Ἀντή]νορος,
15 Κριτο‖.... Ἡγησιστρά|[του, Λε]οντεὺς Εὐρυ|[δίκου, ὑπὲ]ρ τῆς σωτηρί|[ας τοῦ
20 ἀ]ρχιερέως Γαί[ου Ἰουλί]ου Γαίου Ἀπολ‖[λωνίδου] ἥρωος υἱοῦ | ....ους φιλο|-
[πάτριδ]ος, Μεγαχλέ|[ους τοῦ Εὐ]άκου, | [θε]οῖς ³.

1. Salii, quorum collegia Ephesi et Mileti florebant. Heberdey, *Jahreshefte des österr.
Instit.*, 1902, *Beiblatt*, 65; Wilamowitz, *Sitzungsber. der Berlin. Akad.*, 1904, p. 619;
cf. 1905, p. 543, n. 1. — 2. Restituimus. Cf. n. 997. — 3. Hunc titulum alteri ante C. n.
saeculo exeunti tribuit Delamarre, p. 126 ad n. 515.

---

999. Aegialae. — *I. Gr.*, XII, vii, 425.

In basi, quam Mercurio et Herculi dedicaverunt gymnasiarchus, subgymnasiarchus et
ephebi ¹, post graeca nomina quattuor citantur

V. 5 : Ἀριστόφιλο[ς] Σερυ[ᾶ]τος, Κόρτιος Κορτί[ου] | Ῥοῦφος, Λεύκιος
Βαβύλλιος Λευκίου [υἱὸς],....... Νουμᾶ.

1. Saeculo II ante C. n., ut arbitratur editor, p. 126 ad n. 515.

1000. Aegialae. — *I. Gr.*, XII, vii, 515. Cf. Dareste, *Rev. de philologie* (1908), p. 149.

Lex est de utenda pecunia, quam civitati dedit quidam Critolaüs in memoriam mortui
filii Aleximachi, exeunte altero ante Chr. n. saeculo, ut publicum convivium, ludi et

pompa annuis vicibus celebrarentur. Haec visa sunt inde excerpenda, quae ad convivium pertinent :

V. 39. Ὅπως δὲ [κ]αὶ ἡ [δημοθ]οινία ἐπιτελε‖[σ]θεῖ τὸν <ἐν>ἐνιαυτὸν τὸν μετὰ ἄρχοντα ....ην τὸν Ἀρίστωνος, το[ὺς | π]ρυτανεύοντας τὸμ μῆνα τὸν Ἀπατουριῶ[να ἐλέ]σ[θαι] ἐπιμελητὰς δύο ἐξ ἁ|[π]άντων [Α]ἰγιαλέων μὴ νεωτέρους ἐτῶν τρι[άκο]ντα · οἱ δὲ αἱρεθέντες λα|[6ό]ντες τὸ ἀργύριον τὸ πῖπτον παρα[χρ]ῆμα ἐμ μηνὶ Ἀπατουριῶνι ὡ|[ν]ησάσθωσαν βοῦν ἄρσενα μὴ
5 νεώτερον ἐτῶν δύο καὶ θυσάτωσαν ἐν ‖ τεῖ Καλλιστράτου (τοῦ) Ἀρτέμω[νος γενομένει] οἰ[κ]ίαι ¹, πομπευέτω|σαν δὲ τὸν βοῦν ἐκ τοῦ πρυτανείου [οἱ] πρυ-τ[άνε]ις καὶ [ὁ] γυμνασίαρχος | [κ]αὶ οἱ ἔφηβοι, ἀκολουθείτωσαν δὲ καὶ οἱ νεώτεροι πάντες · εἰ δὲ μὴ, τοὺς | μὴ ἀκολουθοῦντας ἐπαναγκ[α]ζέτω [ὁ] γυμ[να]-σίαρχος τρόπωι ἕτωι | ἂν δύνη[τ]αι · ὅταν δὲ [π]ο[ιή]σωσιν τὸ [δεῖπν]ον,
10 ἐπ[εν]έγκαντες κρέα ὁλο‖μελῆ ἑστιασ(ά)τωσαν καὶ ἐπιμη[νι]ευσ[άτωσα]ν .[ο]ἱ ἐπιμεληταὶ ἐπὶ τὸ δεῖ[πνον] ² · ἐὰν δὲ ἄλλο αὐτοῖς φαίνηται, προστ[ι]θέτ[ω]σαν πρὸς τὸ ἐνὸν ἀρ[γύ|ρ]ιον καὶ εἰς τὴν δημοθοινίαν ἐπιμηνιεύοντες μετὰ τοῦ γυμνασι[ά]ρχου, τὸ δὲ ἐπιμηνιευθὲν τοῦ ἀρ[γυρίου φέρον]τες ἐπὶ τὸ δεῖπνον ³ |
15 ποιείτωσαν οἱ ἐπιμεληταὶ πάν[τας τοὺς κλι]σμοὺς κατὰ τρίχλ‖υ[ο]ν ⁴ καὶ τὸ δεῖπνον ἀποδιδότωσαν [το]ῖς τε πολίταις πᾶσιν τοῖς παρα‖[γε]νομένοις εἰς τὴν Αἰγιά[λη]ν [καὶ παροίκοις κα]ὶ ξένοις (καὶ) τοῖς παρα‖[γε]νομένοις Ῥωμαίων αὐτῶν καὶ τῶν γυ[ναικῶν] ⁵ κα[ὶ κρ]έα χωρὶς πα[ι]‖[σὶ]ν [α]ὐ[τῶ]ν, καὶ παρεχέ-τωσαν ἡδὺ μελίκρατον καὶ τὴν διακονίαν πᾶσαν (τοῦ) | [δεῖ]πνου, παρέχοντες
20 ξύλα καὶ ὕδωρ καὶ ἀλείμματα · ἡ δὲ δημοθοινία ‖ [γε]νέσθω ἐν τῷ γυμνασίωι ἐπάναγκες · παραθέτωσαν δὲ οἱ ἐπιμε‖[λητ]αὶ πάντως δεῖπνον ἀδάπανον τοῖς ἐν τῷ τρικλείνωι καὶ ἄνθη · παρατιθέ|τωσαν (δὲ) τἆλλα μὲν θυθέντα, [τ]ὰ (δὲ) δέρματα ἀποδόμενοι παραχρῆμα κατα|ναλισκέτωσαν παραχρῆμα καὶ ταῦτα ἐν τόπῳ ⁶ · διδότωσαν δὲ |.[οἱ] ἐπιμεληταὶ τῶν ἐφήβων ἑκάστῳ αὐ[τ]ῶν ὑὸς
25 κ[ρε]ῶν μνᾶν · τὰ δ[ὲ ‖ παρ]ατιθέμενα ἅπαντα ἔστω ἀποφορητὰ [ἀπὸ] τ[ο]ῦ τρι-κλίνου ⁷ · ὑπο|[τι]θέτωσαν δὲ οἱ ἐπιμεληταὶ ἀπὸ [το]ῦ [ἀργ]υρίου εἰς τὴν ἐχομένη[ν | ἡμ]έραν τιμὴν οἴνου μετρητῶν ἐννέα καὶ πα[ρατιθ]έτωσαν τήν τε διαχον[ί]αν πᾶσαν κατὰ ταῦτα τῆι ἐχομένηι ἡμέραι καὶ [τ]ὸν οἶνον ⁸ · παρε-χέτωσαν | δὲ οἱ ἐπιμελητ[α]ὶ καὶ τραγήματα ⁹ ἀμφοτέρας τὰς ἡμέρας καὶ
30 τὴν δ[η]‖μοθοινίαν συντελείτωσαν ἐν τῷ γυμνασίωι, σιτομετρείτωσαν ¹⁰ δ[ὲ | οἱ] ἐπιμεληταί, ὠνησάμενοι σῖτον πύρινον ἀπὸ τοῦ ἀργυρίου, διδόν‖[τ]ες τῇ προτεραίᾳ τοῖς τε πολίταις τοῖς ἐπιδημοῦσιν καὶ παροίκοις | [κ]αὶ ξένοις τοῖς

παρεπιδημοῦσιν [11], τῶν μὲν ἀνδρῶν ἑκάστῳ χοίνικα, | [τ]ῶν δὲ παίδων ἥμισυ χοίνικος.

Sequuntur versus 74-134.

1. In domo olim privata, quae, « postquam publicata est, pristini domini nomine appellatur. » Delamarre. — 2. Curatores convivio apparando electi vices explento menstruorum ministrorum (ἐπιμήνιοι), qui suo quisque tempore sacris operantur. Cf. Liebenam, *Städteverwalt.*, p. 348, not. 3. — 3. Si aliter eis videbitur, pecuniae, quae in arca erit, eam ad convivium addunto, quam acceperint, dum explebunt menstruorum ministrorum vices. — 4. Lectos omnes per triclinia sternunto. — 5. αὐτοῖς καὶ ταῖς γυ[ναιξὶν] dicendum erat. — 6. Coria autem victimarum vendunto protinus et pretium consumunto protinus et illico. — 7. Quaecumque apposita erunt a triclinio auferre convivis jus esto. — 8. Altera convivii die, curatores ex pecunia, quam acceperint, solvunto vini metretas novem et praestanto mensas omnes ut priore die, addito vino. — 9. Secunda mensa, bellaria. — 10. Frumentationem agunto. — 11. Peregrini qui in urbe incolunt et advenae qui brevi hospitio fruuntur.

1001. Aegialae. — *I. Gr.*, XII, vii, 437.

[Γαίῳ Καίσαρι Γερμανικῷ] | Γερμανικ[οῦ Καίσαρος υἱῷ] | Σεβαστῷ ὁ δῆμ[ος].

1002. Aegialae. — *I. Gr.*, XII, vii, n. 396.

In fine decreti, quo defunctus honoratur quidam Aristeas, haec scripta sunt :

V. 37. Ἐγένετο ἐν Ἀμοργῷ | Αἰγιάλῃ πρὸ δέκα | δύο χαλανδῶν Δεχεν|6ρίων
5 [Βρ]ουττίῳ Λ[α]τε‖ρανῷ [1] καὶ Ἰουνίῳ Ῥου|φείνῳ [2] ὑπάτοις [3].

1. C. Bruttio Praesenti errore lapicidae inditum est cognomen T. Sextii Laterani, cujus fuerunt anno insequenti fasces. *Prosop. imp. rom.*, I, p. 241, n. 135. — 2. A. Junius Rufinus, *Prosop. imp. rom.*, II, p. 242, n. 529. — 3. Anno 153 post C. n., die XX Novembris.

1003. Aegialae. — *I. Gr.*, XII, vii, 397.

In fine decreti, quo defuncta honoratur quaedam Zosima, haec scripta sunt :

V. 27. [Ἐδογμα]|τίσθη ἀγομένης β[ουλῆς ἐν Ἀμοργῷ Αἰγιάλῃ τῆς πρὸ] |
δέκα ἓξ χαλανδῶν...... [Σεπτιμίῳ Ἄπρῳ] | καὶ Ἀννίῳ Μαξίμῳ [ὑπάτοις] [1].

1. Anno 207 post C. n., ante diem XVI Kalendas mensis incerti. Cf. n. 1017.

1004. Aegialae. — *I. Gr.*, XII, vii, 401.

In fine decreti, quo defuncta honoratur quaedam Zosima, Agathini filia, haec scripta sunt :

V. 13. Ἔδο|[ξε πάσαις ¹ ἀγομ]ένης ἐκκλησίας προσκλήτου πρὸ ι΄ καλ(ανδῶν) Ἰα[νου|αρίων] ².

1. ταῖς ψήφοις. Supplevit Delamarre collato n. suo 393, v. 39. — 2. Die XXIII Decembris, anno ignoto.

1005. Aegialae. — *I. Gr.*, XII, vii, 398.

In fragmento decreti de re incerta, haec scripta sunt :

V. 2. [Ἔδογμα]|τίσθη ἀγομένης [βουλῆς τῆς πρὸ..... καλαν]|δῶν ¹ Ἀπρει-λίων...............|νῳ ὑπάτοις.

1. Aut [εἰ]δῶν.

1006. Arcesinae. — *I. Gr.*, XII, vii, 312.

.....Καισαρ......

1007. Arcesinae. — *I. Gr.*, XII, vii, 100.

Ὁ δῆμο[ς] | Καίσαρι Σεβαστῷ] ....|.....

1008. Arcesinae. — *I. Gr.*, XII, vii, 53.

Decreti, quo defunctus laudatur quidam Aur. Octavius, tempus ita definitum est :

V. 38. Ἐγένετο ἐν Ἀμοργῷ Ἀρχεσίνῃ πρὸ γ΄ εἰ|δῶν Δεκεμβρίων, Εὐεττίῳ Ἀττικῷ ¹ καὶ Ἀσινίῳ Πραι|τε[ξ]τάτῳ ² ὑπάτοις ³.

1. Scribendum fuerat Οὐεττίῳ. C. Vettius Atticus Sabinianus : *Prosop. imp. rom.*, III, p. 411, n. 322. — 2. C. Asinius Praetextatus, *Prosop. imp. rom.*, I, p. 168, n. 1028. — 3. Anno 242 post C. n., die XI Decembris.

1009. Minoae. — *I. Gr.*, XII, vii, 265.

Ὁ δῆμος | [Τιβέριον] Κλαύδιον Σε[βαστὸν] | Γερμανικόν.

1010. Minoae. — *I. Gr.*, XII, vii, 242.

.... [Μεινωητῶν τῇ βου]|λῇ καὶ [τῷ δήμῳ χαίρειν.]........ | πολλῶν......
5 [τὴν ὑμετέραν πό]|λιν · καὶ γὰρ α........‖ων ἐπιφανῶ[ς ....πρὸς τὸν
Ῥω]|μαίων δῆμον........ | δὲ τῆς πρὸς τὸν...... | εὐνοίας, μάλιστα [δὲ πρὸς
10 τὸν πατέρα Ἀδριανὸν] | Θεὸν Σεβα(σ)τὸν, ὅς........ ‖ διατρείψας παρ' ὑμε[ῖν ¹
πολλῶν..... ἀγαθῶν] | καὶ φιλανθρώπων ε...........|τα · ὅθεν καὶ τῷ ψηφίσ[ματι
τῷ ὑμετέρῳ ἐνέ]|τυχον ἡδέως, καὶ το[ῖς παρ' ὑμῶν πρεσβευταῖς] | Θεοπόμπῳ
15 Ἀνέχνο[υ] ....‖στράτῳ ἐχρημάτισα · [διὰ ταῦτα οὖν ὑμῖν ἐλευ]|θερίαν καὶ
αὐτονομί[αν καὶ ἀτέλειαν, καθὼς] | παρὰ τῶν πρόσθεν α[ὐτοκρατόρων ἐλάβε]|τε,
ἐβεβαίωσα, ἐτ...........

Epistula est, ut videtur, Antonini imperatoris ad Minoetas.

1. Hadrianus anno 123 post C. n. insulas adiisse constat (*Vit. Hadriani*, 13; W. Weber, *Untersuchungen zur Geschichte des Kaisers Hadrianus*, p. 142 et seq).

1011. Minoae. — *I. Gr.*, XII, vii, 247.

Διονύσῳ Μεινωήτῃ καὶ | τῇ γλυκυτάτῃ πατρίδι | καὶ Αὐτοκράτορι Καίσαρι |
5 Μαρ. Αὐρ. Κομμόδῳ Ἀντω|νείνῳ Σεβαστῷ [Εὐσεβεῖ] | Εὐτυχεῖ ¹ Συντύχη
Ἡγέ|ου τὸ ἄγαλμα τῆς Τύχης | ἀποκατέστησεν, καθὼς | ὁ πατὴρ αὐτῆς
10 Ἡγέας Ἀντιόχου στεφανηφορήσας ὑ|πέσχετο, καθιερώθη ἐ|πὶ ἄρχοντος
15 Γ. Σεξτιλίου | Βερενικιανοῦ, | ἐπιμεληθέντος τῆς ἀναστάσεως ‖ Ἀντιόχου τοῦ
Ἐπιγόνου, | ἀνδρὸς τῆς Συντύχης.

1. Inde ab anno 185 post C. n.

1012. Minoae. — *I. Gr.*, XII, vii, 266.

5 Ἀνάθημα. | Αὐτοκράτορα | Καίσαρα Μᾶρκον | Αὐρήλιον ‖ Ἀντωνεῖνον |

10 Εὐσεβῆ ¹ Σεβαστὸν, | τὸν γῆς καὶ θαλάσ|σης δεσπότην, | ἡ φιλοσέβαστος ‖ Μει-
νωητῶν βουλὴ | ἐκ τῶν ἰδίων, | ἐπιμελιθέντος τῆς κα|τασκευῆς καὶ ἀναστάσεως |
Ἑρμοκράτους Ἀριστίωνος.

1. Pius anno 201 appellatus est Caracalla.

1013. Minoae. — *I. Gr.*, XII, vii, 267.

[Ἀγα]θῇ τύχῃ · | [Αὐτοκ]ρ[ά]τορα Καίσαρα | [Μ]ᾶρκο[ν] Αὐρήλιον | Ἀντω-
5 νεῖνον Εὐσεβῆ ¹ ‖ Σεβαστὸν, τὸν γῆς | [κ]αὶ θαλάσσης | [δ]εσπότην, Γάιοι |
10 [Λιχ]ίννιοι Πρότειμος, | [Κο]υαδρᾶτος καὶ Ῥοῦφος, ‖ [οἱ] κράτιστοι ἀδελφοὶ | [τὸν
ἑαυτῶ]ν σωτῆρα | [καὶ εὐεργέ]την.

1. Inde ab anno 201 post C. n.

1014. Minoae. — *I. Gr.*, XII, vii, 243.

[Ἀγαθῇ] τύχῃ · | [Αὐτοκράτωρ Κ]αῖσαρ Θεοῦ Μάρκου Ἀντωνείνου | [Εὐσε-
βοῦς Γερμ]ανικοῦ Σαρματικοῦ υἱὸς Θεοῦ | [Κομμόδου ἀδ]ελφὸς Θεοῦ Ἀντωνείνου
5 Εὐσεβοῦς ‖ [υἱωνὸς Θεοῦ Ἀ]δριανοῦ ἔχγονος Θεοῦ Τραιανοῦ | [Παρθικοῦ κ]αὶ Θεοῦ
Νέρουα ἀπόγονος | [Λ. Σεπτίμι]ος Σεουῆρος Εὐσεβὴς Περτίναξ | [Σεβαστὸ]ς
10 Ἀδιαβηνικὸς Παρθικὸς, | [ἀρχιερεὺ]ς μέγιστος, δημαρχικῆς ‖ [ἐξουσίας ις´,
αὐτ]οκράτωρ ι[ε´], ὕπατος [γ´, ἀν]θύπατος, καὶ | [Αὐτοκράτωρ Καῖ]σαρ Λουκίου
Σεπτιμίου | [Σεουήρου Εὐσεβ]οῦς Περτίνακος Σεβαστοῦ | [Ἀραβικοῦ Ἀδιαβη]-
15 νικοῦ Παρθικοῦ μεγίστου | [υἱὸς Θεοῦ] Ἀντωνίνου Εὐσεβοῦς ‖ [Γερμανικοῦ Σαρ-
μ]ατικοῦ υἱωνὸς Θεοῦ | [Ἀντωνείνου Εὐσ]εβοῦς ἔχγονος Θεοῦ | [Ἀδριανοῦ καὶ]
Θεοῦ Τραιανοῦ Παρθικοῦ καὶ | [Θεοῦ Νέρουα ἀπ]όγονος | [Μ. Ἀντω]νῖνος Εὐσε-
20 βὴς, ‖ [δημαρχικ]ῆς ἐξουσία[ς ια´, | ὕπατ]ος γ´ ¹, ἀνθύπατος, (Μεινωητῶν) | [τοῖς
ἄρχουσιν] καὶ τῇ βουλῇ καὶ τῷ | [δήμῳ χαίρειν. Κα]ὶ τότε εἰκότως οἱ κρα|-
25 [τοῦντες ἄριστα] τὸν καιρὸν τοῦ ἐπι‖[τελεῖσθαι τὰ]ς στρατιωτικὰς θυσίας ² | [εὐδο-
κίμουν, καὶ] νῦν ἀκόλουθον ἐν|......ιν, ὑπαρχούσης καί τιν[ος] | ....ντων,
πεπαῦσθαι | ....κη φόρου. Εὐτυχεῖτε.

1. Anno 208 post C. n. — 2. Sacrificia celebrata ob expeditionem Britannicam feliciter
gestam.

1015. Minoae. — *I. Gr.*, XII, vii, 268.

......[Καί]σαρι Θε[οῦ υἱῷ?]........

1016. Minoae. — *I. Gr.*, XII, vii, 262.

..... [Μο]υσιχοῦ Ἐφέσιος ὁ καὶ Ἀμόργιος, υἱὸς Σεπτιχίας Ἀττιχίλλης | [καὶ? Γαίου Ο]υεττίου Σαβεινιανοῦ ¹, ἐφ' οὗ παρόντος καθιερώθη.

1. Fortasse C. Vettius Sabinianus, proconsul Africae sub Commodo (*Prosop. imp. rom.*, III, p. 413, n. 339), cujus nepos fuit C. Vettius Gratus Atticus Sabinianus, cos. anno 242 post C. n. (*Ibid.*, p. 412, n. 328).

1017. Minoae. — *I. Gr.*, XII, vii, 240.

In fine decreti, quo honoratur quidam Philagathus, Jasonis filius, a senatu populoque Minoetarum, haec verba leguntur :

V. 34. Ἐδογματίσθη ἀγομένης βουλῆς τῆς πρ(ὸ) γ′ εἰδῶν | Ἀπρειλίων, Σεπτιμίῳ Ἄπρῳ καὶ Ἀννίῳ Μαξίμῳ | ὑπάτοις ¹.

1. Anno 207 post C. n., die XI Aprilis. Consulum nomina integra ex hoc uno titulo innotuerunt, qui latuit editores *Prosopographiae imp. rom.*, I, p. 110, n. 728; II, p. 337, n. 302. Cf. titulum n. 1003.

1018. Minoae. — *I. Gr.*, XII, vii, 273.

Ἀγαθεῖνος Αἰνησιχράτου | τὸν ἑαυτοῦ υἱὸν Ἀριστογένην, | Ἀπόλλωνος καὶ Μουσῶν | μυθογράφον.

« Litterae primi post C. n. saeculi. » Delamarre.

1019. Minoae. — *I. Gr.*, XII, vii, 259.

Ἀγαθῇ τύχῃ · | [Α]ὐρ. Θεόδοτος Ἑρ|[μί]ου, στεφανηφο|[ρή]σας σὺν καὶ
5 Αὐρ. ▮ ['Ιάσ]ονι Μουσιχοῦ, | [συν]τελέσας τὰ πά|[τρια] μυστήρια τοῖς | [θεοῖ]ς,

10 κοματροφήσαν[τος] ¹ τ|οῦ ὑοῦ μου Αὐρ. ‖ [Θεοδ]ότου β΄, τὸν τίτλον ² |
[ἀν]έθηκα.

1. Comam pascere, ut deo postea consecraretur, crebrior religio fuit. Cf. Dittenberger,
Sylloge inscr. gr., ed. II, n. 420, not. 2. — 2. Titulum. Cf. hujus operis vol. III, n. 162.

1020. Minoae. — *I. Gr.*, XII, vii, 385.

Θεοῖς δαίμοσι ¹ | Ἐπαφροδείτου.

1. Diis manibus.

INSULA CALYMNA

1021. Calymnae, ex templo Apollinis Delii. — Newton, *Greek inscr. in the British Mus.*, II (1883), n. CCCVI.

In catalogo servorum manumissorum, docente quo quisque anno et mense libertatem impetraverit, inter menses Calymniorum feruntur menses Καῖσαρ Σεβαστὸς (*f*, v. 1) et Τιβέριος (*e*, v. 1).

1022. Calymnae, ex templo Apollinis Delii. — Newton, *Greek inscr. in the British Mus.*, II (1883), p. 91, n. CCCI.

Ὁ δᾶμος ὁ Καλυμν[ί]|ων συνκαθιέρωσε | Ἀπόλλ[ω]νι [Δα]λίῳ, | Καλύμ[ν]ας
5 μεδέοντι, ‖ Γάιον Καίσαρα [Γ]ε[ρμα]|νικὸν Εὐσεβ[ῆ] ¹.....

1. Caligula ante annum 37, quo imperavit, fortasse anno 18, quo patrem Germanicum in Asiam comitatus est (Suet., *Calig.*, 10).

1023. Calymnae. — Ross, *Inscr. ined.*, II (1842), n. 180.

5 Ὁ δᾶμος ὁ [Κα]λ[υ]|μνίων ἐτείμα|σεν Τιβέριον Κλαύ|διον Καίσαρα Γερ‖μα-
νικὸν Σεβα|στὸν τὸν ἑαυτοῦ | σωτῆρα καὶ εὐ|εργέταν.

1024. Calymnae. — Newton, *Greek inscr. in the British Mus.*, II (1883), p. 101, n. CCCXXVI.

.... [Καί]σαρα ..|... [στε]φανο ...|... [Κ]αλυμν ...|..εο.....

1025. Calymnae. — Newton, *Greek inscr. in the British Mus.*, II (1883), p. 100, n. CCCXXIV.

...... [πατὴ]ρ πατρίδος ..|... [πρό]τερον το .|..νο....

1026. Calymnae. — Dittenberger, *Sylloge inscr. gr.*, ed. II, n. 370.

Ὁ δᾶμος ὁ τῶν Καλυμνίων | ἐτίμασεν Τιβέριον Κλαύδ|ιον Ξενοφῶντος υἱὸν
5 Φιλῖ|νον, τὸν θεῖον Γαίου Στερ‖τινίου Ἡρακλίτου υἱοῦ Κορ|νηλίᾳ Ξενοφῶντος,
ἰατροῦ | Τιβερίου Κλαυδίου Καίσαρος ¹, | χειλιαρχήσαντα.

1. Cf. infra Coos titulos et totius familiae stemma vide ap. Herzog, *Koische Forschungen und Funde*, p. 189.

1027. Calymnae. — Dubois, *Bull. de corr. hellén.*, VIII (1884), p. 28, n. 1.

Ὁ δᾶμος ὁ Καλυμνίων | ἐτείμησεν τὸν ἱερέα | τοῦ προκαθηγεμόνος | θεοῦ
5 Ἀπόλλωνος Τιβέριον ‖ Κλαύδιον Δικαστορῶν|τα τὸν ἑαυτοῦ πάτρ|ωνα καὶ
10 εὐεργέταν δὶς | στεφανοφορήσαντα | καὶ ἀνιερώσαντα τὰ χωρία τῷ ‖ θεῷ.

INSULA ASTYPALAEA

1028. Astypalaeae. — *I. Gr.*, XII, ɪɪɪ (1898), n. 173. *Suppl.* (1904), p. 278.

a. .... περὶ τούτου τοῦ πράγματος οὕτως ἔδοξε · [πρὸς | τὸν δῆμον τὸν Ἀστυπαλαιέων εἰρήνην φιλίαν συμμα|χίαν] ἀνανεώσασθαι · ἄνδρα καλὸν· καὶ ἀγαθὸν [παρὰ δή|μου] καλοῦ καὶ ἀγαθοῦ καὶ φίλου προσαγο[ρεῦσαι τού-
5 τωι ‖ τε] φιλανθρώπως ἀποκριθῆναι · ἔδοξεν. Καὶ [ὅτι Πόπλι|ος] Ῥοτίλιος ὕπατος χάλκωμα συμμαχίας [ταύτης ἐν | τῶι] Καπετωλίωι κατηλωθῆναι φροντίσῃ(ι) [οὕτως κα|θ]ὼς ἂν αὐτῶ(ι) ἐκ τῶν δημοσίων πραγμάτων [πίσ-
10 τεώς | τε] τῆς ἰδίας φαίνηται · ἔδοξεν. Ὅτι [τε Πόπλιος Ῥοτί|λι]ος ὕπατος τὸν ταμίαν κατὰ τὸ διάταγμα [ξένια δοῦναι αὐτῶι | κ]ελεύσῃ(ι) θυσίαν τε ἐν Καπετωλίω(ι), ἐὰν θέλῃ(ι), ποιῆσ[αι αὐτῶι ἐξῆι κατὰ] | τὸν νόμον [τόν τε] Ῥόβριον καὶ τὸν Ἀκίλιον [ἀναθεῖναί τε ἀπόγραφον ἐν | τ]όπωι δημοσίω(ι) [καὶ ἐπιφανῶς] προκειμέν[ωι, οὗ ἂν πλεῖστοι παρα|σ]τείχωσιν [τῶν πολιτῶν] καὶ
15 κατ' ἐνιαυτὸν [ἐν τῆι ἐκκλησί‖αι] ἀναγορεύε(ε)σθαι · ἔδοξεν. Ἐπὶ ὑπάτ[ω]ν Ποπλ[ίου Ῥοτιλί|ου] Ποπλίου υἱοῦ καὶ [Γν]αίου Μαλλίου Γναίου υἱοῦ, [στρατηγοῦ κα|τὰ] πόλιν Λευκίου ...... ωνίου Λευκίου υἱοῦ, [ἐπὶ δὲ τῶν ξένων] ..|......... Ποπλίου υἱοῦ, [ὡς δὲ Ἀστυπαλαιεῖς]‖.. ἄγουσιν ἐπὶ [Φιλε]τα(ί)ρου τοῦ ....., [ἔδοξε ‖
20 πίνακα συμμαχίας ἀνατεθῆναι, πρεσβεύσαντος Ῥοδοκλέους τοῦ Ἀντιμάχου] | καὶ (τ)αύτης (τῆς) συμμαχίας δοθῆναι τῶ(ι) δήμω(ι) [τῶι Ἀστυπαλαιέων πίνα|κα] κατὰ δόγμα συγκλήτου. |

b. .... [τῶι δήμωι τῶι | Ῥωμαίων καὶ] τῶ(ι) δήμω(ι) τῶ(ι) Ἀστυπαλαιέων εἰρήνη καὶ [φιλία | καὶ συμμαχία] ἔστω καὶ κατὰ γῆν καὶ κατὰ θάλασσαν [εἰς τὸν ἅπαντα χρόνον ·] πόλεμος δὲ μὴ ἔστω. Ὁ δῆμος [ὁ Ἀστυπαλαιέων μὴ
5 δι‖έτω τοὺς] πολεμίους καὶ ὑπεναντίους [τοῦ δήμου τοῦ Ῥωμαίων | διὰ τῆς ἰδίας χώρας καὶ ἧς ἂν ὁ δῆμος ὁ Ἀστυπαλαιέων κρατῆι δη|μοσί]α(ι) βουλῆ(ι), ὥστε τῶ(ι) δήμω(ι) τῶ(ι) Ῥωμαίων καὶ τοῖς ὑπὸ Ῥωμαίου[ς | τα]σσομένοις πόλεμον ἐπιφέρωσι · μήτε τοῖς πο[λεμίοις μήτε ὅπλοις] | μήτε χρήμασι μήτε
10 ναυσὶν βοηθείτω <ο> δημοσ[ί]αι βουλῆ(ι) δόλ[ωι πονηρῶι]. ‖ Ὁ δῆμος ὁ Ῥωμαίων τοὺς πολεμίους καὶ ὑπεναντίους [τῆς βουλῆς | καὶ τ]οῦ δήμου τοῦ

Ἀστυπαλαιέων διὰ τῆς ἰδίας χώρας καὶ ἧς ἂν | [κρατῆι ὁ δῆμος ὁ Ῥωμαίων μὴ
διιέτω] δημοσ[ί]αι βουι(ῆ(ι) δο[λ]ω[ι πο|νηρῶι, ὥστε τῶι δήμωι τῶι] Ἀστυπα-
λαιέων καὶ τοῖς ὑπ' αὐτοὺς | ταττομένοις πόλεμον ἐπιφέρωσιν · μήτε (τοῖς
15 πολεμίοις μήτε) ὅπλοις μήτε χρήμα<τα>σι μήτε ‖ ναυσὶ βοηθεί[τω] μήτε
δόλω(ι) πονηρῶ(ι). Ἐὰν δέ τις πόλεμον ἐπιφέρη(ι) τῶ(ι) δήμω(ι) [τῶι] | Ἀστυ-
παλαιέων, ὁ δῆμος (ὁ) Ῥωμαίων [τῶι δήμωι τῶι Ἀστυπαλαιέων βοηθείτω?
Ἐὰν δέ | τις] πρότερος πόλεμον ἐπιφέρη(ι) [τῶι δήμωι τῶι Ῥωμαίων, ὁ δῆμος
ὁ Ἀστυπαλαιέων βοηθείτω ἐκ | τῶν] συνθηκῶν καὶ ὁρκίων [τῶν γεγενημένων...
ἀνὰ μέσον?] | τοῦ δήμου τῶν Ῥωμαίων καὶ τοῦ δήμου τῶν Ἀστυπαλαιέων. ‖
20 Ἐὰν δέ τις πρὸς ταύτας τὰς συνθήκας κοινῆ(ι) βουλῆ(ι) προσθεῖναι ἢ | ἀφελεῖν
βούλ[ω]νται ὁ δῆμος καὶ ἡ βουλή, [ὅτι] ἂν θελήσει ἐξέστω · ἃ δὲ ἂν προσ-
θῶσιν | ἐν ταῖς συνθήκαις ἢ (ἃ) ἂν ἀφέ[λ]ωσιν ἐκ τῶν συνθηκῶν, ἐκτὸς ἔστω
ταῦτα (ἐν) ταῖς | συνθήκαις γεγραμμένα · (ἀναθέντων δὲ) ἀνάθημα ἐμ μὲν
Ῥωμαίων ἐν τῶ(ι) Καπετωλίω(ι) ναῶ(ι) τοῦ | Διὸς, ἐν δὲ Ἀστυπαλαιέων ἐν τῶ(ι)
25 ἱερῶ(ι) τῆς Ἀθηνᾶς καὶ τοῦ Ἀσκληπιοῦ καὶ πρὸς ‖ τῶ(ι) βωμῶ(ι) .... τῆς
Ῥώμης. |

c. Ἔδοξε τῷ δάμω(ι) · [Ἀρ]χωνίδας Εὐκλεῦς ἐπεστάτει, πρυτάνιων [γνώμα · |
Ἐπ]ειδ[ὴ] παραγε)γένηται ὁ ἀποσταλεὶς εἰς Ῥώμαν Ῥ(ο)δοκλῆς Ἀντιμάχου
καὶ | [τὰ] πε[ρὶ συμμαχίας] δογματισθέντα [ἀπενήνοχε], δοθεῖσα? δὲ δι' αὐτοῦ
5 (τοῦ) ψαφίσματος |......... τοὺς πρεσβευτὰς ὑπὲρ τᾶς πατρίδος καὶ Ῥώμας ‖.....
..... | προαιρούμενος [καὶ] πᾶσαν σπουδὰν καὶ φιλοτιμίαν [ποτ]ενενκάμενος|.....
...........|.... συμμαχίαν ποτὶ τοὺς [Ῥωμαίους] .....|...... ἐπαινέσαι μὲν
[Ῥοδοκλῆ Ἀντιμάχου]..

a senatusconsultum est Romanum de foedere cum Astypalaeensibus **renovando**;
b foedus Romanorum et Astypalaeensium; *c* decretum Astypalaeensium **in legati** sui
honorem. Duo priores tituli (*a, b*) communi, tertius (*c*) dorica dialecto **scripti** sunt.
a. Cf. n. 33.

V. 5. De illa formula et de sequentibus cf. Viereck, *Sermo graecus quo SPQR usi sunt*
(1888), p. 42 et 80, qui *a* et *b* ex graeco in latinum rursus transtulit.

V. 6. χάλκωμα, tabula ahenea. Cf. Polyb., III, 26, 1.

V. 7-9 « ita uti ei ex re publica fideque sua videretur. » Exempla similia vide apud
Viereck, p. 80.

V. 10. « ut consul quaestorem ex formula munus dare ei juberet. » Pecunia enim legatis
exterarum gentium a senatu romano publice dabatur, ut omni liberarentur impensa dum
in Urbe manebant; ea autem pecunia, quae munus (ξένια) appellabatur, semel constituta
erat in catalogo amicorum populi, sive formula (διάταγμα). Mommsen, *Röm. Forschungen*,
I, p. 345; *Droit public rom.*, VI, 2, p. 215, not. 1.

V. 11. Cf. n. 33, *col. b*, vv. 17 et 21; Mommsen, *Röm. Forsch.*, *loc. cit.*

V. 12. Q. Rubrius Varro (?) et M' Acilius Glabrio tribuni plebis anno 122 ante C. n.
videntur plebiscito ordinavisse illa legatorum sacrificia; quanquam plebiscitum duobus
auctorum nominibus signari ab usu remotum fuit: Mommsen, *Droit public*, VI, 1, p. 359,
not. 1.

V. 12-13. « ponereque exemplar (foederis) in loco publico et aperte sito (Astypalaeae),
ubi plurimi praetereunt civium, et quotannis pro contione (illius civitatis) pronuntiari. »

V. 13. P. Rutilius P. f. Rufus et Cn. Mallius Cn. f. Maximus consulatum gesserunt
anno 105 ante C. n.

V. 16. στρατηγοῦ κατὰ πόλιν, praetore urbano.

V. 17. ἐπὶ δὲ τῶν ξένων (στρατηγοῦ), peregrino (praetore).

V. 19. Philetaero archonte Astypalaeensium eponymo.

V. 20. Supplementum, quod proposuerat Cousin, *Bull. de corr. hellén.*, X (1886) p. 171,
correctum accepit Hiller de Gaertringen *I. Gr.*, *loc. cit.*, *Suppl.* Legatum Rhodoclem
Antimachi memoraverunt in decreto suo (c) Astypalaeenses.

1029. Astypalaeae. — *I. Gr.*, XII, III (1898), n. 171; *Suppl.* (1904), n. 1286.

Ἔδοξεν τῆι βουλῆι καὶ τῶι δήμωι · Μοσχίων Μενέτου | [ε]ἶπεν · προγραψα-
μένων εἰς τὴν βουλὴν τῶν στρα|[τ]ηγῶν ὑπὲρ τ[ῆς ἐπικουρίας τῶν Ἀστ]υπα-
5 λαιέων, | [ὅ]τι Ἀστυπ[αλαιεῖς ἄνδρες γεγένηνται ἀγα]θοὶ καὶ φ[λ]οι τοῦ [ἡμε-
τέρου δήμου, ἀγωνισάμενοι κάλ]λιστα τῶν|............ τῶν πει[ρ]ατ[ῶν].........|
10 ...... τῶν πλοί|[μ]ων........[κ]αὶ τοὺς μὲ[ν].........ς κ[αὶ] ἀνοσ[ί]ως......
[ἔ]σεσθαι] τοὺς |......... Ἀστυπ[α]|λαιε......... ἔχειν τῶν ἐκ τῆς [θα]λάσ[σης?]
15 ....θέτ[η]σεν αὐτῶι · ἐ[π]|π]λευ[σάντων δὲ μετὰ ταῦτα τῶν π]ειρατῶν καὶ
ἐπὶ τὴν ἡ|[μ]ετ[έραν χώραν τὴν ἔφοδον π]ο[ιη]σαμένων ἐκ τῆς Φυγ[ε]|λίδος [καὶ
σώματα ἐκ τοῦ] ἱε[ρ]οῦ τῆς Ἀρτέμιδος τῆς Μ[ουνι]|χίας ¹ [ἀγαγόντων ἐλ]εύθερά
τε καὶ δοῦλα, διαρπασάν[των] | δὲ καὶ τὰ [σκεύη τῶν σ]ωμάτ[ων κα]ὶ τῶν ἐν
20 τῶι χωρίωι [καὶ] ‖ τοῖς περι[κειμέν]οις τόποις, [οἱ Ἀστ]υπαλαιεῖς στ[οιχοῦν]|τες
τοῖς [ὑπὸ τῶν Ἐφεσί]ων προπα[ρηγγελμ]ένοις ἐπέπλ[ευσαν] | ἐπ' αὐτοὺς καὶ
παραβαλόμ[ενοι τῶ]ι βίωι οὔτε σ[ώματος] | οὔτε [ψ]υχῆς ἐφείσαντο, δια[κιν-
δυν]εύσαντε[ς δὲ πρὸς] | τοὺς πειρατὰς ἐκ τοῦ γεγ[ενημένο]υ ἀγῶνος [ἔτρεψαν
25 τὸ] ‖ πᾶν τῶν ἐναν[τί]ων κατὰ......ιστον το[ῦ...... | τ?]αγέντας τῶι [ἡμ]ετέ-
ρωι? ...... οντ......|...........² τῶν πλο[ίων].. ταν......... [ἀ|ν]αχθέντων εἰς
τὴν πόλιν [τὴν τῶ]ν Ἀσ[τυπαλαιέων τοὺς] | μὲν λῃστὰς καὶ κακούργο[υς ἐτι-
30 μ]ωρή[σαντο παραχρῆ]μα] ἀξίως τῆς ἑαυτῶν ³ μ[οχθηρίας, τοὺς δ' ἀπαχθέντας |
γ]ενό[ντ]ες ὄντας ἡμετέρ[ους πολίτας τῆι πάσηι ἐπι]|μελείαι ἀναλαβόντες [εἰς

τὰς οἰκίας ὑπεδέξαντο] | καὶ χορηγοῦντες πάντα ὅσ[ων εἰς ἕκαστος ἐδεῖτο] | πρός
35 τε τὴν καθ᾽ ἡμέραν [θεραπείαν καὶ τὴν τοῦ σώ‖μ|ατος εὐσχημοσύνην, ἐ[πεμε-
λοῦντο περὶ αὐτῶν | ὡς] περὶ τῶν ἰδίων τ[έκνων] · ὁ[μοίως δὲ καὶ τῆς τῶν |
ἠρ]πασμένων ἐλευθέρ[ων] πα[ίδων ἐπεμελοῦντο ἀγω|γῆ]ς τε καὶ παιδείας ω.....
40 .....|κότας τῶν ἡμετέρων .... [κα‖0]ηκόντων διὰ τὴν ....|.ος πρὸς
αὐτοὺς τ.........|.ν ἐν ει..........

Decretum est Ephesiorum in honorem Astypalaeensium, qui piratas a littore Asiae
reppulerant et navali praelio vicerant; quod evenisse videtur cum ferveret bellum Mithri-
daticum, anno circiter 85 ante C. n. Cf. Dittenberger, *Sylloge inscr. gr.*, ed. II, n. 329.

1. Phygelae, sive Pygelae, in vico Ephesi vicino, templum fuit Dianae Munichiae.
Strab., XIV, p. 639. Cf. Höfer ap. Roscher, *Lexicon*, II, p. 3227, v. 56. — 2. Traditur
.ΑΣΘΛΛΙΟ/ΜΓΓΛ. — 3. Ita lapis pro αὐτῶν.

1030. Astypalaeae. — *I. Gr.*, XII, III (1898), n. 205.

[Αὐτοκράτ]ορι Καίσαρι Θ[εοῦ υἱῷ Σεβαστῷ].

1031. Astypalaeae. — Dittenberger, *Sylloge inscr. gr.*, ed. II (1898), n. 356; *I. Gr.*,
XII, III (1898), nn. 174, 175. *Suppl.* (1904), p. 278.

a. ...|.. [δημι]ουργοῦ δὲ Καιρογένεος Λευ........... ια. |

b. Αὐτοκράτωρ Καῖσαρ Θεοῦ υἱὸς Σεβαστὸς, ἀρχιερεὺς, | ὕπατος τὸ δωδέκα-
τον ἀποδεδειγμένος | καὶ δημαρχικῆς ἐξουσίας τὸ ὀκτωικαιδέκατον ', | Κνιδίων
5 ἄρχουσι, βουλῆι, δήμωι χαίρειν. Οἱ πρέσ‖βεις ὑμῶν Διονύσιος β' καὶ Διονύσιος
β' τοῦ Διονυ|σίου ἐνέτυχον ἐν Ῥώμηι μοι καὶ τὸ ψήφισμα ἀποδόντες | κατηγό-
ρησαν Εὐβούλου μὲν τοῦ Ἀναξανδρίδα τεθνε|ῶτος ἤδη, Τρυφέρας δὲ τῆς γυναι-
κὸς αὐτοῦ παρούσης, | περὶ τοῦ θανάτου τοῦ Εὐβούλου τοῦ Χρυσίππου ².
10 Ἐγὼ ‖ δὲ ἐξετάσαι προστάξας Γάλλωι Ἀσινίωι τῶι ἐμῶι φίλωι ³ | τῶν οἰκετῶν
τοὺς ἐνφερομένους τῆι αἰτίᾳ διὰ βα|σάνων ἔγνων Φιλεῖνον τὸν Χρυσίππου τρεῖς
νύ|κτας συνεχῶς ἐπεληλυθότα τῆι οἰκίαι τῆι Εὐβού|λου καὶ Τρυφέρας μεθ᾽
15 ὕβρεως καὶ τρόπωι τινὶ πολι‖ορκίας, τῆι τρίτηι δὲ συνεπηγμένον καὶ τὸν ἀδελ|-
φὸν Εὔβουλον, τοὺς δὲ τῆς οἰκίας δεσπότας Εὔβου|λον καὶ Τρυφέραν, ὡς οὔτε
χρηματίζοντες πρὸς | τὸν Φιλεῖνον οὔτε ἀντιφραττόμενοι ταῖς προσ|βολαῖς ἀσφα-
20 λείας ἐν τῆι ἑαυτῶν οἰκίαι τυχεῖν ἠδύναν|το, προστεταγότας ἑνὶ τῶν οἰκετῶν
οὐκ ἀποκτεῖ|ναι ὡ[μῶ]ς ὡς ἄν τις ὑπ᾽ ὀργῆς οὐ[κ] ἀδίκου προήχθη(ι), ἀλ|λὰ
T. IV   23

ἀνεῖρξαι ἀνασκεδάσαντα τὰ κόπρια αὐτῶν · τὸν | δὲ οἰκέτην σὺν τοῖς καταχεομέ-
25 νοις εἴτε ἑκόντα | εἴτε ἄκοντα, αὐτὸς μὲν γὰρ ἐνέμεινεν ἀρνούμενο[ς], ‖ ἀφεῖναι
τὴν γάστραν [ὥστ'] Εὔβουλον ὑποπεσεῖν δικαιό['τ]ερον ἄν σωθέντα [τοῦ ἀ]δελφοῦ.
Πέπονρα δὲ ὑμεῖν καὶ α[ὐ|τ]ὰς τὰς ἀνακρίσεις. Ἐθαύμαζον δ' ἄν, πῶς εἰς τόσον |
ἔδεισαν τὴν παρ' ὑμεῖν ἐξετασίαν τῶν δούλων οἱ φ[εύ]|γοντες τὴν δίκην, εἰ μή
30 μοι σφόδρα αὐτοῖς ἐδόξ[ατε] ‖ χαλεποὶ γεγονέναι καὶ πρὸς τὰ ἐναντία μισοπό-
νη[ροι], | μὴ κατὰ τῶν ἀξίων πᾶν ὁτιοῦν παθεῖν, ἐπ' ἀλλο[τρίαν] | οἰκίαν νύκ-
τωρ μεθ' ὕβρεως καὶ βίας τρὶς ἐπελήλ[υθό]|των καὶ τὴν κοινὴν ἁπάντων ὑμῶν
35 ἀσφάλει[αν ἀναι]|ροῦντων ἀγανακτοῦντες, ἀλλὰ κατὰ τῶν καὶ [ὅτε ἠ]‖μύνοντο
ἠτυχηκότων, ἠδικηκότων δὲ οὐδέ[ν]. | Ἀλλὰ νῦν ὀρθῶς ἄν μοι δοκεῖτε ποιῆσαι
τῇ ἐμῇ π[ερὶ τού]|των γνώμηι προνοήσαντες καὶ τὰ ἐν τοῖς δημ[οσίοις] | ὑμῶν
ὁμολογεῖν γράμματα [4]. Ἔρρωσθε.

c. Αὐτοκράτωρ Καῖσαρ Θεοῦ Τραιανοῦ [Παρθικοῦ] | υἱὸς Θεοῦ Νέρουα υἰωνὸς
Τραιανὸς [Ἀδριανὸς] | Σεβαστὸς ἀρχιερεὺς μέγιστος, δημ[αρχικῆς | ἐξ]ουσίας,
5 ὕπατος τὸ β' [5], Ἀσστυπαλ[αιέων τοῖς ‖ ἄρχο]υσι καὶ τῇ βουλῇ καὶ τῷ δήμῳ
χαίρ[ειν. | Καὶ πα]ρὰ τοῦ πρεσβευτοῦ ὑμῶν Πε[τρωνίου τοῦ | Ἡράκω]ντος καὶ
ἐκ τοῦ ψηφίσματ[ος ὑμῶν | ἔμαθον ὅπως ἤσθητε διαδεξαμέν[ου ἐμοῦ | τὴν
10 πατ]ρῴαν ἀρχήν, ἐπαινέσας δ[ὲ ὑμᾶς ‖ καὶ πεπο]ιθὼς τὴν ἐλευθερίαν ὑ[μῶν]..|
. . . .

a « finis est antiquioris inscriptionis Cnideae, infra quam epistula Augusti (b) incisa
est. Postea, hac tabula nescio qua de causa Astypalaeam transvecta, his duobus titulis
subjuncta est epistula Hadriani (c) ad Astypalaeenses data. » Dittenberger. Nihil autem
fuit inter tria documenta commune.

1. Sub finem anni 6 ante C. n. — 2. « Cnidi in jus vocati Eubulus Anaxandridae filius et
Tryphera uxor ejus, quia civium suorum justitiae diffidebant (vv. 28 sqq.) postulaverant
ut res ab ipso principe judicaretur. Quo facto plebiscito (v. 7) Cnidiorum constitutum
est ut legati duo reipublicae nomine apud Augustum illos accusarent. Qui causa cognita
his litteris ad populum Cnidiorum datis eos se absolvere pronuntiat. » Dittenberger.
Cf. etiam Chapot, Prov. rom. d'Asie, p. 126. — 3. C. Asinius Gallus, Pollionis filius, consul
anno 8 ante C. n., amicus Augusti notissimus : Prosop. imp. rom., I, p. 161, n. 1017.
Asiae proconsul quanquam illo ipso anno erat, ab imperatore eo nomine non appellatur ;
nam « Cnidii, libera civitas (Plin. H. N. V, 104), jurisdictioni proconsulis subjecti non
erant, ut haec cognitio, principis nutu ei mandata, omnino non attingeret praesidis
provinciae officium. » Dittenberger. — 4. « Plebiscitum de accusandis publice Eubulo
et Tryphera in actis Cnidiorum erat; quare ut item litterae absolutos illos a principe
testantes eisdem inserantur, hic cavetur. » Dittenberger. — 5. Anno 117 aut 118 post
C. n. Aut β' post ἐξουσίας, aut ἀποδεδειγμένος post ὕπατος τὸ β' omissum est.

1032. Astypalaeae. — Dittenberger, *Sylloge inscr. gr.*, ed. II (1898), n. 385. *I. Gr.*, XII, ɪɪɪ (1898), n. 176. *Suppl.* (1904), p. 278.

Αὐτοκράτωρ Καῖσαρ Θεοῦ Τραιανοῦ Παρθικ[οῦ] | υἱὸς Θεοῦ Νέρουα υἱωνὸς
Τραιανὸς ᾿Αδριανὸς | Σεβαστὸς ἀρχιερεὺς μέγιστος, δημαρχικῆς | ἐ[ξ]ουσίας ¹,
5 ὕπατος τὸ β΄ ², ᾿Αστυπαλαιέων ‖ ἄρχουσι καὶ τῇ βουλῇ καὶ τῷ δήμῳ χαίρειν. |
᾿Εντυχὼν ὑμῶν τῷ ψηφίσματι, ὅτι μὲν ἀπο|ρεῖν φατε καὶ οὐ δύνασθαι τελεῖν τὸ
ἐπαγγελ|τικὸν ἀργύριον ³ ἐμάνθανον · οὐ μὴν ὁπό|σον τε τοῦτο οὐδὲ ε[ἰ] ποτε
10 φέρειν αὐτὸ ἤρξασ[θε]...... ‖...........

1. Numerum β΄ non addidit lapicida.— 2. Anno 118 post C. n. — 3. « Quale hoc sit
vectigal, ignoramus. Neque hoc mirum, cum ipse Hadrianus imperator id se nescire
fateatur. » Dittenberger.

1033. Astypalaeae. — *I. Gr.*, XII, ɪɪɪ (1898), n. 177. *Suppl.* (1904), p. 278.

Αὐτοκράτωρ [Κ]αῖσαρ [Θεοῦ] | Τραιανοῦ Παρθικοῦ υἱὸ[ς | Θεο]ῦ Νέρουα υἱω-
5 νὸς [Τραια|νὸς Ἀ]δ[ρ]ιανὸς Σεβαστ[ὸς, ἀρ|χ]ιερεὺ]ς μέγιστος, δ[ημαρ|χικῆς] ἐξου-
σίας τὸ ιγ΄ ¹, ὑπ[ατος τὸ γ΄, | πατὴρ πα]τρίδος, ᾿Αστυπαλ[αιέων | τοῖς ἄρχ]ουσι
10 καὶ τῇ βουλῇ [καὶ τῷ | δήμῳ χα]ίρειν. Καὶ τὴν πρε[σβεί|αν ὑμῶν] ἀπεδεξάμην,
δι᾿ ἧ[ς προσ|ηγορ]εύ[σ]ατέ ² με ἐπιβαίνοντα [ἄρτι? | τῆς] Καρίας καὶ τὰ ἐπεσταλ-
[μ]έ[να παρ᾿ ὑμῶν | ἀπέδω]κεν Πετρώνιος Ἡρακ[ῶντος ³. | Εὐτ]υχεῖτε. Πρὸ ε΄
15 καλ(ανδῶν)....., ‖ [ἀπὸ Λαοδ]ικείας τῆς ἐπὶ Λύκῳ ⁴.

1. Anno 129 post C. n. — 2. Salutavistis : Wilhelm, *Arch. epigr. Mittheil. aus Oesterr.*,
XX (1897), p. 66-67. — 3. De eo cf. n. 1031, *c.* — 4. Laodicea ad Lycum, urbs Phrygiae :
Hadrianus enim per Asiam iter faciebat, Epheso Lyciam et Syriam petens. Von Rohden,
ap. Pauly et Wissowa, *Realencyclop.*, I, col. 509, ₅₆.

1034. Astypalaeae. — *I. Gr.*, XII, ɪɪɪ (1898), n. 206.

[Α]ὐτοκράτωρ Κα[ῖσαρ] | Θεοῦ Τραιανοῦ Παρ[θι|κοῦ] υἱὸς...|........

1035. Astypalaeae. — *I. Gr.*, XII, ɪɪɪ (1898), n. 207.

Αὐτοκράτορα Καίσαρα | Μ. Αὐρήλιον ᾿Αντωνῖνον | Σεβαστὸν ᾿Αρμενιακὸν ¹ |

5 ἀ βουλὰ καὶ ὁ δᾶμος ‖ ὁ Ἀστυπαλαιέων τὸν | σωτῆρα καὶ εὐεργέταν | τᾶς ἀμετέρας πόλιος | θεοῖς.

1. Anno 164-166 post C. n.

1036. Astypalaeae. — *I. Gr.*, XII, ɪɪɪ (1898), n. 208.

Ἀστυπαλαιέων [ἀ βουλὰ] | καὶ ὁ δᾶμος Αὐτοκρά[το]|ρα Καίσαρα Λούκιον
5 Αὐρήλι|ον Οὖρον Σεβαστὸν Ἀρ‖μενιακὸν [1], τὸν σωτῆρα καὶ | εὐεργέταν τᾶς πόλιος ἀμῶν.

1. Anno 163-165 post C. n.

1037. Astypalaeae. — *I. Gr.*, XII, ɪɪɪ (1898), n. 209.

Αὐτοκράτορα Μ. Α[ὐρ. Καίσαρα] | Σεβαστὸν [1] ἀ βουλὰ καὶ ὁ | δᾶ[μος ὁ Ἀστυπαλαιέων]|..........

1. Caracalla?

1038. Astypalaeae. — *I. Gr.*, XII, ɪɪɪ (1898), n. 210.

Αὐτοκράτορα Καίσαρα | Μ. Ἀντώνιον Γορδιανὸν [1] | ὁ δᾶμος ὁ Ἀστυπαλαι[έων].

1. Gordianus III, annis 238-244 post C. n.

1039. Astypalaeae. — *I. Gr.*, XII, ɪɪɪ (1898), n. 180; *Suppl.* (1904), p. 278.

[Δεσπ]ο[τ]ίας Ἡρακλίδους · ζυ(γὰ) κ(έφαλα) κεγκυβ, ἐν οἷς ζυ(γὰ) κεκδσ ὧν..
καὶ ζυ(γο)κ(έφαλον) ιδ...... |

Χω(ρίον) Σιδηρᾶ · ζυ(γὰ) κδκιοε, οὗ γῆς ζυ(γὸν) αιξας, ἀνθρ(ώπων) κγισ ὧν
ζυ(γὸν) ικσλ. |

Χω(ρίον) Σχινοῦς [1] · ζυ(γὰ) κβ<γημ, γῆς ζυ(γὸν) <εψν, ἀνθρ(ώπων) κϚδμσ+ν. |

Χω(ρίον) Βολοῦς · ζυ(γὰ) κγὁμσψν, γῆς ζυ(γὰ)......β, ἀνθρ(ώπων) κα<γκδ,
ζυ(γὰ) κ<Ϛξασ. ‖

5 Χω(ρίον) Ἐγιροῦς [2] · ζυ(γὰ) κγγκρν, γῆς ζυ(γὰ) βλσασ, ἀνθρ(ώπων) καδ,
ζυ(γο)κ(έφαλον) δηι. |

Χω(ρίον) Σπάρτη · ζυ(γὰ) κγεξβ, γῆς ζυ(γὰ) β...., ἀνθρ(ώπων) και4. |
Χω(ρίον) Βόριον · ζυ(γὰ) κβδοασ, γῆς ζυ(γὸν) ακολσ, ἀνθρ(ώπων) ρκ<δ. |
Χω(ρίον) Δονακοῦς · ζυ(γὰ) κβκγξγ, γῆς ζυ(γὸν) <εμσψν, ἀνθρ(ώπων) κλ<γκδ,
ζυ(γὰ) κγραφ. |
Χω(ρίον) Κυανέαι · ζυ(γὰ) κ.γηλε, γῆς ζυ(γὸν) αισοε, ἀνθρ(ώπων) καγιβ. ‖
10   Χω(ρίον) Θρᾷσσα · ζυ(γὸν) γσμ. |
Χω(ρίον) Κολ....αι ζυ(γὸν) εξασ.

Fragmentum est jugationis actae initio saeculi IV post C. n. Cf. supra nn. 109-113.
Numeris notata sunt juga et jugorum partes, ita ut in quoque agro (χωρίον) numerus
primus alterius et tertii summam aequet. Quid autem significet quartus ignoratur.
« Hominum (ἄνθρωποι) pretium pedibus quadratis exprimitur; servus tantum valet quan-
tum ager, cujus magnitudo numerum pedum quadratorum indicatum aequat.» Hiller
von Gaertringen. Multa tamen adhuc incerta sunt. Signo < notatus est numerus 1/2;
+, 700; 4, 500.

1. Etiamnunc manet suum loco nomen. — 2. = Αἰγιροῦς.

1040. Astypalaeae. — *I. Gr.*, XII, ɪɪɪ (1898), n. 181.

Δεσποτίας Εὐφρο|συν... |
Χω(ρίον) Χηλή · ζυ(γὰ) κγ. |
Χω(ρίον) Βάρις · μέρ(η) <ι, ζυγὰ κ.

Cf. n. 1039.

1041. Astypalaeae. — *I. Gr.*, XII, ɪɪɪ (1898), n. 182.

[Δε]σπο[τί]ας Θεοδούλου. |
Χω(ρίον) Ἀχιλλικός ¹ · ζυ(γὸν) ακ<ξ, ζώ(ων) κα. |
Χω(ρίον) Βάρρος · μέ(ρος) <, ζυ(γὸν) 8ιεφα, ἀνθρ(ώπων) κθεχειος. |
Χω(ρίον) Βατράχου · μέ(ρη) δ, ζυ(γὰ) Soβ, ἀνθρ(ώπων) κ, [ὄν]ον? ‖
5   Χω(ρίον) Δαφνίον · ζυ(γὰ) γιςꞫσ.

Cf. nn. 1039, 1040. — V. 4 signo S notatus est numerus 6.

1. « Achillem Astypalaeenses insulani sanctissime colunt.» Cic., *Nat. deor.*, III, 18, 45.

INSULA COS

1042. In insula Co. — Paton et Hicks, *The inscriptions of Cos* (1891), p. 40, n. 25.

Τιβέριος Καῖσαρ Θεοῦ Σεβαστοῦ | υἱὸς Σεβαστὸς, δημαρχικῆς ἐ|ξουσίας τὸ
5 ἑπτακαιδέκατον ¹, αὐτο|κράτωρ τὸ ζ΄, Κῴων ἄρχουσι, βουλῇ, δή‖μῳ χαίρειν.
Ἀποδόντων μοι τῶν ὑ|μετέρων πρέσβεων τό τε ψήφισμα ὑ|μῶν καὶ ἃς ὑπέ-
θεσθε αὐτοῖς πρὸς ἐμ|ὲ ἐπιστολὰς, τῆς μὲν διαθέσεως ὑ|μᾶς τῆς πρὸς ἐμαυτὸν
10 ἐπαινῶ · ‖ διεχείμην δὲ καὶ πρότερον πρός | τε τὴν πόλιν τὴν ὑμετέραν....|...

1. Anno 15 post C. n.

1043. In insula Co. — Dittenberger, *Orient. gr. inscr. sel.*, n. 416.

Ἡρώδην | Ἡρώδου τοῦ βασιλέως υἱὸν, | τετράρχην ¹, | Φίλων Ἀγλαοῦ,
5 φύσει δὲ Νίκωνος, ‖ τὸν αὐτοῦ ξένον καὶ φίλον ².

1. Herodes (Antipas), Herodis Magni filius natu minimus, tetrarcha Galilaeae et
Peraeae testamento patris constitutus, confirmatus ab Augusto, in exilium pulsus Lugdu-
num a Caligula anno 39 post C. n. : *Prosop. imp. rom.*, II, p. 141, n. 109. — 2. De Cois
bene meritum esse Herodem Magnum docet Joseph. *Bell.*, I, 423.

1044. In insula Co. — Paton et Hicks, *The inscriptions of Cos* (1891), p. 41, n. 26.
Cf. Mommsen, *Zeitschr. der Savigny Stiftung*, XXIV (1890). *Roman. Abtheil.*, p. 34.

...... [Πυθόμενος ἐκ τοῦ ὑμετ]έρου ψηφίσμα‖[τος ὅτι....... τὴν ἐκκ]λησιν
ἔθετο ἐπὶ | [τὸν Σεβαστὸν, ἱκανῶς ἠσ]θόμην ἐπηρείας | [χάρι]ν αὐτὸν [το]ῦτο
5 πεποιηκέναι · δε‖[ὂν τ]οίνυν, εἰ μὲν ἐπὶ τὸν Σεβαστὸν | [ἡ ἐκ]κλησις γείνεται,
πρότ[ε]ρον ἐμὲ | [ἐξετ]άσαι τὴν αἰτίαν · εἰ δὲ ἐπ' ἐμὲ, τὸ | [παρὸ]ν ἀξιόχρεως
10 λαβεῖν τοὺς ἀ[ρ|ραβῶν]ας δηναρίων διϛειλίων πεν‖[ακο(σίων) [κατὰ] τὸ προτε-
[θ]ὲν ὑπ' ἐ[μ]ο[ῦ] σ[ύν|ταγ]μα διὰ τοὺς φυγοδ[ι]κοῦντας. | [Ἐὰν δ]ὲ πρὸς
ταῦτα μὴ γ........ ¹.

1. Epistula est proconsulis Asiae ad Coos. Cum homo aliquis ignotus, lite profecto

amissa, se appellaturum jactavisset, decreverant Coi ut proconsulem monerent. Is autem respondet appellationem sibi videri contumeliae causa factam esse : quod si ad imperatorem facta sit, se prius judicaturum Romamne deceat eam mittere ; si ad se ipsum, in praesens se satis habiturum sumere cautiones denariorum MMD, secundum constitutionem, quam protulerit propter eos qui temere appellent (cf. *Cod. Justin.* 7, 72; 6, 6 et Paul *Sent.* 5, 35, 2); bono igitur animo sint Coi et aequitate proconsulis confidant. Paulo aliter rem intelligebat Mommsen, cum legeret v. 8-9 τοὺς ἄρ|[χοντ]ας.

1045. In insula Co. — Paton et Hicks, *The inscriptions of Cos* (1891), p. 103, n. 46.

```
    ....εχ.ο.....|.. τὸ δεύτερον οἵδε........|[λ]ογον κατ' εὐεργεσ[ίαν · Γάιος Στερ-
5  τίνιος Ἡρ]|ακλείτου υἱὸς Ξενοφ[ῶν, φιλόκαισαρ, φιλοσέβα]|στος, φιλοκλαύδιος,
   φι[λόπατρις, εὐσεβής, εὐεργέ]|τας τᾶς πατρίδος ¹ · Τιβε. [Κλαύδιος Ξενοφῶντος
   υἱός] | Φιλεῖνος · Τιβε. Κλαύδι[ος...... Τιβερίου Κλαυδίου] | Νικαγόρα υἱὸς,
10 Ἀλκίδαμο[ς Ἰουλιανὸς....... Ἀ]|λκιδάμω..... ² ......|[Χαρμύλου υἱὸς Φιλο-
   φρίω[ν]......... | οἵδε <ει> εἰσῆλθον εἰς ἀγῶ[να]......|.ς Λευ. υἱὸς Ἡρά-
   κλειτο[ς]......|.ς · Πό. Γαλέριος Πο. [υἱὸς......, .... υἱ]|ὸς Ἀπολλό[δωρος]
15 .........|υς .........
```

1. De eo cf. n. 1053. — 2. Traditur ΓΑΒΕΤΑΙΓΙ.

1046. In insula Co. — Paton et Hicks, *The inscriptions of Cos* (1891), p. 117, n. 65. Cf. Herzog, *Koische Forschungen und Funde* (1899), p. 138.

```
     Φιλοκαίσαρες · |
5   Δυ(μᾶνες) · | Ἀντίπατρος | ......δου, ‖ φύσει δὲ | .....ος, | στραταγήσας, |
    θεοῖς. |
10  Ὑλ(λεῖς) ·.‖ Ἀρισταγόρας | Τελεσίππου, | φύσει δὲ | Αἰσχύλου, | στραταγή-
15  σας, ‖ θεοῖς. |
20  Π(α)μ(φυλεῖς) ¹. | Λεύκιος | Ἀβοριηνὸς Λευ|κίου υἱὸς Κά‖τλος, στρατα|γήσας,
    θε'οῖς. |
      Ὑπ(η)ρετεύοντος Ὀνησᾶ.
```

1. Dymanes, Hylleis, Pamphyleis, tres Coorum tribus. Cf. Herzog, p. 188. Cois igitur tres fuerunt quotannis strategi, unus ex quaque tribu.

1047. In insula Co. — Paton el Hicks, *The inscriptions of Cos* (1891). p. 118, n. 66.

Χρυσάωρ | Ἀττάλου | φιλόκαισαρ | θεοῖς.

1048. In oppido Co. — Herzog, *Koische Forschungen und Funde* (1899), p. 64, n. 21.

5　Θεοῖς πατρώοις¹ | ὑπὲρ ὑγείας Γαί|ου Στερτινίου Ἡ|ρακλείτου υἱοῦ ‖ Ξενο-
φῶντος, φιλο|καίσαρος φιλοκλαυ|δίου φιλοσεβάστου, | δάμου υἱοῦ, φιλο|πάτρι-
10　δος, εὐσε‖βοῦς, εὐεργέτα | τᾶς πατρίδος ².

1. Dii Stertiniorum. Cf. Paton et Hicks, *The inscriptions of Cos*, p. 126. — 2. Cf. n. 1053.
Ibidem reperti sunt alii tituli decem, fere iisdem verbis concepti, nn. 22, 23; Paton et
Hicks, *The inscr. of Cos*, nn. 84-91.

1049. In oppido Co. — Paton et Hicks, *The inscriptions of Cos* (1891), p. 151, n. 128.

[Ὁ δᾶμος ὁ Κῴων] Τίτον Τίτου Κοί[γκτι]ον ¹ | [στρατ]αγὸν ὕπατον ² | [Ῥω-
5　μαίω]ν, ἀρετᾶς ἕνεκα | [καὶ καλοκα]γαθίας τᾶς εἰς αὐτὸν ‖ [καὶ τὸς σ]υμμάχος
καὶ τὸς | [Ἑ]λλανας ³. | .....μαχος Πάρι[ος | ἐποίησεν].

1. T. Quinctius Flamininus, cos. anno 198 ante C. n. — 2. Praetor maximus; haec
antiqua appellatio apud Graecos idem valet atque consul. Cf. Dittenberger, *Sylloge
inscr. gr.*, ed. II (1898), n. 273. — 3. Rhodii et alii populi adversus Philippum, Macedo-
niae regem, Romanorum socii. Qua de re cf. Herzog, ap. Lehmann, *Beiträge zur alten
Geschichte*, II (1902), p. 332.

! **1050.** In oppido Co. — Paton et Hicks, *The inscriptions of Cos* (1891), p. 126, n. 81.

Ὁ δᾶμος ὑπὲρ (τ)ᾶς Αὐτοκράτορος | Καίσαρος | θεοῦ υἱοῦ Σεβαστοῦ σωτη-
ρίας | θεοῖς ἱλαστήριον.

1051. In oppido Co. — Paton et Hicks, *The inscriptions of Cos* (1891), p. 127, n. 83.

[Α]ὐτοκρ[άτορι Καί]σαρι θεοῦ [υἱῷ] Σεβαστῷ.

1052. In oppido Co. — Herzog, *Koische Forschungen und Funde* (1899), p. 63, n. 24.

....[Σεβασ]τὴ Ἰουλ[ία Ἀγριππίνα].... '.

1. Cf. n. 1062.

1053. In oppido Co. — Paton et Hicks, *The inscriptions of Cos* (1891), p. 130, n. 92.

5   Γάιος Στερτίνι|ος Ξενοφῶν ', εὐ|εργέτας τᾶς πα|τρίδος καὶ ἱερεὺς ‖ διὰ βίου, Ἀσκλαπι|ῷ Καίσαρι ἀγαθῷ | Θεῷ ² ἀνέθηκε.

1. C. Sterlinius Xenophon Cous, e gente Asclepiadum oriundus, medicus Claudii et Neronis imperatorum, de quo vide Dubois, *De Co insula*, p. 32 et seqq, et *Prosop. imp. rom.*, III, p. 273, n. 666. Hujus nomen non semel a Cois lapidi inscriptum est. Cf. nn. 1045, 1048, 1058-1060. — 2. Imperatorem unum et eumdem esse atque Aesculapium, maximum deorum suorum, Coi decreverant. Cf. n. 1061. Monumentum autem positum est Neroni, ἀγαθῷ δαίμονι, ut ostendit Herzog, *Koische Forschungen und Funde* (1899), p. 196.

1054. In oppido Co. — Paton et Hicks, *The inscriptions of Cos* (1891), p. 133, n. 101.

....δείας γερο[υσίας | ....Μ. Αὐρηλίου Ἀ]ντωνείνο[υ καὶ | Λ. Αὐρηλίου
5 Ο]ὐήρου Σε[βαστῶν] | .....ήριον τη...‖..ρα τὸ πρ...|....ικος α...|.. ωο......

1055. In oppido Co. — Paton et Hicks, *The inscriptions of Cos* (1891), p. 134, n. 100.

[Αὐτοκράτορα Καίσαρα Θεοῦ | Σεουήρ]ου Εὐσεβοῦς Ἀραβικο[ῦ | μεγίστο]υ,
5 Παρθικοῦ μεγίστου, | [Ἀδιαβηνικο]ῦ μεγίστου υἱὸν, Θεοῦ ‖ [Μάρκου Ἀν]τωνεί-
νου Εὐσεβοῦς | [Γερμανικο]ῦ Σαρματικοῦ υἱωνὸν, | [Θεοῦ Ἀντωνε]ίνου Εὐσ[ε]βοῦς
ἔκγονον, | [Θεοῦ Ἁδριαν]οῦ καὶ Θεοῦ Τραιανοῦ | [Παρθικοῦ καὶ] Θεοῦ Νέρουα
10 ἀπό‖[γονον, Μᾶρκον Αὐ]ρήλιον [Ἀντωνεῖνον | Εὐσεβ]ῆ Σεβαστόν '.

1. Caracalla, annis 211-217.

1056. In oppido Co. — Paton et Hicks, *The inscriptions of Cos* (1891), p. 134, n. 99.

.... | Α[ὐρ]ηλίο[υ] Ἀντωνείνου Εὐ|σεβοῦς Σεβαστοῦ Βρεταν|νικοῦ μεγίσ-
του ἀδελφόν '.

1. Geta, anno 211/212.

1057. In oppido Co. — Paton et Hicks, *The inscriptions of Cos* (1891), p. 135, n. 102.

Ἀ βουλὰ καὶ ὁ δᾶμος | τῆς λαμπροτάτης | Κώων πόλεως ἐτεί|μασεν, κατὰ
5 τὰ πο|λειτευθέντα ὑπὸ | ἄρχοντος ¹ Μάρκου | Αὐρ. Ἀριστίωνος, Κόσ|μου υἱοῦ, |
10 Πο. Σαλλούστιον || Σεμπρώνιον Οὐί|κτορα, τὸν κράτι|στον ἔπαρχον βει|κούλων ²,
15 ἡγεμόνα καὶ | δουκηνάριον Σαρδο||νίας ³, τῆς ἐπὶ πᾶσαν | θάλασσαν ἡγησά-
20 με|νον εἰρήνης μετ' ἐξου|σίας σιδήρου ⁴, δουκηνά|ριον τοῦ Σεβαστοῦ || Πόντου
καὶ Βειθυνίας ⁵.

1. Auctore archonte. — 2. P. Sallustius Sempronius Victor, praefectus vehiculorum : *Prosop. imp. rom.*, III, p. 160, n. 69. — 3. Procurator et praeses Sardiniae ad ducena sestertia. — 4. Paci tuendae praepositus per universam oram maritimam cum jure gladii, ad piratas coercendos. — 5. Procurator Augusti ducenarius Ponti et Bithyniae. Procurator postea fuit Mauretaniae Caesariensis sub Severo Alexandro et Maximino, inter annos 222 et 238 post C. n.

1058. In oppido Co. — Paton et Hicks, *The inscriptions of Cos* (1891), p. 130, n. 93.

[Ὁ δᾶμος] τὰν ἐξέδραν Γαίῳ Στερτινίῳ Ἡρακλείτου | [υἱῷ Κ]ορνηλίᾳ Ξενο-
φῶντι ¹, ἥρωι, τῷ τᾶς πατρίδος εὐερ|γέτᾳ, εὐχαρ[ιστίας] χάριν.

1. Cf. supra, nn. 1045, 1048, 1053 et titulos sequentes.

1059. In oppido Co. — Herzog, *Koische Forschungen und Funde* (1899), p. 65, n. 25.

...... | τοῦ εὐεργέτ[α Γ. Στερ]|τινίου Ξενοφῶντ[ος], | ἀνιερωθεῖσαν τ[ᾶι] ||
5 πόλει ¹.

1. Fortasse uxor Stertinii.

1060. In oppido Co. — Dittenberger, *Sylloge inscr. gr.*, ed. II (1898), n. 369.

Τιβέριον Κλαύδιον Ἡρακλείτου | υἱὸν Κυρ(ίνᾳ) Κλεώνυμον, τὸν ἀ|δελφὸν Γαίου
5 Στερτινίου | Ξενοφῶντος ¹, χειλιαρχή||σαντα ἐν Γερμανίαι λεγεῶ|νος κβ′ Πριμιγε-
νίας ², δὶς μο|ναρχήσαντα ³ καὶ πρεσβεύ|σαντα πολλάκις ὑπὲρ τῆς | πατρίδος πρὸς
10 τοὺς Σεβασ||τούς, Κλαυδία Φοίβη | τὸν ἑαυτῆς ἄνδρα καὶ εὐεργέ|την ἀρετῆς ἕνεκα
καὶ εὐνοίας.

1. Cf. n. 1058. — 2. Legio XXII Primigenia, a Claudio Caesare instituta, Mogontiaci

tendebat : **Cagnat**, *Legio* ap. Daremberg et Saglio, *Dict. des ant.*, p. 1089. — 3. Monarchus eponymus Coorum magistratus : Liebenam, *Städteverwalt.*, p. 347, not. 3.

1061. In oppido Co. — Paton et Hicks, *The inscriptions of Cos* (1891), p. 133, n. 130.

........|ιαν, ματέρα Λευχίου Κοσ[σι]|νίου Λευχίου υἱοῦ Βάσσο[υ] | Οὐ(α)λεριχ-
5 νοῦ, δάμου υἱοῦ, ‖ φιλοχαίσαρος, ἱερέως Ἀσχλ(α)|πιοῦ Καίσαρος¹, Λεύχιος Κοσ|-
σίνιος Γνώριμος φιλόχαι|σαρ τὰν ἑαυτο[ῦ] θρέψασαν, | μνάμας καὶ εὐχαριστίας ‖
10 (ἕνεχεν) τᾶς ἐς αὐτάν.

1. Cf. n. 1053.

1062. In oppido Co. — Paton et Hicks, *The inscriptions of Cos* (1891), p. 147, n. 119.

......ε.ου, [φιλο|χαί]σα[ρ]α, ἀγορανομήσαν|τα ἀγνῶς, ἀγωνοθετή|σαντα εὐσε-
5 βῶς, ἐπι[με]‖λητεύσαντα τῶν | τᾶς Σεβαστᾶς Ῥέας¹ ἱερῶν | ἀρεστῶς, γυμνα-
10 σιαρχή|σαντα τῶν πρεσβυτέρων | σεμνῶς, διά τε τὰν ‖ ἐς τὸς θεὸς Σεβαστὸς |
εὐσέβειαν, καὶ διὰ τὰν ἐς | τὸ σύσταμα² φιλοφροσύ|ναν, εὐνοίας χάριν.

1. Rhea, Saturni uxor, Jovis mater, a Cois pie colebatur. Cf. Dittenberger, *Sylloge inscr. gr.*, ed. II (1898), n. 617, v. 3; Rapp s. v. ap. Roscher, *Lexik. der gr. u. röm. Mythol.*, col. 96, v. 37. Eam Agrippinae Claudii aequatam esse conjiciunt editores, qui adferunt Eckhel, *Pierres gravées du musée de Vienne*, pl. VII. — 2. πρεσβυτέρων, γερουσία.

1063. In oppido Co. — Paton et Hicks, *The inscriptions of Cos* (1891), p. 149, n. 123.

5 ......εν|......όνων | ...... Τίτος | ...... [τὴ]ν σύνχλη[τον] ‖ ....ος δωρεὰν |
......ος ἐν ἄσ[τει?].

1064. In oppido Co. — Dittenberger, *Sylloge inscr. gr.*, ed. II (1900), n. 677.

.......[νιχ]άσαντα Νέμ[εια] ἄνδρας | πένταθλον · | [Ἄχ]τια τὰ μεγάλα Και-
5 σάρηα ἀγενεί[ο|υ]ς πένταθλον πρᾶτον Κώων · ‖ [Ῥ]ωμαῖα Σεβαστὰ τὰ τιθέμενα
ὑπὸ | τοῦ χοινοῦ τῆς Ἀσίας ἐν Περγάμῳ | παῖδας Πυθικοὺς πένταθλον · | Ἀσχλα-
10 πεῖα τὰ μεγάλα παῖδας | Ἰσθμιχοὺς πένταθλον · Και‖σάρηα τὰ τιθέμενα Γαίῳ
Καί|σαρι παῖδας Ἰσθμιχοὺς στάδι|ον καὶ πένταθλον τᾷ αὐτᾷ ἁμέ|ρᾳ · Ἀγρίππηα

¹⁵ Ἰσθμιχοὺς πέντα|θλον¹ · Ἀπολλώνεια τὰ ἐν Μύνδῳ παῖ[δας Ἰσθμιχοὺς στάδιον ·
Δώρεια τὰ | ἐν Κνίδῳ παῖδας Πυθιχοὺς | πανχράτιον · Καισάρηα τὰ ἐν Ἀλι|χαρ-
²⁰ νασσῷ παῖδας Ἰσθμιχοὺς | πένταθλον · Ἡράχληα τὰ ἐν Ἰασῷ ‖ παῖδας Ἰσθμιχοὺς
πένταθλον · | Διονύσεια τὰ ἐν Τέῳ Πυθιχοὺς πέν'ταθλον · Καισάρηα τὰ ἐν Σάρ-
δεσσιν | παῖδας Ἰσθμιχοὺς πένταθλον.

1. Coorum ludi fuerunt Ἀσκλαπεῖα (cf. Dittenberger, n. 676), Καισάρηα et Ἀγρίππηα; illis
autem honoribus coluerunt C. Caesarem, Augusti nepotem, cum missus est ad res Orientis
componendas, annis 1 ante C. n.-4 post C. n., et patrem ejus Agrippam, qui Asiam
rexit inter annos 18 et 13 ante C. n.

1065. In oppido Co. — Dittenberger, *Sylloge inscr. gr.*, ed. II (1900), n. 678.

......το[ν] ......οδώρου, | νιχάσαντα | [Ἰσ]θμια ἄνδρας πένταθλον · | [Ἐλε]υ-
⁵ σίνια τὰ μεγάλα ἄνδρας πένταθλον · ‖ [Ῥω]μαῖα τὰ τιθέμενα ὑπὸ τοῦ δάμου ¹
παῖδας | Ὀλυμπιχοὺς στάδιον · Καισάρηα ἐν Μητροπόλει ² | [π]αῖδας στάδιον ·
Ῥωμαῖα τὰ τιθέμενα ὑπὸ τοῦ | δάμου παῖδας Ἰσθμιχοὺς στάδιον, δίαυλον, |
¹⁰ πένταθλον τᾷ αὐτᾷ ἀμέρᾳ · Ἐχατήσια ἐν ‖ [Σ]τρατονιχήᾳ παῖδας Ἰσθμιχοὺς
πέν|[τ]αθλον · Θεογάμια ³ ἐν Νύσῃ παῖδας Ἰσθμι|[χ]οὺς πένταθλον · Κλάρια ἐν
Κολοφῶνι | [παῖδ]ας [Ἰ]σθμιχοὺς πένταθλον · Ἀρχηγέ|[σια] ⁴ ἐν Ἀλιχαρνασσῷ
¹⁵ παῖδας Ἰσθμιχοὺς ‖ [πέ]νταθλον · Ἐχατήσια ἐν Στρατονιχήᾳ | [ἀγ]ενείους πέν-
ταθλον · Ἀρχηγέσια ἐν Ἀλι[χ|α]ρνασσῷ ἀγενείους πένταθλον · Ἐλευ[σ|ίνι]α τὰ
χαὶ Καισάρηα ἄνδρας πέντα|[θλον] · Καισάρηα τὰ τιθέμενα ὑπὸ τοῦ δάμου ‖
²⁰ [ἄ]νδρας πένταθλον · | [Ἀπο]λλωνίεια ἐν Μύνδῳ πένταθλον · | ..... [ἐν] Ἀλι-
χαρνασσῷ πένταθλον, ἐπιστατεῦντος | ......ου τοῦ Πυθοδώρου.

1. Coorum ludi fuerunt Ῥωμαῖα et Καισάρηα τὰ τιθέμενα ὑπὸ τοῦ δάμου. Cf. vv. 7, 19. —
2. Metropolis, urbs Lydiae, Epheso vicina. — 3. Cf. nummos Nysae : Eckhel, *Doctr.*
nunm., IV, p. 454. — 4. In honorem Apollinis Ἀρχηγέτου.

1066. In oppido Co. — Herzog, *Koische Forschungen und Funde* (1899), p. 92, n. 115.

Γα. Ἰούλιος | Πρωτόχ(τ)ητος | [ἀ]ρχιατρός.

1067. In oppido Co. — Paton et Hicks, *The inscriptions of Cos* (1891), p. 197, n. 282.

...Κοσ[σεινί]|ου Βάσσου [ἀρ]|χιατροῦ ἐτῶ[ν] | κα'.

1068. In oppido Co. — Paton et Hicks, *The inscriptions of Cos* (1891), p. 156, n. 137.

> Οὐ μόνον [ἀθλητῆρας ἀμύμ]ονας, ὦ χρυσέα Κῶ, |
> ὑ[μ]ῖν ο[ὑ]x...... [φαίδι]μος οἶκος ἔχει, |
> ἀλλ' ἴδε καὶ 0...... [ἀ]οίδιμος ἄδε ἀνέτειλε, |
> Δ[έ]λφις ἐπεὶ Μου[σ]ᾶν [ἤψ]α[τ]ο 'Ολυμπιάδων ¹ ‖
> καὶ ....σκρα τέτευχε.

1. Poeta fuit ille Delphis.

1069. In oppido Co. — Herzog, *Koische Forschungen und Funde* (1899), p. 102, n. 162.

> Ἥρως 'Αχιλλεύς, | [ο]ὑ Θέτιδος, ἀλλ' 'Ελπίδος ¹, |
> Κῷος τραγῳδὸς, | ἤιθεος χρηστὸς ‖ τρόπους.

1. Matrisne fuerit nomen, an patris, non adeo certum est.

1070. In oppido Co. — Paton et Hicks, *The inscriptions of Cos* (1891), p. 176, n. 189.

> Αὐλ..ατανίου Παιδέρω[τος]. | καὶ | Τι6. Κλαυδίου Δημητριανο[ῦ] | οὐε-
> τρ[ανοῦ].

1071. In oppido Co. — Paton et Hicks, *The inscriptions of Cos* (1891), p. 203, n. 309.

> Μάρκου Σπεδίου Νάσωνος πορφυροπώλου, | 'Ελπίδος Σπεδίας πορφυροπώ-
> [λιδος].

1072. In oppido Co. — Paton et Hicks, *The inscriptions of Cos* (1891), p. 137, n. 138.

In anaglyphis gladiatorum duorum, qui inter se pugnant :

(*Retiarius*) ......κριτος. | 'Απελύθη | ἔξω | λούδου ¹. |
(*Secutor*) Μαρίσκος.

1. Solutus est ludo = donatus est rude.

1073. In oppido Co. — Paton et Hicks, *The inscriptions of Cos* (1891), p. 157, nn. 139, 140.

In anaglyphis gladiatorum duorum Samnitum :

139. Δροστνος.

140. Ἡρακλείδης.

1074. In oppido Co. — Paton et Hicks, *The inscriptions of Cos* (1891), p. 204, n. 312.

[Κ]αλλινέα τῷ ἰδίῳ | ἀνδρὶ, μνείας χάριν, | Οὐνίωνι, νει(κήσαντι) ιε' [1].

1. Amphitheatro, ut putant editores.

1075. In oppido Co. — Paton et Hicks, *The inscriptions of Cos* (1891), p. 158, n. 141.

5 Φαμιλία μονο|μάχων καὶ ὑπό|μνημα κυνηγε|σίων Νεμερίου ‖ Καστρικίου |
10 Λευκίου Πακω|νιανοῦ, Ἀσιάρχου, | καὶ Αὐρηλίας | Σαπφοῦς Πλά‖τωνος Λικιν-
νια|νῆς, ἀρχιερείης, | γυναικὸς αὐτοῦ [1].

1. Cf. titulos nn. 103, 156, etc.

1076. In oppido Co. — Herzog, *Koische Forschungen und Funde* (1899), p. 74, n. 50.

Γαίου Ἑλουίου Γαίου | Ῥωμαῖος (Γ)άιος [1] | ἐξελεύθερος τῷ αὐτοῦ | πάτρωνι
5 ἐπέθηκε τὸν ‖ βωμόν.

1. Ita lapis. Videtur scribendum esse : Γαίῳ Ἑλουίῳ Γαίου (υἱῷ) Ῥωμαίῳ (Γ)άιος.

1077. In oppido Co. — Paton et Hicks, *The inscriptions of Cos* (1891), p. 205, n. 316.

Φουρία Λευκίου | ἡ καὶ Ἀμμιὰς Ῥωμαία, | χαῖρε.

1078. In oppido Co. — Herzog, *Koische Forschungen und Funde* (1899), p. 87, n. 96.

Μίκκη | Ἱππάρχου | Ῥωμαία. | χαῖρε.

1079. In oppido Co. — *C. I. L.*, III, 12262.

[C]n. [L]ael[i]us | Cn. [f]. Viuit. |
[Γ]να[τ]ος Λαί[λιος]. Ζῆ.

1080. In oppido Co. — *C. I. L.*, III, 12263.

[P.] Ofilli 'Ιυι... |
Ποπλίου Ὀφελ[λίου]......

1081. In oppido Co. — *C. I. L.*, III, 12264.

Cn. Paconius | A. l. Dionysius. |
Γναῖος Παχώνιος | Α[ὔλ]ου Διονύσιος.

1082. In oppido Co. — Paton et Hicks, *The inscriptions of Cos* (1891), p. 206, n. 319.

```
5    ........ | ἐχχω[ρ]ῆσα[ί τ]ι|νι, ἢ δόλῳ τ[ι]νὶ | [π]ονηρῷ ' μετ[α]‖κεινῆσαι · εἰ
10   δὲ | μὴ, [β]ούλομαι | τὸν τοῦτο πο[ι]|ήσαντα ὑπεύ|θυνον ἔσεσ‖θαι τ[ῷ] φίσκῳ, |
15   ἐνθύ[μι]ον ἔ[χ]ο[ν]|τα ὡς παριδό[ν]|τα μὲν τὰ π[ε]ρὶ | τούτων νενο‖μοθετη-
20   μέ[ν]α, | ἀσεβήσαντα | δὲ ἰς τοὺ[ς] | καταχθο|νίους θεοὺς ‖ τῆς στήλης.
```

1. Dolo malo.

1083. In oppido Co. — Herzog, *Koische Forschungen und Funde* (1899), p. 55, n. 14.

....	....	
Χ[ω](ρίον) Κέλερ[ος?]	....	
Χω(ρίον) Περίβολος	[ζ(υγὸν)] ιλο[β?]	
Χω(ρίον) Ἀγρίδιον	ζ(υγὸν) γλυ/α? ‖
Χω(ρίον) Δεκαστάδιον	ζ(υγὸν) μψ	
Χω(ρίον) Ἀκίμου	ζ(υγὸν) ςιμσν	
Χω(ρίον) Μεγάλου ἀγροῦ μέρ(η) δ'	ζ(υγὸν) Ϛεχε/αφ	
Κῆπος	ζ(υγὸν) δκρψν	
Κῆπος ἐξ (ἀπογραφῆς) Ἱρμίου	ζ(υγὸν) ϛρ ‖

10 Κῆπος ἐξ (ἀπογραφῆς) Μενεσ(τ)ράτης ζ(υγὸν) ..... |

....

Fragmentum est jugationis in agro Coo factae; cf. nn. 109-113, 1039-1041 et titulos similes ejusdem ferme aetatis repertos Therae, Trallibus et Magnesiae ad Maeandrum, qui infra edentur. His siglis lapicida usus est : Ӿ = χω(ρίον), ζ = ζ(υγὰ), Eξ = ἐξ (ἀπογραφῆς). Numeris partes jugorum indicantur.

V. 3. /α; millium numerus transversa linea notatus est.

V. 6. μέρ(τ) δ'; profecto quatuor partes haereditatis nondum divisae, ut in titulo n. 109, VI, 7. Quid vero sibi velit nota S, vix liquet; fortasse semis.

V. 8-9. ἐξ (ἀπογραφῆς). Cf. jugationes Therae et Magnesiae. Ἀπογραφὴ Μενεστράτης nihil aliud esse potest nisi descriptio bonorum illius feminae a censitoribus facta. Marquardt, Organ. financ., p. 275.

Ἰρμίου, lectio incerta.

1084. Phyxae. — Herzog, *Koische Forschungen und Funde* (1899), p. 132, n. 197.

........[ὑπὲρ τῆς] | Μάρκ[ου Αὐρηλίου Ἀντωνείνου καὶ] | Λουκί[ου Σε]πτι-
5 μίου [Γέτα Εὐσεβῶν] | Σεβαστῶν Ἀραβικῶν Ἀδια[βηνικῶν] ‖ Παρθικῶν μεγίσ-
των ¹ τύχης [καὶ νί]|κης [καὶ] εἰς αἰῶνα διαμονῆς | Πετικία Βασίλλα Βάσσα τῶι
Φυ|ξιωτῶν δήμωι ἀνέθηκεν | τὸν Διόνυσον.

1. Anno 211/212 post C. n.

1085. Phyxae. — Paton et Hicks, *The inscriptions of Cos* (1891), p. 219, n. 338.

5   [Λ]ουκ[ίου | Κ]οσσειν[ίου] | Κάζτορο[ς] | νομικο[ῦ] ‖ ἐτῶν: .....

1086. Pelae. — Dittenberger, *Sylloge inscr. gr.*, ed. II (1898), n. 368.

......[Γάιον Στερτίνιον] | Ἡρακλείτου υἱὸν Κορνη|λίᾳ Ξενοφῶντα, τὸν | ἀρχια-
5 τρὸν τῶν θεῶν Σε|βαστῶν ¹ καὶ ἐπὶ τῶν Ἑλλη|νικῶν ἀποκριμάτων ², χει-
[λ]ιαρχήσαντα καὶ ἔπαρχον | γεγονότα τῶν ἀρχιτεκτό|νων ³ καὶ τιμαθέντα ἐν τῶι
10 [κατὰ] ‖ Βρεταννῶν θριάμβωι ⁴ στεφάν[ωι] | χρυσέωι καὶ δόρατι, δάμου [υ]ἱὸ[ν, |
φιλονέρων]α, φιλοκαίσαρα, [φιλο|σ]έβαστον, φιλορώμαιον, φιλ|όπατριν, εὐεργέ-
15 την τῆς πατρί[δ]ος, ἀρχιερέα τῶν θεῶν ⁵ καὶ ἱερέα δι|[ὰ βί]ου τῶν Σεβαστῶν ⁶

καὶ Ἀσκλαπίου | [καὶ] Ὑγίας καὶ Ἠπιόνης, ἱεροταμιεύ|οντος Μάρκου Σε[π]τι-
20 κίου Μάρκου | [υἱ]οῦ Ῥούφου καὶ Ἀρίστωνος τοῦ ‖ Φιλοκλέους φιλοκαισάρων.

1. Cf. titulos nn. 1048, 1053, 1058-1060. — 2. A graecis responsis, quae legationibus
ad imperatorem missis dabantur. — 3. Praefectus fabrum. — 4. Britannicus Claudii
triumphus actus est anno 44 post C. n. — 5. Sacerdos maximus Divorum omnium. —
6. Sacerdos Neronis et Agrippinae. Cf. Herzog, *Koische Forschungen und Funde* (1899),
p. 195. — 7. Aesculapium cum uxore Epiona et filia Hygia quo cultu prosecuti sint Coi,
nemo est qui nesciat. De scola medicorum, quae apud eos floruit, cf. Herzog, *op. cit.*,
p. 199 : *Die Universität Kos.*

1087. Halente. — Paton et Hicks, *The inscriptions of Cos* (1891), p. 221, n. 344.

Ἐπὶ μον(άρχου) [1] Ἀντάνορος, ἱερέως δὲ Αὐ|τοκράτορος Καίσαρος Θεοῦ
υἱο[ῦ] | Σεβαστοῦ Νεικαγόρα τοῦ Δαλιο|κλέους, μη(νὸς) Ἀρτ(αμιτίου) δ' ἱ(στα-
5 μένου) [2], τοὶ κατοικεῦντες ‖ ἐν τῷ δάμῳ τῶν Ἀλεντίων καὶ το[ὶ] | ἐνεκτημένοι
καὶ τοὶ γεωργεῦντε[ς] | ἐν Ἄλεντι καὶ Πέλῃ [3], τῶν τε πολειτᾶν | καὶ Ῥωμαίων
10 καὶ μετοίκων, ἐτείμασαν | στεφάνῳ χρυσέῳ Ἰσίδωρον Νεικάρχο[υ] ‖ ἰατρὸν
δαμοσιεύοντα, ἀρετᾶς ἕνεκα τᾶς | περὶ τὰν τέχναν καὶ τὸν ἄλλον αὐτοῦ βίο[ν] |
καὶ εὐνοίας τᾶς ἐς αὐτὸς, ἄνδρα πᾶσαν | ἐνδεδειγμένον ποτὶ πάντας εὔνοιαν | καὶ
15 σπουδάν. Καθειέρωσαν δὲ τὰ[ν] ‖ στάλαν παρὰ τὰν καθειδρυμέναν [εἰ]|κόνα τοῦ
Σεβαστοῦ, δαμαρχεῦν|τος [4] Νεικομάχου τοῦ Ἀνθίππου | τοῦ β'.

1. Cf. n. 1060. — 2. Die IV ineuntis mensis Artemisii, qui quando inceperit disputatur.
Cf. Paton et Hicks, p. 327. — 3. Pela, idem vicus Coorum, qui nunc appellatur Pili.
— 4. Summus vici Halentis magistratus.

1088. Halente. — Paton et Hicks, *The inscriptions of Cos* (1891), p. 225, n. 347.

[Ὁ δᾶμος ὁ Ἀλεντίων|...... Σε]6α|σ[τ]ῷ Διὶ Σ[τ]ρατίῳ ἱλασ|τήριον, δαμαρ-
5 γεῦν‖τος Γαίου Νωρ|6ανοῦ Μοσχίω|νο[ς φι]λοκαίσα|ρος.

1089. Hippiae. — Herzog, *Koische Forschungen und Funde* (1899), p. 122, n. 179.

....[Καί]σαρος Κλ[αυδίου ?]...|... Φίλιννα... | Καλλὼ ...|. Νόημα Πλ... ‖
5 Ὀφελλία ..|.. Λουκίλλ.. | ..... [1].

1. Traditur ΘΕ𝖵ΙΙ. Titulum posuit aliqua feminarum sodalitas.

1090. Hippiae. — Herzog, *Koische Forschungen und Funde* (1899), p. 121, n. 176.

Καίσαρα Κλαύδιον | [Νέρωνα] Γερμανιχὸν | ὁ δᾶμος ὁ Ἱππιωτ[ᾶν].

1091. Hippiae. — Herzog, *Koische Forschungen und Funde* (1899), p. 121, n. 178.

............των σ...... | ... [Καί]|σαρα........

1092. Hippiae. — Herzog, *Koische Forschungen und Funde* (1899), p. 117, n. 175.

Mutilus index summarum, quas ad opus aliquod ignotum contulerunt viri et feminae omnis generis. Inter multa Graecorum haec Romanorum nomina notare satis erit :

V. 1. ......Νεμερίου < ν̄.
V. 2. ...ίας Νουμηνίου χε.
V. 3-4. Ζωσάριν Νουμη|νίου.....
V. 4-5. Ζωσίμη Νου|μηνίου....
V. 9. Κοσσουτία....
V. 15. Μετείλιος......
V. 16. Πώλλα Καιχιλία < ε̄
V. 22. Ῥοπίλιος Ἀγαθόπους.....

Sigla < drachmae, aut fortasse denarii notati sunt.

1093. Hippiae. — Paton et Hicks, *The inscriptions of Cos* (1891), p. 231, n. 362.

Φιλοσεβάστου δάμου | Κώων ὁ ἱερεὺς Σωσιχλῆς | Μενιππίδου φιλόκαισαρ | χαθιέρωσεν.

1094. Halasarnae. — Herzog, *Koische Forschungen und Funde* (1899), p. 229, n. 222.

Ὁ δᾶμος | ὁ Ἀλασαρνιτᾶν | Γαίωι Ἰουλίωι Θεοῦ Σεβαστοῦ | υἱῶι Καίσαρι
5 νέωι θεῶι ¹ ‖ τὸν [βω]μόν.

1. Inter annos 1 et 4 post C. n. Cf. n. 1064.

1095. Halasarnae. — Herzog, *Koische Forschungen und Funde* (1899), p. **229**, n. **223**.

Ὁ δᾶμος Ἀλασαρνιτᾶν Ἰουλίαν, | γυναῖκα Ἀγρύππα, θυγατέρα Σεβα|στοῦ Καίσαρος ', εἰκόνι Ἀρτάμιδος.

1. Inter annos 17 et 13 ante C. n., cum Julia Agrippam in Asiam comitata est. *Prosop. imp. rom.*, II, p. **222**, n. **420**.

1096. Halasarnae. — Herzog, *Koische Forschungen und Funde* (1899), p. **123**, n. **185**.

Τιβερίου Καίσαρος Τύχη[ι?].

1097. Halasarnae. — Paton et **Hicks**, *The inscriptions of Cos* (1891), p. 264, n. 373.

Ὁ δᾶμος ὁ Ἀλ[α]σαρ|νιτᾶν ἐτίμασ[ε | Νέρωνα] Κλαύδιο[ν] | Καίσαρα
5 Δροῦσον ‖ Γερμανικὸν ' | διὰ ναποᾶν | [τ]ῶν σὺν Ἀττάλ(ῳ) ² | τοῦ Εὐριπίδου.

1. Nero imperator. — 2. Ἀττάλου lapis. Cf. nn. 991, 1098.

1098. Halasarnae. — Herzog, *Sitzungsber. der Akad. zu Berlin*, 1901, p. 493, n. 5.

Ὁ δᾶμος ὁ Ἀλασα[ρ]|νειτᾶν καθιέρωσε | Σεβαστὰν Ὁμονοίαν | [Δρου-
5 σίλλαν] ' ‖ διὰ ναποᾶν ² Λεω|νίππου τοῦ Ἀρτεμιδώρου, | Αὔλου Τερεντίου |
10 Αὔλου υἱοῦ, | Μάρκου Κοιλίου Μάρκου ‖ υἱοῦ πρεσβυτέρου, | φιλοκαισάρων.

1. Julia Drusilla a Caligula fratre, imperium adepto (anno 37 post C. n)., summis honoribus ornata, anno 38 decessit et Divis adscripta est. *Prosop. imp. rom.*, II, p. **228**, n. **439**. Ejus nomen hic erasum esse jure mireris. — 2. Templi curatores. Cf. nn. 991, 1097.

1099. Halasarnae. — Herzog, *Sitzungsber. der Akad. zu Berlin*, 1901, p. 493, n. 6.

Ὁ δᾶμος ὁ Ἀλασαρνιτᾶν | καθιέρωσεν | Τιβέριον Κλαύδιον Γερμανικὸν |
5 Καίσαρα Σεβαστὸν τὸν ‖ ἑαυτοῦ σωτῆρα καὶ εὐ|εργέταν.

1100. Halasarnae. — Herzog, *Koische Forschungen und Funde* (1899), p. 135, n. 212.

['Ο δᾶμος ὁ Ἀλασαρνιτᾶν] | καθιέρωσεν Νικαγόρᾳ ¹ Εὐδάμου, | φιλοπάτριδι, δάμου υἱῶι, ἥρωι ², | φιλοκαίσαρι.

1. Profecto pater Ti. Claudii Alcidami, ex gente C. Stertinii Xenophontis, ut putat editor. Cf. *Ibid.*, p. 189. — 2. Vivus videtur etiamtum fuisse. Cf. Keil, *Hermes,* XXXII, 300.

1101. Halasarnae. — Herzog, *Sitzungsber. der Akad. zu Berlin,* 1901, p. 483, n. 4. Catalogus est sacerdotum 133, quorum quisque quoque anno Apollinis templo praefuit ab anno 30 ante C. n. ad annum 103 post C. n. Inter Graecos 73 inscripti sunt 12 alii, quibus indita sunt romana nomina, Romani autem 40; utrosque hic placuit excerpere, ut appareat qui et quo profectu Romani sese Cois miscuerint.

Anno 14 ante C. n. Μᾶρκος Σθένιος Λευκίου υ(ἱὸς). |

12 — Γάιος Ἰούλιος Εὐαράτου | υἱὸς Εὐάρατος ¹. |

8 — Γάιος Τρέβιος Ἀλαφάις. |

2 — Γάιος Μάρκιος Γαίου υἱὸς | Κράσσος. |

1 post C. n. Λεύκιος Αὐρήλιος Εὐδά|μου υἱὸς Διδύμαρχος. |

2 — Κόιντος Πομπήιος Κόιν|του υἱὸς Φλάκκος. |

4 — Πόπλιος Ῥοπίλλιος Πο|πλίου υἱὸς Λονγεῖνος. |

9 — Μᾶρκος Αἰμίλιος Γαίου υἱὸς | Ῥοῦφος. |

23 — Μᾶρκος Κοίλιος (Μ)άρχου | υἱὸς Ῥοῦφος. |

26 — Γάιος Κάσιος Γαίου | υἱὸς Ῥοῦφος. |

29 — Λεύκιος Στάτιος | Λευκίου υἱὸς Ῥοῦφος. |

33 — Μᾶρκος Κοίλιος Μάρκου | υἱὸς πρεσβύτερος. |

35 — Γάιος Ἐτερήτιος Ποπλίου | υἱὸς Λαῦτος, δήμου υἱ|ὸς, ἥρως νέος, φιλοσέ|βαστος. |

36 — Μάνιος Σπέδιος | Φαῦστος. |

44 — Μάνιος Σπέδιος Φαῦστος | τὸ δεύτερον κατὰ Ἀσκλα|πῖα τὰ μεγάλα ². |

50 — Μα. Κοίλιος Μα. υἱὸς | Καπίτων. |

53 — Γάιος Βετληνὸς Γα. | υἱὸς Βάσσος. |

55 — Κο̄. Πλώτιος Κο̄. υἱὸς Ῥοῦφος. |

56 — Αὖλος Μανίλιος Ἀγαθη|μέρου υἱός. |

57 — Πο. Γράνιος Πο. υἱὸς Ῥοῦφος. |

59 — Μᾱρ. Ἀν[τώ]|νιος Μ[ᾱρ.] | υἱὸς Κό[γνι]|τος. |

60 — Μᾱρ. Κοίλιος | Μᾱρ. υἱὸς Λον|γῖνος. |

64 — Αὖλος Μανίλιος | Αὔλου υἱὸς Ῥοῦ|ρος [3] ⸺. |

65 — Πο. Τερέντιος | Ἀγαθοκλῆς. |

66 — Γαῑ. Κάσιος Γαῑ. | υἱὸς Ῥοῦφος. |

67 — Λεύκιος Ἀντών[ι]|ος Λευ. υἱός. |

70 — Γαῑ. Κάσιος Γαῑ. | υἱὸς Νίγρος. |

72 — Γαῑ. Κάσιος Γαῑ. | υἱὸς Ῥοῦφος νε(ώτερος). |

73 — Λεύ. Ἀντώνιος | Λευ. υἱὸς Βάσσος. |

74 — Λεύ. Σέργιος | Λευ. υἱὸς Πωλ|λίων.

75 — Γᾱ. Κάσι|ος Γᾱ. υἱὸς Πούλχερ ⸺. |

76 — Πο. Ἑτερήιος Ἰλα|ρίων · ἐπὶ τούτου | οἱ νόμοι ἀπο|κα-
τεστάθησαν [4]. |

77 — Κο. Πλώτιος Γᾱ. | υἱὸς Ῥοῦφος. |

79 — Μ. Σερβίλιος Ῥοῦφος. |

81 — Γᾱ. Κάσιος Γᾱ. υἱὸς Νίγρος. |

83 — Ῥουφίων Ἀγαθαγγέλου. |

86 — Γάιος Στερτίνιος Ἡγούμενος [5]. |

87 — Γάιος Βίβιος Γαίου υἱὸς Κλωδιανός. |

88 — Αὖλος Πακώ(νιος) Αὔ(λ)ου υἱ(ὸς) Εἰχα?

89 — Μαρ. Ἀντώνιος Μαρ. υἱ|ὸς Κόγνιτος νε(ώτερος). |

90 — Πο. Ἑτερήιος Πο. υἱὸς Φιλόξενος. |

91 — Γάιος Κάσιος Γαίου υἱὸς Νίγρος. |

93 — Πο. Ἑτερήιος Πο. υἱὸς Γληνός. |

94 — Πωλλίων β΄ Σεργιανός. |

95 — Λου. Οὐιψτάνιος Λου. υἱὸς | Φιλόφρων, ὃς μετὰ τὸ
μο(ναρχῆσαι) Κώων | ἱεράτευσε γεννηθεὶς ἐν Ἀλα-
σάρνῃ. |

97 — Μᾱρ. Σεπτικίου Μᾱρ. υἱοῦ Ἑρμέρωτος. (sic) |

98 — Μᾱρ. Σεπτίκιος Μᾱρ. υἱὸς Ἀλέξανδρος. |

99 — Γάιος Πετίκιος Γᾱ. υἱὸς Ῥοῦφος. |

100 — Κο. Καίσιος Κο. υἱὸς Κλουέντος. |

101 — Πωλλίων β΄ Σεργιανὸς ἱε|ρεὺς τὸ β΄. |

102   —   Γᾶ. Πο. Ἐτερήιος Πο. υἱὸς Φρού|γι μετὰ τὸ ἀρχιερατεύ-
σαι | αὐτόν. |

103   —   Εὔϐουλος Φαύστου.

1. Ab Augusto donatus civitate, amicitia junctus Alexandro, filio Herodis I, regis Judaeorum. Joseph. *Bell.* I, 532; *Ant.* XVI, 312. Cf. n. 1043. — 2. Cum eo anno agerentur ludi Aesculapii quinquennales, maxima Coorum celebritas, illi sacerdotio major impensa, plus etiam splendoris addebatur. — 3. Serpens baculo circumvolutus (⌇⌇⌇), Aesculapii insigne, medicum notat. Medicina autem Romae praestitisse Cassios (cf. infra) auctor est Plinius, *Hist. nat.*, XXIX, 7. Multi juvenes, qui Coum confluebant ex Italia, ut medicinae studerent, cum nobilissimo quoque Coorum sociabantur. — 4. Illo sacerdote leges templi restitutae sunt. — 5. Profecto gentilis Xenophontis Coi illius medici. Cf. nn. 1048, 1053, 1058-1060, 1086.

1102. Antimachiae. — Paton et Hicks, *The inscriptions of Cos* (1891), p. 281, n. 391.

[Ἐ]νιαυτοῦ πρώτου τᾶς | [Γαί]ου Καίσαρος, Γερμανικ|οῦ υἱοῦ, Γερμανικοῦ
Σεϐα|στοῦ ἐπιφανείας ¹, δαμα||ρ̣γεύοντος Σέξτου Ποπιλλίο[υ] | .... υἱοῦ Ῥούφου
φιλο|καίσαρος ......μου.

1. Anno 1 postquam Caligula, imperio potitus, hominibus apparuit, 37 post C. n.

1103. Antimachiae. — Paton et Hicks, *The inscriptions of Cos* (1891), p. 282, n. 393.

Ὁ δᾶμος ὁ Ἀντιμαχιδᾶν | καὶ Αἰγηλίων καὶ Ἀργιαδᾶν ¹ | καθιέρωσεν Τιϐέ-
ριον Κλαύδιον | Γερμανικὸν Καίσαρα Σεϐαστόν.

1. Aegelus, Archia, vici prope Antimachiam incerti. Cf. Paton et Hicks, n. 394 et p. 358.

1104. Isthmi. — Paton et Hicks, *The inscriptions of Cos* (1891), p. 295, n. 411.

Ὁ δᾶμος ὁ Ἰσθμιωτᾶν καθιέρωσε | Σεϐασταν θεὰν Δαμάτραν ¹ καὶ τὸ | ἱερόν.

1. Ceres Augusta, una profecto Agrippinarum. Cf. nn. 22 et 23.

1105. Isthmi. — Paton et Hicks, *The inscriptions of Cos* (1891), p. 295, n. 410.

Αὐτοκράτορα Καίσαρα Οὐεσπασι|ανὸν Σεϐαστὸν ἀρχιερῆ<ι>, δημαρχι|κῆς

5 ἐξουσίας, πατέρα πατρίδος, ὕπα|τον τὸ πέμπτον ¹, ‖ ὁ δᾶμος | ὁ Ἰσθμιω<ι>τᾶν
καθιέρω<ι>σεν.

1. Et trib. pot. etiam V = anno 74 post C. n.

1106. Isthmi. — Paton et Hicks, *The inscriptions of Cos* (1891), p. 296, n. 415.

Αὐτοκ[ράτορα Καίσαρα | Τ]ίτον Αἴ[λιον Ἀδριανὸν] | Ἀντων[εῖνον Σεβαστὸν |
5 Ε]ὐσεβῆ, [πατέρα πατρίδος, ‖ τ]ὸν ἑαυτ[ῶν εὐεργέτην, ἐ]|πὶ ἄρχον[τος ?]...|.....

1107. Isthmi. — Paton et Hicks, *The inscriptions of Cos* (1891), p. 295, n. 413.

Ὁ δᾶμος ὁ Ἰσθμιωτᾶν | καθιέρω<ι>σεν | [Γ. Σεπτίμιον Γέταν] | Καί-
σαρα Βρετανικόν.

1108. Isthmi. — Paton et Hicks, *The inscriptions of Cos* (1891), p. 294, n. 409.

Ὁ δᾶμος ὁ Ἰσθμιω|τᾶν ἐτίμασεν τιμαῖς | τρίταις Σάτυρον Θε|μιστοκλέους
5 ἰατρὸν ‖ στεφάνῳ χρυσέῳ | ἀπὸ χρυσῶν ν ¹ καὶ εἰ|κόνι χαλκῇ, ἀρετᾶς | ἕνεκεν
10 τᾶς κατὰ τὰν τ|[έ]χναν καὶ εὐνοίας τᾶς ‖ ἐς αὐτόν.

1. Corona aurea aureorum (staterum) quinquaginta.

INSULA NISYRUS

1109. Nisyri. — *I. Gr.*, XII, m, n. 100.

Τὸν γῆς καὶ θαλάσσης | δεσπότην Αὐτοκράτορα | Καίσαρα M. Αὐρ. Σεουῆ-
5 ρ[ον | 'Αντωνεῖνον] ¹......❚.........

1. Caracalla.

1110. Nisyri. — *I. Gr.*, XII, m, n. 104, et *Suppl.*, p. 277. Cf. Wilhelm, *Oester.*,
Jahreshefte, III (1900), p. 50; Hiller von Gärtringen, *Ibid.*, IV (1901), p. 161.

Γνωμαγόραν Δωροθέου | Νεισύριον | στρατευσάμενον ἐν τριημιολίᾳ, ᾇ ὄ|νομα
5 Εὐανδρία Σεβαστὰ ¹, καὶ στεφανω❚θέντα ὑπὸ τᾶν βουλᾶν ² πλεονάκις χρυ|σίοις
στεφάνοις καὶ ἱερατεύσαντα ἐν Νισύ|ρῳ τῶν Σεβαστῶν καὶ δαμιουργήσαντα καὶ
γυμνασιαρχήσαντα<ν> ἐν Νισύρῳ καὶ θέν|τα τὸ ἔλαιον πᾶσι ἐλευθέροις καὶ
τοῖς κατοικοῦσι ἐν Νισύρῳ καὶ τοῖς παρεπιδαμεῦ|σιν ἐπὶ μῆν(α)ς ιγ' ³, καὶ γενό-
10 μενον εὐάρε❚στον πᾶσι τοῖς κοινείοις τοῖς ἐν Νισύρῳ | καὶ στεφανωθέντα ὑπὸ
Ἑρμαιζόντων ⁴ χ|ρυσέοις στεφάνοις πλεονάκις, καὶ ὑπὸ Ἀφρο|δισιαστᾶν Σύρων
15 καὶ ὑπὸ Διὸς Μιλιχιαστᾶν ⁵, | [καὶ] τειμαθέντα ὑπὸ αὐτῶν καὶ στεφανωθέν❚τα
ὑπὸ Διον]υσιαστᾶν Εὐ[ρυθεμιδ]ίων τῶν σὺν |.........

1. « In classe maris Aegaei, quae Corinthi cogebatur e sociis, » (Wilamowitz) navar-
chus fuit biremis, cui duo semis erant remorum ordines (τριημιολία) : Cecil Torr, ap.
Daremberg et Saglio, *Dict. des antiqu.*, s. v. *Navis*, p. 27. Illa autem biremis vocabatur
Virtus Augusta. — 2. Apud Rhodios, quorum reipublicae particeps erat Nisyrus, senato-
rum binae classes quoque anno civitatem administrabant, ita ut officio suo vicissim
fungerentur senatus hibernus et aestivus : Cic., *De rep.*, III, 35, 48 ; Theod. Reinach,
Rev. des études gr., XVII (1904), p. 208. — 3. μῆνες lapis. Κατοικοῦσι = μετοικοῦσι, metoe-
cis ; παρεπιδαμεῦσιν = ξένοις. Cf. Schumacher, *De republ. Rhodior.*, diss. Heidelberg.,
1886, p. 35. — 4. Collegium Ἑρμιστᾶν, Mercurium colentium, Rhodi memoratum est :
I. Gr., XII, ı, nn. 101, 156, 162. — 5. De Dea aut Venere Syra cf. Cumont ap. Daremberg
et Saglio, *Dict. des antiqu.*, s. v. ; de Jove Milichio, sive miti, cf. Höfer apud Roscher,
Lexikon der Mythologie, II, p. 2558.

INSULA SYME

1111. Symes. — *I. Gr.*, XII, ɪɪɪ, n. 7. In clypeo :

5　　Γάιος Ῥωμαῖ[ος] | στρατευσάμενος ¹ | ὑπὲρ | Ἀμύντα Ἀριστέως, ‖ ἡγεμόνος
ἀμίσθου | [κα]τὰ Ἄλεια ², | εὐνοίας ἕνεκα, | θεοῖς.

1. « Fortasse militabat homo Romanus in classe Rhodia contra Mithridatem; » Wila-
mowitz. Litteras primi fere ante C. n. saeculi esse testatur editor. — 2. Saepius vocatae
sunt Ἄλεια feriae Solis Rhodiae, de quibus cf. Dittenberger, *De sacris Rhodior.*, diss.
Halens., I (1886), p. v. Sacris celebrandis impensa sua praefuerat Amyntas.

INSULA CHALCE

1112. Chalces. — *I. Gr.*, XII, ɪ, n. 959.

5   [Τι]βέριον Κλαύδιον | ....λαν Θεόπροπο[ν | τὸν κράτ]ιστον ὑπατ[ικὸν ¹ | Μᾶρ-χος] Αὐρήλιος ‖ ......

1. Cos. suffectus anno incerto saeculi ɪɪ vel ɪɪɪ : *Prosop. imp. rom.*, I, p. 402, n. 826. Pater ejus fuisse videtur Theopropus Olympionica, ex gente Rhodi nobili : Kaibel, *Epigr. gr.*, 934.

INSULA RHODUS

1113. Rhodi. — *I. Gr.*, XII, ι, n. 41.

Τιμαχράτη Πολυχάρμου | στρατευσάμενον ἔν τε τ[α]ῖς ἀφ[ρά]χτοις [καὶ] |
5 ταῖς καταφράχτοις ναυσὶ κατὰ πόλεμον | μετὰ ναυάρχ[ω]ν ‖ Δα[μ]α[γ]όρα τοῦ
Εὐφράνορος¹, | Αὐτοχράτευς τοῦ Ἀνδ[ραγόρ]α, | καὶ τιμα[θ]έντα ὑπ[ὸ τοῦ
κοιν]ο[ῦ τῶν] | μετ' α[ὐτοῦ συ]νστρατ[ευσαμ]έν[ω]ν, | Πολύσ[τρατ]ος Σ......ος, ‖
10 καθ' ὑο< καθ' ὑο >[θεσί]αν [δὲ ......, | Διὶ] Σωτ[ῆρι?].

1. Profecto ille idem est Damagoras navarchus, Romanorum socius, qui contra Mithridatem feliciter pugnavit anno 88 ante C. n. : Appian., *Bell. Mithrid.*, 23. Cf. Willrich apud Pauly et Wissowa, *Realencyclop.*, IV, p. 2027.

1114. Rhodi. — *I. Gr.*, XII, ι, n. 43.

.... στρατευσάμενον κατὰ πό[λεμον] ¹ | ἔν τε ταῖς καταφράχτοις ναυσὶ ² |
5 καὶ ἐν τριημιολίαις³ καὶ τιμαθέντα | ὑπὸ ἁλικιωτᾶν τοῦ κοινοῦ θαλλοῦ ‖ στεφάνωι καὶ χρυσέωι ἀρετᾶς | ἕνεκα καὶ εὐνοίας τᾶς εἰς αὐτούς, | καὶ στρατευσάμενον
ὑπὸ ἄρχοντα | Ἀντίοχον καὶ τιμαθέντα ὑπὸ | Σαμοθραιχιαστᾶν Μεσονέων τοῦ ‖
10 κοινοῦ⁴ χρυσέωι στεφάνωι ἀρετᾶς | ἕνεκα καὶ εὐνοίας καὶ φιλοδοξίας | ἂν ἔχων
διατελεῖ εἰς τὸ Σαμοθραχι|αστᾶν Μεσονέων κοινόν, καὶ | τοὶ συνστρατευσάμενοι
15 ἐτίμασαν ‖ Σαμοθραιχιαστᾶν καὶ Λημνιαστᾶν | τὸ κοινὸν ἐπαίνωι χρυσέωι στεφάνωι | ἀρετᾶς ἕνεκα καὶ εὐνοίας καὶ φιλοδοξίας | ἂν ἔχων διατελεῖ εἰς τὸ
20 Σαμοθραχιαστᾶν | καὶ Λημνιαστᾶν τῶν συνστρατευσαμένων ‖ κοινόν, καὶ πρωρατεύσαντα τριηρέων | καὶ ἄρξαντα ἀφράχτων | καὶ ἐπιστάταν γενόμενον τῶν
παίδων | καὶ ἱεροθυτήσαντα | καὶ πρυτανεύσαντα, θεοῖς. ‖
25 Ἐπίχαρμος Σολεύς, ὧι ἁ ἐπιδαμία δέδοται, | καὶ Ἐπίχαρμος Ἐπιχάρμου
Ῥόδιος ἐποίησαν.

1. Bellum Mithridaticum, in quo Rhodii Romanis auxiliati sunt; nam statuarios Epicharmos patrem et filium constat tum temporis floruisse cum Mithridates de regno decertaret. Robert ap. Pauly et Wissowa, *Realencyclop.*, VI, p. 41, v. 18-53. — **2.** Naves *tectae,* in quibus remiges cratibus tegebantur; ἄφρακτοι autem (v. 21), *aphractae, apertae*, dicebantur naves quae illis carebant : Cecil Torr ap. Daremberg et Saglio, s. v. *Navis*, p. 27. — 3. Cf. n. 1110. — 4. Collegium hominum deos Samothracas venerantium in quadam regione Rhodi urbis, quam qui incolebant vocabantur Μεσονεῖς : Hiller von Gärtringen, *Athen. Mittheil.*, XVIII (1893), p. 386.

1115. Rhodi. — *I. Gr.*, XII, I, n. 44.

Ἔντιμος [Τ]ιμοκλείδα, | καθ᾽ ὑοθεσίαν δὲ Αἰνησ[ι]δάμου, | στρατηγήσας καὶ
5 τριηραρχήσας | ἀφράκτου ¹ καὶ ἀγησάμενος ἐπὶ ‖ τᾶ[ς] χώρας κατὰ πόλεμον ²
καὶ | ἀστυνομήσας, θεοῖς. |
        [Ἐν]θάδ[ε?]............. καθαγητῆρα κελεύθου |
            ἔστασε ......[α]ν τάνδε παρ᾽ ἀτρα[π]ιτό[ν · |
   ....πο]λλά · ἐρεῖ δέ τις οὐ... ‖
10   ....αινον .... |
            ....τα........................ |
            ....σ.....ο................... |
   .... [᾽Ρ]όδιος [ἐ]ποίησε.

1. Cf. n. 1114. — 2. Bellum profecto Mithridaticum, ut ex litterarum aetate conjicere est. Cf. n. 1114.

1116. Rhodi. — Th. Reinach, *Rev. des études gr.*, 1904, p. 210, 392; cf. Foucart, *Journal des Savants*, 1906, p. 576.

a. ... [χρυσ]οῖς σ[τε]φάνοις..... | [τρι]ηρέ[ω]ς καὶ νεικάσαντα τὰς..... |
[τριηρα]ρχήσαν(τα) ἐπικώπου πλοίου δικρότου ¹ καὶ....|.... [Μ]άρκου ᾽Αντωνίου
5 στραταγοῦ ἀνθυπά‖[του ² καὶ] Αὔλου Γαβεινίου τ[α]μία ᾽Ρωμαίων ἰς [Κ]ιλι-
κίαν ³ | .... χορα[γ]ήσαντα [κ]αὶ νεικάσαντα ᾽Α[λ]εξ[ά]νδρεα | [καὶ Διονύσια
τε]θρ[ίππωι].....|

5 b. ...... | τοῦτο..... | καὶ περ..... | καὶ δια.....‖ταν μα...... |ταν τα.....

1. Agebatur de navarcho navis alicujus biremis, qui bene meritus erat de romanis praesidibus. — 2. M. Antonius orator illustris, triumviri avus, qui cum piratis pugnavit anno 102 ante C. n. : Klebs ap. Pauly et Wissowa, *Realencyclop.*, I, p. 2590, n. 28. — 3. A. Gabinius quaestor in Cilicia : Vonder Mühll, *Ibid.*, VII, p. 424, n. 8.

1117. Rhodi. — *I. Gr.*, XII, ι, n. 107.

Statua honoratur vir quidam incertus, στεφανωθεὶς ὑπὸ Παναθηναιστᾶν [συν-στρ]α[τ]ευομένων [x]οινοῦ (v. 2-3), quod videtur esse de bello Mithridatico intelligendum.

1118. Rhodi. — Dittenberger, *Sylloge inscr. gr.*, ed. II, n. 332. Cf. Foucart, *Revue de philologie*, 1899, p. 262 et 266.

...... [πρεσβεύσαντα] .... | καὶ [ποτὶ] Λεύκιον Κορνήλιον Λευκίου [υ]ἱὸ[ν
Σύλλαν], | στραταγὸν ἀνθύπατον Ῥωμαίων ¹, | καὶ ποτὶ Λεύκιον Κορνήλιον Λευ-
5 κίου υἱὸν ‖ Λέντελον ἀνθύπατον ², | καὶ ποτὶ Λεύκιον Λικίνιον Λευκίου υἱὸν Μου-
ρήν[αν] | ἰμπεράτορα ³, πρόξενον καὶ εὐεργέταν τοῦ δά[μου], | καὶ ποτὶ Λεύκιον
10 Λικίνιον Λευκίου υἱὸν Λεύκο[λλον] | ἀντιταμίαν ⁴ ‖ καὶ ποτὶ Αὖλον Τερέντιον
Αὔλου υἱὸν Οὐάρρων[α] | πρεσβευτὰν Ῥωμαίων ⁵, | πρόξενον καὶ εὐεργέταν τοῦ
15 δάμου, | Διονύσιος Λυσανία, | εὐνοίας ἕνεκα εὐεργεσίας ‖ τᾶς εἰς αὐτόν, |
θεοῖς. |
[Πλ]ούταρχο[ς] Ἡλιοδώρου Ῥόδιος ἐποίησε ⁶.

1. Sulla pro consule Asiam rexit per continuos annos ante C. n. 87-84. — 2. L. Corne-
lius L. f. Lentulus, praetor anno 89 (Cic: *pro Arch.* 3), videtur praefuisse Macedoniae aut
potius Ciliciae anno 84. — 3. L. Licinius L. f. Murena protinus « post Sullam Asiae prae-
fuit et bello contra Mithridatem gesto fere anno 82 ante C. n. imperator factus est (Cic.
pro Mur., 5, 12), anno 81 triumphavit. » Dittenberger. — 4. L. Licinium L. f. Lucullum,
« quaestorem et proquaestorem Sullae auspiciis in Asia fuisse, sed etiamtum post illius
Romam reditum sub Murena in eodem magistratu in provincia mansisse constat », usque
ad annum 74. Titulus autem positus est inter annos 84 et 82, Murena Asiam adminis-
trante. — 5. A. Terentius A. f. Varro, legatus Murenae. De eo cf. Pseudoascon. ad Cic.
Div. in Caec. 7, 24, p. 109, Orelli; Schol. Gron. ad Cic. *Verr.* act. I, 6, 17, p. 398 Orelli.
Cum classi praefuisset quae dimicavit cum piratis, consentaneum est missos esse ad
eum a Rhodiensibus legatos de navibus populo Romano praestandis : *Jahreshefte des
österr. Inst. in Wien*, 1898, p. 32 et Hiller von Gärtringen, *Beiblatt*, p. 90. — 6. Statuarius
notus aliis titulis duobus : *I. Gr.*, ibid., nn. 108 et 844.

1119. Rhodi. — *I. Gr.*, XII, ι, n. 57.

......|.........| [ἱερέα? Ἀθάνας Πολ]ι[άδος] καὶ Διὸς Πολιέως κα[ὶ Ἀρτά]-
5 μιτος ..|..... [καὶ Ἀπόλ]λων[ος?]....▐... καὶ τῶν ἱερ[έ]ων... ¹ |... [καὶ στ]εφα-
νωθέ[ντα] ὑ[π]ὸ...|..... κα[ὶ ὑ]πὸ τ[ᾶς] συ[ν]αρχίας χρ[υ]σέοις στεφάνοι[ς,

καὶ | ν]ε[χά]σ[αν]τ[α] Ἀλ[ε]ξ[ά]νδρει[α]² καὶ Διονύσεια, καὶ [ν]εκ[άσ]α[ντα
Ἀλίεια³, καὶ πρεσ|βεύσαντα πο]τὶ Γάιο[ν] Ἰούλιον Γαίου υἱὸν Κ[α]ίσαρα αὐτο-
10 [κρ]ά[τορα] ‖ .... καὶ πο[τὶ] Νατο[ν .]ο... .ιο[ν ...|....ν]ο[ν] αὐτοκράτορα⁴,
καὶ [π]οτὶ [Νατον?...|... υἱὸν] ......ον⁵ αὐτοκράτορα ....|.... [καὶ] σ[τ]εφα-
15 νωθέν[τ]α ὑπὸ τᾶς πόλ[ιος....|.... καὶ στεφ]αν[ωθ]έ[ν]τα [ὑπὸ]...‖... καὶ
πρυ[τανε]ύσαντα [κ]αὶ πάντα [πράξαντα τῶι | δάμωι καὶ τιμαθ]έντα ὑ[πὸ]
τᾶ[ς] πόλ[ιος ἀνδριάντων ἀναθέσει | .... ε]ὑ[σεβε]ία[ς ἕ]ν[εκα].....|......

1. Cf. Dittenberger, *De sacris Rhodiorum*, diss. Halens., II, 1887, p. III. — 2. Ludi in honorem Alexandri Magni ab ipsis Rhodiis acti (cf. *ibid.*, n. 71) eorum instar quos prope Teum Iones instituerant (Strab., XIV, 644). Cf. Beurlier, *De divinis honoribus quos acceperunt Alexander et successores ejus* (1890), p. 28, 2. — 3. Ludi Rhodiorum in hono-rem Solis sui. Cf. Dittenberger, *loc. cit.*, p. I. — 4. Fortasse Cn. Domitius M. f. Calvinus, qui contra Pharnacen bellum gessit, anno 47 ante C. n., si verum vidit Mommsen : Münzer apud Pauly et Wissowa, *Realencyclop.*, V, p. 1419, n. 43. — 5. ......λανον fere legi posse ait editor.

1120. Rhodi. — *I. Gr.*, XII, ι, n. 90.

Ὁ δᾶμος ὁ Ῥοδίων | ἐτίμασε | Γάιον Ἰούλιον | Θεύπονπον Ἀρτεμιδώρου¹ ‖
5 ἀρετᾶς ἕνεκα καὶ εὐνοίας | ἃν ἔχων διατελεῖ | εἰς τὸ πλῆθος τὸ Ῥοδίων.

1. Theopompus Cnidius mythographus, amicus Caesaris, qui Cnidios post Pharsalicam victoriam ejus gratia liberos esse jussit : Plut. *Caes.*, 48. Cf. Susemihl, *Gesch. der griech. Litter. in der Alexandrinerzeit*, II, pp. 52 et 683.

1121. Rhodi. — *I. Gr.*, XII, ι, n. 23 et *Corrigenda*, p. 207.

Ἁλίῳ¹ καὶ Τ[ύχᾳ]² | Τίτος Φ[λάυιος] | Δαμαγόρα υἱὸς Κυρεί[ν]ᾳ Δαμαγό-
5 ρα[ς] .....‖δας καὶ Τίτος [Φλάυ|ι]ος Δαμαγό[ρα τοῦ] | Δαμαγόρα υἱὸ[ς Κυρεί]νᾳ
10 Δαμαγόρα[ς] .....|δας³, καθ' ἃν ἐ[νεδέ]‖ξαντο μετ[ὰ τὸν] | σεισμὸν⁴ [εὐχάν, |
θε]ο[ῖς].

1. Sol magnus Rhodiorum deus : Dittenberger, *De sacris Rhodiorum*, diss. *Halens.*, I, 1886, p. III. — 2. Suppl. Hirschfeld . τ[ᾷ πόλει] Franz. — 3. [Βουλ{]δας vel [Νεττί]δας, ex pagis Lindiorum, Buleia vel Netteia. Damagoras pater commemoratur titulo n. 1123, qui exaratus est anno 51 post C. n. — 4. De terra sub illam aetatem concussa nihil aliud memoriae traditum est.

1122. Rhodi. — *I. Gr.*, XII, ι, n. 38.

[Αὐτοκράτορα Καίσαρα...... ὕπατον .., δημαρχικῆς] | ἐξουσίας κα'......,
τὸν ἑατῶ[ν σωτῆρα].....

1123. Rhodi. — *I. Gr.*, XII, ι, n. 2, et *Corrigenda*, p. 206.

.... [Ε]ὐ[χάρ]ης β', Μνασαῖο[ς] ...., | ..... Πύθωνος, Ἀριστογένης
Πάπου, Ἀρ...... | ......λόχου, Πείσαρχος Τειμασάρχου, Πολύχαρμος [Φίλω-
5 νος], ...|.... τὰ εὐκταιότατα ἐνήνεκται τᾷ πόλει ἀποκρίματα........ ‖ [Ἀντί-
πατρον καὶ Διονύσιον Ἀρτεμιδώρου [προ]τετείμακ[ε]ν πάσ[ας τὰς τειμὰς........,
ἀνδριάν|των] ἀναθέσεις, δεδόχθαι τᾷ βουλᾷ καὶ τῷ δάμῳ, κυρωθέντος τοῦδε
το[ῦ ψαφίσ]ματος, [τὰ ὀνόματα ἀναγραφῆναι ὑπὸ τῶν | στρ]αταγῶν ἐπὶ βάσιος
λίθου λαρτίου ἐν τῷ τεμένει τοῦ Ἁλίου ὑπὲρ ...|...ου καὶ Ἀντιπάτρου
Ἀρτεμιδώρου καὶ Διονυσίου Ἀρτεμιδώρου ...|......στράτου, Κρατίδαν Φαρνά-
10 κευς, Ἀλεξινβροτίδαν Χρυσίππου .‖.. Δαμαγόραν β', Μοιραγένη Τειμοδίχου,
Δαμόχαριν Γοργία, ...|......, [Πολ]ύχαρμον Φίλωνος, Εὐκλῆ Ἀγησάρχου,
Εὐθρεπ[τ]ίδαν......, [ἀποστα|λέντας ποτὶ] Τιβέριον Κλαύδιον Καίσαρα Γερβα-
νικὸν Αὐτοκράτορα...., [ἀπο|δοθείσ]ας τᾷ πόλει τᾶς πατρίου πολειτείας καὶ τῶν
νόμων ὑπὸ τῶν...... [Νέ|ρω]νος Καίσαρος [1] καὶ μαρτυρηθέντων τῶν ἀνδρῶν
τὰν ποτὶ τὰν πόλιν εὔν[οιαν]......

1. Claudius libertatem « Rhodiis ob poenitentiam veterum delictorum reddidit »
(Suet., *Claud.*, 25), cum Nero apud patrem consulem V pro eis graece verba fecisset
(*Ibid.*, *Nero*, 7), anno 51 post C. n. Cf. Tac., *Ann.*, XII, 58; *Anthol. Pal.*, IX, 178.

1124. Prope urbem Rhodum. — Dittenberger, *Sylloge inscr. gr.*, ed. II, n. 373.

[Ἐπὶ ἱερ]έως [1] Δ[ιογέ]νευς, πρυτανίων τῶν σὺν | Μενεκλεῖ τῷ Ἀ[ρ]χαγόρα,
γραμμα[τε]ύοντος | βουλᾶς Νεικασιμάχου Δια[φ]άνου, καθ' ὑ(οθεσίαν δὲ)
5 Ἀρχεδάμ[ου, | ἁ] ἐπιστολὰ ἁ ἀποσταλεῖσα ὑπὸ Νέρωνος ‖ Κλαυδίου Καίσαρος,
Πεταγειτνύου κζ' [2]. |
[Νέρων] Κλαύδιος Θεοῦ Κλαυδίου υἱὸς Τιβερίου Καίσ[α]ρος Σεβαστοῦ καὶ
Γερμανικοῦ Καίσαρος ἔγγονος Θε[οῦ Σεβαστοῦ ἀπόγονος Καῖσαρ Σ[εβ]αστὸς
Γερμανι|κὸς ἀρχιερεύς, δημαρχικῆς ἐξουσίας [3], αὐτοκρά|τωρ, Ῥοδίων ἄρχουσ
10 βουλῇ [δή]μῳ χαίρειν. ‖ Οἱ πρέσβεις ὑμῶν, οὕς, ἐπὶ τῇ ψευδῶς ἐπι[σ]τολῇ

πρὸς ὑμᾶς κομισθείσῃ τῷ τῶν ὑπάτων ὀνόματι | ταραχθέντες, πρός με ἐπέμ-
ψατε, καὶ τὸ ψήφισμα [ἀ]|πέδοσαν καὶ περὶ τῶν θυσιῶν ἐδήλωσαν, ἃς ἐνετε[ί]|-
15 λασθε αὐτοῖς ὑπὲρ τῆς πανοικίου μου ὑγείας καὶ ‖ τῆς ἐν τῇ ἡγεμ[ο]νίᾳ διαμο-
νῆς ἐπιτελέσαι τῷ κατ᾽ ἐ|ξοχὴν παρ᾽ ἡμεῖν τειμωμένῳ θεῷ Διὶ Καπετωλίῳ ⁴, |
περὶ τ᾽ ὧν ἐπεστάλκειτε αὐτοῖς πρὸς τὴν τῆς πόλεως | δημοκρατίαν διαφερόν-
20 των ἐνεφάνισαν διὰ Κ[λαυ]|δίου Τειμοστράτου τοῦ ἀρχιπρεσβευτοῦ, σπου‖δαίῳ
πάθει τοὺς ὑπὲρ ὑμῶν ἐπ᾽ ἐμοῦ ποιησαμένων | λόγους, ἀνδρὸς κἀμοὶ ἐπὶ τῷ
κρατ[ί]στῳ διὰ τ[ὴ]ν ἀνανέω|σιν τῶν πρὸς ἡμᾶς αὐτῷ δικαίων ὑπαρχόντων
γνωρί|μου καὶ παρ᾽ ὑμεῖν ἐν τοῖς ἐπιφανεστάτοις καταριθμου[μέ]|νου. Ἐγὼ
25 οὖν ἀπὸ τῆς πρώτης ἡλικίας εὐνοικῶς πρὸς τὴ[ν πό]‖λιν ὑμῶν δι[α]κεί-
μενος ⁵ ....

1. Sacerdos Solis eponymus. — 2. Die XXVII mensis Rhodiorum Petagitnyii, quem
congruere cum Februario conjectum est. — 3. Anno 55 post C. n. — 4. Cf. n. 33, col. *b*,
vv. 17, 21 et n. 231, v. 30. — 5. Cf. n. 1123.

1125. Rhodi. — *I. Gr.*, XII, ι, n. 39.

[Σε]βαστὴν Ποπαίαν Σαβείν[αν ¹, | τὰν] γυναῖκα τοῦ Αὐτοκράτορο[ς | Νέρ]ω-
5 νος Κλαυδίου Καίσαρος | [Σεβ]αστοῦ Γερμανικοῦ, ‖ [ὁ δ]ῆμος καθιέρωσεν.

1. Poppaea Sabina Neronis cognomen Augustae accepit anno 63 post C. n., obiit anno
65 : *Prosop. imp. rom.*, III, p. 87, n. 630.

1126. Rhodi. — *I. Gr.*, XII, ι, n. 91.

a. ['Ο] δᾶμος ὁ Ῥοδίων | Πακωνίαν Ἀγριππίναν ¹, γυναῖκα Λουκίου
Δερκίου ².

b. Ὁ δᾶμος ὁ Ῥοδίω[ν] | Λούκιον Δέρκιον. |

c. Χρυσὼ Μένητος, | Μένης Ἀμύντ[α] ³.

1. *Prosop. imp. rom.*, III, p. 4, n. 18. Videtur fuisse filia Q. Paconii Agrippini, qui,
cum vias in Creta, Claudio imperante, munivisset, videlicet proconsulatum gerens,
postea, ut paterni in principes odii heres, ab Eprio Marcello in senatu insimulatus,
anno 66 exsulavit. Fieri potuit ut Rhodi deinde viveret cum filia : *Ibid.*, n. 16. —
2. *Ibid.*, II, p. 7, n. 44. — 3. Basim ambarum statuarum communem dedicaverunt,
nisi titulus *c* potius pertinuerit ad sepulcrum aliquod.

1127. Rhodi. — *I. Gr.*, XII, ι, n. 95.

a. ['Ο δᾶμος ὸ 'Ροδίων] καὶ ἀ βουλὰ καὶ ἀ | [γερουσία Αἰλίαν] Πειθιάδα ¹,
τὰν λαμ||[προτάταν ματέρα] Τιβερίου Κλαυ. Δρά|[κοντος τοῦ λαμπρ]οτάτου
5 ὑπατικοῦ ² || .... Ἑλλανείκου [τ]ᾶς | ...., τὰν σεμνο||[τάταν ἀνε]ψιὰν
Μά[ρ]κο[υ | Κλα. Κανεινίου Σεβή]ρου, το[ῦ κρ]α|[τίστου ἐφήβου ³, εὐνοία]ς
10 [ἕνεκα], || θεοῖς .|...........νε .... |

b. Ὁ δᾶμος ὸ 'Ροδίων καὶ ἀ βουλὰ Μ[ᾶρκον] | Κλα. Κανείνιον Σεβῆρον, τ[ὸν
κράτισ]|τον ἔφηβον, ὄντα ἐπὶ τὰς ......|...... [ἑ]κάστῳ μὲν πολε[ίτᾳ δηνάρια ||
5 δ]ύο [κ]αὶ δ[έκα, τ]οῖς δὲ θερινοῖς [βου|λευταῖς ⁴ τὸ] διπ[λ]άσιον δηνάρια κ[δ'] |
10 ....ον υἱὸν Μάρκου 'Α..|............. | ..... καὶ Πειθι[άδα] ...||....ο...ς,
εὐνοί[ας ἕνεκα], | θεοῖς ....|..........

1. Aelia Pithias, uxor Ti. Claudii Hermiae, consulis suffecti anno incerto : *Prosop. imp.
rom.*, I, p. 24, n. 192 et p. 380, n. 709. — 2. Ti. Claudius Draco, cos. suffectus anno
incerto : *Prosop. imp. rom.*, I, p. 365, n. 687. — 3. M. Claudius Caninius Severus : *Pro-
sop. imp. rom.*, I, p. 363, n. 670. — 4. Aestivi senatores. Cf. n. 1110 et Theod. Reinach,
Rev. des ét. gr., XVII (1904), p. 204, inscr. v. 8.

1128. Rhodi. — *I. Gr.*, XII, ι, n. 77.

.... [νικάσαντα] ....|....αν, κ[αὶ νικάσαντα ...|...? πένταθ]λον εἰσολύ[μ-
5 π]ιον ὑπὸ Κρη||[ταιέων τᾶς ἐνενηκ]οντπόλεως ¹ ὑπὲρ Αὐτο||[κράτορος Καίσαρος]
Θεοῦ Σεβαστοῦ παῖδας | [καὶ δόλιχον καὶ πάλ]αν καὶ παγκράτιον, καὶ [λαβ]όντα |
[στεφάνους ἀπ]ὸ τοῦ κοινοῦ τοῦ Κρηταιέω[ν] ², καὶ | [ἐν 'Ρόδῳ τιμαθ]έντα ὑπὸ
τὰν βουλὰν ³ πλεονάκις [μὲν | χρυσέοις σ]τεφάνοις, ἀναθεισᾶν δὲ ὑπὲρ αὐτοῦ ||
10 [καὶ ἀνδριάντας χαλκέους καὶ πρόσωπ]α ἀργύρε[α] ⁴ | ....

1. « Hom., *Od.*, XIX, 174, ex qua posteri omnes hauserunt, Cretae civitates nonagenae
commemorantur. » Hiller von Gärtringen. — 2. Collegium Cretensium, qui Rhodi consis-
tunt. — 3. Cf. nn. 1110, 1127. — 4. Cf. n. 1129.

1129. Rhodi. — *I. Gr.*, XII, ι, n. 58.

Ἑρμαγόραν Φαινίππου Κλάσιον ¹, | πάντα πράξαντα καὶ συνβουλεύσαντα | τῷ
δάμῳ τὰ συνφέροντα τᾷ πατρίδι < τὰ > ἐν τῷ τᾶς | πρυτανείας χρόνῳ καὶ
5 διαδειξάμενον || ἂν ἔχει ἀ πόλις ποτί τε τὸν αὐτοκράτορα | Τίτον Φλάουιον Καί-

σαρα Ούεσ|πασιανὸν καὶ τὸν σύνπαντα οἶκον αὐτοῦ καὶ | τὰν ἱερὰν σύγκλητον
10 καὶ τὸν δᾶμον τὸν Ῥωμαί|ων εὔνοιαν καὶ πίστιν, καὶ τυχόντα τῶν καλλίσ‖των
γραμμάτων ἀπὸ τοῦ Θεοῦ Σεβαστοῦ ἐν | τῷ τᾶς πρυτανείας καιρῷ καὶ διὰ τὰν
ποτὶ τὰν πατρί|δα εὔνοιαν ποτιτάξαντος τοῦ δάμου καὶ τειμὰς αὐτοῦ | εἰσγρα-
φῆμειν, καὶ ταμιεύσαντα καὶ στεφανωθέντα ὑπὸ τᾶν | βουλᾶν ² πλεονάκις χρυ-
15 σέοις στεφάνοις καὶ ἀνδριάν‖των καὶ προσώπων ἀργυρέων ἀναθέσεσι, καὶ ἱερο-
ταμι|εύσαντα Λινδίων δὶς καὶ τιμαθέντα ὑπ' αὐτῶν μετὰ | τοῦ υἱοῦ Φιλίππου
πάσαις ταῖς τειμαῖς καὶ τυχόντα τῶν | παρ' αὐτοῖς καλλίστων ψαρισμάτων πλεο-
20 νάκις καὶ ἀνδρι|άντων ἀναθεσίων, καὶ νεικήσαντα Ἄλεια ³ ἵππῳ στ..... ‖ καὶ
στρατευσάμενον ἐν τριημιολίᾳ ⁴ ᾇ ὄνομα Εὐδ..... |τα καὶ στεφανωθέντα ὑπὸ
ἀμφοτέρων [π]ο[λίων] | πλεονάκις καὶ ὑπὸ Λινδίων καὶ Ἰαλυσίων, [καὶ ὑπὸ |
τοῦ δ]άμ[ου τ]οῦ Ἀμίων Δρακωνει[τᾶν? ⁵ .....|..... Ἑ]ρμαγόρα Κλασία τὸν
π[ατέρα].

1. Ex Lindiorum pago Claso. — 2. Cf. nn. 1110, 1127, 1128. — 3. Cf. n. 1119. —
4. Cf. n. 1110. — 5. Amus civitas videtur in Peraea Rhodia sita fuisse : Hiller von Gär-
tringen, *loc. cit.*, sub n. 83, et Kiepert, *ibid.*, tab. II. De cognomine autem non constat.

1130. Rhodi. — *I. Gr.*, XII, I, n. 59.

[Τί]τον Φλ[ά]υιο[ν] .....ένει|ον, ἐπίτροπον Αὐτοκράτορος | Καίσαρος [Δομει-
5 τιανοῦ] Σεβα|στοῦ Γερμανικοῦ, εὐνοίας ‖ ἕνεκα, θεοῖς.

1131. Rhodi. — *I. Gr.*, XII, I, n. 46.

[Ἀσκλαπι]άδαν Ἀνδρονίκο[υ ¹, | γυμ]να[σίαρχο]ν πρεσβύτερον κατὰ Ῥωμαῖα, |
(sequuntur versus 520) θεοῖς.

Inter versus 2 et 520 inscripta erant ordine alphabetico in quatuor columnis nomina
virorum plus quam 500, qui statuam posuerunt ; supersunt autem ex iis fere 450.

1. Nomen viri restitutum est ex titulo edito *op. cit.*, n. 11, v. 10. Videtur ille vixisse
circa initium saeculi I ante C. n. Cf. Holleaux, *Rev. de philolog.*, XVII (1893), p. 171.

1132. Rhodi. — *I. Gr.*, XII, I, n. 4 et *corrigenda*, p. 206.

Index est mutilus virorum et mulierum, eodem anno per menses et dies digestus, ita

ut diei uni cuique unum quodque nomen adscriptum sit. Ex hominibus autem grae-
cis 150, quorum nomina legere potuerunt editores, 85 romanum nomen sibi assumpse-
runt; recenseptur enim

Ἰούλιοι 17
Κλαύδιοι 27
Φλάυιοι 36
Οὐηράνιοι 3
Σαβίδιος 1
Λιβουσκίδιος 1

Id autem videtur eo tempore factum esse cum insulam Vespasianus in provinciae for-
mam redegit (Suet., *Vesp.*, 8) et ipse titulus haud multo post incisus est.

1133. Rhodi. — *I. Gr.*, XII, ɪ, n. 84.

[ʹΑ] βουλὰ Ῥοῦφ[ον] .... | Ῥοδίων κωμῳδὸν [λ]α[μπρὸν ἐκ] | παραδόξου,
5 στεφαν[ωθέντα] | ἱεροὺς ἀγῶνας με′, ὥ[σπερ τᾶς] ‖ ἰς τὴν ὑπόκρισιν ἀκριβ[είας
ὡς τᾶς] | τῶν ἠθῶν σεμνότητ[ος ἕνεκεν] ′.

1. Primo fere post C. n. saeculo.

1134. Rhodi. — *I. Gr.*, XII, ɪ, n. 83.

Ὁ δᾶμος ὁ Ῥοδίων καὶ ἀ βουλὰ | Τίτον Αὐρηλιανὸν [Ν]ικός   τον |
Νικοστράτου Ἄμ[ιο]ν ′ τὸν σοφιστὰν ², | [σ]ετιμαμένον κ[αὶ ὑ]πὸ τ[οⷯ   μεγίσ-
5 του ‖ αὐτοκράτορος καθέδρᾳ καὶ [λ]ο[γ]ιστείᾳ | τᾶς ἱερᾶς συνόδου [ἐς Νέ]μεια)
καὶ Πύθια.

1. Cf. n. 1129. — 2. Fortasse ille idem Nicostratus sophista, qui sub Marco Aurelio flo-
ruit (Suid. s. v.; Philostr., *Vit. soph.*, II, 31, 1; Digest., XXXIX, 5, 27); nam, quanquam
Macedo dicebatur, nihil tamen obstat quin Amius re ipsa fuerit. Cf. n. 1160.

1135. Rhodi. — *I. Gr.*, XII, ɪ, n. 643.

[Λουκίου Κορ]νηλίου Λουκίο[υ | υἱοῦ Κυρε]ίνᾳ Ποπλικόλα | [Νετ]τίδα<ς> ′.

1. Cf. n. 1121.

1136. Rhodi. — *I. Gr.*, XII, ɪ, n. 645.

Βετουτίας Τυραν(ν)ίου | καὶ τοῦ ἀνδρὸς αὐτῆς | Μάρκου Κοιλ(ί)ου Μάρκου | υἱοῦ Πουπεινίᾳ Ποπλίου '.

1. An Ποπλι(κ)ό[λα]? Cf. n. 1135.

1137. Rhodi. — *I. Gr.*, XII, ɪ, n. 644.

Ποπλίου Αἰλίου Διονυσίου υἱοῦ | Σεργίᾳ Μηνοφίλου Λοξίδα '.

1. Ex pago Lindiorum Loxeia.

1138. Ialysi. — *I. Gr.*, XII, ɪ, n. 679.

[Αὐτοκράτορα] Καίσαρα Οὐεσπασιανὸν Σεβαστὸν | Ἰαλύσιοι τὸν εὐεργέταν.

1139. Camiri. — *I. Gr.*, XII, ɪ, n. 707.

.... καὶ Διονύσου... | [Αὐτ]οκράτορος Τίτου Κ[αίσαρος Σεβαστοῦ | γε]νόμενος ἐν ἐπαν[γελίᾳ?....... καὶ | ἀγ]ωνοθετήσας καὶ τ[ιμαθεὶς ὑπὸ 𝄁
5 τῶν Κ]αμειρέων ἐπὶ τούτ[οις ταῖς με|γίσ]ταις τειμαῖς μετὰ το[ῦ] ...|....εῦς
β' Κα(ττάβιος) ' καὶ Καλλίσ[τρατος] | .... Κα(ττάβιος) Ἑστ[ίᾳ κα]ὶ Διὶ [Τελείωι] ², | ἐπὶ Σ....... ³.

1. Aut Κα(μύνδιος) ex pago Lindiorum, aut fortasse Κα(σαρεύς) ex loco Chersonesi Rhodiae : Hiller von Gärtringen ad *I. Gr.*, XII, ɪ, n. 273. — 2. Cf. *ibid.*, nn. 701, 704. — 3. Magistratus anni eponymus.

1140. In templo Apollinis Erethimii prope Camirum. — *I. Gr.*, XII, ɪ, n. 730.

Fasti sunt sacerdotum Apollinis Erethimii ab anno fere 109 ad annum 81 ante C. n., qui omnes Graecis nominibus nuncupantur. Fastis etiam adscriptae sunt hae feriae extraordinariae, non quotannis actae :

V. 1. Πανάγυρις.   Anno 109/108 ante C. n.

V. 3. Πανάγυρις.   — 107/106 —

V. 5. Ἀρτεμίτια. Πανάγυρις.   — 105/104 —

V. 7. 'Ρωμαῖα.	— 103/102 —
V. 8. Διπανάμια 'Αλίεια.	— 102/101 —
V. 12. Διπάναμια 'Αλίεια.	— 98/97 —
V. 15. Τριετηρίς. 'Ρωμαῖα.	— 95/94 —
V. 16. Διπανάμια 'Αλίεια.	— 94/93 —
V. 17. 'Αλίεα τριετηρίς.	— 93/92 —
V. 19. 'Ρωμαῖα. Τριετηρὶς διπαναμία.	— 91/90 —
V. 20. Διπανάμια 'Αλίεια.	— 90/89 —
V. 22. Πανάγυρις μετὰ τὸν πόλεμον [1].	— 88/87 —
V. 23. 'Ρωμαῖα. Τριετηρίς.	— 87/86 —
V. 24. Πανάγυρις. Διπανάμια 'Αλίεια.	— 86/85 —
V. 25. Τριετηρίς.	— 85/84 —
V. 28. Πανάγυρις. Διπανάμια 'Αλίεια.	— 82/81 —

« Πανάγυρις Apollinis Erethimii fuerit; item 'Αρτεμίτια Dianae ibidem cultae. » Hiller von Gärtringen. De festis Solis quinquennalibus ('Αλίεια) cf. nn. 1111, 1119; vocantur Διπανάμια ludi pertinentes ad annum intercalarem, qui mensem Panemum duplicem habuerat, ut conjecit Dittenberger, De sacris Rhodiorum, diss. Hal., II (1887), p. IX; Stengel apud Pauly et Wissowa, Realencyclop., s. v. De ludis Romanis quinquennalibus cf. n. 1131. Τριετηρίς autem Bacchi fuisse videtur ; cf. Dittenberger, op. cit., I (1886), p. VII.

1. Bellum Mithridaticum. « Cogitari potest propter obsidionem feliciter repulsam ferias extraordinarias esse actas. » Hiller von Gärtringen.

1141. Lindi. — Blinkenberg et Kinch, Bull. de l'Acad. de Danemark, 1903, p. 69.

'Ο δᾶμος ὁ Νεττιδᾶν ἐτίμασε | 'Αστυμήδη Θεαιδήτου [1] | χρυσέωι στεφά-
5 νωι, εἰκόνι χαλκέαι, | ἀρετᾶς ἕνεκα καὶ εὐνοίας ‖ ἃν ἔχων διατελεῖ | εἴς τε τὸν σύνπαντα δᾶμον καὶ | εἰς τὸν Νεττιδᾶν [2]. | 'Αρτεμίδωρος Μηνοδότου Τύριος ἐποίησε [3].

1. Astymedes, profecto Lindius, de negotiis Rhodiorum cum Romanis non semel egit inter annum 171 et annum 153 ante C. n.; imo Romam bis legatus est, ut causam civium suorum oraret; pater illius Theaedetus, qui inter legatos fuerat, Romae obiit anno 166 ; Polyb., XXII, 5 (23) 3 ; XXVII, 7 (6) 3 ; 14 (11) 2; XXX, 5, 4; 22 (19) 2; XXXI, 7; XXXIII, 15 (14), 3. — 2. Netteia Lindiorum pagus. Cf. nn. 1121, 1135. — 3. De illo sculptore cf. Robert apud Pauly et Wissowa, Realencyclop., II, p. 1335, 25.

1142. Lindi. — Blinkenberg et Kinch, *Bull. de l'Acad. de Danemark*, 1903, p. 69.

['Αστ]υμήδης Θεαιδήτου [1] | ἱερατεύσας | 'Α[θα]ναίας Λινδίας | [καὶ] Δι[ὸ]ς
5 Πολιέως. ‖ Δημήτριος Διομέδον[τ]ος Ῥόδιος ἐποίησε.

1. Cf. n. 1141.

1143. Lindi. — Scrinzi, *Atti del R. Istit. Veneto*, LVII (1898), p. 273, n. 12; cf. Hiller von Gärtringen, *Berlin. philolog. Wochenschr.*, XX (1900), p. 21, et Van Gelder, *Mnemosyne*, XXVIII (1900), p. 396.

Fasti sunt eorum quos sacerdotes Neptuni Equestris Lindii elegerunt per annos fere centum; unum autem hoc nomen inter cetera placuit excerpere :

Col. II, v. 30. Παναίτιος Νικα[γ]όρα, | καθ' ὑοθεσίαν δὲ [Εὐφ]ρανορίδ[α] [1]. |

1. Stoïcus ille est philosophus, origine Rhodius, amicus Scipionis Aemiliani et Polybii (annis circiter 190-110 ante C. n.), de quo vide Susemihl, *Griech. Litt. in der Alexandrin. Zeit.*, II, 64. Sacerdotio suo in patria functus esse inter annos 165 et 150 videtur.

1144. Lindi. — *I. Gr.*, XII, i, n. 772 *a*.

Ὑπὲρ | [Τιβερίου Κ]αίσαρος Αὐτοκράτ[ορος Σεβαστοῦ | Θεοῦ Θεῶν Σ]εβασ-
5 τῶν υἱοῦ, ἀρχιερέ[ως μεγίστου, | 'Αθάνᾳ Λ]ινδίᾳ καὶ Διὶ Πολιεῖ [1] ‖ [καὶ Ν]ίκᾳ χαριστήριον.

1. Cf. Dittenberger, *De sacris Rhodiorum*, diss. Halens., II (1887), p. iii.

1145. Lindi. — *I. Gr.*, XII, i, n. 805.

[Αὐτοκρά]τορα Καίσ[αρα Τιβέριον | Κλαύδι]ον Σεβαστὸν Γερ[μανικὸ]ν |
Λίνδιοι | [τὸν] εὐεργέταν.

1146. Lindi. — *I. Gr.*, XII, i, n. 806.

Μεσσαλεῖναν [1].

1. Valeria Messalina Claudii anno 48 post C. n. mortem obiit : *Prosop. imp. rom.*, III, p. 380, n. 161. Memoria ejus damnata, in eodem lapide alter titulus exaratus est, quem hic transcribere non expedit.

1147. Lindi. — *I. Gr.*, XII, I, n. 807.

.....[Π]λωτεῖναν, Αὐτοκράτορα Καίσα[ρ]α ¹.........

1. Trajanus aut Hadrianus.

1148. Lindi. — *I. Gr.*, XII, I, n. 772 *b*.

[Ὑπὲρ τῆς τῶ]ν εὐσεβε|[στάτων κα]ὶ εὐτυχε|σ[τάτων κυ]ρίων ἡ|μ[ῶν Αὐτο-
5 κ]ρατόρων ‖ [Καισάρων ν]ίκ[ης].

Titulus non ante Marcum et Verum exaratus est.

1149. Lindi. — Blinkenberg et Kinch, *Bull. de l'Acad. de Danemark*, 1903, p. 52.

Ἄρχων τριημιολίας, | ᾆ ὄνομα Εὐανδρία Σε|βαστά ¹, Θάρσυλος Ἰά|σονος,
5 τριήραρχος Κλαύ‖διος Μνασαγόρας καὶ | οἱ ἐνπλέοντες Ἀθάνᾳ | Λινδίᾳ χαρισ-
τήριον, ἐπὶ | ἱερέως τᾶς Ἀθάνας | Φλ. Νεικοστράτου β′.

1. Cf. n. 1110 et Hiller von Gärtringen, *Jahreshefte des Oester. Inst.*, IV (1901), p. 139.

1150. Lindi. — *I. Gr.*, XII, I, n. 786.

Ἀγαθᾷ τύχᾳ · | [ἱερεὺς Ἀθά]νας Λινδίας καὶ Διὸς | [Πολιέως] καὶ Ἀρτάμιτος
5 ἐ[ν Κεκοίᾳ] | καὶ Λ[φρ]ο[δί]τ[ας] καὶ Διονύσου καὶ Ἀ‖πόλλωνος Πυθίου, καὶ
Ἀθάν[ας Ἰ]αλυσί|ας Πολιάδος καὶ Διὸς Πολιέως, κα[ὶ Ἀθάνας Κα]‖μειράδος
καὶ Διὸς [Πολιέως] καὶ Ἀ[πόλ](λ)ω[νος?] | καὶ Ἀρτάμιτος καὶ Ἀλ[ίου ἐν
10 Ῥόδῳ], καὶ | στατὸς ἱερεὺς ¹....... [παρὰ Λ]ινδίοις, ...² ‖ παρὰ Ἰαλυσίοις,
Διὸς καὶ Ἥρας Ὡρολύτ[ων ³ ἐν Πον[τωρε]ίᾳ, καὶ Ποτιδᾶνος Γι[λαίου καὶ Ἱππίου
καὶ Σαράπιδος καὶ Εἴ|σιδος ἐν Ῥόδῳ, Τίτος Φλα., Τίτου Φλα. | Λέοντος ἱερέως
15 υἱός, Κυρείνᾳ Θρα‖σύλοχος Κλά(σιος) ἀπὸ γένους, τετει|μημένος ἐς τὸ διενεκὲς
ὑπὸ τῶν | ἐν θεοῖς Αὐτοκρατόρων καὶ τῶν τῆς | ἱερᾶς βουλῆς συγκλήτου δογμά-
20 των, | ὑπατικῶν [καὶ] συνκλητικῶν συνγέν[ης], ‖ Ἥρᾳ Βασιλεί[ᾳ] ἐ[πὶ] το[ῦ]
βωμο[ῦ] | τὰ[ς] (σ)τιβάδας ⁴ ἐκ[όσμησεν].

Ialysus et Camirus civitates fuerunt Rhodi insulae [cf. nn. 1138, 1139), Cecoea et Clasu pagi Lindiorum, Pontoria Camirensium. De cujusque sacris vide Dittenberger, *De sacris Rhodiorum, loc. cit.*

1. **Sacerdotia supra scripta in unum annum suscipiebantur; quae infra scripta sunt, in perpetuum.** — 2. ΓΚ// lapis. — 3. Cognomen Jovis et Junonis hactenus inauditum. — 4. « Aut lecti sive stibadia humana aut lectisternia sunt divina, nisi tapetas (i. e. στρώματα, seu στρωμναί) malis. » Hiller von Gärtringen.

INSULA CARPATHUS

1151. Brycunte. — *I. Gr.*, XII, ι, n. 994.

[Αὐτ]ο[κράτορα Δομει]τι[αν]ὸν Ὀυεσ|[πασιανοῦ υἱὸν Γερμα]νικὸ[ν τὸν | …
5 ἑαυτ]ῶν [σ]ωτῆρα | καὶ [εὐερ]γέτα[ν ε]ἰς τάδε‖….. ὁ δᾶμος | ὁ Β[ρ]υ[κ]οντίων
κ[α]ὶ τοὶ κατοικεῦν|[τες] ἐν Β[ρυ]κοῦ[ντ]ι πάν[τ]ες ὑπὲρ | [τοῦ δ]άμ[ο]υ τ[οῦ
Ῥοδί]ω[ν] [1].

[1]. Carpathus insula particeps erat reipublicae Rhodiorum : Schumacher, *De republ.
Rhodiorum*, diss. Heidelberg., 1886, p. 42. Cf. n. 1152.

1152. Brycunte. — *I. Gr.*, XII, ι, n. 995.

Δομειτίαν θεὰν Σεβα[στὰν] | γυναῖκα Αὐτοκράτορος Καίσαρος Δο[μειτιανοῦ
Ὀυεσ]|πασιανοῦ υἱοῦ Σεβαστοῦ τὰν ἑ[αυτῶν εὐεργέτιδα] | ὁ δᾶμος ὁ Βρυχουντίων
5 καὶ τοὶ κα[τοικεῦν]‖τες ἐν Βρυχοῦντι πάντες [ὑπὲρ τοῦ | δ]άμου τοῦ Ῥοδίων [1].

[1]. Cf. n. 1151.

1153. Potidaei. — *I. Gr.*, XII, ι, n. 978.

[Αὐτ]οκράτορα Καίσαρα | [Νέρου]α υἱὸν Νέρουαν Τραι|[αν]ὸν Γερμανικὸν
5 Δ[α|χ]ικὸν τὸν παντὸ[ς κόσ‖μ]ου σωτῆρα καὶ εὐερ[γέταν | ὁ δ]ᾶμος ὁ Καρπα-
θιοπο[λιτᾶν | κα]ὶ ἁ κτοίνα [1] ἁ Ποτιδαί[ων] | θεοῖς.

[1]. Κτοῖναι vocabantur partes unius cujusque civitalis quae ad rempublicam Rhodiorum
attinebat. Cf. Schumacher, *De republ. Rhod.*, p. 12; Dittenberger, *Sylloge inscr. gr.*,
ed. II, nn. 270, 449, not. 2; 746.

LYDIA

1154. Boghaz. — Radet, *Bull. de corr. hellén.*, XI (1887), p. 484, n. 73.

Πομπήιος Ἀπολλι|νάριος δεκουρίων | βετρανὸς ¹ καὶ Κλαυδί|α Σαβεῖνα οἱ
5 γονεῖς ‖ καὶ Κλαυδία Πομπηία ἡ | ἀδελφὴ Πομπηίῳ Παύ|λῳ ἥρωι ἀνέθηκαν |
10 ζῶντες μνήμης χάριν, | ἐπιμεληθέντος ‖ Λουκίου Δομιτίου | Ἀσκανίου.

1. Decuriae equitum in exercitu praefuerat.

1155. Sandainae. — Radet et Lechat, *Bull. de corr. hellén.*, XI (1887), p. 403.

Ὁ δῆμος | ὁ Σανδαινειτῶν Μη[νό]|φιλον Κλεομένου[ς] ἐτ[εί]|μησεν, ἱερατεύ-
5 σαντα ‖ τά τε πρὸς τὸν θεὸν | Καίσαρα εὐσεβῶς καὶ [τὰ] | πρὸς τὴν [κ]ατοι-
[κίαν] ¹ | φιλοδόξως.

1. Κατοικία idem valet atque κώμη. De κατοικιῶν institutis cf. Foucart, *Bull. de corr. hellén.*, IX (1883), p. 395 ; Buresch, *Aus Lydien*, p. 2 et 170.

1156. Stratoniceae Hadrianopoli. — *a b c*, Radet, *Bull. de corr. hellén.*, XI (1887), p. 108 ; cf. Schuchardt, *Athen. Mitteil.*, XXIV (1899), p. 220, n. 50 ; *a*, Dittenberger, *Sylloge inscr. gr.*, ed. II (1898), n. 387.

a. Αὐτοκράτωρ Καῖσαρ Θεοῦ Τραιαν[οῦ] | Παρθικοῦ υἱὸς Θεοῦ Νέρουα
υἱωνὸ[ς] | Τραιανὸς Ἀδριανὸς Σεβαστὸς ἀρ[χιε]|ρεὺς μέγιστος, δημαρχικῆς
5 ἐξο[υσί]‖ας τ(ὸ) ια΄ ¹, ὕπατος τ(ὸ) γ΄, Ἀδριανο[πο|λ]ειτῶν Στρατονεικέ[ω]ν τοῖς
ἄρχ[ου]|σι καὶ τῆι βουλῆι καὶ τῶι δήμωι χαίρει[ν]. | Δίκαια ἀξιοῦν μοι δοκεῖτε
10 καὶ ἀναγκαῖα ἄ[ρ]|τι γεινομένη πόλει ² · τά τε οὖν τέλη τὰ ἐ[κ] ‖ τῆς χώρας
δίδωμι ὑμεῖν ³, καὶ τὴν οἰκίαν Τι[6]. | Κλαυδίου Σωκράτους τὴν οὖσαν ἐν τῆι
[πό]|λει ἢ ἐπισκευαζέτω Σωκράτης ἢ ἀποδό[σ|θ]ω τινὶ τῶν ἐπιχωρίων, ὡς μὴ
15 χρόνωι [καὶ ἀ]|μελ(ε)ίαι καταριφθείη ⁴. Ταῦτα ἐπέστειλα καὶ [τῶι χ‖ρ]ατίστωι
ἀνθυπάτωι Στερτινίωι Κουάρ[τωι] ⁵ | καὶ τῶι ἐπιτρόπωι μου [Πο]μπηίωι Σεου[ή-

ρωι] ⁶. | Ἐπρέσβευσεν Κλ. Κάνδιδος, ᾧ τὸ ἐρόδι[ον] | δοθήτω, εἰ μὴ προῖκα
ὑπέσχηται ⁷. | Εὐτυχεῖτε · καλάνδαις Μαρτίαις ⁸ ἀπὸ ['Ρώ‖μ]ης ⁹. Κλ. Κάνδιδος
ἀπέδωκα τὴν ἐπιστο|[λ]ὴν Λολλίῳ 'Ρουστικῷ ἄρχοντι τῇ πρὸ α' ἰδ[ῶν] | Μαίων ¹⁰
ἐν τῇ ἐκκλησίαι.

b. Αὐτοκράτωρ Καῖσαρ Θεοῦ Τραιανοῦ Παρθ[ι]|κοῦ υἱὸς Θεοῦ Νέρουα υἱωνὸς
Τραιανὸ[ς] | Ἀδριανὸς [Σε]β[αστὸς] ἀρχιερεὺς μέγιστος, δ[η]‖μαρχικῆς ἐξου[σία]ς
[τ]ὸ ια', ὕπατος τὸ γ', ‖ Ἀδριανοπολιτῶν Στρατονικέων τοῖς ἄρχ[ου]|σι καὶ τῆι
βουλῆι καὶ τῶι δήμωι χαίρειν. | [Τ]οῖς ἐπισταλεῖσιν ὑ[φ]' ὑμῶν ἐντυχὼν
ἔ|[μαθ]ον ὅτι [χ]άρι[ν ἡ]πίστασθε Ἀουιδίῳ [Κ]ου[ιή|τ]ω[ι τ]ῶι κ[ρα]τίστωι ¹¹ ὡς
εὖ ποιήσαντι ὑμᾶς ‖ [δ]ι[ὰ] τὸν τῆς ἀν[θ]υ[π]α[τ]είας χρόνον ¹². ['Ε]πρέ[σ]β[ευ]σεν
Κάνδιδος Ἰουλιανός. | [Εὐ]τυχεῖτε · γ' ἰδῶν Φεβρουαρίων ¹³, [ἀπ|ὸ 'Ρ]ώ[μης.
Κά]νδιδος Ἰουλιανὸς [ἀ|π]έ[δωκα τὴν ἐ]πιστολὴν Λολλίῳ 'Ρου[στ]‖ικῷ [ἄρχοντι
τ]ῇ [πρὸ] α' ἰδῶν Μαίων ἐν | [τῇ ἐκκλησί]αι. |

c. [Α]ὐτοκράτωρ [Καῖσαρ Θεοῦ] Τραιανοῦ Παρθι|κοῦ υἱὸς Θ[εοῦ Νέ]ρουα
υἱωνὸς Τραιανὸς Ἀ|[δριανὸς Σεβαστὸς], ἀρχιερεὺς μέγιστος, δη|[μ]αρχικ[ῆς
ἐξουσ]ίας τ[ὸ] ια', ὕπατος τὸ γ', [Ἀ‖δ]ριανο[πολιτῶν Στρατο]νικέων τοῖς
ἄρχο[υσ]ι καὶ [τῆι βουλῆι καὶ τωῖ] δήμωι χαίρειν. | ['Ε]νέτ[υ]χο[ν τῶι πεμ]φ[θέντι
ὑφ'] ὑμῶν, δι' οὗ Κλ[αυδ|ί]ωι Κανδίδωι Ἰουλ[ιανῶ]ι χάριν ἠπίστασ[θε ἐ|πὶ τῆ]ι
φιλοτιμίᾳ περὶ τὴν πόλιν. Ἐπ[ρ]έ[σβευσε|ν] Ἀπολλώνιος Φιλίππου ¹⁴. Εὐτυ‖-
χ[εῖτε · τῆι ‖ πρὸ] ϙ' ἰδῶν Φεβρουαρίω[ν], ἀπὸ 'Ρώμης. | ['Α]πολλώνιος Φιλίπ-
π[ου ἀπ]έδωκα τὴν [ἐπισ|τ]ολὴν Λολλίῳ 'Ρουσ[τικῷ ἄρ]χοντι τῇ [πρὸ | α'] ἰδῶν
[Μ]αίων ἐν [τῇ ἐκκλησίαι].

1. Anno 127 post C. n. — 2. Stratoniceam novam verisimile est ab Hadriano praesente
conditam esse autumno anni 123, cum Pergamo Sardes iter faceret (Dürr, *Die Reisen des
Kaisers Adrian*, p. 51, 68); unde nomen Hadrianopolin assumpsit. Cf. W. Weber, *Unter-
suchungen zur Gesch. des Kaisers Hadrianus*, p. 136 sq. — 3. Civitatis adjuvandae causa,
vixdum adolescentis, permittit imperator ut ea tributa, quae fisco prius ab incolis pen-
debantur, exigat aerarium municipale. — 4. Domum suam, profecto vetustate labantem
et deformatam, Claudius Socrates, ut petiverant Stratonicenses, jubetur aut reficere aut
vendere, ne laedat novae urbis decus et securitatem. — 5. Stertinius Quartus post mensem
Aprilem anni 126 Asiam administrabat : *Prosop. imp. rom.*, III, p. 273, n. 662. — 6. Pom-
peius Severus, procurator Asiae : *Prosop. imp. rom.*, III, p. 71, n. 493. — 7. Nisi promisit
legatus se sua impensa, ut saepe fiebat, Romam iturum, viaticum det ei civitas. — 8. Die
I mensis Martii. — 9. Cf. Dürr, *op. cit.*, p. 59. — 10. Die XIV mensis Maii. — 11. Avidius
Quietus provinciae videtur praefuisse anno 125/126 usque ad mensem Aprilem, quo ei
successerat Stertinius : *Prosop. imp. rom.*, I, p. 189, n. 1171. — 12. De decretis civi-
tatum, quibus praesides laudabantur, postquam decesserant provincia sua, cf. Guiraud,

Les assemblées provinciales dans l'emp. rom., p. 168. — 13. Die XI mensis Februarii. — 14. Apollonium legatum Romam miserant Stratonicenses, ut legatum Candidum laudaret, a quo laudatum esse Avidium resciverat imperator.

1157. Stratoniceae Hadrianopoli. — Radet, *Bull. de corr. hellén.*, XI (1887), p. 480, n. 60.

[Αὐτ]οκράτορα Τραιανὸν Ἀδριανὸν Καίσαρα Σ[εβαστὸν | Ὀλύμπιον κ]αὶ
Πανελλήνιον ¹ Ἰουλία Μενυλλείνα ἀρχ[ιέρεια] | ....ης Γαίου Ἰουλίου Πατέρκλου
πατρὸς ἰδίου α...| ...... ἴδιον εὐεργέτην.

1. Post annum 129 post C. n. Cf. nn. 573, 576.

1158. Stratoniceae Hadrianopoli. — Radet, *Bull. de corr. hellén.*, XI (1887), p. 126, n. 1.

[Αὐτοκράτορι | Κ]αίσαρι Τίτω Αἰ[λίω Ἀντωνίνω Σεβαστῷ | Εὐσ]εβεῖ ὁ
5 δῆμος ὁ [Ἀδριανοπολιτῶν Στρατο|νι]κέων ἐκ χρημά[των ....κατεσ‖κε]ύασαν
ἐπὶ ἀνθυ[πάτου] .....!....στρατηγῶν δ...|... ἐπιστάτην π...

1159. Stratoniceae Hadrianopoli. — Le Bas et Waddington, n. 1013.

Ἡ βουλὴ καὶ ὁ δῆ|μος Ἀδριανοπολειτῶν ¹ | Στρατονεικέων Διόδωρον | Νει-
5 κάνδρου Φιλομήτορα ❙ ἥρωα, πᾶσαν ἀρχὴν καὶ λει|τουργίαν ὑπομείναντα καὶ |
κοινῇ καὶ καθ' ἕκαστον τοὺς | πολείτας εὐεργετήσαντα, | ἐτείμησαν.

1. Cf. n. 1136, Steph. Byz. s. v. et nummos : Babelon, *Invent. de la coll. Waddington*,
nn. 1001-1003.

1160. Nacrasae. — *C. I. Gr.*, 3522.

Αὐτοκράτορα Θεοῦ Νέ|ρουα υ[ἱ]ωνὸν Θεοῦ | Τραιανοῦ υἱὸν | Τραιανὸν
5 Ἀδριανὸν ❙ Καίσαρα Σεβαστὸν ἡ Μα|κεδόνων ¹ Ναχρασειτῶν | βουλὴ καὶ
ὁ δῆμος.

1. Una ex coloniis Macedonum militum quae ab Alexandro Magno aut a Seleucidis
constitutae erant.

1161. Nacrasae. — Schuchhardt, *Athen. Mitteil.*, XXIV (1899), p. 216, n. 42; Fränkel, *ibid.*, p. 486.

[Ἀγ]αθῇ τύχηι · | [ἡ βου]λὴ καὶ ὁ δῆμος | [ἐτεί]μησε Αὐρ. Μοσ|[χιανὸ]ν
5 Μοσχιανοῦ ‖ [ἄνδρα] ἀγαθὸν καὶ φιλ|[όπατρι]ν διὰ βίου, στρ[α|τηγήσα]ντα β′
10 λανπ[ρῶς | καὶ ἐπ]ιφανῶς, γραμ[μα|τεύσ]αντα βουλῆς δήμ[ου, ‖ ἱρην]αρχή-
σαντα ν.... | [τῇ λ]ανπροτάτ[ῃ..... | ... πό]λει καὶ........

1162. Nacrasae. — Schuchhardt, *Athen. Mitteil.*, XXIV (1899), p. 217, n. 44.

[Τοῦτο τὸ ἡρῷον κατεσκεύασεν] ......|......μος καὶ σοροὺς ἐν αὐτῷ ἐνγείους
δύο, μίαν μ[ὲ]ν Αὐρ. Τατι[ανῷ] | ...γω τῆς γυναικὸς τὴν εὐώνυμον, τὴν δὲ
ἑτέραν καὶ τὴν ....|... τοῦ ἡρῷου θρέμμασιν ἰδίοις. Τούτου ἀντίγραφον ἐν
5 ἀπ[ετέ]‖θη ἰς τὸ ἀρχεῖον ἀνθ(υπάτῳ) Κοσσιννίῳ Ῥουφείνῳ ¹, μη(νὸς).......

1. Proconsul Asiae ignotus, idem fortasse ac C. Vettius Cosinius Rufinus, praefectus Urbi anno 315 post C. n. (Chronogr. anni 354).

1163. Acrasi. — *C. I. L.*, III, 7190. In miliario.

Imp. Caes. L. Septimio | Sebero Pio Pertinace | Aug. Arabico. |
5 Ἀγαθῇ τύχη · ‖ Αὐτοκράτο[ρι] Καῖσαρ[ι] | Μάρ(κῳ) Κλα[υδίῳ] | Ταχίτῳ
10 Εὐσεβ[εῖ Εὐτυχεῖ] | Σεβαστῷ | Ἀκρασιω[τῶν ‖ ἡ βουλὴ καὶ ὁ δῆμος].

In latere sinistro superest ex alio titulo Καίσαρος; in latere dextro reliquiae tituli antiquioris ...α..ν | ....ιολια|.. ...ονει.

1164. Jaja Keui. — Schuchhardt, *Athen. Mitteil.*, XXIV (1899), p. 228, n. 62.

[Φ]ουρ(ίαν) Σαβ[εινίαν | Τραγχυλλεί]ναν Σεβ(αστὴν) γυν[αῖκα | τοῦ] θεοφι-
λεστάτ[ου Αὐτοκράτορος | Καίσαρος Μ. Ἀντωνείνου] Γορδιανοῦ ¹ ἡ π[όλις, ‖
5 ἐπὶ τῶν] περὶ Αὐρ. Ἀττ.... [ἀρχόντων].

1. Furia Sabinia Tranquillina Augusta, uxor Gordiani III (annis 238-244 post C. n.).

1165. Jaja Keui. — Schuchhardt, *Athen. Mitteil.*, XXIV (1899), p. 229, n. 66. In miliario :

a. Ἀγαθῆι τύχηι · | [Αὐ]τοκράτορι Καίσα|[ρ]ι Μ. Κλ. Τακίτῳ | ..Εὐσεβεῖ
5 Εὐτυ[χεῖ ‖ Σεβαστῷ] | ἡ λ[αμ](προτάτη) καὶ δι[α](ση|μοτάτη) | [Θυ]ατ[ειρηνῶν πόλις]. | Μί(λια) γ΄.

b. Ἀγαθῇ τύχῃ · | Αὐτοκράτο[ρ]ας Καίσαρ(ας) | Γ. Οὐαλ. Διοκλητιανὸν |
5 καὶ Αὐρ. Οὐαλ. Μαξιμιανὸν ‖ Εὐσεβεῖς Εὐτυχεῖς Ἀν(ι)κήτ(ους) | Σεβ(αστοὺς) |
10 καὶ Φλάβ. Οὐαλ. Κωνστάντιον | [κ]αὶ Οὐαλέρ. | Μαξιμιανὸν ‖ τοὺς ἐπιφα-
ν(εστάτους) | Καίσαρας | ἡ λαμ(προτάτη) καὶ διασ(ημοτάτη) | Θυ(ατειρηνῶν)
πό(λις). | Μί(λια) γ΄.

Titulus *b* titulo *a* paene eraso superscriptus est.

1166. Jaja Keui. — Μουσεῖον, V (1885-1886), p. 60, n. φμζ΄; Buresch, *Aus Lydien* 1898, p. 35, ad n. 21.

Ἡ λαμ(προτάτη) κ(αὶ) διασ(ημοτάτη) Θυ(ατειρηνῶν) πό(λις). Μ(ίλια) ς΄.

Miliarium VI est viae Pergamo Thyatira.

1167. Attaleae. — Schuchhardt, *Athen. Mitteil.*, XXIV (1899), p. 221, n. 52.

Ἡ βουλ[ὴ καὶ ὁ δῆ]μος | ὁ Ἀτταλεατῶν ἐτεί|μησαν Διονύσιον Γλύ|κωνος,
5 ἄνδρα φιλόπα‖τριν κ(αὶ) εὐεργέτην, με|τέ[χ]οντα κ(αὶ) τῆς προε|δρίας, ἄρξαντα
10 μεγα|λοπρεπῶς κ(αὶ) ἐνδόξω[ς] | ἐξ οἰκείων δαπανημά‖των στ[ρατηγί]αν τε κ(αὶ)
ἱπ|παρχίαν κ(αὶ) νομοφυλα|κίαν κ(αὶ) ἀγο[ρ]ανομίαν κ(αὶ) | σειτωνία[ν κ]α[θ'] ἅ ἡ
15 πατρὶ[ς] | ἐψηφίσατο κ(αὶ) πρυτανεί‖αν τῷ πέ[ρυ]σιν ἔτει τ[ὴν] | λαμπροτάτην
ἀρχήν, | ἀνασταθείσης τῆς τει|μῆς ἐπὶ Μενε[κρ]άτους β΄ | ἀρχ(ιερέως) Ἀ(σίας)
20 κ(αὶ) ἱερέως τῶν κυρί‖ων αὐτοκρατόρων, γραμ|ματεύοντος βουλῆς δή|μου Ἀλυ-
πιανοῦ Ἀλύπ[ου?]

1168. Attaleae. — Radet et Lechat, *Bull. de corr. hellén.*, XI (1887), p. 399.

a. In latere dextro : Ἀγαθῇ τύχ[η] · | κεφάλαιον [τῆς] δια|θήκης Εὐ[αρ]έστου |
5 Καπίτων[ος Φ]ω[κ]ᾶ, [ἐ]πιγραφὲν [ὑπὸ] Ἀμμί[ο]υ Τυλλίας γυναικὸς | αὐτοῦ. |

10 Ὃς ἂν γένηταί μου [κλ]|ηρονόμος ἐντέλλο|μαι αὐτῷ...... [ἐλ]αι‖ϸθεσίαν τῇ γλυ-
κυτάτῃ | μου πατρίδι Ἀτταλείᾳ | καθ᾽ ἕκαστον ἔτος ἡ|μέραν μίαν. Μ(ηνὸς)
15 [Ξ]ανδι|κοῦ δ᾽ ἀπιόντος, ‖ ἐπὶ στ[ρ]ατ[η]γοῦ Ἀ[ρ]τέ|μωνο[ς τ(ὸ)] β΄. Ἐπιγραφή. |

b. In latere sinistro : Ἀπὸ ὥρας α΄ ἕως ε΄ | [τ]εθήσεται τὸ ἔλε|ον ἐκ προσό-
5 δ<ο>ων | περιβόλου τοῦ ἀγο‖ρασθέντος παρὰ | Εὐβούλου Ἀντιρά|νους εἰς
10 Βάσσον Εὐαρέ[σ]|του Φωκᾶ τὸν ὑὸν ¹, καθὼς | καὶ ὁ ἀξιολογώτατος ‖ Ἀσιάρ-
χης καὶ λογισ|τὴς τὸ β΄ Πολύβιος | ἐντευχθεὶς ἀπεφή|νατο, ὡς, ἐάν τις με|ταψη-
15 ρίσηται ἢ πα‖ρεάσῃ, εἰσοίσει τῷ ἱε|ρωτάτῳ ταμείῳ | δηνάρια ͵βρ΄. |

c. In parte antica : Ἀγαθῇι τύχηι · | [ἡ β]ουλὴ καὶ ὁ δῆμος ὁ Ἀττα|[λ]εατῶν
5 Βάσσον Εὐαρέστου | Φοκᾶ ἥρωα, τὸν καὶ αὐτὸν ‖ σὺν τῷ πατρὶ τειμηθέν|τα
ἱερωσύνῃ τοῦ πατρίο[υ] | ἡμῶν θεοῦ Διὸς διά τε [τὸ] ἦθος καὶ τὴν τοῦ πατρὸς |
10 προαίρεσιν, καθὼς τὰ γενό‖μενα περὶ αὐτοῦ ψηφίσ[μα]|τα περιέχει. Ἐπ[ὶ] | στρα-
15 τηγῶν Ἀρτεμ[ι]|δώρου β΄ τοῦ Ἀπολλω|νίου πρώτου καὶ Μηνο‖φίλου τοῦ Μηνο-
φάντου | καὶ Μηνοδώρου. Εὐφ[η]‖|μίας ².

a. b. Evaristus testamento legat pecuniam, ut oleum populo quotannis dividatur.
c. Bassus, Evaristi filius, decreto laudatur ob patris et suam pietatem.

1. Ab hora I ad V dividetur oleum ex reditibus septi, quod Bassi gratia emptum est
de Eubulo. — 2. Lectio incerta, quae non intelligitur.

1169. Attaleae. — Schuchhardt, *Athen. Mitteil.*, XXIV (1899), p. 224, n. 55.

Οἱ σκυτοτόμοι ἐτείμησαν | Τ. Φλάβιον Μητρορᾶνους υ|ἱὸν Κυρείνᾳ Ἀλέξαν-
5 δρον, | ἀγορανομήσαντα ἑξάμη‖νον εὐτόνως καὶ πολυδα|πάνως, κουρατορεύσαντα |
τοῦ τῶν Ῥωμαίων κονβέντου ¹, | [π]ρεσβεύσαντα πρὸς τὸν Σε|[6]αστὸν εἰς Ῥώμην
10 γ΄ καὶ ἐκ‖[δ]ικήσαντα τὰ ἀχθέντα ὑπὲρ | [Ἀτταλ]εατῶν πράγματα δαπά|[ναις
ἰ]δίαις, ἱερασάμενον τῆς Ἀρ|[τέμ]ιδος εὐσεβῶς καὶ φιλοτείμως | [ὑπὲ]ρ Φλαβίας
15 Ἀλεξάνδρας καὶ ‖ [Φλα]βίας Γλυκίννης τῶν θυγατέ|[ρων] ἀνάγ[ο]ντα.

1. Curator conventus civium Romanorum.

1170. Attaleae. — Schuchhardt, *Athen. Mitteil.*, XXIV (1899), p. 223, n. 53.

Ποιητὴς ἐποίει σῆ|μ᾽ Ἀρτεμίδωρος ἑαυτῷ |
ὄντως καὶ γαμετῇ μητρὶ | τέκνῳ ἰδίωι

5 ὑῷ Εὐ‖ρήμῳ, τούτου γαμετῇ, δυσ[ὶ] πα[ι]‖σί.

Εἰ δέ τις ἐνκαταθῇ τ' ἄλλον | τινὰ σήματι τῷδε,
ἰς πόλιν | ἡμετέρην δηνάρια χείλια | δώσει ·
10 ἐμπροσθ' ἑστήκει τοῦ σήματος οὗτος ‖ ὁ βωμός.

1171. Attaleae. — Schuchhardt, *Athen. Mitteil.*, XXIV (1899), p. 225, n. 56.

[Εὐ]βουλίδης Μάρκῳ | τῷ πατρὶ καὶ Μάρκῳ | τῷ ἀδελφῷ ἐπέστ[η|σ]εν τὸν
5 βωμὸν μνεία[ς] ‖ χάριν. | Εἴ τις δὲ θελήσει ἕτ[ε]|ρόν τινα θεῖναι νεκρὸν | εἰς τοῦ-
τον τὸν τάφον, | δώσει ἰς τὸν φίσκον δηνάρια φ'.

Ibidem. Le Bas et Waddington, n. 639 : ......εἰς τὸν [φί]σκον (δηνάρια) αφ'.

1172. Tekekeui. — Schuchhardt, *Athen. Mitteil.*, XXIV (1899), p. 207, n. 20.

['Αγαθῇ τύχῃ · | Αὐτοκράτορσιν Καίσαρσιν | Γ. Αὐρ. Οὐαλ. Διοκλητιανῷ |
5 καὶ Μαρ. Αὐρ. Οὐαλ. Μαξιμιανῷ ‖ καὶ Φλ.] Οὐαλ. [Κ]ω[νσταντίῳ] | καὶ Γ(αλε-
ρίῳ) Οὐαλ. Μαξιμ(ι)α[νῷ] | τοῖς ἐπιφανεστά|τοις Καίσαρσιν. | M(ilia) p(as-
suum) γ'.

Miliarium III est viae Pergamo Myrinam.

1173. Myrinae Caesareae. — Earinos, Μουσεῖον, I (1873-1876), p. 16, n. ργ'.

Ὁ δῆμος | ὁ Καισαρέων Μυρειναίων | Αὐτοκράτορι Καίσαρι θεῷ, | υἱῷ
5 θεοῦ, Σεβαστῷ ὑπὲρ ‖ Εἰρήνης Σεβαστῆς ¹ | καθιέρωσεν.

1. Anno 9 ante C. n. Augustus aram Pacis Augustae in Campo Martio dedicavit (*C. I.
L.*, I, p. 313 et 395). Ab eo Myrina vocata est Caesarea : Chapot, *Prov. rom. d'Asie*, p. 102.

1174. Myrinae Caesareae. — Baltazzi, *Bull. de corr. hellén.*, XII (1888), p. 370, n. 19.

5 [Αὐτοκράτ]ορι Ἀδ|ρι[ανῷ] Καῖσα|ρι Σεβα[στῷ Ὀλ|υ]μπίῳ ¹ [σω‖τῇ]ρι καὶ
κ[τίστῃ].

1. Post annum 129 post C. n.

1175. Myrinae Caesareae. — *Bull. de corr. hellén.*, I (1877), p. 107, II.

5 Αὐτοκράτο|ρι Καίσαρι | Μαρ. Ἀντω|νίῳ Γορδι∦ανῷ Εὐσε|βεῖ Εὐτυχεῖ
10 Σεβαστῷ | ἀρχιερεῖ με|γίστῳ, δημαρ|χικῆς ἐξουσί∦ας, πατρὶ πα|τρίδος, ὑπάτῳ[1], |
ἀνθυπάτῳ, | ἐπὶ ἀνθυπάτου Λ.........

1. Gordianus III, annis 238-240 post C. n.

1176. Aegis. — Buresch, *Aus Lydien* (1898), p. 9.

Τειμόθεος Διαγόρου | Λαβραντίδης[1] καὶ Μόσχιον | Τειμοθέου ἡ γυνὴ αὐτοῦ |
5 Θεῷ ὑψίστῳ[2] εὐχὴν τὸν ∥ βωμόν. | Διαγόρας, Τειμόθεος, Πύθεος, | οἱ Τειμοθέου
υἱοί, | Λαβραντίδαι τὰς λυγναψίας | ὑψίστῳ ἀνέθηκαν.

1. Lydi generis nomen, quod videtur ex eadem radice ortum ac Λάβρα(υ)νδα, Cariae locus,
et Λαβρα(υ)νδεύς, cognomen Jovis in eo culti. — 2. Θεὸν ὕψιστον, quem Cumont arbitraba-
tur Judaeorum esse (cf. n. 47), multi etiam nunc contendunt non alium fuisse nisi Διὰ
ὕψιστον, Lydis sanctissimum. Cf. Buresch, *loc. cit.;* Keil et v. Premerstein, *Denkschr. der
Wiener Akad.*, *philos. hist. Klasse*, LIII (1910), II, p. 27, n. 39.

1177. Aegis. — *C. I. L.*, III, 7098.

[P. Seruiliu]s P. f. Isau[ricus | procos.] restitui[t]. |

[Πόπλιο]ς Σερουίλιο[ς Ποπλίου | υἱὸς Ἰσ]αυρικὸς ἀν[θύπατος[1] | ἀ]ποκατ-
έστ[ησεν].

1. P. Servilius Isauricus, cos. anno 48 ante C. n., Asiam rexit inter annos 46 et 44 :
Waddington, *Fastes des provinces asiatiques*, n. 37. Cf. titulum n. 1178.

1178. Aegis. — Dittenberger, *Orient. gr. inscr. sel.*, n. 450.

Ὁ δᾶμος Ἀπ[όλλωνι Χρ]ηστηρίωι[1] χαριστήριον, σωθ[εὶς] | ὑπὸ Ποπλίω
Σε[ρουιλίω Ποπ]λίω υἱῶ Ἰσαυρικῶ τῶ ἀνθυπάτω[2].

1. Templum novum Apollini Chresterio, cujus sacra Aegeates multo ante celebraban‧
(Dittenberger, n. 312), tum temporis dedicatum esse docet hic ipse titulus. Oracula vero
ibi edita esse patet ex dei cognomine. — 2. Cf. n. 1177.

1179. Aegis. — Foucart, *Bull. de corr. hellén.*, XI (1887), p. 84, n. 3.

Αὐτοκράτορι Τιβερίῳ Κλαυδίῳ Καίσαρι | Σεβαστῷ Γερμανικῷ ὑπάτῳ τὸ
γ' [1] | Γάιος Λαρτίδιος Μάρκου υἱὸς Πα|λατίνα Νίγερ, ἐπί[τροπος τοῦ Σεβασ-
5 τοῦ], ‖ ὁ καὶ τὸ ὑποκίμενον ἐ[κ τ]ῶν ἰδίων | στρῶμα ποιήσας.

1. Annis 43-48 post C. n.

1180. Aegis. — Radet et Lechat, *Bull. de corr. hellén.*, XI (1887), p. 394.

[Κ]αίσαρι Λ. Σεπτι[μίῳ Σεουήρῳ].

1181. Aegis. — Radet et Lechat, *Bull. de corr. hellén.*, XI (1887), p. 395.

In sepulcro, quod sibi suisque faciendum curavit quaedam Pacuvia Rufa :

V. 17 : εἰς τὸν τοῦ κυρίου Καί|σαρος φίσκον δηνάρια ‚βφ' καὶ τῇ | Αἰγαέων
5 βουλῇ δηνάρια ‚αφ'. ‖ Ταύτης τῆς διατάξεως ἀν|τίγραφον ἀπετέθη εἰς τὸ | ἐν
Αἰγαῖς ἀρχεῖον, ὁμοί|ως καὶ εἰς τὸ ἐν Περγάμῳ [1].

1. Nam Aegae, ut Attalea et Apollonis, pertinebant ad conventum Pergami juridicum
(Plin., *H. N.* V, 126).

1182. Aegis. — Fontrier, Μουσεῖον, V (1885-1886), p. 68, n. φνς'.

V. 6 : εἰς τὸν | [τ]οῦ κυρίου Καίσαρος φίσκον | [δηνάρια δι]σχείλια πεντα-
κόσια.

1183. Apollonide. — Keil et v. Premerstein, *Denkschr. der Wiener Akad., philos. hist.
Klasse*, LIII (1908), II, p. 49, n. 98.

5   Θεὰ[ν Ἰουλί]α[ν] | Σ[εβα]στὴν [1] | Πρ[ωτ]ονείκη | [Ἀ]πο[λλ]ωνίδου ‖ ἀγω-
10 [νοθ]ετήσασα | ἐκ δι[α]θήκης | Ἰουλίας, τῆς | Ἰουλίας | καὶ Σπορίου ‖
[θυγα]τρός.

1. Aut Livia Augusti, anno 42 post C. n. inter deas relata, aut, ut nos monuit
W. Buckler, Julia Domna, Septimii Severi uxor, quae anno 215 post C. n. Thyatira adiit
cum filio Caracalla (Cass. Dio, LXXVII, 18, 2 et infra n. 1247). Cf. titulum Thyatirenum
n. 1203.

1184. Apollonide. — Keil et v. Premerstein, *Denkschr. der Wiener Akad., philos. hist. Klasse,* LIII (1908), II, p. 50, n. 102.

In sepulcro Aur. Pancratis Thyatireni :

V. 5 : τούτου ἀν|[τί]γραρον ἐτέθη εἰς ἀρχεῖον [ἐπὶ] ....αρίο[υ] Μα[ξι]μ.... [1].

1. [ἐπ' ἀνθυπάτου Μ]αρίο[υ] Μα[ξί]μ[ου] (anno 214/215 post C. n.) non restitui posse testantur editores, qui cogitant potius de quodam Maximiliano, qui Asiam administravit Valeriano et Gallieno principibus : Chapot, *Prov. rom. d'Asie,* p. 313.

1185. Apollonide. — Keil et v. Premerstein, *Denkschr. der Wiener Akad., philos. hist. Klasse,* LIII (1908), II, p. 50, n. 101.

5   ....καὶ [στ]ατι|οναρίῳ [1] τῷ | κατὰ και|[ρ]ὸν 'Ατικὰς [2] ‖ γειλίας | εἰς ἀρχεῖ|ον.

1. Cautum erat ut illi militi stationario (cf. t. III, nn. 242, 748, 812) solveretur multa ob violatum sepulcrum indicta. — **2.** Atticae drachmae. Cf. t. III, nn. 1047, 1344, 1351, 1355, etc. et Chapot, *Prov. rom. d'Asie,* p. 341, n. 2.

1186. Apollonide. — Fontrier, Μουσεῖον, V (1885-1886), p. 64, n. φνα'.

5   [Σ]ωτήριχος | [χ]αὶ Λαυδίκη | [Π]ασίῳ | [γ]ενομένῳ ‖ σαλταρίῳ [1] | πρὸς ὀλί|γον μνίας | χάριν.

1. Saltuarius fortasse praedii alicujus, quod Augustorum fuerit prope Thyatira. Cf. n. 1213.

1187. Kaïchlar. — Buresch, *Aus Lydien* (1898), p. 35, n. 20.

.. Φούριον Λ(ευχίου) υ(ἱὸν) 'Ανιήνσι Α...

1188. Sedi-Keui. — Conze, *Athen. Mittheil.,* XXIV (1899), p. 234, n. 74.

... ἀ[να]γκα[ῖα ...... δικα]|σ[τη]ρίων ο[ὐδὲ δ]ιοικεῖν οὐδὲ ποιεῖν ... | δὲ [πρό]σοδος χωρήσει καὶ τότε εἰς ἐπισκε[υὴν ....]| διὰ στηλῶν τὸ τοῦ Αὐερχίου 5 δαπάνημα δηλ......‖...ωι γράψασα κατὰ τὸν Κορνήλιον νόμον [1] διάταξιν ... | [ἄπαν]τα χρόνον ἐπεσφραγισμένον πάσηι τε θεῶν ἐπωι[δῶι] ...|.......

1. Una profecto ex legibus Cornelii Sullae.

1189. Thyatiris. — Keil et v. Premerstein, *Denkschr. der Wiener Akad., philos. histor. Klasse,* LIV (1911), II, p. 21, n. 37.

[Θ]εοῖς Σεβαστοῖς | ['Απ]ο[λλ]όδοτο[ς Μ]ηνοδ[ό|τ]ου στρ[α]τηγ[ή]σ[α]ς κ[α]ὶ
5 ἐργεπιστ[α]‖τήσας τὸ τρί[πυλον καὶ τὰ]ς στο[ὰς ‖ καὶ τὰ] ἐ[ν α]ὐτ[αῖς] οἰ[κη]τή-
[ρ]ι[α] ἐ[κ] τῶ[ν] | περισσῶ[ν τῆς ἀρχῆς ?] χ[ρ]ημάτω[ν] | ἐνίωι ἰδίω[ι] ἔ[ργ]ω[ι]
ἐ[π]εμελήθη [ἐπὶ] .....

1190. Thyatiris. — Wiegand, *Athen. Mittheil.,* XXXIII (1908), p. 156, n. 14.

Γάιος Ἰούλιος Δημήτριος [1] ὑπὲρ ἑαυτοῦ καὶ τῆς γυναικὸς καὶ τοῦ τέκνου
ἀνάθεμα κατ᾽ εὐχὴν [2], (ἔτους) η΄ Καίσαρος, Τυβὶ δ΄ [3].

1. Profecto Aegyptius. — 2. In Iseo Thyatireno (?) — 3. Die 4 mensis Tybi, anno VIII imperantis Caesaris = die 30 Decembris, anno 19 ante C. n., si haec de Augusto intelligenda sunt, ut putat editor.

1191. Thyatiris. — Clerc, *Bull. de corr. hellén.,* X (1886), p. 399, n. 2.

['Ο δῆμ]ο[ς ἐτείμησεν] | Λεύκιον Λικίνιο[ν Λευκίου υἰὸν] | Λεύκολλον τὸν
5 ἀντι[ταμίαν] [1], | σ[ω]τῆρα καὶ εὐεργέτην καὶ κ[τίστην] ‖ τοῦ δήμου, ἀρετῆς
ἕνεκεν κ[αὶ] | εὐνοίας τῆς εἰς ἑαυτόν.

1. L. Licinius Lucullus quaestor Asiae fuit anno 88 ante C. n., proquaestor, ut videtur, annis 87-80 : « In Asiam quaestor profectus, ibi per multos annos admirabili quadam laude provinciae praefuit ; deinde absens factus aedilis. » Cic., *Acad. pr.* 1, 1 ; cf. 4, 11 ; *pro Arch.,* 5, 11 ; Plutarch., *Luc.* 2-4 ; Dittenberger, *Sylloge,* n. 331.

1192. Thyatiris. — Radet, *Bull. de corr. hellén.,* XI (1887), p. 457, n. 19.

Ὁ δ[ῆμος ἐτείμησεν] | Λεύκιον Κο[ρνήλιον .... υἱὸν] | Λέντλον [1] ε[ὐερ-
5 γέτην καὶ πάτρω]|να τοῦ δήμ[ου ..... ἐκ προ]‖γόνων, ἀρετ[ῆς ἕνεκεν καὶ εὐνοί]|ας
τῆς εἰς τ[ὴν πόλιν].

1. Quis inter L. Cornelios Lentulos significetur, non liquet. Vide tamen an de amico Ciceronis (*Phil.* III, 25) agatur : Münzer ap. Pauly et Wissowa, *Realencyclop.,* IV, col. 1372, n. 197.

1193. Thyatiris. — *C. I. L.*, III, 470. In miliario :

Imp. Caesar Vespasianus | Aug. pontif(ex) max(imus), trib(unicia) | pot(estate)
5 VI, imp(erator) XIII ¹, cos. VI,] desig(natus) VII, censor, uias || faciendas
curauit. |

Αὐτοκράτωρ Καῖσαρ Οὐ|εσπασιανὸς Σεβασ|τὸς, ἀρχιερεὺς μέγιστος, | δημαρ-
10 χικῆς ἐξουσίας τ(ὸ) ς′, || αὐτοκράτωρ τ(ὸ) ιγ′, πατὴρ | πατρίδος, ὕπατος τ(ὸ)
ς′ ², | ἀποδεδειγμένος τ(ὸ) ζ′, | τειμητὴς, τὰς ὁδοὺς | ἐποίησεν.

1. Omissum est p(ater) p(atriae). — 2. Anno 75 post C. n.

––––––––––––––

1194. Thyatiris. — *C. I. L.*, III, 7191-7194; Keil et v. Premerstein, *Denkschr. der Wiener Akad., philos. hist. Klasse*, LIV (1911), II, p. 18, n. 30. In miliario :

a. [Imp. Caesa]r diui Vespa|[siani f. Domitianu]s Aug. | [Germanic. p]onti-
5 fe(x) max., | [trib. pot. XI], imp. XXII ¹, || [cos. XVI, cens. pe]rpe(tuus), | [p. p.,
uias] restituit.

[Αὐτοκράτωρ Καῖ]σ[αρ Θε]οῦ Οὐεσπασιανοῦ υἱὸς | Δομιτιανὸς Σεβαστὸς |
10 Γερμανικὸς ἀρ]χιερε[ὺς] || μέγισ[τος, δ]ημ[α]ρχικῆς | [ἐξ]ου[σί]ας τὸ ι[α′],
αὐτοκρ[ά|τωρ τὸ κϛ′], ὕπατος τὸ ιϛ′, | τειμητὴς [α]ἰ[ώ]νιο[ς], πα|τὴ[ρ πατρ]ί-
δος, τ[ὰ]ς ὁ||δο[ὺς ἀπο]κ[ατ]έστη|σεν. | [Θ]υ[α]τειρ[η]νῶν | μίλ(ιον) α′.

5 *b.* [Imp. Ner]ua | [Caes]ar Aug. | pontif. max., | trib. potestatis ², || p. p.,
cos. III.

[Αὐτο]κρ[ά]τωρ Νέρουας | [Καῖσα]ρ Σεβαστὸς | [ἀρχιε]ρεὺς μέγιστος, | δημαρ-
10 χικῆς ἐξουσίας, || πατὴρ πατρίδος, | ὕπατος τὸ τρίτον. | Α′. | ....ληιοπολεῖται ³ |
....σαντο.

1. Anno 92 p. C. n. — 2. Anno 97 p. C. n. — 3. [Μι]λητοπολεῖται?

––––––––––––––

1195. Thyatiris. — Clerc, *Bull. de corr. hellén.*, X (1886), p. 402, n. 6.

Αὐτοκράτορι Νέρουᾳ | Καίσαρι Σεβα(σ)τῷ καὶ | συνκλήτῳ καὶ τῇ Ῥω|μαίων
5 ἡγεμονίᾳ ὁ Θυα||τειρηνῶν δῆμος ἐ|κ τῶν ἰδίων κατασκευ|άσας καθιέρωσεν.

––––––––––––––

1196. Thyatiris. — Keil et v. Premerstein, *Denkschr. der Wiener Akad., philos. histor. Klasse*, LIV (1911), II, p. 19, n. 31.

5 Αὐτοκράτορι | Καίσαρι Ἀδρι|ανῷ Διὶ Ὀλυμ|πίῳ σωτῆρι καὶ || κτίστῃ.

1197. Thyatiris. — Schuchhardt, *Athen. Mittheil.*, XXIV (1899), p. 238, n. 84.

5 [Αὐτοκρά]|τορι | Ἀδριανῷ | Ὀλυμπίῳ ▌ [σω]τῆρι.

1198. Thyatiris. — Fontrier, *Athen. Mittheil.*, XXIV (1899), p. 323, n. 84.

Αὐτοκράτορι | Ἀδριανῶι Διὶ | Ὀλυμπίωι σω|τῆρι καὶ κτίσ[τηι].

1199. Thyatiris. — Hicks, *Classical review*, III (1889), p. 137, n. 6.

[Αὐτοκρά]τορι [Κ]α[ί]σαρι] Ἀδ(ρι)αν[ῷ] | Ὀλυμ[πίῳ]………

1200. Thyatiris. — Keil et v. Premerstein, *Denkschr. der Wiener Akad., philos. hist. Klasse*, LIV (1911), II. p. 19, n. 32.

Οὖῆρον Καίσα|ρα ¹ ὁ δῆμος.

1. M. Annius Verus, M. Aurelii imperatoris et Faustinae filius, natus anno 163, Caesar 166, defunctus 169 : *Prosop. imp. rom.*, I, p. 73, n. 538.

1201. Thyatiris. — Keil et v. Premerstein, *Denkschr. der Wiener Akad., philos. histor. Klasse*, LIV (1911), II, p. 19, n. 33.

a. [Αὐτοκράτορα Καί|σαρα Μ. Αὐρήλιον Κόμ|μοδον Σεϐα]στὸ[ν ……… |
5 ἀρχιερέα, δημ|αρχικ[ῆς ▌ ἐξουσίας τὸ ., αὐτοκρά|[τορα τὸ ., ὕπα]τον τὸ γ' ¹, |
[πατέρα πατρίδ]ος, Θεοῦ | [Ἀντωνίνου υ]ἱὸν, Θεοῦ | [Εὐσεϐοῦς υἱων]ὸν, Θεοῦ ▌
10 [Ἀδριανοῦ ἔκγονον, Θεῶν | Τραιανοῦ καὶ Νέρουα | ἀπόγονον ………] |

b. c. ….ων τὸ[ν …..|τατ]ο[ν] ἑαυτ[ῶν | σωτῆρα κ]αὶ εὐεργέ[την | ἀνέστησ]εν
5 ἐπὶ ἀν[θυ▌πάτου ..] Νοουίου ΙΙ………², | [ἐπιμ]ελ̣ηθ[έντος τῆς | ἀνα]στάσεω[ς
10 αὐτοῦ | καὶ τ]ῆς κατα[σκεῦης ▌ τοῦ ἀγ]ά[λματος] …

1. Anno 181 vel 182 p. C. n. — 2. .. Novius P….., proconsul Asiae aliunde ignotus.

1202. Thyatiris. — Keil et v. Premerstein, *Denkschr. der Wiener Akad., philos. histor. Klasse*, LIV (1911), II, p. 20, n. 34.

Αὐτο[κράτορα Καίσαρα Λ. Σεπτίμιον] | Σεου[ῆρον Σεϐαστὸν] ………|κόν, τ[ὸν

5 κτίστην καὶ εὐεργέτην], | ἡ βου[λὴ καὶ ὁ δῆμος Ἱεροκαι∥σ]αρέ[ων] ....|
.οσ.......

1203. Thyatiris. — Buckler, *Rev. de philologie*, 1913, p. 319, n. 13; cf. p. 331.

Θεὰν Ἰουλίαν Σεβαστὴν[1] | Τατᾶς Ποπλίου Πρόκλα | ἀγωνοθετήσασα | ἐκ δια-
5 θήκης Ἰουλίας, τῆ[ς] ∥ Ἰουλίας καὶ Σπορίου θυγατρὸ[ς, | γ?] πράξασα[2] ἀνέθηκεν.

1. Aut Livia Augusti aut Julia Domna. Cf. n. 1183. — 2. Tresne statuas Juliae Augustae
faciendas curaverit, quod vult editor, dubium est.

1204. — *C. I. Gr.*, 3484.

a. Ἀγαθῇ τύχῃ · | Αὐτ(οκράτορα) Κ(αίσαρα) Μ. Αὐρ. Σεου(ῆρον) | Ἀντω-
5 νεῖνον | Σεβ(αστὸν) Εὐσ(εβῆ) Εὐτυχῆ ∥ Τ. Ἀντ(ώνιος) Ἀλφῆνος | Ἀρίγνωτος[1]
10 ἀπὸ | τριῶν χιλιαρχιῶν[2] | τὸν ἴδιον κύριον | καὶ τῆς πόλεως ∥ κτίστην ὁ
ἱερεὺς | τοῦ θεοῦ[3] καὶ νε|ωκόρος τοῦ Σεβ(αστοῦ) | καὶ ἐπίτροπος Σε|βαστοῦ
15 ἄρ[χ]ης Λιου∥[ια]νῆς[4].

b. Τὸν γῆς καὶ θα|λάσσης δεσπότην | Αὐτ(οκράτορα) Καίσ(αρα) Μ. Αὐρ.
5 Σεουῆρον | Ἀντωνεῖνον Παρθ(ικὸν) μέγ(ιστον), Βριτ(αννικὸν) μέγ(ιστον), ∥ Γερμ(α-
νικὸν) μέγ(ιστον), πατέρα πατρίδος[5], τὸν | ἑαυτοῦ καὶ τῆς | πόλεως εὐεργέτην, |
10 Τ. Ἀντ(ώνιος) Ἀλφῆνος | Ἀρίγνωτος, τὸ ∥ τρίτον χιλίαρχος, | ὁ ἱερεὺς τοῦ
15 θεοῦ | καὶ νεωκόρος | τοῦ Σεβ(αστοῦ) | καὶ ἐπίτροπος Σε∥βαστοῦ ἄρχης
Λιουιανῆς.

1. Cf. n. 1213. — 2. A tribus militiis. — 3. Apollo Tyrimnus, cui dicatae erant binae
statuae. — 4. Cf. n. 1213. — 5. Caracalla post annum 213.

1205. Thyatiris. — *C. I. Gr.*, 3485.

Τὸν γῆς καὶ θαλάσ|σης δεσπότην Αὐτο|κράτορα Καίσαρα | Μ. Αὐρ. Σευῆρον ∥
5 Ἀντωνῖνον Εὐσεβ|ῆ Σεβαστὸν [ἐκ | τῶν] ἰδίων ἱδ[ρυσαν] | οἱ κεραμεῖς.

1206. Thyatiris. — *C. I. L.*, III, 7195. In miliario :

B(onae) f(ortunae). | Imp. Caes. M. Aur. | [Ant]o[nin]o Pio | Fel. Aug. cos.
5 III ʻ ∥ p. p.

5 Ἡ λαμπροτάτη | Θυατε[ι]ρηνῶν πό|λις κατεσκέυα|σεν τὰς ὁδοὺς ἐπὶ ‖ ἀνθυ-
πάτου Αὐφι|δίου Μαρκέλλου ¹. | Μ(ίλιον) α′ ³.

1. Elagabalus, annis 220, 221 post C. n. — 2. C. Aufidius Marcellus consul iterum
anno 226 p. C. n. cum imperatore Severo Alexandro : *Prosop. imp. rom.*, I, p. 183,
n. 1155. — 3. Viae Thyatiris Sardes.

1207. Thyatiris. — Clerc. *Bull. de corr. hellén.*, X (1886), p. 409, n. 13.

Ἀγαθ[ῆι τύχηι] · | τὸν γῆς καὶ θαλάσσ[ης καὶ παν]|τὸς ἀνθρώπων ἔθνους
5 [δεσπό]|την Αὐτοκράτορα Καί[σ]αρα ‖ [Σ]εουῆρον Ἀλ[έξανδρον Εὐ]|τυχῆ
Σεβαστὸν ἡ λαμπ[ροτά|τη] καὶ μεγίστη Θυατειρη[νῶν | πό]λις, ψηφισαμένης
10 [τῆς | με]γίστης βουλῆς, ἐπὶ τῶ[ν πε‖ρὶ] Γάιον Ἀρούντιον [Ἀντων|ε]ῖνον Φλα-
βιανὸν ἱππ[ι]κὸν ¹ ἀρχόντων.

1. [Μαρε]ῖνον Φλαβιανὸν Ἵππ[αρ]χον Clerc, qui contulit Le Bas et Waddington, n. 624. Sed
vide in nummo Thyatireno vera archontis illius nomina : Barclay v. Head, *Catal. of the
greek coins in the British Museum, Lydia*, p. cxxv, not. 4, et p. 315, n. 122.

1208. Thyatiris. — Keil et v. Premerstein; *Denkschr. der Wiener Akad., philos. histor.
Klasse*, LIV (1911), II, p. 20, n. 35. In miliario :

a. Ἀγαθῇ τύχῃ · | Αὐτοκ(ράτορας) Καίσαρας Γ. Οὐαλέ(ριον) Διοκλητι[ανὸν |
κ(αὶ)] Μ. Αὐρ(ήλιον) Οὐαλέ(ριον) Μαξιμιανὸν εὐσεβ(εῖς), | εὐτυχοὺς, ἀνεικήτους
5 Σεββ. ‖ κ(αὶ) Φλάβ(ιον) Οὐαλ(έριον) Κωνστάντιον κ(αὶ) Γαλέρ(ιον) | Οὐαλ(έριον)
Μαξιμιανὸν τοὺς ἐπιφαν(εστάτους) | Καίσαρας ἡ λαμ(προτάτη) κ(αὶ) | διαστημ(ο-
τάτη) | Θυ(ατειρηνῶν) πό(λις). Μί(λιον) α′ ¹.

b. [Κυ]ρίοις ἡμῶν | [Φλασ]υίῳ Κωσταντείνῳ Σεβ(αστῷ) | [καὶ] Οὐα[λερίῳ]
5 Κωσταντίῳ | [καὶ] Οὐα(λερίῳ) Κώσταντι, ‖ ἀη(τ)τήτοις Σεββ. | Μί(λιον) α′ ².

1. Annis 292-305 post C. n. — 2. Annis 337-340 post C. n.

1209. Thyatiris. — *C. I. Gr.*, 3480.

Τοῖς Σεβαστοῖς | οἱ ἱματευόμενοι ¹ | τὸ τρίπυλον καὶ τὰς | στοὰς, τάς τε
5 καταγωγὰς ² ‖ καὶ τὰ ἐν αὐταῖς ἐργασ|τῶν οἰκητήρια, κατεσκευασ[μένα] ³ | ἐκ

τῶν ἔργων καὶ [ἰ]δ[ίων?] ⁴ .... | Παμφ[ί]λου τοῦ ὑπάτου? Μηνοφάν-
του ....|............. ⁵.

1. Vestiariorum collegium. — 2. Stationes. — 3. Traditur κατεσκεύασαν. — 4. Traditur
ΚΑΙΔΗ. — 5. Traditur ἀνέθηκεν | ΧΡΥ.ΣΩ.ΚΑΛΙΝΟΣ.

1210. Thyatiris. — Keil et v. Premerstein, *Denkschr. der Wiener Akad., philos. histor.
Klasse,* LIV (1911), II, p. 21, n. 36.

5 Ὑπὲρ τ[ῆς] τοῦ κυ|ρίου ν[είκ]ης καὶ | τύχ[ης] Ἀλέξαν|δρος ...ίνου ‖ ἀγο-
[ραν]όμος | ὑπὲ[ρ τῆ]ς ὑπο|καύσ[εω]ς ¹ τῆι | γλυκ[υτά]τηι | π[ατρί]δι.

1. Ad aedificium aliquod calefaciendum.

1211. Thyatiris. — Viereck, *Sermo graecus quo SPQR usi sunt* (1888), p. 9, n. viii.

Πόπλιος Κορνήλιος Σ[κιπίων ¹ ἀνθύπατος Ῥωμαίων] | Θυατειρηνοῖς ἄρχουσ[ι
βουλῇ δήμῳ χαίρειν]. | Δίκαιον εἶναι νομίζω ὑ[μᾶς .... ὡς] | καὶ νόμιμόν
5 ἐστιν τ[ὰς γενομένας ὑπὲρ τῶν ἱε]‖ρῶν χρημάτων κρίσε[ις] ......|γης δικαστῶν
κελευ[....ˇ.... καὶ οὐ]|δὲν πλέον τοῖς ἐπικαλ[ουμένοις ...... ὑπε]|ρωνηθεῖσι τὸ
10 παραβόλ[ιον .... ὁ|π]ό[σ]η τοῖς φυγοδικοῦσ[ι]........... ‖ ἐμὴν ἄπαντα
.... | [ε]ἰσηγησαμένου Αὔλου Ῥαυ(ί)ο[υ] ²..........

1. P. Cornelius Scipio, cos. anno 16, proconsul Asiae anno 7/6 ante C. n., ut putat
Klebs : *Prosop. imp. rom.*, I, p. 463, n. 1175. « Publicani quidam provocaverant pignore
interposito contra Thyatirenos, qui judicia, quae intercesserant inter publicanos et Thya-
tirenos, non curaverant, ad proconsulem Asiae. Agebatur vero de rebus sacris, quae
nimio pretio locata videntur esse. » (Viereck). — 2. Quidam A. Ravius Julianus notus est
titulo Pergameno : *C. I. Gr.*, 3542.

1212. Thyatiris. — Keil et v. Premerstein, *Denkschr. der Wiener Akad., philos. histor.
Klasse,* LIV (1911), II, p. 22, n. 39.

.... [λογιστὴν | Τρωαδ]έ[ων, ἐπιμελητὴν ὁδῶν Λαβικανῆς καὶ Λατεί-
νης, | δικ]αιοδότ[ην Ἀπουλίας, Καλαβρίας, Λουκανίας, δικαιο|δό]την Σπα[νίας
5 διοικήσεως Ταρακωνησίας, ἔπαρχον στρα‖τι]ωτικῶν χρ[ημάτων, τὸν λαμπρό-

τατον ὑπατικὸν καὶ | λογ]ιστὴν ἐ[ν Ἀσίᾳ διοικήσεως Περγαμηνῆς] .... |
.... ¹.

1. Ejusdem viri honorum cursum acephalum habemus, Hierocaesareae repertum;
cf. infra.

1213. Thyatiris. — C. I. Gr., 3497.

Ἀγαθῇ τύχῃ · | [Τ.] Αντ(ώνιον) Κλ(αύδιον) Ἀλφ(ῆνον) Ἀρίγνωτον ¹ τὸν | κρά-
5 τιστον ἐπίτροπον τοῦ Σεβ(αστοῦ) | ἄρχης Λειβιανῆς ², ἔπαρχον εἴλης ‖ δευτέρας
Φλ. Ἀγριππιανῆς, πραιπό|σιτον εἴλης Σιν[γ]λαρίων, χιλίαρχον | σπείρας πρώτης
Κιλίκων, πραιπόσιτον | σπείρας πρώτης Γαιτούλων, ἔπαρχον | σπείρας δευτέρας
10 Φλ. Νουμιδῶν, πραι‖πόσιτον σπείρ[α]ς δευτέρας Φλ. Βεσσῶν ³, | σπείρας ἀνν[.]νης ⁴
Θεοῦ Ἀντωνείνου ⁵ | [ἀφε]ιμένων ⁶ Σελευκείας Πει[ε]ρ[ί]ας, ἱππέα Ῥω‖[μ]α[το]ν,
15 τρίβου Κυρείνᾳ, ὑπατικῶν συγγε|νῇ, υἱὸν καὶ ἔκγονον ἀρχιερέων Ἀσίας, ‖ ἀδελ-
φιδοῦν Ἀλφ(ήνου) Ἀπολλιναρίου ⁷ ἐπὶ κῆν|σον τοῦ Σεβ(αστοῦ) ⁸, νεωκόρ(ον) τῆς
λαμπροτά|της Κυζικηνῶν μητροπόλεως, λογι|στὴν Σελευκείας Πειερίας καὶ
20 Ἀλεξαν|δρείας κατ᾽ Ἰσ[σο]ν καὶ Ῥω[σ]σοῦ καὶ τῆς ‖ [τῶν] Τραιανῶν πόλεως καὶ
Τροπησίων | καὶ τῆς [Κ]ολωνείας ⁹, ἐν πάσαις ὑπ[η]ρεσίαις [σ]τρα|τιωτικαῖς
γεγονότα, τὸν ἱερέα τοῦ προ|πάτορος θεοῦ Τυρίμνου ¹⁰, | οἱ βαφεῖς.

1. *Prosop. imp. rom.*, I, p. 95, n. 635. Cf. n. 1204. — 2. Arca Liviana percipiebantur
reditus praediorum, quae, ut partem rei suae privatae, Livia Augusti in agro Thyatireno
olim possederat; iis autem administrandis praeerat unus ex procuratoribus Augusti ad
illud unum officium delegatus. Marquardt, *Organis. financ. chez les Rom.*, p. 322; Hirsch-
feld, *Röm. Verwaltungsgeschichte*, I, p. 28. — 3. Ala II Flavia Agrippiana videtur sae-
culo II in Syria tetendisse : Cichorius ap. Pauly et Wissowa, *Realencyclop.*, I, p. 1229.
Eadem aetate ala (I) Singularium (civium Romanorum Pia Fidelis) in Raetia (Cichorius,
p. 1261) castra sua habuit; cohors I Cilicum in Moesia inferiore (Cichorius, *op. cit.*, IV,
p. 270); cohors I Gaetulorum in aliqua Orientis parte (p. 287); cohors II Flavia Numi-
darum in Dacia (p. 320); cohors II Flavia Bessorum in Moesia inferiore (p. 254). —
4. ἀνν[ώ]νης Boeckh jure dubitans. — 5. Caracalla. Cf. n. 1204. — 6. Veterani? Boeckh
conjecit veteranorum cohortem Seleuciae Pieriae, in Syria, collocatam esse; sed neque
de sensu constat, neque de verbis. — 7. *Prosop. imp. rom.*, I, p. 49, n. 377 a. — 8. (Procu-
rator Augusti) a censibus (accipiendis). — 9. Alexandria ad Issum, Rhossus urbes
erant Syriae; Trajanopolis (Selinus) Ciliciae. De Τροπησίοις nihil certi compertum est;
apte tamen ad Anazarbum Ciliciae hoc nomen fortasse referretur, cujus in nummis
inscriptum est : Τροπε... (Τρόπεσος?); Babelon, *Invent. de la coll. Waddington*, 4131, 4134,
4135. Coloniam qua de causa Boeckh arbitraretur nullam aliam esse nisi Antiochiam
Pisidiae, nos fugit. — 10. Cf. nn. 1204, 1215, 1222, 1225, etc.

1214. Thyatiris. — Stouraïtis, *Athen. Mittheil.*, XXVII (1902), p. 269.

Μ. Γν. Λικίν[ιον Ρο]υ(φ)εῖ|νον τὸν λαμπρότα|τον ὑπατικὸν [1] Μ. Αὐρ. | Βάσσος
5 ἱππικὸς ἀπὸ ‖ χειλιαρχιῶν [2] τὸν ἑαυ|τοῦ εὐεργέτην.

1. Consularis ignotus saeculi III : *Prosop. imp. rom.*, II, p. 283, n. 164. Cf. infra nn. 1215, 1216, 1217. — 2. Eques romanus a militiis.

1215. Thyatiris. — *C. I. Gr.*, 3500.

Ἀγαθῆι τύχηι · | Μ. Γν(αῖον) [Λ]ικίν(ιον) Ρουφ[ε]ῖνο[ν [1], τ]ὸν λαμπρότατον
5 ὑπα[τι]κὸ[ν], | κτίστην καὶ εὐεργέτην τῆς | πατρίδος, φίλον τοῦ Σε‖[6](αστοῦ),
ἐ[τ]ε[ίμησε | Λ. Α]ὐ[ρ]. Ἀλέξανδρος ἀρχιερε[ὺ]ς | τοῦ σύνπαντος [ξυ]στοῦ διὰ |
[β]ίου, ξυστάρχης καὶ ἐπ[ὶ] βαλα|νεί[ω]ν τοῦ Σεβ(αστοῦ) [2] καὶ [ἱ]ερεὺς το[ῦ] ‖
10 προπάτορος θεοῦ Ἡλίου Πυθί|[ο]υ Ἀπόλλωνος [Τ]υριμναίου [3], | τὸν ἑαυτοῦ καὶ
πάσης τῆς πόλεως εὐεργέτην.

1. Cf. nn. 1214, 1216, 1217. — 2. A balneis Augusti. Cf. De Ruggiero, *Dizionario epigrafico*, I, p. 971. Idem L. Aurelius Alexander honoratur etiam titulo *C. I. Gr.*, n. 3501, iisdem verbis concepto. — 3. Cf. nn. 1204, 1215, 1222, 1225, etc.

1216. Thyatiris. — *C. I. Gr.*, 3499.

Ἀγαθῆι τύχηι · | Μ. Γναῖον Λικίνιον | Ρουφῖνον, τὸν λαμπρότατον | ὑπατικὸν,
5 φίλον τοῦ ‖ Σεβαστοῦ [1], κτίστην | κ(αὶ) εὐεργ[έ]την τῆς | πατρίδος, | οἱ βυρσεῖς.

1. Cf. nn. 1214, 1215, 1217.

1217. Thyatiris. — *C. I. Gr.*, 3502.

Λικίννιον Ρουφῖ|νον, συγκλητικὸν [1], | υἱὸν Λικιννίου Ρου|φίνου [2], οἱ περὶ τὸν ‖
5 Ἡρακλέα τῶν πρώτων | γυμνασίων νεαν|ίσκοι καὶ κατὰ τὸ ἀρ|χαῖον τοῦ
τρίτου [3]......

1. *Prosop. imp. rom.*, II, p. 283, n. 162. — 2. Cf. nn. 1214-1216. — 3. « et, ex vetere computatione, tertii (gymnasii) » Boeckh.

1218. Thyatiris. — Keil et v. Premerstein, *Denkschr. der Wiener Akad., philos. histor. Klasse*, LIV (1911), II, p. 30, n. 55.

Γναῖ[ον Λι]κ[ίνιον] | 'Ρουφῖνον νέον τὸν | κράτιστον [1] | ἡ πάτρις.

1. Cf. n. 1217.

1219. Thyatiris. — Clerc, *Bull. de corr. hellén.*, X (1886), p. 401, n. 5.

Ἐπιμεληθέντος Λευκ[ίου] | Σενπρωνίου, Ἀττρατείνο[υ] | ἀπελευθέρου, Πολυκλεί|του τοῦ γραμματέως [1].

1. Polyclitus, scriba publicus, videtur libertus fuisse illius L. Sempronii Atratini qui consulatum suscepit anno 34 ante C. n. : *Prosop. imp. rom.*, III, p. 194, n. 260.

1220. Thyatiris. — *C. I. L.*, III, 404.

C. Iulius Crescens | mil(es) leg(ionis) XI Claud(iae) [1] uixit annos XXXV, |
5 militauit annis XV. Fl. Castus | frater et primus heres ex ‖ testamento iussus posuit. | Εὐτυχεῖτε.

1. Tetendit I saeculo in Dalmatia, post Antoninum in Moesia superiore. Cf. Cagnat ap. Daremberg et Saglio, *Dict. des ant.*, s. v. *Legio*.

1221. Thyatiris. — Keil et v. Premerstein, *Denkschr. der Wiener Akad., philos. histor. Klasse*, LIV (1911), II, p. 43, n. 75.

5 Διονύσιος | δεκαδάρχης [1] | Πωλλίωνι, | βέρνᾳ ‖ ταβελλαρίῳ | Καίσαρος, | μνείας χάριν.

1. Decurio collegii tabellariorum.

1222. Thyatiris. — Keil et v. Premerstein, *Denkschr. der Wiener Akad., philos. histor. Klasse*, LIV (1911), II, p. 23, n. 40.

['Ετείμ]η[σε]ν ἡ πατ[ρ]ὶς Π. Αἴλιον Αἰλιανὸν [1], | [ἀν]αθέντα εἰς τὰ ὕπαιθρα τῶν γυμνασίω[ν] | τοὺς 'Ηρακλέας καὶ εἰς τοῦ προπάτορος | Τυρίμνου [2] τὰ περὶ
5 τὸν Γανυμήδην καὶ εἰ[ς] ‖ τὸ τοῦ μακέλλου τὰ περὶ τὴν Δίρκην κα[ὶ] | εἰς τὸ προάτριον τοῦ μεγάλου γυμν[α]|σίου τὰ περὶ τὸν Βελλεροφόντην [3], | καταλεί-

ψαντα τῇ ἱερωτάτῃ βουλῇ δηνάρια ͵ϛϟ′ | πρὸς τὸ δίδοσθαι ἀπὸ τῶν τόκων
10 αὐ|τῶν ἑκάστῳ βουλευτῇ καὶ τετειμη‖μένῳ ἐν τῇ γενεθλίῳ τοῦ υοῦ αὐτοῦ |
Αἰλιανοῦ κατ᾽ ἔτος, μη(νὸς) Ξανδικοῦ ιη′, δηνάρια α′ | ἐπὶ τοῦ ἀνδριάντος
αὐτοῦ.

1. Cf. n. 1223. — 2. Cf. nn. 1204, 1213, 1215, 1225, etc. — 3. Praeter Herculis statuas,
symplegmata tria posuit : Ganymedem a Jove raptum, Dircen ab Amphione et Zetho ad
taurum alligatam, Bellerophontem cum Chimaera pugnantem.

1223. Thyatiris. — Clerc, Bull. de corr. hellén., X (1886), p. 409, n. 12.

Ἀ[γα]θῇ τύχηι · | ἡ φιλοσέβα[στο]ς καὶ πάντα | ἀρίστη βουλὴ Πόπλιον
5 Αἴλιον Αἰ|λιανὸν ¹ διὰ τὰς εἰς αὐτὴν καὶ ‖ τὴν πατρίδα φιλοτειμίας, ἐπι|μελη-
σαμένου τῆς τειμῆς Τ. | Κλ. Κυρηνίου Κέλσου τοῦ φίλου.

1. Cf. n. 1222.

1224. Thyatiris. — Buckler, Rev. de philologie, 1913, p. 306, n. 6.

[Ἡ βουλὴ | καὶ ὁ δῆμος ἐτεί]μησαν | [καὶ ἀνέθηκαν ....]ον Αἴλιον | [......
5 υἱὸν Κορ]νηλίᾳ Ἀτ‖[....., ἀγωνοθε]τήσαντα [φιλοτείμως καὶ πολ]υτελῶς, ἀλί-
[ψαντα παρ᾽ ἑαυτοῦ τ]ὸ δεύτερον.

1225. Thyatiris. — Radet, Bull. de corr. hellén., XI (1887), p. 478, n. 57.

[Ἡ β]ουλὴ καὶ ὁ δῆμος | [Π.] Αἴλιον Παῦλλον | [Δαμ]ιανὸν, υἱὸν Π. Αἰ|[λίο]υ
5 Παύλλου, τοῦ [ἱε‖ρέ]ως τοῦ Ἀπόλλω[νος] | καὶ στεφανηφόρο[υ] | καὶ πρυτάνεως
10 [καὶ] | ἀγωνοθέτου καὶ [ἀρχ]|ιερέως τῆς Ἀσίας, [καὶ ‖ Ο]ὐλπίας Μαρκέλ[λας], |
τῆς ἱερείας τῆς [Ἀρ|τ]έμιδος καὶ ἀγωνο[θέ|τι]δος καὶ ἀρχιερεί[ας | τ]ῆς Ἀσίας ¹,
15 ἀγωνοθε[τή‖σ]αντα καλῶς κ[αὶ κα|τα]σκευάσαντα τ[ὸ προ|π]ύλαιον τοῦ τ[εμέ|νο]υς
τοῦ Τυρίμνου ².

1. Illius gentis Thyatirenae stemma vide apud Radet, loc. cit., p. 479. — 2. Cf. nn. 1204,
1213, 1215, 1222, etc.

1226. Thyatiris. — C. I. Gr., 3504.

Λ. ? Ἀννιανὸν φιλοσ[έ]|βαστον, ἀσιαρχή[σαντα], | ἀρχιερέα τῶ[ν] Σεβασ-

5 ρῶ[ν], | τὸν ἄριστον τοῦ [λ]αμπρο‖τάτου τῆς Ἀσίας ἔθνους | καὶ πρῶτον τῆς
πατρίδος, | τὸν ῥήτορα καὶ νομικὸν, | ἀνείδρυσαν τειμῶντες, | ἐφ᾽ οἷς εὖ ποιῶν
10 διατε[λ]εῖ ‖ τὴν πατρίδα τὴν ἑαυ|τοῦ, τὴν λαμπροτάτην | καὶ διασημοτάτην καὶ |
15 μεγίστην Θυατειρηνῶ[ν] | πόλιν, ‖ οἱ λινουργοὶ, | ἐπιμελησαμένου Αὐ[ρ.] Ε[ὐ]|τυ-
χιανοῦ Ἀσκλ[η]π[ιάδο]υ |..... ¹.

1. Traditur...... **ΤΟΥΡΗΙΩΝ**.

1227. Thyatiris. — Keil et v. Premerstein, *Denkschr. der Wiener Akad., philos. histor.
Klasse,* LIV (1911), II, p. 24, n. 43.

Ὁ δῆμος ἀνέθηκεν | [Μ]ᾶρχον Ἀντώνιον Ἀνδρο|[ν]ίκου υἱὸν Ἄτταλον
5 Λέπι|δον τὸν Ἀντωνίου Λεπίδου ‖ πατέρα γενόμενον ἀρχιε|[ρ]έα διὰ βίου καὶ
μέγιστα [με|τ]ὰ τοὺς θεοὺς καὶ τοὺς | [ἡ]γεμόνας ¹ εὖ πο(ι)ήσαντα.

1. Praesides provinciae.

1228. Thyatiris. — *C. I. Gr.*, 3490.

Ἀγαθῆι τύχηι · | ἡ βουλὴ καὶ ὁ δῆμος Ἀσκληπιάδην | Τρύφωνος υἱὸν, τὸν
5 πρύτανιν καὶ | ἱερέα τῆς Ῥώμης, στρατηγήσαντα, ‖ σιτώνην καὶ τριτευτήν,
γραμματέα | βουλῆς, δήμου, δεκαπρ[ω]τεύσαντα | ἔτη ι´, καὶ ἐπιδόσει καὶ
κυριακαῖς | ὑπ[η]ρεσίαις χρησιμεύσαντα τ[ῇ] | πατρίδ[ι] καὶ ἀποδοχέα τῶν ‖
10 ἀρχείων ¹.

1. Cf. n. 1248, v. 7.

1229. Thyatiris. — *C. I. Gr.*, 3489.

Ἡ βουλὴ καὶ ὁ δῆμος | Λούκιον Αὐρ. Ἀριστομένη[ν], | ἀγωνοθετήσαντα
5 με|γαλοπρεπῶς, ‖ υἱὸν Λ. Αὐρ. Ἀριστομένους | καὶ Αὐρηλίας Τατίας, | τῶν
ἀγωνοθετῶν καὶ | ἀρχιερέων τῆς Ἀσίας.

1230. Thyatiris. — *C. I. Gr.*, 3494.

Ἡ πατρὶς | Μ. Αὐρ. Διάδοχον ἱππικὸν ¹, τὸν | ἀρχιερέα τῆς Ἀσίας ναῶν

5 τῶν | ἐν Περγάμωι καὶ ἀρχιερέα κατὰ ‖ τὸν αὐτὸν καιρὸν τῆς πατρί|δος καὶ διὰ
βίου βούλαρχον, τι|μηθέντα ὑπὸ τοῦ θειοτάτου | Αὐτοκράτορος Μ. Αὐρ. Σεουή-
10 ρου | Ἀλεξάνδρου Σεβαστοῦ, συνάψαι τὰς ἀρχιερεωσύνας τοῖς | ὀξέσιν ἐν ἑκα-
τέραις ταῖς πό|λεσιν², φιλοτιμησάμενον | ἐνδόξως καὶ μεγαλοφρόνως, | ἄνδρα
15 ἐπὶ ἤθεσι καὶ ἐπιεικείαι ‖ καὶ τῆι πρὸς τὴν πατρίδα | εὐνοίαι διαπρέποντα.

1. Cf. nn. 1231, 1232, 1233. — 2. τιμηθέντα... συνάψαι et q. s. : « honoratum ab impe-
ratore hac·re ut imperator strenuis acribusque viris pontificatus utriusque urbis simul
conferret. » Boeckh. Quae videtur esse dura et quaesita structura; aliquid male exscrip-
tum esse vv. 9-11 verisimilius credideris.

1231. Thyatiris. — Keil et v. Premerstein, *Denkschr. der Wiener Akad., philos. histor.
Klasse,* LIV (1911), II, p. 25, n. 48.

M. Αὐρ. Δι[άδοχον ἱππικὸν, | ἀρχιερέα τῆς Ἀσίας ναῶν τῶν ἐ]ν Περ-
γ[ά]μῳ κ[α]ὶ ἀ[ρχιερέα κατὰ | τὸν αὐτὸν καιρὸν τῆς πατ]ρίδος, κ[α]ὶ [Αὐρ(η-
λίαν)] Ἑρ[μώνασσαν, | τὴν διὰ βίου ἱέρειαν τῆς] Τύχης καὶ δὶ[ς ἀ]ρ[χιέρειαν
5 τῆς Ἀσίας] ‖ .... ¹.

1. Cf. nn. 1230, 1232, 1233.

1232. Thyatiris. — Keil et v. Premerstein, *Denkschr. der Wiener Akad., philos. histor.
Klasse,* LIV (1911), II, p. 25, n. 47.

Ἀγαθῆι τύχηι · | ἡ κρατίστη βουλὴ Μ. | Αὐρ. Διάδοχον Τρυφω|σιανὸν
5 ἱππικὸν, υἱὸν ‖ Μ. Αὐρ. Μοσχιανοῦ β′ | Ἀλεξάνδρου πρυτά|νεως καὶ Αὐρ.
10 Τρυφώ|σης ἡρωΐδος πρυτάνε|ως, στρατηγήσαντα ‖ ἁγνῶς ¹.

1. M. Aurelius Diadochus Tryphosianus memoratur nummis sub Macrino et Diadume-
niano cusis anno 217-218 (*Catal. of coins of Brit. Mus., Lydia,* p. 312, n. 110). Cf. titulos
nn. 1230, 1231, 1233.

1233. Thyatiris. — Clerc, *De rebus Thyatirenorum* (1893), p. 110.

Ἡ πατρὶς | Αὐρηλίαν Ἑρμώνασσαν τὴν | διὰ βίου ἱέρειαν τῆς Τύχης τῆς |
5 πόλεως καὶ ἑπτάκι πρύτανιν ‖ μετὰ τοῦ γένους καὶ δὶς ἀρχιέ|ρειαν τῆς Ἀσίας
καὶ τῆς πατρί|δος, θυγατέρα Αὐρ. | Ἀθηναίου | Ἀσιάρχου καὶ νεωκόρου καὶ

⁴⁰ πρυ|τάνεως τοῦ ῥήτορος, καὶ Φλ. ‖ Πρεισκίλλης ἀρχιερείας δὶς τῆς | Ἀσίας καὶ πρυτάνεως, γυναῖκα | Αὐρηλίου [Δι]αδόχου ἱππικοῦ ¹ | Ἀσιάρχου καὶ ἀρχιέρεως ⁴⁵ κατὰ | τὸν αὐτὸν καιρὸν τῆς πατρί‖δος καὶ διὰ βίου βουλάρχου, τὴν | σώφρονα καὶ φίλανδρον καὶ | φιλόπατριν.

1. Cf. n. 1230-1232, 1234.

1234. Thyatiris. — Keil et v. Premerstein, *Denkschr. der Wiener Akad., philos. histor. Klasse*, LIV (1911), II, p. 26, n. 50.

Ἀγαθῆι τύχηι · | Μ. Αὐρ. Πρεισκιλλιανὸν | Σατορνεῖλον ¹, ἔκγονον | Αὐρ.
5 Ἀθηναίου Ἀσιάρχου, ‖ ῥήτορος, νεωκόρου, καὶ | Φλ. Πρεισκίλλης β΄ ² ἀρχι|ε-
ρείας γένους συγκλητικῶν, υἱὸν Μ. Αὐρ. Πρεισκιλλιανοῦ ἱππικοῦ, | νεωκόρου
10 τοῦ Σεβαστοῦ, | τὸ σεμνότατον συνέδρι‖ον ἐτίμησεν ἀνδριάν|τος ἀναστάσει, | οἱ
ἀκμασταί ³.

1. Ita lapis. — 2. Cf. n. 1233. — 3. Collegium virorum, ut videtur, aetate vigentium, qui adolescentibus majores erant, senioribus autem minores.

1235. Thyatiris. — Buckler, *Rev. de philologie*, 1913, p. 292, n. 1.

5 Ὁ δῆμος καὶ | οἱ πραγματευόμε|νοι Ῥωμαῖοι ἐτεί|μησαν Κόιντον ‖ Βαίβιον
Φοῦσκον, | ἐπιεικῶς καὶ φι|λανθρώπως πα|ρεπιδημήσαντα ¹. |

1. Vir ille peregrinus in urbe aliquantisper commoratus est, non diuturnum domicilium sibi constituit (κατοακεῖν). Haec scripta esse saeculo I ante C. n. testatur litterarum forma.

1236. Thyatiris. — Keil et v. Premerstein, *Denkschr. der Wiener Akad., philos. hist. Klasse*, LIV (1911), II, p. 29, n. 53.

[Οἱ ἐπὶ τῆς Ἀσίας Ἕλληνες | ἐτείμ]ησ[αν | Τι. Κλαύδι]ον Γλύκωνος | [υἱὸν
5 Ἀμφίμαχ]ον τὸν ‖ [τῆς αὐτοῦ γν]η[σία]ς πατρίδο[ς |? στεφανηφόρ]ον ἐκ προ-
γόνων, ἐν τ[ῇ | γυμνασιαρ]χίᾳ καὶ πρυτανεέᾳ καὶ | [ταῖς λοιπ]αῖς ἀρχαῖς τε
10 καὶ λειτου[ρ|γίαις πά]σαις λαμπρῶς ἀναστρα‖φέντα, ὥστε αὐτοῦ τὸ φιλότει-
μο[ν] | περὶ τὴν πόλιν τῆς περὶ τὴν Ἀσίαν | ἀρεσκείας βασμὸν γενέσθαι
δίκαι|ον, πρὸς τὴν ἔναγχος ὑφ᾽ αὐτοῦ πρεσ|βείαν ὑπὲρ τῆς Ἀσίας τελεσ-

15 Θεῖσα[ν] ‖ πρὸς τὸν Αὐτοκράτορα ψηφίσμα|τι τῷ ὑπογεγραμμένῳ. Ἔδοξε | τοῖς
ἐπὶ τῆς Ἀσίας Ἕλλησιν. Γνώ|μη Τι. Κλαυδίου Λούπου ἀρχιερ‖[έω]ς · ἐπεὶ
20 Κλαύδιος Ἀμφίμαχος ἄ[εὶ] ‖ βίον ἐζηκὼς ἀνεπίληπτὸν καὶ ἐν ἅ[πα]|σιν ἐπίση-
μον, καὶ τὰς τῆς πατρίδο[ς] | ἐκτενῶς πεπληρωκὼς λειτουργίας | ἐν τῇ ἀναν-
25 καιοτάτῃ χρείᾳ τῆς ἐπαρχεί|ας ἑαυτὸν ἐπέδωκεν τοῖς ἀρίστοις ‖ συμπρεσβεύ-
σαντα ὑπὲρ τῆς εἰκοσ|τῆς καθ' ἑκούσιον αἵρεσιν [1], δεδόχθαι ἀν|ασταθῆναι
αὐτοῦ τειμὰς ἐν τῷ ἐπι|σημοτάτῳ τῆς πατρίδος τόπῳ, | πεμφθῆναι δὲ καὶ πρὸς
30 Θυατειρη‖νοὺς τοῦδε τοῦ ψηφίσματος τὸ | ἀντίγραφον, ἵνα γεινώσχῃ [2] ἡ πόλις |
ὅτι κατὰ κοινὸν οἶδεν ἡ Ἀσία τοὺς εὖ | ποιοῦντας αὐτὴν ἀμείβεσθαι. | Δεδόχθαι
35 τοῖς ἐπὶ τῆς Ἀσίας Ἕλλη‖σιν γενέσθαι κα(θ)ότι [3] προγέγραπται.

1. Missi fuerant ad imperatorem legati, qui rogarent ut vectigal vicesimae libertatis
ob inopiam provinciae temperaretur aut remitteretur; cf. Chapot, *Prov. rom. d'Asie*,
p. 335. — 2. Formae vulgares sunt βασμόν (v. 11), ὑφ' αὐτοῦ (v. 12), γεινώσχῃ (v. 30). —
3. ΚΑΙΟΤΙ lapis.

1237. Thyatiris. — *C. I. Gr.*, 3488.

[Τι. Κλαύδιον Ἀμ]|φίμαχον [1], κρά|τιστον στεφανηφόρον, | τειμηθέντα τῇ τοῦ
5 ἀν‖δριάντος ἀναστάσει ὑπὸ | Ἀρηνῶν καὶ Ναγδήμων [2] | ἐπὶ τῷ ἐ[κ]δικῆσαι [3] καὶ
10 ἀποκα|ταστῆσαι τὰ τῶν κωμῶν, | καὶ μετὰ ταῦτα ὑπὸ σεισμοῦ [4] ‖ συντριβέντος
τοῦ βωμοῦ | καὶ ἀνδριάντος, | Ἰουλία Σευηρίνα Στρατο|νείκη, ἔγγονος αὐτοῦ, |
15 κατασκευάσασα τόν τε ‖ βωμὸν καὶ ἐπισκευάσασα | τὸν ἀνδριάντα ἐκ τῶν | ἰδίων,
ἀνέθηκεν.

1. Cf. n. 1236. — 2. Pagi Thyatirenorum ignoti. — 3. Ut ecdicus egerat de rebus pago-
rum apud praesides provinciae aut imperatorem : Liebenam, *Städteverwalt.*, p. 303. —
4. Ex multis terrae motibus, qui civitates Asiae concusserunt post Christum natum, quis
memoretur his verbis non liquet.

1238. Thyatiris. — Foucart, *Bull. de corr. hellén.*, XI (1887), p. 101, n. 24.

Ἀγαθῆι τύχηι · | ἡ κρατίστη καὶ φιλοσέβαστος τῆς λαμ|προτάτης καὶ ἱερᾶς |
5 τοῦ προπάτορος θεοῦ Ἡλίου Πυθίου ‖ Τυριμναίου Ἀπόλλωνος [1] Θυατειρηνῶν |
πόλεως βουλὴ ἐτίμησεν Τιβ. Κλ. Μηνογέ|νην Καικιλιανὸν, τὸν ἐκ πατέρων διὰ |
βίου | ἱερέα τοῦ Καθηγεμόνος Διονύσου [2], καὶ ἀρχιε|ρέα τῆς Ἀσίας καὶ τῆς |
10 πατρίδος κατὰ τὸ αὐτὸ, ‖ [χ]α[ὶ] ἀγωνοθέτην, υἱὸν Κλ. Σωκράτους Σαχερ]|δω-

τ]ιανοῦ, ἀγωνοθέτου καὶ στεφανηφόρου | [χ]αὶ δὶς πρυτάνεως καὶ ἀρχιερέως καὶ
ἱερέως | τοῦ Διονύσου, καὶ Ἰουλ. Μηνογενίδος, τῆς ἀν[α]|θείσης τοὺς ξυστοὺς
15 τῆι πατρίδι, ἀγωνοθέτι[ἴδος καὶ στεφανηφόρου καὶ πρυτάνεως, θυγα|τρὸς τῆς
πόλεως, φύσει δὲ Μηνογένους, ἀγω|νοθέτου καὶ στεφανηφόρου καὶ πρυτάνεως, |
ἔκγονον Κλ. Σωκράτους καὶ Ἀντωνίας Καικι|λίας, τῶν ἀρχιερέων τῆς Ἀσίας
20 καὶ ἀγωνοθε[τῶν καὶ στεφανηφόρων· καὶ πρυτάνεων, | ἄνδρα ἤθους ἕνεκα καὶ
παιδείας καὶ ἀρετῆς τε | πάσης ἐν τοῖς πρώτοις τῆς Ἀσίας καταριθμού|μενον,
ἔν τε πρεσβείαις καὶ χορηγίαις καὶ | ἔργων κατασκευαῖς καὶ πάσαις φιλοτιμίαις ‖
25 καὶ πᾶσι καιροῖς τοῖς ἐπείγουσιν ἐπιδεικνύ|[μ]ενον τήν τε εἰς ἑαυτὴν καὶ τὴν
πατρίδα | εὔνοιαν.

1. Tyrimnus, deus Thyatirenorum patrius, origine, ut videtur, Lydus, ferebatur idem
esse atque Sol Apollo Pythius. Clerc, *De rebus Thyatirenorum* (1893), p. 71; Keil et v.
Premerstein, *Denkschr. der Wiener Akad., philos. hist. Klasse*, LIV (1911), II, p. 16 et 33.
Cf. titulos nn. 1213, 1215, 1222, 1225, 1270. — 2. De Baccho Ductore, quem Pergameni
maxime coluerunt, cf. titulos hujus voluminis nn. 292, 293, 396, 397 et Clerc, p. 77
et 101.

1239. Thyatiris. — Buckler, *Rev. de philologie*, 1913, p. 300, n. 4.

Οἱ βαφεῖς ἐ[τείμησαν καὶ] | ἀνέθηκαν Τι. Κλαύδ[ιον] | Σωκράτους υἱὸν
5 Κυ[ρεί]|να Σωκράτην ¹, τὸν ἀρχ[ι]|ερέα τῆς Ἀσίας τοῦ | ἐν Περγάμῳ ναοῦ ²
10 καὶ | ἀγωνοθέτην τῆς π[ό]|λεος καὶ γυμνασία[ρ]|χον, ἐν παντὶ καιρῷ ‖ πολλὰ
καὶ μεγάλα πα|ρεσχημένον, ἔργων ἀ|ναθήμασιν καὶ ἀτελε[ί]|ᾳ μεγαλόφρονι τὴν
15 πατρ[ί]|δα κεκοσμηκότα, ‖ ἐπιμεληθέντων Τιβερί|ου Κλαυδίου Ἄνθου καὶ |
Μηνοδότου τοῦ Μηνοδό|του καὶ Μενάνδρου τοῦ | Μηνογένους Ὀλυμπικοῦ, ‖
20 Λουκίου τοῦ Ἀπολλονίου | Κρανίωνος.

1. Cf. nn. 1156, vv. 10-11 et 1238. — 2. Cum Pergami neocoratus II inceperit inter
annos 106 et 114, haec anno circiter 100 scripta esse jure conjicitur.

1240. Thyatiris. — Keil et v. Premerstein, *Denkschr. der Wiener Akad., philos. histor.*
Klasse, LIV (1911), II, p. 30, n. 54.

[Ἀγαθῆι τύχ]ηι · | [ἡ βουλὴ κα]ὶ ὁ δῆμος | [Τιβέρ. Κ]λαύδιον Σ[ω|κράτην
5 Σ]αχερδωτια[[νὸν ¹ τὸν] ἱερέα τοῦ Κα|[θηγεμό]νος Διονύσου ² | [καὶ ἀρχ]ιερέα.

1. Filius Ti. Claudii Socratis; cf. nn. 1238, 1239, 1241. — 2. Cf. n. 1238.

1241. Thyatiris. — Buckler, *Rev. de philologie*, 1913, p. 303, n. 5.

Ἀρχιερέως Ἀσία[ς] | υἱὸν Σωκράτην Σακε[ρ]|δωτιανὸν ¹, ἀρχιερέα δι̣]|ὰ βίου
5 τῶν Σεβαστῶν, ‖ στεφανηφορήσαντα | καὶ πρυτανεύσαντα | καὶ ἀγωνοθετή-
10 σαντ[α], | ἔργων τε ἀναθήμασι[ν] | καὶ φιλοτειμίαις παντ[ο]‖δαπαῖς ἀπὸ παιδὸς
κα[σ]|μήσαντα τὴν πατρίδ[α], | καὶ ἐκ προγόνων φιλ[ό]|δοξον, ἐν παντί τε κ[αι]|ρῷ
15 χρήσιμον τῇ πόλ[ει], ‖ καὶ ἐν πᾶσιν λαμπρῶ[ς] | καὶ πολυδαπάνως ἀν[α]|-
20 στραφέντα, | ἐπιμεληθέντων Μητροδ[ώ|ρ]ου τοῦ Θεοδώρου, Ἀπολλω[νί]ο]υ τοῦ
Ἀπολλωνίου, Παπ[πᾶ | Π]απίου, Λουκίου Ῥαμμίο[υ, | Ἀ]νεικήτου Διομήδου[ς].

1. Cf. n. 1240. Titulus profecto exaratus est principe Hadriano.

1242. Thyatiris. — Buckler, *Rev. de philologie*, 1913, p. 296, n. 3.

Οἱ βαφεῖς ἐτείμησαν κ[αὶ] | ἀνέθηκαν ἐκ τῶν ἰδί[ω]ν | Κλαυδίαν Ἄμμιον
5 Μητρο|δώρου Λεπίδα ¹ θυγατέρα, ‖ γυναῖκα δὲ Τιβερίου Κλαυδίου | Ἀντύλ-
λου ² τοῦ τρὶς γυμνα|σιάρχου, [τὴν] ἱέρειαν τῶν | Σεβαστῶν καὶ ἀρχιέρειαν |
10 τῆς πόλεως [δ]ιὰ βίου, ἀγωνο‖θετήσασαν λαμπρῶς καὶ | πολυδαπ[ά]νως, ἁγνείᾳ
καὶ | σωφροσύνῃ διαφέρουσαν.

1. Metrodorus Lepidas sub Augusto vixit. Cf. Keil et v. Premerstein, *loc. cit.*, LIII
(1908), p. 113, n. 4. — 2. Cf. n. 1269.

1243. Thyatiris. — *C. I. Gr.*, 3486; cf. 2189.

Ἀ βο[λ]λὰ καὶ ὁ δᾶμος Αὖλον Κλώ|διον Περεννιανὸν, στροταγήσ|αντα ἀγνῶς
5 καὶ εὐσταθέως ἐν κ[αί]ροις ἐπιμελήίας δευομένου[ς, τὸν εἰρέα καὶ ἀρχειρέα καὶ
λόγ[ιο]ν, πρύτανιν, ἀγωνοθέταν ἐνὶ ἐνιαύτῳ, πεπληρωκόμτα δὲ καὶ τ|ὰν ἐν τῷ
10 πρώτᾳ πατρίδι καὶ νεωκό|ρῳ Περγαμηννῶν τῶν συγγε‖νέω[ν] πόλει τὰν ἐπώνυμον
ἂν ἐ|κ γένεος δια[δεξ]άμ[ε]νος τοῖ[ς τᾶς ἀξίας βασμοῖς ἀνε[λ]|όγησε.

1244. Thyatiris. — *C. I. Gr.*, 3495.

Ἀγαθῆι τύχηι · | οἱ ἀρτοκόποι ἐτείμησαν καὶ | ἀνέθηκαν ἐκ τῶν ἰδίων Γ. |
5 Ἰούλιον Ἰουλιανὸν Τατια‖νὸν ἀγωνοθέτην καὶ | Ἀσιάρχην καὶ ἀρχιερέα διὰ
βίου, τριτεύσαντα καὶ ἀγορα|νομήσαντα κατὰ τὸ[ν] αὐτὸν ἐνι᾽αυτὸν, καὶ πρεσβευ

10 σαντα πρὸς ∥ τὸν αὐτοκράτορα προῖκα καὶ κα|τορθωσάμενον τὰ μέγιστα τῇ |
πατρίδι, υἱὸν Γ. Ἰουλίου Ἱππι|ανοῦ καὶ Κορνηλίας Σεκούν|δης ἀρχιερέων τῆς
15 Ἀσίας, ἔκ|γονον Φλα. Μοσχίου ἀρχιερέως, | ἀπόγονον Φλαβίων Ἱππιανοῦ | καὶ
Τατίας ἀρχιερέων, ἐκ προ[γ]ό|νων κοσμοῦντα καὶ γένει καὶ | ἔργοις καὶ φιλο-
15 τειμίαις ἐν παν∥τὶ καιρῷ¹, καὶ οἰκίστην τῆς πό|λεως, | ἐπιμεληθέντος τοῦ
20 ἀν∫δριάν|τος Λεσβίου Φιλώτου καὶ ἀ|ναστήσαντος τὸν βωμὸν ἐκ τῶν ∥ ἰδίων μετὰ
Ἀσκληπι[άδ]ου τοῦ | υἱο[ῦ].

1. Scilicet τὴν πατρίδα.

1245. Thyatiris. — Keil et v. Premerstein, *Denkschr. der Wiener Akad., philos. histor.
Klasse*, LIV (1911), II, p. 28, n. 52.

a. Ἀγαθῆι τύχηι · | Ταδειρηνοὶ¹ ἐτείμησαν | καὶ ἀνέ[θη]καν ἐκ τῶν ἰ|δίων
5 Γ. Ἰο[ύλι]ον Ἰουλιαν[ὸν] ∥ Τατιανὸν [Ἀσιά]ρχην², ἀγω|νοθέτ[ην], ἀρχιερέα
διὰ | [βίου].......
b. .... [τὸν ἀπόγονον] | ἀρχιερέων ε' [καὶ] λόγ[ιμον? | ε]ὐεργέτην τῆς
κατοι[κίας].

1. Pagus agri Thyatireni ignotus. — 2. Cf. n. 1244.

1246. Thyatiris. — Buckler, *Rev. de philologie*, 1913, p. 294, n. 2.

Οἱ ἀλειφόμενοι¹ ἐν τῶι | τρίτωι γυμνασίωι ἐτεί|μησαν Γάιον Ἰούλιον Μάρ|κου
5 υἱὸν Λέπιδον, τὸν ἀρ∥χιερέα τῆς Ἀσίας καὶ ἀ|γωνοθέτην διὰ βίου², γυ|μνασιαρ-
10 χοῦντα τὸ ε', | ἐπιμεληθέντος Ἀρτεμι|δώρου τοῦ Ἀρτεμιδώρου ∥ γραμματέως³.

1. Collegium eorum qui in gymnasio exercebantur, oleo uncti. — 2. Σεβαστῶν Καισαρείων.
— 3. Ejusdem collegii scriba.

1247. Thyatiris. — *Monatsber. der Berlin. Akad.*, 1855, p. 189, n. 5; Dittenberger,
Orient. gr. inscr. sel., n. 516.

[Ἀγαθῆι] τύχη[ι] · |.. [Ἰούλ.] Μενέλαον, | [ἀ]ρχιερέα καὶ | [βούλ]αρχον διὰ
5 βίου ∥ [τῆ]ς πατρίδος καὶ ἀ|[γω]νοθέτην, ὑποδ[ε]ξά]μενον Μ. Αὐρήλιον | [Ἀν]τω-
10 νεῖνον βασιλέ[α¹ | κ]αὶ τρὶς πρεσβεύσαν∥[τα] πρὸς τοὺς αὐτο|[κρ]άτορας² προῖκα
καὶ | [ἀρ]χιερασάμενον, υἱὸν | [Ἰού]λ. Διονυσίου Ἀσιάρ|[χο]υ Περγαμηνῶν³ καὶ

5 ἀ‖[γω]νοθέτου καὶ ἀρχιε|[ρέ]ως καὶ στεφανηρέ|[ρο]υ δὶς τῆς πατρίδος, | [καὶ]
20 Φο....ς ⁴ Παύλλης | [πρ]υτάνεως Ἐφεσίων, ‖ [ἐπὶ] πρεσβείᾳ τῆι πρὸς | [τοὺς]
Καίσαρας | ἡ πατρίς.

1. Caracalla Thyatiris profecto moratus est vere anni 215 post C. n. (Herodian, IV, 7 ;
8, 3, 4, 6 ; Henzen, *Acta Arval.* p. cc. *b*, 3 ; Cass. Dio, LXXVII, 18, 1 ; 19, 3 ; LXXVIII,
8, 4). — 2. Septimius Severus, Caracalla, Geta. — 3. Intellige ἀρχιερέως Ἀσίας ναῶν τῶν ἐν
Περγάμῳ. — 4. Φο[υρία]ς Dittenberger. Eum apographo deteriore usum esse nos benigne
monuit Buckler, qui titulis Thyatirenis denuo edendis impensam dat operam.

1248. Thyatiris. — Fontrier et Fournier, *Rev. des études anciennes*, III (1901), p. 265.

Ἀγαθῆι τύχηι · | ἡ φιλοσέβαστος βουλὴ | Ἀ. Ἰουλ. Νικόμαχον δεκα|πρω-
5 τεύσαντα, πανηγυριαρ‖χήσαντα τῶν μεγάλων Αὐγου|στείων ¹, γυμνασιαρχή-
σαντα, | ἀποδοχέα δημοσίων γραμ|μάτων ², ἐργεπιστατήσαν|τα ἱερᾶς πλατείας,
10 σιτωνήσαν‖τα, ἱππαρχήσαντα, στρατηγή|σαντα, γραμματεύσαντα βου|λῆς δήμου,
15 ἀγορανομήσαν|τα, ἀποδέκτην τῶν πολειτι|κῶν χρημάτων καὶ ἄλλας ἀρ‖χὰς καὶ
λειτουργίας ἐκτελέ|σαντα τῆι γλυκυτάτηι πατρί|δι.

1. Cf. nn. 1246, 1251, 1252, 1261, 1265. — 2. Cf. n. 1228, vv. 9-10.

1249. Thyatiris. — Perrot, *Rev. arch.*, XXX (1875), p. 49, n. II. Cf. Clerc, *Bull. de
corr. hellén.*, X (1886), p. 407, n. 11.

Ἀγαθηι τύχηι · | ἡ φιλοσέβαστος βουλὴ | καὶ ὁ ἱερότατος δῆμος | τῆς λαμπρο-
5 τάτης καὶ δια‖σημοτάτης καὶ μεγίστης | κατὰ τὰς ἱερὰς ἀντιγραφὰς | καὶ κατὰ τὰ
δόξαντα καὶ ψη|φισθέντα ¹ ὑπὸ τοῦ λαμπροτά|του τῆς Ἀσίας ἔθνου[ς] Θυα[τει]‖-
10 ρηνῶν πόλεως Λ. [Μάρκιον] | Πολλιανὸν τὸν ἐπώνυμον | [ἄ]ρχοντα π[ρ]ῶ[τον ²] |
καὶ ἀγωνο]θέτη[ν].

1. Civitati concessum erat imperatorum rescriptis et communis Asiae decreto ut
maxima vocaretur; quod videtur debuisse beneficio Caracallae, cum in ea juridicum con-
ventum instituit. Cf. nn. 1247, 1287, et Clerc, *De rebus Thyatiren.*, p. 45. — 2. Principe
Severo Alexandro in nummis inscriptus : Mionnet, *Lydie*, 994.

1250. Thyatiris. — Schuchhardt, *Athen. Mittheil.*, XXIV (1899), p. 234, n. 75.

5 .....[ἐτείμησεν|........ | Μ]ακεδόνος, ἄνδρα κα|λὸν καὶ ἀγαθὸν καὶ φιλόπα‖τριν

εἰρηναρχήσαντα ἐπι|σήμως καὶ ἀγορανομήσαν|τα λαμπρῶς καὶ φιλοδόξως | μῆνας
5 ἓξ καὶ στρατηγή|σαντα ἀγνῶς καὶ ἐπιμελῶς ‖ καὶ δεκαπρωτεύσαντα καὶ |
ἐν πάσαις ταῖς λοιπαῖς τῆς | πόλεως χρείαις φιλοτίμως | πάντα παρεσχημένον,
10 ἀνα|θέντων τὴν τειμὴν τῶν βα‖[φ]έων ἐκ τῶν ἰδίων, ἐπιμελη|θέντος Ἀπολλω-
νίου τοῦ | Ἀπολλωνίου.

1251. Thyatiris. — Keil et v. Premerstein, *Denkschr. der Wiener Akad., philos. histor.
Klasse,* LIV (1911), II, p. 35, n. 64.

Γάϊον Περήλιον Αὐρήλιον Ἀλέξαν|δρον τὸν περὶ ὁδῶν πρεσβεύσαντα | πρὸς
τὸν κύριον ἡ[μ]ῶν ἀήττητον Αὐ|τοκράτορα Καίσαρα Μ. Αὐρ. [Ἀντωνεῖνον] ‖
5 Εὐσεβῆ Εὐτυχῆ Σεβαστὸν ὑπὲρ τῆς | γλυκυτάτης πατρίδος καὶ ἐπιτυχόντ[α] |
παρὰ τῆς θείας τύχης αὐτοῦ ἱερὸν [ἀ|γῶ]να εἰσελαστικὸν Αὐγούστ[ειον ισο?]|πύ-
θιον εἰς ἄπασ[α]ν .... [1].

1. Cf. nn. 1248, 1252, 1261, 1265.

1252. Thyatiris. — Kontoleon, *Athen. Mittheil.,* XII (1887), p. 253, n. 18.

Ἀγαθῇ τύχῃ · | Γ. Περήλιον Αὐρήλιον | Ἀλέξανδρον [1] | μόνον καὶ πρῶτον ‖
5 τῶν ἀπ' αἰῶνος ἀθλη|τῶν ἀφθάρτων οἰκου|μενικῶν ἀγώνων Αὐ|γουστείων
10 Πυθίων [2] | τὸν ἄλειπτον πρε‖σβευτὴν | οἱ λανάριοι, | ἐπιμελησαμένων Αὐρ.
Μοσχι|ανοῦ Ἀμμιανοῦ ....

1. Cf. n. 1251. — 2. Cf. nn. 1248, 1251.

1253. Thyatiris. — *C. I. L.,* III, 14192[13].

Ciuitas | [N.] Terentium | Primum. |
5 Ὁ δῆμος ‖ Νεμέριον Τερέντιον | Πρεῖμον.

Adsunt sex coronae, quarum in una legitur Ὁ δῆμος ὁ Μοστηνῶν [1]. Evanidi sunt
aliarum tituli.

1. Cf. infra titulos nn. 1348, 1349.

1254. Thyatiris. — *C. I. Gr.*, 3508. Cf. Le Bas et Waddington, n. 5.

5 Ἀγαθῆι τύχηι · | ἡ πατρὶς Οὐλ|πίαν Μαρκέλλαν ¹, | ἱερασαμένην ‖ Ἀρτέ-
μιδος, | ἀρχιέρειαν τῆς Ἀ|σίας ναῶν τῶν ἐν | Σμύρνῃ, ἀγωνο|θέτιν τρὶς τῆς ‖
10 πατρίδος, ἱέρει|αν διὰ βίου τῆς | Μητρὸς τῶν | θεῶν.

1. M. Ulpii Damae et Canidiae Bassae filia, nota altero titulo : *C. I. Gr.*, 3507.

1255. Thyatiris. — Keil et v. Premerstein, *Denkschr. der Wiener Akad., philos. histor.
Klasse*, LIV (1911), II, p. 31, n. 57.

.............| ἱε[ρασάμενον Ἀρτέμιδος] | ε[ὐσ]χημόνω[ς, ἀναστραφέντα ἐν
5 ἀρ]|χαῖς δοκίμω[ς¹, πρεσβεύσαντα γ΄ ἐν] ‖ τῇ πόλει βασιλε[ίαι² εὐτυχῶς καὶ
φιλοτί]|μως, κου[ρα]τορεύ[σαντα κονβέντου Ῥω]|μαίων³ ἐπι[μ]ελῶς, π[αρασυ-
λακήσαντα?], | ἀγορ[αν]ο[μ]ήσαντ[α ἑξάμηνον εὐτόνως] | κ[αὶ] πο[λ]υδαπ[ά]ν[ω]ς,
10 ....ἀλει]‖ψ[αν]τ[α] ἐ[κ] τ[ῶν] ἰδίων πλείοσιν? ἡμέ[ρ]α[ι]ς [τ]ῇ[ν] πόλι[ν]
............|ε........ι... ⁴.

1. δοκίμο[ις] editores; cf. n. 1236, v. 9. — 2. Romae. — 3. De curatoribus conventus
civium romanorum cf. Kornemann apud Pauly et Wissowa, *Realencycl.*, IV, col. 1192.
— 3. Opinantur editores haec pertinuisse ad T. Flavium Alexandrum, notum titulo Atta-
lensi n. 1169, unde supplementa sua hauserunt; res tamen incerta est.

1256. Thyatiris. — Buckler, *Rev. de philologie*, 1913, p. 311, n. 8.

Ἀγαθῆι τύχηι · | ἡ βουλὴ καὶ ὁ δῆμος ἐτεί|μησαν Π. Αἴλιον Μηνογέ|νην
5 Πύριχον Μαρκιανὸν τὸν ‖ ποιητὴν, στρατηγὸν, ἀγορανό|μον ἑξαμάνου, γραμ-
ματῆ | βουλῆς δήμου, ἐφήβαρχον, τρι[τευ]τὴν, δεκάπρωτον, προνο[ή|σαντα] τῆς
10 τῶν ἐπισημοτάτων ‖ [ἔργων κ]ατασκευῆς, ἤθων καὶ | [ἀρετῆς καὶ] τῆς εἰς τὴν
πατρί[δα | φιλοτειμία]ς ἕνεκα.

1257. Thyatiris. — Dittenberger, *Orient. gr. inscr. sel.*, n. 524.

Οἱ τοῦ σταταρίου¹ ἐργασταὶ | καὶ προξενηταὶ σωμάτων² | ἐτίμησαν καὶ
5 ἀνέθηκαν | Ἀλέξανδρον Ἀλεξάνδρου ‖ σωματέμπορον³, ἀγορανο|μήσαντα τετρά-

μηνον ἀγνῶς | καὶ ἐπιδόντα ἐκ τῶν ἰδίων τῇ πόλει | πολυτελῶς ἐν ταῖς ἑορτα-σί|μοις τῶν Σεβαστῶν ἡμέραις⁴.

1. Forum in quo prostabant mancipia. — 2. Ii « quorum opera inter emptorem et venditorem conveniebat. » Dittenberger. Cf. Mart. X, 3, 4; Senec. *Epist.* 119, 1. — 3. Postquam mango ille Alexander magnam servorum copiam in urbem invexerat, singulos postea proxenetis committebat divendendos. Cf. Artemid. *Onirocrit.*, III, 17. — 4. Festi dies Augustorum anniversarii. Cf. t. III hujus operis, p. 278, n. 739, ix, 96; Plut. *Aetia romana*, 25, p. 270 A; *Bull. de corr. hellén.*, XI (1887), p. 157, n. 63, 3.

1258. Thyatiris. — Clerc, *Bull. de corr. hellén.*, X (1886), p. 406, n. 9.

Ἀγαθῇ τ[ύχῃ] · | ἡ βουλὴ καὶ ὁ δῆμος ἐτεί|μησαν εἰκόνων καὶ ἀνδρι|άντων
5 ἀναθέσει ἐν τοῖς ἐπι|σημοτάτοις τῆς πόλεως τό|ποις Λ. Ἀντώνιον ¹.

1. Editor conjicit illum virum, tot honoribus ornatum, fuisse L. Antonium Pollianum sophistam, Philadelphenis carissimum. Cf. *Bull. de corr. hellén.*, I, p. 86; Μουσεῖον 1875, p. 130.

1259. Thyatiris. — Clerc, *Bull. de corr. hellén.*, X (1886), p. 407, n. 10.

[Μᾶ]ρκον Ἀντώνιον Μά[ρκ|ου] υἱὸν Σεργίᾳ Γαλάτ[ην | χα]λκεῖς χαλκοτύ-ποι ἐκ τῶν | [ἰδ]ίων ἀνέθηκαν.

1260. Thyatiris. — Keil et v. Premerstein, *Denkschr. der Wiener Akad., philos. hist. Klasse*, LIV (1911), II, p. 32, n. 60.

...... τὸν ἐ[π]ι|[τελούμενον ὑπὸ] ....ν τῶν με|[γάλων εἰσελαστικῶν?
5 Ἀδριανῶ]ν Ὀλυμπίων | [ἀγῶνα, ‖ ὑπὸ ἐπιστάτην] :......λιανον ......

1261. Thyatiris. — Schuchhardt, *Athen. Mittheil.*, XXIV (1899), p. 237, n. 81.

.... ἀνδριάντος ἀνα|[στ]άσει, λαμπαδαρχή|[σα]ντα τῶν μεγάλων | [Αὐ]γουσ-
5 τείων ἰσοπυθί[ω]ν ¹, ‖ [δε]καπρωτεύσαντα

1. Cf. n. 1248, 1251, 1252, 1265.

1262. Thyatiris. — Perdrizet, *Rev. des études anciennes,* 1901, p. 267.

5 Ὁ δῆμος | Ἀθηνάδην | Πυθοδώρου | νικήσαντα ‖ Ῥωμαῖα τὰ ἐν ['Ε]|ϙέϛωι [1] παῖδας δίαυλον.

1. Ludi apud Ephesios in honorem deae Romae editi.

1263. Thyatiris. — Buckler, *Rev. de philologie,* 1913, p. 312, n. 9.

Ἀγαθῆι τύχηι · | ἡ βουλὴ καὶ ὁ δῆμος ἐτεί|μησεν Λούκιον Ἀντώνιον | Νει-
5 κόστρατον Θυατειρηνὸν ‖ τὸν καὶ Ἀθηναῖον, νικήσαν|τα ἐν Ἐφέσῳ τὰ μεγάλα
Βαλβίλληα ἀνδρῶν πένταθλον, | Κύζικον κοινὸν Ἀσίας, | ἀποβάτην [1].

1. Equorum desultor in ludis. Cf. Saglio, *Dict. des antiqu.,* s. v. *Desultor.*

1264. Thyatiris. — Keil et v. Premerstein, *Denkschr. der Wiener Akad., philos. histor.
Klasse,* LIV (1911), II, p. 37, n. 66.

Οἱ [π]ερὶ τὸν Ἡρ[ακλέ|α] τῶν πρώτων [γυμνα|σ]ίων νε[α]νίσκο[ι καὶ] | κατὰ
5 τὸ ἀρχαῖον το[ῦ] ‖ τρίτου [1] Ἀριστόνικο[ν] | β΄ Θυατειρηνόν νική|σαντα πανκ[ρά-
10 τι]|ον τὸν ἐπιτελ[ούμ]ε|νον ὑπ' αὐτῶν Σεβή‖[ρ]ειον ἀγῶνα [2].

1. Cf. n. 1209. — 2. Ludus ob victoriam Severi Alexandri celebratus. Cf. nn. 1266,
1267, 1268.

1265. Thyatiris. — *C. I. Gr.,* 3498.

Ἀγαθῇ τύχῃ · | οἱ βαφεῖς Αὐρ. Ἀρτεμάγ[ο]|ρον Γλύκ[ω]νος υἱὸν, στρα|-
5 τηγὸν [1], ἐτείμησαν, ἐπιστησάμ|ενον τοῦ ἔργου βαφέων | ἀπὸ γένους τὸ ἕκτον
ἀνδρι|άντος ἀναστάσει, λαμπα|δαρχήσαντα τῶν μεγάλων | ἱερῶν Αὐγουστείων ‖
10 ἰσοπυθίων [2], δεκαπρ[ω]τεύσαντα.

1. Cf. nummum Thyatirenum Septimii Severi : ἐπὶ στρ(ατηγοῦ) Ἀρτεμαγόρου Θυατειϛϛηνῶν
ἱερεῖα ἀγὼν Ὀλυμπ(ικός); Mionnet, IV, 995. — 2. Cf. nn. 1248, 1251, 1252, 1261.

1266. Thyatiris. — Keil et v. Premerstein, *Denkschr. der Wiener Akad., philos. histor.
Klasse,* LIV (1911), II, p. 37, n. 67.

Ἀγαθῆι τύχηι · | [οἱ] περὶ τὸν Ἡρακλέα τῶν πρώ|[των] γυμνασίων κ.

5 κατὰ τὸ ἀρ|[χαῖο]ν τοῦ τρίτου νεανίσκοι ¹ ‖ [Αὐρ.] Γλύκωνα, υἱὸν Αὐρ. Γλύ-
κωνος | [β'?] Μητρᾶ, ἀνδρὸς ἐκ προγόνων | [λειτ]ουργοῦ, προστάντα ἐνδόξως |
10 [καὶ πολ]υδαπάνως τοῦ ὑπὸ αὐτῶν | [ἐπιτελ]ουμένου Σεβηρείου ἀγῶ‖[νος καὶ]
τῶν ἐπινικίων ἑορτῶν | [τοῦ κυ]ρίου ἡμῶν Αὐτοκράτορος | [Μ. Αὐρ. Σεβήρου
Ἀλεξάνδρου | Εὐσε]βοῦς Εὐτυχοῦς Σεβαστοῦ | [π]αρ' ἑαυτῶν ἀνέστησαν.

1. Cf. n. 1217.

1267. Thyatiris. — Keil et v. Premerstein, *Denkschr. der Wiener Akad., philos. histor.
Klasse*, LIV (1911), II, p. 38, n. 68.

Ἀγαθῆι [τύχηι ·] | οἱ περὶ τὸν Ἡ[ρακλέ]|α τῶν πρώτων [γυμνα]|σίων
5 νεανίσκοι [χ(αὶ) χα‖τὰ τὸ ἀρχαῖον τοῦ τρί|του ¹ Αὐρ. Ἰουλιανὸν β' | Θυατειρηνὸν
10 νεική|σαντα τὴν πάλην ἐνδό|ξως τὸν ἐπιτελού‖μενον ὑπ' αὐτῶν Σεβή|ρειον ἀγῶνα.

1. Cf. n. 1217.

1268. Thyatiris. — *C. I. Gr.*, 3503.

Ἀγαθῆι τύχηι · | οἱ περὶ τὸν Ἡρακλέα τῶν | πρώτων γυμνασίων καὶ |
5 κατὰ τὸ ἀρχαῖον τοῦ τρίτου ¹ ‖ νεανίσκοι Αὐρ. Θησέα Νεικηφόρου Θυατει-
ρηνόν, νική|σαντα ἐνδόξως παγκράτι|ον ἐν τῶι ὑπὸ αὐτῶν ἐπιτε|λουμένωι ἐπι-
10 νεικίωι ‖ Σεβηρείωι ἀγῶνι, | ὑπὸ ἐπιστάτην ² Αὐρ. Ἀττικὸν | Ζωσίμου.

1. Cf. n. 1217. — 2. Magister pueri? Cf. Keil et v. Premerstein, *Denkschr. der Wiener
Akad., philos. histor. Klasse*, LIV (1911), II, p. 39.

1269. Thyatiris. — Keil et v. Premerstein, *Denkschr. der Wiener Akad., philos. histor.
Klasse*, LIV (1911), II, p. 38, n. 69.

[Οἱ] με[τ]έ[χοντ]ες [τοῦ] | τρίτου γυμνασίο[υ ἐ]|τείμησαν καὶ ἀνέθ[η]|καν
5 Τιβέριον Κλαύδ‖ιον Ξένωνος υἱὸν Κυρί|νᾳ Ἄντυλλον γυμνα|σιαρχήσαντα πάντα |
10 τὰ γυμνάσια δὶς ἐφεξ[ῆς] | ἐν τῇ ὑπεμβαλλούσῃ τ[οῦ] ‖ ἐλαίου τειμιώρᾳ ¹,
ἐπιμεληθέντος Μάρ|κου Πλαυτίου Ἐρεχθέ|ως τοῦ γραμματέως.

1. Vox nova; cf. tamen Kenyon, *Greek papyri in the Brit. Museum*, I, 24, 17. Intellige:
cum pretium olei modum excederet. Ὑπεμβαλλούσῃ lapicida pro ὑπερβαλλούσῃ.

1270. Thyatiris. — Radet, *Bull. de corr. hellén.*, XI (1887), p. 459, n. 22. Cf. Stouraïtis, Ἀρμονία, 24 Junii 1894, et *Athen. Mittheil.*, XIX (1894), p. 535.

Ἡ βουλὴ καὶ ὁ δῆμος | ἐτείμησεν | Διονύσιον Μενελάου παῖδα | πρῶτον
5 ἀγωνοθέτην τῆς πρ[ώ]της ἀγ[]θείσ]ης ὑπὸ τῆς πόλεως [Σε|βασ]τείου καὶ Τυριμνήου [1]
π[α|νη]γύρεως] εὐσεβῶς καὶ μεγαλο|φρόνως, πάντα φιλοτειμηθέντα | τῇ πατρίδι,
10 τά τε τῶν ἀγωνισμά|των θέματα καὶ τὰς ἐπιδόσεις | τῶν ἐπιδειξαμένων ἐκ τῶν
ἰδί|ων ποιησάμενον, καὶ τὰς εὐσε|βεῖς θυσίας τῷ θεῷ δημοτε|λεῖς καὶ λαμπρὰς
15 ἐπιτελέσαν|τα ταῖς εὐτυχέσιν ἑορταῖς καὶ | πρώταις, τήν τε βουλὴν καὶ | τὸν
δῆμον ἑστιάσαντα.

1. Cf. nn. 1213, 1215, 1222, 1223, 1238.

1271. Thyatiris. — Foucart, *Bull. de corr. hellén.*, XI (1887), p. 98, n. 21.

Ἡ βουλὴ καὶ ὁ δῆμος | ἐτείμησε[ν Ἰ]ουλιανὸν | Ἰουλιανοῦ Σόλωνος | Γερ-
5 μανοῦ, υἱὸ[ν] πατρὸς ‖ εἰρηνάρχου καὶ δεκαπρ[ώ]|του, καὶ ἐν ταῖς [πομ]παῖς [1]
τ[ῆς] | πόλεως χ[ρήσιμον γεγονότα | τῇ πατρίδι].

1. χρείαις conjecit Foucart. Cf. n. 1250, v. 6, 7.

1272. Thyatiris. — Contoléon, *Rev. des ét. gr.*, IV (1891), p. 174, n. 2.

[Ἡ φιλο]σέβαστος καὶ | εὐδοκιμωτάτη Θυατει|ρηνῶν βουλὴ ἐτίμεισεν | ἐκ τῶν
5 ἑαυτῆς πόρων Οὔλ‖πιον Αὐγουστιανὸν τὸν καὶ | Πάριν, ὀρχηστὴν Ἀντιοχέα | καὶ
10 Τραπεζούντιον ἔνδοξον, ἐπί τε ἤθους σεμνότη|τι καὶ τρόπου ἐπιεικείᾳ ἐπαι|νού-
μενον, ἐπιδημήσαντα | τῇ πόλει καὶ συνκοσμήσαν|τα διὰ τῆς τραγικῆς ἐνρύ|θμου
15 κεινήσεως ἐπιτετελισ|μένας ὑπὲρ εὐσεβείας τῶν ‖ μεγίστων καὶ ἀνεικήτων | αὐτο-
κρατόρων ἐπινεικίους | ἑορτάς, ἐπὶ γραμματέως τῆς | συνόδου [1] β' Μ. Ἰουλίου
Ἀλεξάνδρου.

1. Συνέδριον, non σύνοδος, plerumque vocatur senatus municipalis.

1273. Thyatiris. — Foucart, *Bull. de corr. hellén.*, XI (1887), p. 104, n. 26.

[Ἡ κρατίστη βουλὴ καὶ | ὁ] σε(μ)νότατος δῆμος ἐτεί[ι]μ]ησαν Γ. Σαλλούστιον |
5 [? Ἀπ]πιανὸν, ἀριστέφανον ‖ [πατρ]ίδος ἀρχικὸν, δεκαπρω[[τεύσ]αντα, ἀγωνοθε-

τήσαν‖[τα τῶν] μεγάλων Σεβαστῶν | [Τυρι]μνήων ¹ ἀγώνων θυμελ[ι|κῶν] καὶ
10 γυμνικῶν θέμασιν ‖ [καὶ] τειμήμασιν παρ' αὐτοῦ ἀξ[ιο|λόγ]ως, πάσας τὰς εἰς
τὸν θεὸ[ν | καὶ] εἰς τοὺς κυρίους αὐτοκρά|[τορας] εὐχὰς καὶ θυσίας κα[ὶ | τὰ]ς
15 εἰθισμένας τοῖς πολεί‖[ται]ς καὶ τοῖς συνπανηγυρ[ί|ζου]σιν δωρεὰς ἀφθόνως | [καὶ]
μεγαλοπρεπῶς πεπλη‖[ρωκό]τα, ἀλείψαντα ἐν τῷ | [ἄνω]θε[ν] γυμνασίῳ τοὺς
20 π[α‖νηγυρί]ζοντας πολείτας | [καὶ τ]οὺς ἐπιδημοῦντας π[ά|ντας] ἐκτενῶς, σειτω-
25 νήσα[ν|τα ἀγ]νῶς καὶ πολυδαπάνω[ς, | υἱὸν] Γ. Σαλλουστίου στεφ[α‖νηφόρου καὶ
σ]τρατη[γ]οῦ καὶ φ[ιλο|τίμ]ου ἐν πᾶσιν γεγονότο[ς | εἰς] τὴν πατρίδα, ἀδελφὸ[ν] |
30 ... Σαλλουστίου Ἑρμωνια‖[νοῦ ἀ]μφιθαλέων, ἐπιμελ[η‖θέν]τος τοῦ ἀνδριάντος
Λ. | [Τι]6. Ὀφελλίου τοῦ Τρο....

1. Cf. nn. 1213, 1215, 1222, 1225, 1238, 1270.

1274. Thyatiris. — Keil et v. Premerstein, *Denkschr. der Wiener Akad., philos. histor.
Klasse*, LIV (1911), II, p. 40, n. 72.

Εὔγραμμος | οὗτος ἀπελύθη | ἔξω λούδου ¹.

1. Id est : donatus rude, rudiarius; cf. Lafaye apud Saglio, *Dict. des Antiq.*, II, p. 1575
et not. 17.

1275. Thyatiris. — Foucart, *Bull. de corr. hellén.*, XI (1889), p. 99, n. 22.

['Α]λέξανδρος Μηνοφίλου Θυατειρηνὸς τὴν σορὸν ἑαυτῷ · | οὐδενὶ δὲ ἑτέρῳ
θεῖναί τινα εἰς τὴν σορὸν οὐ[δὲ] | ἀπαλλοτριῶσαι κατὰ οὐδένα τρόπον · εἰ δὲ μὴ
ὁ παρὰ τα[ῦτά] | τι ποιήσας δώ[σει] τῇ Θυατειρηνῶν πόλει δηνάρια δισχείλια
5 πεντα‖κόσια. Ταύτης τῆς ἐπιγραφῆς ἀντίγραφον ἐτέθη εἰς τὸ ἀρχε[ῖ]ον, ἀνθυ-
πάτῳ Αἰμιλίῳ Ἰούνκῳ ¹, μη(νὸς) Ξανδικοῦ ἐκτωκαιδεκάτῃ.

1. Aut L. Aemilius Juncus cos. anno 127 post C. n. (*Prosop. imp. rom.*, I, p. 28, n. 235),
aut Aemilius Juncus anno 183 in exilium actus (*ibid.*, n. 234; cf. n. 233).

1276. Thyatiris. — Keil et v. Premerstein, *Denkschr. der Wiener Akad., philos. histor.
Klasse*, LIV (1911), II, p. 41, n. 74.

Ὁ δῆμος | τ[ὸ] Ξ[ε]νώνηον καὶ τὴν ἐντ[ο|μ]ὴν? ¹ κα]θιέρωσεν Γαίωι Ἰουλίωι
5 'Απο[λ|λωνί]δου υἱῶι Ξένωνι, ἥρωι εὐε[ρ‖γ]έτ[ηι], γεγονότι ἀρχιερεῖ τοῦ |

[Σ]ε͘βαστοῦ Καίσαρος καὶ Θεᾶς Ῥώμης καὶ εὖ πεποιηκότι πᾶσαν τὴν] | Ἀσ[ία]ν
10 τὰ μέγιστα καὶ [κατ]ὰ πά[ν]|τα σωτῆρι καὶ εὐεργέτηι καὶ κτ[ί]στηι καὶ πατρὶ
γεγονότι τῆς πα[τρί]δος, πρώτῳ Ἑλλήν[ων]. Κατ[ε]σκεύα]σαν [ο]ἱ ['Ιο]υλιασ-
[ταί] ².

1. Aedicula ipsi Xenoni sacra, prope ejus sepulcrum, in rupe excisum. — 2. Collegium
Julios defunctos colens.

1277. Thyatiris. — Keil et v. Premerstein, *Denkschr. der Wiener Akad., philos. hist.
Klasse*, LIV (1911), II, p. 46, n. 85.

Κατεσκεύασεν τὸ ἡ|ρῶιον Αὐρ. Ῥουφεῖνο|ς Ἐπικτήτ[ου] υἱὸς | ἑαυτῷ καὶ
5 [τῇ γυν]ηκὶ α[ὑ]τοῦ μόνο[ις]. Μηδέ[ν]α ἕτερον ἐπιβληθῆν[αι. | Εἴ τις δὲ θελήσει
10 ἐπι|βαλεῖν τινα, δώσε τῷ | ἱερώτατον ¹ ταμείῳ χ[ρ]υ]σο[ῦ λίτ]ραν μείαν ².

1. Ita lapis. — 2. Auri libra. Cf. Liebenam, *Städteverwalt.*, p. 47.

1278. Thyatiris. — Keil et v. Premerstein, *Dénkschr. der Wiener Akad., philos. hist.
Klasse*, LIV (1911), II, p. 39, n. 70.

Ἀγα[θῇ τύχῃ ·] |
Μοσχιανοῦ φίλον υἱὸ[ν] | ἀγωνοθέτης ὁ Σε[κοῦν]|δος
5   ἀρχ[ια]τροῦ τ[ιμᾶ] πολ]λάκις Ἑρμόφι[λον,
ἀρχια]|τρῶν πατέρος [γενέτην,] | θείου [κα]ὶ [ἀ]δελφο[ῦ,
τερψι]|βρότοιο πάτρης Λ[υδιακῆς] | τε γύης
10   [ἐκ] παν[ελευθερί]ο]ιο γένους κλ[υτὸν ἀθλη]|τῆρα?

....

1279. Thyatiris. — Keil et v. Premerstein, *Denkschr. der Wiener Akad., philos. hist.
Klasse*, LIV (1911), II, p. 48, n. 97.

[Μᾶρκος Μηνορά|ν]ους Λαγίδας ¹ ἠ|γόρασεν παρὰ Κλ. | Φιλουμένου τὴν |
5 ἐν τῷ τοίχῳ κα|μάραν καὶ τὴν ἐ|ν αὐτῷ πυαλεῖ|δα, καθὼς ἡ κτῆ[|σ]εις
10 περιέχει | διὰ [τ]ῶν ἀρχεί|ων, [ἀ]νθυπά|τῳ ²......

1. Nomen Macedonum colonorum, qui a Lago quodam ignoto originem suam traxe-
rant. — 2. Scriptum erat in altero lapide proconsulis nomen.

1280. Thyatiris. — *C. I. Gr.*, 3513. Cf. *C. I. L.*, III, 406.

.... Ξένων[ι ἐτ(ῶν) ..] | καὶ Πρείμῳ ἐτ(ῶν) ε' | τοῖς τέχνοις καὶ Οὐαλερίῳ
5 Οὐα|λερίου γραμματιχῷ ‖ Ῥωμαιχῷ ἐτ(ῶν) χ[γ]'. |

Vota superuacua fletusque et numina diuum |
Naturae leges fatorumque arguit ordo. |
Spreuisti patrem matremque, miserrime nate, |
Elysios campos habitans et prata ueatum.

1281. Thyatiris. — *C. I. Gr.*, 3509.

Φάβιος Ζώσιμος κατασκευάσας σορὸν ἔθετο ἐπὶ τόπου καθαροῦ [1], ὄντος πρὸ τῆς
πόλεως πρὸς τῶι Σαμβαθείωι [2] ἐν τῶι Χαλδαίου περι|βόλωι [3] παρὰ τὴν δημοσίαν
ὁδὸν ἑαυτῶι, ἐφ' ὧι τεθῆ [4], καὶ τῆι γλυκυτάτηι αὐτοῦ γυναιχὶ Αὐρηλίᾳ Παν-
τιανῆι, μηδενὸς ἔχοντος ἑτέρου | ἐξουσίαν θεῖναί τινα εἰς τὴν σορὸν ταύτην · ὃς
δ' ἂν τολμήσῃ ἢ ποιήσῃ παρὰ ταῦτα, δώσει εἰς μὲν τὴν πόλιν τὴν Θυατειρηνῶν
ἀρ|γυρίου δηνάρια χείλια πεντακόσια, εἰς δὲ τὸ ἱερώτατον ταμεῖον δηνάρια δισ-
5 χείλια πεντακόσια, γεινόμενος ὑπεύθυνος ἔξωθεν [5] τῶι ‖ τῆς τυμβωρυχίας νόμωι.
Ταύτης τῆς ἐπιγραφῆς ἐγράφη ἁπλᾶ [6] δύο, ὧν τὸ ἕτερον ἐτέθη εἰς τὸ ἀρχεῖον.
Ἐγένετο ἐν τῇ λαμπροτάτῃ | Θυατειρηνῶν πόλει, ἀνθυπάτωι Κατιλλίωι Σεβή-
ρωι [7], μηνὸς Αὐδναίου τρισκαιδεκάτηι, ὑπὸ Μηνόφιλον Ἰουλιανοῦ δημόσιον [8].

1. In loco vacuo. — 2. Fanum Sambathae Sibyllae Chaldaeae : Suid. s. v. Σίβυλλα
Χαλδαία; Clerc, *De rebus Thyatirenorum*, p. 22. — 3. Septum a Chaldaeo quodam instruc-
tum, aut potius Chaldaei numinis fano circumdatum. — 4. Ideo ut ibi componeretur. —
5. Praeterea. — 6. Exempla in tabulis simplicibus, non in diptychis, scripta. — 7. L.
Catilius Severus, cos. I sub Trajano, II anno 120 post C. n., proconsul Asiae sub Trajano
vel Hadriano : *Prosop. imp. rom.*, I, p. 319, n. 463. — 8. Tabularius civitatis.

1282. Thyatiris. — Keil et v. Premerstein, *Denkschr. der Wiener Akad.*, *philos. hist.*
Klasse, LIV (1911), II, p. 50, n. 108.

......| Οὐδενὶ δὲ ἐξέσται ἀπαλλοτριῶσαι τὸ μνημεῖον ἢ μέρος αὐτοῦ · | ὃς ἂν δὲ
βουληθῇ ἀπαλλοτριῶσαι, ὑπεύθυνος ἔσται τῇ Θυατειρηνῶν | πόλει δηναρίοις δισ-
5 χειλίοις πεντακοσίοις. Ἀνθυπάτῳ Πέ‖δωνι [1], μηνὸς Ἀρτεμεισίου ὀκτωκαιδεκάτῃ.

1. ....ius Pedo Apronianus, cos. anno 191, proconsul Asiae anno 204/205, aut potius
205/206 post C. n. : *Prosop. imp. rom.*, III, p. 21, n. 159.

1283. Thyatiris. — Keil et v. Premerstein, *Denkschr. der Wiener Akad., philos. hist. Klasse*, LIV (1911), II, p. 51, n. 109.

5 .... | ....εις | .... [ἐπ]οίησαν |
...[μηδενὸς ἑτέρου τολμή]σοντος τῷ τά[[φῳ εἰσφέρειν. Ἀντεγρά]φη δι᾽ ἀρχείων |
[ἀνθυπάτῳ Ἰουνίῳ Σαβ?]εινιανῷ ¹, μηνὸ[ς | ...., ἐπὶ ....]δωι δημοσίωι. [Ζ]ῶν.

1. [**M.** Junius Rufinus Sab]inianus procos. Asiae circa annum 170 (*Prosop. imp. rom.,*
II, p. 242, n. 528-532), aut [Asinius Sab]inianus, proconsul Asiae anno 238/239 post C. n.
(*ibid.,* I, p. 169, n. 1036).

1284. Thyatiris. — *C. I. Gr.,* 3516.

5 .... [κατεσκεύασε | τὴν χαμάραν | καὶ τὴν σορὸν | .... καὶ] ‖ τέκνοις
10 αὐτ|ῶν καὶ ἐγ[γ]όν|οις, μηδενὸς | ἑτέρου ἔχον|τος ἐξουσίαν ἄλ[λο πτῶμα ἐ[π]εμ-
βα|λεῖν · ὃς δ᾽ ἂν παρὰ ταῦ|τα ποιήσῃ, δώ|σει τῇ λαμπροτάτῃ | Θυατειρηνῶν ‖
15 πόλει δηνάρια αφ᾽. | Τῆς ἐπιγραφῆς | ἀντίγραφον ἐ|τέθη ἰς τὸ ἀρχεῖ|ον ἀνθυ-
20 (πάτῳ) Ἐγνατίῳ ‖ Λολλιανῷ ¹, μη(νὸς) Ἀπελ|λαίου λ᾽, ὑπὸ Ἀλέξανδρ|ον Καίχο[υ
25 δημόσιον] ². | Ἔχιν δὲ τὴν ἐξ|ουσίαν τοῦ τόπου ‖ τοῦ κατὰ τῆς χαμάρ|ας Αὐρ.
30 Ροῦφ|ον βουλευτ|ήν, υἱὸν τῆς | ἀδελφῆς μου ‖ Αὐρ. Ἀνν[ι]ανῆς, | τῆς προενκει-
μένης | ἰς σόρου ἐπίθε[σ]ιν ³.

1. L. Egnatius Victor Lollianus, proconsul Asiae per annos tres, anno tertio sub Phi-
lippo (244-249 post C. n.), ac postremo praefectus Urbi anno 254 : *Prosop. imp. rom.,* II,
p. 34, n. 30. — 2. Cf. n. 1281, v. 6. — 3. Theca minor arcae majori imposita.

1285. Thyatiris. — *C. I. Gr.,* 3517.

.... [κατεσκεύασε] ...... ανετ...... | καὶ τοῖς ἑκάστου αὐτῶν τέκνοις τήνδε
τὴν χαμάραν · ὃς δ᾽ ἂν ἕτερον | ἐπενβάλῃ, τῷ θείῳ οἴχῳ τοῦ Σεβαστοῦ ὑπεύ-
θυνος ἔστω. Α[ὕ]τη [φέρεται] | δι᾽ ἀρχείων ἡ ἐπιγραφή, ἀνθυ(πάτῳ) Λολλιανῷ
5 τὸ β᾽ ¹, μη(νὸς) Αὐδναίου κς᾽. Μαρ[[.......... τήνδε πρὸ τῆς χαμάρας πυαλεῖδα
τοῖς θρ[έμμασι].....

1. Cf. n. 1284.

1286. Thyatiris. — *C. I. Gr.,* 3512.

Multa fisco solvenda : τῷ φίσχῳ δηνάρια φ᾽.

1287. Balidja. — Keil et v. Premerstein, *Denkschr. der Wiener Akad.*, *philos. hist. Klasse*, LIV (1911), II, p. 55, n. 116.

.... [? ἀγωνοθετήσα]ν[τ]α ¹ ἐνδόξως | [κατὰ τὴ]ν τοῦ κυρίου ἡμῶν |
5 [Αὐτο]κράτορος Μάρκου Αὐρ. | ['Αντωνίνου Σεβ. ² μετὰ τοῦ ‖ Σ]εβαστοῦ
πατρὸς αὐτοῦ ³ | Αὐτοκράτορος 'Αντωνίνου | ἐπιδημίαν ⁴, ὁπότε ἐδω|ρήσατο τῆι
10 πατρίδι ἡμῶν | τὴν ἀγορὰν τῶν δικῶν ⁵, ‖ ἀνθυπατεύοντος Μα|ρίου Μαξίμου ⁶,
ἀναστη|σάσης τὴν τιμὴν Αὐρ. | 'Αλκιππίλλης Λαιλιανῆς | τῆς θυγατρός.

1. Cf. *C. I. Gr.*, 3493. Aut στεφανηφορήσαντα. — 2. Inde sequitur Elagabalum puerum etiam anno 215 Thyatiris cum Caracalla fuisse, si lacunas recte expleverunt editores, qui proferunt Cass. Dion. LXXVII, 18, ² ; LXXVIII, 30, ³ ; Herodian. V, 3, ². — 3. Caracallam patrem Elagabali multi crediderunt (Cass. Dio LXXVIII, 32, ³ ; Herodian. V, 3, ¹⁰ ; *Vita Carac.* 9 ; *Macrin.* 13 ; *Heliogab.* 1) et ipse jussit Elagabalus, rerum potitus, se Antonini (Caracallae) filium appellari. — 4. Cf. nn. 1247, 1249. — 5. Conventum juridicum vel forum Thyatiris constituit princeps. — 6. L. Marius Maximus Perpetuus Aurelianus, scribenda historia clarus, proconsul Asiae anno 214-215 post C. n. : *Prosop. imp. rom.*, II, p. 346, n. 233.

1288. Monghla. — Hicks, *Classical review*, III (1889), p. 137, n. 10.

Ὁ δῆμος | Αὐτοκράτορα Τιβέ|ριον Καίσαρα Θεοῦ | υἱὸν Σεβαστόν.

1289. Eroglou. — Schuchhardt, *Athen. Mittheil.*, XXIV (1899), p. 233, n. 72.

....ἀπολογισμὸς ¹... | Καίσαρι ἐπὶ ὑπ[άτου...] | Λεπίδα ἀρχ[ι...] | Μάρκου
5 υἱο... ‖ Μάρχο...

1. Fortasse relatio Communis Asiae ad imperatorem scripta. Cf. t. III, n. 704, not. 20 ; n. 706, not. 4.

1290. Eroglou. — Schuchhardt, *Athen. Mittheil.*, XXIV (1899), p. 232, n. 71. Cf. Hula, *Jahreshefte des österr. Instit.*, V (1902), p. 205.

'Αγαθῆι τύχηι · | [ἔ]δοξεν τῆ βουλῆ κα[ὶ τῶ | δή]μῳ τετειμῆσθαι ἀν[δρι|ά]σιν
5 Λαιβιανὸν Καλλιστ[ρά‖τ]ου, ἄνδρα ἀγαθὸν καὶ φιλ[ό|π]ατριν, τριτεύσαντα κα[ὶ] |
σιτωνήσαντα ἀγνῶς κα[ὶ | ἀν]αλώσαντα πολλὰ παρ' ἐ|[αυ]τοῦ καὶ ἀποδόντα σῶα ‖

10 [τὰ] χρήματα τῇ πόλει κα[ὶ ἀ|γ]ορανομήσαντα λαμ[π|ρ]ῶς καὶ πολυδαπάνως,
15 [δε|κ]απρωτεύσαντα τὴν β. | . εραν ¹ πρᾶξιν βασ[ιλ]ἤ[κ]ὴν ², ἰσαγωγέα γενό-
μ[εν|ον] τοῦ ἐπὶ Θεῷ Λὐγούστῳ [ἀ|γο]μένου ἀγῶνος, ἐργεπι|[στά]την σκουτλώ-
20 σεως ³ οἴκο[υ | βα]σιλικοῦ τοῦ ἐν τῷ Ἀδρι[α‖ν]είῳ ⁴, ἀποκαταστήσαντ[α | τὸ]
ἔργον τέλειον ἐν μ[η|σὶ]ν ἑξ, καὶ ἐν ταῖς λοιπαῖ[ς | χ]ρείαις καὶ ὑπηρεσίαις
25 ε[ὔ]|χρηστον τῇ πατρίδι, ‖ [ἐ]πιμεληθέντος τῆς ἀνασ|[τ]άσεως Μ. Ἀντ. Κλαυ-
διανοῦ.

1. τὴν [δευτ]έραν dubitanter B. Haussoullier. De supplendis litteris non constat. —
2. « πρᾶξις fortasse est conventus, quem Thyatiris habuerit Augustus nescio quis. »
(Boeckh ad C. I. Gr., 3491). Sed lectio incertissima est. Cf. Hula, loc. cit. — 3. Cf. t. III
hujus operis, nn. 342, 424, 739 xix; Rev. arch., XXX (1897), p. 78. — 4. Basilica in foro
Hadriani exstructa. Clerc, De rebus Thyatirenorum (1893), p. 62; C. I. Gr., 2782, v. 25.

1291. Eroglou. — Schuchhardt, Athen. Mitteil., XXIV (1899), p. 233, n. 73.

....ος Εὐτ[υχίδου..... | τῇ ἑαυτ]οῦ γυναικὶ Κλ[αυδίᾳ, μηδενὸς ἐξου|σίαν
ἔχον]τος ἄλλο πτῶμα [θεῖναι · εἰ δὲ μὴ, δώσει | τῇ Θυ]ατειρηνῶν πόλει δηνάρια
5 α[φ', ἀνθυπάτῳ Τ. Οὐΐ‖τρασίῳ] Πωλλίωνι ¹, μη(νὸς) Ξανδικο[ῦ .....

1. T. Pomponius Proculus Vitrasius Pollio, cos. suff. circa annos 138-140 post C. n.,
procos. Asiae circa annum 152. Prosop. imp. rom., III, p. 78, n. 538.

1292. Eroglou. — Hirschfeld, Sitzungsber. der Berlin. Akad., 1888, p. 886, n. 56.

.... | [καὶ τῇ] γυναικὶ κ[αὶ..... · οὐδενὶ δὲ ἑτέρῳ | ἐξέσται] ἄλλο πτῶμα
[εἰσφέρειν · εἰ δὲ μὴ, ὁ παρὰ ταῦτα ποιήσας | δώσει τῇ Θυα]τειρηνῶν πόλει
5 χί[λια..... ˙ ταύτης τῆς ἐπιγραφῆς ‖ ἀντίγραφον ἐτέθη εἰς τὸ ἀρχεῖον, | ἀνθυ-
πάτῳ Τίτῳ Οὐιτρασίῳ] Πωλλίωνι ¹, μηνὸς Αὐδ[ναίου].

1. Cf. n. 1291.

1293. Juliae Gordi. — Paris, Bull. de corr. hellén., VIII (1884), p. 390, n. 10.

[Α]ὐτοκράτορα Ν[έρουαν, Θεοῦ Νέρ]ουα υἱὸν, Τραια[νὸν Καίσαρα Σεβασ]|τὸν
Γερμανικὸ[ν Δακικὸν] | ὁ Ἰου[λιέ]ων [Γ]ο[ρδηνῶν δῆμος].........

1294. Juliae Gordi. — Paris, *Bull. de corr. hellén.*, VIII (1884), p. 389, n. 8.

Θεοῖς πατρίοις καὶ Αὐτοκράτορ[ι] | Καίσαρι Μ. Αὐρ. Ἀντωνείνῳ καὶ Αὐτ[ο]|-
5 κράτορι Καίσαρι Λ. Αὐρηλίῳ Κομόδῳ ' | καὶ τῇ κυρίᾳ πατρίδι Μενεκρά‖της
Σεξτιανοῦ ὑπὲρ ἀγορανο|μίας τοὺς πρώτους δέκα κεί|ονας σὺν κεφαλαῖς καὶ
10 σπε[ί]|ραις ², κατὰ τὸ γενόμενον | ψήφισμα, ἐκ τῶν ἰδίων ἀνέ‖στησεν, λογισ-
τεύοντος Μ. | Ἀντωνίου Ἀλεξάνδρου Ἀ[π]‖φιανοῦ Ἀσιάρχου, ἐπὶ συνα[ρ]ιχίας
Ἰουλιανοῦ Φλώρου ἄρχον|τος πρώτου.

1. Annis 177-180 post C. n. — 2. Ejusdem porticus quae n. 1295 memoratur, nondum
perfectae.

1295. Juliae Gordi. — Keil et v. Premerstein, *Denkschr. der Wiener Akad., philos. hist.
Klasse*, LIII (1908), II, p. 69, n. 145. In epistylio porticus.

Θε[οῖς πατρ]ίοις κ[αὶ Αὐτοκράτορ]ι Καίσαρι Μ. [Αὐρηλίῳ Κομμόδῳ Ἀντω-
νεί]νῳ ' καὶ τῇ γλυκυτάτη [πατρίδι Πο. Αἴλιος....... σὺν] Πο. Αἰλίοις Φροντο-
νιανῷ καὶ....... [καὶ Αἰλία ...ν]τιανῇ [τοῖς τέκνοις τὴν στοὰν ἀνέθηκεν].

1. Annis 180-190 post C. n., cum porticus paulo ante incepta (cf. n. 1294) ad finem
pervenisset.

1296. Juliae Gordi. — *C. I. L.*, III, 7102.

Dis M(anibus). | Crescenti Augg. uer|nae disp(ensatori); uixit annis | LIIII. ‖
Ἐπιστήμη σὺν τοῖς τέ|κνοις Κρήσκεντι συμ|βίῳ, μνείας χάριν, | ἐπιμελη-
5 θέντος | Που(6λίου) Κλουίου Εὐφήμου. ‖ Εὔμορμος '.

1. An Εὔμοιρος? « Signum videtur esse defuncti. » Mommsen.

1297. Juliae Gordi. — Keil et v. Premerstein, *Denkschr. der Wiener Akad., philos. hist.
Klasse*, LIII (1908), II, p. 69, n. 148.

Στέφανος, Αὐτοκ[ράτο]ρος Σεβαστοῦ Δομ[ιτι]|ανοῦ Καίσαρος δο[ῦ]|λος ἀρχά-
ριος ', ὑπὲρ [ἑ]ε ἑαυτοῦ καὶ Ἀντωνίας | τῆς συμβίου αὐτοῦ | εὐχήν.

1. Servus Aug. arcarius : De Ruggiero, *Dizion. epigraf.*, I, p. 633.

1298. Juliae Gordi. — Le Bas et Waddington, n. 1535.

['Ετ]ους τμε' [1], μ(ηνὸς) Καίσαρος [2] ζ', | Αὐρ. Πορφύριος Τροφιμᾶ(ς) τῇ |
5 προ(σ)φιλεστάτῃ καὶ σε|μνοτάτῃ γυναικὶ Πραυ[σί]‖ῳ μν[ήμης] χάριν.

1. Aerae Sullanae anno 345 = 261 post C. n. — 2. Mensis Caesar incipiebat die xxiii
Junii. Cf. supra n. 353, *b*, v. 4.

1299. Juliae Gordi. — Keil et v. Premerstein, *Denkschr. der Wiener Akad., philos. hist.
Klasse*, LIII (1908), II.

Multae fisco solvendae :

n. 151, v. 16 : ἰς τὸ | ἱερώτατον ταμεῖον δηνάρια ‚βφ'.
Ibid., n. 154, v. 11 : ἰς τὸ ταμεῖον | δηνάρια ρ'.

1300. Inter Cymen et Myrinam. — *C. I. Gr.*, 3528.

5 Ὁ δῆμος | Νέρωνα Ἰούλιον | Καίσαρα [1], παῖδα | Θεοῦ νέου Γερμα‖νικοῦ Καί-
σαρος | καὶ Θεᾶς Αἰολί|δος καρποφό|ρας Ἀγριππείνας [2].

1. Nero, Germanici filiorum natu maximus. *Prosop. imp. rom.*, II, p. 181, n. 149. —
2. Anno 18 post C. n. maritum in Orientem comitata. Cf. titulum n. 22; hunc quoque
non Lesbium esse non adeo certum est. Cf. nn. 74-77.

1301. Cymes. — Baltazzi, *Bull. de corr. hellén.*, XII (1888), p. 365, n. 11.

5 Αὐτοκράτο|ρι Ἀδριανῷ | Ὀλυμπίῳ | [σω]τῆρι καὶ ▌ κτίστῃ.

1302. Cymes. — Collitz, *Sammlung der gr. Dialekt-Inschriften*, I (1884), n. 311. Est
Parisiis ubi lapidem contulimus.

.... [δαμ]οσίαι|ς ...... [ταὶς ὑπαρχοί]σαις αὕτω κτή|[σιας ἐν τῶ
Ζμαραγήω] [1] ....η τούτοισι τῶ δά|[μω] ......ονια πασυδιάσχντος καὶ ▌
5 [μεγαλο]πρεπεστά[ταις τ]είμαις δογματίζοντος, καὶ ναῦ|[ον] ἐν τῶ γυμ[ν]ασίω
κατείρων προαγρημμένω, ἐν ὦ ταὶς τεί|μαις αὕτω κατιδρύσει, κτίσταν τε καὶ
εὐεργέταν προσονυ|μάσδεσθαι, εἰκονάς τε χρυσίαις ὀντέθην, κάθα τοῖς τὰ μέ|γιστα
10 τὸν δᾶμον εὐεργετησάντεσσι νόμιμόν ἐστι, με‖τά [τ]ε τὰν ἐξ ἀνθρώπων αὕτω

μετάστασιν καὶ τὰν ἐν|τάφαν καὶ θέσιν τῶ σώματος ἐν τῶ γυμνασίω γενήθην, |
ἀποδεξάμενος ὑπερθύμως τὰν κρίσιν τᾶς πόλιος Λα|6έων, στοίχεις τοῖς πρου-
παργμένοισι αὐτῶ καὶ προσμέ|τρεις τὰν ἑαύτω τύχαν τοῖς ἐφίκτοισιν ἀνθρώπω,
15 τὰν ‖ μὲν ὑπερβάρεα καὶ θέοισι καὶ τοῖς ἰσσοθέοισι ἁρμόζοι|σαν τᾶς τε τῶ ναύω
κατειρώσιος τᾶς τε τῶ κτίστα | προσονυμασίας τείμαν παρητήσατο, ἀρχέην
νομί|ζων τὰν κρίσιν τῶ πλάθεος καὶ τὰν εὐνόαν ἐπιτεθε|ωρήκην, ταῖς δὲ τοῖς
20 ἀγάθοισι τῶν ἄνδρων πρεποί‖σαις ἀσμενιζοίσα χάρα συνεπένευσε τείμαις ⟨ι⟩ ·
ἐφ’ οἷ|σιν πρεπωδέστατόν ἐστι τῶν ἐννόμων ἐόντων | χρόνων τὰν παντέλεα τῶν
εἰς ἀμοίβαν ἀνηκόντων | ἐπαίνων τε καὶ τειμίων περὶ τᾶς καλοκαγαθίας αὐτω |
25 μαρτυρίαν ἀπύδεδοσθαι · δι’ ἃ καὶ τύχα ἀγάθα δέδοχθαι ‖ τᾶ βόλλα καὶ τῶ δάμω
ἐπαίνην Λαβέωνα παίσας ἐοντα τεί|μας ἄξιον καὶ διὰ τὰν λοίπαν μὲν περὶ τὸν
βίον σεμνότατα | καὶ διὰ τὰν φιλοδοξίαν δὲ καὶ τὰν μεγαλοδάπανον εἰς | τὰν
πόλιν διάθεσιν καὶ ἔχην ἐν τᾶ καλλίστα διαλάμψει τε καὶ | ἀπυδόχα, καὶ κάλην
30 εἰς προεδρίαν, καὶ στεφάνων ἐν πάν‖τεσσι τοῖς ἀγώνεσσιν, οἷς κεν ἀ πόλις συν-
τελέῃ, ἐν τᾶ τὰν | κατευχὰν ἀμέρα ἐπὶ τὰν σπονδὰν καττάδε · ὁ δᾶμος στε|φά-
νοι Λεύχιον Οὐάχχιον Λευχίω ὕιον Αἰμιλία Λαβέωνα, φι|λοχύμαιον, εὐεργέταν,
στεφάνω χρυσίω ἀρέτας ἕνεκα | καὶ φιλ⟨ι⟩αγαθίας τᾶς εἰς ἕαυτον · ὀντέθην δὲ
35 αὐτω καὶ εἴ‖κονας, γράπταν τε ἐν ὅπλω ἐνγρύσω καὶ χαλκίαν, κάττα αὖ|τα
δὲ καὶ μαρμαρίαν καὶ χρυσίαν ἐν τῶ γυμνασίω, ἐφ’ ἃν ἐπ[ι]|γράφην · Ὁ
δᾶμος ἐτείμασεν Λεύχιον Οὐάχχιον Λευχίω | ὕιον Αἰμιλία Λαβέωνα φιλοχύμαιον
40 εὐεργέταν, γυμνασι|αρχήσαντα κάλως καὶ μεγαλοδόξως, ὄνθεντα δὲ ‖ καὶ τὸ
βαλάνηον τοῖς νέοισι καὶ πρὸς τὰν εἰς αὐτο χοραγί|αν ταῖς ὑπαρχοίσαις αὐτω
κτήσιας ἐν Ζμαραγήω, καὶ ἐ|πισχεάσαντα τὸ γυμνάσιον καὶ ἕκαστα ἐπιτελέ-
σαντα | λάμπρως καὶ μεγαλοψύχως, ἀρέτας ἕνεκα καὶ εὐνόας | τᾶς εἰς ἕαυτον ·
45 καὶ ἐπεί κε δὲ τελευτάσῃ, κατενέχθεν‖τα αὐτον ὑπὸ τῶν ἐφάβων καὶ τῶν νέων
εἰς τὰν ἀγόραν | στεφανώθην διὰ τῶ τᾶς πόλιος κάρυκος καττάδε · Ὁ δᾶ|μος
στεφάνοι Λεύχιον Οὐάχχιον Λευχίω ὕιον Αἰμιλία Λα|6έωνα φιλοχύμαιον εὐεργέ-
ταν, στεφάνω χρυσίω ἀρέ|τας ἕν(ε)κα καὶ εὐνόας τᾶς εἰς ἕαυτον · εἰσενέχθην δὲ ‖
50 αὐτον εἰς τὸ γυμνάσιον ὑπό τε τῶν ἐφάβων καὶ τῶν | νέων καὶ ἐντάφην ἐν ᾧ
κ(ε˙ καὶ) [2] εὔθετον ἔμμεναι φαίνηται τό|πω · τὸ δὲ ψάφισμα τόδε ἀνάγραψαι εἰς
στάλαν λίθω λεύ|κω καὶ ἐνθέμεναι εἰς τὸ γυμνάσιον πὰρ ταῖς δεδο|γματισμέναις
αὐτω τείμαις.
55   Μῆνος Φρατρίω δεχάτα ‖ ἀπίοντος ἐπὶ ἱερέος τᾶς Ῥώμας καὶ Αὐτοκράτορος |
Καίσαρος Θέω ὕιω Θέω Σεβάστω ἀρχιέρεος μεγίστω καὶ πα|τρὸς τᾶς πατρίδος [3]

Πολέμωνος τῶ Ζήνωνος Λαοδί|κεος ⁴, πρυτάνιος δὲ Λευκίω Οὐαχχίω Λευχίω ὑίω
Αἰμιλί|α Λαβέωνος φιλοκυμαίω εὐεργέτα, στεφαναφόρω δὲ ‖ Στράτωνος τῶ
Ἡρακλείδα.

1. Cf. v. 41. — 2. KENAN lapis. — 3. Annis 2 ante C. n.-14 post C. n. — 4. Polemone
rege Ponti tum defuncto junior fuit (*Prosop. imp. rom.*, III, p. 57, n. 403), quanquam
ejusdem profecto gentis.

1303. Cymes. — Baltazzi, *Bull. de corr. hellén.*, XII (1888), p. 370, n. 70.

In columella :

M E

Fortasse μ(ιλιάριον) πέμπτον viae Myrina Cymen.

1304. Hierocaesareae. — Keil et v. Premerstein, *Denkschr. der Wiener Akad., philos.
hist. Klasse,* LIII (1908), II, p. 55, n. 113.

['Επὶ] ....|.....ων, πρυτάνεως δ[ὲ | καὶ ἱε]ρέως τῆς Ῥώμης Ἀνδρ[ο]|νείχου
5 τοῦ Μητροδώρου Λεπ[ίϊδου, μ]ηνὸς Πανήμου ζ', Ἀλέξα[ν]|δρος Ἀπολλωνίου
Ἐ[λλ]άους ἱ|ερατεύσας ἀνέθηκεν καὶ κ[α]|Θιέρωσεν τὸν βωμὸν ἐ|κ τῶν ἰδίων
0 [θ]εᾷ Ῥώμη καὶ Αὐ‖τοκράτορι Καίσαρι, Θεοῦ υἱ|ῷ, Θεῷ Σεβαστῷ καὶ τῷ δήμῳ. |
5 Καθῆκον δέ ἐστιν τῶι δή|μωι τειμῆσαι αὐτὸν | ταῖς πρεπούσαις τειμαῖς. ‖ Ἀγα-
Θῆι τύχηι · δεδόχθα[ι | στ]εφανοῦσθ[αι] αὐτὸν χρ[υ]|σῶι στεφάνωι διὰ γέ|[νους],
0 τὴν δὲ ἐπιμέληαν | [τ]οῦ στεφάνου ποιείσθω‖[σαν ο]ἱ κατ' ἐνιαυτὸν τασ|[σ]όμενοι
βρα[β]ευταί ¹.

1. Pagorum (κωμῶν, κατοικιῶν) et collegiorum annui magistratus, qui sacra ritu cele-
branda et honores tribuendos communi pecunia curabant. Cf. n. 1348. Sub brabeutis
autem fuisse videtur ille populus idcirco quia Hieracome tum temporis pristina instituta
retinebat; imperante enim Tiberio fertur mutata esse in civitatem et Hierocaesarea
appellata.

1305. Hierocaesareae. — Keil et v. Premerstein, *Denkschr. der Wiener Akad., philos.
hist. Klasse,* LIII (1908), II, p. 59, n. 121. In miliario :

Ἀγαθῆ [τύ]χη · | Αὐτοκράτορι Καίσαρι | Μ. Αὐρ. [Κάρῳ] Εὐσεβεῖ | Εὐτυχεῖ

5 ἀηττήτῳ Σεβ(αστῷ) ‖ καὶ Μ. Αὐρ. [Καρείνῳ] ἐπιφανεστάτῳ | [Καίσαρι] ¹ | ἡ
λαμπ(ροτάτη) καὶ μεγίστη | Θυ(ατειρηνῶν) πό(λις). | [’Απὸ Θυατείρων ‖ μί(λια)].. ².

1. Anno 282/283 post C. n. — 2. Viae Thyatiris Sardes. Cf. n. 1315.

1306. Hierocaesareae. — Foucart, *Bull. de corr. hellén.*, XI (1887), p. 95, n. 17.

Θεοῖς Σεβαστοῖς καὶ ’Αρτέμιδι Περσι|κῆι ¹ καὶ τῶι δήμωι Διονύσιος Παπίου
τοῦ | Διονυσίου ....ος καὶ ’Ασκλάπων κ[αὶ] | Δωρόθεος οἱ υἱοὶ αὐτοῦ ἀνέθη-
5 κ[αν τὴν] ‖ πύλην κατασκευάσαντες [ἐκ τῶν ἰδίων].

1. Tiberio principe, coram senatu Hierocaesarienses exposuere « Persicam apud se
Dianam, delubrum rege Cyro dicatum; et memorabantur Perpennae, Isaurici multaque
imperatorum nomina, qui non modo templo, sed duobus millibus passuum eamdem
sanctitatem tribuerant ». Tac. *Ann.* III, 62; cf. Pausan. V. 27 et nummos civitatis : Babe-
lon, *Invent. de la coll. Waddington*, p. 292, nn. 4998-5010. Cf. titulos nn. 1310-1312.

1307. Hierocaesareae. — Mommsen, *Ephem. epigraph.*, IV (1881),.p. 223.

5 ....¹|ας διο......|μηνησε..... [ἀφ’ ὑ]|πάτων στρ[ατηγὸν] ², ‖ δικαιοδότην
Σ[πανίας] | διοικήσεως Ταρακω[νη]|σίας ³, δικαιοδότην ’Απολίας Καλαβρ[ία]|ς
10 Λυκα|ονίας ⁴, ἐπιμελητὴν ‖ ὁδῶν Λαβικανῆς καὶ | Λατείνης, λογιστὴν | Τρωα-
15 δέων ⁵, στρατη|γὸν, δήμαρχον, ταμί|αν Λυκίας Παμφυλίας, ‖ κυαίστορα ⁶, βιό-
[κ]ουρον ⁷, | Λουκία Πομπωνία | Μελιτίν[η] κρατίστη | ὑπατικὴ ⁸ τὸν γλυκύ|τατον
ἄνδρα.

1. Vir ignotus sæculi III post C. n. : *Prosop. imp. rom.*, III, p. 499, n. 27. Cf. supra
titulum n. 1212. — 2. Supplementa dubia sunt. Cf. v. 11. — 3. Juridicus Hispaniae dio-
ceseos Tarraconensis, nempe juridicus illius dioceseos Hispaniae citerioris, in qua est
Tarraco. — 4. Lucania. — 5. Alexandria Troas. Cf. nn. 243-246. — 6. Ταμίας, quaestor
provinciae; κυαίστωρ, quaestor urbanus. — 7. III vir viarum curandarum. — 8. *Prosop.
imp. rom.*, III, p. 81, n. 581.

1308. Hierocaesareae. — Körte, *Inscr. Bureschianae, Wissensch. Beilage der Universit.
Greifswald*, 1902, p. 14, n. 17.

’Αγαθῆι τύχηι · | Λούκιον ’Ιούνιον Ἄν|νιον Μάξιμον Παυλεῖνον τὸν κράτισ-
5-10 τον υἱὸν ....ι |αν.......ας|μν........ο|νο......ρα|τ....... ισ‖τ....... Σε|βα[στ].

15 ....τα | τῶν Ἱεροκαι[σαρέ]ων | βουλὴ τὸν τῆς πατρί|δος εὐεργέτην, ἐπι‖μελησαμένου Αὐρ. Γλύ|χωνος β΄ τοῦ·βουλάρχου.

1309. Hierocaesareae. — Foucart, *Bull. de corr. hellén.*, XI (1887), p. 94, n. 14.

5 Ἀθηνέδωρος | Μιθρήους | τοῦ Κράτητος, | ἱερεὺς γενόμε‖νος Ῥώμης ', | Ἀπόλλωνι Παιᾶνι.

1. Libera Romanorum republica, ut arbitratur editor ex forma scripturae.

1310. Hierocaesareae. — Keil et v. Premerstein, *Denkschr. der Wiener Akad., philos. hist. Klasse,* LIII (1908), II, p. 57, n. 114.

Ἀγαθ[ῇ τύχη. | Α]ὐρ. Πω[λλιανὸν? | Τ]ρωαδέ[α ', νικήσαν|τ]α τὰ με[γάλα
5 Σεβασ‖τὰ] Ἀρτε[μίσια ² παγ|χρά]τιο[ν] ....|...νος........

1. Alexandria Troade oriundus. Cf. nn. 243-246. — 2. Cf. nn. 1311, 1312.

1311. Hierocaesareae. — Foucart, *Bull. de corr. hellén.*, XI (1887), p. 96, n. 18.

[Ἀγ]αθῆι τύχηι · | [τ]ὰ̣ μεγάλα Σεβα|[σ]τὰ Ἀρτεμείσια ' <ε>|ἐνείκα
5 πυγμὴν ‖ Μ. Αὐρ. Μηνογέν[ης] | β΄ τοῦ Λεωνίδο[υ] | Ἱεροκαισαρεὺς, | τὸν
10 ἀνδριάντ[α] | ἀναστήσα[ντος] ‖ Αὐρ. Διοφά[νους] | τοῦ ἀγω[νοθέ]|του.

1. Cf. nn. 1310, 1312.

1312. Hierocaesareae. — Keil et v. Premerstein, *Denkschr. der Wiener Akad., philos. hist. Klasse,* LIII (1908), II, p. 57, ad n. 114.

5 Ἀγαθῇ [τύχη · | τ]ὰ με[γάλα Σε[6]αστ[ὰ Ἀρτεμεί]|σια ' νε[ικᾶ πάλη]‖ν Ἰού-
λ[ιος Μη]|νόφιλ[ος Ἱερο‖καισ[αρεὺς ἐπὶ] | Ἀθην...... [ἀ]|γ(ω)νο[θέτου].

1. Cf. nn. 1310, 1311.

1313. Hierocaesareae. — Foucart, *Bull. de corr. hellén.*, XI (1887), p. 97, n. 20.

Κατεσκεύασεν τὸν τά|φον σὺν τῷ παραχειμένῳ | [τ]όπῳ ἐν ᾧ ὄπιθεν κεῖτα:

5 π∥ρ]ὸς ὃν κατεγραψάμην παρὰ ∥ Αὐρ. Εὐτυχίας, Αὐρ(ηλία) Μενίππου | . απα
ἑαυτῇ καὶ τῇ προενο∥ύ]σῃ μου θυγατρὶ Περπερίλλῃ | καὶ Αὐρ. Μοσχιανῷ καὶ
10 Ἰουλια∥νῷ τοῖς τέχνοις μου · μηδε∥νὸς ἑτέρου ἔχοντος ἐξουσί∥αν ἄλλον τινα ἐπεν-
6αλεῖν | ἢ ἐξαλλοτριῶσαι · (εἰ δέ τίς τι) τολμήσει | [π]αρὰ τὰ ὡρισμένα ὑπ' ἐμοῦ,
15 δώ|σει εἰς τὸ ἱερώτατον ταμε∥ῖον δηνάρια βρ'. | Τούτου ἀντίγραφον ἐτέθη | εἰς
τὸ ἐν Θυατείροις ἀρχε∥[ῖον] ἐν ἁπλῷ, ἀνθυπάτῳ Ἀσιν∥[νίῳ] Σαβεινιανῷ ¹ μη(νὸς)
Ἀπελλαίου.

1. Circa annum 238 post C. n. Cf. n. 1313 et *Prosop. imp. rom.*, I, p. 169, nn. 1036, 1037.

1314. Hierocaesareae. — Keil et v. Premerstein, *Denkschr. der Wiener Akad., philos.
hist. Klasse*, LIII (1908), II, p. 58, n. 118.

[Ἔτους] ... ¹, μη(νὸς) Λώου ι', [Α]ὐ[ρ]η. Γάιος Ἀπφιανοῦ Χρειστιανὸς κατεσ-
κεύα∥[σε τὸ μνημεῖον αὐτῷ χ(αὶ) Αὔρη. Στρατονεικιανῇ τῇ γυνεχὶ αὐτοῦ, οὔσῃ
χ[αὶ] αὐτῇ | [Χρειστιανῇ, μηδενὸ]ς ἑτέρου ἔχοντος ἐξουσίαν τεθῆνε · εἰ δέ τι[ς
ἀλ]∥[λότριον νεχρόν τι]να ἐπενβάλῃ, θήσει τῇ Χωριανῶν ² κατοιχίᾳ δηνάρια ͵α..

1. Circa annos 200-250 post C. n., ut putant editores. — 2. Pagus Hierocaesareae vici-
nus (Selendi).

1315. Kenes. — Keil et v. Premerstein, *Denkschr. der Wiener Akad., philos. hist. Klasse*,
LIII (1908), II, p. 51, n. 103. In miliario :

[Imp.] **Caes[a]ri M.** Ant(onio) | Gordiano Pio Fel(ici) | [A]ug., t(ribunicia)
potes[t]a[t]e, patr(i) | pat(riae), cos. ¹. ∥
5 [Ἡ] λαμπροτάτη καὶ | μεγίστη Θυατειρη|νῶν πόλις ἐπὶ ἀνθυ(πάτου) | Ἀσιν-
10 νί(ου) Σαβεινιανοῦ ². | Ἀπὸ Θυατείρων ∥ μί(λια) δ' ³

1. Anno 238/239 post C. n. — 2. Cf. n. 1313. — 3. Miliarium IV viae Thyatiris Sardes.
Cf. n. 1303.

1316. Kenes. — Radet, *Bull. de corr. hellén.*, XI (1887), p. 454, n. 16.

Θεοῖς καταχθονί|οις καὶ Κλαυδίᾳ Τιβε|ρίου [γυν]αιχὶ, Παύ∥λῃ [τῇ θυ]γατρὶ,

5 Πώλλη ‖ τῇ γλυκυτάτῃ γυναι|κι, Λ. Λικίννιος Λουκί|ου υἱὸς Αἰμιλίᾳ Σεχοῦ[ν]|-
δος τὸν βωμὸν καὶ τὰ | τρία συνψέλια ' ἐποί‖ησεν.

1. Subsellia.

1817. Tyanolli. — *C. I. L.*, III, 14192¹⁵.

M. V[l]pio Horimo | [P]arthenius, Au[g.] lib., a(diutor) p(rocuratoris), | fratri
dulcissimo. |

5 [M.] Ο(ὐ)λ(π)ίῳ Ὡρίμῳ ‖ Παρθένιος Σεβ(αστοῦ) ἀπελ(εύθερος) | βο[η]θ(ὸς)
ἐπιτρόπ(ου) | ἀδελφῷ γλυκυτάτῳ.

1818. Tamasi. — Fontrier, Μουσεῖον, V (1885-1886), p. 75, n. φξβ'.

[Τὸ μνημεῖόν ἐστιν] | Θεοδώρου Δημη[τρί]|ου, Καρπίμης μητρὸ[ς, Ἀμ]|μίας
5 γυναικὸς, Ἰουλί[ας] ‖ ἀδελφῆς · ἐπειδὴ ἀρθ[έν]|των μου ὁπλαρίω[ν ' ὁ]|πὸ
10 Ἀνδρονείκου [ε]ἰρη|νάρχου καὶ .... |ναμένων πρὸς ....▌....αιροντος μο[υ?]....

1. Arma.

1819. Phocaeae. — Pottier et Hauvette-Besnault, *Bull. de corr. hellén.*, IV (1880),
p. 382, n. 11.

5 Αὐτοκρά|τορι Ἀδρι|ανῷ Ὀλυμ|πίῳ σωτῆ▌ρι καὶ κτίσ|τηι.

1820. Phocaeae. — Contoléon, *Rev. des ét. gr.*, 1901, p. 296.

5 Αὐτοκράτορ[ι] | Ἀδριανῷ | Ὀλυμπίῳ | σωτῆρι ▌ καὶ κτίστη.

1821. Phocaeae. — *C. I. Gr.*, 3412.

Αὐτοκράτορα Καίσαρα | Λούκιον Σεπτίμιον | Σεουῆρον Περτίνακα | Σεβαστὸν
ὁ δῆμος.

1822. Phocaeae. - *C. I. Gr.*, 3413.

Ὁ δ[ῆμος] | Δημήτριον Δημητρίου Γάλλον τὸν πρύταν[ιν] | καὶ στεφανηφόρον

5 καὶ ἱερέα τῆς Μασσαλίας τὸ γ΄ ¹, | ἥρωα, [ἐπι]μεληθέντος τῆς γυμνασιαρχ[ί]ας
[καὶ τῶν ἄλλω]ν τειμῶν Λουκίου Αὐιδίου ... | λ[ειτου]ργί[α]? ..... ² νέου...

1. Cf. nn. 1323, 1325. — 2. Traditur ΥΡΑΣΓΟΣ.

___

1323. Phocaeae. — Dittenberger, *Orient. gr. inscr. sel.*, n. 489.

Ἡ βουλὴ καὶ ὁ δῆμος | Τίτον Φλάουιον Οὖαρον | Καλουησιανὸν Στρατο|νείκου
5 υὸν Κυρείνᾳ Ἑρ▌μοκράτη ¹, ἔπαρχον τε|χνειτῶν ἐν Ῥώμῃ δὶς, ἔ|παρχον σπείρης
10 Βοσπο|ριανῆς πρώτης ², χειλίαρ|χον λεγιῶνος [ι]β΄ Κεραυ▌νοφόρου ³, ἀρχιερέα
Ἀσί|ας ναοῦ τοῦ ἐν Ἐφέ|σῳ ⁴, πρύταν[ιν], στεφα|νηφόρον καὶ ἱερέα τῆς | Μασ-
15 σαλίας ⁵ δὶς, ἀγω▌νοθέτην, βασιλέα Ἰ|ώνων ⁶, ἀναθέντων | τὰς τιμὰς τῶν τε |
οἰκείων καὶ τῶν ἀ|πελευθέρων.

1. Cf. nn. 1324-1326. — 2. Cohors I Bosporiana in Pannonia superiore stationem
habuit. Cichorius ap. Pauly et Wissowa, *Realencyclop.*, IV, 1, p. 255. — 3. Legio XII Ful-
minata tendebat in Syria; Cagnat, ap. Daremberg et Saglio, *Dict. des ant.*, s. v. *Legio*,
p. 1086. — 4. Unum illa aetate apud Ephesios erat Augusti fanum; Hadriano demum
imperante δὶς νεωκόρος civitas vocata est. Cf. *C. I. Gr.*, 3148, 33. — 5. Divinis honoribus
coluerunt Massiliam coloniam suam Phocaeenses, quemadmodum aliae coloniae metro-
polin. Cf. Fröhner, *Rev. arch.*, 1891, p. 332; Th. Reinach, *Bull. de corr. hellén.*, XVII
(1893), p. 34-39. — 6. Rex sacrorum, non a Phocaeensibus, sed a communi Ionum
electus : Liebenam, *Städteverwalt.*, p. 347, not. 2.

___

1324. Phocaeae. — *C. I. Gr.*, 3414 *b*, *add.*

Φλ. Ἑρμοκρά|την φιλόσο|φον, στεφα|νηφόρον ¹.

1. Cf. nn. 1323, 1325, 1326.

___

1325. Phocaeae. — *C. I. Gr.*, 3415.

Ἡ Τευθαδέων φυλὴ | Φλαουίαν ¹, Μόσχο[υ] θυγατέρα, Ἄμμιον, | τὴν καλου-
μένην Ἀρίστιον, ἀρχιέρειαν | Ἀσίας ναοῦ τοῦ ἐν Ἐφέσῳ, πρύτανιν, στεφανηφό-
5 ρον ▌ δὶς, καὶ ἱέρειαν τῆς Μασσαλίας ², ἀγωνοθέτιν, τὴν | Φλαουίου Ἑρμοκράτου
γυναῖκα, ἀρετῆς ἕνεκεν | καὶ τῆς περὶ τὸν βίον κοσμ[ιό]τητός τε καὶ ἁγνείας.

1. Cf. n. 1326. — 2. Cf. nn. 1322, 1323.

1326. Phocaeae. — *C. I. Gr.*, 3414, add.

5   Οὐιϐία ¹ Π. Φλά(ϐιον) | Ἑρμοκράτην | Βοι[ώτ]ιον? φιλό|σοφον, [τὸν ἄ]ν‖δρ[α
ἑαυτῆ]ς, | τῆς …λει|δῶν [φ]υ[λῆ]ς, κ[α]|τὰ [τὴν ὑπ]ό|σχεσιν.

1. Fortasse Φλαϐία. Cf. n. 1325. Ceterum non prorsus emendatum titulum Boeckh ipse profitetur.

1327. Phocaeae. — S. Reinach, *Bull. de corr. hellén.*, X (1886), p. 328.

  Τάτιον Στράτωνος τοῦ Ἐν|πέδωνος τὸν οἶκον ¹ καὶ τὸν πε|ρίϐολον τοῦ ὑπαί-
5 θρου ² κατασκευ|άσασα ἐκ τῶ[ν ἰδ]ίων ‖ ἐχαρίσατο τ[οῖς Ἰο]υδαίοις. | Ἡ συνα-
γωγὴ ἐ[τείμη]σεν τῶν Ἰουδαί|ων Τάτιον Σ[τράτ]ωνος τοῦ Ἐνπέ|δωνος χρυσῷ
στεφάνῳ | καὶ προεδρίᾳ ³.

1. Templum. — 2. Porticus atrio ante templum circumstructa. — 3. = πρωτοκαθεδρία
Judaeorum (Matth. 23, 6; Marc. 12, 39; Luc. 20, 46; Jac. 2, 2, 3). Illa mulier fuit inter
ἀρχισυναγωγούς. Cf. Th. Reinach, *Rev. des ét. juives*, VII (1883), p. 69 et 163.

1328. Menemen. — Dittenberger, *Orient. gr. inscr. sel.*, n. 349.

  Ὁ δῆμος ¹ Βρογίτα|ρον ² Δηιοτάρου ³, Γα|λατῶν Τρόκμων τ|ετράρχην, ἀρε-
5 τῆς ‖ ἕνεκεν καὶ εὐνοίας | τῆς εἰς ἑαυτόν.

1. Oppidi incerti. — 2. « Gener Dejotari regis, cui sacerdotium Pessinuntium Magnae
Matris et nomen regium a P. Clodio anno 58 ante C. n. venumdatum conqueritur
Cicero ». Dittenberger. Cf. Strab. XII, 5, 2, p. 567; Cic. *pro Sest.*, 26, 56; *de harusp.
resp.*, 13, 28, 29; *de domo*, 50, 129; *ad Q. fr.*, II, 7, 2; B. Haussoullier, *Études sur l'hist.
de Milet*, p. 210, 35. — 3. Dejotarus tetrarcha Galatarum, Dejotaro rege minus nobilis:
cf. titulum Lesbium, n. 3.

1329. Menemen. — Keil et v. Premerstein, *Denkschr. der Wiener Akad., philos. hist.
Klasse*, LIII (1908), II, p. 90, n. 197.

  Λ   ¹ ἀνθ(υπάτῳ), ἔτους …, | Καικιλιανὸς ἐκ|<χ>τήσετο τὴν σο|ρὸν
5 ἑαυτῷ καὶ (γ)‖υναικὶ Ἀνμίῳ κα|ὶ τῷ τέκνῳ Μαρ|μαρίῳ καὶ τοῖς εἰδ|ίοις αὐτῆς
10 πᾶσι, οἷς | προσήκι τῇ σορῷ · ἢ ‖ δέ τι(ς) ἐπιχιρήσῃ τῇ σορ(ῷ) | ἢ ἐξαλο-
τριώσῃ, | θήσι εἰς τὸν φίσκον | δηνάρια ͵ε.

1. Vacat.

1330. Tilki-Kieui. — Keil et v. Premerstein, *Denkschr. der Wiener Akad., philos. hist. Klasse,* LIII (1908), II, p. 45, n. 92.

V. 7 : τῷ φίσκῳ ἀργυρίου δηνάρια χείλι[α].

1331. Magnesiae ad Sipylum. — Foucart, *Bull. de corr. hellén.,* XI (1887), p. 84.

Αὐτοκράτορι Τιβερίῳ Κλαυδίῳ Καίσαρι | Σεβαστῷ Γερμανικῷ ὑπάτῳ τὸ γ΄ [1] |
Γάιος Λαρτίδιος Μάρκου υἱὸς Πα|λατίνᾳ Νίγερ, ἐπί[τροπος τοῦ Σεβαστοῦ], ‖
5 · ὁ καὶ τὸ ὑποκείμενον ἐ[κ τ]ῶν ἰδίων | στρῶμα ποιήσας.

1. Ti. Claudius Caesar consul III fuit anno 43, consul IV anno 46.

1332. Magnesiae ad Sípylum. — Fontrier, Μουσεῖον, V (1884-1885), p. 75, n. 483.

[Αὐ]τοκράτορα [Τι. Κλαύδι]|ον Καίσαρα Σεβαστὸν Γε[ρ]μαν[ικὸν] ἡ Τυανωλ-
λειτῶν | κατοικία [1] κα[θιέρω]σεν.

1. Tyanollus pagus Hierocaesareae vicinus. Cf. n. 1317.

1333. Magnesiae ad Sipylum. — Keil et v. Premerstein, *Denkschr. der Wien. Akad., philos. hist. Klasse,* LIII (1908), II, p. 2, n. 3.

[Αὐ]τοκράτορα Νέρο[υαν | Τρα]ιανὸν [Κ]αίσαρα Σ[ε|βασ]τὸν Γερμανικ[ὸν |
5 Δα]κικὸν [1] ἀνείκητ[ον ‖ ὁ δῆ]μος κα[θ]ιέρωσ[εν, | ἐπι]μελ[η]θέντος Μ. ...|..ου
Κοίντου Ἰουνί[ου | Μαρκ]ελλείνου ἄρχον[τος | καὶ τ]ῶν συναρχόντων α[ὐτοῦ].

1. Annis 102-117 post C. n.

1334. Magnesiae ad Sipylum. — *C. I. Gr.,* 3406.

5 ..... | Ἀντωνείνου Καί|σαρος Σεβαστοῦ | ...... ‖ Καίσαρος Σε[βαστοῦ] [1] ......

1. Fortasse M. Aurelius et L. Verus.

1335. Magnesiae ad Sipylum. — Papadopoulos-Kerameus, Ὁ ἐν Κωνσταντινουπόλει Ἑλληνικὸς φιλολογικὸς σύλλογος, Παράρτημα XV (1884), p. 54, n. 9.

Αὐτοκράτορα Καίσαρα | Λ. Σεπτίμιον Σεουῆρον | Εὐσεβῆ Σεβαστὸν | ἡ

5 πόλις καθιέρωσεν ἀπὸ χρημάτων ‖ Οὐαλητιανῶν ¹, ἐπιμεληθέντος | τῆς ἀνασ-
(τ)άσεως Ἑρμογένους | Καρικοῦ τοῦ πρώτου ἄρχοντος.

1. Pecunia Valentis cujusdam ignoti.

1336. Magnesiae ad Sipylum. — Keil et v. Premerstein, *Denkschr. der Wiener Akad.*,
philos. hist. Klasse, LIII (1908), II, p. 2, n. 4.

[Αὐτοκρά]τορα Κ[αίσαρα Λ. Σε]|πτίμιον Σεουῆρον Ε[ὐσεϐῆ] | Σεϐαστὸν ἡ
5 πόλις καθιέρωσ[εν], | προνοήσαντος Τι. Κλ. Ἰολάᾳ[υ] ‖ Ῥεστιτούτου στρατηγοῦ
πρώ|[τ]ου καὶ Ἀπολ(λ)ωνίου β′ τ[ο]ῦ Μανίου καὶ | Κουατ[ρ]εί[ν]ου ¹ τοῦ Σωσι-
ϐίου καὶ Π[ρ]εί[[μου] Ὀσ[ίου] καὶ Τατιανοῦ Τειμοθέου, τῶν | συναρχόντων ²
αὐτοῦ.

1. Scribere debuit lapicida Κουκρτείνου. — 2. Nam unum fuit et idem munus stratego-
rum et archontum. Strategi primi collegae sunt quatuor alii sive strategi sive archontes.
Cf. Liebenam, *Städteverwalt.*, p. 286.

1337. Magnesiae ad Sipylum. — Schuchhardt, *Athen. Mitteil.*, XXIV (1899), p. 240,
n. 89.

Αὐτοκράτορα | Καίσαρα | Λ. Σεπτίμιον Σεϐῆρον | Περτίνακα Σεϐαστὸ[ν] ‖
5 Γερμανικὸν ὁ δῆμος | καθιέρωσε[ν] ἐπ[ὶ Κρί]σπου | Ὀπτάτου ....ος | τοῦ πρώτου
ἄ[ρ]χοντος.

1338. Magnesiae ad Sipylum. — Dittenberger, *Orient. gr. inscr. sel.*, n. 460.

Ὁ δῆμος | Μεσσάλαν Ποτῖτον, ἀνθύπα|τον ¹, πάτρ(ω)να ² καὶ εὐεργέτην | διὰ
προγόνων τῆς πόλεως.

1. M. Valerius Messalla Potitus, cos. suff. anno 32 aut 29, procos. Asiae fere anno 24
ante C. n. *Prosop. imp. rom.*, III, p. 370, n. 94. — 2. πάτρονα lapis.

1339. Magnesiae ad Sipylum. — *C. I. Gr.*, 3410.

Στατίῳ Κωδράτῳ ἀνθυπά|τῳ ¹ Ἀλέξανδρος Διογν[ή]του | ἐπεσκεύασε τὸ μνη-
5 μεῖον ἑ|αυτῷ καὶ τοῖς ἰδίοις ἐκγόνοις. ‖ Μηδενὶ δὲ ἐξέστω ἀπαλλοτρι|ῶσαι αὐτὸ

ἐκ τοῦ γένους μου · | ἐὰν δέ τις ἀπαλλοτριώσῃ, ὑ|πεύθυνος ἔστω εἰς τὸν Καί|σαρος φίσκον δηναρίων [φ'].

1. L. Statius Quadratus cos. anno 142, procos. Asiae fortasse anno 154/155 post C. n. *Prosop. imp. rom.*, III, p. 270, n. 640.

1340. Magnesiae ad Sipylum. — Gardner, *Journ. of hellen. Studies*, VI (1885), p. 349, n. 94.

......[τοῦ ἐξ] | ὑπα(τι)κῶν Τί[του] | Μαραθωνίου | Ἀννιβαλιανοῦ ‖ ἀνθυπα-
τεύ[οντος] ¹ | Κλ. Καπιτωλεῖ[ναν] | γυναῖκα [Τ. Φλ.] ² | Μητροφάν[ους] | οἱ
5 κράτιστοι Π[ολύ]‖κλειτος [καὶ] ...., | ἐπιμελησαμέν[ου] | τοῦ ἀνδριάντο[ς] |
ἐπιτρόπου ....

1. Proconsul anno incerto, saeculo secundo vel potius tertio. Cf. n. 1341. — 2. I. ΦΛΙ Gardner.

1341. Magnesiae ad Sipylum. — Gardner, *Journ. of hellen. Studies*, VI (1885), p. 348, n. 93.

Τ. Μ....... | Ἀνν...... ¹ | τὸν λ[αμπρότατον ἀνθύπα]|τον ὑπ[ατικῶν υἱὸν], ‖
5 λογιστ[ὴ]ν τῆς πόλεως], | σωτῆρ[α καὶ εὐεργέτην καὶ] | κτίστη[ν τῆς κοινῆς] |
10 πατρί[δος] | τῆς λαμπρ[οτάτης μητρο]‖πόλεως τῆς [Ἀσίας καὶ νε]|ωκόρου τῶν
Σεβαστῶν καὶ | ἱερᾶς τοῦ Διὸς [Καπετωλίου κα]|τὰ τὰ δόγματα [τῆς ἱερωτάτης] |
15 συγκλήτου [καὶ φιλοσεβάστου ‖ Σαρ]διανῶ[ν πόλεως], | οἱ [μ]ύστα[ι] | τὸν
εὐε[ργέτην].

1. Fortasse Marathonius Hannibalianus. Cf. n. 1340.

1342. Magnesiae ad Sipylum. — Keil et v. Premerstein, *Denkschr. der Wiener Akad.*, *philos. hist. Klasse*, LIII (1908), II, p. 2, n. 5. Bruno Keil, *Hermes*, XLVII (1912), p. 151.

[Π. Αἴλιος] ....|....., ἐπὶ στεφ[ανηφόρο]υ Π. Αἰ[λίου Ἀπο]λλωνίου νε(ω-
τέρου), μηνὸς Δαισίου γ', [ὑπὲρ αὐτοῦ | καὶ τῶν υἱῶν Π. Αἰ]λίου Μενεμάχου
Κλαυδιανοῦ καὶ Π. Αἰλίου Διοκλέους [καὶ Π. Αἰλ]ίου Τ....].. [μυριάδας
5 δηναρίω]ν εἰς αἰώνιον στεφανηφορίαν, καθὼς ὑπογέγραπται · ‖ ....
τόκος αὐτῶν τροπαικιαῖος ¹ ἄρξει τῇ πόλει ἀπὸ τῆς Σεβαστῆς ² τοῦ [Δείου? ³

μηνὸς | τοῦ ἐρχομένου ἐνιαυτοῦ τ]οῦ [ἐ]π[ὶ] σ[τεφανηφόρου] Παπί[ου] ἥρωος ⁴ τὸ γ'.....

1. Usura ita statuitur ut pro centenis denariis per singulos menses solvatur τροπαικός, victoriatus = asses octoni = 6 %. Cf. C. I. L., VIII, 9052; XII, 4393. — 2. Augusta dies I mensis. Cf. n. 353, b, v. 13. — 3. Mensis primus anni Macedonici. — 4. Viro mortuo munus publicum profecto deferebatur, cum sumptus erogabat civitas ex pecunia ejus, sive legata sive ab heredibus donata.

1343. Magnesiae ad Sipylum. — Foucart, *Bull. de corr. hellén.*, IX (1885), p. 394; Fontrier, Μουσεῖον, V (1884-1885), p. 76, n. 484.

Ἡ Ὁρμοιτηνῶν κατοικία ¹ Τι. Κλ. | Κλειτιανὸν τὸν λογιστὴν, | ἄνδρα ἄρισ-
⁵ τον, πρωτεύον|τα ἔν τε τῇ πατρίδι καὶ διάση∥[μ]ον ἐν τῇ ἐπαρχείᾳ, ἀρετῇ[ς |
ἕν]εκεν καὶ εὐνοίας τῆς πρ[ὸς | τὸ]ν δῆμον, ἐπιμεληθέν[των | τῇ]ς ἀναστάσεως
τῶν πε[ρὶ] | .ονδάτην Βο.ελλιον.

1. Hormoeta pagus fuit vicinus, ad Magnesiam pertinens, ut constat etiam ex altero titulo : Buresch, *Aus Lydien*, p. 138.

1344. Magnesiae ad Sipylum. — Foucart, *Bull. de corr. hellén.*, XI (1887), p. 80, n. 1.

....οραν, ἔγγονον στεφανηφόρων, τὸν | καὶ Ἀθηναῖον καὶ Σμυρναῖον καὶ
Ταρ|σέα, νικήσαντα Ὀλύμπια τὰ μεγάλα | ἐν Πείσηι ἀνδρῶν πάλην πρῶτο[ν] ∥
⁵ καὶ μόνο[ν τῶν] ἀπ' αἰῶνος Μαγνήτων | τῆι σκθ' Ὀλυ[μ]π[ι]άδι ¹.

In latere sinistro : .....[κα]θεξῆς [τὰ Πανα]|θήναια καὶ τὰ ....|τα παίδων
¹⁰ πάλην | καὶ τὰ ἑξῆς ἀγενεί[ων] ∥ πάλην καὶ Πέργαμο[ν καὶ] | Ἔφεσον [κ]οινὸν
Ἀσ[ίας] ² | [καὶ Μονί]δειαν ³ κα[ὶ].....

1. De Olympiis Magnetum cf. titulum Trallensem, *C. I. Gr.*, 2933, et Krause, *Olympia*, p. 218. Olympiades vero quando inceperint, non liquet. — 2. Ludi provinciales, per vices editi cum Pergami et Ephesi, tum in aliis Asiae civitatibus neocoris : Chapot, *Prov. rom. d'Asie*, p. 502. — 3. Locus Magnesiae vicinus, ut conjecit Eckhel, *Doctr. num.*, III, p. 107.

1345. Magnesiae ad Sipylum. — Keil et v. Premerstein, *Denkschr. der Wiener Akad.*, *philos. hist. Klasse*, LIII (1908), II, p. 5, n. 6.

V. 4. ε[ἰς τ]ὸν φίσκον δηνάρια β'.

1346. In delubro Matris Sipylenae. — Körte, *Inscr. Bureschianae; Wissensch. Beilage der Universit. Greifswald* (1902), p. 12, n. 13.

......ἐτίμησεν | ....ν Μάρκου υἱὸν | ......τάτου εὐεργέτην | ......αδαντα [1]
5 δὲ καὶ εἰς █ ..... ταμίαν καὶ ἀντι[στράτηγον] [2]......

1. Nisi potius scribendum est ......ἰσαντα. — 2. ἀντι[γραφέα] Körte.

1347. Karaoglania. — Keil et v. Premerstein, *Denkschr. der Wiener Akad., philos. hist. Klasse*, LIII (1908), II, p. 7, n. 13.

[Ἡ πόλις ἐτεί]μησεν | [Τι. Κλ]αύδιον, Σεβασ|[τοῦ] [1] ἀπελεύθερον, | Ἀμέ-
5 θυστον, █ γραμματέα [2], ἀρετῆς | ἕνεκεν καὶ τῆς εἰς | αὐτὴν παντὶ καιρῷ εὐ|ερ-γεσίας.

1. Claudius aut Nero. — 2. Scriba videlicet Mostenorum.

1348. Mostenae. — Buresch, *Aus Lydien* (1898), p. 6.

Οἱ ἐν........ Κ]αισαριασταὶ ἐτείμησαν | [Μ]ηνόδ[ο]τον Τυτείδην | .... [νομ]ο-
5 φύλακα, ἄνδρα δίκαιον | [καὶ πάσης ἀποδ]οχῆς ἄξιον, πολλὰ τῷ █ [κοινῷ παρεσ-χ]μένον, τετηρηκότα | ....ν καὶ κοινωφελῆ τειμήν, | [ὁμοίως καὶ Ζωτι]κὴν Ἑρμογένους τὴν | [γυναῖκα αὐτοῦ] καὶ Ἀπολλώνιον καὶ Ἑρ|[μογένην τοὺ]ς
10 υἱοὺς αὐτῶν, προσ█[χορηγήσαντο]ς αὐτοῦ καὶ ἀργύριον | [εἰς τὰς τῶν Σε]βασ-τῶν θυσίας, ὅπως ὑπὸ | [τῶν κατ' ἐνιαυτὸ]ν βραβευτῶν [1] δίδοται | [........]τη
15 ἀρτοκρέας [2]. Διὸ οἱ Και|[σαριασταὶ] ... ἀμοιβιμαῖον τῆς τειμῆς █ [ἀποδόντες με ἔπειτα ἐτείμησαν | [αὐτὸν χρυσέ]ῳ στεφάνῳ διὰ γένους, | [ἐπιμελησαμέν]ων Ἀσκληπίδου τοῦ Μη|........υ καὶ Μητροβίου τοῦ Μη|.............

1. Cf. n. 1304. — 2. Panis cum carne, visceratio (Philoxen. *Gloss.*, p. 28 Labb.). Cf. Pers. VI, 50 ; *C. I. L.*, IX, 5309. Ad. Reinach, *Rev. celtique* (1907), p. 229, conjecit : [εἰς δέκα ἔ]τη.

1349. Mostenae. — Homolle, *Bull. de corr. hellén.*, XVIII (1894), p. 542 ; *Athen. Mitteil.*, XX (1895), p. 501. Cf. Buresch, *Aus Lydien*, p. 134, note 1.

......νος ἔδωκεν ἡμεῖν ...... [1].........|....οις ἀνθρώποις συνεχῆς .....|..αν ὥραν ἡμεῖν ὧν ἐπέταξεν [θεὸς] ..|....ωμεν μὲν Μηνὸς καὶ Διὸς καὶ Κ...... █

5 [x]αὶ τῶν κρατούντων θεῶν Σεβα[στῶν] ....|..... ἤσπισεν ἄνθρωπος ὑπὸ θεῶν
.....|... ὅσοις βωμοῖς καὶ [χ]άριν ἔσχεν οἷς σ.....|.. [x]αὶ Μηνογένης Βούτας ²
........|... ³ [τ]οῖς ἰδίοις μηδὲν ἐνλείπων καὶ ἑπτὰ ἔτε[σιν ‖ ...ι]κῆς ἧς καὶ
μαντοσύνη κέκληται ὑπὸ θεῶ[ν] ...|..α ἐνέργειαν περὶ [τ]ῆς κατοικίας καὶ τῶν
κρατούντω[ν] ......| ὡς ἐπέταξεν θεὸς προκαλούμενος ἀνθρώπ[ους], | εὐσέβηαν
ἵν᾽ ἔχωσιν, τὸ[ν] τόπον ἀσπίζειν, προσκυ[νή]|μασιν νέμεσθαι, περὶ ὧν ἐπέταξεν
5 θεὸς καὶ μηδέν[α] ‖ ἀνθρώπων ἀντιπεσεῖν τῷδε τόπῳ τῶν κρατού[ν]|των ἐπὶ
τὴν βασιλήαν κήπ[ω]ν, φυτῶν, εὐχόρτων ⁴ [νέ]|μοντα ὥσπερ Ἀφροδείτης, ἐν
συνανέστησεν θ[εὸς] | πρόπυλον ἀριλλῶν σὺν κοσμήμασιν καὶ δένδ[ρε]|σιν οἷς
ἀπέδωκεν θεὸς ἀνθρώποις · ταῦτ᾽ ἐπῆν ‖ σωφροσύνη ⁵, ἀρκετὸν ἤδη γράμμα
χαρὰν δὲ ἔχον.

Correxit et supplementa addidit B. Haussoullier. Hoc fragmentum conjectum est
(*Athen. Mitteil.*, *loc. cit.*) pertinuisse ad epistulam de jure asyli scriptam anno 22 post
C. n., cum civitates Asiae miserunt ad senatum legatos, qui religiones cujusque defen-
derent : Tac., *Ann.*, III, 60-63; sed de re et aetate valde addubitandum censet B. Haus-
soullier, cui probabilius videtur hic de oraculo quodam agi, quo deus ἀεργίαν τεμενῶν
cujusdam κατοικίας confirmaverit.

1. Traditur Pl. — 2. Fratres duo illis ipsis nominibus nuncupati memorantur in
titulo Sosandrae reperto, quod ad annum 114 post C. n. rettulit Buresch (*Aus Lydien*,
p. 21); cf. Radet, *Bull. de corr. hellén.*, XI (1887), p. 450; Buckler, *Rev. de philol.*, 1913,
p. 328. — 3. ΟΙΡΟΛΟΓΟΙΣΕΒ[αστῶν] lapis. — 4. Traditur εὐχόρτων Π. — 5. Forsitan scri-
bendum σωφροσύνη.

1350. Mostenae. — Keil et v. Premerstein, *Denkschr. der Wiener Akad.*, *philos. hist.*
Klasse, LIII (1908), II, p. 6, n. 10.

V. 8 : εἰς τὸν φίσκ[ο]ν δηνάρια τρισχεί|λια.

1351. Hadjiler. — Dittenberger, *Orient. gr. inscr. sel.*, n. 471.

[Τιβέριος Καῖσαρ] | Θεο[ῦ Σεβασ]|το[ῦ υἱὸς Θεοῦ] | Ἰουλί[ου υἱωνὸς] ‖
5 Σεβ[αστὸς, ἀρχιερ]|ε(ὺ)[ς μέγιστος, δημαρχι]|κῆ[ς ἐξουσίας] | λγ´, αὐτο[κράτ]ωρ |
10 η´, ὕπατος [ε´ '], ‖ κτίστης ἐνὶ και|ρῷ δώδεκα πό|λεων ², τὴν πόλιν ³ | ἔκτισεν.

1. Anno 31 post C. n. — 2. Duodecim Asiae civitates, anno 17 post C. n. terrae motu
labefactas (Tac., *Ann.*, II, 17), Tiberius restituerat, inter quas Mostenam. Cf. *C. I. L.*, X,
1624, et infra titulos Sardianos. — 3. Mostena.

1852. Dareioucomae. — Foucart, *Bull. de corr. hellén.*, IX (1885), p. 397; Fontrier, Μουσεῖον, V (1884-1885), p. 78, n. 487.

Θεοῖς Σεβαστοῖς καὶ | ἱερᾷ συνκλήτωι καὶ | δήμωι Ῥωμαίων ἡ Δα|ρειου-
5 κωμητῶν κατοι|κία τῆι διασημοτάτηι Θεᾷ | Δήμητρι Καρποφόρωι ¹ τὸν | ναὸν
10 κατεσκεύασεν, | ἐπιμεληθέντος καὶ ἐρ|γεπιστατήσαντος Λου|κίου Ἀντωνίου
Ῥούφου.

1. Cf. nn. 22, 74, 75, 77, etc.

1853. Dareioucomae. — Foucart, *Bull. de corr. hellén.*, IX (1885), p. 396 ; Fontrier, Μουσεῖον, V (1884-1885), p. 77, n. 486.

Αὐτοκράτορα Καίσα|ρα Θεοῦ Τραιανοῦ Παρ|θικοῦ υἱὸν Θεοῦ Νέ[ρ]ουα υἱωνὸν
Τραιανὸν || Ἀδριανὸν] ....

1854. Hyrcanide. — Foucart, *Bull. de corr. hellén.*, XI (1887), p. 91, n. 11.

[Αὐτοκράτορα Καίσαρα | Ἀντω]νεῖνον Εὐσεβῆ | [Σεβαστὸν τῆς οἰκ]ουμένης |
5 [δεσπότην καὶ] κτίστην καὶ σ[ω]|τῆρα .....ν ¹ ἡ Μακεδό|νων ² Ὑ[ρκ]ανῶν πόλις, |
τῆς τοῦ κυρίου Καίσαρος Ἀντωνείνου καθιερώσεως | προνοησαμένων Λ. Βετ-
10 τίου | Φαυστείνου καὶ Κ. Βεττίου || Κρισπείνου ³, καὶ Μενεκράτου[ς] | τοῦ
Μηνοφίλου στρατηγοῦν|τος τὸ βʹ καὶ ἐπιμεληθέντος | τῆς ἀναστάσεως τοῦ
κολοσσοῦ.

1. Caracalla, ut veri simile est, qui Thyatiris moratus est hieme anni 214/215 post C. n.
— 2. De Macedonum coloniis militaribus cf. n. 1160 et Schulten, *Hermes*, XXXII (1897),
p. 523. — 3. Alius L. Vettius strategus nummo civitatis inscriptus est, Commodo prin-
cipe : Barclay V. Head, *Greek coins in the Brit. Mus.*, *Lydia*, *Hyrcanis*, nn. 16 et 17.

1855. Hyrcanide. — Foucart, *Bull. de corr. hellén.*, XI (1887), p. 93, n. 12.

[Ἡ βουλὴ | καὶ ὁ δ]ῆμος ἐτείμησεν | [Λε]ύκιον Οὐείβιον Λευκί[ου] υἱὸν
5 Ῥωμιλίᾳ Οὐᾶ[ρ]ον ¹ || [Ἀπ]ριανὸν τὸν εὐερ[γ]έ[την] καὶ πάτρωνα διά τε [τὴν |
[πρό]ς (τε) τοὺς ἐκ τοῦ | ...του στεφανηφο[ρήσαντας, κ]αὶ τὸ σεμνὸν κα[ὶ ||
10 ἀγαπ]ητὸν τῆς γερ[ου]σίας παρ᾽ ἑ]αυτοῦ κοινῇ καὶ κατ᾽ | [ἰδίαν ἀποτε]λ[έ]σαντα

καὶ ἐν τῷ | [αὐτῷ ἔτει] σειτοδήας κρι[θ]ῶν | γ[ε]||νομέν[η]ς ² ..... | ....

15 ......▐................... | ....

Correxit et supplevit B. Haussoullier. 1. Temporibus fere Augusti, ut testatur scriptura Λεύκιος. — 2. ΜΕΝΑΣ, lapis, ut videtur.

1356. Jakouplar Mahalessi. — Keil et v. Premerstein, *Denkschr. der Wiener Akad., philos. hist. Klasse*, LIV (1911), II, p. 5, n. 5.

Ἡρακλείδης καὶ Ἀρτε|μιδώρα ἐξήρτισε | τὸ μνημεῖον ἑαυτ|οῖς καὶ τέκνοις
5 καὶ ▐ τῶν τέκνων τέκν|οις. Οὐδεὶς δὲ τεθῇ | ἄλλος οὔτε συγγενὴς | οὔτ(ε) φίλος.
10 Εἰ δέ τις ἐπ(ε)ι|σοίσει, ὁμοίω(ς) θήσει εἰς τὸ ▐ ταμεῖον δηνάρια ͵βφ΄. Ὁμοίως
το|ύτων ἀποτεθήσεται τὸ | ἁπλοῦν ἀντείγρ[α]φον εἰς τὸ | ἀ[ρχεῖο]ν.

1357. Guridje. — Keil et v. Premerstein, *Denkschr. der Wiener Akad., philos. hist. Klasse*, LIV (1911), p. 7, n. 10.

Ὁ δῆμος | [ὁ ..]σζεδδίων Ἑλλ[η]νέ[ς | τε] κα[ὶ Ῥω]μαῖοι ἐτείμ[η]σαν |
5 Μᾶρκον Ἀ[ν]τώνιο[ν Βα]γώ[α]ν ▐ τὸν ἑαυτῶν εὐεργ[έ]την | καὶ Μᾶρκον
Ἀντών[ιο]ν Μ[ελίσ]|σου υἱὸν Βα[γ]ώαν...., | ἐργεπιστατήσαντος Ζωί|λου τοῦ
10 Βακχίου τοῦ κ[αὶ Ἀπολ]▐λωνίου Διάδος.

1358. Sosandrae. — Keil et v. Premerstein, *Denkschr. der Wiener Akad., philos. hist. Klasse*, LIII (1908), II, p. 63, n. 131.

Ἀνθυ(πάτῳ) Σουλπικίῳ Τερτύλλ[ῳ] ¹, | μη(νὸς) Γορπιαίου ις΄, | Μᾶρκος β΄
5 Ῥωμαίου κατεσ|κεύασε τὸ μνημεῖον ▐ Μ[ά]ρκῳ καὶ Εὐρεσίᾳ τοῖς | γονεῦσι καὶ
Φιλίππῃ τῇ | γυναικὶ σὺν καὶ Φιλίππῳ | καὶ Ἀρτεμιδώρᾳ τοῖς | γονεῦσι αὐτῆς
10 καὶ Λαυ▐δίκη τῇ γενομένῃ αὐ|τοῦ γυναικὶ καὶ αὐτῷ καὶ | Ἰουλιανῇ τῇ ......
15 [κα]ὶ τέ[κνοις καὶ ἐκγόνοις] | αὐ[τοῦ] ....ν ▐ κα[.. · ἐξέσται δὲ τεθῇ]ναι |
εἰς τ[ὸ μ]νημῖο[ν Ἡ]ραχλί|δην [τ]ὸν σύν[τρ]οφον.

1. Sex. Sulpicius Tertullus, cos. anno 158, procos. Asiae fere anno 172/173 post C. n. *Prosop. imp. rom.*, III, p. 290, n. 736.

1359. Sosandrae. — Keil et v. Premerstein, *Denkschr. der Wiener Akad., philos. hist. Klasse*, LIII (1908), II, p. 62, n. 126.

Μενεχράτ[ην] | Πολυ[ε]ίδου, μ[έγαν | ἰ]ατρὸν καὶ φιλ[όσο|φ]ον ¹, ἥρωα,
5 λό[γιστὴν], || στρατηγὸν, γ[υμνα|σ]ίαρχον, πρύτ[ανιν, | ἀ]γωνοθέτ[ην, ἡ | πόλ]ις
ἐτ[ε]ί[μησεν].

1. Fortasse idem atque Ti. Claudius Menecrates, medicus Caesarum (*Prosop. imp. rom.*, I, p. 388, n. 749).

1360. Sosandrae. — Radet, *Bull. de corr. hellén.*, XI (1887), p. 171 et 397.

Αὐρ. Φιλόμηλος κ(αὶ) Αὐρ. Πα[πίας] | κ(αὶ) Αὐρ. Μηνοφά[νης κατεσκε]|ύασαν
5 οἱ ἀδελ[φοὶ] ......|τονείκη τ[ῷ] ...|λῳ κ(αὶ) αὐτῇ ... || κ(αὶ) γυναιξὶ αὐτ[ῶν καὶ
τέκνοις] | κ(αὶ) ἐγγόνοις · εἴ τι[ς δ]ὲ ἐ[πιχειρή]|σει μετὰ τοὺς προγεγραμ|μένους
10 ἐπικηδε[ύσαί τινα], | θήσει εἰς τὸ ἱερώτατον || ταμεῖον ἀττικὰς | ...... [χι]λίας. |
Οἱ προδηλούμενοι κατεσκεύασ[α]ν | τὸ ἡρῷον. | Χαῖρε, παροδεῖτα.

1361. Inter Thyatira et Sosandram. — *C. I. Gr.*, 3476 *b*.

.... | [κα]θὼς ἐψηφίσαντο καὶ ἡ [ἱερὰ | θυμελικ]ὴ περιπολιστικὴ Ἀντω-
ν[είνη | Ἀδρι]αν[ὴ] με[γ]άλη σύ[ν]οδ[ος] ¹...

1. Romae decretum ediderat, Antonini temporibus, consilium artificum Dionysia-corum, quanquam pars collegii certam Ephesi sedem habuit, alia fortasse Thyatiris. Cf. Fr. Poland, *Geschichte des griech. Vereinswesens* (1909), p. 143 et seq.

1362. Balek-Iskelessi. — Radet, *Bull. de corr. hellén.*, XI (1887), p. 445, n. 1.

.....|... [ἐπ]οίησε μν[ήμη]|ς ἕνεκα, ἀνθυπάτο[υ] | Σιλβανῷ ¹, μη(νὸς)
5 Ξανδικοῦ || γι'.

1. Profecto M. Plautius Silvanus, cos. anno 2 ante C. n., procos. Asiae anno 4/5 post C. n. : *Prosop. imp. rom.*, III, p. 46, n. 361. Haesit lapicida inter genitivum et dativum.

1363. Daldide. — Keil et v. Premerstein, *Denkschr. der Wiener Akad., philos. hist. Klasse*, LIII (1908), II, p. 66, n. 139.

Ἔτου[ς ..., ἀνθυπάτῳ Ἰου]|νίῳ Ῥου[φείνῳ ¹, μηνὸς .....], | Τίτος Αἴ[λιος
5 ....]|τος κατε[σκεύασε ζῶν] || ἑαυτῷ καὶ ...... | γυναικὶ ἰδίᾳ [τὸ ἡρῷον ?] · |

10 μηδένα δὲ ἐ[ξέσται] | τεθῆναι ἱς τὸ ἐ[σώτε]|ρον ἐσσόριον χωρ[ὶς αὐτοῦ] ‖ καὶ τῆς γυναικὸς ἰ[δίας ·] | εἴ τις δὲ τολμήσει θ[εῖ]|ναι ἢ ἐξαλλοτριώσε(ι) ², ὃ[ώ]|σει ἱς τὸ ταμεῖον δηνάρια ‚αφ'. | Χαίροις ὁ ἀναγνούς.

1. Junius Rufinus procos. Asiae anno 170 post C. n. : *Prosop. imp. rom.*, II, p. 242, n. 528. — 2. ἐξαλλοτρίωσεν lapis.

1364. Daldide. — Keil et v. Premerstein, *Denkschr. der Wiener Akad., philos. hist. Klasse*, LIII (1908), II, p. 67, n. 143. In miliario.

In parte sinistra :

5 *a.* ...|.....|.... | Ἀσινίου ‖ [ἐπιμ]έλειαν .|. Μ(ίλια) ιʹ. |

In parte dextra inferiore :

b. [Μαξιμια]νῷ πρεσ[βυτέρῳ Σεβαστῷ | ... Λ]ικιννί[ῳ | ..... ἐπιφανεστάτ]οις Καίσα[ρσι]. |

In superiore :

c. Κυ[ρ]ί[ο]ι[ς ἡμῶν | Κωνσ]ταντείν[ῳ Σε]|βα[στῷ] ...

Ibidem in rasuris :

5 *d.* [Δε]σπό[τῃ | ἡμῶ]ν Φλ[α]ου[ίῳ] | ......α.....|... Σεβα[στῷ ἡ ‖ Δαλ]διανῶ[ν πόλις]. | Μί(λια) [ιʹ].

e. Ἰουμεντι

Miliarium est viae, ut videtur, Daldide Sardes. — *a.* M. Asinius Sabinianus, procos. Asiae anno 238/239 post C. n. Cf. *Prosop. imp. rom.*, I, p. 169, n. 1036 et titulum nostrum n. 1283. — *b.* Circa annum 309. — *d.* Unus ex principibus saeculi IV. — *e.* De statione jumentorum cogitavit Foucart.

1365. Daldide. — Keil et v. Premerstein, *Denkschr. der Wiener Akad., philos. hist. Klasse*, LIII (1908), II, p. 67, n. 144.

Ἀνθυπάτῳ Καλπουρνίῳ Πρό|κλῳ ¹, μη(νὸς) Ὑπερβερεταίου βʹ, | Τατιανὸς
5 Ἀρτεμι|δώρου κατεσκεύα‖σε τὸ μνημεῖον | τῷ ἑαυτοῦ πατρὶ Ἀρ|τεμιδώρῳ,
10 μνείας | χάριν · ἐτείμησε | καὶ Νείκη τὸν ἑαυ‖τῆς ἄνδρα. | Χα[ῖ]ρε.

1. Aut L. Calpurnius Proclus, procos. Achaiae, origine probabiliter Ancyranus (*Prosop. imp. rom.*, I, p. 288, n. 251), aut P. Calpurnius Proclus, leg. Augg. pro pr. Daciae (*Ibid.*, n. 252). Alterutrum praefuisse Asiae saeculo III testantur litterarum formae.

1366. Tekesian. — Körte, *Inscr. Bureschianae, Wissensch. Beilage der Universität Greifswald*, 1902, p. 6, n. 3.

5 ......[εἰ δέ τις | ἐτ]ερον πτῶ|[μα] εἰσενένκη, | [θ]ήσι εἰς τὸ τοῦ ‖ [α]ὐτοκράτορος | [τ]αμεῖον δηνάρια....

1367. Tricomiae. — Körte, *Inscr. Bureschianae, Wissensch. Beilage der Universität Greifswald*, 1902, p. 5, n. 2.

Ἐπὶ στεφανηφό[ρου] ..... | τοῦ Ναθήους, μη(νὸς) ......, | ἡ τρικωμία [1]
5 Μηλοχ[ωμῆται] ...|αριοκωμῆται [2] Καιβο[κωμῆται?] ‖ ἐτείμησαν Π. Ῥέγιο[ν τοῦ Δη]|μητρίου υἱὸν Κορν[ηλία] ....|νημ..... ἀρχιερέα ...

1. Tres pagi in unam civitatem consociati. Cf. t. III, n. 1397; IV, n. 546. — 2. [Καισ]αριοκωμῆται, Buresch; Ἀριοκωμῆται, Körte; [? Δ]αριο(υ)κωμῆται, Foucart; cf. nn. 1352, 1353. Duo alii pagi aeque ignoti sunt.

1368. Saettis. — Keil et v. Premerstein, *Denkschr. der Wiener Akad., philos. hist. Klasse*, LIV (1911), I, p. 114, n. 222.

.........|....ν ἀντι.... ν...|..τινας εἰσπρ[άξ]εις παρ' αὐ[τῶν] ....|...ων καὶ
5 τῶν καλουμένω[ν] φρουμ[ενταρίων] ...‖...νων, ὅθεν προαγορεύω τ[ού]τω...|...ν ἀπέχεσθαι τῶν παρ[αν]όμων [καὶ | ἐ]ὰν ἐπιμένωσιν [τοῖς ὁ]μοίοις ....|... [ἀπειθ]αρχοῦντε[ς]...|...... ἡμῶ[ν] ....

1. Fragmentum est edicti, quo vetantur inter alios frumentarii ne quaedam contra legem exigant. De frumentariis et de eorum exactionibus cf. Cagnat ap. Daremberg et Saglio, *Dict. des antiqu.*, s. v., et Fiebiger ap. Pauly et Wissowa, *Real-Encyclop.*, s. v.

1369. Saettis. — Keil et v. Premerstein, *Denkschr. der Wiener Akad., philos. hist. Klasse*, LIV (1911), II, p. 110, n. 213.

Sub imagine secutoris a retiario occisi :

Ἀμφιάραος | σεκ(ούτωρ) πα(λμῶν?) γ' [1], ν(ικῶν) ια' [2].

1. Potius quam πᾱ(λος) τρίτος; nam de tertio palo non constat. — 2. Palmarum non semper idem erat numerus ac victoriarum. Cf. Lafaye ap. Daremberg et Saglio, *Dict. des antiqu.*, s. v. *Gladiator*, p. 1598.

1370. Saettis. — Keil et v. Premerstein, *Denkschr. der Wiener Akad., philos. hist. Klasse*, LIV (1911), II, p. 111, n. 214.

Sub imagine gladiatoris ab altero occisi :

Μάτερνος Δορ? | [πά]λ(μης)? α', [ν?] ¹.

1. Cf. n. 1369.

1371. Ajas Euren. — Keil et v. Premerstein, *Denkschr. der Wiener Akad., philos. hist. Klasse*, LIV (1911), II, p. 103, n. 204.

[Με]γάλη Μήτ[ηρ Ταζη]|νὴ ¹ καὶ Μὶς Λαβάνας ² [καὶ] | Μὶς Ἀρτεμιδώρου ²
5 Δό|ρου κώμην βασιλεύον|τες ⁴. Ἔτους σκη ' ⁵, μη(νὸς) Δαισί|ου Σε(βαττῆ) ⁶,
Ἰουλία Μητρᾶ ἀνέ|στησε στήλλην, ἐπιζητη|σάντων τῶν θεῶν τὴν γ[ε]|γόνου-
10 σαν ⁷ ἁμαρτίαν ⁸ ὑ[πὸ] ||..............

1. Magna Mater in vicino pago Tazenorum culta, de qua vide Buresch, *Aus Lydien*, Reg. s. v. — 2. Men, deus loci Labana hactenus incerti. — 3. Men deus, cui Artemidorus, ut videtur, sacellum privatum exstruxerat; idem fortasse Artemidorus memoratur titulo 1383; cf. Le Bas et Waddington, n. 680. — 4. Domini Doroucomes, pagi in eadem regione siti. — 5. Anno aerae Sullanae 228 = 143/144 post C. n. — 6. Primus mensis cujusque dies imperatori sacer. — 7. = γεγονυῖαν. — 8. Peccatum aliquod in illos deos posito lapide luit.

1372. Ajas Euren. — Keil et v. Premerstein, *Denkschr. der Wiener Akad., philos. hist. Klasse*, LIV (1911), II, p. 107, n. 209.

..... | ἐτείμη[σαν ...... |..ο]υ τὸν ἱε[ρ]ῆ διὰ βίου κ[αὶ Ἀ]μ[[μιον?, τὴν] σύν-
5 βιον [α]ὑτοῦ, τὴν ἱερε[ψ]αν διά τε] τὴν ἱς [τ]ο[ὺ]ς [θ]εους ὑπὲ[ρ | τῶν Σεβα]στῶν
εὐ[σέβ]ειαν καὶ τὴ[ν | ἰδίως δ]ιὰ ἑκ[αστον] αὐτῶν καλο|[σύνην].

1373. Ajas Euren. — Keil et v. Premerstein, *Denkschr. der Wiener Akad., philos. hist. Klasse*, LIV (1911), II, p. 107, n. 210.

Φρόντων τῶν ἐν τῷ | Μουσείου ¹ σειτου|μένων φιλοσέφων | τῶν Ἀ[λ]εξαν-
5 [δ]ρια[[νῶν] ²........

1. Ita lapis. — 2. De viris doctis quos in Museum Alexandrinum ex omnibus regionibus acciverunt imperatores cf. Dittenberger, *Orient. gr. inscr. sel.*, n. 714.

1874. Maeoniae. — Keil et v. Premerstein, *Denkschr. der Wiener Akad., philos. hist. Klasse,* LIV (1911), II, p. 79. n. 165.

[Αὐτοκράτορ]α Καίσαρα | [Λ. Αὐρήλιον] ϛ Οὐῆρον | [Σεβαστὸν Ἀ]ρμενιακὸν ¹ |
5 [νέον Διόνυ]σον ² καθιέ[ρωσεν ἡ βουλὴ καὶ ὁ[[δῆμος ἐκ] τε ἄλλων | [προσφορ]ῶν
καὶ ἐξ ἐ[[πιφορᾶς] χρημάτων | [τῶν ὑπὸ Σ]τλακκίου || ..... [ἀπ]ολειφθέν|[των....
ἐπὶ στερα[νη|φόρων] ϛ Αἰλίου Νέ[[ωνος Ἰου]λιανοῦ ³ καὶ | ......[ία]ς Σαβείνης ||
10 [τῆς γυναικ]ὸς αὐ|[τοῦ].

1. Inter annum 163 post C. n. et annum 166, quo ei additum est cognomen Parthicus Maximus. — 2. Ut Orientis domitor, Bacchus audiit multorum imperatorum instar. — 3. In nummo Maeonum inscriptus principe Antonino : Babelon, *Invent. de la coll. Waddington,* n. 5064.

1375. Gjeulde. — Keil et v. Premerstein. *Denkschr., der Wiener Akad., philos. hist. Klasse,* LIV (1911), II. p. 98, n. 192.

[Ἔτους] ϛqʹ, | οἱ [? Νισυρ]έων ² κά|τοικ[οι ἐτ]είμη[σ]αν | Γάιον Αἰμίλιον
5 Γά[μιν[ο]ν Καίσαρος | Σεβαστοῦ κεντορί|ωνα ³ λεγιῶνος ζʹ ⁴ | ἀρετῆς ἕνεκεν
10 πά[σης || καὶ εὐχαριστίας | τῆς ὑπὲρ Μάρκου Ἀν|τωνίου ⁵ τοῦ αὐτῶν | κατοίκου.

1. Anno aerae Sullanae 96 = 11/12 post C. n. — 2. Nisyra pagus vicinus erat (Sarychlar), cujus nomen integrum ex alio titulo innotuit : *Ibid.*, n. 200; cf. *Ibid.* p. 92-93. — 3. Centurio non raro imperatoris dictus est sub primis Caesaribus : Dessau, *Inscr. sel.,* nn. 2234, 2231; *Athen. Mitt.,* XXV (1900), p. 124, n. 9. — 4. Legio VII Macedonica in Illyrico tendebat : Cagnat, ap. Daremberg et Saglio, *Dict. des antiq.,* s. v. *Legio,* p. 1083. — 5. Λ M. Antonio triumviro civitate romana profecto donatus.

1376. Kawadjyk. — Keil et v. Premerstein, *Denkschr. der Wiener Akad., philos. hist. Klasse,* LIV (1911), II, p. 99, n. 196.

..... [βλ]άψαι μου τὸ μνῆμα ἢ καταλῦσαι τ[ὰ]ς ἡμέρας ¹ ἢ [ἀνέ]χεσθαι ὑπό]
τινος τούτων τι γεινόμενον. Ὃς δʹ ἂν ὑπεναντ[ίον τούτων] τι ποιήσῃ, οὗτος
καὶ ὁ παρʹ αὐτοῦ ὠνησάμενος ἢ ἄλ[λα τινὰ κα]κοτεχνήσας ἐγέτω τοὺς δήμου
5 Ῥωμαίων θε[[οὺς κεχολ]ωμένους πάντας καὶ πάσας ², τό τε μέρος αὐτοῦ | [ἔστω
τῶν λοι[πῶν, οἵτινες ἂν ἐξ αὐτῶν τὴν ἐμὴν βούλησιν | [πιστῶς φυλάτ]τειν προαι-
ρῶνται ³ · ἐὰν δὲ πάντες ὑπεναντί[ον τι τῶν] προδηλουμένων ποιήσωσιν, αὐτοὶ
10 μὲν ἐχέτωσαν | [τοὺς προειρημένους θεοὺς κεχολωμένους, ἐξάγιστοι καὶ ἄ[[θεμι-

τοι? ἀ]μνήμονές τε τῆς ἐμῆς χάριτος ὑπάρχοντες, | [λαβέτωσαν δ]ὲ [οἱ ἱε]ρ[ο]ὶ τ[οῦ] ἱερ[οῦ] [δι]ὰ τ[ῶ]ν [ἀ]ρχή[ω]ν τ[ῶ]ν ἐν Σ[ά]ρ[[δεσιν] ⁵ τὰ μέρη αὐτῶν?]....

Fragmentum est testamenti, quo sacra manibus suis celebranda homo aliquis ignotus instituerat.

1. Dies sacris celebrandis ab eo praescripti. — 2. Nimirum quia civis romani sepulcrum erat. — 3. Si unus heredum peccaverit, pars ejus ad alios heredes redibit. — 4. Si omnes heredes peccaverint, hereditatem adibunt sacerdotes fani alicujus, de quo in versibus tituli amissis agebatur. — 5. Sardibus erat conventus civium Romanorum proximus et conventus tabularium.

1377. In Thermis Theseos. — Keil et v. Premerstein, *Denkschr. der Wiener Akad.*, *philos. hist. Klasse*, LIV (1911), II, p. 122, not. 1.

Ἔτους σκε´ ¹, μη(νὸς) ια´ [η΄?], κολλήγιον φαμιλί|ας Γ. Ἰ(ουλίου) Κουαδρά-
του τ[ὸ] ὂν ἐν Θερμαῖς | Θησέως κώμῃ τῆς Μοχαδδηνῆς ² ἐ|τείμησεν Ἐπίτυν-
⁵ χάνοντα ἥρωα ἐ‖τῶν η΄, προνοησαμένων Ἐπιτυν[χά]|νοντος πατρὸς καὶ μητρὸς
Σωτηρίδος.

1. Anno aerae Sullanae 225 = 140/141 post C. n. — 2. Cf. n. 1380.

1378. Tabalis. — Keil et v. Premerstein, *Denkschr. der Wiener Akad.*, *philos. hist. Klasse*, LIV (1911), II, p. 120, n. 228.

[Κουρ]τίαν Ἰουλίαν | [Οὐαλ]έντιλλαν ὑπα|[τικὴ]ν ¹ τὴν κυρίαν | [ἐ]νγειρί-
⁵ σασαν ‖ [τ]ὴν ἐπιμέλειαν | [τῆς] κατασκευῆς | [τοῦ] βαλανείου καὶ | [τῶν] περὶ
τὸν τόπο[ν | [οἰκο]δομημάτων ....

1. Filia Curtii Julii Crispi consularis : *Prosop. imp. rom.*, I, p. 483, n. 1301; II, p. 231, n. 459. Cf. titulum n. 1382.

1379. Koula. — Mommsen, *Athen. Mitteil.*, XIII (1888), p. 18.

Sub imagine equitis pugnantis :

Γαίῳ Γερμανικῷ Αὐτο|κράτορι Καίσαρι ¹ καθειέρωται | πᾶς ὁ δημόσιος
τόπος. |

Sub imagine muliebri :

Γερμα|νία ².

1. Caligula. Turbatus est nominum ordo. — 2. De.expeditionibus Caligulae Germanicis cf. Suet., *Cal.*, 43, 51; Dio, LIX, 21.

1380. Koula. — Keil et v. Premerstein, *Denkschr. der Wiener Akad., philos. hist. Klasse,* LIII (1908), II, p. 83, n. 182. In miliario.

  a. Ἀγαθῇ [τ]ύχ[η] · | Αὐτοκράτορι Καίσαρι Οὐαλ. | Διοκλητιανῷ εὐσ[εϐεῖ],
5 εὐτυχεῖ, | ἀηττήτῳ Σεϐ(αστῷ), Γερμανικ[ῷ] μεγίστῳ, ‖ δημαρχικῆς ἐξουσίας,
ὑπάτῳ ζ', | πατρὶ πατρίδος, ἀν[θ(υπάτῳ)], καὶ Αὐτοκράτορι | Καίσαρι Οὐαλ.
Μαξιμιανῷ εὐσεϐῖ, εὐτυχεῖ, | Σεϐ(αστῷ), Γερμανικῷ μεγίστῳ, [δ]ημαρχικῆς |
10 ἐξουσίας, πατρὶ πατ[ρί]δος, [κ]αὶ [Φ]λα. Οὐαλ. ‖ Κωσταντίῳ καὶ Οὐαλ. | Μαξι-
μιανῷ τοῖς ἐπιφανεστάτο(ι)ς | Καίσαρσιν ' ἡ λαμπροτάτη | Σιλανδέων πόλις ἡ
15 μητρόπολις | τῆς Μοκαδηνῆς ². ‖ Μί(λια) η '. |

  b. [Dd.] nn. Val. | [Cons]tantino P. F., | [in]uicto Aug. et Fl. | Val. Crispo
5 et Fl. ‖ Val. Constantino | et Fl. Val. | Constantio nobil. Caesarib. ³.

1. Annis 299-302 post C. n. — 2. Mocadenorum (Ptolem., *Geogr.*, V, 2, 27) erant metropoles cum vicina Silandus, tum Temenothyrae Flaviopolis, Phrygiae civitas (nn. 613-622, maxime 618). — 3. Annis 323-326 post C. n.

1381. Koula. — Buresch, *Aus Lydien* (1898), p. 89, n. 46.

  a. ......ος Μαξιμιλλιανὸς [ἀνθ]ύπατος | [τῆς Ἀσίας] ' Δομνί[ν]ῳ Ῥούφῳ ὑῷ
Ἀσιά[ρχο]υ ² χεχρ..ετου ³ | καὶ Ἀσιάρχη γα[ίρειν. | Τῇ σ]ῇ πρὸς τοὺς θεούς,
5 ο[ὕ]ς εἰδρῦσθαί φης [ἐν ‖ τῇ Τ]ετραπυ[ρ]γίᾳ ⁴, [θρη]σκείᾳ [καὶ τ]ῇ το[ῦ γ]ένους
ἐνδόξ[ου λαμπρότη[τ]ι καὶ τῇ σ[ῇ μ]ετὰ τῆς εὐγεν[εί[α]ς τῶν τρό[π]ων κοσ-
μι[ό]τητι π[αν]τὶ ἡγοῦ|μαι δῆλον ὡς τ[ειμ]ᾶσθε δίκαιος ὑπ[άρ]χεις ....|...τω
10 γοῦν τοῖς τῆς ἀγοραίου ⁵ ἀπο[ρο]ῦσιν [βοη]θεῖν]‖.... [Τ]ετραπυργί[α δ]ιὰ τὴν
ε[ἰ]ς σε τον.αμε? α...|...τα τειμὴν ἀγέτω τ[ὴν] ἀγόρα[ιο]ν | [ἑκάσ]τῃ πεν[τ]ε-
καιδεκά[τῃ] ὁ τῶν ....|.... [Τετρα]πυργειτ[ῶ]ν δῆμος ...αιστα, μ[η]δεμιᾶς
15 [τῶν | πολέων] τῶν κατ[ὰ] τὴν Μαιο[νί]αν ⁶ φθ[αν]ουσῶν ....‖.... [ἐν τ]αύτῃ
τῇ ἡμέρᾳ ἀγό[ρα]ιον ἀγούσῃ[ς, καὶ γείν|ησεται τ]οῦτο καθ' ἕκαστον [μῆ]να ἀν[ε-
πι]κωλύτως. | Ἔ[ρρ]ωσο. |

b. ....[α]νὸς Φιλί[ππ]ου, πατὴ[ρ Αὐ]ρ. Ἀντ[ω]νίου |....., [προστάτ]ου ⁷
τῆς Τ[ετ]ραπυρ[για]νῶν [κατ]οικίας, ..|.... [αἰτησά]μενος [π]αρὰ Ἀττα[λια]νοῦ ⁸
5 [στρατηγ]οῦ, [αὐ|τίκ]α δὲ ὡς εἰ[λή]ρειν ὑπ[ογρ]άψας τε κὲ [ἀποσημή‖νας] ἀπε-
θέμη[ν ἀ]ντίγραφ[ον τ]ῶν ἐπιστολῶν καὶ | τὴν αὐθεντι[κὴ]ν ἐπιστολ[ὴν] ⁹ τὴν
ἐπι|[σταλεῖσαν] ......ν παρὰ τ[οῦ λα]νπροτ[άτο]υ [ἀνθυπ]άτου | ....υ Μαξι-
μιλ[λια]νοῦ Δομ[νί]νῳ Ῥού[φῳ] ὑῷ | [Ἀσιάρχ]ου ......ου καὶ [Ἀσι]άρχῃ, ἔ[τ]ους
10 ..δ' ¹⁰...‖... τῇ ἐστα[λ]μένῃ..... |

c. ....[ανὸς Φιλίππ]ου, πατ[ὴρ Αὐ]ρ. Ἀν[τωνίου |....., προστάτου τῆς
Τετ]ραπυργ[ια]νῶν [κατοικίας], ὑπέ|γραψα κὲ ἀπε[θέ]μην [ἀντίγραφον] | ...... εἰς
5 τὸ χρεοφυλάκιον...... ‖ Ἑρ[ρω]σο.

Correxerunt et suppleverunt P. Foucart et B. Haussoullier. — 1. Hactenus ignotus.
Cf. tamen titulum n. 1184 et *Prosop. imp. rom.*, II, p. 338, n. 172; p. 339, nn. 182, 183.
— 2. Domninus Rufus Asiarcha (cf. *b*, v. 8) inscriptus est in nummis Sardianis, cusis
inter annos 253 et 268 post C. n. : Barclay V. Head, *Greek coins in the British Mus.*, *Lydia*,
Sardes, nn. 206-211. — 3. [εὐε]ρ[γ]έτου, Foucart. — 4. Pagus (cf. vv. 10, 13, 19, 29) prope
Koula situs. — 5. ἡ ἀγόραιος (ἡμέρα) i. e. nundinae. Si qua civitas aut privatus quis in
agro suo nundinas constituere vellet, lege cautum erat ut petitionem ad senatum aut ad
imperatorem mitteret, quos saepe proconsuli aut legato provinciae rem remisisse con-
sentaneum est. Cf. Besnier ap. Saglio, *Dict. des ant.*, IV, p. 122. — 6. Regio Lydiae orien-
talis, cujus erat Tetrapyrgia. — 7. Cf. *c*, v. 2. — 8. Attalianos novimus qui strategi fuerunt
vicinarum Saettarum et Silandi saeculis II/III : Barclay V. Head, *op. cit.*, *Saitta*, nn. 46-48 ;
Silandus, nn. 6-8 ; Imhoof-Blumer, *Griech. Münzen*, p. 723, n. 622. — 9. In tabulas publi-
cas relata sunt mandatorum proconsulis antigraphum et ipsum exemplar authenticum.
— 10. Aerae Sullanae videlicet [τμ]δ' (344) aut [τν]δ' (354) = 260 aut 270 post. C. n.

1382. Koula. — Keil et v. Premerstein, *Denkschr. der Wiener Akad.*, *philos. hist. Klasse*,
LIV (1911), II, p. 120, in commentario n. 228.

Κουρ[τία]ν Ἰουλίαν | Οὐαλέντιλλαν ὑπ[ατι]|κὴν ¹, [θυ]γ[α]τ[έρα] Κρίσπ[ου] |
5 καὶ [Νι]νοῦς ὑπατικ[ῶν], ‖ σύν[6ιον] ...λου [ὑπατι]|κοῦ......

1. Cf. n. 1378, Le Bas et Waddington, n. 704.

1383. Koula. — Buresch, *Aus Lydien* (1898), p. 53.

Αὐρή[λιο]ς Ἀρτεμίδωρος | ὁ ἀρχίατρος καὶ ἱεροφάν|της ¹ εἱδρύσατο.

1. Sacri alicujus collegii.

1384. Uludjak. — Keil et v. Premerstein, *Denkschr. der Wiener Akad., philos. hist. Klasse,* LIII (1908), II, p. 94, not. 1.

[Α]ὐτοκράτωρ Καῖσαρ [θεοῦ] Νέρο[υα | υ]ἱὸς Νήρουας Τραιανὸς [Σε]βαστὸ[ς] | Γερμανιχὸς Δαχιχὸς, ἀρχ[ι]ερεὺ[ς] | μέγιστος, δημαρχικῆς ἐξου[σί]α[ς τὸ .], |
5 αὐτοκράτωρ τὸ δ', ὕπατος τὸ [ε'] ¹, | πατὴρ πατρίδος τε.......... | ἠμελη-
μένα .... | ἔργα ἀ[ποκατέστησεν].

1. Annis 103-105 p. C. n.

1385. Temni. — *C. I. L.,* III, 7201, 7202. In miliario :

Ab una parte :

Ἀγαθῇ τύχῃ · | Αὐτοκράτορσιν | Καίσαρσιν Γ. Αὐρ. Οὐαλ. | Διοχλητιανῷ
5 .καὶ || Μαρ. Αὐρ. Οὐαλ. Μαξι|μιανῷ καὶ Φλ. Οὐαλ. | Κωνσταντίῳ | καὶ Γαλερ.
10 Οὐαλερ. | Μαξιμιανῷ ἐπι|φανεστάτοις Καί|σαρσιν. Ἀπὸ Σμύρ|νης | μ[ίλια] η'.

Ab altera parte :

Aure[lio] ¹.... Valer. | Constantio et | Galerio Valer. | [Maximiano] nobili[ssi]-
5 mis Caess. || [S]mir[na] m[ilia] VII[I] ².

1. Waddington, n. 1724 *f*. Lectio incerta est; nam requiritur Fl. — 2. Viae Smyrna Pergamum. Annis 292-305.

1386. Ischiklar. — Le Bas et Waddington, n. 24.

5 Μαρ(κία) Κλ(αυδία) | Ἰουλιανὴ ἡ | ἀρχιέρεια ¹ | Ἀγαθοκλεί[ᾳ] || θρεπτῇ, |
μνείας χάριν.

1. Asiae. Cf. infra titulum repertum in vico Bournabat.

1387. Santjak-Kalessi. — Fontrier, Μουσεῖον, V (1885-1886), p. 73, n. 560.

Ἔτους τνδ' ¹, μηνὸς Ἀρτεμεισίου | ιδ', Αὐρ. Ἐπίκτητος β' Σαρδια|νὸς κατεσ-
5 κεύασεν ἡρῷ|ον τῷ υἱῷ Ἀλεξάνδρῳ κὲ || ἑαυτῷ κὲ Πώλλῃ τῇ τείθι ² | κὲ τῷ
συνβίῳ αὐτῆς Βεττηνι|ανῷ κὲ τῇ πενθερᾷ Εὐτυχια|νῇ κὲ τῷ υἱῷ αὐτῆς Εὐτυ-
10 χιανῷ · | εἰ δέ τις μετὰ ταῦτα ἐπανύξι ἢ ἕ|τερόν τινα ἐπεισενένχι κηδεύ|ων,

Θήσει ἰς τὸ ἱερώτατον ταμεῖ|[ο]ν ἀργυρίου δηνάρια δισχίλια | [π]εντακόσια κὲ τῇ
Ἰουδδηνῶν κα|τοικίᾳ δηνάρια δισχίλια.

1. Aerae Sullanae anno 354 = 270 post. C. n. — 2. τ/θη.

1388. Smyrnae. — Fontrier, *Rev. des études anc.*, VIII (1906), p. 285.

Ἕρμῳ ποτα[μῷ [1] καὶ | Α]ὐτοκράτορι Κ[αίσαρι | Τ.] Αἰλίῳ Ἀδριανῷ [Ἀντω]-
5 ν]είνῳ Σεβαστῷ Ε[ὐσεβεῖ ‖ ἡ] νε[ω]κόρος Σμυρ[ναίων | πόλι]ς, προνο[ησαμέ-
νου]......

1. Hermus fluvius in nummis Smyrnaeis effictus est Tito imperante : Barclay V. Head,
Greek coins in the British Mus., Ionia, Smyrna, n. 297, pl. XXVIII, n. 16.

1389. Smyrnae. — Kaibel, *Epigr. gr.* (1878), n. 1030.

Ὑμνῶ θεὸν | Μέλητα <ποταμὸν> [1], | τὸν σωτῆρά μου, |
5 παντός με λοιμοῦ [2] ‖ καὶ κακοῦ | πεπαυμένο[ν].

1. Rivus Smyrnae vicinus, in nummis effictus. Barclay V. Head, *Greek coins in the
British Mus., Ionia, Smyrna,* n. 216-220, pl. XXVII, n. 16. — 2. Pestilentia notissima
sub M. Aurelio fuit, annis 162-168 post C. n. Cagnat et Goyau, *Chronol. de l'emp. rom.*,
p. 216-220.

1390. Smyrnae. — Fontrier, Μουσεῖον, III (1878), 2, 3, p. 49.

[Σε]βαστῷ Καίσ[αρι].

1391. Smyrnae. — *C. I. Gr.*, 3172.

Ὁ δῆμος | Τιβέριον Καίσαρα | Σεβαστοῦ υἱόν [1].

1. Inter annos 4 et 14 post C. n. : *Prosop. imp. rom.*, II, p. 182, n. 150.

1392. — *C. I. L.*, III, 7107.

[Ti. Claudius, Ti. Cl]audi Thrasylli [l(ibertus), | Ti. C]aesari Augus[to et
Augustae Caesaris Augusti matri. |

Τιβέριος Κλαύδι]ος, Τιβερίου Κλα[υδίου Θρασύλλου ¹ ἀπελεύθερος, Τιβερίῳ |
Καίσαρι Σεβαστῷ κ]αὶ Σεβαστῆι Καί[σαρος Σεβαστοῦ μητρί].

1. Mathematicus nobilis, a Tiberio imperatore, qui consilio ejus utebatur, civitate dona-
tus : *Prosop. imp. rom.*, III, p. 314, n. 137.

1393. Smyrnae. — *C. I. Gr.*, 3173.

a. [Τίτῳ Καίσαρι Σεβαστῷ ἀρχιερεῖ] μεγίστῳ δημαρ|χικῆς ἐξουσίας τὸ θ´,
5 αὐ|τοκράτορι τὸ ιε´, πατρὶ πατρί|δος, ὑπάτῳ τὸ η´, καὶ Καίσαρι ‖ [Δομετιανῷ],
Θεοῦ Οὐεσπα|σιανοῦ Σεβαστοῦ υἱῷ ὑπά|τῳ τὸ ζ´ ¹, ἱερατεύοντος διὰ | γένους Γ.
10 Ἰουλίου Φαβία Μί|θρεος, τοῦ δήμου υἱοῦ, ‖ φιλοσεβάστου, | ἐπὶ στεφανηφόρου
Τι. Κλαυδίου Βίωνος | Νωνιανοῦ, ἀγωνοθετοῦντος Λ. Λικινίου | Πρόχλου,
15 ξυσταρχοῦντος ....., | διοικοῦντος ² Λ. Σουλπικίου Φίρμου, οἱ πε‖πληρωκότες τὰ
ἰσηλύσια ³ | Σουλπίκιος Φίρμος, | Ἀρτεμίδωρος Ἀρτεμᾶ? πατρομύστης ⁴, |
20 Ἀπολλώνιος Εὐδήμο[υ]? πατρομύστης, | Τρόφιμος Ἀσκληπιάδου, ‖ Τύραννος
Παπίου τοῦ Μενάνδρου. |

b. Αὐτοκράτορι Καίσαρι [Δομετι|ανῷ] Σεβαστῷ τὸ θ´, Κοίντῳ | Πεττιλίῳ
5 Ῥούφῳ τὸ β´ ὑπάτοις ⁵, | ἐπὶ στεφανηφόρου Κοσκωνίας ‖ Μύρ[τ]ου, ἀγωνοθέτης
Λο(ύκιος) Και|κίλιος Φρόντων νε(ώτερος), ξυστάρχης | Διονύσιος Κικῖνος? ˙ νε(ώ-
τερος).

1. Anno 80 post C. n. — 2. Administravit collegium mystarum Bacchi Brisei.
Cf. nn. 1399, 1400. — 3. Qui pecuniam debitam contulerunt cum in collegium admissi
sunt, aut debitam ab aliis sua expleverunt. — 4. Mysta princeps, pater mystarum. —
5. Anno 83 post C. n. De Q. Petillio Rufo cf. *Prosop. imp. rom.*, III, p. 25, n. 193.

1394. Smyrnae. — *C. I. Gr.*, 3174.

Αὐτοκράτορι | Ἀδριανῷ | Ὀλυμπίῳ ¹ σωτῆρι | καὶ κτίστῃ.

1. Post annum 129, quo Olympieum Athenis dedicatum est. Suspicatur Boeckh (ad *C. I.
Gr.*, 3175) Hadrianum Smyrnaeis « constitutionen edidisse de instituendis festis Olympiis
Jovialibus Hadrianeis, qualia Athenis fuisse et Smyrnae constat ». Cf. infra n° 1397.

1395. Smyrnae? — Fontrier, Μουσεῖον, V (1884-1885), p. 4, n. 203.

5 Αὐτοκράτορι | Ἀδριανῶι | Ὀλυμπίωι | σωτῆρι ‖ καὶ κτίστηι.

1396. Smyrnae. — Fontrier, Μουσεῖον, V (4884-1885), p. 25, n. 244.

Αὐτο[κράτωρ Καῖ]|σαρ Θε[οῦ Τραιανοῦ] | Παρθι[κοῦ υἱὸς Θε]|οῦ Νέρ[ουα
υἱωνὸς] ‖ Τραιαν[ὸς Ἀδριανὸς] | Σεβασ[τὸς, δημαρ]χικῆ[ς ἐξουσίας τὸ] | .., ...

1397. Smyrnae. — *C. I. L.*, III, 411.

a. ....|.... [᾽Ολυμπίω]ν τῶν ᾽Αθήν[ησιν] ......|...... ἐν ᾽Ρώμη
εἰλημμένων τῶν ἀντιγράφων .... | καὶ νεωκόρου τοῦ Διὸς τῷ αὐτὸν μὴ
δύνασθαι χωρισθῆν[αι .... ‖ ὑ]πάρχειν τὴν περὶ τούτου πρόνοιαν ποιήσασθαι
διὰ προδ[ίκ]ου Γαίο[υ Σεξτιλίου ᾽Ακουτιανοῦ] | τοῦ θεοπρόπου, ἥτις ἱερωσύνη
ἀκολουθεῖ τοῖς τοῦ θεοῦ μυστηρίοις. Δι᾽ ὅ, | φιλόθεε καὶ φιλάνθρωπε Καῖσαρ,
κελεῦσαι δοθῆναί μοι τὰ ἀντίγραφα τῶν ὑπομνημάτων, ὡς καὶ ὁ θεὸς πατήρ |
συνεχώρησεν.

b. Imp. Caesar T. Aelius Hadrianus Antoninus Augustus Pius Sextilio Acutiano.
Sententiam diui patris mei, | si quid pro sententia dixit, describere tibi permitto.
Rescripsi. Recogn(ouit) undeuicensimus. Act(um) VI idus April(es) Romae.
Caes(are) Antonino II et Praesente II co(n)s(ulibus).

c. Ἐσφραγίσθη ἐν ῾Ρώμῃ, πρὸ τριῶν νωνῶν Μαίων Αὐτοκράτορι Καίσαρι
Τ. Αἰλίῳ Ἀδριανῷ Ἀντωνείνῳ τὸ β´ Γαίῳ Βρουττίῳ | Πραίσεντι τὸ β´ ὑπάτοις.
Παρῆσαν Τ. Φλ. Μακρεῖνος Σιμωνᾶς, Λ. ᾽Ατάνιος Φλαούιος Δημοσθηνιανός,
Λ. Αἴ(λ)ιος ῾Ερμογένης Αἰλια(νὸς), | Μ. ᾽Αντώνιος Κρίσπος, Λ. Λικίννιος
᾽Αλβεινιανὸς, Μ. Κοσκώνιος Καρικὸς, Τ. Κλαύδιος ῎Ακτιος. |

d. Stasime, Dap[h]ni, edite ex forma sententiam uel constitutionem.

Instrumenta sunt de institutis Smyrnae Olympiis Hadrianeis. *a.* Constitutionis, qua
illos ludos Atticorum instar instituisse uidetur Hadrianus (cf. supra, n. 1394), antigra-
phum petunt ab Antonino Smyrnaei, decreto de ea re facto, quod ad imperatorem tulit
C. Sextilius Acutianus, prodicus ciuitatis et propheta Hadriani Olympii. Decreto addit
precationem suam Acutianus (vv. 6, 7). *b.* Permittit Acutiano Antoninus describi
sententiam Hadriani ; manum autem imperatoris Romae recognouit undeuicensimus
seruus aut libertus Aug. tabularius, die VIII Aprilis, anno 139 post C. n. *c.* Signatum
est antigraphum Romae, die V Maii, eodem anno. Sequuntur nomina testium septem.
qui, ut ferebat lex, scribendo adfuerunt et signa sua tabellis impresserunt. *d.* Publici
duo scribae jubentur edere sententiam uel constitutionem. Cf. Lafaye, ap. Daremberg
et Saglio, *Dict. des ant.*, s. v. *Tabularium.* Sequebatur ipsa constitutio Hadriani, quae
periit.

1398. Smyrnae. — Keil, *Jahreshefte d. österr. arch. Instit.*, XI (1908), p. 109.

....ω..... | [νε]ωκόρον α' [θεολόγους? | ὑμ]νωδοὺς κδ' ¹ ἐ[πιστολῇ] | τῇ
5 ὑπογεγραμ[μένη · ‖ Μαν]ίῳ Ἀχειλίῳ Γλαβρίωνι Γαίῳ [Βελλιχίῳ Τορκουάτῳ |
Τε6]ανιάνῳ ὑπάτοις ², πρὸ ἐννέα κ[αλανδῶν Ὀκτωμ6ρίων? ³, | ἐν Σ]μύρνῃ,
Ἀτειλίῳ Κογνίτῳ Κα............ | [ἐπι]τρόποις τοῦ χυρίου Καίσαρο[ς, ἐπὶ
10 στεφανηφόρου] ..|....ου Λουκίου υἱοῦ Φα6ία Ἄνθου .... [ἐν τοῖς ‖ εὐτυ]χεσ-
τάτοις χαιροῖς τοῦ θεω[φιλεστάτου Αὐτοχρά|τορο]ς Τραιανοῦ Ἀδριανοῦ Καίσαρ[ος
Σε6αστοῦ, ἐν οἷς ἡ ὑπ' | αὐτο]ῦ οἰχουμένη θύει χαὶ εὔχετ[αι ὑπὲρ τῆς αἰωνίου
δια[μον]ῆς αὐτοῦ χαὶ τῆς ἀνειχήτ[ου ἡγεμονίας, ἐπεὶ δι[οιχεῖ]ται ὑπὸ ἀξιοδότων
15 χαὶ ἐ[ντίμων ἀνδρῶν? ‖ ....ο.ου.........

1. Cf. n. 353. — 2. Anno 124 post C. n. — 3. Ante diem IX kalendas Octobres =
die 23 Septembris, Augusti natali, quo incipiebat annus Asiaticus. Sed potueris etiam
restituere ante diem IX kalendas Februarias = die 24 Januarii, Hadriani natali. Cum
praesente Hadriano Smyrna neocorus II dicta esset, anno 123 collegium hymnodorum
24 institutum est, novo templo destinatum. Epistula autem imperatorisne esset an
proconsulis, non liquet.

1399. Smyrnae. — Dittenberger, *Sylloge inscr. gr.*, ed. II (1898), n. 406.

Μᾶρχος Αὐρήλιος Καῖσαρ, Αὐτο|χράτορος Καίσαρος Τίτου Αἰλίου | Ἀδριανοῦ
5 Ἀντωνείνου Σε6αστοῦ | πατρὸς πατρίδος υἱὸς, δημαρχ|ἡ|κῆς ἐξουσίας, ὕπατος τὸ
β' ¹, συνέ|δῳ τῶν περὶ τὸν Βρεισέα Διόνυσον ² | χαίρειν. | Εὔνοια ὑμῶν, ἣν
10 ἐνεδείξασθε συν|ησθέντες μοι γεννηθέντος υἱοῦ ³, εἰ χαὶ ‖ ἑτέρως τοῦτο ἀπέβη,
οὐδὲν ἧττον φα|νερὰ ἐγένετο. Τὸ ψήφισμα ἐπέγραψεν | Τ. Ἀτείλιος Μάξιμος
ὁ χράτιστος ἀνθ|ύπατος ⁴ χαὶ φίλος ἡμῶν. Ἐρρῶσθαι ὑ|μᾶς βούλομαι. Πρ(ὸ)
15 ε' χαλ(ανδῶν) Ἀπρειλ(ίων), ἀπὸ ‖ Λωρίου ⁵. | Τὴν ἐπιγραφὴν ποιήσαντος Μ.
Ἀντω|νίου Ἀρτεμᾶ, δωρεὰ(ν) ταμιεύοντος ⁶ | Σουλπιχίου Ῥουφείνου. |
20 Αὐτοχράτωρ Καῖσαρ Θεοῦ Ἀδριανοῦ ‖ υἱὸς Θεοῦ Τραιανοῦ Παρθιχοῦ υἱω|νὸς
Θεοῦ Νέρουα ἔγγονος Τίτος Αἴ|λιος Ἀδριανὸς Ἀντωνεῖνος Σε6αστὸς, | ἀρχιερεὺς
25 μέγιστος, δημαρχιχῆς | ἐξουσίας τὸ κα' ⁷, αὐτοχράτωρ τὸ β', ‖ ὕπατος τὸ δ',
πατὴρ πατρίδος, συν|όδῳ τῶν ἐν Σμύρνῃ μυστῶν χαίρειν ⁸.

1. Anno 147 post C. n. — 2. Ejusdem collegii participes erant artifices et mystae.
Cf. nn. 1393, 1400 et *C. I. Gr.*, 3190. Jessen ap. Pauly et Wissowa, *Realencyclop.* s. v. *Bri-
saios*. — 3. T. Aelium Antoninum, filium M. Aurelii (*Prosop. imp. rom.*, I, p. 13, n. 111),
« antequam epistula gratulatoria Romam perveniret, jam decessisse statuunt Borghesi,

Op. VII, p. 113, et Mommsen, *Hermes*, VIII, p. 205 » Dittenb. — 4. T. Atilius Maximus, procos. Asiae anno 146-147 : *Prosop. imp. rom.*, I, p. 173, n. 1082. — 5. Die xxviii Martii, Lorio prope Romam, in via Aurelia, ubi sitam fuisse villam Antonini satis notum est. — 6. Quaestor, non civitatis, sed collegii. — 7. Anno 158 post C. n. — 8. Periit epistula Antonini, quae sequebatur.

1400. Smyrnae. — *C. I. Gr.*, 3177.

[Αὐτοκράτωρ Καῖσαρ M. Αὐρ. Ἀντωνεῖνος | .... καὶ Αὐτοκράτωρ |
Καῖσ]αρ Λούκ[ιος Αὐρήλιος Οὐῆρος | Σεβ]αστ[ὸ]ς δημαρ[χικῆς ἐξουσίας .., ||
5 ὕπα]τος τὸ β΄ ¹, Θεοῦ [Ἀντωνείνου υἱοὶ | Θε]οῦ Ἀδριανοῦ [υἱωνοὶ Θεοῦ Τραια|νο]ῦ
Παρθικοῦ ἔ[γγονοι Θεοῦ Νέρουα | ἀ]πόγονοι, συ[νόδῳ τῶν περὶ Βρεισέα] |
10 Διόνυσο[ν τεχνειτῶν καὶ μυστῶν ² || χαίρειν]......

1. Inter annos 161 et 166 post C. n. — 2. Cf. nn. 1393, 1399 et Fr. Poland, *Gesch. des griech., Vereinswesens*, 1909, p. 275, not. xx.

1401. Smyrnae ? — Fontrier, Μουσεῖον, V (1884-1885), p. 31, n. 359.

[Ἀγαθῇ] τύχη : | [τὸν] ἀνείκητον πυ|... [τοῦ] κυρίου ἡμῶν Αὐ|[τοκράτορος
5 Καίσαρ]ος Μαρ. Αὐρ. Ἀντω||[νείνου Σεβαστοῦ] Αὐ. Φιλούμενος | [ἐξ ἰδίων τῇ
π]ατρίδι κοσμίως | [καὶ] ...... ἐπεσκεύασεν | ....ώσεως | .... [Εὐτυ]χεῖτε.

1402. Smyrnae. — Dittenberger, *Sylloge inscr. gr.*, ed. II (1898), n. 414.

Οἱ θειότατοι αὐτοκράτορες Σεουῆρος καὶ Ἀντωνεῖνος Καίσαρες ¹ Σμυρναίοις. |
Εἰ Κλαύδιος Ῥουφῖνος ², ὁ πολείτης ὑμῶν, ὁ διὰ τὴν προαίρεσιν, | ἢ σύνεστιν
ἐπὶ παιδείᾳ, καὶ τὸν ἐν λόγοις συνεχῆ βίον τὴν | προκειμένην τοῖς σοφισταῖς κατὰ
5 τὰς θείας τῶν προγόνων || ἡμῶν διατάξεις ³ ἀτέλειαν τῶν λειτουργιῶν καρπού-
μενος, | ὑμῶν αὐτὸν ἑκουσίῳ ἀνάγκῃ προκαλουμένων, ὑφέστη τὴν | στρατηγίαν
κατὰ τὸ πρὸς τὴν πατρίδα φίλτρον, τὴν γοῦν εἰς τὰ | ἄλλα μένειν ἀπραγμοσύνην
ἀκείνητον αὐτῷ δικαιότατον | ἐστιν · οὐ γὰρ ἄξιον τῷ ἀνδρὶ τὴν εἰς ὑμᾶς φιλο-
10 τειμίαν γενέ||σθαι ζημίαν, καὶ μάλιστα ταύτην ὑμῶν αἰτούντων ὑπὲρ | αὐτοῦ
τὴν χάριν. Εὐτυχεῖτε. | Ἐπρέσβευον Αὐρ. Ἀντωνεῖνος καὶ Αἴλιος Σπηρᾶτος.

1. Septimius Severus et Caracalla, inter annos 198 et 209 post C. n. — 2. De Claudio Rufino sophista Smyrnaeo cf. Philostr., *Vit. soph.*, II, 25, p. 608. — 3. Sophistis enim immunitas a principibus post Vespasianum saepe concessa erat. Cf. Hertzberg, *Hist. de la Grèce sous la domin. des Romains*, III (1890), p. 78, not. 1.

T. IV   30

1403. Smyrnae. — *C. I. Gr.*, 3163.

Ὑπὲρ διαμονῆς τοῦ εὐσεβεστάτου αὐτοκράτορος Ἀντωνίνου [1] | Παπίνιος ὁ
φιλόσοφος, ἐγκατοχήσας τῷ κυρίῳ Σαράπιδι [2] | παρὰ ταῖς Νεμέσεσιν [3], εὐξάμενος
αὐξῆσαι τὸ Νεμέσειον, | τὸν παρατεθέντα οἶκον ταῖς Νεμέσεσιν ἀνιέρωσεν, ὡς ‖
5 εἶναι ἐν ἱερῷ τῶν κυρίων Νεμέσεων τὸ ὅλον. | Ὁ τόπος συνεχωρήθη ὑπὸ τοῦ
αὐτοκράτορος Ἀντωνίνου, | Γεντιανῷ καὶ Βάσσῳ ὑπάτοις [4], πρὸ νωνῶν
Ὀκτωβρίων [5].

1. Caracalla. — 2. Postquam incubavit Serapidi, somnio admonitus. Cf. Ael. Aristid.,
Orat. sacr., III, p. 320 Iebb. — 3. Cf. n. 1431. — 4. Terentius Gentianus et Pomponius
Bassus consules fuerunt anno 211 post C. n. : *Prosop. imp. rom.*, III, p. 74, n. 525 et
p. 301, n. 55. — 5. Profecto pridie nonas, die vi Octobris.

1404. Smyrnae. — *C. I. L.*, III, 412.

..........|... magistratus harum ciuita[tium, in] | quibus te suggeris possidere,
agere curam [iam oportebit, | ut] quod optime placuisse perspicitur, perpetua ‖
5 obseruatione teneatur. Vale, Apella carissime nobis. | Data V kal. Iun.

Ἀγαθῇ τύχῃ · | Αὐτοκράτωρ Καῖσαρ Πούβλιος Λικίν|νιος Οὐαλεριανὸς
10 Εὐσεβὴς Εὐτυχὴς | Σεβαστὸς καὶ Αὐτοκράτωρ Καῖσαρ Πού‖βλιος Λικίννιος
Γαλλι[ηνὸς Εὐσεβὴς] Εὐτυχὴς Σε|βαστὸς [καὶ] Λικίννιος Κ[ορνήλιος Σαλωνῖνος
Οὐαλεριανὸς] ἐπι|φανέστατος Καῖσαρ [1] Ἰουλίῳ | Ἀπελλᾷ ἰδίῳ χαίρειν. | [Οὐκ]
15 ἀμφίβολόν ἐστιν καὶ ἐν τούτῳ τὰ ‖ ὁρι[σθ]έντα τηρεῖσ[θαι]· .... γνώμῃ ... | καὶ
[ὠ]νητὰς ... συγκλητικὰ[ς] οἰκίας | ... ζ[ημ]ίαις ἐνοχλεῖ[ν] ... αἱ δ[ὲ] ἀρχ[αὶ]
τού|των τῶν πόλεων, ἐν αἷς [λέγεις σε]αυτὸν κεκτῆ[σθαι, ἐρεξ]ῆς φροντίσουσιν,
20 ἵνα [ἃ ἂν] ‖ ἄριστα ἀρέσ[κῃ ταῦ]τ[α] παραφυλάσση|ται. Ἔρρωσο, Ἀπελλᾶ. [Πρὸ
εʹ καλ(άνδας) Ἰουν(ίας)].

1. Annis 253-260 post C. n. « Hoc puto imperatores rescripsisse, non licere magistratui
municipali multam imponere viro senatorii ordinis; quod, quanquam alibi, quod sciam,
non enuntiatur, tamen recte convenit iis quae praeterea de senatorum privilegiis
traduntur. » Mommsen.

1405. Smyrnae. — *C. I. Gr.*, 3183.

.... | Σεβαστὸν Εὐσεβῆ, ποιησα|μένης τὴν ἐπιμέλειαν καὶ τὴν | κατα-
5 σκευὴν τοῦ ἀνδριάντος καὶ ‖ παρ' ἑαυτῆς συνεισενενκάσης | εἰς τοῦτο χρῆμα καὶ
τὴν ἀνάστα|σιν αὐτοῦ Εἰκονίου τῆς | Δημοκλέους.

1406. Smyrnae. — Szanto, *Arch. epig. Mittheil. aus Oester.*, IX (1885), p. 134.

...... [Σεβ]ασ[τῷ ..]. ἀρχιερεῖ μ]εγίστῳ ...|.. αὐτοκράτορ[ι] .|... πατρὶ
5 πατρίδος, || [ἱερέως] τοῦ πρὸ [π]όλ[ε]ως ¹ [Διονύσου] ² | .... Τίτου Φλαυίου ..|...
[στε]φανηφόρου τὸ ...|..ου τὸ β΄ π....|...παιο......

1. Cf. n. 1415. — 2. Cf. nn. 1393, 1399, 1400.

1407. Smyrnae. — *Ephem. epigr.*, Ì (1872), p. 270.

Ὁ δῆμος | Ζήνωνα, βασιλ<λ>ίσσης | Πυθοδωρίδος Φιλομήτορος | καὶ βασι-
5 λέως Πολέμωνος || υἱὸν, θυγατριδῆ δὲ τῆς εὐ|εργέτιδος Ἀντωνίας ¹, | ἐτείμησεν.

1. Antonia, filia Antonii triumviri (*Prosop. imp. rom.*, I, p. 106, n. 705), ex Pytho-
doro Tralliano (*ibid.*, III, p. 112, n. 835) pepererat Pythodorida (*ibid.*, n. 834), quae
circa annum 12 ante C. n. nupsit Polemoni I, regi Ponti, defuncto anno 8 ante C. n.
(*ibid.*, p. 57, n. 405). Pythodoridis autem filio Zenoni hic titulus positus est ante
annum 18 post. C. n., quo Armeniae regnum accepit (*ibid.*, p. 493, n. 5). De qua familia
cf. O. Rayet, *Milet et le golfe Latmique*, I, 1877, p. 81.

1408. Smyrnae. — Hirschfeld, *Bullett. dell' Istit. di Roma*, 1873, p. 226, n. 2.

....ν Ῥωμαίων μειο.... | ... Καικίλιον Μέτε[λλον] ¹ ...|....ν ἐπὶ τὴν Κρή-
5 τη[ν] ...|.... ἐνεχείρισεν λυ...||...ηγωι τῆς παρα.......

1. Q. Caecilius Metellus Creticus, cos. anno 69 ante C. n., qui Cretam bello piratico
perdomitam in provinciae formam redegit anno 66, obiit paulo post annum 54.
Cf. Münzer ap. Pauly et Wissowa, *Realencyclop.*, III, p. 1210, n. 87.

1409. Smyrnae. — *C. I. Gr.*, 3186.

Ὁ δῆμος | Πόπλιον Λέντλον Σκι|πί[ω]να τὸν ἀνθύπατον, | ¹ εὐεργέτην
5 ὄντα διὰ || προγόνων τῆς πόλεως.

1. P. Cornelius Lentulus Scipio, cos. suff. anno 2, aut filius ejus, cos. suff. anno 24
post C. n., alteruter proconsul Asiae Augusto aut Tiberio principe : *Prosop. imp. rom.*, I,
p. 456, n. 1142 ; p. 457, n. 1143.

1410. Smyrnae. — *C. I. Gr.*, 3187.

[Ἐδ]οξεν τοῖς ἐπὶ τῆς Ἀσίας [Ἕλλησιν] ¹ .... | Τιβερίου Κλαυδίου Ἡρώ-
[δου] ²........ | καὶ σεβαστοράντου καὶ .... [ἱερέως] | θεᾶς Ῥώμης καὶ θεοῦ
5 [Καίσαρος] ...... ‖ Διὸς πατρῷου, αὐτοκ[ράτορος, ἀρχιερέως] | μεγίστου,
πατρὸς τῆ[ς πατρίδος καὶ σωτῆρος] | τοῦ σύμπαντος ἀν[θρωπείου γένους ·
10 ἐπ]εὶ Μᾶρκος Αἰφουλανὸς .... | ὁ· ἀνθύπατος ³ ἀπὸ τῆς .... [ἐπὶ] ‖ Νέρω-
νος Καίσαρος προ[νοίας καὶ τῆς κατὰ τὴν] | ἐπαρχείαν κηδεμονί[ας .... |
κ]αὶ δυσμείμητον ἠθῶ[ν .... | κ]ομίσας χρηστότητα .... | [ἐ]παινουμένην
15 δικα[στείαν ...... καὶ ‖ ἁ]γνείαν μὲν καὶ δικαιο[σύνην ...... διά]|θεσιν πρέπου-
σαν α........ |ην Κειρίῳ? παρεσ...... |ιαν δὲ πρὸς ἄπαντ[ας τοὺς ἀνθρώ-
20 που]·ς μηδένα μήτε τα........ ‖ μήτε ἐπιφανει........

1. Commune Asiae provinciae. — 2. Orator ille celeberrimus Ti. Claudius [Atticus]
Herodes, corrector civitatum liberarum Asiae circa annos 132/135 post C. n. (*Prosop.*
imp. rom., I, p. 353, n. 635), ut existimat Boeckh; sed jure dubites verumne viderit. —
3. M. Aefulanus, proconsul Asiae sub Nerone (*Prosop. imp. rom.*, I, p. 11, n. 95).

1411. Smyrnae. — Dittenberger, *Orient. gr. inscr. sel.*, n. 477.

Ἐκ τοῦ εἰσαχθέντος | ὕδατος ¹ ἐπὶ τὸν Δία τὸν | Ἀκραῖον ², ἐπὶ Οὐλπίου |
5 Τραιανοῦ τοῦ ἀνθυπάτου ³, ‖ ἐν ταῖς στρατηγίαις | ταῖς Μάρκων Ἰουνίων | υἱοῦ
καὶ πατρὸς ⁴ | ....

1. Uni ex aquaeductus fistulis inscriptus fuisse titulus videtur; cf. n. 1412. — 2. Jupiter
Acraeus, ut in aliis Graeciae urbibus, sic quoque Smyrnae colebatur : Wentzel ap. Pauly
et Wissowa, *Realencyclop.*, I, p. 1193. Ad ejus fanum ducebatur aqua, populo etiam
utenda. — 3. M. Ulpius Trajanus, pater Trajani imperatoris, cos. inter annos 68 et 71,
proconsul Asiae anno 79/80 post C. n. : *Prosop. imp. rom.*, III, p. 463, n. 574. —
4. Praetoribus Smyrnaeorum M. Juniis.

1412. Smyrnae. — Dittenberger, *Orient. gr. inscr. sel.*, n. 478.

5 Τραιανοῦ | ὕδατος ¹ ἀποκα|τασταθέντος | ὑπὸ Βαιβίου ‖ Τούλλου | ἀνθυπά-
του ².

1. Cf. n. 1411. — 2. L. Baebius Tullus, nummis Sardianorum notus, Trajano principe
Asiam rexit : *Prosop. imp. rom.*, I, p. 225, n. 23, et rectius Groag ap. Pauly et Wissowa,
Realencyclop., *Suppl.*, I, p. 236, n. 47.

1413. Smyrnae. — *C. I. Gr.*, 3189.

Νεωκόρος Σμυρναίων | δῆμος ἐτείμησεν | Μᾶρκον Ἀττίλιον Βραδούα [1] | τὸν
5 ἀνθύπατον, ‖ ἐπιμεληθέντος Μάρκου | Αὐρηλίου Περπέρου τοῦ | ἐπὶ τῶν ὅπλων
στρατηγοῦ [2].

1. M. Atilius Bradua fueritne ille idem qui consulatum gessit anno 185 post C. n.
(*Prosop. imp. rom.*, I, p. 348, n. 640) ambigit Klebs (*ibid.*, p. 174, n. 1078). Neocoratum
II Smyrna usurpavit sub Hadriano; sed potuit omitti B, ut saepius factum est;
cf. Chapot, *Prov. rom. d'Asie*, p. 449. — 2. Praefectus paci tuendae, qui non semel in
titulis Smyrnae inventis occurrit.

1414. Smyrnae. — Röhl, *Schedae epigraphicae* (1876), p. 2, n. 3 ; Waddington, *Bull.
de corr. hellén.*, VI (1882), p. 291. Cf. Ramsay, *Americ. Journ. of archaeol.*, I (1885), p. 140,
n. 2.

Ἀγαθῇ τύχῃ · | ψηφισαμένης τῆς κρα|τίστης βουλῆς καὶ ἐπικυρώ|σαντος τοῦ
5 λαμπροτάτου ἀνθυ‖πάτου Λολλι(αν)οῦ Ἀουείτου [1], ἐδόθη | < ἐδόθη > φορτηγοῖς
Ἀσκληπιασταῖς | ἐκ τοῦ ἐνε[δ]ρίου βάθ[ρ]α [2] τὰ ἑξῆς | τέσσαρα, ταμιεύοντος
Αὐρη. | Ἀφροδεισίου.

1. L. Hedius Rufus Lollianus Avitus, cos. suff., ut videtur, imperante Commodo,
procos. Asiae sub finem saeculi II : *Prosop. imp. rom.*, II, p. 127, n. 26. — 2. ΒΑΘΒΑ
lapis. Sedilia quatuor ex ordine in theatro Smyrnaeo data sunt bajulis, qui ad templum
Aesculapii pertinebant; de quibus cf. Fr. Poland, *op. cit.*, p. 210.

1415. Smyrnae. — *C. I. Gr.*, 3211.

.............|..., [ἀ]νθυπατεύοντος Αἰμιλίου [1].....|..., ἱερατευούσης διὰ βίου
5 Κ[λαυδίας] ....|... τῆς μεγάλης πρὸ <το>πόλεως [2] θε[ᾶς] ‖ θεσμοφόρου
Δήμητ[ρος] ...|.., Αὐρηλίας Μελίτης ἱερείας καὶ ἀρχ[ιερεί|ας] τῆς Ἀσίας ναῶν
τῶν ἐν Ζμύ[ρνῃ] [3]..|., ἀγ[ω]νοθετοῦντο[ς] ....αρίου.........

1. Proconsul Asiae incertus : *Prosop. imp. rom.*, I, p. 25, n. 208. Aemiliorum, a quibus
constat administratam esse provinciam, indicem confecit Chapot, *Prov. rom. d'Asie*,
p. 303. — 2. Cujus templum ante urbem, extra urbem situm erat. Cf. n. 1406 et Boeckh
ad *C. I. Gr.*, 2963, c. — 3. Melite sacerdos occurrit etiam in n. 1435.

1416. Smyrnae. — *C. I. Gr.*, 3188.

Πούπλιος ἀνθύπατος ¹, ἄρχων Ἰω|νίας, Φρυγίας, Αἰολίδος, Μηονίας, | Λυδίας,
5 Ἑλλησπόντου, Μυσίας, Βι|θυνίας, Ταρσίας, Γαλατίας, Μα‖ρ[ι]ανδυνῶν, Πόντου,
Παφλαγο|νίας, Καππαδοκίας μικρᾶς καὶ | μεγάλης, Ἰσαυρίας τε καὶ Λυκκο|νίας
10 καὶ μέχρι τῶν ὁρίων τοῦ ‖ Ταύρου καὶ τῆς μικρᾶς Ἀρμενίας.

1. Publius ille proconsul Asiae, quis fuerit, qua aetate vixerit, nemo hactenus statuit :
Prosop. imp. rom., III, p. 108, n. 788. Sed jure suspici potest titulus a Constantino
Porphyrogenneto traditus.

1417. Smyrnae. — Le Bas et Waddington, n. 1524 ; H. Grégoire, *Rev. de l'Instruction
publique en Belgique*, 1908, p. 209.

In pavimento musivo :

..... μηνὸς] Μαίου θ' ἐ[τελειώ]|θη ἡ πᾶσα κέντησ[ις ¹ καὶ] | ζωγράφησις,
5 ἐ[πὶ] Γανυ|μήδου ² διοικητοῦ ³ Π[λαν]‖κίλλης λαμπροτάτης ⁴.

Supplementa suppeditaverunt partim Grégoire, partim Haussoullier.

1. Opus musivum, ut docuit Grégoire. — 2. Γανυμήδους idem. — 3. Procurator. —
4. Clarissima femina (?) : *Prosop. imp. rom.*, III, p. 42, n. 332.

1418. Smyrnae. — Le Bas et Waddington, n. 2.

5 Ἡ νεωκόρος | Σμυρναίων πόλις ¹ | τὰ ὀνόματα τῶν | ὑπεσχημένων ‖ καὶ συνεισ-
ενεγκάντων | εἰς τὴν τοῦ λιμένος κατασκ[ευὴν] ....

1. Smyrna fuit neocorus I sub Tiberio, II sub Hadriano : Chapot, *Prov. rom. d'Asie*,
p. 452.

1419. Smyrnae. — *C. I. Gr.*, 3206.

In dextro latere :

a. [Ἀγαθῆι] τύχηι · | ἐν τῇ πρώτῃ τῆς Ἀσίας κάλλει καὶ μεγέθει | καὶ
λαμπροτάτη καὶ μητροπόλει καὶ τρὶς νεωκόρῳ | τῶν Σεβαστῶν κατὰ τὰ δόγματα
5 τῆς ἱερωτάτ[η]ς ‖ συνκλήτου καὶ κόσμ[ῳ] τῆς Ἰωνίας Σμυρναίων [πόλει] ¹ · | Αὐρ.
Ἀπολλινάριος Θυατειρηνὸς καὶ | Σμυρναῖος καὶ Φιλαδελφε[ὺ]ς καὶ Βυ|ζάντιος καὶ

ἄλλων πολέ|ων πολείτης, ‖ βουλευτής, δολιχαδρόμος νεικήσας Ι˙ ἀγῶνας το[ὺ]ς ὑπογεγραμμένο[υ]ς · | Π[υ]θικὸν Πύθια ἐν Δελφοῖς, Πύθια | ἐν Σίδῃ ², Αὔγουστεῖα ἐν Θυατεί|[ροις] ³..............................

In sinistro latere :

b. τειμηθεὶς δὲ ξυσταρχίαις παρὰ τῶν | κυρίων ἡμῶν Αὐτοκρατόρων Οὐα|λεριανοῦ καὶ Γαλλιηνοῦ Σεβαστῶν ⁴ | ἐν τῇ λαμπρᾷ Φιλαδελφέων πόλει ⁵ ‖ καὶ ἐν τῇ λαμπρᾷ Βυζαντίων πόλει ....

1. κόσμου et [πόλεως] Boeckh. — 2. Urbs Pamphyliae. Cf. supra t. III, n. 805-811. — 3. Cf. nn. 1189-1286. — 4. Annis 253-259 post C. n. — 5. Urbs Lydiae. Cf. infra.

1420. Smyrnae. — *C. I. Gr.*, 3202.

Ἀγαθῆι τύχηι · | καθ᾽ ἃ ἐψηφίσατο ἡ κρατίστη βουλὴ | τῆς πρώτης τῆς Ἀσίας | κάλλει καὶ μεγέθει ¹ καὶ ‖ λαμπροτάτης καὶ μητρο|πόλεως τῆς Ἀσίας ² καὶ | τρὶς νεωκόρου τῶν | Σεβαστῶν ³ κατὰ τὰ δό|γματα τῆς ἱερωτάτης ‖ συνκλήτου καὶ κόσμου | τῆς Ἰωνίας Σμυρναί|ων πόλεως, | Αὐρ. Φαῦσταν ἀρχιέρειαν | Πομπωνία Κλαυδία ‖ Φαῦστα Λουπερκιανὴ | ἡ κρατίστη τὴν χρη|στὴν τίθην. | Εὐτυχεῖτε.

1. In ludis provinciae « primi » incedebant Smyrnaeorum, « primi » etiam Ephesiorum et Pergamenorum legati : Chapot, *Prov. rom. d'Asie*, p. 144. — 2. Ioniae, non Asiae, metropolis Smyrna primum fuerat. Alias metropoles ejusdem provinciae recensuit Chapot, *ibid.*, p. 136. De sensu verbi ambigitur. — 3. Cf. n. 1424.

1421. Smyrnae. — *C. I. Gr.*, 3204.

Ἀγαθῆι τύχηι · | ἡ πρώτη τῆς Ἀσίας κάλλει καὶ μεγέθει καὶ λαμ|προτάτη καὶ μητρόπολις καὶ γ´ νεωκόρος τῶν Σε|βαστῶν κατὰ τὰ δόγματα τῆς ἱερωτάτης συν‖κλήτου καὶ κόσμος τῆς Ἰωνίας Σμυρ|ναίων πόλις ¹ | Λ. Ἐρέννι(ον) Σεπτίμι(ον) | Ἡλιόδωρον Ἀντι|νοέα ² καὶ Σμυρ‖ναῖον πανκρατι|αστήν.

1. Cf. n. 1420, 1424. Eadem prorsus nomina Smyrnae leguntur in altero titulo (*C. I. Gr.*, 3205). — 2. Civis Antinoensis : Dittenberger, *Orient. gr. inscr. sel.*, n. 701, not. 3. Cf. hujus operis t. I, nn. 1141-1144.

1422. Smyrnae. — *C. I. Gr.*, 3192.

['Η .... Σμυρναίων | πόλι]ς Γάιον Ἰούλιον Υ ...|.. [φιλο]πάτριδος υἱὸν
5 ...|..τον ἔπαρχον τεχν[ιτῶν, ‖ χιλί]αρχον λεγιῶνος ε' ¹, | [στατ]ῆρας καταλι-
πόντα χρ[υσοῦς .., | ἐξ] ὧν τό τε πρόπυλον σ[ὺν | ταῖς] τειμαῖς καὶ ἡ ἀπαν-
10 τ[ῶσα] | στοὰ κατεσκευάσ[θησαν], ‖ ἐπιμεληθέντος κατ[ὰ | τὴν δια]θήκην αὐτοῦ
Τιβε[ρίου | Κλαυδ]ίου Μητροδώρου .|..ια Μενεκλέο[υς].

1. Legio V [Macedonica] in Moesia plerumque tetendit. Cf. Cagnat ap. Daremberg
et Saglio, *Dict. des ant.*, s. v. *Legio*.

1423. Smyrnae. — Le Bas et Waddington, n. 5.

5 Ἀγαθῆι τύχηι · | ἡ πατρὶς Οὐλ[πίαν Μαρκέλλαν ¹ | ἱερασαμένην ‖ τῆς
Ἀρτέμιδος, | ἀρχιέρειαν τῆς Ἀ[σίας ναῶν τῶν ἐν | Σμύρνῃ, ἀγωνο[θέτ[ι]ν τρὶς
10 τῆς ‖ πατρίδος, ἱέρει[αν διὰ βίου τῆς | Μητρὸς τῶν | θεῶν.

1. Nota etiam titulo Thyatireno n. 1225.

1424. Smyrnae. — Dittenberger, *Orient. gr. inscr. sel.*, n. 544.

['Η πρώτη τῆς Ἀσίας | κάλλει καὶ μεγέθει | καὶ λαμπροτάτη | καὶ μητρό-
5 πολις ‖ τῆς Ἀσίας καὶ τρὶς] | νεωκόρος· ¹ τῶν Σε[βαστῶν καὶ κόσ[μος τῆς Ἰωνίας
10 κα[τὰ τὰ δόγματα τῆς ‖ ἱερωτάτης συνκλή[του Σμυρναίων πόλις | Πομπώνιον
15 Κορνήλιον | Λολλιανὸν Ἡλιανὸν, | τὸν Ἀσιάρχην καὶ ῥή‖τορα, ὑπατικῶν
συν[[γ]ενῆ ², τῆς περὶ αὐτὴν | ....

1. Smyrna fuit neocorus III demum sub finem Septimii Severi : Chapot, *Prov. rom.
d'Asie*, p. 432; tamen [τρὶς] potest probabiliter restitui. — 2. Sane affinis P. Hedii Rufi
Lolliani Gentiani, proconsulis Asiae anno 209, et L. fratris, proconsulis Asiae circa
eamdem aetatem : *Prosop. imp. rom.*, II, p. 127, n. 26; p. 128, n. 27; III, p. 76, n. 535.

1425. Smyrnae. — Contoléon, *Rev. des études gr.*, XII (1899), p. 388, n. 22.

Ἀγαθῆι [τύχηι] · | [ἡ] πρώτη [τῆς Ἀσίας καὶ λαμπροτάτη] | καὶ μητρόπο-
5 λις καὶ τρὶς νεωκό[ρος τῶν Σεβαστῶν ¹ κατὰ τὰ δό‖[γματ]α τῆς ἱερωτάτης
συγκλή[[του Σ]μυρναίων πόλις.

1. Cf. n. 1424.

1426. Smyrnae. — *C. I. Gr.*, 3197.

Ἀγαθῆι τύχηι · | [ἐν] τῇ λαμπροτάτη καὶ μητροπό|λει καὶ τρὶς νεωκόρῳ τῶν
5 Σεβασ|τῶν κατὰ τὰ δόγματα τῆς ἱερ‖ω[τά]της συγκλήτου Σμυρναίων |
[πόλει] ....

1427. Smyrnae. — Le Bas et Waddington, n. 4.

...........|............... | τοὺς πολλοὺς κωλύουσι κοι|νωνεῖν τῆς πορθμείας ·
5 πρὸς ‖ δὲ τούτοις, ἀντὶ δύο ὀβολῶν | δύο ἀσσάρια πεποιήκασι τὸν | ναῦλον,
δι' αὐτὸ τοῦτο καὶ συν|εστηκότες καὶ κωλύοντες | τὸν βουλόμενον πορθμεύειν, ‖
10 ὅπως ἐπάναγκες αὐτοῖς οἱ δε|όμενοι τῆς πορθμείας χρῶν|ται, ὁμοίως δὲ καὶ
περὶ τὰς ἄλ|λας πορθμείας κακουργοῦσι κα|τὰ ταῦτα · ἔδοξε τῆι βουλῆι καὶ ‖
15 τῶι δήμωι καθ' ἃ εἰσηγήσαντο .... ¹.

1. Decretum est Smyrnaeorum contra eos qui, illicitum monopolium inter se pacti,
naulum auxerant et conjuraverant ne ab aliis minueretur.

1428. Smyrnae (?). — Fontrier, Μουσεῖον, V (1884-1885), p. 13, n. 224.

......|...... Ὀλυμπίῳ | .... λαμπροτάτης | .... νεοχόρου τῶν ‖
5 [Σεβαστῶν] .... ..ωτάτης συν|[όδου] ....ω τῆς πόλεως | ....ον ἐκ
10 τεύχους | ....χείας ἀνθυπάτου | ......αμμένοις παρὰ αὐ‖........ου ἱεροῦ
δοκιμάζω | .....κεις περὶ τὸν Ὀλύμ|[πιον] ..... καὶ τὰ δίκαια τοῦ θε|[οῦ] ...
15 παρὰ τῷ θεῷ ἐστηλλο|........τα βυβλίων ἐπιτρε‖........ σπουδῆς ἐν τάχει |
.... στήλλην κατασκευ|........ουσιν καὶ οἱ ἐπὶ τῆς βα|........υτο κἀγώ
20 σοι ἐπιτρέ|[πω] ..... [ἐ]πενοχλεῖν ‖ .... ¹.

1. Decretum est ad sacra pertinens.

1429. Smyrnae. — *C. I. Gr.*, 3203.

.... | [ἐὰν δὲ ...... αὐτοῦ κα]|ταψηφίσηται, ἀπ[οτεισάτω] ......
5 δηνάρια .ε. καὶ [π]ραξάτω αὐ[τὸν ὁ ἐπί]‖τροπος τοῦ Σεβαστοῦ .... [δι]|α
τάξε[ι] ταύτη εἰ[ς] τὸν α[ἰεὶ χρόνον. | Κλαυδί]ου Κα[ρ]τε[ρ]ομάγου τῆι ...
10 ..|οναντες ἀλλοτρίῳ τὸν ...... [ἐν] | Ζμύρνη ἱερονεῖκαι :.......‖τ ἐκ τι

ψηφίσματος τ[ούτου] ...... | καὶ ἀπάλαιστ[ροι] ...... | δηναρίων ἀν[ὰ
.... Τιβερί|ου Κλαυδίου Κα[ρ]τε[ρ]ο[μάχου καθ' ἑκασ]|τον ἔτος ἀποκλη-
15 ρο[ῦν] ...... ||τακοσίων δηναρίων ......|ῶνος μηνὸς τοὺς .... [τοὺς αἰεὶ] |
γεινο[μ]ένους ἐπὶ [τῇ διοικήσει καὶ] | λαμβάνειν ἑκαστο[ν]...... | δηνάρια
20 πέ[ν]τε κα[ὶ] ...... || τῆς σόρου υ.ελιην ......|νοειη δὲ τὸ [σ]ύστη[μα ....
δια]||μονῆς εἰς τὸν αἰεὶ [χρόνον ...... | π]ορίσῃ τόκο[υ] αναιο..... [[τ]ὸν
25 πόρον, ἀπο[τ]ει[σα...... ἀρ|η]υρίου δηνάρια ιτ΄ ἄτινα πρ........ | τοῦ Σεβαστοῦ
μ[η]νὸ[ς καθ' ἕκαστον ἔ]|τος εἰς τὸν ι. το ημασ...... ΄.

1. « Fragmentum est decreti quo instituitur collegium aliquod, quod ad gymnicas res
aliqua in parte pertinuisse conjicio. Dicitur de solitis distributionibus pecuniarum
et aliis rebus similibus » Boeckh.

1430. Smyrnae. — Szanto, *Arch. epigr. Mittheil. aus Oester.*, IX (1885), p. 132.

5 ....[λ]εσ..|.....ν πρεπον[τ....|.... χρε]ίαν ἐνκεχειρίσ[θαι] ..|..ε...||.κάτη
θυσία Βρεισεῖ ΄ ...|...είας τοῦ αὐτοκράτορος .|... πόλεως ἡμῶν · ῆς ιε|[ρ]...σις
10 τοῖς τεχνείταις ...|...ε καὶ συνελθόντας || [εἰς τὴν σύνοδον ² .....]ος προνοου-
μένου | ...ίου ..|.... [ὑπὲρ τῆς ὑγιείας τῶν Σε]βαστῶν ἐνιαυσι|..... θυσί..
15 .... [τ]ῆς πόλεως ἐψη|[φίσατο ..... ἡ πό]λις ἐκ τῶν δη||[μοσίων .....ε]ίας
τοῦ ταμίου |..... [τ]οῦ λαμπαδάρ||[χου ³ ......]υβίου.

1. Bacchus Briseus. Cf. nn. 1393, 1399, 1400, 1433, 1434. — 2. Collegium Bacchum
colens. — 3. Is qui cursibus lampadum parandis praeest.

1431. Smyrnae. — *C. I. Gr.*, 3148.

....ωρίας | δὲ τὸ δ...... [Εὐ]άρεστος τὸ ς΄, | ἐφ' οὗ στρατηγοῦντος ὑπέσ-
χοντο | οἴδε ·
5 Κλ. Βάσσος ἀγωνοθέτης || Νεμέσεων ΄ στρώσειν τὴν βασι|λικήν ·
Φοῦσκος ἔργον ποιήσειν | μυ(ριάδων) ζ΄
Χερσίφρων Ἀσιάρχης τοὺς | κήπους εἰς τὸν Φοινεικῶνα ² · |
10 Λούκιος Πομπήιος εἰς τὸν Φοι|νεικῶνα μυ(ριάδας) ε΄ ·
Λούκιος Βηστεῖνος | τὴν βασιλικὴν στρώσειν | πρὸς τῷ βουλευτηρίῳ καὶ
χαλ|κᾶς τὰς θύρας ποιήσειν · |
15 Σμάραγδος πρύτανις ναὸν Τύχης || κατασκευάσειν ἐν τῷ Φοινεικῶ|νι ·

Κλαύδιος πρύτανις χρυσώ|σειν τὸν ὄροφον τοῦ ἀλιπτηρίου | τῆς γερουσίας
20 καὶ [τ]ὸ[ν] εἰς τὸν χα|ριστήριον νεὼ[ν] κείονα σὺν σπει‖ροκεφάλῳ ·

Νυμφιδία ἀρχιέρεια, | Κλ. Ἀρτεμύλλα, Κλ. Πώλλα, | Κλαυδία Νεική-
του³, Θευδιανὸς⁴ | στεφανηφόρος τὸ δεύτερον, Φλ. Ἀσκληπιακή, | Εἰσίδωρος
25 σοφιστής, Ἀντωνία ‖ Μάγνα, Κλ. Ἀρίστιον, Ἀλβιδία | Μάγνα μυ(ριάδα) α΄.

Κλ. Ἡδεῖα μυ(ριάδα) α΄ ·

Κλ. Χάρις | μυ(ριάδα) α΄ ·

Κλ. Λεόντιον μυ(ριάδα) α΄ ·

Κλ. Αὐρηλία | κείονας Κυμβελλείτας⁵ σὺν | σπειροκεφάλοις εἰς τὸν Φοι-
νει|κῶνα νβ΄ ·

οἱ ποτὲ Ἰουδαῖοι⁶ μυ(ριάδα) α΄ · ‖

30 Μητρόδωρος | Νεικάνορος Διχηνὸς? εἰς | τὸν Φοινεικῶνα δηνάρια ζϛ΄ ·
Μούρδιος | Καικιλιανὸς μυ(ριάδας) β΄ ·

35 καὶ ὅσα ἐπετύ|χομεν παρὰ τοῦ κυρίου Καίσαρος ‖ Ἀδριανοῦ διὰ Ἀντωνίου
Πολέμω|νος⁷ · δεύτερον δόγμα συνκλήτου, | καθ' ὃ δὶς νεωκόροι γεγόνα-
μεν⁸, | ἀγῶνα ἱερὸν⁹, ἀτέλειαν, θεολόγους, | ὑμνῳδοὺς¹⁰, μυριάδας ἑκατὸν ‖
40 πεντήκοντα, κείονας εἰς τὸ | ἀλειπτήριον Συνναδίους [ο]β΄, | Νουμεδικοὺς
κ΄¹¹, πορφυρείτας ϛ΄ · |

κατεσκευάσθη δὲ καὶ ἡ ἡλιοκά|μεινος¹² ἐν τῷ γυμνασίῳ ὑπὸ Σέξτου ‖
45 ἀρχιερέως.

1. De Nemesibus binis, Smyrnae inter praecipuos deos cultis, quae docent auctores et
monumenta congessit Rossbach ap. Roscher, *Lex. der gr. und röm. Mythologie*, III, p. 117-
166. Cf. supra n. 1403. — 2. Palmarium. — 3. Fortasse Nicetes, Smyrnaeus rhetor, qui
Nerva principe floruit : *Prosop. imp. rom.*, II, p. 404, n. 61. — 4. Inscriptus nummo Smyr-
naeo ; Eckhel, *Doctr. numm.*, II, p. 545. — 5. Columnae in monte Phrygiae Cybelo recisae.
— 6. « Judaei Smyrnae, qui ejurata fide in civitatem recepti sunt. » Boeckh. — 7. Antonius
Polemo sophista notissimus : *Prosop. imp. rom.*, I, p. 102, n. 685. — 8. Quo anno impe-
rantis Hadriani Smyrnae neocoratus II s. c. concessus fuerit, non constat : Chapot, *Prov.
rom. d'Asie*, p. 462 ; annum 123 proposuit J. Keil, *Jarhreshefte des österr. arch. Instituts*,
XI, 1908, p. 108 et seq. — 9. Olympia Hadrianea. — 10. Cf. n. 353. — 11. De lapicidinis,
quae Synnadis in Phrygia et Simittu in Numidia fodiebantur, cf. Ch. Dubois, *Étude sur
les carrières dans le monde romain* (1908), p. 29 et 80. — 12. Apricum conclave siccandis
corporibus. Thédenat ap. Daremberg et Saglio, *Dict. des antiq.*, s. v. *Heliocaminus*.

1432. Smyrnae. — *C. I. Gr.*, 3208.

Γ. Ἀντ. Σεπτίμιος Πόπλιος¹ | Περγαμηνὸς καὶ Σμυρναῖος καὶ Ἀθηναῖος |

5 καὶ Ἐφέσιος, ·κιθαρῳδὸς μόνος καὶ | πρῶτος τῶν ἀπ᾽ αἰῶνος νικήσας ‖ τοὺς
ὑπογεγραμμένους ἀγῶνας · | Σμύρναν Ὀλύμπια τῇ ἕκτῃ καὶ δεκάτῃ ², Ἀδριά-
νια | Ῥώμην β΄, Ποτιόλους β΄, Νέαν πό|λιν γ΄, Ἄκτια β΄, τὴν ἐξ Ἄργους
10 ἀσ|πίδα, Νέμεα γ΄, πάντας καθεξῆς · ‖ Σμύρναν κοινὸν Ἀσίας, Πέργα|μον
Αὐγούστεια γ΄, Τραιάνεια, | Ἀσκλήπεια, Κομόδεια β΄, Πύθια | τὰ ἐν Δελφοῖς,
15 Ἔφεσον Ἀδριάνεια, | Ἔφεσον Βαρβίλληα ³, ‖ Ἐπίδαυρον Ἀσκλήπεια, Ἀθή-
νας | Ἀδριάνεια, Σάρδεις Χρυσάνθι|νον ⁴, Τράλλεις Πύθια, Μείλη|τον Διδύ-
20 μεια, Ῥόδον Ἄλεια β΄, | Λακεδαίμονα, Μαντίνειαν · ‖ θεματικοὺς δὲ καὶ ταλαν-
τιαίους | πάντας ὅσους ἠγωνίσατο · | ὑπὸ φωνασκὸν Π. Αἴλ. Ἀγαθήμερον |
25 Ἐφέσιον καὶ Σμυρναῖον καὶ | Περγαμηνὸν, κιθαρῳδὸν ἱερονεί‖κην καὶ μελο-
ποιὸν ἔνδοξον, περὶ | πάντα εὔνουν γενόμενον ὡς φύσει | πατέρα ⁵.

1. Praenomen pro cognomine usurpatum. Cf. supra, t. III, nn. 330, 417. — 2. [Olym-
piade Smyrnaeorum] XVI, quae incidisse videtur fere in tempora Septimii Severi. —
3. Barbillea Ephesi instituta sunt Vespasiano principe in gratiam astrologi Barbilli (Dio
Cass., LXVI, 9, 2), qui fortasse idem fuit atque Balbillus (Suet. *Ner.* 36). Cf. supra t. I,
n. 153, not. 6 et nn. 162, 444-446. — 4. Ludi in nummis Sardianorum saepe memorati :
Eckhel, *Doctr. num.*, IV, p. 438 ; *Dig.*, XXXVIII, 1, 24 ; Tertullian., *De spect.*, 6. Non
ante Septimium Severum acti sunt. Nihil traditum est de nominis origine. — 5. Sub
eo magistro Antonius Septimius artem musicam didicerat. De Agathemero citharoedo
cf. *C. I. Gr.*, 6829.

1433. Smyrnae. — *C. I. Gr.*, 3190.

Ἡ ἱερὰ σύνοδος τῶν πε|ρὶ τὸν Βρεισέα Διόνυσον | τεχνειτῶν καὶ μυστῶν ¹ |
5 Μᾶρχον Αὐρήλιον Χαριδήμου ‖ Ἰουλιανὸν, τὸν δὶς Ἀσιάρχην | καὶ στεφανη-
φόρον καὶ νεωχό|ρον τῶν Σεβαστῶν καὶ βάχχον | τοῦ θεοῦ ², διά τε τὴν πρὸς τὸν
10 θε|ὸν εὐσέβειαν καὶ τὴν πρὸς τὴν ‖ πατρίδα ἐν πᾶσιν εὔνοιαν καὶ διὰ | τὸ μέγεθος
ὧν αὐτῇ κατασκευά|ζει ἔργων καὶ διὰ τὴν πρὸς αὐτοὺς | διάθεσιν, | ταμιεύοντος ³
15 Μηνοφίλου Μητρο‖φάνους Ἀμερίμνου, ἐργεπιστατή|σαντος Ἀφροδεισίου Φοιβίω-
νος | Παύλου.

1. Cf. nn. 1399, 1430, 1434. — 2. Bacchus Briseus. — 3. Quaestor collegii.

1434. Smyrnae. — *C. I. Gr.*, 3195.

Πατρομύσται ¹ [ἐ]ψη(φίσαντο?) Μ. Αὐρήλιος Περπέρης Χαριδημιανὸς, |

Θεμιστοκλῆς Λού[π]ου, Σουλπ. [Τ]ύλλιος Κ[υρ]ίν(ᾳ) Στρατόνεικος | .....*.

1. Cf. nn. 1399, 1430, 1433. — 2. Traditur **TAYKE**......

1435. Smyrnae. — *C. I. Gr.*, 3151. ·

...ος ....|νος .... Ἄγνος .... [ἐ]πωνύμους ε......... [Αὐρ.]| Μελίτης
ἀρχιε[ρείας Ἀσίας ναῶν τῶν ἐν Σμύρνῃ ¹ ...ί]|ου Χαριδήμου ἀρχιερέως στρατη-
5 γούντω[ν] ......| συνγενοῦς συνκλητικῶν, ὑπατικῶν, ἀρχιε[ρέων], | στρατηγῶν,
στεφανηφόρ[ω]ν, καὶ οἱ συνάρξα[ντες αὐ]|τῷ ταμίαι Διονύσιος γ', Μ. Μηνοδ[ώ]ρου
τοῦ Μάρκου, [στρατη]|γὸς] ἐπὶ τῆς εἰρήνης ², Τι. Κλ. Ἀσκληπιάδης, | Τ. Φλ:
10 Παρορ.., Τ. Φλ. Μητροβιανός, Τι. Κλ. Πάνκαρπος, Μ. Ἀντ. Καππάδ[οξ] | β'
τοῦ Φιλήμονος · γραμματεὺς βουλῆς δήμου Τ. Κλ...|τος, ἐπίτροπος στρατηγὸς ³
Ἀντ. [Ὑ]πάτιος Ἡρακλε..[ου τοῦ | Μη]νοφάντου, οἰκονόμος Βάσσος Ἑρμογέ-
νους, ἐπὶ .... | Φιλήτου, ἐπὶ τῆς διατάξεως [Σ]ε[ξ]τίλιος, ἐπὶ τοῦ π...... | ...
15 ......⁴... Χρυσέρως, ἐπὶ τοῦ ἱεροῦ Ἀγαθήμ[ερος], | ἐπὶ τοῦ στεφάνου [Ν]ει-
κί[α]ς ...γερ....

1. Cf. n. 1415. — 2. Sive εἰρήναρχος. — 3. Cf. n. 3162 : ἐπίτροπος τῆς στρατηγίας. « Videtur
curator intelligendus. » Boeckh. — 4. V. 14 **ΠΡΟΔΩΚΟΣΕΧ** traditur.

1436. Smyrnae. — *C. I. Gr.*, 3170.

....|...σιανῷ ¹ ὑμνῳδ[ὸς Θεοῦ] | Ἀδριανοῦ καὶ ὑμν[ῳδὸς γερουσίας] ² | ἐκ
5 προγόνων, | υἱὸς Γ. Κλ. | Πομπηίου | βουλευτοῦ, | πρυτάνεως, | ἐκγόνου |
10 Γ. Κλ. Οὐαλερίου | Λικιννιανοῦ, | ἱερέως | Ἀσκληπιοῦ | καὶ ἀλυτάρχου ³ |
20 Πεισαίων ⁴, | τοῖς γνησίοις | συνυμνῳδοῖς | Θεοῦ Ἀδριανοῦ | τὸν βωμὸν | [καθιε]-
ρῶν | ...αγω[ν]..|.......

1. Sub eo proconsule titulus positus est. — 2. Cf. *C. I. Gr.*, 3147 et 3201. — 3. Aly-
tarcha in Olympiis imperabat ἀλύταις, custodibus securitatis publicae. Reisch ap. Pauly
et Wissowa, *Realencyclop.*, s. v. — 4. Olympia, non illa quidem Smyrnae celebrata
(cf. n. 1432) sed Pisae Elidis.

1437. Smyrnae. — Kontoleon, *Athen. Mittheil.*, XIV (1889), p. 95, n. 26.

Διονύσιος Ἀνδ|ρέου Περπε|ρήνιος εἰρην|αρχῶν.

1438. Smyrnae. — Fontrier, Μουσεῖον, II, 2-3 (1878), p. 26, n. 226.

5 .....| εἰρηναρ[χήσα]ντα | καὶ πρυτανεύσαντα | καὶ ταμιεύσαντα ‖ καὶ ἀγορα-
νομ[ή]σαντα | ἐνδόξως | Κλ. Μαρκιανὸς | [τ]ὸν ἴδιον θρέψαντα.

1439. Smyrnae. — *C. I. Gr.*, 3153.

.... [Κλαυ]δίου Μενεκράτους, | [Κλ]αύδιος Τιμοκλ[έ]ους | ...αιος, ἱερεὺς Διὸς
5 Καπε[τωλίου] ..|..ων ψηφισάμενος α... ‖ [εὐερ]γε[τ]ημάτων οἱ συν[άρξαντες .. |
Μ[έν]ανδρος Διονυσί[ου] ....|..ιος, γραμματεὺς Ἡρω...|..φορος ν[εώ]τερος ....

1440. Smyrnae. — Lebas et Waddington, n. 33.

Ἀπόλλων[ος] | καὶ Σε[ράπιδος] | Σεβαστῶν εἱ[ργ]ά[σατο] | τὸ [βα]λανεῖον
5 [σὺν | παντὶ [τῷ κ]όσμ[ῳ Π]ρ[ό]κλο[ς Βί]των, ψηρ[ί]σαντος Τίτου Κα[τίου τοῦ
[εὐεργέ]του καὶ | π[α]τρωνος [αὐ]τοῦ, λ[υκάβαντος) γ' [1].

1. Anno III principis incerti. De supplementis haec monet Haussoullier : « Nihil incer-
tius et tituli lectione, quem solus exscripsit Landron, et restitutione, quam valde dubi-
tanter protulit Le Bas. Incerta et nomina Ἀπόλλων[ος] et Σε[ράπιδος] et epitheton Σεβαστῶν.
Omnia igitur in dubio relinquenda sunt. De Serapide Smyrnae culto cf. tamen Ad. Rusch,
De Serapide et Iside in Graecia cultis, Berolini, 1906, p. 71. »

1441. Smyrnae. — Fontrier, *Athen. Mittheil.*, XXV (1900), p. 120.

Τ. Φλ. Ἀπολλώνιον, | φιλοσέβαστον, | λειτουργὸν ἔνδοξον, | τὸν γραμμα-
5 τέα τοῦ δήμου, ‖ νεοποιήσαντα [1] εὐσεβῶς, | τετειμημένον παρὰ τοῦ | θειοτάτου
10 αὐτοκράτορος | .... τῇ προστασίᾳ | [τῆς] πράξεως τῶν ἱερῶν ‖ [ἀγών]ων
τοῦ λαμπροτάτου | [τ]ῆς Ἀσίας ἔθνους, | [τὴ]ν τειμὴν Ὀνησίμο[υ] | [τ]οῦ
συνγενοῦς.

1. Νεωποῖαι, magistratus qui templa curabant exstruenda aut reficienda, Ephesi,
Magnesiae ad Maeandrum, Prienae, Halicarnassi etiam memorantur : Dittenberger,
Orient. gr. inscr. sel., nn. 9, 10, 16, 215, 485.

1442. Smyrnae. — *C. I. Gr.*, 3209.

..... [νικήσαντα] ......|.. ἀνδρῶν πανκράτιον, Ἐφέσου | [Ὀ]λύνπια τὸ β'

5 ἀνδρῶν πανκράτιον, | [Αὐ]γούστεια ἐν Περγάμῳ τὸ β΄ ἀν‖[δρ]ῶν πανκράτιον,
Πύθια ἐν Τράλλεσιν | ἀνδρῶν πανκράτιον, | [Τ]ραιάνεια ἐν Περγάμῳ τὸ δ΄
ἀνδρῶν | πανκράτιον, θεματικοὺς δὲ | [ἀγ]ῶνας ὑπὲρ τοὺς ἑκατόν.

1443. Smyrnae. — Fontrier, *Rev. des ét. anc.*, IV (1902), p. 194, n. 2.

5 ...... Ταρ|σίων | Ἀδρει|άνεια ‖ ...παρο|.... ιβι...

1444. Smyrnae. — *C. I. Gr.*, 3285.

Μᾶρκον Ἀρτώριον Ἀσκληπιάδην, | Θεοῦ Καίσαρος Σεβαστοῦ ἰατρὸν, | ἡ
βουλὴ καὶ ὁ δῆμος τῶν Σμυρναίων | ἐτίμησαν ἥρωα, πολυμαθίας χάριν ¹.

1. M. Artorius Asclepiades, medicus Augusti, post Actiacam victoriam periit : *Prosop.*
imp. rom., I, p. 155, n. 974. Potuit monumentum Artorii memoriae poni etiam post
defunctum Augustum.

1445. Smyrnae. — *C. I. Gr.*, 3311 ; Kaibel, *Epigr. gr.*, n. 305.

Ἑρμογένης Χαριδήμου ¹ ἰητρείην ἀναγράψας |
ἑπτ᾽ ἐπὶ ἑβδομήκοντ᾽ ἔτεσιν καὶ ἴσαις ἐπὶ βύβλοις ². |

5 .... | συνέγραψε δὲ βυβλία ἰατρικὰ μὲν ο[ζ΄] ³, ‖ ἱστορικὰ δὲ περὶ
Ζμύρνης α΄, β΄ ⁴, | περὶ τῆς Ὁμήρου σοφίας α΄, καὶ πατρίδος α΄ ⁵, | Ἀσίας
κτίσεων α΄, β΄, Εὐρώπης κτίσεων α΄, β΄, γ΄, δ΄, νήσσων α΄, | Ἀσίας στα-
10 διασμῶν α΄, καὶ Εὐρώπης α΄ ⁶, | στρατηγημάτων α΄, β΄, ‖ πίνα(κα) Ῥωμαίων
καὶ Ζμυρναίων, διαδοχὴ(ν) ⁷ κατὰ χρόνους.

1. Medicus ille Smyrnaeus, idem profecto quem deriserunt epigrammatum auctores
(*Anth. Pal.*, XI, 89, 114, 131, 190, 257), videtur vixisse altero post C. n. saeculo.
Cf. Gossen ap. Pauly et Wissowa, *Realencyclop.*, VIII, p. 877, n. 23. — 2. Vixit
annis LXXVII et totidem libros scripsit de medicina. — 3. OB lapis. Corr. Boeckh :
cf. v. 2. — 4. Unum quemque librum suus numerus ordinalis significat, ita ut summa
omnium ultima littera exprimatur : duos igitur libros intellige. Hic est librorum
Hermogenis index :

De medicina....................................... libri 77
De historia Smyrnae............................... 2
De Homeri sapientia.............................. 1

5. Sane Smyrnaeum fuisse Homerum contendebat. — 6. Itinerarium, quo stadia inter urbes et portus singulos metiebatur, Timosthenis Rhodii instar : Susemihl, *Gesch. der gr. Litter. in der Alexandr. Zeit*, I, p. 661, not. 84. — 7. πίναξ et διαδοχή lapis. Boeckh arbitratur πίνακα et διαδοχίν unum et eumdem fuisse librum, nempe tabulam chronologicam eorum qui Romae et Smyrnae magistratus gesserunt. Id tamen videtur potius de duobus libris intelligendum. Cf. Gossen, *loc. cit.*

1446. Smyrnae. — Fontrier, Μουσεῖον, II, 2-3 (1878), p. 28, n. 229.

Ἀγαθοκλῆς Ἀρχε|λάου Βειθυνὸς Νεικαιεὺς φιλόλο|γος ζήσας ἔτη κ΄. |
5 Χαῖρε. Ὁ τοῦτο κα‖ταλύσας δώσει | τῇ πόλει δηνάρια φ΄.

1447. Smyrnae. — Fontrier, Μουσεῖον, V (1884-1885), p. 26, n. 246.

5 Μ. Δομιτίωι | Σαβεί[ν]ωι φιλο|λόγωι, ζήσα|ντι ἔτη ιζ΄, Δομί‖τιος Ἐπαφρό-διτος θρέ|ψας τὸ μνημῖον.

1448. Smyrnae. — Fontrier, Μουσεῖον, II, 1 (1876), p. 15, n. 101.

Μ. Κασσίῳ Ὁμηριανῷ | μελοποιῷ [1] | Α. Ἵρριος Καπίτων | ὁ φίλος.

1. Modos faciebat cantandis Homeri versibus.

1449. Smyrnae. — *C. I. Gr.*, 3198.

Θέωνα Πλατωνι|κὸν φιλόσοφον [1] | ὁ ἱερεὺς Θέων | τὸν πατέρα.

1. Commentarios Theon de mathematicis Platonis et alios libros scripsit Trajano et Hadriano principibus. Cf. Maurice Croiset, *Hist. de la litt. gr.*, V, p. 692.

1450. Smyrnae. — Fontrier, Μουσεῖον, V (1884-1885), p. 27, n. 250.

Σέξστος Ἰού|λιος Πάραλος | μειμολόγος, | χαῖρε.

1451. Smyrnae. — Fontrier, Μουσεῖον, V (1884-1885), p. 23, n. 240.

5 Γάιος Ἰούλιος Ἀ|πολλώνιος στρα|τιώτης Ἰουλίᾳ Μ|αίορι τῇ ἰδίᾳ γυναικ[ὶ
μνείας χάριν.

1452. Smyrnae. — Sal. Reinach, *Rev. des ét. juives*, VII (1883), p. 165.

Ῥουφεῖνα Ἰουδαία ἀρχι|συνάγωγος [1] κατεσκεύα|σεν τὸ ἐνσόριον τοῖς ἀπε|λευ-
5 θέροις καὶ θρέ[μ]μασιν, ‖ μηδενὸς ἄλ(λ)ου ἐξουσίαν ἔ|χοντος θάψαι τινά · εἰ δέ τις
τολ|μήσει, δώσει τῷ ἱερωτάτῳ τα|μείῳ δηνάρια αϕ' καὶ τῷ ἔθνει τῶν Ἰου|δαίων [2]
10 δηνάρια α'. Ταύτης τῆς ἐπιγραφῆς ‖ τὸ ἀντίγραφον ἀπόκειται | εἰς τὸ ἀρχεῖον.

1. Mater synagogae honoris causa, una ex primoribus Judaeorum in sua urbe. —
2. Judaei Smyrnae consistentes. Titulus non ante saeculum III positus est, ut ostendit
scriptura.

1453. Smyrnae. — Polak, *Mnemosyne*, XV (1887), p. 253, n. 14.

Μελιτίνη τέκνῳ ἰδίῳ | Μάρκῳ | καὶ Ἡρακλᾶς ὁ πατὴρ | κατεσκεύασαν,
5 συ‖νκατενενκάσης | φαμιλίας Ἀπελλίκο|ντος μονομάχων κὲ λουδαρίων [1], τιμῆς
ἕνεκ(εν).

1. Aut paegniarii, aut gladiatores qui armis lusoriis utebantur. Cf. Lafaye ap. Darem-
berg et Saglio, *Dict. des antiq.*, s. v. *Gladiator*, p. 1589 et 1594.

1454. Smyrnae. — *C. I. Gr.*, 3213.

5 [Φ]αμιλία | [μο]νομάχων | Λ. Τίμωνος | Ἀσιάρχου ‖ νεωτέρου [1].

1. Intellige : hic sita est familia gladiatorum.

1455. Smyrnae. — *C. I. Gr.*, 3291.

Ἀχιλλεῖ ἱπ|ποδιώκτῃ [1] | νει(κήσαντι)? ιζ' |........ [2].

1. Gladiator eques? — 2. Traditur ...ΙΘΑΝΟΣ.

1456. Smyrnae. — *C. I. Gr.*, 3368.

Sub imagine gladiatoris :

Περρέκτῳ | ἡ γυνὴ μνεί|ας χάριν.

1457. Smyrnae. — *C. I. Gr.*, 3374.

Sub imagine gladiatoris :

Πρίσκῳ Θρᾳκὶ Ἐλέᾳ ἡ | γυνὴ τὸ μνημῖον ἐ|πόησε.

1458. Smyrnae. — Fontrier, Μουσεῖον, V (1884-1885), p. 80, n. 491.

Αἰλ. Λασκεῖβα [1] κατεσκεύασεν | τὸ μνημεῖον ἑαυτῇ καὶ τῷ ἰδίῳ ἀν|δρὶ Αἰλ.
5 Εὐφήμῳ δεκατάρχῃ [2] καὶ θρέμ|μασιν καὶ ἀπελευθέροις καὶ ἀπελευ‖θέρων τέκνοις
μνείας χάριν · ὃς δ' ἂν | ἀπαλλοτριώσῃ τὸ μνημεῖον δώ|σει ἰς τὸ ἱερώτατον
ταμεῖον [3] ......

1. Lasciva. — 2. Decurio. — 3. Sequebantur pecuniae fisco solvendae.

1459. Smyrnae. — Ramsay, *Amer. journ. of archaeol.*, I (1885), p. 141, n. 3.

Πό. Αἴ(λιος) Νεικόστρατο[ς] | κατεσκεύασε τὸ μνη|μεῖον αὐτῷ καὶ τῇ γυναι|κὶ
5 καὶ τοῖς τέκνοις καὶ ἐ(γ)‖γόνοις αὐτῶν καὶ θρέμ(μ)|ασι · καὶ μηδενὶ ἐξὸν εἶ|ναι
10 πωλῆσαι μήτε ἐξ|αλλοτριῶσαι · εἰ δέ τις | παρὰ ταῦτα ποι(ή)σει, ἀπο‖τείσει τοῖς
φορτηγοῖς | τοῖς περὶ τὸν βεῖκον [1] | δηνάρια σν' · τούτου δὲ τὸ | ἀντίγραφον
ἀπό|κειται εἰς τὸ ἐν Σ|μύρνῃ ἀρχεῖον.

1. Vicum.

1460. Smyrnae. — *C. I. Gr.*, 3265.

Ἀλέξανδρος Ἀλεξάνδρου Βειθυνι[εὺς] | καὶ Νεικομηδεὺς ζῶν ἑαυτῷ κατεσ-
κεύασ[α] | τὸ μνημεῖον καὶ τῇ μητρί μου καὶ τῇ συμβίῳ | Φιλίπ[π]ᾳ Ποντιανοῦ · ‖
5 καὶ βούλομε μετὰ τὸ τεθῆναι ἡμᾶς εἰς τὴν | καμάραν μηδένα ἕτερον ἀνοῖξε · εἰ δὲ
παρὰ | ταῦτα ποιήσει, δώσει ἰς τὸν φίσκον δηνάρια βρ' | καὶ ἰς τὴν πόλιν δηνάρια
βφ'. Χαίρετε.

1461. Smyrnae. — *C. I. Gr.*, 3336.

Μᾶρκος Ἀντέστιος Γαίου υἱὸς Φαβίᾳ Ἰουνικός ¹.

1. Lectio dubia.

1462. Smyrnae. — *C. I. Gr.*, 3369.

Γάιος Ἀσίνιος Πέτασος | ζῶν ἑαυτῷ καὶ Πελαγίᾳ τῆι | γυναικὶ καὶ τοῖς
ἰδίοις, | δόντος τὸν τόπον ‖ Μαξίμου τοῦ πάτρ[ω]νος ¹.

1. ΠΑΤΡΟΝΟΣ lapis.

1463. Smyrnae. — *C. I. L.*, III, 415.

Ἀτελλία Χαρί|τιον, | Γναῖος δ' ¹ | Ἀτέλλιος ‖ Πολύβιος. |
Cn. Atellius Cn. f. Pal. | Longus uiuos sibi.

1. « τετράκις Γναίου ». Boeckh.

1464. Smyrnae. — *C. I. Gr.*, 3386.

Αὐρ. Τρύφαινα Ἀλεξάνδρου ἐπεσκεύασε | τὸ προγονικὸν ἡρῷον αὐτῇ καὶ
κληρονόμοις | αὐτῆς καὶ ἀπελευθέροις καὶ Ἀντωνίῳ Μελιτίνῳ με|τὰ τῆς γυναικὸς
Ὁμσίας καὶ τέκνων αὐτῶν καὶ Παμ‖φίλου μόνου, ὠνησαμένη τὸ καινὸν ἀνγεῖον
Προ|κοννήσιον ¹ τὸ κατὰ τοῦ σωλαρίου ², μηδενὸς ἔχον|τος ἐξουσίαν ἑτέρου εἰς τὸ
καινὸν ἀνγεῖον | τεθῆναι ἢ μόνης τῆς Τρυφαίνης, ὁμοίως μηδὲ εἰς τὸ | ἕτερον
ἀνγεῖον τὸ προγονικὸν, μηδὲ ἀπαλλοτριῶσαι ‖ τὸ ἡρῷον, ὡς, ἐάν τις παρὰ ταῦτα
τολμήσῃ ποιῆσαι, | ἀποτείσει Μητρὶ θεῶν Σιπυληνῇ δηνάρια δισ|χείλια πεντα-
κόσια · ταύτης τῆς ἐπιγραφῆς | ἀπόκειται τὸ ἀντίγραφον εἰς τὸ ἀρχεῖον ἀποτεθὲν |
ἐπὶ στεφανηφόρου Αἰλ. Βίωνος, μηνὸς τρίτου.

1. Ex marmore quod in insula Proconneso caedebatur : *C. I. Gr.*, 3268, 3282; Strab.,
XIII, 588; Plin. *Hist. nat.*, V, 151; XXXVII. 185; cf. Ch. Dubois, *Étude sur les carrières dans
le monde rom.* (1908), p. 96. — 2. Solarium, agger apricus. Saglio, *Dict. des antiq.*, s. v.

1465. Smyrnae. — Le Bas et Waddington, n. 25.

Αὐρ. Φιλικίσσιμα ἀγοράσασα τοῦτο | τὸ ἡρῷον καὶ τὸ θωράκειον [1] καὶ
ἐφ' αὐ|τὸ ἐποῦσαν σορὸν Προκοννησίαν [2] ἀνά|γλυφον καὶ σόρια παρ' ἑκάτερα καὶ
5 μύλι|νον σορὸν, προσκατασκευάσασα ἑαυτῇ | τε τὴν ἰδίαν καὶ τῷ ἀνδρὶ Ἐπικ-
τήτῳ | καὶ τέκνοις καὶ ἐγγόνοις, μηδενὸς | ἔχοντος ἐξουσίαν κηδεύειν ἐ|ν αὐτοῖς
10 μὴ προσήκοντα τῷ γένει · ‖ εἰ δέ τις τολμήσει θάψαι μὴ δια|φέροντα ἢ μὴ ὄντα
ἐκ τοῦ γένους, | εἰσοίσει ἐς τὸ ἐράριον δήμου | Ῥωμαίων δηνάρια δισχίλια πεντα-
15 κόσια. Ταύτης τῆς ἐ|πιγραφῆς ἐκσφράγισμα [3] ἀπετέ‖θη ἐς τὸ ἀρχεῖον πρὸ πέντε
χαλαν|δῶν Εἰουνίων [4], μηνὸς Ἑκα|τομβεῶνος τετάρτῃ.

1. Septum ex maceria, quod altitudinem pectoris aequabat. Cf. n. 1474 et Boeckh ad
C. I. Gr., 3278. — 2. Cf. supra n. 1464. — 3. Antigraphum obsignatum; cf. nn. 1473,
1479. — 4. Die xxvIII Maii.

1466. Smyrnae. — *C. I. L.*, III, 416.

5 Cestia Helena, | L. Cestius | [Ph]ilostorgus | [L.] Cestium ‖ Dolonem.

Κεστία Ἑλένη, | Κέστιος Φιλόστορ[γ]ο[ς | Λούκ]ιον Κέστιον | Δόλω[ν]α.

1467. Smyrnae. — *C. I. L.*, III, 417.

Ἑρμείας ὁ καὶ | Λιτόρις μ(ηνῶν) η′, ἡ(μερῶν) ιε′. |
5 H[er]mias qui et | Litorius m. VIII, ‖ dier. XV, excessit, | Albino II et Maxi|mo
cos. ', XIII K. Apr[il].

1. M. Nummius Ceionius Annius Albinus II et .... Maximus consules fuerunt
anno 263 post C. n. : *Prosop. imp. rom.*, II, p. 420, n. 185.

1468. Symrnae. — *C. I. Gr.*, 3372.

Ἐτεοκλῆς Πολυ|νίκη τῷ ἀδελφῷ | σελλαρίῳ [1], μνή|μης ἕνεκ[ε]ν.

1. Auriga circensis.

1469. Smyrnae — Cumont, *Annales de la Soc. d'arch. de Bruxelles*, XV (1901), p.

Ζήνων Ζήνωνος | ὁ καλούμενος | Γναῖος [1], ἀγοράσας τό|πον ψειλὸν, ζῶν

5 ἐν αὐ‖τῷ κατεσκεύασε τὸ | ἐνσόριον ἑαυτῷ καὶ | γυναικὶ καὶ τέκνοις | καὶ ἐκγόνοις.

1. Praenomen pro cognomine usurpatum. Cf. supra n. 1432, not. 1.

1470. Smyrnae. — Fontrier, Μουσεῖον, V (1884-1885), p. 83, n. 270.

Ἰουλία Πρεῖμα ζῶ|σα κατεσκεύασεν | ἑαυτῆι καὶ Τιβερί|ωι Κλαυδίωι Σπου‖-
[ρ]ίου υἱῶι Κυρείνᾳ | [Κλ]αυδιανῶι καὶ Σκη|......

1471. Smyrnae. — C. I. Gr., 3370.

Τι. Ἰούλιος Τι. υἱὸς Φαβίᾳ Πολλί|ων ζῶν μνημεῖον κατεσ|κεύασεν ἑαυτῷ
καὶ Ἰουλίᾳ | Πρόκλῃ τῇ θυγατρὶ καὶ Τι. Ἰουλί|ῳ Τι. υἱῷ Φαβίᾳ Πολλίωνι
τῷ | υἱῷ καὶ τοῖς τούτων ἐκγόνοις | καὶ [ἀπελευθέροις], ἑτέρῳ δὲ μη|δενὶ ἐξὸν
εἶναι τεθ[ῆ]ναι εἰς τὸ | μνημεῖον.

1472. Smyrnae. — C. I. Gr., 3362.

Τιβερίου Κλαυδίου Νικίους [1], φύσει | ..νοδώρου, Κυρίνᾳ Μητροδώρου.

1. Forma Smyrnaea pro Νικίου. Cf. Boeckh ad C. I. Gr., 3141.

1473. Smyrnae. — Fontrier, Μουσεῖον, V (1884-1885), p. 11, n. 220.

Νεικίας Τερτείου κὲ Μητ|ρόδωρος Ἀρτεμιδώρου τοῦ Ἀρ|τεμιδώρου | κατεσ-
κεύασαν τὸ ἐσώ‖ριον ἑαυτοῖς καὶ ταῖς συνβ|ίοις καὶ τοῖς τέκνοις καὶ | Ἐπεικστησίδι
καὶ Σκηνή|δι · ὃς ἂν δὲ βάλῃ, θήσι δην|άρια ἑκατὸν εἰς τὴν πό‖λειν. Ἀπόκειτε
δὲ το|ύτου κὲ ἐν τῷ ἀρχείῳ | τὸ ἐξεινπλάρεινον [1].

1. Exemplar.

1474. Smyrnae. — C. I. Gr., 3357.

...... | ἀγοράσας τὸ θωράκειον [1] καὶ | τὰς ἐπ᾽ αὐτῷ σοροὺς τρεῖς καὶ | προσκα-
τασκευάσας τὴν κατ᾽ αὐ‖τοῦ καμάραν Νείλῳ, οἰκονόμῳ | Ἀσίας [2], τῷ ἑαυτοῦ

πατρὶ, καὶ ἑαυ|τῷ καὶ γυναικὶ καὶ τέκνοις | καὶ ἐγγόνοις καὶ θρέμμασιν. Ταύ|της
10 τῆς ἐπιγραφῆς ἀπόκειται ‖ ἐξσφράγισμα [3] ἰς τὸ ἐν Σμύρνῃ | [ἀρχεῖον].......

1. Cf. n. 1465. — 2. = ἀργυροταμίας, curator pecuniae provinciae. Guiraud, Assemblées
provinciales dans l'emp. rom., p. 145. — 3. Cf. nn. 1465, 1479.

1475. Smyrnae. — Le Bas et Waddington, n. 1527.

Τίτος Οὔλ. Ἰσίδωρος ἐχαρίσατο [τὸ] | μνῆμα τοῖς ἰδίοις ἀπελευθέροις καὶ | ταῖς
ἀπελευθέραις καὶ τοῖς ἐξ αὐτῶν | οὖσι καὶ γενησομένοις πᾶσι καὶ πάσαις · ‖
5 οἷς δ' οὐκ εἰσι παῖδες, ὧν ἂν ὦσι θρεπτοὶ | ἢ θρεπταί · ἔσται δὲ ἄπρατον καὶ
ἀνε|ισοδίαστον [1] · ὁ δὲ πωλήσας δώσει | τῷ φίσκῳ δηνάρια μυ(ρία) δισχείλια
πε[ν]τακόσια.

1. Lectio dubia. Potius de more ἀνεξοδίαστον : « abalienari non poterit. »

1476. Smyrnae. — C. I. L., III, falsae, n. 18*.

Pompeia Cn. f. | Magna [1]. |
Πομπεία Μάγνα.

1. Cn. pater libertus fuerit aliquis Pompeii imperatoris aut posterorum ejus. Attamen
« mihi de sinceritate videtur posse recte dubitari, cum praesertim Πομπεία in lapide
sit, non Πομπηία. » Mommsen.

1477. Smyrnae. — C. I. Gr., 3382.

Τελέσφορος Καίσαρος | δοῦλος Ἰουλιανὸς ἑαυτῷ | ζῶν καὶ Κλ. Ὀλυμπιάδι καὶ
5 Οὐ|αλερίοις Φλαουιανῷ καὶ Σε‖κούνδῳ τοῖς τέκνοις αὐτῆς | ζῶσι καὶ Ἀλβανίᾳ
Βικτωρείνῃ | θ(ανούσῃ) καὶ ἀπελευθέροις καὶ δού|λοις τοῖς προσήκουσιν αὐτῷ |
10 πᾶσι τὸ μνημεῖον καθωσίω‖σε ἐπὶ τῷ ὑπὸ μηδενὸς πώπο|τε ἐξαλλοτριωθῆναι.
Ταύτης | τῆς ἐπιγραφῆς τὸ ἀντίγραφον | εἰς τὰ ἀρχεῖα τὰ ἐν Σμύρνῃ ἀ|πετέθη.

1478. Smyrnae. — C. I. Gr., 3341.

Μᾶρκος Φάβιος Μάρκου Φαβίου υἱὸς Γαλερίᾳ | Ἰώνιος, ἐτῶν κα .

1479. Smyrnae. — Perrot, *Rev. arch.*, XXX (1875), p. 51, n. IV.

...... καὶ τοῖς ἰδίοις πᾶσι · καὶ τοῦτο τὸ | μνημεῖον κληρονόμωι οὐκ ἀκολου-
θήσει [1] · | μηδενὶ δὲ ἐξέστω τοῦτο τὸ μνημῆ|ον ἢ μέρος τι αὐτοῦ μήτε πωλῆσαι
5 μήτε || μεταθῆναι μήτε ἐξαλλοτριῶσαι μήτε δό|λωι πονηρῶι [2] τι ποιῆσαι · ὁμοίως
δὲ μηδενὶ ἐξ|έστω ἀγοράσαι αὐτὸ ἢ δόλωι πονηρῶι [τι] ποιῆσαι · | τῶι δὲ ὑπεναντίον
0 τούτοις τι ποιήσαντι ἢ πω|λήσαντι ἢ μεταθέντι ἢ δόλωι πονηρῶι τι ποι[ή]σαν|τι
μήτε γῆ ἐπιβατή, μήτε κάρπους ἐκ γῆς ἢ ἐκ θα|λάσσης ἱλαροὺς [3] εἴη δέξασθαι,
οἵ τε θεοὶ οἱ οὐρά|νιοι καὶ οἱ κατὰ γῆς δα[ί]μονες κεχολωμένοι αὐτῶ|ι καὶ γένει
αὐτοῦ εἴασαν καὶ ὁ παρὰ ταῦτα ποιήσας ἢ πω|λήσας ἢ μεταθεὶς ἢ ἀγοράσας
5 ἀποτεισάτω τῆ Ζμυρ‖ναίων γερουσίᾳ ἀργυρίου δηνάρια δισχείλια καὶ τῶι | ἐπεξε-
λευσομ[ένωι] ..... | δηνάρια χείλια καὶ ο.........

1. Hoc monumentum heredem non sequetur. — 2. Dolo malo. — 3. Laetas fruges.

1480. Hae praeterea multae in lapidibus Smyrnaeis imperantur :

C. I. Gr., n. 3266 : τοῖς ἐν | Σμύρνη ναοῖς τῶν Σεβαστῶν | δηνάρια βφ΄.

n. 3276 : τῆ Ζμυρναίων πόλει | δηνάρια δισχείλια πεντακόσια | καὶ τὸ πραθὲν
5 ἔστω ἄκυρον · ταύ|της τῆς ἐπιγραφῆς ἐξσφρά‖γισμα ἀπόκειται ἐν τῶι ἱερῶ |
Καισαρήω γενηθὲν [ἐν] διπλώ|ματι.

n. 3289 : τῶ ναῶ (Augustorum) τῶ Ζμυρ|ναίων δηνάρια αφ΄.

n. 3295 : εἰς τὸν τοῦ κυρίου φίσκον δηναρίοις γει|λίοις πεντακοσίοις · τούτου
τοῦ τίτλου ἀντίγραφον | ἀπετέθη εἰς τὸ ἀργεῖον.

n. 3335 : δήμω Ῥωμαίων δηνάρια ..

n. 3384 : εἰς τὸν φίσκον τῶν κυρίων | αὐτοκρατόρων δηνάρια πεντακισχείλια.

n. 3400 : τῶ φίσκω δηνάρια φ΄.

n. 3403 : εἰς τὸν φίσκον ...

1481. Bournabat. — Le Bas et Waddington, n. 20.

Μ. Αὐρ. Ζήνων καὶ Μ. Κλ. | Ἰουλιάνη Ἀσιάρχαι τὸ δεύτερον Ζωτικῶ
πραγματευτῆ [1], | μνείας χάριν.

1. Procuratori suo.

1482. Hadjilar. — *C. I. L.*, III, 471-475. In miliario.

a) [Imp. Caes. | L. Septimio Seuero | P]io [Pertinaci Aug. | A·rabico
5 [Adiabenico] Par‖[th]ico M[aximo p. m. tr. p. ...]·| imp. XI [cos III p. p. et] | Imp.
10 Caes. [M. Aurelio] | Antonin[o Augusto | et P. Septimio Getae nob. Caes ‖ et]
Iulia[e Domnae Aug.] | matri [Aug. et Caes. et castr.] ¹.

b) Ἡ λαμπροτάτη καὶ πρώτη | τῆς Ἀσίας καὶ δὶς νεωκόρος | τῶν Σεβαστῶν
5 Σμυρναίων | πόλις ἀνέστησεν ἐπὶ ἀνθυπάτου ‖ Λολλιανοῦ ².

c) [Αὐ]τοκράτωρ | [Κα]ῖσαρ Λουκ. [Δομίτιος Αὐρηλιανὸς] Εὐσε[6ὴς Εὐτυχὴς
5 Σε6(αστὸς) | [καὶ Οὐ]λπία Σε6ηρεῖνα Σε6(αστή) ³. ‖ [Ἀπὸ Σ]μύρνης | μιλιάριον
ἕκτον. |

d, e, f. Sequuntur tituli tres, quibus inscripta erant nomina Diocletiani, Constantini
et Valentiniani; eos omisimus utpote latino tantum sermone conceptos.

Miliarium est VI viae Smyrna Sardes.

1. Annis 198-211 post C. n. — 2. Anno 209. Cf. n. 1483. — 3. Anno 270-275.

1483. Hadjilar. — Le Bas et Waddington, n. 9. In miliario :

[Ἡ λαμπροτάτη καὶ πρώτη | τῆς Ἀσίας καὶ δὶς νεωκόρος | τῶν Σεβασ]τῶ[ν
5 Σμυρναίων] πόλις ἀν[έ]‖στησεν ἐπὶ ἀνθυ(πάτου) Λο[λ]λιανοῦ ‖ Γεντιανοῦ ¹. Ἀπὸ
Σμύρ[νη]ς | μι[λιάριον] ὄγδοον ².

1. Q. Hedius Rufus Lollianus Gentianus cos. suff. ante annum 193, proconsul Asiae
anno 209 post C. n. : *Prosop. imp. rom.*, II, p. 128, n. 27. Cf. titulum n. 1482.

1484. In monte Pago. — Contoléon, *Rev. des ét. gr.*, XIV (1901), p. 299, n. 10.

Ὁ δῆμος. Ἡ γερουσία | ...λοιν οἱ κάτοικοι? | Οἱ Ῥωμαῖοι ¹. | Οἱ θιασῶται. ‖
5 Ὀν<ι>ήσιμε Ἀπολλωνίου | ομαδευ... δινος |.....νιλου. | ...λιος νείκη
10 χρηστὴ | ....αρε .... χαῖρε ‖ ....

Infra traditur : ......ΟΙΜΑΤΗΡ ΝΕΙΚΗ | .....ΟΝΗΝΑΤΑΘΟΥ | .....ΙΑΨΕΝ
5 ΕΠΗΣΤΗ | ....ΑΚΟΥΑΚΑΙΚΟΠΕ ‖ ....ΑΣΑΙΟΡ

1. Cf. infra n. 1494.

1485. In monte Pago. — Polak, *Mnemosyne*, XV (1887), p. 234, n. 16.

Τε[ρ]τυλλιανὸς κατεσκε[ύ]ασ|α ἐνσόρι[ο]ν ἐμαυτῷ καὶ γυν|αικί μου καὶ τέκνοις
5 μου, | μηδενὸς ἔχοντος ἑτέρου ‖ ἐξουσίαν [ε]ἰς αὐτὸ θεῖναι · ἐ|ὰν δέ τις τολμήσει
θάψαι | τινά, ἀποδώσει [ε]ἰς τὸν φί[σ]|κον δηνάρια φ′ · τού(του) ἀντίγ|ραφον ἀπό-
κειται [ε]ἰς τ[ὰ] ἀρχεῖ[α].

1486. Inter Smyrnam et Sedikeui. — *C. I. L.*, III, 7203.

Imp. Caesar Vespasianus Aug. | pontif. max. trib. potes. VI | imp. XIII
5 p. p. cos. VI | desig. VII ‖ censor uias reficien|das curauit. |

Αὐτοκράτωρ Καῖσαρ Οὐε|σπασιανὸς Σεβαστὸς ἀρ|χιερεὺς μέγιστος δημ|αρ-
5 χικῆς ἐξουσίας τὸ ς′ ‖ αὐτοκράτωρ τὸ ιγ′ ὕπατ|ος τὸ ς′ ἀποδεδειγμέ|νος τὸ
ζ′ ¹ τειμητὴς τὰ|ς ὁδοὺς ἐπεσκεύασεν.

1. Anno 75 post C. n. Alter titulus hujus omnino similis, sed mutilus, eodem fere loco
inventus est : *C. I. L.*, III, 7204. Cf. titulum hujus voluminis n. 1193.

1487. Sedikeui. — *C. I. Gr.*, 3181.

[Αὐτοκράτορι] Καίσα[ρ]ι Βειβίῳ | [Τρεβωνιανῷ] Γάλλῳ Εὐσεβεῖ [Εὐτυχεῖ
5 Σεβαστῷ | καὶ] Αὐτοκράτορι [Καίσαρι Βειβίῳ] | Οὐολουσιανῷ .. ‖ [Εὐσε-
6]ε[ῖ] Εὐτυχεῖ Σεβ[αστῷ] ¹ | Ὑρκανῶν πόλις ² ἐπεσκεύασεν | ....ς ἐκ τοῦ
κατ... .....|... .....του ....

1. Annis 251-253 post C. n. — 2. Civitas Lydiae. Cf. nn. 1354, 1355.

1488. Bounar-Bachi. — Fontrier, *Rev. des ét. anc.*, IV (1902), p. 193, n. 6.

Ἀρτέμιδος Σεβαστῆ[ς].

1489. Bounar-Bachi. — Cf. *C. I. L.*, III, 14404 b. In milario :

Insunt in parte dextra titulus cum nominibus Diocletiani, in sinistra titulus alter

[Constantin]o Maxi[mo | se]m(p)er Au[gusto | de]b[e]l[latori? ..|.. et Con]stan
5 t[io] ‖ nob. Caes. | Mí(λια) η′ ¹,

In ima parte litteris inversis :

....[Εὐ]τυχ[εῖ] .|..ο.. | Καίσαρι Οὐαλερίῳ | μ.:|.... ινο...|.. Τ. Αηλ.
5 ['Α]δ[ρι]α[νὸς] ² |.. Θ..|.. P...|. Χ...... ∥ 'Απὸ Σμύρνης | μ(ίλια) η' ³.

1. Annis 323-337 post C. n. — 2. Annis 138-161 post C. n. — 3. Miliarium est VIII viae
Smyrna Sardes.

1490. Souknari in nymphaeo. — Le Bas et Waddington, n. 33.

'Απόλλων[ος] | καὶ Σε[ράπιδος] | Σεβαστῶν εἰ[ργ]ά[σατο] | τὸ [βα]λανεῖον '
5 [σὺν] ∥ παντὶ [τῷ κ]όσμ[ῳ Πρ]ό|κλο[ς Βί]τ[ω]ν, ψηφ[ί]|σαντος Τί[τ]ου Κα|τίου ²
[το]ῦ [εὐεργ]έ[του καὶ | π]άτρωνος [αὐ]τοῦ, λ(υκάβαντος) γ' ³.

Supplementa valde incerta sunt. — 1. Fons cum thermis sacer Apollini et Serapidi
salutaribus. — 2. Magistratus profecto romanus : *Prosop. imp. rom.*, I, p. 320, n. 467. —
3. Annus III principis imperantis.

1491. Kassaba. — *C. I. Gr.*, 3454.

Κλαυδίῳ Καί|σαρι Σεβαστῷ Γερμανι|κῷ τῷ αὐτοκράτορι ἡ κατοι|κία ἐκ τῶν
5 ἰδίων πόρων τὰς ∥ κρήνας καὶ τὸ ἐκδόγιον καὶ | τὰ ὑδραγώγια καθιέρ[ω]|σεν|,
10 ἐπιμεληθέντος | 'Αττάλου τοῦ | 'Αττάλου ∥ 'Απολλωνίου Κρανίου '. ,

1. « Cranius sitne ethnicum an Apollonii patris nomen, dubites; equidem praeferam
posterius. » Boeckh.

1492. Kassaba. — Buresch, *Aus Lydien* (1898), p. 1, n. 1.

[Αὐτοκράτο]ρι Καίσαρι Τραιανῷ | ['Αδριανῷ κα]ὶ νέᾳ Ἥρᾳ Σαβείνῃ
5 Σε|βασ[τῇ ' καὶ τ]ῇ Τατεικωμητῶν κα|τοικίᾳ ² Κορνηλία Πούλχρα τὴν 'Α∥φρο-
δείτην ἀνέθηκεν, ἐπιμελη|μένων 'Απολλωνίου Παραμό|νου Στρογγύλου καὶ
'Απολλω|νίου Μενάνδρου κωμαρχῶν.

1. Vibia Sabina, uxor Hadriani, νέα Ἥρα. Cf. supra, t. III. n. 663. Augusta appellata est
fere anno 128, decessit anno 136 : *Prosop. imp. rom.*, III, p. 429, n. 414. — 2. Tateium,
pagus illius regionis ignotus,

1493. Kassaba. — *C. I. Gr.*, 3458.

Αὐτοκράτορα Καίσαρα | Σεπτίμιον Σεουῆρον Σεβαστόν.

1494. Inter Kassaba et Mermere. — Keil et v. Premerstein, *Denkschr. der Wiener Akad. der Wissensch., philos. hist. Klasse*, LIV (1911), p. 7, n. 10.

Ὁ δῆμος | ὁ ... σζεδδίων Ἑλλ[η]νέ[ς | τε] κα[ὶ Ρω]μαῖοι ¹ ἐτείμ[η]σαν |
5 Μᾶρκον Ἀ[ν]τώνιο[ν Βα]γώ[α]ν ‖ τὸν ἑαυτῶν εὐεργ[έ]την | καὶ Μᾶρκον Ἀντώ-
ν[ιο]ν Μ[ελίσ]|σου υἱὸν Βα[γ]ώαν ..... | ἐργεπιστατήσαντος Ζωί|λου τοῦ Βαχγίου
10 κ[αὶ Ἀπολ]‖λωνίου Διάδος.

1. Conventus civium romanorum in hoc loco commorantium.

1495. Caesareis Trocettis. — Keil et v. Premerstein, *Denkschr. der Wiener Akad. der Wissensch., philos. hist. Klasse*, LIII (1910), II, p. 12, n. 17.

.... [Vespa]siano A[ugusto]...... |
.... [Οὐεσπασι]ανῷ Σε[βαστῷ] ¹.....

1. Aut Vespasianus aut Titus.

1496. Caesareis Trocettis. — Keil et v. Premerstein, *Denkschr. der Wiener Akad. der Wissensch., philol. hist. Klasse*, LIII (1910), II, p. 12, n. 19.

[Αὐ]τοκράτορι [Δομετιανῷ] | Καίσαρι Σεβαστῷ Γε[ρ|μ]ανικῷ τὸ ιϛ′ Σερ-
βί[ῳ Κορνη]λί[ῳ Δολαβ]έ[λλ]ᾳ ὑπά[τοις] ¹.

1. Anno 86 post C. n.

1497. Caesareis Trocettis. — Keil et v. Premerstein, *Denkschr. der Wiener Akad. der Wissensch., philos. hist. Klasse*, LIII (1910), II, p. 13, n. 20.

[Θ]εοῖς πατρίοις κ(αὶ) Αὐ|[τ]οκράτορι Καίσαρι Τί|[τ]ῳ Αἰλίῳ Ἀδριανῷ
5 Ἀν|[τω]νείνῳ Σεβαστῷ Εὐ‖[σε]βεῖ ἡ Σελινδηνῶν | [κατ]οικία ¹ τὸ ἔργον σὺν |
[τῷ] περὶ αὐτῷ κόσμῳ κα|θιέρωσεν, | [ἐ]πιμεληθέντων Ἡρα‖[κ]λείδου Ἀπολ-

λωνίου | [τ]οῦ β′ κ(αὶ) Τι. Ἰουλίου Καικιλι|ανοῦ τῶν βραβευτῶν ² κ(αὶ) | τοῦ
15 ἐργεπιστάτου | Τι. Ἰουλίου Γαμικοῦ, ‖ ἐπὶ στερ(ανηρόρου) ³ Ἰουλ(ίας) Ῥουφείνης.

1. Selindus, pagus illius regionis ignotus. — 2. Cf. n. 1304. — 3. Civitatis ad quam
pagus pertinebat.

1498. Caesareis Trocettis. — Keil et v. Premerstein, *Denkschr. der Wiener Akad. der
Wissensch., philos. Klasse*, LIII (1910), II, p. 8, n. 16.

a. Θεοῖς Σεβασ[τοῖς] | κατὰ χρησμὸν Κλαρί[ου] | Ἀπόλλωνος Καισαρεῖ[ς] |
5 Τροκεττηνοὶ καθιέρωσα[ν] ‖ Ἀπόλλωνα Σωτῆρα, χαρ[ι]|σαμένου τὸ ἀργύριο[ν] |
10 εἰς τὸν θεὸν καὶ τὴν βά|σιν Μειλήτου τοῦ Γλύ|κωνος Παρλαγόνος ‖ τοῦ ἱερέως
αὐτοῦ, ὑπο|[σ]χομένου τὴν ἐργεπ[ι|σ]τασίαν Ἑρμογένους το[ῦ] | .... |
b.   Χρησμός. |

Οἱ νεμέθεσθε Τρόκεττα πα|[ρ]αὶ νιφόεντι Τυμώλῳ,
5 τειό|[μ]ενοι Βρομίῳ καὶ ὑπερμενέι ‖ Κρονίωνι,
τί δὴ νύπερ τεθηπό|[τ]ες βηλῷ προσοιμέεσθε,
ἐελ|μένοι νημερτίη(ς) ἐς οὔαδας | πελάζειν;
οἷσιν μεμηλόσιν φά|τιν πανατρεκῆ βοήσω.
10 Φεῦ φεῦ, ‖ κραταιὸν πῆμα προσθρώσκει πέ|δῳ,
λοιμὸς δυσεξάλυκτος, ἥ | μὲν ἀμπαφῶν
ποιναῖον ἄορ | χειρί, τ(ῇ)δ᾽ ἀνηρμένος
νεουτά|των ἴδωλα δυσπενθῆ βροτ(ῶ)ν. ‖
15 Τρύει δὲ πάντη [δ]άπεδον ἐν|πολεύμενον,
ἀμαῖ νεογνὸν — | πᾶσα δ᾽ ὄλλυται ρύτλη —
ρύρδην | δὲ τείρ(ω)ν φῶτας ἐκβιάζεται. |
20 Καὶ τὰν ποσὶν μὲν τοῖα μήδεται ‖ [κακά]

. . . .

c. [Ἀ]τὰρ ἐσ(σ)ύμενοι τῶν δ᾽ ὑπά|[λ]υξιν, Ἰω(ν)ες, κατὰ τεθμὸν ἰδέσθαι, |
5 οἱ μάλα δῇθ᾽ εἰς ἐπ᾽ ἐμὴν | πελάειν πάνυ μερμαίρετ᾽ (ἐπ)αρ‖ωγὴν ¹,
ἀπὸ μὲν λιβάδων ἑπτὰ | ματεύειν καθαρὸν ποτὸν ἐν|τύνεσθαι,
ὃ θεειῶσαι πρόσσ(ω)|θεν ἐχρῆν καὶ ἐπεσ(σ)υμένους | ἀφύσασθαι,
10 ῥῆναί τε δόμους ‖ αὐτίκα νύμφαις, αἵθ᾽ εἱμερταὶ γε|γάασιν ²,
ὡς ἀνούτητοί γε φῶ|τες ἐνλελειμμένοι πέδῳ |
ἐκ παλινδίων ὀφελμῶν κάλλι|μα ῥέξωσ<ι> ἄδην.

15   Αὐτὰρ ἐντύ‖νεσθε Φοῖβον μέσσον ἱδρῦσαι | πέδου,

τῇ μὲν ἀμπαφῶντα | [τόξον] ³...........

Inscriptus erat titulus in templo Augustorum sub statua Apollinis Clarii, cujus ora-
culum civitatem docuerat quo pacto pestem depelleret. Tradita sunt memoriae statuae
dedicatio (a) et ipsum oraculum (b c). Quanquam ea referri possunt ad pestilentiam quae
Asiam invasit anno 166 post C. n. (cf. n. 360', tamen videntur homines potius fame
periisse, quod morbus aliquis circa eamdem aetatem fruges consumpsisset (b, v. 10-13).

1. « οἳ μάλα δῆθε πάνυ μερμαίρετε εἰσπελάειν ἐπ' ἐμὴν ἐπαρωγήν, qui vehementissime cupitis
adire ad meum auxilium ». — 2. « Ex fontibus septem purum potum quaerite parandum,
quem sulfurare oportet et celeriter haurire, domusque nymphis confestim respergite
amoenis ». — 3. Ponatur statua Apollinis, dextra arcum tenentis.

1499. Caesareis Troceltis. — Keil et v. Premerstein, *Denkschr. der Wiener Akad. der
Wissensch., philos. hist. Klasse*, LIII (1910), II, p. 12, n. 18.

Ἐ[πὶ] ἀνθυπά[του Πο]υπλίου | Πετρωνίου τὸ γ' ¹, | ἐπιμελ̣ηθέντος | Ἀπολλω-
5 νίου ‖ Μιλούρου.

1. Anno 31/32 post C. n.; nam P. Petronius Asiam rexit annis 29-33 : *Prosop. imp.
rom.*, III, p. 26, n. 198.

1500. Hadji Bostanlar. — David M. Robinson, *Amer. journ. of philology*, XXXI
(1910), p. 402.

...... οὐκ ἐξέσται δὲ ἕτερόν τιν[α θεῖναι] | εἰς τοῦτο τὸ ἡρῷον ἐκτὸ[ς ἐὰν μὴ] |
βουληθῶ τεθῆναί τινα · εἰ [δέ τις τολμήσει] | θεῖναί τινα, εἰσοίσει εἰς τ[ὸ ἱερώ-
5 τατον] ‖ ταμιεῖον δηνάρια .. | Τούτου τὸ ἀντίγραφον ἀπετέ[θη εἰς τὸ ἐν Ἱεροκαι-
σαρείᾳ? ἀρχεῖον], | ἀνθυπάτῳ Τε[ρτύλλῳ ¹, μηνὸς] ......

1. Sex. Sulpicius Tertullus, cos. anno 158 post C. n. (*Prosop. imp. rom.*, III, p. 290,
n. 736), ut putat editor. Sed de illo proconsule Asiae nihil ad nos traditum est.

1501. Urganli. — Gaudin, *Athen. Mittheil.*, XXV (1900), p. 122.

Ἀνθυπάτῳ Ἐ[γνατίῳ] Λολλ[ιανῷ ¹, | μηνὸς] ..... Σεβαστῇ ², Αὐρ. Μηνό-
φαντος Ἑσπερί[ωνο]ς | καὶ Αὐρ. Εὐμένεια κατεσκεύασα[ν] | τὸ ἡρῷον αὐτοῖς καὶ

5 Αὐρ. Μηνοφ[ά]ν‖τῳ καὶ Αὐρ. Ζωσίμῳ τοῖς τέκνοις | καὶ Αὐρ. Μηνοφάντῳ τῷ
ἐγγόνῳ · | μετὰ δὲ τοῦτο | μηδενὶ ἐξὸν ἔσται τεθῆναι ἔσω | τῆς θύρας, ὡς, ἐὰν
10 Ζωτικὸς καὶ ‖ Ἐπίκτησις τὰ θρεμμάτια παραμεί|νωσί μοι, καὶ αὐτὰ τεθήσονται
ἔσω, | μηδενὸς ἔχοντος ἐξουσίαν κει|νῆσαί τινα τῶν δεσποτῶν, ἢ | ὁ κεινήσας
15 θήσει ἰς τὸ ἱερώτα[τον]‖ ταμεῖον δηνάρια δισχείλια πεντακόσ[ι]α | κα[ὶ] Τροφίμῳ
τῷ ἀδελφιδεῖ τῶν παιδίω[ν] σ[υνε]|χώρησα εσιον....δου. τῆς θύρ[ας..... εἰ] δ[έ
τις] | τούτους βιάσε[ται] ἕτερ[ος] ....

1. L. Egnatius Victor Lollianus, proconsul Asiae per annos tres, anno tertio sub Phi-
lippo (244-249 post C. n.) : *Prosop. imp. rom.*, II, p. 34, n. 30. — 2. Mensis ignoti die I.

1502. Sardibus. — *C. I. Gr.*, 3453.

Ὁ δῆμος ὁ Καισαρήων Σαρδι|ανῶν [1] Τιβέριον Κλαύδιον Καί|σαρ[α] Σεβαστὸν
Γερμανικ|ὸν αὐτοκράτορα.

1. Sardes cognomen Caesareas profecto assumpserunt anno 17 post C. n., postquam
Tiberius « condidit uno tempore duodecim civitates Asiae, terrae motu vexatas » (*C. I. L.*,
III, 7096) : Chapot, *Prov. rom. d'Asie*, p. 66.

1503. Sardibus. — *C. I. Gr.*, 3451.

Φίλη Τυμωλὶς [1] ἐτείμη|σεν ἐκ τῶν ἰδίων Τιβέ|ριον Καίσαρα [2].

1. Φ[υ]λὴ conjecit Boeckh, tribum hanc fuisse Sardianorum excogitans ; potius videtur
Phila fuisse mulier oriunda Tmolo, sive Tumolo Aureliopoli, ex urbe Lydorum vicina,
cujus nummi exstant : Chapot, *Prov. rom. d'Asie*, p. 99, not. 4. — 2. Sardes et Tmolum,
cum decem aliis Asiae urbibus terrae motu collapsas, Tiberius levavit tributis, anno 17
post C. n. Cf. titulum praecedentem.

1504. Sardibus. — *C. I. Gr.*, 3452.

Δροῦσον Καίσ[αρα Γερ|μανι]κοῦ Καίσαρος υ[ἰὸν Νέ|ρωνος Κλαυδίου Δρούσου]
Γε[ρμα|νικοῦ υἱωνόν] [1]......

1. Drusus, Germanici filius, natus est anno 7 vel 8 post C. n., obiit anno 33. *Prosop.
imp. rom.*, II, p. 177, n. 145.

1505. Sardibus. — *C. I. L.*, III, 409.

[Ti. Claudi]us Drusi f. Caesar Augustus [Germanicus pont. max. | tr. p. ... ',
cos. V imp. XX]VII [p. p. a]quam ciuitati Sardianorum [a fonte ..... adduxit, |
instante] Ti. Claudio Demetri f. Quirina Apollophane. |

[Τιβέριος Κλαύδι]ος [Δ]ρούσου υἱὸς Καῖσαρ Σεβαστὸς Γερμανικὸς [ἀρχιερεὺς
μέγιστος] | δημ(αρχικῆς) ἐξ(ουσίας) τὸ .. ὕπ(ατος) τὸ ε΄ αὐτ(οκράτωρ) τὸ κς΄
πατὴρ πατρίδος ὕδ[ω]ρ ἀπὸ πηγῆς ι.........|........, ἐργεπιστατήσαντος Τιβερίου
Κλαυδίο[υ] ......

1. [XII, XIII aut XIIII] = anno 53 aut 54 post C. n.

1506. Sardibus. — *C. I. Gr.*, 3457.

Αὐτοκράτορα Καίσαρα Θεοῦ | Ἁδριανοῦ υἱὸν Θεοῦ Τραιανοῦ | υἱωνὸν Τ. Αἴλιον
5 Ἁδριανὸν | Ἀντωνεῖνον Εὐσεβὴν Σεβαστὸν ‖ δημαρχικῆς ἐξουσίας β΄ ὕπατον |
τρίτον ¹ πατέρα πατρίδος | ἡ βουλὴ καὶ ὁ δῆμος τῶν | Σαρδιανῶν ἐτείμησαν
ἥρωα, | εὐνοίας αὐτοῦ χάριν.

1. Anno 139 post C. n.

1507. Sardibus. — Fontrier, Μουσεῖον, V (1884-1885), p. 58, n. 444.

Φαυστείναν Σεβαστὴν θεάν, | γυναῖκα Αὐτοκράτορος Καί|σαρος Μ. Αὐρ.
5 Ἀντωνίνου Σε|βαστοῦ Γερμανικοῦ Σαρμα‖τικοῦ μεγίστου, | Κλ. Ἀντω.
Λέπιδος.

1508. Sardibus. — *C. I. Gr.* 3465.

..... Αὐρηλίῳ Κόττᾳ ¹ ...... [Ῥω]μ[αίων?] | .....σα Ἀλεξινόου? ..|..ω ἐν
5 τῆς διαταγῆς ...|..[χ]άρμου τῷ ἰδίῳ φίλῳ ‖ [καὶ] εὐεργέτῃ.

1. Fortasse M. Aurelius Cotta Maximus cos. anno 20 post C. n. (*Prosop. imp. rom.*, ᵗ
p. 203, n. 1236), nisi ad alium virum ejusdem gentis antiquiorem titulus referendus est
V. Rohden ap. Pauly et Wissowa, *Realencyclop.*, II, p. 3487, n. 107.

1509. Sardibus. — Ritterling, *Jahreshefte des oesterr. Inst.*, X (1907), p. 299.

[Τι. Ἰούλιον Τι. υἱὸν Κορνηλίᾳ | Κέλσον Πολεμαιανὸν ¹ πρεσ|6ευτὴν α]ὐτ[ο-
5 κρατόρων Θε|οῦ Οὐ]εσπασια[νοῦ καὶ Τίτου || Σε6]αστοῦ Καπ[παδοκίας Γαλα|τία]ς
Πόντου [Πισιδίας Λυκα|ο]νίας Παφλαγ[ονίας Ἀρμενί|α]ς μικρᾶς, πρεσ[6ευτὴν
10 Αὐτο|κ]ράτορος Τίτ[ου Καίσαρος Σε]||6αστοῦ λεγιῶ[νος τετ]άρ[της] | Σκυθικῆς,
τὸν [ἑαυτῶ]ν [εὐε]|ργέτην καὶ [σωτῆρα], ἐ[πιμε|ληθέ]ντος Κοίν[του .... |
15 Φ]ίρμου τοῦ ἀρχ[ιερέως τῶν] || Σεβαστῶν......

1. Ti. Julius Celsus Polemaeanus, cui filius Aquila bibliothecam Ephesiam dicavit, tum
temporis. Tito principe, in Syria praeerat legioni IV Scythicae; consul suffectus fuit anno
demum 92. De aliis honoribus ab eo gestis cf. *Prosop. imp. rom.*, II, p. 186, n. 176 et
titulos Ephesios, qui infra edentur.

1510. Sardibus. — Le Bas et Waddington, n. 629; Kaibel, *Epigr. gr.*, (1878), n. 903;
David Robinson, *Americ. Journ. of archaeol.*, XIV (1910), p. 414.

Οὗτος ὁ τῆς Ἀσίας | ὑψαύχενα θῶκον | ὑπάρχων
5   . πυργώσας | καθαροῖς δόγμασιν || Ἀχόλιος ¹,
ᾧ βουλή, με|γάλων ἀγαθῶν χάριν, | εἰκόνα [ἡ]6αίην
στησαμένη, | εὐνομίης μάρτυρα πιστοτάτην,
10   ἠδ' ὅτι λα|[ι]νέων δαπέδων κρη||πῖδα τορήσας |
τεῦξε[ν] | ἐλευθερίης ἐνναέ|ταις τέμενος ².

1. Sardes, Asiae arcem, praeses ille muniverat. — 2. Acholium vixisse saeculo IV
exeunte, postquam Lydia consulari tradita est, opinatur Kaibel, cui ἐλευθερίης τέμενος
videtur fuisse templum Asiae commune. Melius autem conjecerat Waddington ab Acholio
Sardianorum moenia instaurata esse principe Valeriano aut Gallieno (annis 253-268 post
C. n., cum barbari Asiam invaserunt. Cf. enim *Prosop. imp. rom.*, I, p. 5, n. 31.

1511. Sardibus. — Keil et v. Premerstein, *Denkschr. der Wiener Akad. der Wissensch.*,
philos. hist. Klasse, LIII (1910), II, p. 23, n. 28.

Ἕως ὧδε ¹ Ἑρμείου | λαμπροτάτου ², | ἐντεῦθεν Μαρχελλείνου | πολει-
τευομένου ³.

1. Terminus est inter duos agros positus. — 2. Sine dubio Ti. Claudius Hermias, cos.
suffectus anno incerto, titulo Ephesio notus : *Prosop. imp. rom.*, I, p. 380, n. 709. —
3. Magistratum aliquem gerens.

1512. Sardibus. — Papadopoulos Kerameus, *Athen. Mittheil.*, VI (1880), p. 268, n. 9.

5 Τιϐ. Κλ. Ζωίλον ¹ | [τ]ὸν κράτιστον | [ἐ]πίτροπον | [τ]οῦ Σεϐ. ‖ [οἱ πε]ρὶ
Αὐρήλ[ι|ον Κ]ράτην δὶς | [Φι]λιππιανὸν | [ἄρ]χοντες τὸν [τῆ]ς πατρίδος | [κα]ὶ
10 ἑαυτῶν εὐ‖εργέτην.

1. *Prosop. imp. rom.*, I, p. 404, n. 838.

1513. Sardibus. — Le Bas et Waddington, n. 621.

..... | Ἀπόλλωνος δηνάρ[ια] δια|κόσια πεντήκοντα καθ' ἕ|καστον ἔτος, δικαιό-
5 τατον ‖ αὐτῶν τὴν γνώμην ἀξι|οῦσθαι τέλους εἰς τὴν | εὐσέϐειαν τῶν Σεϐασ-
τῶν. | Ἐρρῶσθαι ὑμᾶς | βούλομαι.

1. Fragmentum est epistulae ab aliquo magistratu scriptae de reditibus sacris.

1514. Sardibus. — Le Bas et Waddington, n. 620.

.... | Σαϐεῖνος Μοστηνός · ἔδοξ[εν]. |
Σέλευκος Νεάρχου Κιϐυρά[της · ἔδοξεν]. |
.... Κλαυδιανὸς Μάγνής · ἔδοξεν. ‖
5 Χαρμίδης Ἀπολλωνίου · ἔδοξεν. |
...... Ἱεροκαι[σαρεύς · ἔδοξεν.] |
Μακεδὼν Ἀλεξάνδρου τοῦ Ἰοκόνδου Ἀπολλωνιδεύ[ς · ἔδοξεν]. |
...... Ὑρκάνιος · ἔδοξεν. |
Σεραπίων [Φ]ιλοδήμου Μυρειναῖος · ἔδοξεν. ‖
10 .... |
Διογένης Διογένους Τημνείτης · ἔδοξεν.

1. Mostena, Cibyra, Magnesia a Sipylo, Hierocaesarea, Apollonis, Hyrcanis, Myrina,
Temnus fuerunt inter urbes Asiae terrae motu anno 17 post C. labefactas. Cf. n. 1351.
Unde verisimiliter conjicitur « convenisse Sardibus illarum urbium legatos, qui de dona-
rio agerent, quo gratificarentur urbes Tiberio » (Boeckh) et scriptum esse de ea re decre-
tum, subscriptis nominibus legatorum quibus placuerat. Desunt Sardes, Philadelphia,
Aegae, Cyme, Tmolus.

T. IV   32

1515. Sardibus. — *C. I. Gr.*, 3456.

['Η βουλὴ καὶ ὁ δῆμος | ὁ Καισαρήων Σαρ|δια]ν[ῶ]ν ἐτείμησ[αν] | τὸν δῆμον
5 τὸ[ν τῶν] ‖ 'Αθηναίων τὸν ἐ|[αυ]τῶν συ[γ]γενῆ [1], | 'Απολλ[ο]δ[ώ]ρου τοῦ
10 ['Ερ]|μίππου Μοιρα[γ]έν[ους, | φ]ύσει δὲ Μητροδ[ώρου ‖ 'Ε]ρμίππου Καισα-
ρ[ήου] | Σαρδιανοῦ, τοῦ | ἐκ προγόνων 'Αθ[ηναίου, ἀ]|ναθέντος ἐκ τ[ῆς ἰδία|ς]
οὐσίας τῇ [πατρίδι].

1. Multae Asiae civitates se Graecarum cognatas praedicaverunt, postquam Pan-
hellenium instituit Hadrianus. Cf. t. I, n. 418 et Dittenberger, *Orient. gr. inscr. sel.*,
n. 497.

1516. Sardibus. — *C. I. Gr.*, 3464.

['Η βουλὴ καὶ ὁ δῆμος τ|ῆ]ς Σαρδια[νῶν ...... νε]|ωκόρου [τῶν Σεβασ]|τῶν
5 καὶ [λαμπρο]‖τάτης π[όλεως] .....|του φι....... |μαχ....... [φιλοκαί]|σαρα ?
10 ..... | ἐτείμ[ησαν] ..... ‖ τρὶς κ[αὶ] .....|λλυ.....|δοξ.........|ετο......

1517. Sardibus. — *C. I. Gr.*, 3455.

.... ἐψηφισάμε[θ]α τάχειον [1] | ἀγῶνα πενταετηρικόν ....

Eidem lapidi nunc amisso inscriptum erat decretum Hadriani, νεοῦ Διονύσου, de quin-
quennali certamine apud Sardianos instituendo.

1. Prius.

1518. Sardibus. — Le Bas et Waddington, n. 624.

.... |[Σα]ρδιανῶν πόλε[ως | ἡ β]ου[λὴ καὶ ὁ] δῆμος | ἐτίμη[σεν ...... ‖
5 'Αρ]ούντι[ον Μαρ]ετνον | ......|.... 'Αρουν|[τίο]υ Μα[ρ]ε[ίνο]υ 'Ασ[ιάρ|χ]ου,
10 υἱοῦ ['Αρουντ]ίου Μ‖[α[ρ]εῖνο[υ] ......|.........|.... π]ρώτων ἀ|[γ]ώνων Χρυσαν-
15 θίνω[ν [1] | τ]ῷ[ν εἰσε]λασ[τ]ικῶν ‖ [κατὰ τὴ]ν οἰκο[υμένην] |.........

1. Ludi Sardianorum celeberrimi, nummis post Caracallam memorati : Babelon,
Invent. de la coll. Waddington, nn. 5262, 5264, 5267, 5272.

1519. Sardibus. — Keil et von Premerstein, *Denkschr. der Wiener Akad. der Wissensch., philos. hist. Klasse*, LIII (1910), II, p. 19, n. 27.

In parte antica :

a. [Μᾶρκος Αὐρ. Δημόστρατος Δαμᾶς | Σαρδιανὸς, Ἀλεξανδρεὺς, Ἀντινοεὺς, Νει|κομηδεὺς, Ἐφέσιος, Σμυρναῖος, Μιλήσι|ο]ς ¹, Περγαμηνὸς, Κ[ορίνθιος, Ἀθη-
5 ναῖ]∥ος, Ἀργεῖος, Λακεδ[αιμόνιος, Δελφὸς, Ἠ|λ]εῖος, νεικήσας ἀ[γῶνας πλείστους πάν|τ]ων ἱερούς εἰσελαστικο[ὺς Ἰταλίας], | Ἑλλάδος, Ἀσίας, Ἀλεξαν-
10 δρεί[ας τοὺς ὑ]∥πογεγραμμένους · Ὀλύμπια ἐ[ν Πείσῃ .,] ∥ Πύθια ἐν Δέλφοις γ′, Ἴσθμια ε′, [Νέμεα .,] | τὴν ἐξ Ἄργους ἀσπίδα γ′, Ῥώμη[ν Καπι]|τώλια β′, Ποτιόλους β′, Νέαν πόλ[ιν .,] | Ἄκτια β′, Ἀθήνας ι′, Παναθήναια μ[ὲν .,] |
15 Πανελλήνια δὲ γ′, Ὀλύμπια[., Ἀδριά∥ν]εια α′, Ῥόδον Ἄλεια γ′, Σάρδεις [Χρυσάν|θ]ινον δ′, Ἔφεσον θ′, Σμύρναν ϛ′, [Πέργα]∥μον Αὐγούστεια γ′, Ἀλεξάνδρει[αν ., Ῥώ]|μην ἐπινείκια τῶν κυρίων Αὐτοκρα[τόρω]ν | Ἀντωνίνου καὶ Κομ-
20 μόδου ², ἐστεφα[νώθη] ∥ χρυσῷ στεφάνῳ καὶ ἔλαβε χρυσοῦν [βραβεῖ]|ον ³, αἰτησάμενος καὶ τυχὼν παρὰ τ[ῶν κυ|ρ]ίων ἡμῶν θειοτάτων Αὐτοκρατόρ[ων] | Σεουήρου καὶ Ἀντωνίνου ⁴ τήν τε ἀρ[χιερ|ω]σύνην ⁵ καὶ τὰς ξυσταρχίας εἰς τὴ[ν τῶν] ∥
25 παίδων διαδοχήν. |

Ἀναστησάντων τὸν ἀνδριάντα Αὐ[ρηλίου] | Δαμᾶ ἀρχιερέως τοῦ σύμπαντος ξ[υστοῦ] | διὰ βίου, ξυστάρχου καὶ ἐπὶ βαλ[ανείων | τ]οῦ Σεβαστοῦ, πλειστονείκου
30 π[αραδόξου] ∥ καὶ Μάρκου Δημοστρατιανοῦ πλειστο|νείκου παραδόξου καὶ Δημο-[στράτου] | Ἡγεμονίδου πλειστονείκο[υ παραδό]|ξου καὶ Δαμιανοῦ ξυστάρ[χου]. ∥
35 τῶν πα[ίδω]ν, ∥ καὶ Ὅσου.θ.

In latere sinistro :

b. Μόνος καὶ πρῶτος τῶν [ἀπ᾽ αἰ]∥ῶνος ἀνθρώπων νεικήσ[ας] | παίδων μὲν
5 ἱερούς κ′, | ἐκ παιδὸς δὲ τὸν ἄνδρα ∥ προσβὰς ἱερούς μη′, | ἐν.οἷς πυγμῆς Πύθια ἐν | Δελφοῖς, Ἴσθμια, Νέμεα, | Ἀδριάνεια Φιλαδέλφειον · ⁶ | ἐν Ἀλεξανδρείᾳ · ∥
10 τειμηθεὶς ὑπὸ Θεοῦ Μάρκου | καὶ Θεοῦ Κομμόδου πολει|[τ]είᾳ μὲν Ἀλεξανδρέων
15 ἰθ[α|γ]ενεῖ ⁷, ξυσταρχίαις δὲ ταῖς | ὑπογεγραμμέναις · ∥ Ῥώμης Καπιτωλίων, | Σαρδέων Χρυσανθίνου, Σαρδέων κοινοῦ Ἀσίας, | Μειλήτου Διδυμείων, | Ἀλε-
20 ξανδρείας Ἀδριανείου ∥ Φιλαδελφείου, | Ἀλεξανδρείας Σεβαστείου, | Ἀλεξαν-
25 δρείας Σελευκείου, | Ἀντινόου πόλεως καὶ τῶν | ἐν Αἰγύπτῳ πάντων, ∥ Τράλλεων κοινοῦ Ἀσίας, | Νεικομηδείας κοινῶν Βειθυν(ίας), | Λακεδαίμονος Εὐρυκλείων, |
30 καὶ ὑπὸ Θεοῦ Σεουήρου καὶ τοῦ κυ|ρίου ἡμῶν θειοτάτου αὐτοκράτο∥ρος Ἀντω-

νίνου ⁸ ἄλλαις τε πολ|λαῖς καὶ μεγάλαις τειμαῖς κα[ὶ] | ξυσταρχίαις Εὐσεβείων ἐν
Πο|τιόλοις καὶ Σεβαστῶν ἐν Νέᾳ πόλει ·

In latere dextro :

c. ....ς γ′, | [κοινὸν Θεσσα]λίας ⁹ γ′, | ......[? Ἐρω]τίδεια ¹⁰ α′, | .....
10 α′, ‖ ..... β′, | .... [α]ς α′, | ....α δ′, | ....ν α′, | ..... α′, νῦν ἱερὸς ¹¹, ‖ .....
α′, νῦν ἱερὸς, | ....ν.ιον α′, νῦν ἱερὸς, | .....θον α′, νῦν ἱερὸς, | [Ὀλύμπ]εια τῆς
15 Μακεδονίας ¹², | ...... β′, ‖ [κοινὸν Ἀρχ]άδων ἐν Μαντινείᾳ γ′, | [Λακεδαί]μονα
20 ς′, | [Εὐρύκλ]εια β′, νῦν ἱερὸς, | [Διοσκούρη]α γ′, | [Λεωνίδ]εια ¹³ α′, ‖ [λαμ]πάδα
Μακεδονίας α′, | [Ἑλλώτ]εια ἐν Ἰσθμῷ δ′, | [? Εὐκλεῖ]α ἐν Ἰσθμῷ γ′, | [Λακε-
δαίμ]ονα α′.

1. Expletae sunt lacunae collato titulo qui in urbe Roma eidem athletae positus est :
t. I, n. 155. Illius primum refertur honorum summa (a), deinde enumerantur victoriae
in ludis sacris (b) et thematicis (c) reportatae. — 2. Ludi M. Aurelii et Commodi trium-
phales acti sunt anno 176 post C. n., decembri exeunte : *Vita Marci*, 17 ; *Commodi* 12.
— 3. Aureum munus aliud atque corona ; quod fuerit, non liquet. — 4. Septimius Seve-
rus et Caracalla. — 5. Summum sacerdotium xysti. — 6. Certamen unum et idem, ab
Hadriano conditum Alexandriae, a M. Aurelio et L. Vero fratribus postea instauratum.
— 7. Nam fuit Alexandriae jus civitatis alterum, et illud quidem minus, de quo nihil
memoriae proditum est. — 8. Post mortuum Getam (anno 212 post C. n.), ante mor-
tuum Caracallam (217). — 9. Larissae. — 10. Thespiis. — 11. Nunc sacer, antea the-
maticus. — 12. Beroeae. — 13. Euryclea, Dioscurea, Leonidea ludi fuerunt Lacedae-
moniorum.

1520. Sardibus. — Le Bas et Waddington, n. 631.

Τ. Αὐρ. Κλ. Μάγνου νομικοῦ.

1521. Sardibus. — Le Bas et Waddington, n. 619.

[Ἐπ]ὶ ἀγων[οθέτου | Μ.] Αὐρ. Ποπιλ[ίου Βαχ]|χίου ἱππικοῦ ..... | Ἀγαθίας
5 ὁ [λεγόμενος Ἐπ]|ίκρημνος [ἀνέθηκε] | τ[ὰ]ς λαμπά[δας] .. |ς νεικήσας ...... |
δρόμον.

1522. Sardibus. — Μουσεῖον, III, 1-2 (1878), p. 182.

Ἐπὶ ἱερέως τῆς Ῥώμης [1] Διονυσίου τοῦ Ἀθηναίου, | μηνὸς Ὑπερβερεταίου ια΄,
Ἀρτεμίδωρος | Ἀρτεμιδώρου, ἐτῶν με΄.

1. Cf. n. 1526.

1523. Sardibus. — C. I. Gr., 3461.

Λεύκιον Ἰούλιον Βοννᾶτον, | ἄνδρα ἐκ προγόνων μέγαν καὶ φιλόπατριν, |
ἀρχιερέα τῆς Ἀσίας ναῶν τῶν ἐν Λυδίᾳ Σαρδιανῶν [1] | καὶ ἱερέα μεγίστου
5 Πολιέ[ω]ς Διὸς δὶς, ἀρχιερέα ‖ τῶν τρισ[καίδεκ]α πολέων [2] καὶ στεφανηφόρον
καὶ ἱερέα | Τιβερίου Καίσαρος [3] καὶ στρατηγὸν πρῶτον δὶς | καὶ ἀγωνοθέτην
Δια[σ]ίων [4], ἐνδείας γενομένης | κατὰ τὸν δῆμον, μεγαλοψυχίᾳ χρησάμενος, | ἐκ
10 τῶν ἰδίων εἰς ἐπικουφισμὸν ἑκάστῳ πολίτῃ ‖ ἐχαρίσατο μόδιον, καὶ πάσας ἀρχὰς
φιλοτίμως | τετελεκότα τῇ πατρίδι.

1. Communia provinciae templa Augustorum habuerunt apud Lydos Ephesus, Smyrna,
Sardes Trallesque ; suum autem Sardianis non ante Trajanum fuit. Chapot, *Prov. rom.
d'Asie*, p. 440-433. — 2. Commune Ionum urbium tredecim in Asia provincia sub
imperio Romano usque permansit ; earum nomina vide apud Chapot, p. 457-458. —
3. Sardiani, quibus sub Tiberio non concessum erat ut templum Augustorum provin-
ciale statuerent (Tac. *Ann.* IV, 55), municipale ei dedicaverunt ob beneficia in urbem
collata. — 4. ΔΙΑΡΙΩΝ traditur ; ὑπὲρ ὧν conj. Boeckh, fortasse recte ; aliter enim vix
ferri possunt ἐχαρίσατο ... τετελεκότα.

1524. Sardibus. — Le Bas et Waddington, n. 626.

...... γυναῖκα δὲ Κλαυδί[ου Ἑρ]μογένους τοῦ ἱερέως καὶ στρατ[ηγοῦ] | καὶ
στεφανηφόρου, διά τε τὴν τ[οῦ γέ]|νους ἀξίαν καὶ τῶν ἠθῶν, ἣν ἐπ[εδεί]|ξατο ἐν
5 τῷ βίῳ, φύσιν μὲν ἑαυ[τῆς], ‖ πίστιν δὲ προγόνων. | Τὴν τειμὴν ἀποκαθέστησεν ὁ
ἀ[δελ]|φὸς αὐτῆς Τι. Κλαύδιος Μειδί[ας], | ἀρχιερεὺς τῆς Ἀσίας ναοῦ το[ῦ ἐν] |
Σμ[ύρ]νῃ [1].

1. Smyrna neocorus fuit jam ab anno 26 post C. n. : Tac. *Ann.* IV, 55, 56. Chapot,
Prov. rom. d'Asie, p. 440.

1525. Sardibus. — *C. I. Gr.*, 3462.

Ἡ βουλὴ καὶ ὁ δῆμος καὶ ἡ γερουσία | ἐτίμησαν Τιβέριον Κλαύδιον Τιβερίου
υἱὸν | Κυρίνᾳ Ἰουλιανὸν πατέρα καὶ τοὺς υἱοὺς αὐτοῦ | Κλαύδιον Διομήδην ἥρωα,
5 Τιβέριον Κλαύδιον ‖ Χαιρέα(ν) ἥρωα, πατρὸς καλοῦ καὶ ἀγαθοῦ, στρατηγοῦ | δὶς
καὶ στεφανηφόρου καὶ γυμνασιάρχου καὶ τὰς | μεγίστας ἀρχὰς καὶ τὰς λοιπὰς
λειτουργίας τῇ | πατρίδι φιλοτίμως καὶ αὐθαιρέτως ἐκτελέσαντος, | υἱοὺς καλοὺς
10 καὶ ἀγαθοὺς αἰδήμονας, σεμνοὺς, ‖ μετρίους, πεπαιδευμένους, φιλοπάτριδας καὶ
φιλοπάτορας, | καὶ Τιβέριον Κλαύδιον Κρίσπον Τατιανὸν, ἄρξαντας τὰς |
πλείστας ἀρχὰς καὶ λειτουργίας ἐνδόξως καὶ ἐπιφανῶς | καὶ γραμματεύσαντας
φιλοτίμως καὶ πανηγυρ(ιαρχήσαντας) εἰσελαστικῶν.

1526. Sardibus. — Μουσεῖον, II, 2-3 (1878), p. 62, n. 146.

Ἐπὶ ἱερέως τῆς Ῥώμης [1] Κοτοβήους, | μηνὸς Ἀρτεμισίου ιε′, Ἀρτεμισία |
Ἀρτεμιδώρου, ἐτῶν ιζ′.

1. Ut Ephesiorum ita Sardianorum eponymus erat sacerdos Romae certe anno 98 ante
C. n. (Cf. n. 297, v. 96); qui mos potuerat invalescere jam ab anno 195. Hierocaesareae
Augusto etiam principe mos idem manebat. Cf. n. 1304.

1527. Sardibus. — Buresch, *Aus Lydien* (1898), p. 11, n. 7.

Λ. Κορνήλιον | Οὐεττηνιανόν [1].

1. L. Cornelius Vettinianus, Sardianorum strategus et Asiarcha Caracalla principe,
ut docent nummi : Babelon, *Invent. de la coll. Waddington*, n. 5262.

1528. Sardibus. — Cichorius, *Sitzungsber. der Berlin. Akad.*, 1889, p. 371, n. 3.

...... [μεγίσ]|της ἀφ[ο]ρο[λογήτου καὶ ἱε]|ρᾶς τῶν θε[ῶν, πρώτης Ἑλλα|δος
5 καὶ μητροπόλεως πρώ‖της Ἀσίας καὶ Ἑλλάδος] | πάσης, καὶ δὶ[ς νεωκόρου] |
τῶν Σεβαστῶν [1] κ[ατὰ τὰ] | δόγματα τῆς ἱε|ρᾶς συγ]|κλήτου, φίλης κ[αὶ
10 συμ‖μάχου Ῥωμαίων κ[αὶ ἰδ]|ίας τοῦ κυρίου ἡμ[ῶν αὐτο]|κράτορος, Σαρδιαν[ῶν
15 πό]|λεως | [Ποπλ.] ΑΠλ. Θεόδωρο[ς]..|....ανὸς, ὁ ἐργεπισ[τάτης] ‖ τῆς τε
οἰκοδομήσ[εως καὶ] | σκουτλώσεως τοῦ [ἔξω? βα]|σιλικοῦ, τὸν τῆς π[ατρί]|δος
καὶ ἑαυτοῦ ἐν [πᾶσιν] | εὐεργέτην.

1. Post Septimium Severum : Chapot, *Prov. rom. d'Asie*, p. 452.

1529. Castolli. — Keil et von Premerstein, *Denkschr. der Wien. Akad., philos. hist.*
Klasse, LIV (1911), p. 117, 224.

```
 ......... [τ]ελέσας μέγα [π]ρᾶ[γμα]|....
           εἰς φάος ἔστησεν [λαμ|πρὸ]ν, ἐλευθέριον
  5        ἐγ[γ]ενεῆς [βλα|στ]όντα, [ἀρ]χὴν τ(ελ)έσαντα, πολ[εί]‖την
           Ῥωμαῖον ποῖσεν δὲ αὐτὸν [ὁ Καῖ|σαρ?] ¹ · ἐπεὶ
           εὔξησεν δὲ αὐτὸν [τόσ|σον], διὰ ταῦτά τε πάντα
           κόσμι[α τῷ | μεγ]άλῳ θήκατο δῶρα θεῷ
           Σαβαθ[ικῷ ² | ἀγ]ίῳ εὐχῆς χάριν, ἣν [ἐτ]λέωσεν
 10        ....‖.τηι. Ὦ μέγας ὢν κα[ὶ] δυνατὸς δ[υνά|μει?]
           χ]αίροις, ὦ μακάρων πάντων [τε | μ]έγιστος ὑπάρχων
           καὶ δυνατὸς [κραί|ν]ειν · ταῦτα γάρ ἐστι θεοῦ
           τοῦ κατέχον[τος] | τὸν κόσμον · σὺ δὲ χαῖρε καὶ αὔξοις
 15        [εἰς αἰ]‖εὶ σώζων [πρ]ῶ[τ]ον ἐν Αἰνεάδαις |
           [τιμ]αῖς δῶμά τε ³ καὶ τῶν γραψάντω[ν τόδε | οἴκ]ῳ ⁴
           καὶ τέκνοις αὐτῶν πᾶσι φίλον [θ]έ|μενος.
```

1. Civitate romana donatus, vir ille obierat inagistratum aliquem, qua se clarum
ferebat. — 2. Non Sabazius, Phrygum deus, sed potius deus Judaeorum sabbata colen-
tium. — 3. Ille suum laudat deum et precatur ut domum Augustorum servet. — 4. Col-
legium sabbatistarum.

1530. Sirge. — *C. I. Gr.*, 344. Cf. Keil et von Premerstein, *Denkschr. d. Wien. Akad.*
Wissensch., philos. hist. Klasse, LIV (1911), p. 124-125. In miliario.

Τοῖς κυρίοις ἡμῶν Καίῳ Οὐαλερίῳ Διοκλητιανῷ | καὶ Αὐτοκράτορι Καίσαρι
Μάρκῳ Οὐαλερίῳ Μαξ|ιμιανῷ καὶ Φλαουίῳ Οὐαλερίῳ Κωνσταντίῳ | καὶ
5 Οὐαλερίῳ Μαξιμιανῷ τοῖς ἐπιφανεστάτοις ‖ Καίσαρσιν ¹. Ἀπὸ τῆς λανπρᾶς
Βαγηνῶν πόλεως ² μ(ίλια) ει΄ ³.

1. Annis 292-305 post C. n. — 2. Bagis civitas fuit (Gjure) in limite Phrygiae sita. —
3. Viae Bagide Sardes.

1531. Mussa Bey. — Fontrier, Μουσεῖον, V (1885-1886), p. 66, n. φνδ΄.

.... Αἰλιανὸν ....|..ομικονα θεῶν σε[μνό|τατ]ι κεχοσμάμενον ἀλ καὶ

5 λ[έ|γο]ντα καὶ πράττοντα τὰ ἀρισ||[τ]α τᾶ πάτρι, ἱ[ότε]ύσαντα τῶ | κυρίω Καί-
σαρος καὶ παραρυ[λά]|ξαντα καὶ ἀγορανομήσαντ[α] | καὶ δεκαπρωτεύσαντα καὶ
10 κο[υ]|ρατορεύσαντα καὶ τανῦν ἀπυ||δειχθέντα στροτάγον ἐπὶ | τῶν πόρον φιλοτι-
μίας παί|σας καὶ ἀρετᾶς ἕννεκεν, ἐπιμε||[ληθ]ἐντ[ος] τ[ᾶ]ς κα(τα)σκευᾶς . . . . . .

1532. Erythris, in spelunca Sibyllae. — Buresch, *Athen. Mittheil.*, XVII (1892), p. 17,
n. 4-8.

Δήμητρι θεσμοφόρωι καὶ [Μάρ]κωι Αὐ[ρηλίωι | Ἀντω]νείνω καὶ Λουκίωι
Αὐρηλίωι [Οὐήρωι Σεβαστοῖς ¹ . . . . . Κλαύ]διος Π. . . | τὴν πηγὴν τοῦ ὕδατος
ἀν[έθηκεν . . . . . σ]ὺν τοῖ[ς | ἀγάλμασιν] ἐκ τῶν ἰδίων.

1. Annis 161-169 post C. n.

1533. Erythris. — Pottier et Hauvette-Besnault, *Bull. de corr. hellén.*, IV (1880),
p. 157, n. 4; Quandt, *De Baccho ab Hadriani aetate in Asia minore culto, Dissert. philol.
Halenses*, XXI (1913), p. 150.

[Διο]νύσω προπάτο[ρι καὶ] . . .ανῶ Ἀντωνείν[ω . . . .]ΟΥΒΗΡΩ Καίσαρι¹|. . . .ου
ὁ ἱρεὺς τοῦ Διο[νύσου | τὸν] ἱερὸν οἶκον ἐκ [τῶν ἰδίων] | ἀν[έθηκεν] aut ἀν[έστησεν].

1. De Caracalla cogitat Quandt.

1534. Erythris. — Keil, *Jahreshefte des österr. Instit.*, XIII (1910), *Beiblatt*, p. 47, n. 11.

[Ὁ δῆ]μος | [Θεᾶι Ῥώμηι καὶ Σε]βαστῶι Καίσαρι | . . . . . ¹ Οὐρανίωι.

1. [θεσυ υἱῶι] aut [Διὶ Σωτῆρι] conjecit Keil.

1535. Erythris. — Μουσεῖον, II, 2-3 (1878), p. 59, n. 140.

[Μ. Αὐρ. Ἀντωνεῖνον Καίσαρα | Σεβαστὸν Ἀρμενιακὸν Παρθικὸν | μέγιστον
5 Μηδικὸν Γερμανικὸν | Σαρματικὸν] ¹ ‖ . . . .υσια. . . . | Ἀντωνεί[νου υἱὸν Θεοῦ
Ἀδρι]|ανοῦ υἱωνὸν [Θεοῦ Τραιανοῦ Παρ]|θικοῦ ἔκγον[ον Θεοῦ Νέρουα ἀπό]|γονον
10 ἡ [βουλὴ καὶ ὁ δῆμος] ‖ ὁ Ἐρυθραίων [καθιέρωσαν] | ἐκ τῶν ἰδίω[ν, ἐπιμελη-
θέντος] Γαίου Ῥαουιρ[ίου] . . . . . | ῥήτορος.

1. M. Aurelius, nisi supplendum est Λ. Αὐρ., quod de L. Vero esset intellegendum.

1536. Erythris. — Le Bas et Waddington, n. 54.

Ὁ δῆμος | Αὐτοκράτορα Καί|σαρα Λούκιον Σε|πτίμιον Σεουῆρον Περτίνακα Σεβα|στόν.

1537. Erythris. — Pottier et Hauvette-Besnault, *Bull. de corr. hellén.*, IV (1880), p. 155, n. 2.

Ὁ δῆμος | Μᾶρκον Κοσκώνιον Γαίου υἱὸν Ῥωμαῖον ¹ | ἀρετῆς ἕνεκεν καὶ εὐνοίας τῆς εἰς ἑαυτόν.

1. Profecto M. Cosconius praetor Macedoniae, qui, post mortuum Attalum III (anno 133 ante C. n.), nonnullis Asiae civitatibus opem tulit contra Aristonicum. Cf. n. 134 et Münzer ap. Pauly et Wissowa, *Realencyclop.* IV, p. 1669, n. 8.

1538. Erythris. — Weber, *Athen. Mittheil.*, XXVI (1901), p. 117, n. 3.

Ὁ δῆ[μος] | Γναῖον Δομί[τιον] ¹...............

1. Cn. Domitius Cn. f. legatus fuit M' Aquillii in Caria annis 129-127 ante C. n., cum ordinata est Asia provincia. Cf. n. 968. Münzer ap. Pauly et Wissowa, *Realencyclop.*, V, p. 1316, n. 11. Sed Asiam rexerunt Cn. Domitius Calvinus anno 47/46 ante C. n., Cn. Domitius Corbulo, Claudio principe : Chapot, *Prov. rom. d'Asie.* p. 309.

1539. Erythris. — Wilamowitz-Möllendorff et Jacobsthal, *Abhandl. d. Berlin. Akad.*, 1909, p. 48.

In latere minimo lapidis :

['Εκάτηι?] χοίρου η ·

τετ[άρτηι] ¹, Ἀπόλλωνι Ἀπ[ο|τρο]παίωι, Ἑρμεῖ (Ἱ)ππίωι γ[αλα|θη]νῶν ² δύο
5 ις, Ποσειδῶν[ι] | Ἱππίωι τελείου ³ κδ, Ἡρα||κλεῖ Καλλινίκωι, Ποσειδῶ|νι Ἀσφα-
λείωι, Ἀπόλλωνι, Ἀρ|τέμιδι τοῖς ἐν τῶι πυλῶνι ⁴ | τελείων τεσσάρων ρ · |
10 [π]έμπτηι, Ἡρακλεῖ, Ἀρετῆι, Ἀ||[φρ]οδίτηι Στρατείαι τελεί|[ων] τριῶν οβ ·
ἕκτηι, Ῥώμηι ⁵ τε||[λ]είου κδ κοινόν ⁶ ·
ἑβδόμηι, | Ἀπόλλωνι Πυθίωι Ἐπικωμίωι | τελείου κδ ·
15 τεσσαρεσκαι||δεκάτηι, Ἀγγιάνακτι ⁷ τελείο|υ κδ ·
πεντεκαιδεκάτηι, | Ἀρτέμιδι Ἀποβατηρίαι, τε|λείου κδ · Ἀπόλλωνι, Λητ[οῖ] |
γαλαθηνῶν δύο ις ·

20   ἐκκαι‖[δ]εκάτηι, Ἀθηνᾶι Πολιάδι τ[ελ]είου κδ, ταῖς ὄπισθε θεαῖ[ς ⁸ | χ]οίρου
      η, βασιλεῖ Ἀντιόχῳ[ι ⁹ | ε]ἰς θυσίαν κϐs ¹⁰ κοινὸν, Φαν[α|γόρα(ι) εἰς θυσίαν π ·
25   ὀκτωκ[αι‖δ]εκάτηι, ταῖς ὄπισθε θε[αῖς ἐ|π]ὶ παννυχίδος χοίρο[υ η ·
      ν(ουμηνί)αι ¹¹ | πρ]οτέραι εἰς τὴν κατ[ὰ μῆνα | θυσί]αν τοῖς βασ[ιλεῦσι ¹²,
      τε|λείου] κδ κο[ινόν] . . . .

Alia latera duo ejusdem lapidis, unde hausta sunt quaedam supplementa, describere
ab re nostra alienum erat. Enumerantur pecuniae, quas certis cujusque mensis diebus
arcarius civitatis solvere debebit sacris cujusque dei celebrandis. Quo autem de mense
tractet latus I, plane ignoratur. Numeris drachmae expressae sunt. De Erythraeorum
sacris v. Bürchner, *Erythrai* ap. Pauly et Wissowa, *Realencycl.* VI, 588, ₁₈.

1. Illius mensis die IV. — 2. Agni. — 3. Ovis aut caper. — 4. Dei profecto ante por-
tam praecipuam civitatis culti. — 5. Idem sacrificium iisdem verbis praescribitur in
diem VI alius mensis in latere III lapidis. — 6. Pecunia Communis Ionum civitatum. Cf.
nn. 1323 et 1343. — 7. Anchianax et Phanagoras (v. 23) videntur fuisse cives in heroas
relati, utpote qui prius de Erythraeis bene meruissent. — 8. Profecto Ceres et Proser-
pina, inferorum deae, quae perendie (v. 26) pannychismo coluntur. — 9. Antiochus II
Theus (mortuus anno 246 ante C. n.), qui Ionum civitates liberas esse jusserat : Gäbler,
Erythrae im Zeitalter des Hellenismus, Berlin. progr. (1892), p. 33. — 10. s significantur
3 oboli, sive drachmae pars dimidia; κβs = 22 drachmae semis. — 11. Die I mensis
insequentis; nam profestus erat dies II (νουμηνίαι ὑστέραι). — 12. Attali, Pergamenorum
reges, quibus Romani, post victum Antiochum III, Lydiam dederant ; haec scripta esse
patet inter annos 189 et 133 ante C. n. : Gäbler, *op. cit.*, p. 54.

1540. Erythris, in spelunca Sibyllae. — Buresch, *Athen. Mittheil.*, XVII (1892), p. 19,
n. 9.

      Ἡ Φοίϐο[υ π]ρόπολος χρη|σμηγόρος εἰμὶ Σίϐυλλα |
        νύμφης Ναϊάδος πρεσϐυ|γενὴς θυγάτηρ · ‖
5   πατρὶς δ᾽οὐκ ἄλλη, μούνη | δέ μοί ἐστιν Ἐρυθραὶ |
        καὶ Θεόδωρος ἔφυ θνη|τὸς ἐμοὶ γενέτης · ¹ |
10   Κισσώτας ² δ᾽ ἤνεγκεν ἐ‖μὸν γόνον ³, ᾧ ἐνὶ χρησμοὺς |
        ἔκπε[σ]ον ὠδείνων εὐθὺ | λαλοῦσα βροτοῖς. |
      Τῆιδε δ᾽ ἐφεζομένη πέ|τρηι θνητοῖσιν ἄεισα ‖
15   μαντοσύνας παθέων | αὖθις ἐπεσσομένων · |
      .τρὶς δὲ τριηκοσίοισιν ἐ|γὼ ζώουσ᾽ ἐνιαυτοῖς ⁴ |
20   παρθένος οὖσ᾽ ἀδμὴς ‖ πᾶσαν ἐπὶ χθον᾽ ἔϐην,
        αὖθις δ᾽ ἐνθάδ᾽ ἐγώ γε φίλη | πὰρ τῆιδέ γε πέτρηι

ἧμαι νῦν ἀγανοῖς ὕδα|σι τερπομένη. |

Χαίρω δ᾽ ὅττι χρόνος μοι | ἐλήλυθεν ἤδη ἀληθής, ▮

25 ᾧ ποτ᾽ ἀνανθήσειν αὖθις | ἔφην Ἐρυθράς, |

πᾶσαν δ᾽ εὐνομίην ἕξειν | πλοῦτόν τ᾽ ἀρετήν τε |

30 πάτρην ἐς φιλίην βάντι ▮ νέωι Ἐρύθρωι ⁵.

1. Loquitur ipsa de se Sibylla Erythraea, quae ferebatur ex nympha montis Coryci et Theodoro pastore orta esse; Sibyllae etiam sacrificabatur, ut docet tituli n. 1539 ea pars quam omisimus, v. 55. — 2. Sane rivus monte Coryco delapsus. — 3. Partum meum tulit, id est me nascentem vidit. — 4. Annos nongentos nata. Narrabatur Sibylla anno fere 700 ante C. n. venisse in vitam (Suid. s. v.). — 5. Ut Erythrus olim, ita heros aliquis novus civitatem condidit; eum vero arbitratur Buresch fuisse L. Verum, qui anno 162 post C. n. « per singulas maritimas civitates Asiae clariores voluptatibus immoratus est. » Vita Veri, 6. Cf. nn. 1532, 1533.

1541. Erythris, in spelunca Sibyllae. — Le Bas et Waddington, n. 58; Buresch, *Athen. Mitteil.*, XVII (1892), p. 33.

Ἀγαθῇ τύχῃ. |

Νύμφαις Ναϊάσιν ἀγα[λ]|λόμενος, ἔνθα Σιβύλλη ¹, |

5 εἰρήνης ἄρξας Εὐτυχια‖νὸς τὸ πάροιθε, |

δαπάναις ἑτοίμοις ἀγο|ρανόμος φιλότειμος,

10 ἄμφω δ᾽ εὐψύχως, σὺν | Εὐτυχιανῷ παι‖δὶ πανηγυριάρχῃ |

ἐκ προσόδων ἰδίων | τῇ πατρίδι τὸ ὕδωρ, |

φαιδρυνέν τε γραφαῖς | ἐπικοσμήσας τὸ αὐλιεῖον, ▮

15 μνημόσυνον [τοῦτο] | τοῖσιν [ἐπεσσομένοις] ².

1. CIBYΛΛHC lapis. — 2. Eutychianus irenarcha fontem publicum faciendum et speluncam picturis ornandam pecunia sua curaverat, faventibus nymphis Coryciis, Sibyllae Erythraeae comitibus.

1542. Erythris. — Keil, *Jahreshefte des österr. Inst.*, XIII (1910), *Beiblatt*, p. 52, n. 17.

5 Ἡ πατρὶς καὶ ἡ ἱερὰ | θυμελικὴ σύνο|δος ἐτείμησαν | Ἀντωνίαν Τυρ[α]ννί|δα Ἰου[λια]νὴν ἀγωνο|θετήσασαν τῶν με|γάλων Ἀδριανείων | ἐπιβατηρίων ¹ ἐνδόξως |

10 καὶ πιστῶς, τὸν ἀν|δριάντα ἀναστήσασαν ▮ ἐκ τῶν ἰδίων.

1. Ludi qui videntur eo tempore instituti esse cum Hadrianus Asiam peragravit,

anno 123/124 post. C. n., ut memoraretur ejus adventus. Cf. titulum n. 1260 et Jessen ap. Pauly et Wissowa, *Realencyclop.*, VI, p. 28, v. 42.

1543. Erythris. — Le Bas et Waddington, n. 57.

..αι....αιτω.. | Ἐρυθραίων πόλεως. |

5 Τ. Φλ. Αὐρή. Ἀλέξανδρον | τὸν ἐκ προγόνων καὶ ἀπὸ ‖ παιδὸς ἡλικίας λιτουρ-
γὸν, | τὸν μιμαντοβάτην ¹ | καὶ ἱερέα θεοῦ Ἀλεξάνδρου ² | καὶ ἀγωνοθέτην τῶν
10 Διονυσίω[ν], | τὸν καὶ αὐτὸν ἱερέα τῆς Ἰωνίας ³, ‖ ἀγορανόμον, | βούλαρχον, |
15 σειτώνην τὸ β′, | εἰρήναρχον, | Φλαβία Αὐρ. Πώλλα ‖ καὶ Φλαβία Αὐρ. Τρύ-
φαινα | αἱ θυγατέρες | τὸν ἑαυτῶν γλυκύτατον | πατέρα, | υἱὸν ἀγωνοθέτου καὶ
τε‖τράκις ἀγωνοθέτην.

1. Videtur ille aliquod sive sacerdotium sive civile munus exercuisse in monte Mimante, Erythris proximo. — 2. In luco Chalcidensium, inter Teum et Clazomenas, colebatur Alexander, Macedonum rex, cujus die natali agebantur ludi solemnes a Communi Ionum civitatum tredecim : Strab., XIV, 1, 31. Cf. Dittenberger, *Sylloge inscr. gr.*, ed. II, n. 600, v. 111 ; *Orient. gr. inscr. sel.*, n. 222, v. 25. — 3. Cf. n. 1523.

1544. Erythris. — Dittenberger, *Sylloge inscr. gr.*, ed. II (1898), n. 413.

[Ἀγαθ]ῆι [τ]ύ[χη]ι · | [τ]ὸν τοῦ σοφιστοῦ | Φλ. Φιλοστράτου ¹ | καὶ τῆς κρα-
5 τίστης ‖ Αὐρηλίας Μελιτίνης | υἱὸν Φλ. Καπιτωλεῖνον ², | συγγενῆ καὶ ἀδελφὸν |
10 καὶ θεῖον συνκλητικῶ[ν], | ἡ κρατίστη βουλὴ τὸν ‖ ἑαυτῆς τρόφιμον καὶ | εὐερ-
γέτην, ἐπιμελ|ησαμένου τῆς ἀνα|στάσεως τοῦ βουλάρ|χου Αὐρ. Εὐτυχιανοῦ.

1. Nobilissimus ille auctor, qui librum de Apollonio Tyanensi et Vitas sophistarum conscripsit, principe Septimio Severo : *Prosop. imp. rom.*, II, p. 71, n. 217. — 2. *Ibid.*, p. 66, n. 165.

1545. Erythris. — *C. I. L.*, III, 7112.

L. Marius M. f. | Aem(ilia) Caiata. |

5 Λούκιος Μάριος | Μάρκου υἱὸς ‖ Αἰμιλία Γαάτης.

Intra octo coronas in latere sinistro :

5-10 Ὁ δῆ|μος | Κολοφω|νίων. ‖ Ὁ [δῆ|μος] | Ἐφ[ε]σίω[ν]. | Γερου|σία ‖ Μαγνή|-
15 [τ]ων ἀπ|[ὸ] Σιπύλ|ου. | Ζμυρ‖ναίων. | Κυμαί|ων. |

Intra quinque coronas in latere dextro :

5   Γερουσία | Ζμυρ|ναίων. | Μυρει|ναίων. | [Κλαζο]|μεν[ί]|ων. | Τηίων. ‖
10 Λεβε|δίων.

Tres coronae in eodem latere non inscriptae sunt.

1546. Erythris. — Pottier et Hauvette-Besnault, *Bull. de corr. hellén.*, IV (1880),
p. 161, n. 12.

....χίου | ἀμίλλαις | .ρεφεται |

Seorsum suo margine seclusa haec leguntur :

[Οἱ πρ]α[γ]‖ματευ|όμενοι [1].

1. Nempe Ῥωμαῖοι. Hatzfeld, *Les trafiquants italiens dans l'Orient hellénique* (1919),
p. 103-107. Cf. nn. 1545, 1547, 1548.

1547. Erythris. — Le Bas et Waddington, n. 50.

a. χαῖρε.
b. intra coronam ὁ δῆμος.
c. .... [χ]ρατέου χρηστὲ, χαῖρε.
d. intra coronam οἱ Ῥωμαῖοι.

1548. — Erythris. — Keil, *Jahreshefte des österr. Instit.*, XIII (1910), *Beiblatt*, p. 72,
n. 56.

Supra sex coronas :

5   Ὁ δῆμος | [Φω]καέων. | Ἡ γερουσία | Σμυρναίων. ‖ Οἱ Ῥωμαῖοι |
Τηίων [1].

1. Οἱ Ῥωμαῖοι οἱ ἐν Τήῳ. Cf. nn. 1545-1547.

1549. Clazomenis. — Le Bas et Waddington, n. 36.

[Τιβερίῳ Καίσαρι Θεοῦ Σεβαστοῦ υἱῷ Σεβαστῷ, Δρούσῳ Καί|σαρι, |

5 Γερ]μανικῷ Καί|σαρι ¹ [... Κλαύδιος ... υἱὸς Παλατ]είνᾳ ² Νεικόμαχος, ∥ [καθὼς ὑπέσχετο ἀγωνοθε]τήσας, καὶ τὸν ἀ[ν|δριάντα ἐκ τῶν ἰδ]ίων καὶ [τὰς τει]μὰς ·ἀνιέρωσεν·

1. Tiberii statuae adstitisse videntur statuae filiorum, Drusi dextra, Germanici sinistra, positae inter annos 14 et 19 post C. n., fortasse anno 18, cum Germanicus in Asiam iter faciens appulit Colophona : Tac. *Ann.* 54. — 2. Claudii plerique ad tribum Palatinam pertinebant ; cf. tamen n. 1550.

1550. Clazomenis. — Keil, *Jahreshefte des österr. arch. Inst.*, XIV (1911), *Beiblatt*, 55, n. 6.

[Τι. Κλαύ]διον Καίσαρ[α] | Σεβαστὸν Γερμανικὸν | Τι. Κλαύδιος Μενάν-
5 δρου | υἱὸς Κυρίνᾳ Μενεκλῆς ∥ φιλορωμαῖος εὐσεβ|ίας | χάριν.

1551. Clazomenis. — Perrot, *Rev. arch.*, XXXII (1876), p. 44.

5 Αὐτοκράτορι Καί|σαρι Τραια|νῷ Ἀδρι[ά]|νῳ Ὀλυ[μ]πίῳ ¹ νέῳ ∥ Ἡλίῳ ² κτί[στῃ].

1. Annis 129-138 post C. n. — 2. Cf. t. III, n. 345 ; IV, n. 145, v. 2.

1552. Inter Clazomenas et Teum. — Chapot, *Rev. de philologie*, XXVIII (1904), p. 72. In miliario.

Ἀγαθῇ τύχῃ. | [Γ. Αὐρ.] Οὐαλ. | [Δ]ιοκλητιανῷ | καὶ Μ. Αὐρ. Οὐαλ. ∥
5 Μαξιμιανῷ Σεβ(αστοῖς) ¹. | Ἀπὸ Τέω | μί(λια) [έ?] ².

1. Annis 286-292 post C. n. — 2. Viae Teo Smyrnam. Cf. n. 1553.

1553. Clazomenis. — Chapot, *Rev. de philologie*, XXVIII (1904), p. 70. In miliario.

a [Γ. Αὐρ. Οὐαλερ. Διοκλητιανῷ καὶ] | Μ. Αὐρ. Οὐαλερ. Μαξιμιαν[ῷ]
5 Σεβαστοῖς | καὶ | Φλ. Οὐαλερ. Κωνσταντίῳ καὶ ∥ Γαλερ. Οὐαλερ. Μαξιμιανῷ ἐπιφ(ανεστάτοις) Καίσαρσιν ¹. | Ἀπὸ Τέω ἐπ[ὶ] ... ? | μί(λια) θ΄.

Ab altera parte :

δ [Ἀγ]αθῆ τύχη · | Φλ. Ἀρκαδείου | κὴ Φλ. Ὀνορείου | κὴ Φλ. Θεο[δο-
5 σ]ίου ‖ νέου βασιλέος ². | Μί(λια) θ' ³.

1. Annis 292-305 post C. n. — 2. Annis 402-408 post C. n. — 3. Viae Teo Smyrnam.
Cf. n. 1352.

1554. Clazomenis. — *C. I. Gr.*, 3131.

5 Ἀγαθῆ τύχη · | Και[κ]. Μόντιον | τὸν λαμπρό|τατον ἀνθύ‖πατον ¹ ἡ λαμ-
[πρὰ] | Κλα[ζο]μ[ενίων πόλις].

1. Nomen sine ullo dubio pessime corruptum est et de illo proconsule nihil memoriae
proditum est.

1555. Clazomenis. — Keil, *Jahreshefte des österr. arch. Institut*, XIV (1911) ; *Beiblatt*,
p. 56, n. 7.

5 Ἀγαθῆι τύχηι · | ἡ φιλοσέβαστος | γερουσία ἀποκα|τέστησεν Φλ. Νε[ι]‖κη-
φόρον, λογισ|τεύοντος ¹ Μ. .....|λίου Ἀττάλο[υ Πο|σ]ιδωνιανοῦ.

1. Collegio senum curator ab imperatore saepius dabatur, qui rem nummariam
turbatam restitueret et in exigendis pecuniis eos adjuvaret. Cf. Isid. Lévy, *Rev. des ét.
gr.*, VIII (1895), p. 248-249.

1556. Tei. — *C. I. Gr.*, 3074.

Διὸς Κτησίου ¹, | Διὸς Καπετωλίου, | Ῥώμης, | Ἀγαθοῦ δαίμονος.

1. Qui bona domus cujusque servat et auget. Cf. Dittenberger, *Sylloge inscr. gr.*, ed.
II, n. 576, not. 2. Scheffler, *De rebus Teiorum*, p. 72.

1557. Tei. Inter rudera templi Bacchi. — Dittenberger, *Sylloge inscr. gr.*, ed. II (1898),
n. 279; Ch. Michel, *Recueil d'inscr. gr.*, n° 51.

Ῥωμαίων ¹.

Μᾶρκος Οὐαλάριος Μάρκου στρατηγὸς ² καὶ | δήμαρχοι καὶ ἡ σύνκλητος

Τηίων τῆι βουλῆι καὶ τῶι | δήμωι χαίρειν · Μένιππος ² ὅ τε παρ' Ἀντιόχου
5 βα‖σιλέως ἀποσταλεὶς πρὸς ἡμᾶς πρεσβευτής, προ|χειρισθεὶς καὶ ὑφ' ὑμῶν
πρεσβεῦσαι περὶ τῆς πόλεως, | τό τε ψήφισμα ἀνέδωκεν καὶ αὐτὸς ἀκολούθως |
τούτωι διελέχθη μετὰ πάσης προθυμίας · ἡμεῖς δὲ τόν τε ἄν|δρα ἀπεδεξάμεθα
10 φιλοφρόνως καὶ διὰ τὴν προγεγενη‖μένην αὐτῶι δόξαν καὶ διὰ τὴν ὑπάρχουσαν
καλοκὰ|γαθίαν, περί τε ὧν ἠξίου διηκούσαμεν εὐνόως. Καὶ ὅτι | μὲν διόλου
πλεῖστον λόγον ποιούμενοι διατελοῦ|μεν τῆς πρὸς τοὺς θεοὺς εὐσεβείας, μάλιστ'
15 ἄν τις στο|χάζοιτο ἐκ τῆς συναντωμένης ἡμεῖν εὐμενείας ‖ διὰ ταῦτα παρὰ τοῦ
δαιμονίου · οὐ μὴν ἀλλὰ καὶ ἐξ ἄλ|λων πλειόνων πεπείσμεθα συμφανῆ γεγονέναι |
τὴν ἡμετέραν εἰς τὸ θεῖον προτιμίαν. Διὸ καὶ διά τε ταῦ|τα καὶ διὰ τὴν πρὸς
ὑμᾶς εὔνοιαν καὶ διὰ τὸν ἠξιω[μέν]ον | πρεσβευτὴν κρίνομεν εἶναι τὴν πόλιν καὶ
20 τὴν χώ‖ραν ἱερὰν, καθὼς καὶ νῦν ἐστιν, καὶ ἄσυλον καὶ ἀφορο|λόγητον ἀπὸ τοῦ
δήμου τοῦ Ῥωμαίων, καὶ τά τε εἰς | τὸν θεὸν τίμια καὶ τὰ εἰς ὑμᾶς φιλάνθρωπα
πειρασό|μεθα συνεπαύξειν διατηρούντων ὑμῶν καὶ εἰς τὸ | μετὰ ταῦτα τὴν πρὸς
ἡμᾶς εὔνοιαν. Ἔρρωσθε.

1. « Praeter hanc magistratuum senatusque Romani epistulam etiam decreta Aetolo-
rum, Delphorum et multarum civitatium Creticarum Tei inventa sunt, quibus Teiis jus
asyli confirmatur ; quae fere ejusdem aetatis esse verisimile est ». Dittenberger. Cf.
A. Wilhelm, Götting. gel. Anzeigen, 1898, p. 219 et Chapot, Prov. rom. d'Asie, p. 406. —
2. M. Valerius Messalla praetor erat peregrinus anno 193 ante C. n. T. Liv. XXXIV,
54, 2 ; 55, 6. — 3. Ipso anno 193 ante C. n. Menippus et Hegesianax, regis Antiochi
legati, Romae versabantur. T. Liv. XXXIV, 57, 6 ; 59, 3, 6.

1558. Tei. — Dittenberger, Sylloge inscr. gr., ed. II (1898), n. 303 ; Ch. Michel, Recueil
d'inscr. gr., n° 325.

5 Ὁ δῆμος ὁ Ἀβ[δηριτῶν] Ἀμύμο|να Ἐπι|κούρου, Μεγάθυ|μον Ἀθη‖ναίου.

Ἐπειδὴ χρείας τῶι δήμωι γενομένης πρεσβείας εἰς | Ῥώμην ὑπὲρ τῆς πατρίο[υ
χώρας], περὶ ἧς ἐπιδοὺς ἀξίω|μα βασιλεὺς Θρακῶν Κότ[υς ¹ τῆι συ]γκλήτωι
διά τε τοῦ υἱοῦ | αὐτοῦ ² καὶ τῶν ἅμ' ἐκείν[ωι ἐξ]αποσταλέντων ὑπ' [αὐ]|τοῦ
10 πρεσβευτῶν ἤτει τ[ὴν π]άτριον ἡμῶν χώραν, ‖ αἱρεθέντες πρεσβευτα[ὶ ὑπὸ το]ῦ
δήμου τοῦ Τηίων ³ Ἀμύ|μων τε Ἐπικούρου καὶ Μ[εγάθυμ]ος Ἀθηναίου,
ἄνδρες | καλοὶ καὶ ἀγαθοὶ καὶ ἄξ[ιοι σφετέρ]ας πατρίδος καὶ εὖνοι | τῶι ἡμε-
τέρωι δήμωι ὄ[ντες, τὴ]ν πᾶσαν σπουδήν τε καὶ | φιλοτιμίαν εἰσήνεγκαν [προ-
15 θυμ]ίας οὐδὲν ἐλλείπον‖τες. Ἔν τε γὰρ ταῖς συνεδ[ρίαις τ]αῖς γενομέναις ὑπὲρ

τῆς | χώρας πᾶσαν ἐπίνοιαν π[αρέσχ]οντο χάριν τοῦ μηθὲν π[α]|ραλειφθῆναι
τῶν δυναμ[ένων ἐπα]νορθῶσαι τὰ πράγματα, ἀ|ρατὴν ἅμα καὶ σωτήριον [περὶ
τῶ]ν ἀπορουμένων ἀεὶ π[ρο]|τιθέντες γνώμην · εἰς τε [Ῥώμην π]ρεσβεύσαντες
20 ὑπὲρ τοῦ ‖ δήμου ψυχικὴν ἅμα καὶ σω[ματικὴν] ὑπέμειναν (κακ)οπάθ(ε)ιαν |
ἐντυγχάνοντες μὲν τοῖς πρώτοι]ς Ῥωμαίων καὶ ἐξομηρευ|όμενοι διὰ τῆς καθ᾽
ἡμέρα[ν προσκυν]ήσεως, καταστησάμε|νοι δὲ τοὺς πάτρωνας τῆς [πατρί]δος εἰς
τὴν ὑπὲρ τοῦ ἡμε|τέρου δήμου βοήθειαν, τ[οὺς προ]νοουμένους τοῦ ἀντιδίκου ‖
25 ἡμῶν καὶ προστατοῦντα[ς αὐτοῦ, πολλ]ῶν πραγμάτων παραθέσει [4], | ὥστε καὶ
τῆς καθ᾽ ἡμέρα[ν μετέχοντ](ε)ς ἐφοδείας ἐπὶ τῶν ἀτρέ|ων [5] ἐφιλοπο(ν)οῦντο [6] ·
περὶ δ[ὴ] τούτων ἔ]δοξεν τῆι βουλῆι καὶ τῶι δήμωι τῶι Ἀβδηριτῶν ἐπαιν[έσαι
το]ὺς προγεγραμμένους ἄν|δρας καὶ καλεῖσθαι εἰς προ[εδρίαν κατ᾽] ἐνιαυτὸν
Διονυσίων τῶι ἀ|γῶνι ἕως ἂν ζῶσιν, καὶ [στεφανοῦσ]θαι χρυσῶι στεφάνωι ἐν
30 ἀγ[ῶνι] ‖ τὴν ἀναγγελίαν ποιουμέν[ου τοῦ] κήρυκος, διότι ὁ δῆμος στε|φανοῖ
χρυσῶι στεφάνωι Ἀ[μύμονα Ἐ]πικούρο, Τήιον ἀρετῆς ἕνε|κεν καὶ εὐνοίας
τῆς εἰς ἑα[υτὸν, καὶ Με]γάθυμον Ἀθηναίου Τήιον χρυ|σῶι στεφάνωι ἀρετῆς
ἕνε[κεν καὶ εὐν]οίας τῆς εἰς ἑαυτόν. Οἱ δὲ νο|μοφύλακες οἱ ἐπὶ ἱερέως Ἡ.....
35 [ἀν]αγραψάτωσαν τόδε τὸ ψήφισ‖μα εἰς στήλην λευκοῦ λίθ[ου καὶ στησά]-
τωσαν ἐν τῶι ἐπιφανεστά|τωι τόπωι τῆς ἀγορᾶς, ἵνα [πάντες κο]ινῶς (ε)ἰδῶσιν
τὴν τοῦ δήμου | προθυμίαν ἣν ἔχει πρὸς τ[οὺς καλοὺς] καὶ ἀγαθοὺς [τῶν]
ἀν[δρῶν. Καὶ ἑ]‖(λ)έσθωσαν οἱ νομοφύλακ[ες πρεσβε]υτὰς δύο πρὸς Τηίους,
40 οἵτ[ιν]ες | ἀποδημήσαντες εἰς Τέ[ων καὶ δό]ντες τόδε τὸ ψήφισμα παρακα‖λέσουσιν
Τηίους προσαγγεῖλαι τὰς ἐ]ψηφισμένας ὑπὸ τοῦ δήμου ἡ|μῶν τοῖς πολίταις
αὐτῶν [τιμάς, καὶ σ]υγχωρῆσαι τοῖς πρεσβε[υταῖς] | στῆσαι στήλην λευκοῦ λίθ[ου
ἐν τῶι ἐ]πιφανεστάτωι τόπωι, ἐν [ἧι] | ἀναγραφήσεται τόδε τὸ ψή[φισμα · τὸ δ]ὲ
γενόμενον ἀνάλωμα ἐπί | τε τὴν στήλην καὶ ἐπὶ ἀναγ[ραφὴν] τοῦ ψηφίσματος
45 ἀπο]λογισά‖μενοι τῆι πόλει οἱ πρεσβε[υταὶ, ὅπω]ς ἀμείβωνται, κομι[ζόντων] |
ἀπὸ τῆς τραπέζης, θεμέν[ων αὐτοῖς] τὸ διπλάσιον τῶν νομοφυλά|κων ἀπὸ τῶν
εἰς τὰς πρεσβείας · τὸ δὲ ψήφισμα τόδε εἶναι εἰς εὐχα|ριστίαν τοῦ δήμου ·
Ε[ἱρέθησα]ν πρεσβευταὶ Ἡρακλεί|δης Ἀλκίφρονος, Ἀλκ[ίφρων Δη]μητρίου.

---

1. Cotys, rex Thracum, victo Perseo, a Romanis petiverat ut Abdera, urbem in Thraciae
littore sitam, sibi concederent (anno 168 ante C. n.). — 2. Bithyn filium Cotys legatis
praefecerat quos Romam miserat, ut de Abderis cum senatu agerent. — 3. Ipsi quoque
Teii ob defendendam libertatem Abderorum, coloniae suae, in Urbem cives duos lega-
verant. Cf. Scheffler, *De rebus Teiorum*, p. 14. — 4. Teiorum legati senatores, patronos
suos, qui prius Cotyi favebant, sibi conciliaverunt, ut interpretatur Dittenberger, quia

multas causas attulerunt « cur Romanorum non interesset illi morem gerere ». —
5. Legati singulos senatores in atriis suis salutandi causa, Romano de more, adierunt. —
6. ἐφιλοποίουντο lapis. Correxit Dittenberger. — 7. ῖδωσιν lapis.

1559. Tei. — Judeich, *Athen. Mittheil.*, XVI (1891), p. 295, n. 19.

Ὁ δῆμος | Αὐτοκράτορα Τίτον | Καίσαρα Οὐεσπασιανὸν | Θεοῦ υἱὸν Σεβαστόν.

1560. Tei. — Le Bas et Waddington, nn. 96-97.

..... Ἀδριανῷ Σεβαστ[ῷ.....|.... ἀρχιερατ]εύοντος τὸ β´

1561. Tei. — Le Bas et Waddington, n. 98.

.... ['Αν]τωνεῖνο[ν τὸ]ν εὐεργέτ[ην].

1562. Tei. — Ruge, *Berl. philol. Wochenschr.*; 1892, n. 23707, n. 6.

Ἀγαθῇ τύχῃ · | τὴν κυρίαν ἡμῶν | Γαλερ. Οὐαλερίαν | εὐσεβε[στ]άτην ‖
5 Σ[ε]βαστ[ὴν] ¹, μητέ[ρα | κάστρων] ².

1. Uxor M. Aurelii. Sed Valeria nunquam audiit; quod nomen pro Φαυστεῖνα scripsisse
videtur lapicida. — 2. Post annum 174. Anno autem 176, maritum in Orientem comitata,
in radicibus montis Tauri, in vico Halalae, mortua est. *Prosop. imp. rom.*, I, p. 77, n. 353.

1563. Tei. — Le Bas et Waddington, n. 99.

[Αὐτοκράτορα....... δημαρχι]κῆς ἐξουσίας | [τὸ.] ὕπατον τὸ β´, ἀν|[έστησεν ἡ
5 βουλ]ὴ καὶ ὁ δῆμος ὁ Τ|[ηίων, ἐπιμεληθέντ]ος Α. Ἰουλίου Διc‖[τίμου? τ]οῦ
ἄρχοντος καὶ | .... τῆς πόλεως.

1564. Tei. — Lebas et Waddington, n. 103.

Ὁ δῆμος | ἐτείμησεν Αὖλον Βίβιον | Ἀβῖτον ¹, τὸν ἀδελφὸν τοῦ τῆς | πόλεως
5 εὐεργέτου Γαίου Οὐιβίου ‖ Ποστόμου ².

1. A. Vibius Habitus, cos. suffectus anno 8 post C. n. *Prosop. imp. rom.*, III, p. 422,

n. 384. — 2. C. Vibius Postumus cos. suffectus anno 5 post C. n., proconsul Asiae per triennium, ab anno fere 13 ad 16. *Ibid.*, p. 423. n. 392.

1565. Tei. — Le Bas et Waddington, n. 132.

Πόπλιον Κλαύδι|ον Τιβερίου υἱὸν | Παλ[λ]ατείνᾳ Πολλίωνα, ἔπα[ρχ]ον |
5 σπείρης πρώτης ‖ μειλιαρίας Θραχ[ῶ]ν ¹ | Τιβέριος Κλαύδιος | Χάρμος Κλαζο-
10 μέ|νιος, ἀρετῆς ἕνεκεν | καὶ ἠθῶν, ἐκ τῶν ἰδί‖ων ἀνέθηκεν.

1. Cohors I Thracum miliaria in Syria tendebat : Cichorius ap. Pauly et Wissowa, *Realencyclop.*, IV, p. 337, v. 16.

1566. Tei. — Le Bas et Waddington, n. 104.

Ὁ δ[ῆμος ἐτείμησεν] | Πούπ[λιον Στατ]είλιο[ν Γαίου?] | υἱὸν Κολλ[ε]ί[ν]ᾳ
5 Πόστο[μον], | ἔπαρχον σπείρης τρίτης ¹ ἐν ‖ Μαυρητανίᾳ, καὶ διὰ τὰς τοῦ | γένους
αὐτοῦ εἰς τὴν πατ[ρίδα | [εὐεργεσία[ς].....

1. Fortasse significatur cohors III Asturum, in Mauretania Tingitana tendentium : *Not. Dign.* (*Occ.*), XXVI, 19. Cichorius ap. Pauly et Wissowa, *Realencyclop.*, IV, p. 257, v. 14.

1567. Tei. — Le Bas et Waddington, n. 106.

Τι. Κλαύδιον Ἰτα[λικοῦ] | υἱὸν Πίον Πεισω[νεῖνον] | τὸν Ἀσιάρχην ¹ οἱ το[ῦ |
5 Σητα]νείου ² θεοῦ Διονύσο[υ μύσται] ‖ τὸν ἐκ προγόνων εὐεργ[έτην] | εὐχ ιστίας
χάριν, Τίτου [Αὐρη]λίου Γεώργου Ἀτταλιανο[ῦ] | τοῦ ἐν πᾶσιν φιλοτίμο[υ] | τὸ
10 ἀνάλωμα ποιήσαντ[ος] | εἴς τε τὸν ἀνδριάντα καὶ [τὸν] ‖ βωμὸν ἐκ τῶν ἰδίων.

1. Eidem Pio positus esse videtur titulus alter (*ibid.*, n. 90), quo Teii traduntur decrevisse ut certus dies mensis cujusque ei sacer fieret. — 2. Ut panis ex frumento hornotino factus, ita vinum novum dictum est στ̣τάνειον, unde Bacchi nomen fluxit. Cf. Scheffler, *De rebus Teiorum* (1882), p. 78 et Quandt, *l. laud.*, p. 244.

1568. Tei, in theatro. — *C. I. Gr.*, 3082. Cf. Quandt, *l. laud.*, p. 154.

[Οἱ περὶ τὸν Διόνυσον τεχνῖται | οἱ ἐπ᾽ Ἰωνίας καὶ Ἑλλησπόντου] | καὶ οἱ
5 τούτων συναγων[ισταὶ] ¹ | ἐτείμησαν ‖ Τιβέριον Κλαύδιον [Μασιμάχου] | υἱὸν καὶ

τοῦ δήμου, φύ[σει·δὲ] | Ἑρμοθέστου, Κυρείνα Φ[ιλιστέα], | ἀγωνοθέτην τὸ τρίτον
10 τ[ῶν πεν]|ταετηρικῶν ἀγώνον Διον[υσιακῶν] ‖ Καισαρήων ², μεγαλοφροσύνη[ς
ἕνεκεν] | καὶ δαψιλείας, οὐ μόν[ον] ἐ[πεὶ πρὸς] | τοὺς πολείτας ἐνδέ[δ]ε[ικται
αὐτὴν] | διὰ βίου διὰ τ[ῶν] ἀναλωμάτων [καὶ τῶν ἀνα]|θημάτων [τ]ῶν ἑκάστοτε
15 περ[ὶ τὴν] ‖ εὐσέβειαν τοῦ οἴκου τῶν Σε[βαστῶν, ἀλ]|λὰ ἐπεὶ καὶ πρὸς τὴν [ἱ]ερὰν
[σ]ύ[νοδον ὁ]σίως καὶ μεγαλο[ψ]ύ[χ]ως προ[σενεχθὶς] | ἐπη[ύ]ξη[σε]...... καθ'
ἑκάσ[την ἀγωνοθε]|σίαν τὴν τοῦ ἀγῶνος ἀ[ξ]ί[αν καὶ πε]|ρι[ττ]ὰ θέματα ἐκ τῶν
20 ἰ[δίων ἔθηκεν ‖ τοῖς ἀ]γωνισταῖς · ἀναγ[γέλλειν? δὲ...... | καὶ στ]εφανοῦν τῷ
[ἐκ τοῦ νόμου..... | στεφ]άνῳ, ὡς [π]ά[τριόν ἐστιν, ἐν τῷ ἱερῷ | τοῦ Διονύσ]ου?
κα[ὶ].........

1. De illo collegio, quod Tei sedem suam habuit, v. Poland, *Gesch. d. gr. Vereinswesens*
(1909), p. 138. — 2. Ludi apud ipsos Teios celebrati. Scheffler, *De rebus Teiorum* (1882),
p. 76.

1569. Tei. — *C. I. Gr.*, 3081.

Τιβέριος Κλαύδιος | Μασιμάχου υἱὸς, φύσει | δ' Ἑρμοθέστου, Κυρείνα |
5 Φιλιστ[εύ]ς ‖ τοῦ Φιλαίου πύργου ¹. | Τὸ β' ².

1. Adscriptus erat « turri, sive Teiorum δήμῳ », cui nomen suum olim dederat
Philaeus. colonus Atheniensis. Cf. n. 1570: Boeckh ad n. suum 3064. Scheffler, *De rebus
Teiorum*, p. 35. — 2. Fortasse statua II eidem viro posita.

1570. Tei. — *C. I. Gr.*, 3083; Le Bas et Waddington, n. 108.

['Η] βουλὴ [ἐ]τ[είμησ]εν | [Τιβέ]ριον Κλαύδιον Μ[ασι]μάχου ¹ καὶ τοῦ δήμου |
[υἱὸ]ν, φύσει δὲ Ἑρμοθέστου, Κυρείνα Φιλιστέα, | εὐσεβῆ, φιλοσέβαστον καὶ
5 φιλόπατριν, νέον Ἀθά‖μαντα ², πολλὰ καὶ μεγάλα καὶ καθ' ἕνα καὶ κοινῇ τῇ
πα|τρίδι παρεσχημένον, εὐχομένη τοιούτους εἰσαιεὶ | ἑαυτῇ τε καὶ τῇ πατρίδι
ἄνδρας γενέσθαι.

1. Cf. nn. 1568, 1569: Μ[ενε]μάχου Wadd. — 2. Athamas, proles fabulosi regis Boeo-
torum ferebatur Teum condidisse : Escher ap. Pauly et Wissowa, *Realencyclop.*, II,
p. 1933. v. 58. Scheffler, *De rebus Teiorum*, p. 6.

1571. Tei. — *C. I. Gr.*, 3092 : Le Bas et Waddington, n. 110.

Ἡ βουλὴ καὶ ὁ [δῆμος] | ἐτείμη[σαν] | Κλ. Τρύφαιναν ἀ[ρχιέρειαν] | Ἀσίας

5 καὶ ἱέρει[αν τοῦ τῆς] ‖ πόλεως θεοῦ Δι[ονύσου] ¹, | θυγατέρα Φησεί[νου καὶ] |
Στρατονείκης ἀρ[χιερέων] | Ἀσίας, ἀναστησά[ντων τὸν] | ἀνδριάντα Καλω......
10 [καὶ] ‖ Πεισωνίνου ² τῶν υἱ[ῶν].

1. Bacchi Ductoris, quem Pergameni summa pietate colebant (cf. nn. 292, 293, 317,
367, 370, 396, 397, 468), sacra celebrabat synodus artificum Dionysiacorum, quae, ut in
aliis urbibus Asiae, ita maxime Tei floruit. Scheffler, *De rebus Teiorum*, p. 75; Poland,
Gesch. d. gr. Vereinswes., p. 139; Quandt, p. 158-159. — 2. Cf. n. 1567.

1572. Tei. — *C. I. Gr.*, 3080; Le Bas et Waddington, n. 107.

......ιαιοι περὶ τὸ δια|φθαρὲν ¹, κατασκευάσαντα δὲ ἐκ τόκων [τήν τ]ε στοὰν
τῆς γερουσίας καὶ τὰ προβαλαν|εῖα πάντα σὺν τῷ λουτρῶνι ² καὶ τοῖς λοι|ποῖς
5 προσκοσμήμασι πᾶσιν ἐκ τῶν ὑπὸ ‖ τοῦ πατρὸς καταλειφθέντων τῇ πόλει
χρη|μάτων, ἀναδεξάμενον τοῖς ἀναγκαιοτάτοις | καιροῖς σειτωνίας πλεονάκις ὅτε
μηδείς, | καὶ φυλάξαντα τὴν εὐθηνίαν, προσκαθιε|ρώσαντα τοῖς πατρῴοις καὶ
10 μητρῴοις ‖ γερουσιακοῖς χρήμασιν ³ καὶ ἴδιον χρῆμα | εἴς τε τὴν τοῦ
Σεβαστοῦ ⁴ ἐπιταγὴν πείσαν|τα διὰ τῆς ἑαυτοῦ μεγαλοφροσύνης πο|λείτας
ἀ(ὐ)τομόλους στρατεύσασθαι ⁵, εὐεργέ|την ὄντα τῆς πόλεως ἐν πᾶσιν καὶ διὰ τὰς
ἀνυ‖περβλήτους αὐτοῦ περὶ πάντα φιλοδοσίας.

1. Aedificium vetustate collapsum. — 2. « Singulae cellae ante lacum balnearium
dispositae ». Boeckh ad *C. I. Gr.*, 3080. — 3. Pecuniae collegio seniorum legatae. —
4. Octavianus Augustus, Teiorum conditor : Boeckh, dubiis, ut videtur, indiciis fretus.
— 5. Princeps « Teiis imperaverat milites ; is vero qui laudatur hoc decreto persuasit
civibus, pecunias iis largitus, ut voluntarii militarent ». Boeckh. Cf. Scheffler, *De rebus
Teiorum*, p. 34.

1573. Tei. — *C. I. Gr.*, 3095.

Ἀλέξανδρε | βέρνα ¹ χρ[η]στὲ ², | χαῖρε.

1. = verna. — 2. χριστε lapis.

1574. Tei — *C. I. L.*, III, 422.

Claudia Au[g. l(ib)...] | monumen[tum fecit] | Lae[t]o Caes[aris n(?)...]
Κλαυδία Σ[εβαστοῦ] .....

1575. Tei. — Hauvette-Besnault et Dubois, *Bull. de corr. hellén.*, IV (1880), p. 178, n. 38.

Κλ. Ἀνένχλητε καὶ Νείχη | Ἀμμᾶς χρηστοὶ, χαίρετε. | Εἰς τὴν τούτων
5 πυρίαν οὐ|δενὶ ἔξεσται χηδεῦσαί τινα · ‖ ὅς ἂν δὲ ἐπιχειρήσει χηδεῦσαι, | δώσει
εἰς τὸν Καίσαρος φίσ|χον δηνάρια χίλια καὶ γενήσεται παρὰ | θεοῖς καὶ ἀνθρώ-
ποις ἐπικατά|ρατος καὶ ὀλέθριος.

Ibid., n. 39, v. 13 : εἰς τὸν | [φίσ]χον δηνάρια χε[ί]λι[α].

1576. Tei. — *C. I. Gr.*, 3104.

Διονύσιος, δ(οῦλος) πραγματευτὴς Φλ. Δημητρίας Φλακίλλης | ὑπατιχῆς [1],
ζῶν τὴν καμάραν κατεσκεύασεν ἑαυτῷ καὶ τῇ γυ|ναικὶ αὐτοῦ Θαλλούσῃ καὶ
τοῖς τέχνοις · εἰ δέ τις ἕτερος θη|λήσῃ χηδευθῆναι, δώσει τῇ δεσποίνῃ μου
5 ἢ τοῖς κληρονό‖μοις αὐτῆς δηνάρια χείλια πεντακόσια.

1. *Prosop. imp. rom.*, II, p. 81, n. 276.

1577. Tei. — *C. I. L.*, III, 423; Kaibel, *Epigrammata graeca*, n. 298.

Iope Hi|lari Caes(aris) | uixit annis XV. |
Qui [1] superos potui iuuenis laesisse penates ‖
5   quod tumulo Iopes ossa sepulta latent ? |
Nec patrio potui gremio mea debita fatis |
    reddere nec matris [2] lumina contegere. |
In Phrygia miserae corpus, Volcane, cremasti, |
    sumeret ut tellus muneris ossa mei, ‖
10 et quae debebam matri supremo tempore terram |
    ponere vel maestos pietatis scindere crines, |
effecit properans mortis quae uenerat hora, |
    ut genetrix casus fleret ubique meos. |
Ἰόπη | χρηστὴ, χαῖρε. |
Τίς τοὐμὸν δύστηνον ἐπ' οὔνομα γράψε τὸ χαῖρε; |
    τίς κωφὴν ματέως [3] θήκατό μοι χάριτα; ‖
5 οὔτε γὰρ εἰσορόω λαμπρὸν φάος οὔτ' ἐσακούω, |
    ὀστέα καὶ σποδίη κειμένη ἐνχθονίος. |
Π[υχνῶν] δ' ἀλλά, [πάτερ], θρήνων, φίλε, παύεο · μῆτερ |

Πρειμιγένη, ἀπόθου θυμοδακεῖς ὀδύνας · |
τῆς ἐπ' ἐμοὶ λύπης παραμύθιον ἐμφρεσὶ θέσθε ‖
τοῦτον · καὶ μακάρων παῖδες ἔνερθεν ἔβαν.

1. *quis* lapis. — 2. *manibus* lapis. — 3. = ματαίως.

1578. Tei. — Le Bas et Waddington, n. 123.

.....[ὑ]|πόδικος ἔστω δοῦναι τῷ μὲν τοῦ κυρίου ἡμῶν | αὐτοκράτορος φίσ[κῳ
δηνάρια βφ', ὡσαύτως | δὲ] καὶ ἱερωτάτῃ Τηίων βουλῇ δηνάρια βφ'.

1579. Tei. — Hauvette-Besnault et Dubois, *Bull. de corr. hellén.*, IV (1880), p. 179,
n. 40.

Ἀμβειβε[ια [1] χρησ]τή, χαῖρε. |
Ὁ δῆμος [Τ]ηί[ων]. Ὁ δῆμος ὁ Λεβεδίων. | Οἱ ν[έ]οι. Ὁ δῆμος Κλαζομε-
νίων. | Οἱ Ῥωμαῖοι. ‖
    Μυριάδος τόδε.......................... [2] |
       ψυχὰς ἐς μακάρων νᾶσον ἀποπταμένας |
       Ἑρμᾶς ἀδάκρυτος · Χάριτες γάρ.......... [3]. |
       ἔργουσιν στοναχὰς καὶ γόον ὠγύγιον.
.................σ....................

1. Ambivia. Restituit Haussoullier. — 2. Traditur ΛΟ Μ Υ. — 3. Traditur ΑΝΗ ΑΚΕ,
sub quibus latet adjectivum cum στοναχὰς conjunctum.

1580. Tei. — *C. I. L.*, III, 421.

Intra coronam Ὁ δῆμος | *Intra coronam* Ὁ δῆμος |
Dis manibus .. | . Quir(ina) ..|corus .... | classis Syriacae [1]..... ‖ [f]ecit. |
Θεοῖς [καταχθονίοις | ...... Κυρ]|είν[α] ....|που [ναυαρ]‖γος [2] στό[λου
Συριακοῦ] | υἱῷ ἐποίησεν.

1. Classis Syriaca stabat Laodiceae ad Orontem. — 2. Traditur ΚΟΣ.

1581. Tei. — *C. I. Gr.*, 3108.

In sepulcro cujusdam Zosimae.

v. 7 : εἰς τὸν ναὸν | τῶν Σεβαστῶν δηνάρια βφ΄ καὶ εἰς τὸν προε‖[στῶτα τῆς ἱερ]ωτάτη[ς] π[όλεω]ς [ἡ]μῶν θεὸν Διόνυσον δηνάρια βφ΄.

Ibidem, n. 3113 : τῷ ταμείῳ δηνάρια ε.

n. 3126 : τῷ μὲν τοῦ κυρίου ἡμῶν | αὐτοκράτορος φίσκ[ῳ δηνάρια βφ΄, ὡσαύτως δ]|ὲ καὶ τῇ ἱερωτάτη Τηίων βουλῇ δηνάρια βφ΄.

1582. In insula Macride contra Myonnesum. — Wieseler, *Götting. Nachrichten*, 1874, p. 15.

5 Διὶ Σωτῆρι | Κίνναμος ἀπελεύ|θερος | Μάρκου Καικιλίου Καν‖βίδου καὶ | Μάρκου Λαρτιδίου Κέ|λερος [1] τὸν | β[ω]μόν [2].

1. Fortasse cognatus Ti. Lartidio Celeri, cos. suff. sub Hadriano : *Prosop. imp. rom.*, II, p. 265, n. 71. — 2. **BOMON** lapis.

1583. Lebedi. — Μουσεῖον, III, 1-2 (1880), p. 173. In miliario :

5 ['Αγα]θῇ τύ[χῃ, | Φ]λα. Οὐ[αλ.] | Κωνσταντίῳ | καὶ Γαλ. Οὐαλερίῳ ‖ Μαξι-μιανῷ | Καίσαρσιν [1] | .....

1. Annis 292-305 post C. n.

1584. Colophone. — Μουσεῖον, III, 1-2 (1878), p. 216.

[Αὐτοκράτορα Κ]αίσαρ[α Λούκιον | Αὐρήλιο]ν Οὐῆρον Σεβ[αστὸν [1] ὁ δῆ|μος ὁ Κο]λοφωνίων Γ........|..[στρα]τηγοῦντος.

1. L. Verus bellum Parthicum in Oriente administravit annis 162-166 post C. n.

1585. Colophone. — *C. I. Gr.*, 3031. In sepulcro.

V. 3. [εἰς τὸν] φίσκον δηνάρια αφ᾽ κα[ὶ τ]ῷ Κ[ιλαρίῳ | 'Απόλλω]νι [1] τὰ αὐτὰ δηνάρια.

1. Cf. nn. 1586-1590.

1586. Clari, in templo Apollinis. — B. Haussoullier. *Rev. de philologie*, XXII (1898), p. 259, n. 2; Dittenberger, *Or. gr. inscr. sel.*, n. 530: Ch. Picard, *Bull. de corr. hellén.*, 1915, p. 49, note 3.

Ἀγαθῇ τύχῃ | Ἀμισοῦ ¹ ἐλευθέρας καὶ αὐτο|νόμου καὶ ὁμοσπόνδου Ῥω|-
5 μαίοις · ἐπὶ πρυτάνεως Ἀπόλ‖λωνος τὸ ξγ′ ², ἱερατεύοντος Μ. Ὀλ. | Ἀρτεμι-
δώρου, θεσπι(ῳ)δοῦντο[ς] | Ἀσκληπίδου τοῦ Δημοφίλου, | τῶν ἀπ′ Ἄρδυος Ἡρα-
10 κλειδῶν | Πατρο(ξ)ενίδου ³, προφητεύον|τος Ἑρμίου Ἀττάλου, γραμμα|τέων ⁴
Ἀττάλου β′, Ἑρμογένους | Δαδέου, θεοπρόποι ⁵ ἦλθον | Κρῖσπος Τρύφωνος καὶ |
15 Π. Πούπιος Καλλικλῆς, ‖ οἵτινες μυηθέντες ἐνεβάτευσαν ⁶, | ἔτους ρξγ′ τῆς
ἐλευθερίας ⁷.

1. Amisus civitas Ponti. Cf. t. III, n. 97. — 2. Ipse Apollo Clarius illo anno **prytanis** erat eponymus vicinae Colophonis eoque munere fungebatur sexagesimum tertium. Cf. n. 1589. — 3. Vir ille, cum originem duceret ab Ardye, uno Heraclidarum, qui ferebatur rex primus Lydorum fuisse (Ed. Meyer ap. Pauly ēt Wissowa, *Realencyclop.*, II, p. 617, v. 17), videtur ob nobilitatem gentis suae adfuisse sacris. — 4. Cf. n. 1587. — 5. Cf. n. 1587. — 6. Postquam ritus didicerunt, legati Amisenorum intraverunt in speluncam oraculi. — 7. Aerae Amisenae anno 163 = 132 post C. n.

1587. Clari, in templo Apollinis. — B. Haussoullier. *Rev. de philologie*, XXII (1898), p. 261, n. 3.

[Λαο]δικέων πρὸς τῷ Λύκῳ. | [Ἐπὶ ἀν]θυπάτου Βερενεικιανοῦ Ἀλεξάνδρου ¹, |
[πρυτάν]εως ² δὲ καὶ προφήτου ³ Κλ. Ῥούφου, | [ἱερατ]εύοντος Ὀλ. Ἀρτεμι-
5 δώρου, ‖ [θεσπι]ῳδοῦντος ⁴ Ἀσκληπίδου τοῦ Δημοφίλου, | [γραμμ]ατέων ⁵ Κλ.
Κριτολάου καὶ Βάσσου β′, | [κ]λειδοφοροῦντος ⁶ Βάσσου γ′, Μ. Ἀν. Μ. Ἀν. |
Αἰφνιδίου Φιλοπαππιανοῦ υἱὸς Φιλοπαπ|πιανὸς Βαλεριανὸς ὁ προφήτης Ἀπόλ-
10 λωνος ‖ Πυθίου ⁷ Κλαρίῳ Ἀπόλλων<ο>ι ὑμνήσας τὰ τῶν | συνυμνησάντων
παίδων καὶ παρθένων ὀνόματα | ἐχάραξε, παρόντων αὐτῷ Μ. Ἀν. Α(ἰ)φνιδίου |
τοῦ πατρὸς καὶ Λουκίου Ἀστρανίου Βηρύλλου | τοῦ παιδονόμου τὸ ε′, ⁸ καὶ ὑμνο-
15 γράφου διὰ βίου ⁹ ‖ Νηδυλλιανοῦ τοῦ Νηδύλλου ἱερονείχου, καὶ πα|ρέδρου διὰ
βίου ¹⁰ Ἀπολλωνίου τοῦ Ἀλεξάνδρου. | Εἰσὶν δὲ · Ἄτταλος γ′ καὶ Μόσχας Ἀτ-
τάλου γ′ | καὶ Πρόπινκος Ἀττάλου γ′, Διονύσιος (β′) τοῦ Ἀπολλωνίου, | Ἀθη-
20 νόδωρος β′ τοῦ Ἀλεξάνδρου, Μ. Ἀν. Ἑρμογένης Αἰφνιδίωνος · ‖ παρθένοι ·
Ἀ(π)ελλαῖς Τειμοθέου β′ τοῦ Νεικάνδρου | τοῦ Μηνοφίλου, Νεικομαχὶς καὶ
Μαρκία Διογένους | τοῦ Εὐμένους (τοῦ) Ἐπιμάχου, Ἀμμία Διοφάντου τοῦ |

Ἀγαθοκλέους, Νεικομαχὶς Ἀβασκάντου τοῦ | Ἀπολλωνίου, Τάτιον Διαδουμενοῦ
25 τοῦ Ἀπελλίδου · ‖ συμπαρόντος Λ. Ἀστρανίου Ῥούσωνος, | υἱοῦ Βηρύλλου τοῦ
παιδονόμου.

1. C. Iulius Alexander Befenicianus proconsul Asiae sub Hadriano : *Prosop. imp. rom.*,
II, p. 165, n. 94. — 2. Prytanis vicinae Colophonis. — 3. Propheta celeberrimi illius
oraculi Apollinis Clarii, de quo consulendi sunt B. Haussoullier l. c. et Ch. Picard, *Bull.
de corr. hellén.*, 1915, p. 33-52. Cf. Tac., *Ann.*, II, 54. — 4. Ὁ θεσπιωδὸς, artis poeticae
peritus, responsa dei, per prophetam edita, versibus mandabat. — 5. Scribae oracula
scribebant consulentibus et in tabulario templi asservabant. — 6. Claviger, ianitor tem-
pli. — 7. Propheta Apollinis Pythii apud Laodicenses. — 8. Pueros hymnum docuit,
paedonomus quintum. — 9. Iubebatur hymnos novos, quoad vivebat, componere in
templo canendos. — 10. Hymnographo aderat paredrus, ipse etiam perpetuus. Ambo
in ludis sacris victorias rettulerant.

1588. Clari, in templo Apollinis. — Macridy, *Jahreshefte des österr. arch. Inst.*, XV
(1912), p. 54, n. 26.

Καισαρέων τῶν πρὸς τῷ Ἀργαίῳ ΄. | Ἐπὶ πρυτάνεως καὶ προφήτου Ἀπολ-
λωνίου | Εὐτυχίωνος τοῦ Ἀπολλωνίου, ἱερέως Γ. Ἰου(λίου) | Ζωτίχου, θεσπιω-
5 δοῦντος Γν. Ἰου(λίου) Ῥηγείνου ‖ Ἀλεξάνδρου, γραμματεύοντος Σεξ. Ἰου(λίου)
Διο|γνήτου, θεοπρόπος Βαιβιανὸς Ἰσοχρύσου.....

1. Caesarea ad Argeum montem, civitas Cappadocum, legatum (θεοπρόπον v. 6) ad
Apollinem Clarium miserat. Cf. n. 1589.

1589. Clari, in templo Apollinis. — B. Haussoullier, *Rev. de philologie*, XXII (1898),
p. 262, nn. 4-5.

.........ου τοῦ Ἡρι....|... [ὁ] καλούμενος Ἀπολλω...... | [οἱ Κλαυ]δίου
5 Ἀχτίου υἱοὶ Ἀντωνῖνος [καὶ] | ... β΄ τοῦ Μενάνδρου τοῦ Κλωδίου ...‖...ολιανὸς
Διονυσίου τοῦ Βλάστου. Παρθένο|ι · αἱ Κοίντου θυγατέρες Τατάριον καὶ Τάτιον, |
[Ζ]ηνωνὶς Ζήνωνος τοῦ Ἑρμίππου ἡ καλουμένη Α. | Κλαυδία, αἱ Κλαυδίου
Ἀχτίου θυγατέρες Ἀμμία καὶ Κλ[αυδία], | Τάτα Σωσάνδρου τοῦ Ἱκεσίου, ‖
10 παρεδρεύοντος Μηναγόρου τοῦ Σελεύκου ΄. |
Εἰχονέων Κολώνων ² · ἐπὶ πρ[υτάνεως] | Ἀπόλλωνος τὸ ξε΄ ³, προφητεύον-
τος Γ[αίου] | Ἰουλίου Ζωτίχου, | θεσπιῳδοῦντος Κλ. Ἀσκληπίδου, θεοπρό-
15 [ποι] ‖ Αὐληνὸς Παῖτος Πονπωνιανὸς Κοδρᾶτος, | Αὐληνὸς Κάνδιτος Αἰλιανὸς

Οὐάλης. Κο(ῦ)ροι Λ.. | Σεργιανὸς 'Αγριπεῖνος Κοδρᾶτος Φροῦγις Νε.. |
Π.......ιος.

1. Nomina sunt puerorum et puellarum qui hymnum Apollini cecinerant. Cf. n. 1587.
— 2. Iconiensium coloniam in Galatia Hadrianus condidit. Cf. t. III, n. 260-267, et
nummos : Babelon, *Invent. de la coll. Waddington*, nn. 4769-4773. — 3. Cf. n. 1586.

1590. Clari, in templo Apollinis. — Macridy, *Jahreshefte des österr. arch. Inst.*, XV
(1912), p. 56, n. 33.

    ... ὁ νεω[κόρος] | Καίσαρος Ἀδρ[ιανοῦ] | ... 'Αλεξάνδρου θε..... | νος Πα(ῖ)τος
5 β´ κ(αὶ) Τ. Λαίλ[ιος] ‖ Φλάκος, Τι. Γάουιος Κ....., | Τ. Πετρώνιος Παῦ[λ]λος,
Τ. Γάουιος | ....ασσεων.

1591. Bajandyr. — *C. I. L.*, III, 418.

M. Antonius | Nicephorus | .

Μᾶρκος 'Αντώνιος | Νικήφορος.

1592. Trianda. — Le Bas et Waddington, n. 21.

    Τοῦτο τὸ ἡρῷον κατεσκεύ|ασεν Αὐρήλιος Νεικήτης | Εὐτύχου αὐτ[ῷ] καὶ
5 γυναικὶ | αὐτοῦ καὶ τέκνοις καὶ ἐγγό|νοις καὶ θρέμμασιν αὐτ[ῶ]ν.· | Εἰ δέ τις
παρὰ τοὺς γεγραμμέ|νους βιάσεται, θήσει τ[ῷ] ταμ(ε)ί[ῳ]........

1593. Metropoli. — Fontrier, Μουσεῖον, V (1884-1885), n. 481, p. 75; Cf. Contoléon,
Rev. des ét. gr. (1901), p. 298, n. 3.

'Ο δῆμος | Σεβαστῆι Προοράσει ¹ | καθιέρωσεν.

1. Providentia Augusta in nummis saepe efficta. Blanchet ap. Daremberg et Saglio,
Dict. des ant., s. v. Cf. titulum n. 584.

1594. Metropoli. — Μουσεῖον, II, 2-3 (1878), p. 89.

5   'Αγαθῇ τύχῃ · | Αὐτοκράτορι | Καίσαρι Τραιανῷ | Ἀδριανῷ Διὶ Ὀλυμ‖πίῳ
σωτῆρι καὶ | κτίστῃ.

Hic titulus idem videtur esse qui editus est in *C. I. Gr.* 3036. Cf. Dürr, *Die Reisen des
Kaisers Hadrian* (1881), p. 104.

1595. Metropoli. — Μουσεῖον, II, 2-3 (1878), p. 100.

Ἥρᾳ | Σαβεί|νῃ ' Σε|βαστῇ.

1. Vibia Sabina, uxor Hadriani. Annis 128-136 post C. n. Cf. t. III, n. 663.

1596. Metropoli. — Μουσεῖον, II, 2, 3 (1878), p. 94. In miliario.

Ἀγαθῇ τύχῃ | Αὐτοκρατόρων | Γ. Αὐρ. < Ου > Οὐαλερίου Διοκλη-
5 τι|ανοῦ, Μ. Αὐρ. Οὐαλερίου ‖ Μαξιμιανοῦ, Φλαβ. Οὐα|λερίου Κωνσταντίου,
10 Γα|λερ. Οὐαλερίου | Μαξιμιανοῦ Καισά|ρων ἐπιφανεστάτων ‖ Και(σά)ρων '.
Ἀπὸ Ἐ|φέσου α' μ(ίλιον) ².

1. Traditur ΚΑΙΡΩΝ. — 2. Viae Epheso Smyrnam.

1597. Metropoli. — C. I. L., III, 7113.

[Im]p. Cae[sar di]|ui f. Augus[tus pon]tifex [maximus | trib]unic[(ia) potes-
5 t[ate) | pater] patr(iae) ‖ .. [c]uram [agente | .. D]omit[io] ... |

[Αὐτ]οκράτ[ωρ Καῖσαρ | Σεβ]αστὸς ἀρχι[ερεὺς μέγιστος, | δημαρχικῆς
10 ἐξουσίας πα‖τὴρ πατ]ρίδος ....|....ε ἐ[πισ]τα[τοῦντος] ....|.....ου Δομ[ιτίου]
...|...του Μ.............

1598. Metropoli. — Μουσεῖον, II, 2, 3 (1878), p. 98. In miliario.

.......|.... uia[s] re[ficiendas curauit] | ... | .

[Αὐτοχ]ράτωρ Καῖσαρ Θε[οῦ | Οὐεσπασια]νοῦ υἱὸς Σεβασ[τὸς | Δομιτιανὸς]
5 ἀρχιερεὺς μέγι[στος δημ]αρχικῆς ἐξουσίας ‖ [τὸ .. ' αὐτο]κράτωρ τὸ κα', ὕπατος |
τὸ .. ² τὰς ὁδοὺς ἀποκατέστησε].

1. ' aut. ια' aut ιβ'. — 2. ιε' aut ις'. Nota nomen imperatoris post Σεβαστὸς positum
contra usum communem.

1599. Metropoli. — Μουσεῖον, II, 2-3 (1878), p. 96 ; C. I. L., III, 7115.

Marcus Ailius | .... ' M. f. Aim...... |
Μᾶρκος Αΐλιος | Μάρκου υἱός .....

1. Traditur P.ILIVS.

1600. Metropoli. — *C. I. L.*, III, 14192, 17.

Cusinia [Euhemeria] | Cusini [Messa]|lini ¹ [l(iberta)]. |
5 Κουσινία Εὐημερία ‖ Κουσινίου Μεσσαλείν(ου) | ἀπελευθέρα.

1. Ex gente non ignota : *Prosop. impr. rom.*, I, p. 488, n. 1329-1331.

1601. Alsanar. — Fontrier, *Rev. des ét. anc.*, 1902, p. 262.

5 Αὐρ. Ὀνησιφ[ό]|ρου Φινούσκι|ος συναιχώρει ¹ | Αὐρ. Γλύκωνι Μηλ‖ζιτήτου τὸ
ἡρῷο[ν] | καὶ οὐδενὶ ἑτέρῳ ἐ[ξὸν] | θῖναι ε[ἰ μ]ὴ τοῖς τέκνοι[ς αὐ]|τοῦ καὶ
10 ἐγ(γ)όνοις · εἰ δὲ | ἕτερος βουληθῇ θῖναι, δ[ώσει] ‖ τῷ ἱερωτάτῳ ταμίῳ δηνάρια...

1. = συνεχώρει.

1602. Chondriae. — Fontrier, *Rev. des ét. anc.*, 1902, p. 261.

Πόπλιος Αἴλιος Τρόφιμος καὶ | Κύντος Βαίβιος Μαρτι|άλης κατεσκεύασαν τὸ
5 [μνη]|μεῖον ἑαυτοῖς καὶ τέκνοις [ἰδί]‖οις καὶ Ποπλίῳ Αἰλίῳ Γλύκω[νι], | ἀδελφῷ
Αἰλίου Τροφίμου, καὶ | Φλαβίᾳ Τρυφώσῃ, γυναικὶ [Κύν]|του Βαιβίου Μαρτιάλου ·
10 ἐξέ[σται] | δὲ μηδενὶ ἑτέρῳ ἐξω‖τικῷ τεθῆναι εἰς τοῦτο τὸ [μνη]|μεῖον ἐπεὶ
ἀποδώσει εἰς τὸ[ν τοῦ] | Καίσαρος φίσκον δηνά[ρια] | ἑπτακόσια πε[ντήκοντα].

Ibidem, n. 7, εἰς τὸ ταμῖον δηνάρια χ..; n. 10, τῷ ἱερωτάτῳ ταμίῳ δηνάρια α.

1603. Chondriae. — Körte, *Inscr. Bureschianae, Wissensch. Beilage der Universit. Greifswald*, 1902, p. 10, n. 9.

Τούτου τοῦ ἡρώου κήδεται Αὐρ. Ἀντ[ώνιος] | καὶ Αὐρ. Τατιανὴ κλείνης
βοριακῆς ¹ κατὰ συν|χώρησιν Αὐρ. Τροφίμου καὶ Ἀμμιανοῦ καὶ Ζω|σίμου.
5 Οὐδενὶ δὲ ἑτέρῳ ἐξὸν τεθῆνα(ι) · εἰ δέ τις ‖ τορμήσει ἕτερον θάψαι τινὰ ἢ γράμα
ἐκόψαι, θή|σε(ι) τῷ ταμίῳ δηνάρια ͵α καὶ τῇ Χονδριανῶν κώμῃ δηνάρια φ΄.

1. Cubiculi septentrionalis. Cf. n. 1606.

1604. Elifli. — Fontrier, *Rev. des ét. anc.*, IV (1902), p. 263, n. 11.

Post quatuor versus latine inscriptos et pessime descriptos :

.....: Σεβαστοῦ ἀπελευθ[ερ .... | τ]ῇ γυναικὶ αὐτοῦ καὶ ......|σι ικι.|..
[α]ὐτοῦ ἐπιμε ..... | Σεραπ...... καὶ Κιιρινος.....

1605. Thyaeris. — Fontrier, *Rev. des ét. anc.*, IV (1902), p. 263, n. 12.

.... [καὶ τέ]|κνα αὐτοῦ καὶ κληρονό[μους καὶ] | ἐκγόνους αὐτῶν ἔσω τεθή-
5 [σεται] | καὶ ἡ γυνὴ αὐτοῦ ἰς τὴν σορὸ[ν] ‖ ἐν τῇ κλείνῃ, ἐν ᾗ οὐκ ἐξὸν βλη[θῆ]-|
ναι · ἕτερος ὁμοίως οὐδὲ συν[χω]|ρήσι ἰσενενκεῖν τινα, εἰ μή τινι ἐ|γὼ διατάξω ·
10 οὐκ ἔξεσται δὲ οὐδεν[ὶ] | πωλῆσαι τοῦτο τὸ ἡρῷον οὐδὲ ‖ τὸ πρὸ αὐτοῦ περιβό-
λιον, ἐν ᾧ | ἐστιν ἡ καύστρα ·· εἰ δέ τις παρὰ τὰ | προγεγραμμένα τι ποιήσει.
δώ|σει τῷ φίσκῳ δηνάρια βφ΄ καὶ τῇ Θ|υαιρηνῶν κώμῃ δηνάρια αφ΄.

1606. Tchatal-Tepe. — Buresch, *Aus Lydien* (1898), p. 119, n. 57.

5　Θεῷ ὑψίστῳ [1] Ἀ|γαθόπους καὶ | Τελέσειρα εὐ|χὴν, ἔτους σν΄ [2] ‖ μηνὸς
Δαισίου κ΄.

1. Cf. nn. 47, 1176, 1615, 1660. — 2. Aerae Sullanae anno 250 = 166 post C. n.

1607. Tchatal-Tepe. — Körte, *Inscr. Bureschianae, Wissensch. Beilage der Universit.
Greifswald*, 1902, p. 8, n. 6.

[Διὶ Σ]ωτῆ[ρ]ι Ὀλυμπίῳ κὰι | Αὐτοκράτορι Καίσαρι Θε|οῦ Τραιανοῦ Παρθι-
5 κοῦ | υἱῷ Θεοῦ Νέρουα υωνῷ ‖ [Τραιαν]ῷ Ἀδριανῷ Καί|σαρι Σεβαστῷ ἀνέ[σ]τησαν
Τολοκαισαρε[ῖς | τὸν ἀνδριάντ]α καὶ τὸ [βάθ|ρον? καὶ τὸ μ]άκελλον ἐκ | [τῶν τῆς
κ]ώμης πόρων.

1608. Hypaepis. — Keil, *Jahreshefte des österr. Instituts*, XI (1908), p. 103.

a. ....ωνο .....ο........ | [ὑπὲρ τῆς αἰωνί]ου διαμονῆς Τιβερ[ίου Κλαυ|δίου
Καίσαρος] Σεβαστοῦ Γερμανικ[οῦ καὶ | τοῦ σύμπαν]τος οἴκου αὐτοῦ · ἐπὶ
5 στ[εφανη‖φόρου Τ]ιβερίου Κλαυδίου Ἀσκληπιο[δώ|ρου υἱοῦ] Κυιρίνα Τρύφωνος,
ἐπὶ δὲ γρα[μ|μ]ατέ|ως τοῦ δήμου καὶ νεωκόρου καὶ [δ]ι[α|νομ]έως τῶν Σεβαστείων
10 χρημάτω[ν | Ἀ]λεξάνδρου τοῦ Ἀπολλωνίδου. ‖ Οἱ ὑμνῳδοὶ [1] ἀνέθηκαν κατὰ τὸ
γενόμε[νον] | ψήφισμα ἐν Περγάμῳ ὑπὸ τῆς ἱερᾶς [συνό]|δου ἐγγράψαντες ὅσα

δίκαια [καὶ φιλάν]|θρωπά ἐστιν αὐτοῖς δεδομέ[να ὑπ' αὐτοῦ] ². | Ὅσιος Ἀπολλωνίου Ἑρμ........ ‖

b. Τιβέριος Κλαύδιος Καῖσαρ Σ[εβαστὸς Γερ]|μανικὸς αὐτοκράτωρ τ[ὸ β' ἀρχιερεὺς δη|μ]αρχικῆς ἐξουσίας [ὕπατος ἀποδεδει|γμέ]νος τὸ β' ³ ἀνθύπ[ατος,
5 πατὴρ πατρίδος ‖ τῇ ἱερ]ᾷ ὑμνωδῶν [συνόδῳ χαίρειν? | Ἀναγνοὺ]ς τὸ ψή[φισμα τό]........ |......

c. .....το........ | [ἔδοξεν το]ῖς ἀπὸ τ[ῆς Ἀσίας Ἕλλησιν, | γνώμη Ἀν]αξαγό-
5 ρου τ[οῦ ...... τοῦ] | ....ς φιλοκαίσα[ρος ἀρχιερέως ‖ τῆς Ἀσί]ας καὶ διὰ βίου ἀγων[οθέτου θεᾶς | Ῥώμης κα]ὶ θεοῦ Σεβαστοῦ Κα[ίσαρος Θε]οῦ υἱ]οῦ αὐτοκράτορος καὶ ἀρχιερέως | [μεγ]ίστου πατρὸς τῆς πατρίδος κ[αὶ τοῦ | σύμπ]αντος
10 τῶν ἀνθρώπων γένους · ‖ [ἐπεὶ τὴ]ν πρὸς τὸν Σεβαστὸν οἶκον εὐσέ|[βειαν φαν ἐρὰν κατ' ἐνιαυτὸν παρέχεσ|[θαι δεῖ, οἱ πά]σης Ἀσίας ὑμνωδοὶ τῇ ἱερω|[τάτῃ τοῦ
15 Σεβα]στοῦ Τιβερίου Καίσαρος | [γενεθλίῳ ἡ]μέρᾳ συνερχόμενοι εἰς ‖ [τὰ ἱερὰ? μεγα]λοπρεπὲς ἔργον εἰς τὴν | [τῆς συνόδου δόξ]αν ἐπιτελοῦσιν καθυ|[μνοῦντες τὸν Σεβα]στὸν οἶκον καὶ το[ῖς | Σεβαστοῖς θεοῖς θυσία]ς ἐπιτελοῦν[τες | καὶ
20 ἑορτὰς ἄγοντες καὶ ἐσ]τιάσεις [καὶ] ......παν......‖........

a. dedicatio monumenti est ab hymnodis facta; *b.* epistula imperatoris Claudii ad hymnodos; *c.* decretum Communis Asiae.

1. Cf. nn. 353, 1398, etc... Chapot, *Prov. rom. d'Asie*, p. 437. — 2. Eadem verba leguntur in duobis aliis epistulis quas Claudius ad artifices Dionysiacos scripsit annis 43 et 48 : B. Haussoullier, *Revue de philologie*, 1920, p. 71. — 3. Anno 41 post C. n.

1609. Hypaepis. — Keil, *Jahreshefte des österr. arch. Inst.*, X (1907), *Beibl.*, p. 35.

[Ἀγωνοθετοῦντος] | Αὐρ. Μοσχίωνο[ς] δ', | τοῦ Ἀττάλου | Ἀσιάρχου υἱοῦ, ‖
5 Ἀρτεμεισιάδος ξ[δ'], | Αὐρ. Διαδούμενο[ν] | δὶς Ὑπαιπηνὸν, | νεικήσαντα | παι-
10 δικῶν δίαυλον ‖ δ' κατὰ τὸ ἐξῆ[ς] | ἐνδόξως τὸν | ἀγῶνα τῶν | Ἀρτεμεισίων ¹.

1. Ludi ab Hypaepenis editi in honorem Dianae Anaïtidis. Cf. nn. 1611, 1612.

1610. Hypaepis. — Keil, *Jahreshefte des österr. arch. Inst.*, X (1907), *Beiblatt*, p. 37.

Ἀγωνοθετοῦντος | Αὐρ. Μοσχίωνος δ', | [τ]οῦ Ἀττάλου Ἀσιάρ[χ]ου υἱοῦ,
5 Ἀρτεμει[σ]ιάδος ¹ ξδ', | [Α]ὐρ. Ῥηγεῖνον | [Σ]αρδιανὸν <ον> | νεικήσαντα | πάλην.

1. Cf. nn. 1610, 1612.

1611. Hypaepis. — Dittenberger, *Orient. gr. inscr. sel.*, n. 470.

a. [Τὸ κοινὸν τῶν ἐπὶ τῆς Ἀσίας | Ἑλλήνων Θεόφρονα Θεόφρονος | νεώτερον
5 Ὑπαιπηνὸν διά τε τὴν | ἰδίαν αὐτοῦ ἀρετὴν ἐν πᾶσιν ‖ καὶ διὰ τὴν τοῦ γένους
καὶ τοῦ | πατρὸς αὐτοῦ Θεόφρονος τοῦ | Θεόφρονος Ἑρμολάου Θεόφρο|νος,
10 ἱερέως διὰ γένου ' τῆς Ἀ|ναίτιδος Ἀρτέμιδος ², ἐν τῇ ‖ [Ἀ]σίᾳ καὶ πρὸς τὴν
πατρίδα | [λ]αμπρότητα. [

b. [Ἔ]δοξεν τοῖς ἐπὶ τῆς Ἀσίας Ἕλλησιν, γνώμῃ Γαίο[υ | Ἰ]ουλίου, Παρδαλᾶ
5 καὶ τοῦ δήμου τοῦ Σαρδι[α|ν]ῶν υἱοῦ, Παρδαλᾶ, ἀρχιερέως καὶ διὰ βίου ἀγω‖[ν]ο-
θέτου θεᾶς Ῥώμης καὶ Αὐτοκράτορος θεοῦ | [υ]οῦ Σεβαστοῦ, ἀρχιερέως μεγίστου
καὶ πατρὸς | τῆς πατρίδος ³ καὶ τοῦ σύμπαντος τῶν ἀνθ[ρώ|π]ων γένους · ἐπ(ε)ὶ
10 Θεόφρων Θεόφρονος νεώτε[ρος, ἀνὴρ καὶ ἐν τῇ πατρίδι γένου πρώτου καὶ φιλο‖δο-
ξοτάτου καὶ πατρὸς ἐντιμοτάτου καὶ πο[λ]‖λὰ τὴν πόλιν ὠφελοῦντος, ἱερέως τε
τῆς ἐπι|φανεστάτης Ἀναίτιδος Ἀρτέμιδος καὶ ἐν τῇ Ἀ|σίᾳ λαμπροτάτου ἀξιώ-
15 ματος ὡς καὶ συνγε[νι]‖κοῖς ἀρχιερατικοῖς στεφάνοις κεκοσμῆσθαι, ‖ νῦν τὸν βίον
μετήλλαγεν · καθήκει οὖν διά τε α[ὐ]‖τὸν καὶ διὰ τὸ τοῦ γένους πρόσχημα
συνεπικε|[κοσμῆσθαι] μὲν αὐτὸν τῇ τῶν Ἑλλήνων συνπα|[θείᾳ καὶ ἐστ]εφανῶσθαι
20 χρυσῷ στεφάνῳ κα‹ τει›[μᾶσθαι εἰκόνι γραπτῇ] ἐν ὅπλῳ ἐπιχρύσῳ καὶ ‖..........
.... ἐπὶ τῇ πατρίδι τῆς θε|....................ης διαπεμφθῆναί τε | [τοῦ
δόγματος τὸ ἀντίγραφον] πρὸς Ὑπαιπηνούς.

a. titulus est sub statua hominis incisus; *b.* decretum Communis Asiae de ejus
honoribus.

1. Pro γένους bis in lapide scriptum. Cf. v. 16. — 2. Dianam Anaïtidem, Persarum
deam (Cumont ap. Pauly et Wissowa, *Realencyclop.*, I, p. 2030) Hypaepis cultam esse
testatur Pausan. V, 27, 5. — 3. Post annum 2 ante C. n.

1612. Hypaepis. — Jordanidis, *Athen. Mitteil.*, XXIII (1898), p. 365.

.... Ποστουμίῳ Τιτια[νῷ]......| ἐν Ὑπαίποις Αὐρ. Ἀφ...... | ἐκ προ-
5 γόνων] | στεφανηφόρων Ἀσιαρ[χῶν] .... | πόλει καὶ βουλευταῖς ....‖την
καὶ αὔταρχον ὑμῶν κατὰ .... | ἠπιστάμην, ὅτι μείζονα · πα[σῶν τῶν] .. |
παρ᾽ ὑμῶν μάλιστα ἀρετῶν..........

Epistula est ab aliquo sive praeside sive imperatore ad illam civitatem scripta.

1613. Coloae. — Fontrier, *Rev. des ét. anc.*, IV (1902), p. 264, 14.

Ἔτους τμ´ ¹ Αὐρ. Ἡρωδι|ανὸς Ἡρώδου κατεσκεύ|ασα τὸ ἡρῶον καὶ γυ|ναικί
5 μου Ἑρ. Μενεκρα‖τία καὶ τέκνοις ἡμῶν καὶ ἐγ|γόνοις καὶ νύμραις μου γεναμέ|ναις
β´, ἑτέρῳ οὐδενί · εἰ δὲ | μὴ, ἀποτίσει τῷ Σεβαστῷ | γυμνασίῳ Κολοηνῶν
δηνάρια βφ´.

1. Aerae Sullanae anno 340 = 256 post C. n.

1614. Philadelphiae. — Keil et von Premerstein, *Denkschr. der Wiener Akad. der Wissensch., philos. hist. Klasse*, LIII (1910), II, p. 27, n. 39.

Ἔτους σξθ´ ¹, μη(νὸς) | Αὐδ(ν)αίου ι´, Φλα|βία Θεῷ ὑψίστῳ ² | εὐχήν.

1. Aerae Actiacae anno 269 = 238/239 post C. n. — 2. Cf. nn. 47, 1176, 1607, 1658
et Dussaud, *Rev. arch.*, 1905, I, p. 167.

1615. Philadelphiae. — Keil et von Premerstein, *Denkschr. der Wiener Akad. der Wissensch., philos. hist. klasse*, LIII (1910), II, p. 29, n. 43.

Γαίῳ Καίσαρι Αὐγούστῳ Γερ|μανικῷ τὸ τρίτον ὑπάτωι, | πρὸ ἐννέα καλανδῶν
5 Ὀ|κτωβρίων ¹, ἔτους ο´ καὶ α´ ‖ τῆς Καίσαρος < ος > νείκης ², μη|νὸς Καί-
σαρος ³ Σεβαστῆ ⁴, | ἡ κατοικία ἐτείμησεν Μᾶρκο[ν] | Ἀντώνιον Δίωνα καὶ
10 Ἀντων[ί]|αν Πρεῖμαν τὴν γυναῖκα αὐτο[ῦ] ‖ καὶ Μᾶρκον Ἀντώνιον Γλαῦκον |
καὶ Μᾶρκον Ἀ[ντ]ώνιον Τροιανὸν | καὶ Ἀντωνίαν < ιαν > Τερτίαν, τὰ | τέκνα
15 αὐτῶν, διὰ τὸ ἐν παντὶ | [κ]αιρῷ εὐεργέτας γεγενῆσθαι ‖ καὶ διὰ τὸ μεγαλομερῶς
καὶ πο|λυδαπάνως συνευξηκέναι | αὐτοὺς τὰς τῶν θεῶν Σεβασ|τῶν θυσίας, |
20 ἐπιμελησαμένης Ἀντωνίας ‖ [Πρείμης ἐκ τοῦ] ἰ[δ]ίου.

1. Anno 40 post C. n., die 23 Septembris, Augusti natali, quo incipiebat annus Asiaticus.
— 2. Anno 71 aerae Actiacae. — 3. Mensis Caesar, anni primus, a die 23 Septembris ad
diem 23 Octobris. — 4. Die I. Cf. n. 353 *b*, v. 4.

1616. Philadelphiae. — Papadapoulos Kerameus, *Athen. Mitteil.*, VI (1880), p. 269,
n. 12.

... Τραιανὸς θ..ιε.ρηνο.......

1617. Philadelphiae. — Keil et von Premerstein, *Denkschr. der Wiener Akad. der Wissensch., philos. hist. klasse,* LIII (1910), II, p. 27, n. 40.

[Αὐτοκράτορα Κα]ίσ[αρα | Θεοῦ Τραι]ανοῦ | [Παρθικοῦ υἱὸν Θεοῦ] Νέρουα |
5 [υἱωνὸν Τραιανὸν 'Αδρια]νὸν Σεβαστὸν, ‖ [ἀρχιερέα μέγιστον, δημαρ]χικῆς
ἐξου|[σίας τὸ .., ὕπατον τὸ .], ἀνθύπατον | [ὁ δῆμος τῶν Φιλαδ]ελφέων.

1618. Philadelphiae. — Keil et von Premerstein, *Jahreshefte des österr. arch. Inst.,* XIV (1911), *Beiblatt,* p. 45. In aediculae fronte.

'Αγαθῇ τύχῃ · ὑπὲρ τῆς | τοῦ αὐτοκράτορος | Κομόδου τύχης καὶ δι|αμονῆς ‖
5 οἱ Ἔρωτες ¹ ἐποίησαν ἐκ τῶν | ἰδίων.

Sequuntur nomina virorum 22.
1. Collegium virorum Amorem colentium.

1619. Philadelphiae. — Dittenberger, *Sylloge inscr. gr.,* ed. II (1898), n. 416. Lapis in templi figuram elaboratus.

   a. 'Αντωνεῖνός σ' ἔκτιζε. |

3   *b.* Αὐτοκράτωρ | Καῖσαρ Μᾶρκος | Αὐρήλιος 'Αντωνεῖ‖νος Εὐσεβὴς Σεβασ|τὸς
Παρθικὸς μέγισ|τος Βρεταννικὸς μέ|γιστος Γερμανικὸς | μέγιστος ¹ Αὐρηλίῳ ‖
10 'Ιο[υλιανῶ]ι ² τῷ τιμι|ωτάτωι χαίρειν · | εἰ καὶ μηδεὶς αἱρεῖ | λόγος ³ τὸν Φιλα-
15 δελ|φέα 'Ιουλιανὸν ἀ‖πὸ τῶν Σαρδιανῶν | εἰς τὴν τῆς πατρί|δος μεταθεῖναι φι|λο-
20 τειμίαν ⁴, ἀλλ' ὅμως | τὴν χάριν ἡδέως ‖ τοῦτο ποιῶ, δι' ὃν καὶ | τὴν νεωκορίαν
25 αὐ|τὴν τοῖς Φ[ιλ]αδελ|φεῦσ[ιν δέ]δωκα · | ἔρρωσο Ἰ[ου]λι[ανὲ] ‖ τιμιώτατέ μοι
καὶ φίλ|τατε. | 'Ανεγνώσθη ἐν τῷ | θεάτρῳ ἔτους σμε´, μη|νὸς 'Απελλαίου ε´ ⁵.

a. Verba in epistylio templi scripta : Caracalla hoc templum Augustorum condidit.
b. Epistula Caracallae Philadelphenis neocoriam concedentis.
1. Anno 213 post C. n. Cf. v. 29. — 2. Vir hodie ignotus, apud cives suos illa aetate
nobilis. Cf. v. 25. Alter autem Iulianus citatur v. 15. — 3. Quanquam nulla cogit ratio
nec necesse est. — 4. Probabile videtur « petitum esse ut ille alter Iulianus Philadel-
phenus, qui Sardibus haberet domicilium suum, sacerdotium tamen imperatoris in patria
potius gereret ». Dittenberger. — 5. Aerae Actiacae anno 245 = 213 post C. n., fere
mense Novembri.

1620. Philadelphiae. — Fontrier, Μουσεῖον, V (1884-1885), p. 62, n. 452.

......[τῇ πρ]ώ[τ]ως ἀχθείσῃ ὑπὸ Γ[ε]μίνου [1] [τ]οῦ ἀνθυπάτου δίκᾳ [2] | καὶ Στρατονείχην Μηνοφίλου Μύρτον, γυναῖκα Παναρίστ[ου].

1. Proconsul Asiae ignotus. Cf. *Bull. de corr. hellén.*, VII (1883), p. 504. Chapot, *Prov. rom. d'Asie*, p. 311. — 2. Cum primum jus in conventu dixit.

1621. Philadelphiae. — *C. I. Gr.*, 3430; Le Bas et Waddington, n. 644. Eumdem, ut videtur, titulum edidit etiam Papadopoulos Kerameus, Μουσεῖον, I (1875), p. 119.

　Φλ. [1] Ἀρχέλαον | Κλαυδιανὸν [2] ὑπ[ατ]ικὸν, | ἐπιμεληθέντος | τῆς ἀναστά-
5 σεως ‖ Γλύκωνος, πάπ[π]ου | αὐτοῦ [3], βουλάρχου.

1. ΚΛ. Papadopoulos. — 2. *Prosop. imp. rom.*, II, p. 63, n. 149. — 3. ΑΥΡΟΥ Boeckh; πά[ππ]ου αὐτοῦ rest. Le Bas; Παπίου, Αὐρ. Οὐ(άλεντος) Papadopoulos.

1622. Philadelphiae. — Keil et von Premerstein, *Denkschr. der Wiener Akad. der Wissensch., philos. hist. Klasse*, LII (1910), II, p. 31, n. 44.

Ἀρουσπιχ[ία] | Δημὼ [1] ὑπατι[χή].

1. Nomen feminae. Cf. n. 1625.

1623. Philadelphiae. — Keil et von Premerstein, *Denkschr. der Wiener Akad. der Wissensch., philos. hist. Klasse*, LIII (1910), II, p. 31, n. 45.

Πρείσχιλλα | ὑπατιχή, θυ|γάτηρ Δημοῦς [1].

1. Cf. n. 1624.

1624. Philadelphiae. — Gaudin, *Athen. Mitteil.*, XXV (1900), p. 124.

Ἀγαθῆι τύχηι · | Μ. Αὐρ. Ἀρτέμων | βʹ τοῦ Ἰουχούν|δου ὁ χράτιστος ‖
5 συνήγορος τοῦ | ἱερωτάτου ταμεί|ου Ἀλεξανδρεί|ας χαὶ Αἰγύπτου | πάσης χαὶ
10 Διβύ|ης Μαρμαριχῆς [1] | Αὐρ. Μηνογε|νίδα τὴν γλυ|χυτάτην θυ|γατέρα.

1. *Prosop. imp. rom.*, I, p. 193, n. 1198. Advocatus fisci Alexandriae et Aegypti totius

et Libyae Marmaricae, sive inferioris, sive Mareotidos, inter Aegyptum et Cyrenaïcam
sitae. Advocatos fisci primus instituit Hadrianus. Kubitschek. ap. Pauly et Wissowa,
Realencyclop., I, p. 438. Cf. infra titulum n. 1644.

1625. Philadelphiae, — *C. I. Gr.*, 3423.

5   [Σ]άλουιον | Σεοῆρον ¹ | ὁ δῆμος ἐτεί|μησεν, τῆς εἰς ἑαυτ[ὸ]ν ‖ εὐνοίας | χάριν.

1. Fortasse magistratus Romanus : *Prosop. imp. rom.*, III, p. 170, n. 114.

1626. Philadelphiae. — Gaudin, *Athen. Mitteil.*, XXV (1900), p. 124.

5   .. Ἰούλιον Πο|[σ]ειδῶνιον | [χ]ειλίαρχον | [Α]ὐγούστου ‖ ὁ δῆμος.

1. Tribunus militum, non a populo, sed ab Augusto creatus : Marquardt, *Organisat.
milit.*, p. 61.

1627. Philadelphiae. — Le Bas et Waddington, n. 1669 a.

.....τονα χιλ[ίαρχ]ον ..... ¹ | Αὐτοκράτορος Τ. Αἰλ[ίου] | Ἁδριανοῦ Ἀντω-
5 νείνο[υ Εὐ]|σεβοῦς Καίσαρος Σε[βασ]‖τοῦ, Ἑρέννιοι Ν[εικο...? καὶ] | Ἀττικός
πραίφεκτοι ².

1. ..I.I IONKA. Ϲ.ΝI... lapis. — 2. Praefecti cohortum (?)

1628. Philadelphiae. — Kontoleon, *Athen. Mitteil.*, XII (1887), p. 256, n. 25.

.... Ἑρπιδοφόρο|υ τοῦ κ(αὶ) Εὐτο|νείου πριμειπί|λου Ἑπιχάρμου, ἥρωα.

1629. Philadelphiae. — Weber, *Athen. Mitteil.*, XXV (1900), p. 123.

Ἡ βουλὴ καὶ ὁ δῆμος | καὶ ἡ γερουσία ἐτεί|μησαν Λ. Ἀντώνιον | Ἀγα-
5 θόποδα ἄνδρα ‖ καλὸν καὶ ἀγαθὸν | κουρατορεύσαντα | δεκαπρωτεύσαντα | πανη-
10 γυριαρχήσαντα | ἀγώνων κοινῶν τῆς Ἀ‖σίας φιλοτείμως καὶ | ἀναθέντα τῇ μὲν
βουλῇ δηνάρια αφ' καὶ τῇ γερου|σίᾳ δηνάρια ατ' πρὸς τὸ τὸν | ἀπ' αὐτῶν τόκον
15 δια‖νέμεσθαι τοῖς βουλευ|ταῖς καὶ γερουσιασταῖς.

1630. Philadelphiae. — Sarantidis, Μουσεῖον, I (1875), p. 130, n. 48. Cf. Riemann,
Bull. de corr. hellén., I (1877), p. 86, n. 27.

Λ. Ἀντώνιον Σεργίᾳ Π[ω]|λιανὸν τὸν σοφιστὴν καὶ | κτίστην καὶ διὰ βίου
5 σειτοδότην καὶ | στεφανηφόρον, ‖ ἐπιμεληθέντος | τῆς ἀναστάσεως τοῦ τῆς |
πόλεως οἰκονόμου | Ἀντωνίου.

1631. Philadelphiae. — Le Bas et Waddington, n. 649.

5 Κατὰ τὰ ψηφισ|θέντα ὑπὸ τῆς | κρατίστης βου|λῆς καὶ τοῦ λαμ‖προτάτου
δήμου, | Μ. Αὐρ. Διόδωρον | δὶς τοῦ Ἀδμήτου, ἄν|δρα βουλευτὴν καὶ | γερου-
10 σιαστὴν, συγ‖γενῆ Μανιλίου Ἀ|λεξάνδρου Ἀσιάρ|χου, ἀγορανομήσαν|τα ἐν
15 μεγάλῳ και|ρῷ ἐνδόξως καὶ φιλοτείμως καὶ τα‖μιεύσαντα καὶ ἐφηβαρχήσαντα
εὐσε|βῶς καὶ ἐπιφανῶς, | προνοησαμένου | τῆς ἀναστάσεως | τοῦ ἀνδριάντος
20 Φλ. ‖ Αὐρ. Ἡφαιστίωνος | Παπιανοῦ τοῦ ἀξι|ολογωτάτου, | καὶ βουλαρχήσαν|τα
σεμνῶς.

1632. Philadelphiae. — Le Bas et Waddington, n. 648.

Ἀγαθῇ τύχῃ · | Αὐρ. Ἕρμιππον ξυστάρχην, ἱερέα | τῆς Ἀρτέμιδος, τὸν
5 ἔνδοξον καὶ | φιλόπατριν καὶ ἐμ πᾶσιν πρῶτον, ‖ ἀρχιερασάμενον ἐνδόξως με|τὰ
μεγάλων ἀναλωμάτων καὶ | δόντα κοντοκυνηγέσιον | ἐνόζυγον [1] ἀπότομον [2] ἐκ
10 θείας | φιλοδωρίας, ἄρξαντα τὴν πρώτη[ν] ‖ ἀρχὴν ἐπιφανῶς καὶ τὰς λοιπὰς |
ἀρχὰς καὶ λειτουργίας ὑπέρ τε αὐ|τοῦ καὶ τῶν παίδων Νεικήτου καὶ | Ἑρμίππου
15 ἐκτελέσαντα, ἀνα|θέντα τῇ πόλει τάχειον [3] μὲν εἰς ‖ σειτωνικὰ χρήματα δηναρίων |
μυριάδας πέντε καὶ δόντα εἰς | ἐπισκευὴν τοῦ πετάσου τοῦ θε|άτρου [4] δηνάρια
20 μύρια, ποιησάμε|νον δὲ καὶ ἐπιδόσεις χρημάτων τῇ ‖ τε γλυκυτάτῃ πατρίδι εἰς
χρήματα | σειτωνικὰ δηναρίων μυριάδας πεν|τήκοντα καὶ τῇ κρατίστῃ βουλῇ
25 δη|ναρίων μυριάδας πέντε καὶ τῷ σε|μνοτάτῳ συνεδρίῳ τῆς γερουσίας ‖ δηνάρια
μύρια, φυλαῖς ἑπτὰ ταῖς ἐσ|ταχύαις τοὺς ἀνδριάντας πρὸς δη|νάρια χείλια, | ἡ
30 ἱερὰ φυλὴ τῶν ἐριουργῶν τὸν | ἑαυτῆς καὶ τῆς πατρίδος ἐν πᾶ‖σιν εὐεργέτην.

1. Venatio in qua bestiariorum quisque conto armatus pugnabat, cum singulis bestiis
compositus; nam fuerunt etiam missiones passivae; cf. Lafaye ap. Daremberg et Saglio,
Dict. des ant., s. v. *Venatio II.* — 2. Venatio severa, multi cruoris causa. Cf. *C. I. Gr.*,

2880. — 3. Prius, ante τὰς ἐπιδόσεις (v. 19). Cf. Hula, *Jahreshefte d. osterr. Inst.* V (1902), p. 200, n. 7. — 4. Tectum rotundum theatri, aut potius odei. — Cf. Plin. N. H. XXXVI, 92. Pausan. I, 8, 6.

1633. Philadelphiae. — Le Bas et Waddington, n. 643.

...... ['Ε]ρμίππου ἐφήβαρχον ἐν παιδὶ γενόμενον ....|..... [Κ]αίσαρος, τελέσαντα τὴν ἀρχὴν διά τε αὐτὸν τὸν πα[τέρα | καὶ τὰς πα]ντὸς τοῦ οἴκου εἰς τὴν πόλιν φιλοδοξίας.

1634. Philadelphiae. — Le Bas et Waddington, n. 665.

Ἀγαθῇ τύχῃ · | ἡ βουλὴ καὶ ὁ δῆμος | Αὐρ. Εὐγενέτορα | Ἐλπιδιανοῦ Φιλα-
5 δελ|ρέα, ἔφηβον πανκρα|τιαστὴν νεικήσαν|τα τὰ μεγάλα Σεβαστὰ Ἀναείτεια '
10 ἐνδό|ξως, ἐπὶ Αὔλου Ὀστί|ου Ἱέρωνος βουλάρ|χου, στήσαντος | τὴν τειμὴν τοῦ ἀξι:|ολογωτάτου βουλάρ|χου ἐκ τῶν ἰδίων.

1. Cf. nn. 1610, 1611, 1612.

1635. Philadelphiae. — Le Bas et Waddington, n. 1669.

Μ. Αὐρ. Μαν(είλιον) | Ἀλέξανδρον | τὸν ἀξιολογώ|τατον Ἀσιάρχη[ν], ||
5 Μ. Αὐρ. Μανειλίο[υ] | Ἑρμίππου ...|....... ' κ(αὶ) Ἀσιά[ρ]|χου [υἱὸ]ν, τὸν
10 [ἀγν]|ὸν προστάτην, || ἡ Μυλειτῶν [κώμη ......|.., προ]νοησαμέν[ων | τῆς]
15 ἀναστάσεως | [τοῦ ἀ]νδριάντος | [Αὐρ.] Μελιτ[ια]νο[ῦ || τοῦ ἀξ]ιο[λογω]τάτο[υ | καὶ] Μ. Ἰουλ. Ἀπο|[λλωνίου καὶ ......|.. Ἀ]χειλίου Μαρ[χιαν]|οῦ κωμάρχων, ||
20 τοῦ [σ]ξ' ἔτους ².

1. Traditur ..ΛΛϹ|ΙΝΗϹΙΟΥ. — 2. Aerae Sullanae anno 260 = 176 post C. n.

1636. Philadelphiae. — *C. I. Gr.*, 3425.

...... Αὐρ. Χάρμον Φιλαδελφέα καὶ | Νεικομηδέα καὶ Ἀθηναῖον | καὶ ᾠδὸν
5 παράδοξον, περιο|δονείκην στεφανωθέντα ἱε|ροὺς ἀγῶνας τοὺς ἀπὸ τῆς οἰκου|μένης πάν[τ]ας ἀπὸ Καπετωλεί|ων ἕως Ἀντιοχείας τῆς Συρίας.

1637. Philadelphiae. — Le Bas et Waddington, n. 647.

['Ηλι]ό[δωρ]ον δὶς τοῦ Ἡλιο|[δώρου, ἄ]νδρα ἐπιφανῆ, | βουλαρχήσαντα,
5 στρατη|γήσαντα, δόντα ὑπὲρ ‖ ἀγορανομίας δηνάρια μύρια | καὶ ὑπὲρ | πέψεως
10 ἡμε|ρῶν ιε´ ' δηνάρια γ´, ἱππαρχήσαντα, | σειτωνήσαντα, πανηγυ‖ριαρχήσαντα,
νομοφυ|λάξαντα, δόντα εἰς τὴν | κατασκευὴν τοῦ προπυ|λαίου τῆς βασιλικῆς
15 ὑπὲρ | ἀρχιερωσύνης δηναρίων ‖ μυ(ριάδας) πέντε, πληρώσαντα | δὲ καὶ τὸ
ἱερώτατον ταμεῖον | παρ᾿ ἑαυτοῦ ², Αὐρηλία | Συλλεῖνα ᾿Αρείου ᾿Αντωνία | τὸν
20 ἑαυτῆς ἄνδρα ‖ κατὰ τὰ ψηφισθέντα | ὑπὸ τῆς ἱερωτάτης | βουλῆς.

1. Coctorum ciborum divisio plebi facta per dies quinque. — 2. Partem vecti-
galium fisco debitorum solvit de sua pecunia. Cf., t. III, n. 488 = Dittenberger, *Orient.
gr. inscr. sel.*, n. 565.

1638. Philadelphiae. — Ex ectypo a P. Gaudin misso, *Athen. Mitteil.*, XXV (1900),
p. 124.

Γ. ᾿Ιούλιον Μακεδόνα | Αὐρηλιανὸν ἄνδρα καλὸν | καὶ ἀγαθὸν περί τε τὴν |
5 πατρίδα καὶ τὴν ἱερωτά‖<τα>την βουλὴν ἔν τε ἀρ|χαῖς καὶ λειτουργίαις |
10 δοκιμώτατον, χρεοφυ|λάξαντα, κουρατορεύ|σαντα, ταμι<ατ>εύσαντα ‖ ἐν
ἀγοραίᾳ ', πανηγυριαρχή|σαντα ἐν κοινῷ τῆς ᾿Ασίας | ἀγῶνι, σειτωνήσαντα,
15 πέψαν|τα ² παρ᾿ ἑαυτοῦ, εἰσαγωγέ[α ³ γε]|νόμενον καὶ ἐν ἄλλοις πλείο‖σιν
εὔχρηστον γενόμενον | καὶ ὑπηρετήσαντα τῇ πατρ[ί]δι, ἀναστ[ή]σαντα δὲ τὸν |
ἀνδρ[ι]άντα ἐκ τῶν ἰδίων.

1. αγοραια lapis. In conventu juridico. Cf. Dittenberger, *Orient. gr. inscr. sel.*, n. 517,
not. 7 — 2. Cf. n. 1637, v. 7. — 3. Unus magistratuum litibus in illa urbe judicandis;
eos Athenis constat decem viros fuisse. Cf. Dittenberger, *Sylloge inscr. gr.²* ad n. 510,
not. 4; Thalheim ap. Pauly et Wissowa, *Realencyclop.*, V, p. 2138, v. 33.

1639. Philadelphiae. — Le Bas et Waddington, n. 653.

5 ᾿Αγαθῇ τύχῃ ' | Κ. ᾿Ιουλ. Περικλέα, | υἱὸν ᾿Ιουλίου Καλ|πουρνίου ἀρχι‖ερέως
᾿Ασίας να|ῶν τῶν ἐν Περγά|μῳ καὶ τῆς λαμπρο|τάτης πατρίδος, | ἔγγονον ᾿Ιου-
10 λίου ‖ Περικλέους δὶς | ἀρχιερέως, τὸν | ἀγωνοθέτην | τῶν μεγάλων | ᾿Αλείων '
15 καὶ ἐν πᾶ‖σιν φιλότειμον, | ἡ ἱερωτάτη βου|λὴ καὶ ὁ λαμπρό|τατος δῆμος.

1. Cf. nn. 1111, 1119, 1140, 1645.

1640. Philadelphiae. — Le Bas et Waddington, n. 650.

['Η βουλὴ καὶ ὁ δ]ῆμο[ς] | ἐτείμησαν Π. Κορν[ή]λιον Πρεῖσκον ἀγορα|ν[ομή]-
5 σαντα λαμπρῶς | ἄμ[α] καὶ φιλοδόξως ἐν δυσχρήστω καιρῷ, τοῖς | ἔτι πρώτοις
ἡλικίας | χρόνοις τελείαν φιλο|δοξίας ἐπαν|γ]ειλάμενο|ν] | λειτουργίαν, ἀναθέντων |
10 τὴν τειμὴν Κορν[η]λίου | Ζηλώτου, ἀνδρὸς δ[ε]|δεκαπρωτευκότος ἐ[πι]|σήμως,
15 κεκουρατορευ|κότος φιλοτείμως, πα|νηγυριαρχήσαντος | ἐκτενῶς, καὶ Κλαυδίας |
Στρατονείκης, τῶν | γονέων αὐτοῦ.

1641. Philadelphiae. — Keil et von Premerstein, *Denkschr. der Wiener Akad. der Wis-
sensch., philos. hist. Klasse*, LIII (1910), II, p. 37, n. 61.

Λεύκιος σαλπι|στὴς [1], Λαμπρέας.

1. Tubicen fortasse miles.

1642. Philadelphiae. — Contoleon, *Rev. des ét. gr.*, IV (1891), p. 297.

5 Ἀγαθῇ τύχῃ · | Λ. Πεσχέννι|ον Γέσσιον | τὸν Ἀσιάρχην | καὶ λογιστὴν | ἡ
10 βουλὴ | καὶ ὁ δῆμος, | προνοησαμένου τῆς ἀναστά|σεως Αὐρ. Ἀρτέ|μωνος β'
τοῦ | Ἰουκούνδου [1] | τοῦ ἐπὶ τῶν | ἔργων [2].

1. Cf. n. 1624. — 2. ἐργεπιστάτης, curator operum publicorum civitatis. Liebenam,
Städteverwalt., p. 384.

1643. Philadelphiae. — Fontrier, *Athen. Mitteil.*, XIX (1895), p. 558, et XXI (1896),
p. 117.

Ἀγαθῆι τύχηι · | Πομπηίαν Πρείσκαν | τὴν καὶ Συλλείναν | Σμυρναίαν καὶ
5 Φιλαδελ|ρίδα, Κορ. Ὀνησίμης | τρὶς ἀρχιερείας ἐγ|γόνην, Ῥουπυλίας Συλ|λεί-
10 νης, τῆς Σελλίου | Σύλλα, τοῦ ἀξιολογω|τάτου Ἀσιάρχου καὶ | θαυμασιωτάτου
15 ῥή|τορος, ἀδελφῆς θυγα|τέρα, καὶ Πο. Πομπείου | Εὐτυχοῦς τοῦ καὶ Νιν|νάρου
β' περιοδονείκου ξυστάρχου θυ|γατέρα, Μ. Κλ. Στατιανὸς | Ῥαβιανὸς τὴν
20 γλυκυ|τάτην ἑαυτοῦ σύμβιον, | σεμνότητος καὶ φι|λανδρίας χάριν, | προνοησα-
μένου τῆς | ἀναστάσεως Γ. Ἰουλ. | Ἰουλίου.

1644. Philadelphiae. — Weber, *Athen. Mitteil.*, XXV (1900). p. 123.

['Η βουλὴ καὶ ὁ δῆμος] | καὶ οἱ Ῥωμαῖοι καὶ ἡ γε|ρουσία ἐτείμησαν | Τίτον
5 Φλάουιον ‖ 'Αθηνόδωρον ἄνδρα | στεφανηφορικὸν, | Τίτου Φλαουίου Παπίου |
10 υἱὸν ἀνδρὸς στεφανη|φόρου ἐκ προγόνων καὶ ‖ πᾶσαν φιλοτειμίαν ἀπο|δεδωκότος
τῇ ἑαυτοῦ | πατρίδι, τὸν δὲ 'Αθηνόδω|ρον καὶ αὐτὸν φιλοτείμως | ἀναστρα-
15 φέντα τῇ ἑαυτοῦ ‖ πατρίδι, δεκαπρωτεύσαντα | καὶ ταμιεύσαντα · τὴν δὲ τειμὴν
ἀνέστησεν Κλαυ|δία 'Αριστόκλεια ἡ μήτηρ | αὐτοῦ ἐκ τῶν ἰδίων εὐ|σεβηκότι
με τέκνῳ.

1645. Philadelphiae. — *C. I. Gr.*, 3428

..... 'Αδριάνεια ἐν 'Εφέ|σῳ, Δεῖα "Αλεια ¹ ἐν | Φιλαδελφείᾳ, κοινὸν | Βειθυ-
5 νίας ἐν Νεικο‖μηδείᾳ, Τραιάνεια | ἐν Περγάμῳ, 'Ολύμ|πια ἐν Κυζίκῳ, 'Ασ|κλή-
10 πεια ἐν 'Αγκύρᾳ, | ἐν Καισαρείᾳ τῇ πρὸς ‖ τῷ 'Αργαίῳ κοινὸν | Καππαδόκων, |
15 Σευήρεια ἐν | Νεικομηδείᾳ, | Δεῖα "Αλεια ἐν Φιλα|δελφείᾳ, ‖ κοινὰ 'Ασί|ας ἐν
Φιλαδελφείᾳ, | 'Απολλώνεια Πύθια β' | ἐν 'Ιεραπόλει.

1 Ludi in honorem Iovis Solis celebrati. Cf. nn. 1111, 1119, 1140, 1639.

1646. Philadelphiae. — Keil et von Premerstein, *Denkschr. der Wiener Akad. der Wissensch.*, *philos. hist. Klasse*, LIII (1910), II, p. 36, n. 60.

Ὑποσόριον | 'Αρτεμιδώρου β' | σκανδαλαρίου ¹.

1. Scandularius, artifex qui aedes tegit ligneis scandulis sive scindulis.

1647. Philadelphiae. — Fontrier, Μουσεῖον, V (1884-1885), p. 67, n. 466.

Ἔνθα τέθαπτε γυνὴ | κιχλησκομένη Δόξα, πατρὸς | Εὐδούλου Γορδηνοῦ βου-
5 λευτ[οῦ], | ᾗτινι σχολάσῃ ὁ τάφος ἄμα ‖ τῷ ποθεινοτάτῳ ἀνδρὶ | 'Αμμιανῷ,
τῷ τὰ νῦν ὄντ[ι] | λιβραρίῳ ¹, ἔτους τογ´ ², | μη(νὸς) Δείου δ', ἡμέρα | 'Αφρο-
δείτης ³.

1. Librarius scriptor. — 2. Aerae Sullanae anno 373 = 289 post C. n. — 3. Dies Veneris, hebdomadis cujusque septimus. Cf. S. Reinach ap. Daremberg et Saglio, *Dict. des ant.* s. v. *Dies*, p. 171.

1648. Philadelphiae. — Fontrier, Μουσεῖον, V (1884-1885), p. 64, n. 455.

Ὀκτωκαιδεκέτης | κεῖμαι, φίλε, τῷδ' ἐ|νὶ τύμβῳ |
Δῶρος ‖ Σαρδιανὸς δακτυ|λοκοιλογλύφος ¹ |
Μαρίωνος Λύδοι|ο πατρὸς, μητρὸς | δὲ Λακαίνης, ‖
σεμνὸν ἄτερ | Κύπριδος ζήσας | βίον · ἀλλά με | καὶ ακ..ρον

. . . .

1. Annulorum caelator.

1649. Philadelphiae. — Keil et von Premerstein, *Denkschr. der Wiener Akad. der Wissensch., philos. hist. Klasse,* LIII (1910), II, p. 37, n. 62.

Ἡρῶον |ʹ [ʹΕπιχ]τήτου | [ʹΑλ]εξάν[δρο]υ | σ[τρ]ατιώ‖τ[ο]υ.

1650. Philadelphiae. — Fontrier, Μουσεῖον, V (1884-1885), p. 68, n. 468.

Μεμόριον ¹ Ἰουλιανῆ[ς] | Ἀμμιανοῦ | κὲ τοῦ ἀν[δ]ρὸς αὐτῆς | Πατρικείου.

1. Memoria, sepulcrum.

1651. Philadelphiae. — Dittenberger, *Orient. gr. inscr. sel.,* n. 526.

Σεουῆρος, Σεβαστο(ῦ) ἀπελεύθερος, βοηθὸς ἐπιτρόπων ¹ | ῥεγιῶνος Φιλαδελφηνῆς ², ἀγοράσας σορὸν, μετὰ τοῦ ὑπο|κειμένου λιθίνου σχήματι β(ω)μοῦ ³, ἐν ἡρώι(ῳ) Κλεισθένους, | κατεθέμην Αὐρηλ(ίαν) Ποίαν, τὴν γλυκυτάτην καὶ
5 σεμνοτάτην ‖ σύνβιόν μου.

1. « Adjutor procuratorum qui in provincia Asiae senatoria reditus fisci Caesaris curabant ». Dittenberger. Cf. Habel ap. Pauly et Wissowa, *Realencyclop.,* I, p. 364. — 2. De illis regionibus Asiae provinciae cf. Chapot, *Prov. rom. d'Asie,* p. 93 sqq. Profecto intellegendum est ab eo in regione Philadelphena adjutos esse procuratores Asiae. — 3. Cum supposito (opere) lapideo, in arae figuram elaborato.

1652. Philadelphiae. — Keil et von Premerstein, *Denkschr. der Wiener Akad. der Wissensch., philos. hist. Klasse*, LIII (1910), II, p. 36, n. 58.

Sub imagine thraecis gladiatoris :

. . . .
[? Οἰκτροτάτ]η δέ |με Μ|οῖρα | κατήγαγεν ἔνθα | βιαίως
5   καὶ δέμα[ς ἐ‖ν]κατέθηκε φ.......... |
10   .... | Πέ[ρ]γη ¹ | δέ | μο[ι] πά‖τρα.

1. Perga civitas Pamphyliae. Cf. t. III, nn. 788-799.

1653. Abis. — Anderson, *Journ. of hellen. studies*, XVIII (1898), p. 87. Cf. Buresch, *Aus Lydien* (1898), p. 122, n. 62, et p. 208.

[Ἔτ]ους ... τῆς Καίσαρος | [νί]κ[ης, μη(νὸς) Π]ανήμου δ΄, οἱ κά|[το]ικοι ἐν]
5 Ἄβοις ἐτείμησαν |..ο.... Θεοδώρου Θεόφι[λον ‖ τὸ]ν ἥ[ρωα, τὸν] ἑαυτῶν εὐερ-
γέ[τ|η]ν, ἀρε[τῆ]ς ἕνεκεν καὶ εὐνοί|[α]ς τῆ[ς εἰς] ἑαυτούς, ἀνα[στή|σαν]τα [παρ᾽
10 ὑμεῖν στο[ι]ὰς [καὶ βουλ|ευ]τήριον? καὶ εἰσαγ[αγόντα ‖ τὸ ὑ]δραγώγιον ἐ[κ τοῦ
ὄρους] ....

1654. Notii. — Macridy, *Jahreshefte des österr. arch. Inst.*, XV (1912), p. 60 c.

Αὐτοκράτορα Νέρουαν | Τραιανὸν Καίσαρα Σεβασ|τὸν Γερμανικὸν | ὁ δῆμος
καθιέρωσεν.

1655. Notii. — Schuchhardt, *Athen. Mitteil.*, XI (1886), p. 427, n. 8.

Τὸν πάσης πο[λ]ύβυβλον | ἀφ᾽ ἱστορίης μελεδωνὸν
πρέσβυν ἀοιδοπόλων ὀρε|ψάμενον σελίδα,
5 τὸν σοφίην | στέρξα[ν]τα νόῳ μεγαλόφρο‖να Γόργον,
τὸν Κλαρίου <τρι>τριπόδων Λητοίδεω θέρ|απα ¹,
Κεκροπὶς ἐν κόλποις | κρύπτει κόνις · εὐσεβίης | δὲ
εἵνεκεν εὐσεβέων | χῶρον ἔβη φθίμενος.

1. Apollinis Clarii hymnographus. Cf. n. 1587 et B. Haussoullier, *Rev. de philol,*, XXII (1898), p. 272, not. 1.

1656. Notii. — Schuchhardt, *Athen. Mitteil.*, XI (1886), p. 426, n. 6.

5   [Τοῦτο τὸ] ἡρῷόν ἐστιν | ... | ... | ... ‖ ...... | ...... | ... ' · ἄν [δ]ὲ ἄλλ[ο]ς
10 ἐπιχειρήσει μετὰ τὸν | [θ]άν[α]τόν μο[υ] ἀν[οῖξ]αι | καὶ [θ]εῖναί τιν[α] ἢ γράμ|μα
ἐκκόψει, [θ]ήσει [ἐν | τ]ῷ ταμείῳ προστεί|μου δηνάρια β[φ]'. Τούτου τὸ | ἀντί-
γραφον ἀπετέθη | [εἰς τὸ ἀρχ]εῖον.

1. Traditur ΙΛ.... Κ////ΠΙ Ε | ..ΝΕΛ ..... | Δ///// .... ΤΗΣ Η | ΤΕ ΟΝΙΕ .... | ...,
ΙΜΟ ..... | ΜΝ/////ΗΟΣ.

1657. Almuris. — Homolle, *Bull. de corr. hellén.*, XVIII (1894), p. 538. Cf. Fontrier,
'Αρμονία, 18 Maii 1893.

.... | καὶ Γαίῳ Καίσαρι Σεβα[στῷ] | ἡ 'Αλμουρηνῶν κατ[οικία ' | ἀνέ-
5 θη]κεν τὸ κρήνιον, ‖ ἐπιμεληθέντ[ο]|ς Κόρδου ἀργυροτ[αμίου].

1. Pagus Tiris vicinus (Darmara), de quo vide Buresch, *Aus Lydien*, p. 135.

1658. Tiris. — Μουσεῖον, II, 2-3 (1878), p. 32.

5   Θεῷ ὑψίστῳ ' | Νεικηφόρος Ἐρ|μοκράτου ἱερε|[ὺ]ς σὺν καὶ Ἑρμο‖[κρ]άτει
τῷ ἀδ[ελ|φ]ῷ τὸν βωμὸ[ν | ἀνέσ]τησαν, | [ἔτ]ους σκ' ².

1. Syrorum Jupiter summus. Cf. nn. 47, 1176, 1606, 1614 et Cumont, *Religions orientales
dans le paganisme romain* (1907), p. 153. — 2. Aerae Sullanae anno 220 = 136 post C. n.

1659. Tiris. — *C. I. L.*, III, 14202⁴. In miliario.

M' Aquilli[us M' f. cos. |
M]άνιο[ς] 'Ακύλλι[ος Μα]νίου υἱὸς [ὕπατος Ῥωμαίων '. |
L.] Aquillius [M' f.] M' n. Floru[s quaestor] | restitu[it. xxi]iii. ‖
5   [Λε]ύκιος Ἄκυιο[ς Μ]ανίου υἱὸς | [Μ]ανίου δὲ υἱ[ωνὸς Φλῶ]ρος ταμίας ² |
ἀποκατέσ[τησεν]. | Κδ' ³·

1. Cos. anno 129 ante C. n., proconsul Asiae annis 129-127. De viis Asiae ab eo stratis
cf. nn. 270, 880. — 2. L. Aquilius Florus, quaestor Asiae paucis annis post patrem
proconsulem, ut conjicere est. — 3. Miliarium xxiv viae Epheso Sardes.

1660. Tiris. — Μουσεῖον, II. 2-3 (1878), p. 33.

Ὑπὲρ τῆς τοῦ Αὐτοκρά|τορος Τραιανοῦ Καίσαρος | Σεβαστοῦ τύχης Εὔτυ|χος
5 Πόλεμος δηνάρια ε ..ευ‖.... Ἡραχ......|εο..σ. ομ.....|ον, λογιστεύοντος [1]
Ἡρακλείου.

1. Curator civitati aut ab imperatore aut a proconsule datus. Chapot, *Prov. rom.
d'Asie*, p. 246 seq.

1661. Prope Tira. — Jordanidis, *Athen. Mitteil.*, XXII (1897), p. 360, n. 3.

5 Ἀγαθῇ τύχῃ · | Αὐτοκράτορι | Καίσαρι Τραιανῷ | Ἀδριανῷ Σεβασ|τῷ Διί
Ὀλυμπίῳ.

1662. Tiris. — Homolle, *Bull. de corr. hellén.*, XVIII (1894), p. 538. Cf. Sarantidis
Athen. Mitteil., XX (1895), p. 238.

Αὐτοκράτορι Καί|σαρι Μ. Αὐρ. Ἀντω|νείνῳ (*vacat*), | ἔτους σνθ' [1], Γλύκων |
5 καὶ... κος οἱ Παμφ|.....|... λογιστεύσαντες | [τῆς τῶν] Τειργνῶν [2] κα|[τοι]κίας
10 ἐν τῷ σνδ' ‖ [ἔτει] [3] ἐπὶ μίᾳ φιλοτειμίᾳ .... δόντες τὸν λό|γον κατὰ τὴν προτρο-
πὴν [4] | τοῦ ἀξιολογωτάτου Τ. | Φλ. Λευκίου Ἱέρακος, | ἔδωκαν παρ' ἑαυτῶν‖
15 ἔξωθεν, εἰς τὴν ἐπισ|κευὴν τοῦ μεγάλου βα|λανίου, ἀργυρίου δηνάρια σν'.

1. Aerae Sullanae anno 259 = 175 post C. n. — 2. Traditur Πατειργνῶν. — 3. Anno
254 = 170 post. C. n. — 4. Exhortante illo viro. Cf. n. 1665.

1663. Tiris. — *Athen. Mitteil.*, XX (1895), p. 503. In titulo admodum mutilo, qui
videtur ad sepulcrum pertinuisse, legitur.

V. 3 : .....δος καὶ τῶν Σεβασ[τῶν] ....

1664. Tiris. — Papadopoulos Kerameus, *Athen. Mitteil.*, III (1878), p. 56, n. 1.

Ἀγαθῇ τύχῃ · | ἐπὶ πρυτάνεως Λ. Σεπτ. Αὐρ. | Ἀχιλλείδη, Νεοχαισα-
5 ρεῶνος) μη(νὸς) [1] ε', Αὐρ. Ἑρμόλαος | Ῥουστίκου ἔδωκεν ὑπὲρ ἀρχῆς ‖ λογισ-

τείας ², καθὼς ἔδοξε τοῖς | κωμήταις, δηνάρια διακόσια πεντή|κοντα, προχωρή-
σαντα εἰς τὴν | τῶν Τειρ[η]νῶν ³ συντέλειαν ⁴.

1. Cf. n. 1663. — 2. Dedit ob honorem curae suae (cf. n. 1660) « summam honorariam ».
Liebenam, *Städteverwalt.*, p. 54, 65. — 3. Τειρωνῶν lapis. Cf. n. 1662. — 4. Arca pagi.

1665. Tiris. — Papadopoulos Kerameus, *Athen. Mitteil.*, III (1878), p. 56, n. 2.

Ἀγαθῇ τύχῃ · | ἐπὶ πρυτάνεως Ἀποληίας Φαυστείνη[ς], | τοῦ ἑξῆς ἔτους,
5 μ(ηνὸς) Νεοκαισαρεῶνος ¹ | δ' ἱσταμένου, Αὐρ. Λαρεισαῖος Πλου||τίωνος Ἐρέσιος,
ἀγορανομήσας τάχιον ², | νῦν διὰ συλλόγου προτρεψαμένου ³ αὐ|τὸν Μ. Αὐρ.
Ἀρτεμιδώρου δ' Θυαιρίου ⁴, | φιλοσεβ(άστου) βουλάρχου, ὑμνωδοῦ τῆς | ἁγιωτά-
10 της Ἀρτέμιδος, τοῦ προεστῶ||τος τῆς κατοικίας, ἔδωκεν ὑπὲρ [κτή|σε]ως [ἀρχ]ῆς
λογισ[τείας] ⁵ ....

1. Mensis nomen. Cf. n. 1664. Chapot, *Prov. rom. d'Asie*, p. 392. — 2. Prius. — 3. Cf.
n. 1662. — 4. Thyaera, urbs Lydiae. Cf. n. 1603. — 5. Cf. nn. 1660, 1664.

1666. Tiris. — Papadopoulos Kerameus, *Athen. Mitteil.*, III (1878), p. 57, n. 3.

[Τάδε χρῆσθαι | τῇ γενε]θλίῳ ἡμέρᾳ τοῦ κυρί[ου | ἡμῶν Αὐτοκρά]τορος καθὼς
5 ὑπογέ|γ[ραπται] ὅσ' ἄν μου κληρονομ[ῶν|ται] δί[δωμ]ι · καταλείπω τ[ῇ ¹] τῶν
Τειρηνῶν κατοικίᾳ χρῆ|[σιν ¹ νο]μῆς καὶ καρπ[ε]ίας ἀγρο[ῦ | καλουμ]ένου ......ης,
10 [ἵνα | οἱ κω]μῆται χρῶνται καὶ κα[ρ|π]ῶν]ται αὐτῷ σὺν τοῖς π[ρ[οσ]γενομέν]οις
ἐλεῶσιν καλουμέ|[νῳ τόπ]ῳ Κατωτέρω καὶ Γω|...σῳ καὶ Κέρδωνι καὶ Μέλα[νι |
15 ὁμορ]οῦντι ποταμῷ ² καὶ [ἱε||ρῷ Σ]ωτείρα]ς, πρὸς τὸ εὐω||[χεῖσθ]αι αὐτοὺς
καθ' ἕκαστο[ν | ἔτος τ]ῇ γενεθλίῳ ἡμέρᾳ το[ῦ | κυρίο]υ ἡμῶν Αὐτοκράτορος |
20 [Καίσα]ρος, μένοντος αὐτοῦ || [ἀνεξ]αλλοτριώτου, εἰσηγη|[σαμέ]νου τὸ ψήφισμα
Τρύφω|ν[ος Π]ετρωνίου βουλευτοῦ | [τῆς Ὑ]παιπηνῶν πόλεως, πρ[ο|ν]οήσαντος
23 τῆς ἀναστά||σεως τοῦ ἀνδριάντος, | [ἀνα]στησάντων τὴν βάσιν | [παρ' ἑ]αυτῶν
Ἐλπιδηφ[ό]ρου β' | [σὺν] καὶ τῷ πατρὶ Ἐλπιδηφόρ[ῳ].

1. χρῆ[σθαι] editor. Corr. B. Haussoullier. — 2. Caystro.

1667. Tiris. — Μουσεῖον, II, 2-3 (1878), p. 31, n. 233.

.... ἥντινα σορὸν οὐδ[ενὶ ἐξεστ]αι μετακομί[σαι ἢ γράμ]μα ἐκ[κόψαι] · ἐπε[ὶ] |

ὁ τολμήσας τι τοιοῦτον ἀποτείσει τῷ ἱερωτάτῳ ταμείῳ δηνάρια βφ´ · κή|δονται δὲ
τῆς σοροῦ Ἰούνιοι Ἀλέξανδρος καὶ Ποτάμων καὶ κληρονόμοι | αὐτῶν. Ζῶσιν.
5 Ταύτης τῆς ἐπιγραφῆς ἀντίγραφον ἀπετέθη ἰς τὸ ἐν Ἐ‖ρέσῳ ἀρχεῖον.

1668. Tiris. — *C. I. Gr.*, 3029.

In sepulcro cujusdam Flaviani legitur :

V. 5 : τῷ ἱερωτάτῳ ταμείῳ | δηνάρια βφ´.

1669. Prope Tira. — Jordanidis, *Athen. Mitteil.*, XXII (1897), p. 359.

In sepulcro cujusdam L. Staedii Philetae :

V. 6 : τῷ ἱερωτάτῳ ταμείῳ δηνάρια πεντακισχείλ[ια].

1670. Tiris. — Fontrier, *Bull. de corr. hellén.*, XIX (1895), p. 263.

In sepulcro cujusdam Eutychis :

V. 15 : ε[ἰς] | τὸ ταμ(ε)ῖον δηνάρια αφ´.

1671. Tripoli. — Paris, *Bull. de corr. hellén.*, VIII (1884), p. 379.

Ἀγαθῇ τύχῃ · |
Εἰκὼν Ἑρμολάοιο, τὸν ἤεξησε [1] πάρος μὲν |
Μαιονίη Τρίπολις, Ῥώμης δ᾽ ἐνικάθθετο [2] βουλῇ [3] · |
Εἰ δὲ θέλεις γενεὴν καὶ ἐ....ατα ἔργα [πυ]θ[έσ]θαι, ‖
5 Μάρτυρες ἐνναέται πόλιος καὶ δώματα κλεινὰ |

. . . .

1. = ηὔξησε. — 2. = ἐγκατέθετο. — 3. Senator fuit romanus.

1672. Bouyouk Katefkhès. — Fontrier. *Athen. Mitteil.*, XXI (1896), p. 375.

Imp. Caesar | Augustus fines | Dianae [1] restituit. |
5 Αὐτοκράτωρ Καῖσαρ ‖ Σεβαστὸς ὅρους | Ἀρτέμιδι ἀποκατέ|στησεν.

1. Ephesiae. Cf. n. 1673.

1673. Koutchouk Katefkhès. — Fontrier, *Rev. des ét. anc.*, 1902, p. 260, n. 4.

Imp. C]aesar | [Augu]stus | [fines] Dianae [resti]tuit. |

5 [Αὐτοκράτωρ | [Καῖσαρ Σ]εβασ[τὸς ὅρους Ἀρτέμι]δι ἀποκατέστησεν] [1].

1. Cf. n. 1672.

1674. Belevi. — Jordanidis, *Athen. Mitteil.*, XXIII (1898), p. 166.

5 Λούκιον Φάβιον | Χείλωνα | τὸν λαμπρότατον | καὶ δὶς ὕπατον ‖ ἔπαρχον Ῥώμης [1]........

1. L. Fabius Cilo Septiminus, cos. II anno 204 post C. n., antea Galatiae et Bithyniae legatus. Cf. *Prosop. imp. rom.*, II, p. 45, n. 20.

1675. Belevi. — Fontrier, *Rev. des ét. anc.*, 1902, p. 258; B. Haussoullier, *ibid.*, 1903, p. 10.

In fronte :

Σωτήριχος Φιλο........ | Λουκίῳ, ᾧ ἀνεθρεψάμην ἀνπέλων δε|κανίαν, [ἣν]
5 ἐκληρωσάμην, καὶ καλάμου | πλέθρον ἐν ἀπὸ δεκανίας Κολπηνῆς, ‖ ἅτινα ἀπο-
καταστήσει τῇ γλυκυτάτῃ | μου Βωνειτῶν κατοικίᾳ, ὡς τὸν | γεωργούμενον οἶνον
καθ᾽ ἕ[καστον | ἐνιαυτόν] ....

In latere dextro :

...κρατίστου Τ. Κλ. Σωτήριχον Φιλ......, | γραμ(μ)ατέα δήμου ἔνδοξον, δὶς
5 ..... | μετέχοντα πάντων τῶν συμ..... | φιλότειμον, νεοποιὸν Ἀλεξ..... ‖ σπον-
δὰς, πᾶσαν ....|...ας τοὺς κατο[ικ]οῦντας ....

In latere sinistro :

5 ....|.... ΙΛΟΣ..ΟΠΟΙ.... | ΛΙΟΥΡΙΟΣ | ἰσόβιος γραμματεὺς.. ‖ ...... Ο.....
.......κατοικ... | .... ΠΕΙ..Ν.... ΣΠΡΟCΝΕ....| ΛΑΩΣ ....ίσαντας·
ἀπὸ | γινομένου τόκου...........

ADDENDA

ET CORRIGENDA [1]

1. Praemonitum habeas nos ea consulto omisisse quae levioris momenti visa sunt.

T. IV

35

ADDENDA

ET CORRIGENDA

1676. Apolloniae. — Wiegand, *Athen. Mitteil.*, XXXVI (1911), p. 294, n. 4.

Γ. Σαύφιος Μά|κερ ὁ ἱερεὺς | τῶν Σεβαστῶν | γυμνασιαρχήσας ἐκ τῶν ἰδίων ‖
5 τοὺς νέους καὶ τὴν γερουσίαν | ἐν τῷ εκρ´ ἔτει [1] | κατεσκεύασεν | τῇ πόλει τὸν |
μάκελλον ἐκ ‖ τοῦ συναχθέν|τος ἐκ τῆς γυ|μνασιαρχίας αὐ|τοῦ ἀργυρίου. | Πάτος [2].

1. Aerae Sullanae anno 125 = 40/41 post C. n. — 2. Indicatur via ad macellum a Saufeio instructum.

1677 = **304.** Pergami. — Hepding, *Athen. Mitteil.*, XXXIV (1909), p. 336, sic titulum melius restituit :

[Ὁ δῆμος | ἐτίμησε] τὸν ἑαυτοῦ σ[ωτῆρα καὶ εὐεργέτην | Γάιον Ἰού]λιον Γαίου
υἱὸν Καί[σ]αρα τὸν αὐτοκράτορα καὶ | ἀρχι]ερέα καὶ δικτάτορα τὸ [β´ πάσης
5 ἀρετῆς καὶ εὐνοίας ‖ ἕνεκ]εν ἀποκαταστήσα[ντα τοῖς θεοῖς τήν τε πόλιν | καὶ
τὴ]ν χώραν ο[ὖ]σαν ἱερὰ[ν καὶ ἄσυλον καὶ αὐτόνομον] [1].

1. Cf. nn. 305 et 306.

1678 = **350, 351.** Pergami in gymnasio. — Hepding, *Athen. Mitteil.*, XXXV (1910), p. 414, n. 6.

350 fragm. *a. d.* dele ; nam non alia sunt atque **351** v. 18 seq. — **351** fragm. *n*, altero fragmento recentius reperto, ita scribendum est : ....ω.....|....ντω...
5 ..|...ιαι περὶ π.......|.. [ἐ]πετέθη τω....‖.... [Περ]γαμηνῶν τῆι [βουλῆι καὶ τῷ
δήμῳ...|.... εἰς τὸ τῶν] νέων ἐλεοχρεί[στιον [1]....|.... ἐ]λάμβανεν τὴν.....|.....

10 [ἀ]ναγκαῖον δὲ χρεί[νας]....|..... λογιστοῦ τὴν....‖..... [τῆ]ι βουλῆι καὶ τῶ[ι
δήμῳ]....|...... τος τὸ Ε'''ΑΙ.....|.... παραληψ....|.... ‾Ω''....|.....

1. = ἐλαιοχρείστιον, pecunia ad emendum oleum gymnasii constituta. De eo vide Hepding, *ibid.*, n. 8-10 et p. 419 seq.

1679 = 353. Pergami. — P. 143, v. 11 *pro* Mensis Caesaris *lege* Mensis Caesar ; v. 41 *pro* quae *lege* qui. — P. 147, v. 17 et 19 *pro* denarios *lege* denarii.

1680 = 477. Pergami. — Hepding, *Athen. Mitteil.*, XXXV (1910), p. 476, n. 64 plenius edidit.

......νην ἔνδοξον ἐν [τ]ῆ[ι ὑπὸ τῆς πό]‖λεως δοθείσῃ τῶν μονομ[αχιῶν, τρο]‖φέα,
5 τριτευτὴν, ἐπί τε ἑαυτῶι καὶ | παισὶν τοῖς ἑαυτοῦ, ἀγορανόμον ‖ [ἐ]ρ' ἑαυτῶι
καὶ παιδὶ, ἱερονόμον, | πατέρα ἀγωνοθέτου, ἀρχιερείας | καὶ ἱερειῶν δυεῖν τῆς
10 Νικηρό|ρου καὶ Πολιάδος ['Α]θηνᾶς, φαιδυν|τὴν ¹........ αντα ἐν πᾶσιν ‖ φιλ[ο-
τ]ί[μ]ο[ν]ι........ φιλόπολιν. |

[Τ]ὸ πρ[ῶ]τον βασιλικὸν ² καὶ ἱερώτα|τον τῶν Πανιαστῶν Ἱππικειτῶν ³ | [πλ]ῆ-
θος ⁴ τὸν ἴδιον προστάτην.

1. Is qui statuas deorum curabat tuendas et ornandas, ut ostendit Foucart, *Mém. de l'Acad. des Inscriptions*, XXXVII (1904), p. 59. — 2. Profecto eodem sensu quo Σεβαστὸν; nam titulus non ante saeculum II post C. n. exaratus est. — 3. Ex parte aliqua civitatis, aut ex pago vicino. — 4. Collegium. Poland, *Griech. Vereinwesen*, p. 168.

1681. Pergami. — Hepding, *Athen. Mitteil.*, XXXV (1910), p. 483, n. 77.

[P. Cornelius P. f. Scipio] Nasica l[egatus pontifex maximus]. |

[Π. Κορνήλιος Σκιπίων] Ποπλίου Νασίκας πρεσβευτὴς ἀρ[χιερεὺς μέγιστος].

Pertinuit titulus ad frontem aedificii ornatissimi quod conjicitur fuisse sepulcrum Scipionis Nasicae; Pergami enim decessit anno 132 ante C. n., cum a senatu legatus esset in Asiam ut novam provinciam constitueret. Dittenberger, *Or. gr. inscr.*, n. 339, n. 11 ; Foucart, *Mém. de l'Acad. des Inscriptions*, XXXVII (1904), p. 325.

1682. Pergami in gymnasio. — Hepding, *Athen. Mitteil.*, XXXIV (1909), p. 329.

Ὁ δῆμος ἐτίμησεν | Μιθραδάτην ¹ Μηνοδότου τὸν διὰ γένους ἀρχιερέ[α] | καὶ

ἱερέα τοῦ Καθηγεμόνος Διονύσου διὰ γένο[υς] | ἀπο[κα]ταστήσαντα τοῖς πατρώιοις
5 θεοῖς τ[ήν τε πόλιν] ‖ καὶ [τὴν] χώραν καὶ γενόμενον τῆς πατρίδος με[τὰ Πέρ-
γαμον] ² | καὶ Φιλέταιρον ³ νέον κτίστην ⁴.

Alterum exemplar fere simile ejusdem tituli Pergami repertum vide *ibidem.*, p. 331 et
Athen. Mitteil., XXXV (1910), p. 471.

1. Mithradates Pergamenus, nothus, ut ferebant, Mithradatis Eupatoris, regis Ponti,
amicus C. Julii Caesaris, qui eum post pugnam Pharsalicam regem Bospori constituit,
occisus est ab Asandro anno 46/45 ante C. n. Cf. *Bell. Alex.*, 26-28, 78 ; Strab., XIII, 625;
Cass. Dion., XLII, 48. — 2. Heros urbi Pergamo conditor fabula assignatus. Fränkel,
Inschr. von Perg., II, n. 289 ; *Alterth. von Perg.*, p. 252, n. 310. Cf. titulum nostrum 360,
v. 22. — 3. Attalidarum primus, qui Pergamum rexit inter annos 281 et 263 ante C. n.
— 4. Forsitan Julius Caesar civitati, rogante Mithradate, anno 46 libertatem amissam
reddiderit.

1683. Pergami, in templo Junonis. — Ippel, *Athen. Mitteil.*, XXXVII (1912), p. 294.

Ὁ δῆμος Ἀδο[βο]γιώναν ¹ Δηιοτάρου ², | γυναῖκα δὲ Βρογιτάρου ³ τοῦ Δηιο|τά-
5 ρου ⁴ Γαλατῶν Τρόκμων | τετράρχα, ἀρετῆς ἕνεκεν καὶ ‖ εὐεργεσίας τῆς εἰς
ἑαυτόν.

1. De ea vide titulum n. 3 et Dittenberger, *Or. gr. inscr.*, n. 348. — 2. Dejotarus I,
tetrarcha nobilissimus Galatarum Tolistobogiorum, Romanorum amicus, cujus causam
oravit Cicero, defunctus est anno circiter 40 ante C. n. V. Niese ap. Pauly et Wissowa,
Real. Encycl., IV, 2, p. 2401, 2. — 3. Klebs ap. Pauly et Wissowa, *op. laud.*, III, p. 887.
— 4. Alter ille Dejotarus, ex gente Trocmorum, priore multo minus insignis (Niese, l. c.,
n. 1), videtur fuisse pater etiam alterius Adobogianae : Stähelin ap. Pauly et Wissowa,
op. laud., *Suppl.*, I, p. 10; Dittenberger, *l. c.*, n. 347. Adjuvante titulo Pergameno, Ippel
genealogiam illorum principum expedire tentavit. Unde fieri potest ut ea corrigenda
sint quae ad titulum nostrum n. 3 adnotavimus. Cf. n. 173.

1684. Pergami, in thermis. — Ippel, *Athen. Mitteil.*, XXXVII (1912), p. 297, n. 22.

[Ὁ δῆμος] ἐτίμησεν | Μάρκον Καλείδιον Κοίντου | υἱὸν τὸν ἑαυτοῦ πάτρωνα ¹.

1. M. Calidius Q. f., orator magni nominis, praetor anno 57 ante C n., amicus Ciceronis
qui eum amplissime laudavit (*Brut.*, 274-278); Münzer ap. Pauly et Wissowa, *Real.
Encycl.*, III, p. 1353, n. 4. Pergami potius quam Romae Apollodoro celeberrimo illo
rhetore dicendi magistro usus ut : Hieron. ad annum 63 ante C. n., Susemihl, *Gesch. der
gr. Litt.*, (II, p 304-305). Jam decesserat anno 47, cum Cicero eum laudavit.

1685. Pergami. — Hepding, *Athen. Mitteil.*, XXXV (1910), p. 463, n. 44.

Αὐτοκράτορι | Ἀδριανῶι | Ὀλυμπίωι σω|τῆρι καὶ κτίστη(ι).

1686. Pergami, in gymnasio superiore. — Ippel, *Athen. Mitteil.*, XXXVII. (1912), p. 297, n. 23.

.... ἐτίμησαν | Αὖλον Ἰούλιον Κουαδρᾶτον | πρεσβευτὴν αὐτοκράτορος |
5 Δομιτιανοῦ Καίσαρος ‖ Σεβαστοῦ ἐπαρχειῶν Καππα|δοκίας καὶ Γαλατίας καὶ |
10 πρεσβευτὴν καὶ ἀντιστράτη|γον Ἀσίας δὶς καὶ Πόντου καὶ | Βειθυνίας ¹, ‖ γραμ-
ματεύοντος Ἀθηναίου | Ἡρακλείδου ἐκ ...... ειστηαι|θαλει Γλύκων[ος] τοῦ
καὶ | Καλπουρνίου.

1. Cf. nn. 373-399.

1687. Pergami, in porticu inferiore. — Ippel, *Athen. Mitteil.*, XXXVII (1914), p. 299, n. 25.

Ἰουλία Αὔλου ¹ θυγάτηρ | Πώλλα βασιλὶς | τῶν ἐν θεᾶι Ῥώμη(ι) ἱερῶν ²,
5 γυμνασίαρχος καὶ πρύτανις | τῆς μητροπόλεως τῆς Ἀσίας ‖ καὶ δὶς νεωκόρου ³
πρώτης Περ|γαμηνῶν πόλεως σὺν τοῖς τέ|κνοις Γ. Ἰ(ουλίῳ) Νάβῳ καὶ
Γ. Ἰ(ουλίῳ) Φρόντωνι ⁴ | συγκλητικοῖς Ἰουλίαν Τύχην | τὴν ἑαυτῆς μητέρα,
10 πρύτανιν ‖ καὶ ἱέρειαν διὰ βίου τῶν θεσμο|φόρων θεῶν ⁵.

1. Profecto A. Iulius Quadratus. Cf. n. 1686. — 2. Regina sacrorum in urbe Roma.
Cf. *C. I. L.*, VI, 2123, 2124. — 3. Post annum certe 114 post C. n. *Inschr. von Perg.*, II,
p. 306, n. 441. — 4. C. Iulius Fronto, qui anno 129 post C. n. praefectus classis Misenen-
sis fuit (Ael. Aristid. *Or.* X; *Prosop. imp. rom.*, II, p. 193, n. 218), si verum vidit editor,
qui genealogiam illius gentis restituit. — 5. Ceres et Proserpina. Cf. n. 282.

1688. Pergami, prope templum Cereris. — Ippel, *Athen. Mitteil.*, XXXVII (1912), p. 301, n. 26.

[Ἡ βου]λὴ καὶ ὁ δῆμος | [τῶν πρώ]των καὶ δὶς νεωκόρων | [Περγα]μηνῶν
5 ἐτίμησε | [Τίτον Τ]εττιηνὸν Γαλέωνος ‖ ...Ἑρμᾶ Σερῆνον ΄ Λούκιον | [Ῥα]ούιον
Λικιννιανὸν Μᾶρκον | Ἐπουλαίιον Πρόκλον Τιβέριον | Καιπίωνα Ἴσπωνα ², υἱὸν
10 τοῦ | εὐεργέτου τῆς πόλεως Τεττιην[οῦ] ‖ Σεουήρου τοῦ ἀνθυπάτου ³, | τὴν τιμὴν

ἀνα[θέντος] | Τιβερίου Κλαυδίου Μη[νο]... | Ἀσιάρχου καὶ στρατηγοῦ | τὸ δεύτερον.

1. Cf. *Prosop. imp. rom.*, III, p. 308, nn. 96, 97. — 2. M. Eppuleius Proculus Ti. Caepio Hispo Asiam administravit circa finem Trajani imperantis : *Prosop. imp. rom.*, II, p. 37, n. 62; Groag ap. Pauly et Wissowa, *Real. Encycl.*, VI, p. 260. — 3. Galeonem Tettienum Severum illum quem novimus (*Prosop.*, *l. c.*, n. 98) hic nominari vix credibile est.

1689. Pergami, in thermis. — Hepding, *Athen. Mitteil.*, XXXV (1910), p. 472, n. 58.

[Ἡ βουλὴ καὶ ὁ δῆμος τῶν] νεωκόρω[ν Περγαμηνῶν ἐτείμησεν | .. Ἰούλιον
Σέξτον νέον ἥ]ρωα προφύλα[κα¹ υἱὸν Σέξτου Ἰουλίου | ...... ἀνδρὸς κα]λοῦ
κἀγαθοῦ κα[ὶ ἐμ πᾶσιν εὐχρήστου τῇ | πατρίδι γεγενημένου, κ]τίστου στοᾶς
5 [τῆς ἐν τῶι τῶν νέων γυμνα]σίωι ..., κατὰ πάσας τὰς] ἀρχὰς καὶ λειτο[υργίας
ἀρέσαντος καὶ | ἀγωνοθετήσαντο]ς καλῶς, νεοκορ[ήσαντος]............ | ....
....ου τῶν αὐτοκ[ρατόρων]......................................

1. De eo cf. n. 455, ubi in fine [ἀνδ]ρὸς | [καλοῦ καγαθοῦ] et quae hic sequuntur supplenda sunt.

1690. Pergami. — Hepding, *Athen. Mitteil.*, XXXV (1910), p. 485, n. 80.

[Φλ]αβίαν Ἄπριον | [Κ]ο[ρ]νηλιανὴν | [τὴν μη]τέρα Κλ. Σεβήριος | [θυγ]α-
5 τέρα Ἡροδότου ‖ φιλοσόφου Σμυρναίου¹.

1. Cf. titulum fere similem n. 125.

1691. Elaeae. — *C. I. Gr.*, 3532 b.

Μ. Κασσίῳ Ὁμηριανῶι | μελοποιῶι | Λ. Ἵρριος Καπίτων | ὁ φίλος.

1692. Elaeae¹. — Fabricius, *Athen. Mitteil.*, XXXVIII (1913), p. 37.

.........[πρ]ὸς θεῶ[ν... | ....τ]ούτου δὲ τη... | ....ου.² |
[Ἔδοξε τῆι βουλῆι κ]αὶ [τ]ῶι δή[μωι. ‖ .... Νικ]άνορος | .... [Διο]-
ν[υ]σίου | .... [Ἀρ]χίο[υ | ...... Με]νάνδρο[υ | Π]ολύστρ[ατος Μ]ένωνος ‖

10 στρατη[γοὶ εἶ]παν. | [Ἐπεὶ ὁ δῆ]μος ἡμῶν [φυλάσσ]ων ἀπ' ἀρ[χῆς τὴν | πρὸς
Ῥ]ωμαίους εὔν[οιαν κα]ὶ φιλίαν π[ολλὰς | καὶ ἄ]λλας ἐν τοῖς [ἀναγκα]ιο[τά]τοις
15 κ[αιροῖς | τῆς] προαιρέσεως [ἀποδε]ίξεις πεπό[ηται, ‖ ὁμ]οίως δὲ καὶ ἐν τ[ῶι πολέ]-
μωι τῶι π[ρὸς | Ἀρ]ιστόνικον ³ τὴ[ν πᾶσα]ν εἰσφερό[μενος | σ]πουδὴν μεγάλο[υς
ὑπέ]στη κινδύ[νους | κ]αὶ κατὰ γῆν καὶ κ[ατὰ θ]άλασσαν, [ἐξ ὧν | ἐ]πιγνοὺς ὁ
20 δῆμος [ὁ Ῥωμ]αίων τὴν π[ροαίρε‖σ]ιν τοῦ ἡμετέρου [δήμου] καὶ ἀποδεξ[άμενος] |
τὴν εὔνοιαν προσ[δέδεχ]ται τὸν δῆ[μον] | ἡμῶν πρός τε τὴν φ[ιλίαν κ]αὶ συμ-
μα[χίαν], | ἀνακειμένο[υ] δὲ ἐ[ν Ῥώμη]ι ἐν τῶι ἱερῶ[ι τοῦ] | Διὸς τοῦ Καπετω-
25 λ[ίου πίν]ακος [χ]αλκο[ῦ καὶ ‖ ἐ]ν αὐτῶι κατατετα[γμένων] τοῦ [τε γε]γονότος |
[δ]όγματος [ὑ]πὸ τῆς [συγκλήτ]ου περὶ τῆς συμμα[χ]ίας, ὁμοίως δὲ καὶ τ[ῆς
συνθήκ]ης, καθήκει καὶ | [πα]ρ' ἡμ[ῖν] ἀναγραφῆν[αι αὐτὰ ε]ἰς πίνακας |
30 [χ]αλκοῦς δύο καὶ τε[θῆναι ἔ]ν τε τῶι ἱερῶι ‖ [τ]ῆς Δήμητρος καὶ ἐ[ν τῶι β]ου-
λευτηρίωι | [παρ]ὰ τὸ ἄγαλμα τῆς [Δημοκ]ρατίας ⁴ · δεδ[όχ]θαι | [τῆι] βουλῆι καὶ
τῶι δ[ήμωι] τοὺς ἐξετασ[τ]ὰς | [δι'] ὧν καθήκει ἔγδο[σιν πο]ήσασθαι τῆς τε | [τῶν
35 πι]νάκων κατασκε[υῆς κ]αὶ τῆς ἐν αὐτοῖς ‖ [ἀναγ]ραφῆς, ὁμοίως δὲ καὶ] στηλῶν
μαρμαρί[[νων δ]ύο, εἰς ἅς, ὅταν [οἱ πίν]ακες συντελεσθῶ‖[σιν, ἐ]ναρμοσθῆναι
[αὐτού]ς, ἀναγραφῆναι δὲ | [ἐν ταῖ]ς στήλαις διε[ξοδικ]ῶς τὸ ἀντίγραφον | [τοῦδε]
40 τοῦ ψηφίσμα[τος ὅτα]ν τε ἡ ἀνάθεσις ‖ [αὐτῶ]ν ἐπιτελῆται, [τὸν στ]εφανηφόρον
καὶ | [τοὺς ἱ]ερεῖς καὶ τὰς ἱερείας κ[αὶ τοὺς ἄρ[χ]οντας | [ὑπὲρ] τῶν πολιτῶν
[ἀνοίξα]ντας τοὺς ναοὺς | [τῶν θ]εῶν ἐπιθυμιᾶ[ν τὸν λιβ]ανωτὸν, ε[ὐχ]ομέ[νους] ·
45 « Ἐπ' ἀγαθῆι τύχ[ηι καὶ σω]τηρίαι τοῦ τε ‖ [ἡμε]τέρου δήμου κ[αὶ τῶν Ῥωμ]αίων
καὶ τοῦ κοι[[νοῦ τ]ῶν περὶ τὸν Κ[αθηγεμόν]α Διόνυσον τε[χ]νι[τῶν] μεῖναι ἡμῖν
εἰς ἅπ[αντα τὸ]ν [χ]ρόνον τὴν πρὸς | Ῥωμαίους φιλίαν κα[ὶ συμμα]χίαν. »
50 παραστα[[θῆ]ναι δὲ καὶ θυσίαν ὡ[ς καλλ]ίστην τῆι τε ‖ [Δή]μητρι καὶ τῆι Κόρ[ηι
ταῖς π]ροκαθημέναις | [θε]αῖς τῆς πόλεως ἡ[μῶν, ὁμο]ίως δὲ καὶ τῆι | [Ῥώμ]ηι ⁶
καὶ τοῖς ἄλλοι[ς θεοῖ]ς πᾶσι καὶ πάσαις · | [εἶν]αι δὲ καὶ τὴν ἡμέρ[αν ἱερ]ὰν καὶ
55 ἀνεθῆναι | [τού]ς τε παῖδας τῶν μ[αθημάτ]ων καὶ τὴν οἰκε‖[τε]ίαν τῶν ἔργων ·
ἐπι[τελεσθ]ῆναι δὲ ἀπὸ τῆς | [θυ]σίας διαδρομὴν το[ῖς τε πα]ισὶν καὶ τοῖς νέοις, |
[τὴ]ν ἐπιμέλειαν ποησ[αμένω]ν τοῦ τε παιδονόμου | [κα]ὶ τοῦ γυμνασιάρ[χ]ο[υ ·
τὸ δὲ ἐ]σόμενον ἀνά[λ]ωμα | [εἴ]ς τε τὴν κατασκευὴ[ν τῶν π]ινάκων καὶ
60 τἄλλα ‖ [πρ]οέσθαι Εὐκλῆν καὶ Δ[ιονύσι]ον τοὺς ταμίας | [ἀφ'] ὧν [χ]ειρίζουσιν
προ[σόδων].

1. Potius quam Pitanae; nam lapis in ripa Caïci inter duas urbes repertus est. —
2. Explicit mutilum documentum de re ignota conceptum. V. 4 incipit decretum illius

civitatis de foedere cum Romanis novissime contracto. — 3. Aristonicus, Eumenis II, regis Pergameni nothus, ne Romani adirent hereditatem regni quod Attalus III eis testamento legaverat anno 133 ante C. n., bello impedire tentaverat; postquam victus et captus est, anno 129 M' Aquilius composuit provinciam; tum Elaeenses senatus consulto (v. 19-27) accepti sunt inter socios et amicos populi Romani. — 4. Deam Democratiam non modo Athenae sed etiam Cnidus et Telos coluerunt : Waser ap. Pauly et Wissowa, *Real. Encycl.*, V, p. 135. Circa Pergamum tamen divinos honores habere vix potuit nisi paulo post annum 133 ; affert Fabricius titulum ejusdem fere aetatis in quo dicitur de populo Pergameno : κατεστάθη, εἰς τὴν πάτριον δημοκρατίαν; Dittenberger, *Orient. gr. inscr.*, 337. — 5. Senatus consulti et foederis, quae Romae in templo Jovis Capitolini asservantur in tabula aenea inscripta (vv. 23-27), duo exempla in duabus tabulis aereis exscribi jubet civitas apud se ponenda, unum in templo Cereris, alterum in curia sua (vv. 27-31); praeterea inscribi ipsum decretum suum duabus tabulis marmoreis, quarum unam hic habemus ; de altera nihil amplius notum est (vv. 31-39). — 6. Romam deam venerabantur Smyrnaei jam anno 195 ante C. n. : Chapot, *Prov. rom. d'Asie*, p. 423.

1693. Aezanis. — Kornemann, *Klio*, IX (1909), p. 422.

Ἀπὸ Βονωνίας τῆς ἐν Γαλλίαι ¹ ἐνεχθ[εῖσα ἐπιστολὴ Τιβερίου Καίσαρος]. |
Τιβέριος Καῖσαρ ² Αἰζανειτῶν βουλῆι] | δήμωι [χαίρειν]. | Ἀρχῆθεν ὑμῶν τὴ[ν
5 εὐσέβειαν? καὶ] ‖ πρὸς ἐμὲ συνπαθί[αν μαθὼν ἀπεδεξά]|μην ἥδιστα καὶ ν[ῦν παρὰ
τῶν ὑμε]|τέρων πρεσβευτῶν [τὸ ψήφισμα ³ τὸ] | διαφαῖνον τῆς πό[λεως τὴν εἰς με
10 εὔ]|νοιαν · πειράσομαι [οὖν ὑμῖν ὅσον] ‖ ἂν ὦ δυνατὸς συν[αύξειν ἐν πᾶσι καί]ροις
οἷς ἀξιοῦτε τ[υχεῖν βοηθείας].

1. Boulogne-sur-mer (Pas-de-Calais). — 2. Anno 4 post C. n., post diem 26 Junii, aut anno 5, cum Tiberius, collega imperii ab Augusto adsumptus et « a patria protinus in Germaniam missus », iter fecisset « per tractum omnem Galliae provinciarum » (Vell., II, 104, 3). Tum consentaneum est eum, priusquam Cannanefatibus bellum inferret (ibidem, 105), aliquandiu moratum esse Bononiae (sive Gesoriaci), quam Drusus frater anno 12 ante C. n. « classibus firmaverat » (Florus, II, 30, 26). — 3. Decretum, quo Aezanitae Tiberio gratulati erant collegae imperii adsumpto, Romam legati eorum adtulerant. Nam Tiberius ante annum 2 post C. n., quo rediit in Italiam, septem annos Rhodi inter Graecos vixerat, summo in honore habitus (Cass. Dio, LV, 9; Vell., II, 103; Suet., *Tib.*, 13).

1794. Temenothyris Flaviopoli. — Keil et v. Premerstein, *Denkschr. der Wien. Akad., philos. hist. Klasse*, LIV, II (1911), p. 135, n. 248.

.... ονει..|...ων καὶ ἔστησεν παρόντων καὶ τῶν ὑπάτων. Ἐ[πεὶ | Ἀντ]ί-

πατρος Περιλάου Δερβήτης ¹ πολλὰς ἀποδείξεις | παρέ]σχηται τῆς πρὸς ἡμᾶς
5 εὐνοίας ἐν παντ[ὶ καιⳇρῷ]ι τοῖς......... [τ]ῆς πισ[τῆς | πρ]οθυ[μίας?].........
πολε.....|.. νόμο......... καὶ ἱερε...|......

1. Antipater, Perilaï filius, tyrannus Derbes in Lycaonia, eversus et occisus anno 36
ante C. n. ab Amynta Galatarum rege. Klebs ap. Pauly et Wissowa, *Real. Encycl.*, I,
p. 2513, n. 20; v. Rohden, *ibid.*, p. 2007, n. 21. Ciceroni « non solum hospitium,
verum etiam summa familiaritas » cum eo intercesserat ante annum 51/50 (Cic., *Epist.
ad fam.*, XIII, 73, 2). In hoc decreto videtur laudatus esse Antipater ab aliqua Lydorum
civitate quod legationem in senatu romano « praesentibus consulibus » feliciter
explevisset.

1695. Temenothyris Flaviopoli. — Keïl et v. Premerstein, *Denkschr. der Wien. Akad.*,
philos. hist. Klasse, LIV, II (1911), p. 136, n. 230.

5   .....|...λε.....ου|... ἑκατόνταρ|[χ]ον ἐκ Βατάο(υ)ων ¹, ‖ [τ]ὸν εὐγενέστα|[τ]ον
καὶ ἐν πᾶσιν | [τῆ]ς πόλεως εὐερ|[γ]έτην, ἐπιμελησα|[μ]ένου Αὐρ. [Σ]υν-
10 τρέⳇ[φ]ου.

1. Βατάονων lapis. Scriptura est saeculi fere II aut III post C. n. Bang, *Die Germanen
im röm. Dienst*, 1906, p. 90, 98.

1696 = **643.** Acmoniae.

V. 2. *Pro* [Λ. Σά]λουιον *scribe* [Τ. Φλ]άουιον ¹.

1. De T. Flavio Montano, qui theatrum Ephesi conficiendum curavit inter annos 102
et 112 post C. n., cf. Heberdey, *Forschungen in Ephesos*, II (1912), p. 174, n. 61.

1697. Sebastae. — Keil et v. Premerstein, *Denkschr. der Wien. Akad.*, *philos. hist.
Klasse*, LIV, II (1911), p. 140, n. 265.

5   ......|.[ιο]ν Δέξτρο[ν | τ]ὸν κράτιστο[ν] | συνκλητικὸ[ν, ‖ τ]α[μίαν] κ[αν]δί|δα-
[τ]ον ¹, [δήμαρχον] | καν[δ]ί[δα]τ[ον, | Λ]όλλιοι Κλ[αύδιο]ι | ..η..... .ος καὶ
10 [Κη]ν|[σω]ρεῖνος τὸν ἑ[α]υⳇ[των] φίλο[ν καὶ] εὐ|εργέτη[ν].

1. Candidatus principis.

1698 = 712. Nai. — Keil et v. Premerstein, *Denkschr. der Wien. Akad., philos. hist. Klasse*, LIV, ɪɪ (1911), p. 146, ad n. 269 correxerunt.

[Αὐτοκράτορ]ι [1] Καίσαρι Σεβασ|[τῶι κ]αὶ τῶι δήμωι | [Γ. Μούμμιος] Μάχερ [2]
5 τὸ πρόπυλον | [καὶ τ]ὰ ἐργαστήρια ‖ [τοῖς ἰδίοι]ς [ἀναλώμασιν?] | ἀνέθη[κεν].

1. Aut [Τι. Κλαυδίω]ι. — 2. Cf. Keil et von Premerstein, n. 270.

1699. Nai. — Keil et v. Premerstein, *Denkschr. der Wien. Akad., philos. hist! Klasse*, LIV, ɪɪ (1911), p. 150, n. 278.

5 Ἀτείμη|τος Κέ|σαρος | δοῦλος ‖ οἰκονό|μος [1] | Φοίβῳ | καὶ Ἀκυνέ|ᾳ [2] Εὐ-
10 (τ)ελείᾳ ‖ θρέψασειν | τὸ μνῆμα | ἐποίει.

1. Vilicus. Magie, *De Romanorum vocabulis solemnibus in Graecum sermonem conversis* (1905), p. 116. — 2. Aquinia.

1700 = 719. Blaundi. — Keil et v. Premerstein, *Denkschr. der Wien. Akad., philos. hist. Klasse*, LIV, ɪɪ (1911), p. 145, n. 268, ex novis fragmentis ita compleverunt :

[C. Octauius......... uir in deos et] in patri[am pien]tissimus sua pec[u]nia templum et porticu[s fecit. | Ti. Claudius Ti. f. Menecra]tes V..... fac(iendum) cur(auit). |

.........[Γ]άιος Ὀκτάς[υιος........ εὐ]σε[6]ὴς καὶ φιλόπατ[ρις δραχμῶν ἑκατ]ὸν
χι[λιά|δων ἀναλώματι τὸν ναὸν καὶ τὰς στοὰς ἀνέθηκεν, τὴν ἐ]πιμέλειαν τῆς
5 [κατασκευῆς καὶ τοῦ κόσμου? α]ὐτῶν ποιησαμ[ένου Τιβερίου] Κλαυδίο[υ ‖ Τιβε-
ρίου υἱοῦ Κυρ]είνᾳ [Μ]ενεκράτους [Οὐ].....ντο[ς]?

Scriptura saeculi I aut II incipientis.

1701 = 946. Chii.

V. 10. Lege [κατασκε]υάσασα. — V. 13-15 ἀγων[οθεσία]ς καὶ τοὺς πατρίο[υς
ἀγῶ||νας] τῶν Σεβαστῶν. — V. 16. [χ]ράσιμον male restitutum est; de vera lectione ambigitur. Supplevit et correxit Foucart.

1702 = 954 Chii.

V. 3. Lege [προῖκ]α πρεσβεύσαντος. Suppl. Foucart.

1703. Chii. — Aemilia Zolotas, Ἀθηνᾶ, XXI (1909), p. 347; Bernard Haussoullier, *Rev. de philol.*, XXXIV (1910), p. 119; Keil, *Jahreshefte des österr. arch. Inst.*, XIV (1911), *Beiblatt*, p. 54, 5.

......ι [κ]αὶ τὸ περὶ προ[σ]τίμων ὧν νῦν δί[δ]ωσιν [μυ]ρίων δισχ[ιλίων] · |....
[κ]ατὰ τὸ αὐτὸ ψήφισ[μα] τὴν διατ[αγ]ὴν μηδεν[ὸ]ς ἔξοντος ἐξουσίαν μηδ|[εν]ὸς
π[ράγ]ματος γράψαι περὶ αὐτῶν ἢ εἰς διόρθωμα κατατάξ[αι] | μεταγωγῆς ἢ
5 μεταθέσεως τ[ῶ]ν χρημ[ά]των τούτων ἢ τῶν προ[σόδ]ων αὐτῶ[ν, ὡς μη]‖δὲ καὶ
περὶ τῶν πρὸ τοῦ δεδομένων ὑπ᾽ α[ὐ]το[ῦ] χρημάτων ἢ τῶν πρ[ο]σόδων αὐτῶν. |
[᾽Εὰν] δέ τις πράξῃ παρὰ τὰ προτοῦ διησφαλισμένα ἢ τὰ νῦν ἐγν[ω]σμένα, ἔστω
τ[ὰ χ]ρήματα | [ταῦτα] τῶν Λευκίου κληρονόμων · ἐὰν δὲ μὴ πράξωνται οἱ
κληρονόμοι, ἔστω τοῦ δήμ[ου] | τοῦ ᾽Ρωμ]αίων [1], ἔστω δὲ καὶ ὁ ποήσας τι τῶν
ἀπηγορευμένων ἐν τοῖς [αὐ]τ[ο]ῖς προστείμ[οις | καὶ ἐν ἐ]παρῇ. — Δεδόχθαι
10 ἐπικεχωρῆσθαι αὐτῷ περὶ πάντων καθότι [ἂν β]ούληται καὶ ἐπ[ειὶδὴ] προεψηφί-
σατο ὁ δῆμος ἀνδριάντος ἀνάστασιν αὐτῷ ἐν τῷ ἐπι[ση]μοτάτῳ τῆς ἀγ[ο|ρ]ᾶς
τόπῳ, βούλεται δὲ αὐτὸν συναναστῆσαι τοῖς τῶν τέκνων ἀνδριᾶσιν ἐπὶ τῶν |
[Σ]τυλειδῶν [2], δεδόχθαι ἐπικεχωρῆσθαι αὐτῶι · ὁμοίως δὲ ἐξεῖναι αὐτῶι καὶ τὰ
ἀγάλμα|[τα] τῶν υἱῶν αὐτοῦ, ἃ ἐψηφίσατο ὁ δῆμος ἀνατεθῆναι ἐν τῶι γυμνασίωι,
ἀναστῆ|[σ]αι ἐν ᾧ ἂν βούληται τοῦ ἀκροατηρίου [3] τόπωι. Ὅπως ταῦτά τε τὰ
15 ἀγάλματα καὶ τὸ ‖ [ἀ]νασταθὲν ὑπὸ ᾽Ρωμαίων [4] ἐν τῇ ἐξέδρᾳ, ἥ(ν) αὐτὸς κατεσ-
κεύασεν ἐν τῷ πρεσβυτι|[κ]ῶι [5], καὶ οἱ ἀνδριάντες οἱ ἀνασταθησόμενοι Λευκίου
τε καὶ τῶν υἱῶν αὐτοῦ μὴ μεταρθῶ|[σιν] μηδὲ μετεπιγραφῶσιν, συντηρῆται δὲ εἰς
τὸν ἀεὶ χρόνον ἥ τε [τοῦ] δήμου χάρις καὶ ἡ | [μνήμη τοιού]των ἀνδρῶν, εἶναι
τα(ὐ)τὰ [6] ἀπαγορεύματα καὶ πρόστιμα ὅσα γέγραπται καὶ πε[ρὶ | τῶν] ἀγαλμάτων
20 τῶν ἐν τῇ ἐξέδρᾳ. ᾽Εν Πανήμωι τῶι ἐπὶ ᾽Αρίστωνος [7] · εἶναι δὲ ‖ [αὐτοὺ]ς ἐνό[χ]ους
ἱεροσυλίᾳ καὶ ἐν ἐπαρῇ. ᾽Αποδεδειγμένου [δ]ὲ Λευκίου Νασσίου | καὶ τ[ούτω]ν
τὴν πρὸς τὸν δῆμον εὔνοιαν καὶ τὸ διηνε[κ]ὲς ἐδρ[αί]ως ἐν πᾶσι[ν] |.......... ὡς
αὐτῷ χαρτὸν καὶ πάσης εὐχῆς ἐπά[ξι]ον κ[αὶ] τῷ σύνπαντι δή[μῳ] |.......... τοῦ
γένους παισὶ παίδων παραδοθῆναι τὴν τ᾽ οἰκίαν ἄθραυ[στον] |.......... μεῖναι,
25 ὅπως ἥ τε εἰς αὐτὸν μνήμη καὶ εὐχαριστία τοῖς ἀπο[γό]νοις]...... τὴν ἀπό-
λαυσιν, ἥ τε ἐξ αὐτῶν εὔ[νο]ια πατροπαράδοτος οὖ[σα] |.......... ἀεὶ χρόνον τῷ
δήμῳ φυλάσσηται ἐπὶ δὲ ΗΦΘΟΝΕ.......... |.......... ...[ἄ]νδρας ἀγαθοὺς
μὲν καὶ προσηνεῖς πατρὶ ἀγα[θοὺς]......|..........ι τὰς εἰς ἐλπίδας αὐξομένων
καταΛΛΗ.............|.... ...... παρὰ Λευκίου καὶ αὐτῶ[ν] τὸ παρὰ τὸν
30 ....‖.......... ....ΗΣ....ΣΟΙ.....ΟΣΛΝ......

A Chiorum senatu et populo decernuntur honores L. Nassio, civi romano, saeculo I ante C. n., ut existimat Keil. 1. ['Ερυθρ]αίων suppleverat Aemilia Zolotas, quia lapidem Erythris translatum opinabatur. Quod cum negaret, Keil ['Ρωμ]αίων scripsit; cf. v. 15. — 2. [Π]υλειδων Aem. Zolotas. Corr. Keil. De more statuas columellis imponendi cf. Dittenberger, *Orientis gr. inscr.* nn. 26, 27, 332, v. 9-10. — 3. Ephebeum (Vitr. V, 11, 2) gymnasio juniorum additum audiendis recitationibus. — 4. Romani in illa urbe consistentes. Vide Hatzfeld, *Les trafiquants italiens dans l'Orient hellénique* (1919), p. 96, qui hunc titulum etiam interpretatus est. — 5. Seniorum gymnasium. De eo cf. *C. I. Gr.*, 2220, 2221. — 6. τοιού]των, τα(ύ)τὰ Hatzfeld. — 7. Quo anno ille Aristo prytanis eponymus Chiorum fuerit incertum est. Tum decreto. antea scripto de iis mulctandis qui'statuas violaverint addita est exsecratio.

1704 = 966. Chora. — Schede, *Athen. Mitteil.*, XXXXIV (1919), p. 39 ad n. suum 31.

V. 4 ἐν τῷ ρμ[. ἔτει] Anno incerto inter 140, ρμ et 146, ρμ[ς'], postquam Augusti mortui decreta est consecratio = anno incerto inter. 154 et 160 post C. n. De illa Samiorum aera cf. nn. 1726, 1732. Corr. Schede.

1705 = 981. Sami.

Versu 1 lege Ἡγεμονέως, versibus 3-4, ἀπόγον[ο]ν | ..... Ἀλκι[6ι]άδου γ[ε]νεᾶς [ἀπ]ὸ [καθόδ]ο[υ]. Restituit Schede, *Athen. Mitteil.*, XXXXIV (1919), p. 43 ad n. suum 34, postquam inventus est in Heraeo lapis alter paulo recentior ad posteros ejusdem Hegemonis pertinens. Cf. n. 1729.

1706 = 991. Sami in Heraeo.

Aeras duas in eodem titulo vicissim adhibitas sic definivit Schede, *Athen. Mitteil.*, XXXXIV (1919), p. 40 :

1° V. 1-55. Anni computati sunt post victoriam Actiacam, cum Augustus Samum se recepit anno 29 ante C. n. (cf. n. 975), ita ut annus recentissimus μδ' 44 (versu 24) congruat cum anno 13/14 post C. n.

2° V. 56-70. Anni computati sunt postquam Augustus Samios donavit libertate (Cass. Dio, LIV, 9, Euseb. ad ann. Abrah. 1997; Strab., XIV, 1, 14), cum apud eos iterum hibernavit, anno 19 ante C. n. (cf. nn. 976 et 1707; Chapot, *Province romaine d'Asie*, p. 386). Alteram autem illam aeram post Augustum non mansisse sed tertiam successisse credibile est, de qua vide nn. 1704, 1726, 1732. V. 56-58 [Ἔτους] δ' τῆς κολ[ω]νίας, ν[εω]ποίης legit Schede, qui ambigit an numerus potius fuerit [ι]α' aut [ι]δ'.

1707 = 992. Sami in Heraeo.

Versu 8 ἔτους... τῆς κολωνίας. Desitne numerus dubitat Schede, *Athen. Mitteil.*, XXXXIV (1919), p. 40, qui illum ipsum annum intelligit quo colonia ab Augusto fuerit condita (19 ante C. n.). Cf. n. 1706.

1708 = 996. Sami. — V. 8 pro [εἰς τὸ ἀ]εὶ lege [εἰς τὸν ἀ]εὶ ....

1709. Sami. — Rayet, *Bull. de l'école franç. d'Athènes*, I (1871), p. 229 et v. 5; Rehm, *Das Delphinion in Milet* (1912), p. 393.

Ὁ δῆμος .... | Μᾶρκον Πίσωνα..... | πρεσβευτὴν [καὶ ἀντιστράτηγον] | τὸν
5 πάτρωνα κ[αὶ] .... ‖ διὰ πέπραγμεν... .... | καίροις ἐπισ........|κόντων τῇ
π[όλει].......

1710. Sami. — Schede, *Athen. Mitteil.*, XXXVII (1912), p. 217, n. 18; Laum, *ibid.*, XXXVIII (1913), p. 59; Rehm, *Das Delphinion in Milet*, p. 394.

Ὁ δῆμος ὁ Σαμίων Γναῖον | Πομπήιον Γναίου υἱὸν Μέγαν | αὐτοκράτορα, τὸν εὐεργέτην κα[ὶ] | σωτῆρα [1], τῆς πόλεως παραι[τήσει] [2].

1. Post bellum Piraticum (anno 67 ante C. n.), cum Sami Heraeum etiam hostes diripuissent (Cic., *De imp. Cn. Pomp.* 12, 33; Plut. *Pomp.* 24) Pompeius victoria sua insulis pristinam securitatem reddiderat. Cf. Dittenberger *Syll.*[2], n. 336. — 2. Suppl. Laum jure dubitans; nam quid intersit inter δῆμον et πόλιν vix patet.

1711. Sami. — Schede, *Athen. Mitteil.*, XXXVII (1912), p. 218, n. 20.

Ὁ δῆμος | Τιβέριον Κλαύδιον Καίσαρα | Σεβαστὸν Γερμανικὸν αὐτο|κράτορα νέον κτίστην [1].

1. Claudius imperator, qui « aedem Liberi patris vetustate et terrae motu » conlapsam Sami restituerat, anno 47 post C. n., ut docet titulus latinus ibidem repertus (Schede, n. 19) potuit etiam aliis beneficiis eodem tempore de Samiis bene mereri.

1712. Sami in Heraeo. — Schede, *Athen. Mitteil.*, XXXXIV (1919), p. 30, n. 16.

Βασιλεὺς Ἄτταλος ¹ | βασιλέως Ἀττάλου | Φιλοποίμενα ² Ἀνδρονίκου ³ | τὸν
5 στρατηγὸν καὶ ἐπὶ τῆς ‖ σφραγῖδος ⁴, ἀρετῆς ἕνεκα | καὶ ἀνδραγαθίας καὶ τῆς |
πρὸς αὐτὸν εὐνοίας, | Ἥρηι.

1. Attalus II rex Pergamenorum annis 159-138 ante C. n. — 2. Is qui Attali milites
Mummio adduxit ad Isthmum contra Graecos pugnaturo (anno 146 ante C. n.) : Pausan.,
VII, 16, 1 et 8. Cf. Plut., *Mor.*, p̄. 792 A. — 3. Propinquus, ut suspicari licet, Andronici
illius qui de rebus Attali apud Romanos egit annis 156 et 151/150 : Polyb., 32, 26;
Appian., *Mithrad.*, 4 ; Wilcken ap. Pauly et Wissowa, *Real. Encycl.*, I, p. 2163, n. 16. —
4. Imperator et signi regii custos.

1713. Sami in Heraeo. — Schede, *Athen. Mitteil.*, XXXXIV (1919), p. 33, n. 19.

Ὁ δῆμος Μᾶρκον Τύλλιον | [Μ]άρκου υἱὸν Κικέρωνα.

Cum « fanum antiquissimum et nobilissimum Junonis Samiae » et ipsum oppidum
spoliavisset Verres anno 80 ante C. n., ut legatus Dobabellae praetoris Ciliciam petens,
et Samiorum querimonias. L. Claudius Nero, qui Asiam administrabat, audire noluisset,
Marcus Cicero post decennium Romae primus Verrem de ea re accusavit (*Verr.*, I, xix,
50). Deinde piratis a Pompeio victis profligatisque (cf. n. 1710), Quintus Cicero praetor
Asiae (annis 61/59) Samum « dirutam ac paene desertam recreavit » (Cic. *Ad Q. fr.*, I,
8, 25). Templum monumentumque quae pecunia sua aedificanda decreverant Asiae civi-
tates « pro Marci magnis meritis et pro Quinti maximis beneficiis » Marcus « accipienda
non putavit. » *Ad Q. fr.*, *l. c.*, 26 ; *Ad Att.*, V, 21, 7). Hic tamen titulus sub statua aenea
clarissimi oratoris positus est in dextra parte exedrae cujus vestigia supersunt; fuisse
in sinistra Quinti fratris statuam conjectura probabile est.

1714. Sami in Heraeo. — Schede, *Athen. Mitteil.*, XXXXIV (1919), p. 36, n. 26.

Ὁ δῆμος Μαγιλίαν τὴν γυ|ναῖκα τοῦ ἐπάρχου Μάρκου | Αἰφικίου Καλουί-
νου ¹ ἀρετῆι καὶ σωφροσύνηι διαφέρου|σαν [Ἥ]ρηι.

1. M. Aeficius Calvinus, aliunde notus, profecto idem fuit atque « eques ille Romanus
praedives » qui L. Appuleium grammaticum magno pretio conduxit ut scholam ape-
riret temporibus fere Ciceronianis : Suet. *Gramm.* 3; Pauly et Wissowa, *Real. Encycl.*, I,
p. 475, II, p. 258, n. 12.

1715. Sami in Heraeo. — Schede, *Athen. Mitteil.*, XXXXIV (1919), p. 34, n. 20.

['Ο δῆμος | Καλπουρνίαν, Λευκίου | Καλπουρνίου Πίσωνος | Καισωνίνου
5 θυγατέρα, γυναῖ‖κα δὲ Γαίου Ἰουλίου Καίσαρος | τοῦ αὐτοκράτορος, τὸ τρίτον |
ὑπάτου[1] καὶ ἀρχιερέως μεγίσ|του, διὰ τὴν ἐκ τοῦ ἀνδρὸς | αὐτῆς γενομένην
10 περὶ ‖ [τὴν πόλιν εὔνοιαν Ἥρηι].

1. Anno 46 ante C. n. De Calpurnia C. Julii Caesaris uxore vide Münzer ap. Pauly et Wissowa *Real Encyl.*, III, p. 1407, n. 126, et de L. Calpurnio Pisone Caesonino, patre ejus, *ibid.*, p. 1387, n. 90.

1716. Sami in Heraeo. — Schede, *Athen. Mitteil.*, XXXXIV (1919), p. 35, n. 21.

Ὁ δῆμος Παυλλεῖναν, Φαβίου | Μαξίμου[1] θυγατέρα, γυναῖκα δὲ | Μάρκου
5 Τιτίου Λευκίου υἱοῦ[2], τοῦ | πάτρωνος τῆς πόλεως, εὐσεβήας ‖ χάριν τῆς πρὸς
τὸ θεῖον Ἥρηι.

1. Ut videtur, Q. Fabius Maximus cos. anno 45 ante C. n.; Münzer ap. Pauly et Wissowa, *Real Encycl.*, VI, p. 1791, n. 108. — 2. M. Titius, praefectus classis, in Asiam ab Antonio missus, Sex. Pompeium interfecit anno 35 ante C. n. et Asiam rexit annis 34/32. Circa idem tempus uxori ejus statuae honorem decreverunt Samii : *Prosop. imp. rom.*, III, p. 328, n. 196.

1717. Sami in Heraeo. — Schede, *Athen. Mitteil.*, XXXXIV (1919), p. 35, n. 23.

Ὁ δῆμος Ἰουλίαν Αὐτοκράτορος Καίσαρος Σεβαστοῦ | θυγατέρα, γυναῖκα δὲ
Μάρκου Ἀγρίππα[1], Ἥρηι.

1. Julia, Augusti filia, nupsit Agrippae anno 21; Agrippa autem obiit anno 12 ante C. n. *Prosop. imp. rom.*, II, p. 222, n. 420. Samum fortasse appulit Julia aut anno 19 cum patre, aut inter annos 15 et 13, quando maritum in Asiam comitata est. Cf. nn. 975-978.

1718. Sami in Heraeo. — Schede, *Athen. Mitteil.*, XXXXIV (1919), p. 35, n. 22.

Ἀγρίππα Ἰουλίου Σεβαστοῦ, | τοῦ θεοῦ Ἰουλίου υἱωνοῦ, | Καίσαρος[1].

1. Agrippa Julius Caesar, Augusti filius, divi Julii nepos, Postumus, adoptatus anno 4 post C. n., in exsilium ejectus anno 7 : *Prosop. imp. rom.*, II, p. 172, n. 139.

1719. Sami in Heraeo. — Schede, *Athen. Mitteil.*, XXXXIV (1919), p. 36, n. 24.

Ὁ δῆμος Σέξτον Ἀππολήιον | Σέξτου υἱὸν [1], τὸν πάτρωνα τῆς | πόλεως,
5 εὐσεβείας μὲν χάριν | τῆς πρὸς τὸ θεῖον, εὐνοίας δὲ ‖ τῆς εἰς ἑαυτὸν Ἥρηι.

1. Sex. Appuleius, filius Octaviae, sororis Augusti, cos. anno 29 ante C. n. cum ipso Augusto, qui Sami quintum consulatum iniit; Asiae posterius proconsul fuit. *Prosop. imp. rom* , I, p. 118, n. 777.

1720. Sami in Heraeo. — Schede, *Athen. Mitteil.*, XXXXIV (1919), p. 36, n. 25.

Δροῦσον Καίσαρα [τοῦ πάτρωνος] | ἡμῶν Τιβερίου Κα[ίσαρος υἱόν] [1].

1. Drusus Julius Caesar, Tiberii filius, natus anno 13 ante C. n., mortuus anno 23 post C. n.; Julius Caesar non dictus est ante annum 4 post C. n., quo patrem ejus Augustus adoptavit. *Prosop. imp. rom.*, II, p. 176, n. 144.

1721. Sami in Heraeo. — Schede, *Athen. Mitteil.*, XXXXIV (1919), p. 38, n. 29.

Ὁ δῆμος | Δρούσιλλαν, νέαν Χάριτα [1], ἀδελφὴν | Γα[ίου Καίσαρος Γερμανικοῦ Σεβαστοῦ] [2].

1. Julia Drusilla, soror C. Caesaris imperatoris, defuncta et inter deos relata anno 38 post C. n. : *Prosop. imp. rom.*, II, p 228, n. 439. — 2. Cf. n. 981.

1722. Sami in Heraeo. — Schede, *Athen. Mitteil.*, XXXXIV (1919), p. 44, n. 35.

[Ἰ]ουλίαν Δόμναν Σεβα|στὴν, μητέρα κάστρων, | γυναῖκα αὐτοκρά:ορος |
5 Λ. Σεπτιμίου Σεουήρου ‖ Περτίνακος καὶ μητέ|ρα αὐτοκράτόρ[ων] Μ. Αὐ|ρη-
10 λίου Ἀντωνείνου | [καὶ Π. Σεπτιμίου | Γέτα] Σεβαστ[ῶν] μεγί‖στ[ων] ἡ πόλις
διὰ τῶν πε|ρὶ τὸν ἀρχιπρύτανιν Ἀρ|τεμίδωρον ζʹ τοῦ Ἀρτε|μιδώρου Λεωνίδην |
στρατηγῶν.

V. 6 αὐτοκράτορ[ος]; v. 9, 10 Σεβαστ[οῦ] μεγίστ[ου] in lapide rescripta sunt, cum erasum est Getae nomen. Titulus autem scriptus fuerat vivo Septimio Severo, postquam Geta audiverat Augustus, inter annos 198 et 211 post C. n.

1723. Sami in Heraeo. — Schede, *Athen. Mitteil.*, XXXXIV (1919), p. 38, n. 28.

Ὁ δῆμος | Γάιον Σολπίκιον ...... | τὸν ἀνθύπατο[ν]¹ | Ἥρηι.

1. De C. Sulpicio Galba, imperatoris fratre (*Prosop. imp. rom.*, III, p. 284, n. 721), cogitare vetat Tacitus, *Ann.*, VI, 40 : « A Tiberio prohibitus sortiri anno suo proconsulatum mortem sibi conscivit ». Noli tamen descendere usque ad Sulpicium Crassum (*Prosop.* 1. c. n. 717); nam scriptura est saeculi I post C. n.

1724. Sami in Heraeo. — Schede, *Athen. Mitteil.*, XXXXIV (1919), p. 37, n. 27.

a. Ὁ δῆμος | Γάιον Στερτίνιον Μάξιμον ὕπατον ¹ | εὐσεβείας χάριν τῆς πρὸς τὸ θεῖον Ἥρηι.

b. Ὁ δῆμος | Γάιον Ἀσίνιον Πωλλίωνα ὕπατον ² | εὐσεβείας χάριν τῆς πρὸς τὸ θεῖον | Ἥρηι.

c. Ὁ δῆμος | Τιβερίωι Καίσαρι Σεβα|στῶι αὐτοκράτορι ³.

1. Hinc apparet C. Stertinium Maximum consulem (suffectum) fuisse anno 23 post C. n., non [Q. Sanquinium M]aximum, quod ferebatur : *Prosop. imp. rom.*, I, p. 173, n. 136 ; p. 273, nn. 660, 661. — 2. C. Asinius Pollio minor, filius C. Asinii Galli, cos. anno 23 post C. n.; *Prosop. imp. rom.*, I, p. 167, n. 1026. — 3. Anno 23 Samii per legationem a senatu romano petiverunt ut Junonis delubro vetustum asyli jus firmaretur. Jam anno 22 similium legationum « copia fessi patres consulibus permiserunt ut, perspecto jure, rem integram rursum ad senatum referrent ». Tac., *Ann.*, III, 60-63 ; IV, 14. Facto senatus consulto, quo jus suum Heraeo firmabatur, consentaneum est Samios, beneficii memores, statuas et consulibus et imperatori posuisse; nam terni tituli videntur fuisse in aedificio inter se propinqui.

1725. Sami in Heraeo. — Schede, *Athen. Mitteil.*, XXXXIV (1919), p. 45, n. 36. In fragmentis duobus.

a. Ἥρη Ζη]νὸς ἄκοιτι, ἐὸν ¹ νόον εὐμενέον[τα] |
Αἰὲν ἐφ᾽ ἡγεμονῆι ² φέροις, ὡς λίσσομ᾽ ἔγωγ[ε], |
Οὕνεκα σοι καὶ νηὸν ἐδείματο καὶ γέρας ἱρ[ὸν] |
Κλεινότερον πόρσυνε δικασπόλος, αἴδεσις [ἔστω]. |

....

b. Εἴλαθι κἀμὲ φύλαττε, σαόπτολι, σὸν λάτριν ἁγνόν. |
Ἄρτι γὰρ ἱρὰ Διεὶ ρ[έξ]ας Κρήτησιν ἐν ἄντροις |
Ἴδης ἐν σκοπέλοισι λάχον γέρας ἐκ βασιλῆος |

Νήσων ³, τὰς περὶ πόντος ἀλίκτυπος ἐστεφάνωκε, ‖

5   Ἡγῖσθαι Πλούταρχος ἔχων πατρὸς οὔνομα κλεινόν ⁴. |

[Οὐρανίοις] συμπ[ᾶσι]ν ἐμὸν βασιλῆα φύλα[ξον].

Haec non ante saeculum III post C. n. scripta sunt.

1. = σόν. — 2. Praeses provinciae (cf. n. 967, 1), fortasse Insularum (b, 4, 5), quae Diocletiano principe constituta est : Chapot, *Prov. rom. d'Asie*, p. 86. — 3. ΝΗΠΩΝ lapis. — 4. Haud scimus an originem traxerit a Plutarcho Chaeronensi scriptore illo insigni, cujus memoria posteri sui gloriabantur, ut ostendunt alii tituli : Dittenberger, *Sylloge* ³, 844, 845 ; nisi laudaverit Plutarchum platonicum philosophum qui obiit anno 431 post C. n. : A. Croiset, *Hist. de la litt. gr.*, V, p. 1029-1030.

1726. Sami in Heraeo. — Schede, *Athen. Mitteil.*, XXXXIV (1919), p. 41, n. 31 c.

.....ΜΩΣΙΟΥΛΙ[ου?.... ἔτους | .. τ]ῆς ἡγεμονίας ¹ ....[ἔτους .. τῆς Καί]‖σαρος ἀποθεώσε[ως ² ἔδοξεν τῇ βουλῇ καὶ τῷ δήμῳ ·] | Ἐπεὶ Ζωσίμη Διον[υσίου
5   ....., γυ]‖νὴ τοῦ φιλοπάτριδο[ς] ...... | στεφανηφόρου κ[αὶ? ..... καὶ αὐτὴ στε]‖φανηφόρος, οἴκου ο.....|του περὶ τὴν πατρίδ[α]..... | καὶ φιλοδοξότατα
10   π[ερὶ ..... δι]‖ακειμένη πρὸς τοὺ[ς]........ ‖ τοὺς πολείτας, ὑποσ[χομένη]...... |
κ αὶ εἰς τὴν εἰσαγωγὴν [σίτου] .....|ματος παρέξειν δηνά[ρια .... ἱερὰ] | τῆς θεᾶς,
15   ἣν ἐπηνγεῖ[λατο .... ἐπι]‖τήδειον ητε βουλε .... ‖ τῶν πολειτ[ῶν] ....

1. Anno .. principis alicujus imperantis. — 2. Post mortuum Augustum. Cf. nn. 1704, 1732.

1727. Sami in Heraeo. — Schede, *Athen. Mitteil.*, XXXXIV (1919), p. 33, n. 18 e.

Ὁ δῆμος ὁ Σ[αμίων] | Ἡράκλειτον Διοδώρου τοῦ | Ξενομβρότου νικήσαντα |
5   Ἴσθμια καὶ Καισάρηα τὰ τιθέ‖μενα ἐν Κορίνθωι ἅρματι τελήωι ¹ | Ἥρηι.

1. Cursus praemium tulerat non pullis, sed adultis equis vectus.

1728. Sami in Heraeo. — Schede, *Athen. Mitteil.*, XXXXIV (1919), p. 39, n. 30.

Ὁ δῆμος | Σκρειβωνίαν, Ποπλίου Σκρειβω|νίου Ποπλίου υἱοῦ Μενηνίᾳ | Καπί-
5   τωνος θυγατέρα, ‖ Βάσσαν διά τε τὴν πρὸς τοὺς γο|νεῖς αὐτῆς καὶ τὸν θεῖον τειμήν.

1729. Sami in Heraeo. — Schede, *Athen. Mitteil.*, XXXXIV (1919), p. 43, n. 34.

Ἡ βουλὴ καὶ ὁ δῆμος | ἐτείμησαν τὸν | τοῦ ἀρχιερέως καὶ φιλόπατρι | καὶ
5 υἱο(ῦ) ¹ τῆς βουλῆς καὶ ‖ τοῦ δήμου Τίτου Φλαβίου | Ἡγεμονέως ² υἱὸν καὶ
Οὐλπίας | Δημοκρατίας Φλάβιον Ἡγεμονέα⟨ς⟩ | ἥρωα, γενεᾶς τῆς ἀπ᾽ Ἀλκι-
10 βιάδου ³ | καὶ τῆς καθόδου ⁴, διά τε τὰς τῶν ‖ προγόνων αὐτοῦ εἰς τὸν δῆ|μον
εὐεργεσίας καὶ τὴν | τοῦ πατρὸς καὶ τοῦ παντὸς | οἴκου πρὸς τὴν πόλιν εὔ|νοιαν
15 καὶ φιλοτειμίαν, ‖ ποιησαμένου τὴν ἀνάθεσιν | τοῦ ἀνδριάντος ἐκ τῶν | ἰδίων Ἰου-
λίου Φιλογραμ|μάτου.

1. υἱόν lapis. — 2. Cf. nn. 981 et 1705. — 3. Alcibiades, clarissimus ille dux et orator
Atheniensis, anno 408/407 ante C. n., cum in Ioniae littora classem duxisset, summo
honore a plerisque civitatibus acceptus fuerat et ipsi Samii aeream ejus statuam in
Heraeo posuerant, quae exstabat etiam Pausaniae temporibus (Pausan., VI, 3, 16). Duris
quoque Samius, historiarum scriptor et tyrannus (a. fere 340-260 ante C. n.), se ab Alci-
biade prognatum praedicabat (Plut., *Alcib.*, 32). — 4. Ex una gentium Samiarum quae,
cum ab Atheniensibus in exsilium pulsae essent, redierant in patriam annis 322-319
ante C. n. : Diod., XVII, 109; XVIII, 18 et 56. Vespasianus « Samum, libertate adempta,
in provinciae formam redegit » (Suet., *Vesp.* 8; Eutrop., *Brev.* VII, 19), quod quomodo
intellegendum sit, disceptatio est : Chapot, *Prov. rom. d'Asie*, p. 83, not. 4, et p. 120.
Utique T. Flavius Hegemones, ortus ex gente inter Samios multis saeculis clarissima,
ab uno Flaviorum principum romanam acceperat civitatem.

1730. Sami in Heraeo. — Schede, *Athen. Mitteil.*, XXXXIV (1919), p. 42, n. 32.

Φλαβίαν Σκρειβω|νιανὴν, τὴν ἱέρει|αν τῆς Ἥρας, θυγα|τέρα καὶ ἐκγόνην κα[ὶ] ‖
5 ἀπογόνην ἱερέων | τῆς Ἥρας καὶ ἀρ|χιερέων ¹ καὶ βασι|λέων ² ἀνὰ πάτρην ³ | τῆς
10 Ἰωνίας, ἀδελφὴν ‖ Τ. Φλαβ. Σκρειβωνι|ανοῦ ἱερέως τῆς Ἥ|ρας καὶ βασιλέως |
15 Ἰώνων ἀνὰ πάτρην, | τὴν τειμὴν ἀνα‖στήσαντος τοῦ | ἀδελφοῦ αὐτῆς | Σκρειβω-
νιανοῦ.

1. ὁ ἀρχιερεὺς τῆς Ἰωνίας sive ιγ´ πόλεων sacris praeerat quae a Communi tredecim Ioniae
civitatum, inter quas erat Samus, omni memoria suscipiebantur. Chapot, *Prov. rom.
d'Asie*, p. 457-458. — 2. Βασιλεῖς Ἰώνων memorantur etiam Phocaeae et Ephesi. Quid
fuerit illud munus parum liquet; ad Commune Ionum forsitan non pertinuerit. Chapot,
l. c.; Dittenberger, *Orient. gr. inscr.*, 489, n. 9. — 3. = διὰ γένους, ab stirpe. Titulum
saeculo II post C. n. scriptum esse arbitratur editor.

1731. Sami in Heraeo. — Schede, *Athen. Mitteil.*, XXXXIV (1919), p. 43, n. 33.

'Ο δῆμος | Ξενοφῶντα 'Αρίστου | παῖδα, ἱστοριῶν | συγγραφέα τέλειον, ‖ Ἥρηι.

1732. Sami in Heraeo. — Schede, *Athen. Mitteil.*, XXXXIV (1919), p. 39, n. 31 A.

Ἔτους οα΄ τῆς ἀπο|θεώσεως ¹, νεοποί|ης ² εὐσεβὴς 'Ονή|σιμος 'Ονησιφόρου ‖ φιληραιστὴς ³ | φιλοσέβαστος ⁴.

1. Anno 71 postquam Augusti mortui decreta est consecratio = 85 post C. n. Cf. nn. 1704, 1726. — 2. Curator templi. Cf. n. 991. — 3. Amicus collegii Ἡραιστῶν Junonem colentium. — 4. Quia Liviae Augusti suum erat fanum prope Heraeum. Cf. nn. 982-984.

1733. Nisyri. — Diamandaras, Ἀρχειολογ. ἐφημερις, 1914, p. 3.

'Ο δᾶμος ὁ 'Ισθμιωιτὰν ¹ | καθιέρωσεν | Καίσαρα Βρετανικόν ².

1. In Cariae Chersoneso. Suspicio est lapidem Cnido advectum esse in insulam Nisyrum. — 2. Inter annos 43 et 54 post C. n.

1734. In insula Telo. — Porro, *Annuario della reale scuola arch. di Atene*, II (1916), p. 131, n. 24.

Ὑπὲρ | Αὐτο[κράτορ]ος Καίσαρος | Νέρο[υα υ]ἱωνοῦ Τραια|νοῦ 'Αδριανοῦ Σεβα‖στοῦ.

Fuit in lapide aut esse debuit : Θεοῦ Νέρουα υἱωνοῦ, Θεοῦ Τραιανοῦ Παρθικοῦ υἱοῦ, Τραιανοῦ etc.

1735. Suleiman Kieui. — Keil et v. Premerstein, *Denkschr. der Wien. Akad., philos. histor. Klasse*, LIV, II (1911), p. 59, n. 123.

Ἀγαθῆι τύχηι. | Αὐτοκράτορα Καίσαρα Λ. | Σεπτίμιον Σεουῆρον Περτίνα|κα Εὐσεβῆ Σεβ. Γερμανικόν ¹.

1. Germanicum nomen Septimio Severo publice additum esse nemo veterum asseveravit. Vide tamen *C. I. Gr.*, 3407 et *Athen. Mitteil.*, XXIV (1899), p. 240, n. 89. Quod ad Caracallam attinet cf. v. Rohden ap. Pauly et Wissowa, *Real Encycl.*, II, p. 2443. Ambo simul potuerunt Germanici aliquando appellari.

1736. Attaleae. — Keil et v. Premerstein, *Denkschr. der Wien. Akad., philos. histor. Klasse*, LIV, ii (1911), p. 62, n. 128.

[Φ]λ. Ἀλεξάνδρεια Ἐλπίδ[ι | θ]ρεψάσῃ βωμὸν θέτ[ο] | τόνδε, ἥτις με ἔλιπεν |
5 πάνυ νηπίαν ἐν κόλ‖ποις μήπως πληροῦσαν | [ἕ]τος πρῶτον · αὐτὴ δ[ὲ ἔ]σ]πευ-
10 σεν πρὸς παίδων | [ἰδ]ίων φιλίαν προλιπο[ῦ]σα] φάος ὀκτὼ καὶ εἴκο‖[σι] ἐτῶν,
ἐμὲ δὲ ἔθρεψε[ν | σ]ύννυνφος σὴ ΗΣΟΥ|..α Ἡλιοδώρα [1]. Τὸν βωμ[ὸν | ἀνέσ-
15 τησεν Φλ. Βουλ[ευ|τῖ]νος ὁ πατήρ μου ‖ [τ]ῷ θρέψαντι μου .... |.χύλῳ μνείας
χ[ά]|ριν, ἀνθυ(πάτῳ) | [Λικ]ινίῳ Δωνάτῳ [2], | [μη(νὸς) Ξ]ανδικοῦ ζʹ.

[1]. Epitaphio frustula aliquot versuum incondita temere miscuit scriptor. — [2]. Proconsul ignotus, qui Asiam rexit fere ante medium saeculum II post C. n., si scripturae credendum est.

1737. Thyatiris. — Fontrier, *Rev. des ét. anc.*, IV (1902), p. 239, n. 4.

Μοσχιανὸς Βασιλεὺς [1] | Ὑψίστῳ Θεῷ [2] εὐχήν.

[1]. Βασσιαν[ός] legerat Wagener, *Mém. couronnés par l'Acad. royale de Belgique*, XXX (1861), p. 39, n. XIV. — [2]. Cf. nn. 47, 1176, 1606, 1614, 1638, 1742, 1746.

1738. Juliae Gordi. — Keil et v. Premerstein, *Denkschr. der Wien. Akad., philos. hist. Klasse*, LIII (1910), p. 74, n. 156.

Ἔτους ρϙεʹ [1], μην(ὸς) Γορ(πιαίου) ιʹ. | Θεοῖς καταχθονίοις. | Κλαύδι[ο]ς
5 Προκλῆς. | Ἐτείμησαν Κ[λα]υδία Βάσσα ‖ μήτηρ κ[αὶ] .....ς Αὐτοκράτ(ορος) |
Νέρου[α] Τρ[αι]αν[ο]ῦ Κ[α]ίσαρος | Σεβαστοῦ Γερ[μα]νικοῦ | (ἀν)εικήτ[ου δοῦ-
10 λος] ἀ[ρχ]άριος | καὶ .... [καὶ] Φλάουι[ος Συλ.... [καὶ] ....α [Π]ολυνίκ[η] |
καὶ Φλ[α....... καὶ] Κλαυδία | Πελαγία [καὶ] ...... Ἀντίφιλο[ς] | μετὰ τῶν
10 ἰ[δίων καὶ] οἱ συν|γενεῖς πάντες. ‖ Χαῖρε.

[1]. Aerae Sullanae anno 195 = 110/111 post C. n.

1739. Cymes. — Plassart et Picard, *Bull. de corr. hellén.*, XXXVII (1913), p. 179.

[Τιβέριος Καῖσαρ Θεοῦ Σεβαστοῦ υἱὸ]ς Θεοῦ Ἰουλ[ίου υἱωνὸς ....|... δημαρ-
χικῆς ἐξουσίας? λ]γʹ [1] αὐτοκρά[τωρ η ?] ....

[1]. = anno 31/32 post C. n. Cyme inter civitates Asiae fuerat anno 17 terrae motu con-

lapsas, quas Tiberius refici et refoveri jusserat. Tac., *Ann.*, II, **47**. Cf. titulum latinum anni 34-35 Cymes etiam erutum; Sal. Reinach, *Rev. arch.*, 1888, I, p. 86. Baltazzi, *Bull. de corr. hell.*, XII (1888), p. 365, n. 14.

1740. Cymes. — Baltazzi, *Bull. de corr. hellén.*, XII (1888), p. 368, n. 17. Cf. Kaibel, *Epigr. gr.*, *Addenda*, n. 241 *b*.

Ὁ τᾶς ἀοιδ[ᾶ]ς ἀγεμὼν ἀν' Ἑλλάδα,
ὁ παντάπασιν ἐξισώσας τὰν λόγῳ [1]
καὶ τὰν ἀτάραχον ἐν βροτοῖς θεύσας ὁδὸν
Πυρρωνιαστὰς [2] Μενεκλέης ὅδ' ἤμην ἐγώ [3].

1. Carmina notissima (?) — 2. Pyrrhonius philosophus (cf. v. 3) potius quam socius collegii a Pyrrhone quodam instituti. — 3. « Voluit ὅδ' εἴμ' ἐγὼ vel ὅδ' ἦν ἐγώ » Kaibel.

1741 = 1307. Hierocaesareae. — Vidit et correxit Buresch, *Aus Lydien* (1898), p. 4, n. 2.

Τὸν λ[αμπρότατον ὑπα]|τικὸν [ἡγεμόνα Ἀσί]|ας [δ]ιοι[κήσεως Περγα]|μηνῆς
5 ἐ[κ .... ἀξιω]|μάτων στρα[τι]ω[τικῶν?] | δικαιοδότην Σπα[νίας] | διοικήσεως Ταρα-
10 κων[η]|σίας, δικαιοδότην Ἀπο[υ]|λίας Καλαβρίας Λυκα|ονίας, ἐπιμελητὴν | ὁδῶν
15 Λαβικανῆς καὶ | Λατείνης, λογιστὴν | Τρωαδέων, στρατη|γὸν, δήμαρχον, ταμί|αν
Λυκίας Παμφυλίας, | κυαίστορα, βιόκουρον | Λουκία Πομπωνία | Μελίτη ἡ κρα-
20 τίστη | ὑπατικὴ τὸν γλυκύ|τατον ἄνδρα.

1742. Silandi. — Le Bas et Waddington, n. 708.

Θεῷ Ὑψίστῳ [1] εὐχὴν ἀνέθηκε Ἑλένη ὑπὲρ Θρασυβούλου τοῦ υἱοῦ Θρασυ-
βούλου.

1. Cf. nn. 47, 1176, 1606, 1614, 1658, 1737, 1746.

1743. Magnesiae ad Sipylum. — Schuchhardt, *Athen. Mitteil.*, XXIV (1899), p. 239, n. 88.

Στράτων Τυράννου | Ἰουδαῖος ζῶν τὸ μνη|μεῖον κατεσσκέασε | ἑαυτῷ καὶ
5 γυναικὶ | καὶ τέκνοις.

1744 = **1362**. Balek-Iskelessi. — Buckler, *Journ. of hellen. studies*, XXXVII (1917), p. 111, n. 24, altero fragmento etiam noto (Radet, *Bull. de corr. hellén.*, XI (1887), p. 446, n. 2) ita complevit :

'Αντίοχος 'Αντιόχου | [χ]αὶ Θράσων ὁ πάτρως ἑα|υτῶν Θράσωνι καὶ 'Αντι|όχῳ
5 .τωῖς ἑαυτοῦ τέκν‖οις τοῖς δυστυχ[έ]σ(ι) · πα|ρ᾽ ὧν χάριν μὴ λαβὼν μη|[δ]ὲ
10 [δού(ς], [ἡ]θῶν [δὲ] ἰς τὴν [π]ατρίδα πίστιν ἐπιδει|ξάμενος ¹, ἐ]ποίησε μν[ία]‖ς
ἕνεκα, ἀνθυπάτ[ῳ] | Σιλβανῷ ², μη(νὸς) Ξανδίκου | γι'.

V. 5 δυστυχής ; 7 ἐθῶν; 10 ἀνθυπάτου lapis.

1. « Non quia gratiam ab iis accepit aut iis reddidit, sed [ut testaretur eorum fidem in patriam civitatem] », si recte lacunam implevit Buckler. — 2. De Ti. Plautio Silvano Aeliano, proconsule Asiae circa annum 54 post C. n. (*Prosop. imp. rom.*, III, p. 47, n. 363), potius quam de M. Plautio Silvano, proconsule anno 415, id intellegit Buckler, scriptura unice fretus.

1745. Porias-Damlarii. — Buckler, *Journ. of hellen. studies*, XXXVII (1917), p. 102, n. 13.

'Αγαθῇ [τύχῃ,] | Ἡρακλεῖ, Ὠπ[ι 'Αρτέμιδι?] ¹, | ἀνθυπάτῳ Λολλίῳ [Παυ-
5 λείνῳ?] ², | κατασκευασθέντος το[ῦ περιβό]‖λου ὑπὸ ἐργεπιστάτο[υ] | .....|ου
Μενεκράτου ἐπίκλην Κο...|......

1. Dianam suam Ephesii quoque Opim vocabant : Macrob. *Sat.*, V, 22, 4. — 2. M. Lollius Paullinus Valerius Asiaticus Saturninus, proconsul Asiae sub Trajano (*Prosop. imp. rom.*, II, p. 296, n. 233), aut alius Lollius aliquis, de quo nihil hactenus traditum est.

1746. Koula. — Fontrier, Μουσεῖον, III, 1-2 (1878), p. 161.

Απολλωνίσκος | ὑπὲρ τοῦ υἱοῦ Ἑρμογένου Θεῷ | Ὑψίστῳ ¹ εὐχήν.

1. Syrorum deus in Asia minore etiam impensis honoribus cultus. Cf. 47, 1176, 1606, 1614, 1658, 1737, 1742.

1747. Koula. — Keil et v. Premerstein, *Denkschr. der Wien. Akad., phil. hist. Klasse*, LIII (1910), p. 88, n. 191.

['Ε]τους σξζ' ¹, μη(νὸς) Ὑπερβερεταίου, | [κα]θὼς ἄγουσιν 'Αζανεῖται ²,

Τιβέρις | Ἰούλις Σπίνθηρ Ἰουλίαν Τύχη[ν τὴν | ἑαυτοῦ] σύ[νβιο]ν, μν[ήμης χάριν].

1. Aerae Sullanae profecto anno 267 = 183 post C. n. — 2. « Ut computant » in Phrygia « Aezanitae » (cf. nn. 557-591); quod videtur de mense, non de aera, accipiendum; nam apud eos Augusti die I, non Septembris XXIII, annus incipiebat. Cf. Ramsay, *Cities and bishoprics*, p. 204; Chapot, *Prov. rom. d'Asie*, p. 390. Igitur si Aezanitae ut alii computavissent, mensis Hyperberetaeus non primus, sed ultimus fuisset; annus autem non 267, sed 266. Ibidem iidem auctores titulos undecim praeterea descripserunt, in quibus adhibita est aera Sullana; satis erit referre ex antiquissimo n. 193, annum [ρ]νε' (155) = 70/71 post C. n.; ex recentissimo n. 190, annum τγ' (303) = 218/219 post C. n.

1748 = 1393. Smyrnae. — Tod, *Class. Review*, XXIX (1915), p. 1 :

V. 1-7, not. 1. Anno 80 post C. n. Adde : ante diem 13 Junii, aut etiam ante 1 Maii, cum Titus et Domitianus consulatu abierunt : *C. I. L.*, III, p. 854; Weynand ap. Pauly et Wissowa, *Real Encycl.*, VI, *p. 2719.*

V. 15, not. 3 : « aut debitam ab aliis sua expleverunt ». Dele.

V. 17-18, lege Ἀρτεμᾶς, Εὔδημος. Ita lapis. Cf. *b*, v. 7 : Διονύσιος Κικῖνος, ubi delendum est signum interrogationis.

V. 17-18, πατρομύστης. Intellige non « mystam principem » (not. 4), sed ab stirpe, jure hereditario mystam : Poland, *Griech. Vereinswesen*, p. 298.

1749 = 1490. Souknari. — Hic titulus unus et idem est ac Smyrnaeus 1440. Dele.

1750 = 1510. Sardibus. — Buckler et Robinson, *American journ. o/ arch.*, XVII (1913), p. 29, putant Acholium eumdem fuisse atque magistrum admissionum Valeriani principis (*Prosop.*, l. c.), quod conjecerat Waddington. V. 7 pro εἰκόνα [ἡ]βαίην recte εἰκόνα βαίην scripserunt iidem et Theod. Reinach, *Rev. des ét. gr*, XXXIV (1921), p. 398. Pro στησαμένη εὐνομίης lege στησαμεν' εὐνομίης (Buckler et Robinson).

1751. Sardibus. — Buckler et Robinson, *American journ. of arch.*, XVIII (1914), p. 42, n. 11. In miliario.

[Ἀγαθῇ τύχῃ] ? · | τοῖς κυρίοις ἡμῶν | Γ. Οὐαλ. Διοκλητιανῷ | κὲ Μ. Αὐρ.
5 Οὐαλερίῳ ‖ Μαξιμιανῷ Σεβ(αστοῖς) | κὲ τοῖς ἐπιφανεστάτοις | Καίσαρσιν < κὲ >

Φλ. Ούαλερ. | Κωνσταντίῳ χὲ Γαλερ. | Ούαλ. Μαξιμιανῷ ‖ ἀηττήτοις [1]. Ἀπὸ Σάρδεων | μί(λια) ζ' [2].

1. Inter dies 1 Martii a. 392 et 1 Maii a. 305 post C. n. — 2. Miliarium septimum viae Sardibus Thyatira.

1752. Sardibus. — Buckler et Robinson, *American journ. of arch.*, XVIII (1914), p. 54, n. 16. In urna cineraria.

Ἐπὶ Παρδαλᾶ [1] τὸ ιγ', [2] | μηνὸς Δαισίου ι', | Τρύφων Ἰσιδώρου Ἀλι|βαλ[ιδ]ος [3], ἐτῶν ξε'.

1. Fortasse ille idem qui commemoratur in titulo hujus voluminis 1611, *b*, v. 2, aut filius ejus C. Julius Pardalas, Augusti aequalis. Cf. Plut. *Praecepta ger. reip.* 32, 813 F et 825 D. — 2. Romae sacerdos eponymus. Cf. nn. 1753, 1754. — 3. Ex tribu aliqua Sardianorum aut ex urbe non minus ignota.

1753. Sardibus. — Buckler et Robinson, *American journ. of arch.*, XVIII (1914), p. 46, n. 14. In urna cineraria.

Ἐπ' ἱερέως [1] Πο|λεμαίου Κεράσι(ος) β' [2], | μηνὸς Ξαν(δικοῦ), | Μήνοιτος π' [3]

1. Romae sacerdos ; nam Sardianorum eponymus fuit jam saeculo II ante C. n. quicumque sacerdotium Romae gerebat (Cf. hujus voluminis n. 297, v. 95-96). — 2. Polemaeus, Cerasios filius, nummis notus (*Gr. coins of the British Museum, Lydia*, pp. XCIX, 242, nn. 54-56), videtur vixisse saeculo I ante C. n. — 3. Menoetus ille, cujus cineres urna continebantur, obierat annos octoginta natus.

1754. Sardibus. — Buckler et Robinson, *American journ. of arch.*, XVIII (1914), p. 55 n. 17. In urna cineraria.

Ἐπὶ στεφανηφό[ρ]ου [1]..... | τῆς [2] Διοκλέους, | .... δεκάτῃ, | Μελιτίνη
5 Ἀλεξάνδρου, ‖ ἐτῶν ..

1. Romae et Augusti sacerdos eponymus, qui ante Augustum ἱερεὺς tantum vocabatur ; cf. nn. 1752, 1753 paulo antiquiores. — 2. Mulierem stephanophoria functam esse non sine exemplo est. Cf. n. 1325.

1755. Sardibus. — Buckler et Robinson, *American journ. of arch.*, XVII (1913), p. 353.
In una paginarum duarum.

Ἡ βουλὴ κα[ὶ ὁ δῆμ]ος ἐτείμησεν | Κλ. Πῶλλαν Κυιν[τί]λλαν καύειν ¹,
5 ἱε|ρατεύσασαν τῆς θεοῦ ² κοσμίως | καὶ παρασχομένην πάντα ἱεροπρε‖πῶς καὶ
πολυτελῶς καὶ ἀναστρα|ρεῖσαν πρός τε τὴν θεὸν εὐσεβῶς | καὶ πρὸς τὴν κατοι-
κίαν φιλοτεί|μως καὶ τὰς ὑπὸ τῆς πόλεως ἐπιτε|λουμένας κατὰ μῆνα δημοτελεῖς ‖
10 θυσίας ἐπιτελέσασαν ἐκ τῶν ἰδίων | ἐκτενῶς, Στερτινίῳ Κουάρτῳ ἀν|θυπάτῳ ³.

1. Sacerdos. Vox profecto barbara, aliis monumentis nota, de cujus origine non constat.
Vir sacerdos καύης dicebatur, femina καύεις. — 2. Ἄρτεμις, ut in altera pagina legitur.
— 3. Proconsul Asiae anno 126-127 post C. n. *Prosop. imp. rom.*, III, p. 273, n. 662.

1756. Sardibus. — Buckler et Robinson, *American journ. of arch.*, XVIII (1914),
p. 321, n. 29.

Τὸ κοινὸν | τῶν ἐπὶ τῆς Ἀσίας | Ἑλλήνων καὶ ὁ δῆμος ὁ Σαρδι|ανῶν καὶ ἡ
5 γερουσία ἐτίμησαν Μηνογέ‖νην Ἰσιδώρου τοῦ Μηνογένους τοῖς ὑπογεγραμμένοις · |
I. Εἰσαγγειλάντων Μητροδώρου Κόνωνος καὶ Κλεινίου καὶ Μουσαίου καὶ
Διονυσίου στρατηγῶν · | ἐπεὶ Γάιος Ἰούλιος Καῖσαρ ὁ πρεσβύτατος τῶν τοῦ
Σεβαστοῦ παίδων τὴν εὐκταιοτάτην | ἐκ περιπορφύρου λαμπρὰν τῷ παντὶ κό(σ)μῳ
ἀνείληφε τή6εννον, ἥδονταί τε πάντες | ἄνθρωποι συνδιεγειρομένας ὁρῶντες τῷ
10 Σεβαστῷ τὰς ὑπὲρ τῶν παίδων εὐχὰς, ἥ τε ἡ‖μετέρα πόλις ἐπὶ τῇ τοσαύτῃ
εὐτυχίᾳ τὴν ἡμέραν τὴν ἐκ παιδὸς ἄνδρα τελησῦσα[ν] | αὐτὸν ἱερὰν ἔκρινεν εἶναι,
ἐν ᾗ κατ᾿ ἐνιαυτὸν ἐν λαμπραῖς (ἐ)σθῆσιν στεφανηφορεῖν ἅπαντας, θ[υ]|σίας τε
παριστάν(αι) τοῖς θεοῖς τοὺς κατ᾿ ἐνιαυτὸν στρατηγοὺς καὶ κατευχὰς ποιεῖσθαι
διὰ τῶν | ἱεροκηρύκων ὑπὲρ τῆς σωτηρίας αὐτοῦ, συνκαθιερῶσαί τε ἄγαλμα αὐτοῦ
τῷ τοῦ πατρὸς ἐν|ιδρύοντας ναῶι, ἐν ᾗ τε εὐανγελίσθη ἡ πόλις ἡμέρα καὶ τὸ
15 ψήφισμα ἐκυρώθη καὶ ταύτην στε‖ρ(αν)ηφορῆσαι τὴν ἡμέραν καὶ θυσίας τοῖς θεοῖς
ἐκπρεπεστάτας ἐπιτελέσαι, πρεσβήαν τε | ὑπὲρ τούτων στεῖλαι τὴν ἀφιξομένην
εἰς Ῥώμην καὶ συνχαρησομένην αὐτῶι τε καὶ τῶι Σε|[6]αστῶι · δεδόχθαι τῇ
βουλῇι καὶ τῶι δήμωι ἐξαποσταλῆναι πρέσβεις ἐκ τῶν ἀρίστων ἀν|δρῶν τοὺς
ἀσπασομένους τε παρὰ τῆς πόλεως καὶ ἀναδώσοντας αὐτῶι τοῦδε τοῦ δό|γματος
20 τὸ ἀντίγραφον ἐσφραγισμένον τῇ δημοσίᾳ σφραγῖδι, διαλεξομένους τε τῶι Σε‖6ασ-
τῶι περὶ τῶν κοινῇ συμφερόντων τῇ τε Ἀσίαι καὶ τῇι πόλει καὶ ἡρέθησαν πρέσ-
6εις Ἰόλλας Μητροδώρο[υ] | καὶ Μηνογένη(ς) Ἰσιδώρου τοῦ Μηνογ(έ)νους. |

II. Αὐτοκράτωρ Καῖσαρ θεοῦ υἱὸ(ς) Σεβα(σ)τὸς, ἀρχιερεὺς, δημαρχικῆς ἐξξου-
σίας ιθ΄, | Σαρδιανῶν ἄρχουσι βουλῆι χαίρειν · οἱ πρέσβεις ὑμῶν Ἰόλλας τε
Μητροδώρου καὶ | Μηνογένης Ἰσιδώρου τοῦ Μηνογένους συνέτυχον ἐν Ῥώμῃ
25 μοι καὶ τὸ παρ᾽ ὑμῶν ‖ ψήφισμα ἀπέδοσαν δι᾽ οὗ τά τε δόξαντα ὑμεῖν περὶ ὑμῶν
δηλοῦντες καὶ συνήδεσθε ἐπὶ τῇι τε λειώσει τοῦ πρεσβυτέρου μου τῶν παίδων ·
ἐπαινῶ οὖν ὑμᾶς φιλοτειμουμένους ἀνθ᾽ ὧν εὐεργε|τῆσθε ὑπ᾽ ἐμοῦ εὐχαρίστους
ἁτοὺς εἴς τε ἐμὲ καὶ τοὺς ἐμοὺς πάντας ἐνδείκνυσθαι · ἔρρωσθε. |

III. Εἰσαγγειλάντων τῶν στρατηγῶν · ἐπεὶ Μηνογένης Ἰσιδώρου τοῦ Μηνο-
γένους ὁ ἐν τῶι ἐξιόντι ἔτει | ἐκλογιστής, ἀνὴρ καλὸς καὶ ἀγαθὸς ἐκ προγόνων
30 καὶ ἀνεστραμμένος ἐν τῇι ἀρχῆι ἐπιμελῶς καὶ ‖ εὐτόνως, πεμφθεὶς πρεσβευτὴς
εἰς Ῥώμην πρός τε τὸν Σεβαστὸν Καίσαρα καὶ πρὸς Γάιον Καίσαρα | τὸν πρεσ-
βύτατον τῶν παίδων αὐτοῦ καὶ τοὺς λοιποὺς ἄνδρας πρὸς οὓς ἀπεκόμισεν τὰ
ψηφίσμα|τα ὑπέρ τε τῆς πόλεως καὶ τοῦ κοινοῦ τῶν Ἑλλήνων, ἐτέλεσε τὴν πρεσ-
βήαν εὐπρεπέστατα ἀξί|ως τῆς πόλεως καὶ συντυχὼν τῶι Σεβαστῶι ἐδήλωσεν
τὴν τῆς πόλεως ἐπὶ τῶι Γαίωι χαρὰν καὶ | περὶ ὅλον τὸν οἶκον αὐτοῦ εὔνοιαν,
35 παραγενόμενός τε ἐν τῇι συναχθείσῃ δημοτελεῖ ἐκ(κ)λησίαι ‖ τὴν ἀποπρεσβείαν
ἐποιεῖτο, ὁ δὲ δῆμος ἀποδεξάμενος αὐτὸν καὶ ἐξ ὧν ἐκόμισεν ἀποκριμάτων | τὸ
σπουδαῖον αὐτοῦ καὶ ἐπιμελὲς καταμαθὼν ἐπηνέχθη τιμᾶν αὐτόν · δεδ(ό)χθαι τῇι
βουλῇ τὰς μὲν | τειμ(ὰ)ς αὐτοῦ εἰς τοὺς ἐννόμους ὑπερτεθεῖσθαι χρόνους, τὴν
δὲ τοῦ δήμου εἰς αὐτόν, μα(ρ)τυρίαν | δεδηλῶσθαι διὰ τοῦδε τοῦ ψηφίσματος,
εἶναί τε αὐτὸν ἐν τῇ καλλίστῃ καὶ ἐν τούτοις ἀποδοχῇ. |

IV. Εἰσαγγειλάντων τῶν στρατηγῶν · ἐπεὶ Μηνογένης Ἰσιδώρου τοῦ Μηνο-
40 γένους ὁ βουλευτὴς καὶ ἐν τῷ ‖ ἐξιόντι ἔτει ἀποδιχθεὶς ἔκδικος ὑπὸ τοῦ κοινοῦ
τῶν ἐπὶ τῆς Ἀσίας Ἑλλήνων, ἀνὴρ σπουδαῖος περὶ τὴ[ν] | πατρίδα καὶ ἐν παντὶ
παρεχόμενος ἑαυτὸν εὔνουν εἰς τὰ χρήσιμα τῶι δήμωι, πρεσβεύων καὶ ἐκδικῶ[ν] |
καὶ ἀναλῶν εἰς τὰ συνφέροντα, πρός τε τὸν Σεβαστὸν θεὸν Καίσαρα εἰς Ῥώμην
ἀφικόμενος καὶ | πρὸς Γάιον Καίσαρα τὸν υἱὸν αὐτοῦ ὑπέρ τε τῶν Ἑλλήνων καὶ
τοῦ δήμου καὶ τῆς γερουσίας ἡμῶ[ν] | ὡς μάλιστα κοσμῆσαι τοὺς ἐκπέμψαντας
45 δι᾽ ὧν ἐκόμισεν παρὰ τοῦ Σεβαστοῦ ἀποκριμάτων, ἔν [τε] ‖ ταῖς ὑπὸ τῆς πατρίδος
δεδομέναις αὐτῷ ἀρχαῖς καὶ λειτουργίαις ἀνεστρα(μ)μένος ἁγνῶς καὶ πιστ[ῶς] |
καὶ ἐπαξίως τοῦ γένους, ἐστὶν ἐν τῇ καλλίστῃ ἀποδοχῇ, ἐφ᾽ οἷς ὁ δῆμος καὶ διὰ
τὴν λοιπὴν (ἀν)αστροφὴ[ν] | καὶ ἐν πᾶσιν σεμνότητα αὐτοῦ ἐπηνέχθη τειμᾶν αὐτὸν,
νῦν δὲ ὄντων τῶν ἐννόμων χρόνων, δεδό|χθαι τῇ βουλῇ καὶ τῷ δήμῳ ἐπηνῆσθαί
τε αὐτὸν τετειμῆσθαι δὲ καὶ εἰκόνι γραπτῇ ἐνόπλῳ ἐπιχρύσῳ καὶ | ἀγάλματι

μαρμαρινῷ, ἃ καὶ ἀνατεθῆναι ἐν τῇ ἀγορᾷ γενομένης ἐπιγραφῆς · ὁ δῆμος
50 ἐτείμησεν ‖ Μηνογένην Ἰσιδώρου τοῦ Μηνογένους πρεσβεύσαντα εἰς Ῥώμην πρὸς
τὸν Σ(ε)βαστὸν Καίσαρα | καὶ Γάιον Καίσαρα τὸν υἱὸν αὐτοῦ, γενόμενον ἔκδικον
τῶν Ἑλλήνων καὶ ἀναστραφέντα ἁγνῶς καὶ πιστῶ[ς]. |

V. Ἡράκων Ἡράκωντος ὁ γυμνασίαρχος τῶν γερόντων καὶ Ἀπολλώνιος
Διοδώρου (τοῦ) Ἑρμ(ίπ)που Πατάγας λογιστὴς εἶπ[ον ·] | ἐπὶ τῆς ἀποπρεσβείας
γενηθείσης ὑπὸ Μηνογένους τοῦ Ἰσιδώρου τοῦ Μηνογένους τοῦ ἐν τῷ ἐξιό[ν]|τι
ἔτει ἐκλογιστοῦ τῆς πόλεως ἡμῶν, ἀνδρὸς ἀγαθοῦ κατὰ πᾶσαν ἀρετὴν καὶ διὰ
55 τῶν ἐνκεχιρισμένων αὐ‖τῶι ἀρχῶν ὑπὸ τῆς πατρίδος ἀνεστρα(μ)μένου ἐπιμελῶς
καὶ πιστῶς καὶ καθαρείως, ἔν τε τούτοις κα(ὶ) τῇ [λοι]|πῇ τοῦ βίου σώφρονι καὶ
κοσμίῳ ἀγωγῇ τῆς πρεπούσης ἀποδοχῆς καὶ παρὰ τῶι δήμωι καὶ τῇ γερουσίᾳ
[τυν]|χάνοντος περὶ ὧν ἐπρέσβευσεν πρός τε τὸν Σεβαστὸν καὶ Γάιον τὸν πρεσ-
βύτατον αὐτοῦ τῶν παίδων καὶ τοὺ[ς] | λοιποὺς ἡγεμόνας ὑπέρ τε τῆς πόλεως καὶ
τοῦ κοινοῦ τῶν Ἑλλήνων, καὶ ἀποδεδωκότος τὰ ἀποκρίματα ἄξια τῆς | γερουσίας
ἡμῶν, σπουδὴν εἰσενηνεγμένο(υ) φιλοφρόνως τοῦ καὶ ἐκ τῶν ἡγεμόνων τὸ ἀξίωμα
60 αὐτῆς [δι]‖αφυλάσσειν, ἡ γερουσία ἀποδεξαμένη αὐτὸν ἔκρινεν νῦν μὲν τὸν
ἀληθῆ καὶ καθήκ(ο)ντα αὐτῷ ἔπαιν[ον] | διὰ τοῦ ψηφίσματος μαρτυρῆσαι περί τε
τιμῶν αὐτῶι τῶν πρεπουσῶν γενέσθαι πρόνοιαν ἐν τοῖς κ[αθή]|κουσιν χρόνοις ·
δεδόχθαι γενέσθαι καθ᾽ ὅτι προγέγραπται. |

VI. Ἡράκων Ἡράκωντος ὁ γυμνασίαρχος καὶ Ἀπολλώνιος Διοδώρου (τοῦ)
Ἑρμίππου Πατάγας λογιστὴς [εἶπον ·] | ἐπεὶ Μηνογένης Ἰσιδώρου τοῦ Μηνο-
65 γένους ὁ ἐν τῶ ἐξιόντι (ἔτει) ἐκλογιστὴς τῆς πόλεως ἡμ[ῶν, ἀνὴρ] ‖ καλὸς καὶ
ἀγαθὸς καὶ πατρὸς ἐκ προγόνων τιμίου, ἀπὸ τῆς ἐκ παιδὸς ἡλικίας ἠγμένος
εὐτάκτως [καὶ δικαί]|ως περί τε τὸ ἦθος καὶ τὴν λοιπὴν τοῦ βίου σώφρονα κατα-
στολήν, γεγονὼς ἀνὴρ βέλτιστος ἐν [πᾶσιν καὶ] | τυνχάνων τῆς καθηκούσης
ἀποδοχῆς, διά τε τῆς ἀρχῆς παρεσχημένος ἑαυτὸν σπουδαῖον κα(ὶ) ε[ὔνουν] | τῇ
πατρίδι εἱρέθη καὶ πρεσβευτὴς εἰς Ῥώμην ὑπέρ τε τοῦ κοινοῦ τῶν Ἑλλήνων καὶ
τῆς πατρίδο[ς πρός τε Αὐ]|τοκράτορα Καίσαρα Σεβαστὸν καὶ Γάιον τὸν υἱὸν
70 αὐτοῦ, καὶ ἐτέλεσεν τὴν πρεσβήαν καὶ ὑπὲρ τῶ[ν γερόντων] ‖ ἐπιτυχῶς, οἱ δὲ
γέροντες καὶ πρότερον μὲν αὐτὸν ἐπήνεσαν καὶ νῦν ἔκριναν, τῶν ἐννόμων ἐ[λθόν-
των] | χρόνων, καὶ τιμῆσαι αὐτὸν · δεδόχθαι τετιμῆσθαι αὐτὸν ἰκόνι γραπτῇ
ἐνόπλω ἐπιχρύσω, ἧς γενομ[ένης τῆς] | ἀναθέσεως ἐν τῷ πρεσβυτικῷ ἐπι(γ)ρα-
φῆναι · ἡ γερουσία ἐτίμησεν Μηνογένην Ἰσιδώρου τοῦ Μη[νογένους] | ἄνδρα
καλὸν καὶ ἀγαθὸν, πρεσβεύσαντα δὲ καὶ ἰς Ῥώμην πρὸς τὸν Σεβαστὸν καὶ Γάιον

τὸν υἱὸν αὐτ[οῦ καὶ πρὸς] | τοὺς λοιποὺς ἡ(γ)εμόνας καὶ ὑπὲρ τῆς γερουσίας
ἐπιτυχῶς, ἀρετῆς ἕνεκα καὶ εὐνοίας τῆς εἰς ἑατ[ήν.] ‖

75 VII. Χαρῖνος Χαρίνου Περγαμηνός, ὁ ἀρχιερεὺς θεᾶς Ῥώμης καὶ Αὐτοκρά-
τορος Καίσαρος θεοῦ υἱοῦ Σεβαστοῦ, Σαρδιανῶν] | ἄρχουσι βουλῇ δήμῳ χαίρειν ·
ἐ(κ)κλησίας ἀρχαιρετικῆς συναχθείσης καὶ συνελθόντων τῶν ἀπὸ τῶν [πόλεων
ἐ]|κατὸν κ(αὶ) ν´ ἀνδρῶν τιμᾶν ἐπηνέχθησαν ἄθροοι τὸν καθ᾽ ἔτος ἔκδικον τοῦ
κοινοῦ τῶν ἐπὶ τῆς Ἀσί[ας Ἑλ.]|λήνων Μηνογένην Ἰσιδώρου τοῦ Μηνογένους
τὸν πολείτην (ὑ)μῶν, διὰ τὴν ἐξ αὐτοῦ ἰς τὴν Ἀσίαν [εὔδη]|λον εὔνοιαν καὶ διὰ
τὸ τὴν ἀρχὴν αὐτὸν τετελέκεναι καθαρῶς καὶ συνφερόντως, ἰκόνι γραπτῇ ἐνόπλῳ
80 (ἐ)πιχρ[ύσῳ] ‖ ἥν καὶ ἀνατεθῆναι ἐν ᾗ ἂν βούληται πόλει τῆς Ἀσίας, ἐφ᾽ ἧς καὶ
ἐπιγραφῆναι · οἱ ἐπὶ τῆς Ἀσίας Ἕλ(λ)ηνες ἐτίμησ[αν] | Μηνογένην Ἰσιδώρου τοῦ
Μηνογένους Σαρδιανὸν, ἔκδικον, τελέσαντα τὴν ἀρχὴν κα(θ)αρῶς καὶ σ[υν]|φε-
ρόντως τῇ Ἀσίᾳ · δι᾽ ὃ καὶ γεγράφαμεν ὑμεῖν περὶ τῶν τιμῶν αὐτοῦ ἵνα ἰδῆτε. |

VIII. Δημήτριος Ἡρακλείδου Μασταυρείτης, ὁ ἀρχιερεὺς θεᾶς Ῥώμης καὶ
Αὐτοκράτορος Καίσαρος θεοῦ υἱοῦ Σεβα[σ]|τοῦ, Σαρδιανῶν ἄρχουσι βουλῇ δήμῳ
85 χαίρειν · Μηνογένην Ἰσιδώρου τοῦ Μηνογένους τὸν πολείτην ὑμῶν ‖ ἐπηνέχθησαν
ἐπὶ τῶν ἀρχαιρεσιῶν οἱ ἐπὶ τῆς Ἀσίας Ἕλληνες διὰ τὴν ἀρετὴν καὶ περὶ πάντα
σεμνό(ό)|τητα τειμῆσαι ἰκόνι γραπτῇ ἐνόπλῳ ἐπιχρύσῳ, ἣν καὶ ἐξεῖναι ἀναθεῖναι
τῷ Μηνογένῃ ἐν ᾧ ἂν βούλη|ται τῶν τῆς Ἀσίας τόπων γενομένης ἐπιγραφῆς · οἱ
ἐπὶ τῆς Ἀσίας Ἕλληνες ἐτίμησαν Μηνογένην | Ἰσιδώρου τοῦ Μηνογένους Σαρ-
διανὸν, ἄνδρα ἀγαθὸν καὶ τίμιον τῇ Ἀσίᾳ. |

IX. Ἔδοξεν τοῖς ἐπὶ τῆς Ἀσ(ί)ας Ἕλλησιν · γνώμη τοῦ ἀρχιερέως θεᾶς Ῥώμης
90 καὶ Αὐτοκράτορος. Καίσαρος ‖ θεοῦ υἱοῦ Σεβαστοῦ Φιλιστήους τοῦ Ἀπολ-
λοδώρου τοῦ Ἀπολλοδώρου φιλοπάτριδος Σμυρναίου · ἐπεὶ | Μηνογένης Ἰσιδώρου
τοῦ Μηνογένου(ς) Σαρδιανός, ἀνὴρ ἀγαθὸς καὶ ἐν τῇ πατρίδι πλείστης | ἀποδοχῆς
τυνχάνι ἐπί τε καλοκἀγαθίᾳ καὶ σεμνότητι καὶ πρεσβήαις ταῖς πρὸς τὸν Σεβαστὸν
καὶ τῇ | τῶν ἐνπεπιστευμένων ἀρχῶν πίστει, χειροτονηθεὶς καὶ ἔκδικος τὸ δεύ-
τερον ἀγνῶς καὶ ἐπιμε|λῶς, τοῖς τῆς Ἀσίας πράγμασιν προσήδρευσεν, οὐδένα
95 καιρὸν πρὸς τὸ συνφέρον τῶν Ἑλ(λ)ήνων παριεὶς ‖ πάσῃ δὲ χρώμενος σπουδῇ, ἐφ᾽
οἷς δίκαιός ἐστιν τετειμῆσθαι ἰκόνι γραπτῇ ἐνόπλῳ ἐπιχρύσῳ, ἥν | καὶ ἀνατεθῆναι
ἐν ᾗ ἂν πόλει βούληται τῆς Ἀσίας γενομένης ἐπιγραφῆς · οἱ ἐπὶ τῆς Ἀσίας
ἐτίμησαν | Ἕλληνες Μηνογένην Ἰσιδώρου τοῦ Μηνογένους Σαρδιανὸν, τὸ δεύτερον
ἔκδικον, καὶ ἀνα|στραφέντα ἀγνῶς καὶ συνφερόντως τῇ Ἀσίᾳ, ἀρετῆς ἕνεκα
πάσης. |

X. Ἔδοξεν τοῖς ἐπὶ τῆς Ἀσίας Ἕλλησιν, γνώμῃ Μάρκου Ἀντωνίου Λεπίδου
100 Θυατιρηνοῦ, τοῦ ἀρχιερέως καὶ ‖ ἀγωνοθέτου διὰ βίου τῶν μεγάλων Σεβαστῶν
Καισαρήων θεᾶς Ῥώμης καὶ Αὐτοκράτορος Καίσαρος | θεοῦ υἱοῦ Σεβαστοῦ,
ἀρχιερέως μεγίστου καὶ πατρὸς τῆς πατρίδος καὶ τοῦ σύνπαντος τῶν ἀνθρώπων |
γένους · ἐπεὶ Μηνογένης Ἰσιδώρου τοῦ Μηνογένους Σαρδιανὸς, ἀνὴρ γένους
ἐνδοξοτάτου | καὶ πολλὰ παρὰ τῇ πατρίδι ἠνδραγαθηκότος διά τε ὧν ἐπιστεύθη
ἀρχῶν καὶ ἱερωσυνῶν, πρεσβεύ|σας τε καὶ πρὸς τὸν Σεβαστὸν Καίσαρα ὑπέρ τε
105 τοῦ κοινοῦ τῶν Ἑλλήνων καὶ τῆς πατρίδος, καὶ πάντα ‖ < καὶ πάντα > κατορ-
θωσάμενος προσηκόντως καθὼς τὰ ἀποκρίματα περιέχι, γενόμενος δέ καὶ τῆς |
Ἀσίας τὸ τρίτον ἔκδικος, καὶ ἀναστραφεὶς ἁγνῶς καὶ συνφερόντως τοῖς τῆς Ἀσίας
πράγμασιν, ὡς | μάλιστα ἐπηνῆσθαι καὶ τετιμῆσθαι αὐτὸν παρ᾽ ὅλον ἐν ταῖς
ἀρχαιρεσίαις, δίκαιον δέ ἐστιν καὶ νῦν | μαρτυρῆσαι τῷ ἀνδρὶ ὅτι οὐδέποτε ἐνλίπει
τοῖς κοινοῖς τῆς Ἀσίας πράγμασιν, αἰεί ποτε δὲ αἴτιος παν|τὸς ἀγαθοῦ γίνεται ·
δι᾽ ὃ δεδ(ό)χθαι τῷ κοινῷ τῶν Ἑλλήνων τετιμῆσθαι αὐτὸν ἰκόνι γραπτῇ ἐνόπλῳ ‖
110 ἐπιχρύσῳ, ἣν καὶ ἀνατεθῆναι ἐν ᾗ ἂν πόλει βούληται τῆς Ἀσίας γενομένης ἐπι-
γραφῆς · οἱ ἐπὶ τῆς Ἀσί|ας Ἕλληνες ἐτίμησαν Μηνογένην Ἰσιδώρου τοῦ
Μηνογένους Σαρδιανὸν, γενόμενον τρὶς ἔ[κ]|δικον καὶ ἀναστραφέντα πιστῶς καὶ
ἀξίως τοῦ γένους, ἀρετῆς ἕνεκα πάσης · τετιμῆσθαι δὲ καὶ | Ἰσίδωρον Μηνογέ-
νους τοῦ Ἰσιδώρου Ἀσιανόν, τὸν υἱὸν αὐτοῦ γεγεννημένον ἐπὶ ταῖς καλλίσταις |
ἐλπίσιν, καὶ ἀνατεθῆναι αὐτοῦ ἰκόνα ἔνοπλον ἐπίχρυσον ἐν ᾗ ἂν πόλι βούληται
115 τῆς Ἀσίας Μηνο‖γένης ὁ πατὴρ αὐτοῦ γενομένης ἐπιγραφῆς · οἱ ἐπὶ τῆς Ἀσίας
Ἕλληνες ἐτίμησαν Ἰσίδωρον Μηνογέ|νους τοῦ Ἰσιδώρου Ἀσιανὸν τὸν Μηνογέ-
νους υἱὸν, διὰ τὴν τοῦ πατρὸς αὐτοῦ πρὸς τὴν Ἀσίαν σπουδήν | τε καὶ εὔνοιαν,
ἀρετῆς ἕνεκα πάσης · ἐξῖναί τε τῷ Μηνογένῃ τὰ ἴδια τίμια καὶ τὰ τῶν προγόνων
ἐν | στήλῃ μαρμαρινῇ ἐνχαράξαι ἣν καὶ ἐπιτετράφθαι αὐτῷ ἐν ᾗ ἂν βουληθῇ τῆς
Ἀσίας πόλι<ς> ἢ ἱερῷ ἀναστῆ|σαι, πεμφθῆναι δὲ τοῦδε τοῦ ψηφίσματος τὸ
ἀντίγραφον πρὸς Σαρδιανοὺς ἐσφραγισμένον τῇ ἱερᾷ σφ(ρ)αγῖδι. ‖
120 XI. Ἔδοξ(ε)ν τῇ βουλῇ περὶ ὧν εἰσήν(γ)ειλαν οἱ στρατηγοὶ Ποσειδώνιος Νικο-
μάχου ὁ καὶ Νεικόμαχος καὶ Μωγέτης | καὶ Παρδάλας καὶ Μοσχίων · ἐπειδὴ
Μηνογένης Ἰσιδώρου τοῦ Μηνογένους ὁ ἔκδικος τὸ τρίτον τῆς Ἀσίας, | ἀνὴρ ἀγα-
θὸς καὶ εὐγενής, ἀπὸ τῆς πρώτης ἡλικίας σπουδάσας περὶ ἀρετήν, τέλειος ἀνὴρ
γέγονεν, πισ|τευθείς τε παρὰ τῆς πατρίδος ἀρχὰς τιμιωτάτας ἐν πάσαις ἀνέστραπ-
ται ἁγνῶς καὶ ἐπιμελῶς καὶ | πιστῶς, πρεσβεύσας τε πρός τε τὸν Σεβαστὸν καὶ
125 τοὺς ἄλλους ἡγεμόνας ἐπιτυχῶς καλλίστοις ‖ ἀποκρίμασιν τὴν πατρίδα ὑπὲρ τῶν

συνφερόντων κεκόσμηκε, τῇ τε παρὰ τοῖς Ἕλλησι διαπρέπων | γνώσει ἠξίωται
τρὶς τῆς αὐτῆς ἀρχῆς διὰ βίον πιστὸν καὶ ἤθη ἀγαθὰ καὶ ἀνδρήαν, ἐφ᾽ οἷς ἅπασιν
ἡ βου|λὴ ἐπαινέσασα αὐτὸν καὶ ἐπὶ τῷ ἱεροπρεπῶς τὴν Περγαμηνῶν ἱερωσύνην
ἄρξαι ἔκρινε τιμῆσαι · δε|δόχθαι τετιμῆσθαι αὐτὸν ἰκόνι χαλκῇ, ἧς ἀνατεθείσης |
ἐν τῇ ἀγορᾷ γενέσθαι τὴν ἁρμόζουσαν ἐ[πι]|γραφήν, τετιμῆσθαι δὲ αὐτοῦ καὶ τὸν
130 υἱὸν Ἰσίδωρον ἰκόνι γραπτῇ ἐνόπλῳ ἐπιχρύσῳ, ἧς ἀνατεθίσης ἐν ‖ τῷ παιδικῷ
τυχῖν τῆς προσηκούσης τοῖς ἐψηφισμένοις ἐπιγραφῆς · ἐπετράπη τε αὐτῷ τὸ
ψήφισμα | ἐνχαράξαι εἰς (σ)τήλην καθὼς καὶ οἱ Ἕλληνες ἐψηφίσαντο. |

XII. Ἔδοξεν τῇ βουλῇ περὶ ὧν ἰσήγειλεν Χρυσόγονος Χρυσογόνου νεώτερος
Ὀπίνας, ὁ γραμ(μ)ατεὺς τοῦ δήμου | τὸ δεύτερον καὶ ἀντάρχων τῶν στρατηγῶν ·
ἐπιδὴ ἐπελθόντες οἱ ἐν τῷ ἱερῷ τοῦ τε Πολιέως Διὸς | καὶ τῆς Ἀρτέμιδος οἰκοῦν-
135 τες ἠτήσαντο. εὐχαριστίας ἕνεκαν καὶ ὧν πεπόνθασιν εὖ ἐκ Μηνογένο[υς] ‖ τοῦ
Ἰσιδώρου τοῦ Μηνογένους, ἀνδρὸς ἀγαθοῦ καὶ παρά τε τῇ πατρίδι τῆς καλλίσ-
της τυνγάνοντος ἀπ[ο]|δοχῆς τε καὶ μαρτυρίας καὶ παρὰ τοῖς Ἕλλησιν τιμῆς, οἳ
τρὶς ἤδη ἔκδικον αὐτὸν πεποίηνται ἑατῶν, ἰκόνα | γραπτὴν ἔνοπλον ἐπίχρυσον τοῦ
υἱοῦ αὐτοῦ ἀναθῖναι ἐπιτραπῆναι αὐτοῖς Ἰσιδώρου τοῦ Μηνογένους τοῦ | Ἰσιδώ-
ρου Ἀσ[ια]νοῦ, καὶ ἡ βουλὴ διά τε τὸν πατέρα αὐτοῦ Μηνογένην καὶ διὰ τοὺς
αἰτουμένους ἐπέτρεψεν · δε|δόχθαι ἀνατεθῆναι τὴν ἰκόνα αὐτοῦ ἐν τῷ ἱερῷ τῆς
Ἀρτέμιδος, ἐφ᾽ ἧς καὶ γενέσθαι τὴν οἰκείαν ἐπιγραφήν.

His duodecim monumentis laudatur Menogenes, Isidori filius, Sardianus (vv. 81, 91,
97, 102, 111), quem legaverat civitas sua Romam ad Augustum imperatorem et qui
paulo mox fuit ecdicus Communis Asiae et apud Pergamenos sacerdos Romae et
Augusti. Illius effigie videtur percussus esse nummus Pergamenus ejusdem aetatis :
Gr. coins of the British. Museum, Mysia, p. 140, n. 250.

I. Decretum senatus populique Sardianorum, quo Romam mittuntur legati duo ut
Augusto gratulentur quod C. Caesar, ejus nepotum major, togam virilem sumpserit, anno
5 ante C. n., kalendis Januariis aut paulo post. Placuit etiam sacros esse quotannis
diem quo togam sumpsit et diem quo civitas nuntium accepit.

II. Imperatoris Augusti epistola ad senatum populumque Sardianorum, qua legatos
a se auditos et decretum acceptum renuntiat; tribuniciam vero potestatem XIX (v. 22)
cum iniisset die 27 Junii, eodem anno 5 ante C. n., epistolam scriptam esse fere mense
Julio credibile est.

III. Decretum senatus Sardianorum, quo Menogeni, postquam ad populum rettulit de
legatione, redditur testimonium (μαρτυρία, v. 37) eum esse munere suo diligenter func-
tum . V. 32. ὑπέρ τε τῆς πόλεως καὶ τοῦ κοινοῦ τῶν Ἑλλήνων, nempe non modo civitatis sed
etiam provinciae suae nomine egerat Menogenes (vv. 43, 58, 104). V. 37 : τὰς μὲν τειμ(ὰ)ς

αὐτοῦ εἰς τοὺς ἐννόμους ὑπερτεθεῖσθαι χρόνους; illo enim anno asiatico exeunte (ἐν τῶι ἐξιόντι ἔτει, ante diem 23 Septembris) Menogenes erat civitatis ἐκλογιστής (v. 29), sive curator pecuniae publicae ; leges autem prohibebant ne quis honoribus ornaretur priusquam munere suo decessisset. Hoc decretum factum esse mense Augusto aut incipiente Septembri anni 5 ante C. n. jure conjeceris.

IV. Decretum senatus populique Sardianorum : Menogeni, postquam ἐκλογιστὴς esse desiit, deferuntur promissi honores. Anno Asiatico exeunte (v. 39-40) designatus fuerat ut ecdicus Communis Asiae in comitiis provincialibus, ante diem 4 mensis Augusti (cf. v. 76 et notam). Hoc vero decretum factum est post diem 22 Septembris, fere Octobri anni 5. V. 42. Augustum θεὸν, dum vivebat, jam ab Asiaticis vocatum esse satis notum est; qua de re vide *Indices*. V. 48-49. Menogeni in foro ponentur imago in aurato clipeo picta et statua marmorea cum sua quaeque inscriptione. Cf. n. 1757.

V. Sardianorum gerusia, anno asiatico exeunte (v. 53-54), Menogeni, etiam tum eclogistae, testimonium reddit eodem tempore atque senatus (III) et de honoribus cavet ei, cum lex feret, tribuendis (vv. 60-62). V. 52 λογιστής, curator, nempe gerusiae, cujus pecuniam administrabat. V. 53 ἐπί = ἐπεί. Cf. ἴς (v. 73, 78), τυγχάνι (92), περιέχι (105), τυχῖν (130), ἀναθῖναι (137) et not. ad 120. V. 57, 58 τοὺς λοιποὺς ἡγεμόνας, alios principes domus Augustae, Romanos senatores, magistratus, etc. Cf. 59, 74, 124.

VI. Sardianorum gerusia Menogeni, nunc eclogistia functo, promissos honores eodem tempore atque senatus (IV), lege permittente, tribuit et jubet imaginem ejus, in aurato clipeo pictam, poni in gerusiae ipsius aede aut gymnasio cum inscriptione (71-72). V. 60 ΚΑΘΗΚϢΝΤΑ lapis. V. 68 εἱρέθη = ἡρέθη. Cf. ἀρχήιων (55, 93, 103), τελησῦσαν (10), etc. V. 72 ΕΠΙΕΡΑΦΗΝΑΙ lapis.

VII. Charinus, Communis Asiae sacerdos maximus, ad Sardianos scribit Menogeni, de Asia optime merito, a Communi decretam esse imaginem in clipeo aurato pictam cum inscriptione, in ea Asiae civitate ponendam quam volet ipse Menogenes. Hoc decrevit Commune in comitiis suis (v. 76), quae de more habebantur diebus non minus quinquaginta ante finem anni asiatici. Dittenberger, *Orient. gr. inscr.*, 458, 83 ; decrevit igitur aut die 3 mensis Augusti, aut paulo ante, anno 4 ante C. n., cum Menogenes jam decimum mensem esset annuus Communis ecdicus (v. 76). V. 75-76 συνελθόντων τῶν ἀπὸ [πόλεων ἑ]]κατὸν κ(αὶ) ν' ἀνδρῶν. | ΚΑΤΟΝΚΙΑΝ lapis. Supplementum suum ipsi editores ut incertum proponunt, allatis tamen Monceaux, *De communi Asiae* (1885), p. 38, et Brandis ap. Pauly et Wissowa, *Real Encycl.*, II, p. 1545; nam multum abest quin de numero civitatum Asiae constet. V. 77 ΗΜϢΝ lapis ; sed cf. 84.

VIII. Demetrius, Communis Asiae sacerdos maximus, ad Sardianos scribit Menogeni a Communi similem honorem secundum decretum esse ; imago tamen ponetur non solum in quacumque civitate (80), sed etiam in quocumque « loco » (87) Asiae, quod ad templa maxime pertinet (118). Scripta est epistola anno, ut videtur, 3 ante C. n., postquam comitia habita erant (85), mense Augusto aut Septembri. V. 83 Μαστκυραίτης, ex Mastaura, urbe Lydiae meridianae, prope Nysam sita.

IX. Communis Asiae decretum, eumdem honorem deferentis Menogeni, ecdico suo secundum (v. 93), Philiste sacerdotium Asiae maximum gerente (v. 89-90), anno 3 ante C. n., post diem 23 Septembris, quo illud munus inierat Philistes, aut anno 2 incipiente, priusquam Sardiani resciverunt (v. 101) Augustum patrem patriae appellatum esse (die V Februarii).

X. Communis Asiae decretum omnino simile in honorem Menogenis, qui fuerat ecdicus tertium (v. 105-106), M. Antonio Lepido sacerdotium maximum gerente (v. 99), anno 2 ante C. n., postquam comitia (v. 107) mense Augusto incipiente habita sunt. V. 100 ἀγωνοθέτου διὰ βίου τῶν μεγάλων Σεβαστῶν Καισαρήων; de ludis illis provinciae Asiae, cum quinquennales essent, cur mentio non facta sit in documentis VII-IX, facile intelligitur. V. 112-117 Isidorus, Menogenis filius profecto puer (vv. 129-130), eodem prorsus honore ornatur quo ipse Menogenes; Ἀσιανός autem dicitur (vv. 113, 117, 138) utpote ob aetatem inter cives Sardianos nondum receptus. V. 117-119. Praeterea permittitur Menogeni ut honores suos et avorum inscribat in tabula marmorea; quae haec ipsa est quam legimus. V. 119. Signum, quo obsignabitur decreti exemplar, ideo sacrum est quia eo nemo alius utitur nisi sacerdos maximus provinciae.

XI. Senatus Sardianorum novis honoribus (cf. III-IV) decorat Menogenem, ecdicum Asiae tertium (121), scilicet. anno etiam 2 ante C. n. V. 120 Νικομάχου ὁ καὶ Νεικόμαχος; luculentius exemplum vix desideres scripturae ει pro ι (cf. v. 53 cum nota). V. 128-129 Ponetur Menogeni statua aenea in foro cum inscriptione; filio autem Isidoro imago picta in puerorum gymnasio cum sua quoque inscriptione. V. 130-131. Permittitur ut senatus decretum aeque atque Communis decretum in hac tabula inscribatur.

XII. Senatus Sardianorum, eodem anno 2 ante C. n. aut paulo post, cum Menogenes ecdicus Communis tertium jam fuerit (v. 136), permittit ut Isidoro filio imago picta cum inscriptione ponatur in templo Dianae, petentibus iis qui habebant in templo Jovis Polieos et Dianae domicilium, aedituis, sacrariis, servis, etc. V. 132 ἀντάρχων. Populi scriba de negotio rettulerat ad senatum, vicem agens quattuor strategorum civitatis (cf. vv. 120-121), qui illa die suo officio fungi non potuerant, aut noluerant.

1757. Sardibus. — Buckler et Robinson, *American journ. of arch.*, XVII (1913), p. 29, n. 2.

Ὁ δῆμος ἐτίμησεν | Ἰόλλαν Ἰόλλου χρυσοῖς στεφάνοις ἀριστή|οις δυσὶν καὶ
ἰκόνι χρυσῇ καὶ ἄλλῃ χρυσῇ καὶ ἄλλῃ χρυσῇ κολοσ|σικῇ καὶ ἄλλῃ χρυσῇ
5 ἐφίππῳ καὶ ἄλλαις χαλκαῖς δ' ‖ καὶ ἀγάλμασιν μαρμαρίνοις τρισὶν καὶ ἄλλαις |
γραπταῖς δ' ¹, ἄνδρα ἀγαθὸν καὶ φιλόπατριν ὄντα | καὶ πολλὰς πρεσβείας τελέ-
σαντα ἐπιτυχῶς καὶ πολ|λοὺς κινδύνους καὶ ἀγῶνας καὶ ἐγδικασίας ὑπὲρ τοῦ |
10 δήμου ἀναδεξάμενον ² καὶ κατορθώσαντα καὶ στρα‖τηγήσαντα ε' κάλλιστα καὶ
πολλὰ καὶ μεγάλα τῶν συν|φερόντων περιποήσαντ(α) τῇ πατρίδι καὶ γυμνασιαρ-
χήσαν|τα ἐκ τοῦ ἰδίου βίου ἐπιφανέστατα καὶ ἀγωνοθετή|σαντα Παναθήναια καὶ
Εὐμένηα ³ παρ' ἑατοῦ καὶ γενό|μενον ἱερέα τῆς Ῥώμης ⁴ καὶ καλλίστας ποιή-
15 σαντα θυ‖σί)ας τοῖς θεοῖς πολλάκις ὑπὲρ τῆς τοῦ δήμου σωτηρίας καὶ τὰ ἀπὸ

τῶν θυσιῶν πάντα διανίμαντα | πᾶσι τοῖς πολίταις καὶ ξένοις ἐν τῇ ἰδίᾳ οἰκίᾳ
καὶ | ἐν τῷ γυμνασίῳ καὶ τὰς ἄλλας ἄρξαντα ἀρχὰς | τὰς μεγίστας καὶ ἐν πάσαις
20 ἀναστραφέντα ἀνδρήως ‖ καὶ καθαρήως καὶ δικαίως καὶ πολλὰς ἐν παντὶ τῷ |
βίῳ ποιησάμενον ἐπιδόσεις τῇ πατρίδι, πάσης | ἀρετῆς ἕνεκεν καὶ εὐεργεσίας τῆς
εἰς ἑαυτόν.

1. Ita lapis errore lapicidae, qui scribere debuit ἄλλοις γραπτοῖς. Eidem illi viro decretae
erant coronae inauratae duae, statuae inauratae duae, statua inaurata colossica, statua
inaurata equestris, statuae aheneae quattuor, imagines marmoreae tres, imagines pictae
quattuor. Εἰκόνες nihil aliud esse possunt nisi statuae (v. 4, ε. ἐφίππῳ); ἀγάλματα igitur
imagines intellige usque ad pectus fictas aut pictas (Cic. ap. Macrob. Sat. II, 3, 4). Aliter
editores. — 2. Causas forenses et advocationes pro civitate sua susceperat. — 3. Ludi
Sardibus instituti ab Eumene II in honorem Minervae, summae Pergamenorum deae,
paulo post Gallos profligatos (anno 166 ante C. n.). — 4. Certe ante principem Augus-
tum, non longo tamen intervallo, ut docet scriptura.

1758 = **1529.** Castolli. — N. 1, pro qua *lege* quo.

1759 = **1539.** Erythris. — Plassart et Picard, *Bull. de corr. hellén.*, **XXXVII** (1913),
p. 246, n. 53 ; Keil, *ibid.*, p. 449, hoc fragmentum addiderunt.

.....ια.... | .... ιοισι..... | [τ]ῆι Εἰρή[νηι γαλαθηνοῦ | π]ροτέρα[ι εἰς τὴν κατὰ
5 μῆ‖ν]α θυσία[ν τοῖς βασιλεῦσι | τ]ελείου [κδ΄ κοινὸν καὶ εἰς | θ]υσίαν β[ασιλεῖ
Ἀντιόγωι] | ....

1760. Philadelphiae. — Buckler, *Journ. of hellen. studies*, **XXXVII** (1917), p. 93, n. 6.

[Θ]εῷ Ὑψί(σ)τῳ [1], μεγάλῳ θε[ῷ], Διόφαντος Ἀχιαμοῦ ἱερεὺ[ς | ε]ὐχήν,
ἔτους σξ[. [2] μη(νὸς)] | Γορπιαίου θ? ι΄.

1. Cf. nn. 47, 1176, 1606, 1614, 1658, 1737, 1742, 1746. — 2. Anno aerae Actiacae
260 = 239/230 post C. n. Cum potuerit periisse numerus unus, addendi sunt fortasse ali-
quot anni, non plures tamen quam novem.

1761. Philadelphiae. — Buckler, *Journ. of hellen. studies*, **XXXVII** (1917), p. 88, n. 1.

[Ἀγαθῇ] τύχ[η · | Αὐρ.? Π]ολυκράτης Κιβυράτης β[ουλευ|τὴ]ς πέ]νταθλος

5 καὶ Φιλαδελφεὺ[ς | βουλε]υτὴς, ξυστάρχης διὰ βίου ‖ [τῶν] μεγάλων ἀγώνων
Δείων Ἀ[λεί|ων] Φιλαδελφείων ¹, καὶ Λακεδαιμό|νιος βουλευτὴς καὶ Ἀθηναῖος
κα[ὶ] | Ἐφέσιος καὶ Νεικοπολείτης καὶ ἄ[λ]|λων πόλεων πολλῶν πολείτης, ‖
10 νεικήσας τοὺς ὑπογεγραμμένου[ς] | ἀγῶνας · Σεβήρεια ἐν Νεικέα παίδ[ων] |
πένταθλον πρώτῃ τρειάδι, Βα[λ]|βίλλῃα ἐν Ἐφέσῳ παίδων πέντ[α]|θλον πρώτῃ
15 τρειάδι, ‖ Τραιάνε[ια] | ἐν Περγάμῳ ἀγενείων στάδι[ον], | Ἀδριάνεια ἐν Ἀθή-
να[ις ἀγενείων] | στάδιον πένταθ[λον, Χρυσάνθινα ?] | ἐν Σάρδεσιν ἀγ[ενείων
20 στάδιον], ‖ Ἀπολλώνει[α Πύθια ἐν Ἱεραπόλει | ἀ]γενείων στ[άδιον, Ἄκτια ἐν
Νει|κοπ]όλει ......

1. Ludi Philadelphiae quidem celebrati, sed qui videntur novum cognomen accepisse
ut laudaretur amicitia fratrum Caracallae et Getae imperatorum, inter annos 200 et 212
post C. n. Cf. t. III, n. 860.

1762. Philadelphiae. — Buckler, *Journ. of hellen. studies*, XXXVII (1917), p. 94, n. 7.
Sub tribus gladiatorum imaginibus incisum est cujusque nomen :

  a. Αὐτόλυχος.

  b. [Χρ]υσάνπελος.

  c. Καλλίμορφος.

Anaglypta, cum tres lapides ornent ejusdem omnino formae modique, pertinuisse
videntur ad sepulcrum aliquod familiae gladiatoriae commune. Cf. t. III, n. 97.

1763 = 1664. Tiris. — Keil et v. Premerstein, *Denkschr. der Wiener Akad.*, 57 (1914),
87; Rostovseff, *Journ. of Rom. studies* (1918), p. 26.

V. 3. νε[ωτέρου] Rostovtseff. V. 8, lapidis τειρωνῶν cave ne mutes. Hermolaüs ob
honorem curae suae dedit summam honorariam « ad tironum collationem » (*Cod.
Theod.* VII, 13, 2; Amm. 21, 6, 6; Cagnat, *Dilectus* in *Dict. des antiq. gr. et rom.*), ut
pagum juvaret in conducendis et armandis tironibus. Ita rem explicuit Rostovzeff, qui
titulum saeculo III post C. n. arbitratus est adjudicandum.

1764 = 1558. Tei. — V. 31 *lege* Ἐπικούρου.

INDICES

I

NOMINA VIRORVM ET MVLIERVM

N. B. Nomina perscripta litteris quadratis sunt virorum mulierumque ordinis senatorii.

Γ. Ἀγελήιος Ἀπολλωνίδης, 818.

Λεύκιος Ἄγριος Πουβληιανὸς Βάσσος, 271.

Μᾶρκος Ἀθάλιος Λονγεῖνος, 684.

Κόιντος Αἰ......, 372.

Λεύκιος Αἰ......, 372.

Αἰδούτιος Φλάκκος, 153.

Αἰλία Ἀστερία, 920.

Αἰλ. Λασκεῖβα, 1458.

Αἰλία Μαξίμιλλα, 676.

Αἰλ. Μαξιμίνη, 546.

Αἰλία Πειθιάς, 1127.

Αἰλία ...ντιανή, 1295.

Μᾶρκος Αἴλιος ......, 1599.

Π. Αἴλιος ...., 1342.

Πο. Αἴλιος ....., 1295.

Τίτος Αἴλιος ....τος, 1363.

Αἴλιος Ἀγαθήμερος, 468.

Π. Αἴλιος Ἀγαθήμερος, 1432.

Τ. Αἴλιος Ἁδριανός, 1489.

Π. Αἴλιος Αἰλιανός, 1222, 1223.

Π. Αἴλιος Ἀλέξανδρος, 828.

Π. Αἴλιος Ἀμμιανός, 856.

Τ. Αἴλιος Ἀμφ..... Μάξιμος, 966.

Π. Αἴλιος Ἀνδρόνεικος Νεικόδημος, 817.

Αἴλιος Ἀντιοχιανός, 920.

Μ. Αἴλ. Ἀπολλινάριος, 786.

Π. Αἴλιος Ἀπολλινάριος Ἰουλιανός, 829.

Π. Αἴλ. Ἀπολλινάριος Μακεδών, 829.

Π. Αἴλιος Ἀπολλώνιος νεώτερος, 1342.

Π. Αἴλιος Ἀρριανὸς Ἀλέξανδρος, 47.

....ος Αἴλιος Ἀτ......, 1224.

Αἴλιος Βίων, 1464.

Τ. Αἴλιος Αὐρήλιος Νίγερ, 544.

Π. Αἴλ. Βωλανός, 587.

Πόπλιος Αἴλιος Γλύκων, 1602.

Π. Αἴλιος Διοκλῆς, 1342.

Π. Αἴλιος Διονύσιος, 353.

Λ. Αἴλιος Ἑρμογένης Αἰλιανός, 1397.

Αἴλ. Εὔφημος, 1458.

Π. Αἴλιος Ζευξείδημος Κασσιανός, 819.

Πόπλ. Αἴλ. Θεόδωρος, 1528.

Αἴλιος Θεόδοτος, 339.

Αἴλιος Ἰουλιανός, 175.

Αἴλιος Ἰούλιος, 117.

Αἴλ. Ἰσίδοτος, 504.

Πούπλιος Αἴλιος Λυσίμαχος, 951.

Π. Αἴλιος Μενέμαχος Κλαυδιανός, 1342.

Π. Αἴλιος Μηνογένης Πύριχος Μαρκιανός, 1256.

Πόπλιος Αἴλιος Μηνόφιλος, 1137.

Πο. Αἴ(λιος) Νεικόστρατος, 1459.

Αἴλ. Νείχων, 502, 503, 506.

Αἴλιος Νέων Ἰουλιανός, 1374.

Αἰλ. Ὀρέστη, 634.

Πόπλιος Αἴλιος Ὀρέστης, 900.

Π. Αἴλιος Ὀτακίλιος Μόσχος, 479.

Π. Αἴλιος Παῦλλος Δαμιανός, 1225.

Π. Αἴλιος Πρόκλος Ἔλενος, 155.

Τιβέριος Αἴλιος Σατουρνεῖνος Μαρεινιανός, 782.

Κ. Αἴλιος Σεχοῦνδος, 126.

Π. Αἴλιος Ζευξείδημος Ἄριστος Ζήνων, 819.

Π. Αἴλιος Σευσίδημος Κασσιανός, 828.

Αἴλιος Σπηρᾶτος, 1402.

Αἴλιος Στρατόνεικος, 525, 526.

Π. Αἴλιος Τ......, 1342.

Αἴλιος Τατιανός, 353.

Πόπλιος Αἴλιος Τρόφιμος, 1602.

Αἴλιος Τρύφων, 795.

Π. Αἴλιος Φαυστιανός, 728.

Πο. Αἴλιος Φροντονιανός, 1295.

Αἰμιλία, 684.

ΑΙΜΙΛΙΟΣ ...., 1415.

Γάϊος Αἰμίλιος, 1101.

Γάϊος Αἰμίλιος Γέμινος, 1375.

Λ. Αἰμύλιος Δέκιος Ἀνδρόμαχος, 944.

ΑΙΜΙΛΙΟΣ ΙΟΥΝΚΟΣ, 1275.

ΠΑΥΛΟΣ ΑΙΜΙΛΙΟΣ ΛΕΠΕΔΟΣ, 33.

ΚΟΙΝΤΟΣ ΑΙΜΙΛΙΟΣ ΛΕΠΙΔΟΣ, 901.

Μ. Αἰμίλιος Λόνγος, 878.

Μᾶρκος Αἰμίλιος Ῥοῦφος, 1101.

Μᾶρκος Αἰφίκιος Καλουῖνος, 1714.

ΜΑΡΚΟΣ ΑΙΦΟΥΛΑΝΟΣ, 1410.

Γναῖος Ἀκερρώνιος Πρόχλος, 251.

ΚΟΙΝΤΟΣ ΑΚΟΥΤΙΟΣ ......, 33.

ΜΑΝΙΟΣ ΑΚΕΙΛΙΟΣ ΓΛΑΒΡΙΩΝ, 1398.

..Ἀχείλιος Μαρκιανός, 1635.

Ἀχίλιος, 1028.

ΛΕΥΚΙΟΣ ΑΚΥΙΟΣ ΦΛΩΡΟΣ, 1659.

ΜΑΝΙΟΣ ΑΚΥΛΛΙΟΣ, 264, 270, 293, 880, 1659.

Ἀχυνέα Εὐτελεία, 1699.

Ἀλβανία Βικτωρείνη, 1477.

Μ. Ἀλβείνιος Βάσσος Σεμπρωνιανός, 331, 353.

Ἀλβιδία Μάγνα, 1431.

Πόπλιος Ἄλβιος, 262.

Ἄλβιος Ἰουλιανός, 500.

Ἀλφῆνος Ἀπολλινάριος, 1213.

ΑΛΦΙΔΙΑ, 983.

Μ. Ἀν. Αἰφνίδιος Φιλοπαππιανός, 1587.

Ἀν....... Ἐπιφανεῖος, 214.

ΑΟΥΙΔΙΟΣ ΚΟΥΗΤΟΣ, 571, 1156.

Λούκιος Άπίδιος Δομίτιος, 279.

Γάιος Άπλάσιος, 772.

Άπολητα Φαυστείνη, 1665.

Κόιντος Άπφάριος Μάτρων, 273.

ΜΑΡΚΟΣ ΑΠΩΝΙΟΣ ΣΑΤΟΥΡΝΕΙΝΟΣ, 644, 646.

Άπούλειος, 576.

Μάαρκος Άππολήιος, 262.

ΣΕΞΤΟΣ ΑΠΠΟΛΗΙΟΣ, 253, 323, 402, 403, 404.

Άρρουντία Άττική, 710.

Γάιος Άρούντιος Άντωνετνος Φλαβιανός, 1207.

Κόιντος Άρρούντιος Ἰουστῖνος, 710.

Άρούντιος Μαρεῖνος, 1518.

Τ. Άρούντιος Νεικόμαχος, 617.

ΛΕΥΚΙΟΣ ΑΡΡΟΥΝΤΙΟΣ ΣΚΡΙΒΩΝΙΑΝΟΣ, 675.

Μᾶρκος Άρτώριος Άσκληπιάδης, 1444.

ΓΑΛΛΟΣ ΑΣΙΝΙΟΣ, 1031.

Γ. Άσίνιος Ἰουλιανός, 717.

Γάιος Άσίνιος Πέτασος, 1462.

ΑΣΙΝΙΟΣ ΠΡΑΙΤΕΞΤΑΤΟΣ, 1008.

Γ. ΑΣΙΝΙΟΣ ΠΡΟΤΕΙΜΟΣ ΚΟΥΑΔΡΑΤΟΣ, 717.

ΓΑΙΟΣ ΑΣΙΝΙΟΣ ΠΩΛΛΙΩΝ, 33, 1724.

ΑΣΙΝΝΙΟΣ ΣΑΒΕΙΝΙΑΝΟΣ, 1283?, 1313, 1315, 1364.

Λούκιος Άστράνιος Βήρυλλος, 1587.

Λ. Άστράνιος Ῥούσων, 1587.

Λ. Άτάνιος Φλάουιος Δημοσθηνιανός, 1397.

Άτείλιος Κογνῖτος Κα......., 1398.

Τ. ΑΤΕΙΛΙΟΣ ΜΑΞΙΜΟΣ, 1399.

Άτελλία Χαρίτιον, 1463.

Γναῖος Άτέλλιος Πολύβιος, 1463.

Λούκιος Άτίλιος Πρόκλος, 783, 792.

ΜΑΡΚΟΣ ΑΤΤΙΔΙΟΣ ΒΡΑΔΟΥΑΣ, 1413,

Λούκιος Αὐίδιος, 1322.

Αὐληνὸς Παῖτος Πονπωνιανὸς Κοδρᾶτος, 1589.

Αὐρηλία, 1313, 1431.

Αὐρ. Άλκιπίλλη Λαιλιανή, 1287.

Αὐρ. Άμμεία, 609.

Αὐρ. Άννιανή, 1284.

Αὐρ. Άντωνία, 876.

Αὐρ. Άρτεμις, 927.

Αὐρ. Άρτεμισία, 25.

Αὐρ. Αὐγοῦστα, 834.

Αὐρ. Βάσση, 553.

Αὐρηλία Βρεισηὶς ἡ καὶ Ῥωμᾶνα, 838.

Αὐρηλία Γλυκωνής, 835.

Αὐρ. Δόμνη, 670.

Αὐρηλία Έρμώνασσα, 1231, 1233.

Αὐρηλία Εὐμένεια, 1501.

Αὐρηλία Εὐσέβεια, 231.

Αὐρ. Εὐτυχία, 245, 1313.

Αὐρηλία Εὐτυχίς, 231.

Αὐρηλία Ἰουλία Μενελαΐς, 154.

Αὐρ. Ἰουλιανή, 621.

Αὐρ. Ἰοῦστα, 730.

Αὐρ. Κλ. Άπολλωνία, 451.

Αὐρ. Λουκιανή, 595.

Αὐρηλία Μελίτη, 1415, 1435.

ΑΥΡΗΛΙΑ ΜΕΛΙΤΙΝΗ, 1544.

Αὐρ. Μηνογενίς, 1624.
Αὐρ. Μυρίνη, 237.
Αὐρ. Νιάρνη, 876.
Αὐρηλία Ποία, 1651.
Αὐρηλία Ποντιανή, 1281.
Αὐρηλία Σαπφὼ Λικιννιανή, 1075.
Αὐρ. Σεχόνδα, 621.
Αὐρη. Στρατονεικιανή, 1314.
Αὐρηλία Συλλεῖνα Ἀντωνία, 1637.
Αὐρηλία Τάτας, 871.
Αὐρ. Τατία, 722, 1229.
Αὐρ. Τατιανή, 1603.
Αὐρ. Τροφίμη, 621.
Αὐρ. Τρύφαινα, 1464.
Αὐρ. Τρυφῶσα, 1232.
Αὐρ. Φαῦστα, 1420.
Αὐρ. Φιλκίσσιμα, 1465.
Αὐρ[ήλιος]...., 237.
Αὐρη. Γάιος, 1314.
Γάιος Ἀυρήλιος, 670.
Μ. Αὐρ[ήλιος]....., 666, 858, 1112.
Αὐρήλιος Ἀγαθόπους Ὀθονιακός, 246.
Αὐρ. Ἀγχαρῆνος Φαῖδρος, 468.
Αὐρ. Ἀζεῖος, 833.
Αὐρ. Ἀθηναῖος, 1233, 1234.
Αὐρ. Ἀθηναῖος Ἀκύλιος, 702.
Αὐρ. Ἀλέξανδρος, 667, 893.
Λ. Αὐρ. Ἀλέξανδρος, 1215.
Μ. Αὐρ. Ἀλέξανδρος Ἀχιλλεύς, 703.
Μ. Αὐρ. Ἀλέξανδρος Θεόφιλος, 835.
Μᾶρχος Αὐρ. Ἀμέριμνος, 154.
Μᾶρ. Αὐρ. Ἀμμιανός, 821.
Αὐρ. Ἀννιανός, 876.
Αὐρ. Ἀννιανὸς Καλλίμορφος, 876.

Αὐρ. Ἀντίοχος, 595.
Αὐρ. Ἀντίοχος Παπᾶς, 548.
Αὐρ. Ἀντωνεῖνος, 1402.
Αὐρ. Ἀντώνιος, 1381, 1603.
Μ. Αὐρ. Ἀντώνιος Ῥηγεῖνος, 784.
Μ. Αὐρ. Ἀντώνιος Τρυφωνιανὸς Ἀπολλινάριος, 784.
Αὐρ. Ἀπελλᾶς, 548.
Αὐρ. Ἀπολλινάριος, 1419.
Μᾶρ. Αὐρ. Ἀπολλώνιος Πυλών, 821.
Αὐρ. Ἀπολλῶνις, 893.
Αὐρήλιος Ἀρισταίνετος, 702, 703.
Μᾶρχος Αὐρ. Ἀριστίων, 1057.
Λούχιος Αὐρ. Ἀριστομένης, 1229.
Μ. Αὐρ. Ἀρίστων Εὐχλαιανός, 785.
Αὐρήλιος Ἀρρουντιανός, 821.
Αὐρ. Ἀρτειμῆς, 887.
Αὐρ. Ἀρτεμάγορος, 1265.
Αὐρήλιος Ἀρτεμίδωρος, 1383.
Μ. Αὐρ. Ἀρτεμίδωρος, 1665.
Αὐρ. Ἀρτέμων, 1642.
Μ. Αὐρ. Ἀρτέμων, 1624.
Αὐρήλιος Ἀσκλάπων, 542.
Αὐρ. Ἀσκλᾶς Φαῦστος, 670.
Αὐρ. Ἀττ...., 1164.
Αὐρ. Ἀττικός, 1268.
Μ. Αὐρ. Ἀχιλλεύς, 844.
Αὐρη. Ἀφροδείσιος, 1414.
Αὐρ. Ἀφ......, 1612.
Μ. Αὐρ. Βάσσος, 1214.
Τίτος Αὐρήλιος Γεωργὸς Ἀτταλιανός, 1567.
Αὐρ. Γλύκων, 717, 1266, 1308, 1601.
Αὐρ. Γλύκων Μητρᾶς, 1266.

Αὐρ. Δημήτριος, 676.
Μᾶρκος Αὐρ. Δημόστρατος Δαμᾶς, 1519.
Αὐρ. Διαδούμενος, 1609.
Μ. Αὐρ. Διάδοχος, 1230, 1231, 1233.
Μ. Αὐρ. Διάδοχος Τρυφωσιανός, 1232.
Λεύκιος Αὐρήλιος Διδύμαρχος, 1101.
Αὐρ. Διογενιανός, 621.
Μ. Αὐρ. Διόδωρος, 1631.
Αὐρ. Διονύσιος, 730.
Μ. Αὐρ. Διονύσιος, 528.
Αὐρ. Διοφάνης, 1311.
Αὐρήλιος Ἔγλεκτος, 598.
Αὐρ. Εἰρηναῖος, 886.
Αὐρ. Ἐλπιδηφόρος, 705.
Αὐρ. Ἐπαφρόδειτος, 512.
Αὐρ. Ἐπίκτητος, 1387.
Αὐρ. Ἔρμιππος, 1632.
Αὐρ. Ἑρμόλαος, 1664.
Μ. Αὐρ. Ἑρμόλαος, 528.
Αὐρ. Εὔαγρος, 705.
Αὐρ. Εὐγενέτωρ, 1634.
Μ. Αὐρήλιος Εὔδημος, 547.
Αὐρ. Εὔμηνος, 568.
Αὐρ. Εὐτυχιανός, 1226, 1544.
Μ. Αὐρ. Ζήνων, 1481.
Αὐρήλιος Ζώσιμος, 231, 764, 797, 798, 1501.
Μ. Αὐρ. Ζώσιμος, 749, 993.
Αὐρ. Ζωτικός, 602.
Αὐρ. Ζωτικὸς Ἀπᾶς, 525.
Αὐρ. Ἡρωδιανός, 1613.
Αὐρ. Θεμιστός, 529.
Αὐρ. Θεόδοτος, 1019.

Αὐρ. Θεσσαλὸς Μακεδών, 619.
Αὐρ. Θησεύς, 1268.
Αὐρ. Ἰάσων, 1019.
Αὐρ. Ἱεροκλῆς Βασσιανός, 553.
Αὐρήλιος Ἰουλιανός, 1267, 1313, 1619.
Μᾶρκος Αὐρήλιος Ἰουλιανός, 1433.
Μᾶρκος Αὐρήλιος Ἰουλιανὸς Λόγγος, 836.
Μᾶρκος Αὐρη. Κοδρᾶτος Λόγγος, 836.
Μ. Αὐρήλιος Κόρος, 160.
Αὐρήλιος Μᾶρκος Κάρπων, 871.
Αὐρήλιος Κάτυλλος, 566.
Αὐρήλιος Κίσσος, 671.
Τίτος Αὐρήλιος Κλαύδιος Ἄτταλος Σατ......, 709.
Τ. Αὐρ. Κλ. Μάγνος, 1520.
Αὐρήλιος Κλώδιος Εὐτυχής, 615.
.. ΑΥΡΗΛΙΟΣ ΚΟΤΤΑΣ, 1508.
Αὐρ. Κρατερός, 891, 927.
Αὐρήλιος Κράτης Φιλιππιανός, 1512.
Μ. Αὐρ. Κρήσκενς, 749.
Αὐρ. Κυρίων Φρόντων, 799.
Αὐρ. Κωβέλλις, 893.
Αὐρ. Λαρεισαῖος, 1665.
Μ. Αὐρ. Λύδιος, 843.
Αὐρήλιος Μάγνος, 837.
Μ. Αὐρ. Μανείλιος Ἀλέξανδρος, 1635.
Μ. Αὐρ. Μανείλιος Ἔρμιππος, 1635.
Αὐρ. Μάννος, 731.
Αὐρήλιος Μαρκίων, 676, 704.
Αὐρ. Μελιτιανός, 1635.
Αὐρ. Μενέλαος, 154.
Αὐρ. Μέννας, 668.
Αὐρ. Μῆνις, 893.

ΒΕΛΛΙΚΙΟΣ ΤΟΡΚΟΥΑΤΟΣ, 942.
Βεντίδιος Σώτας, 468.
Γάιος Βετληνὸς Βάσσος, 1101.
Κ. Βέττιος Κρισπεῖνος, 1354.
Λ. Βέττιος Φαμστεῖνος, 1354.
Λούκιος Βηστεῖνος, 1431.
ΑΥΛΟΣ ΒΙΒΙΟΣ ΑΒΙΤΟΣ, 1564.
Γάιος Βίβιος Κλωδιανός, 1101.
Βιτελλία Πώλλα, 994.
Λούκιος Βιτέλλιος, 994.
Λούκιος Βιτέλλιος Ἑρμάνδης Κλαυ-
διανός, 994.
Βίττιος Πρόκλος, 172.
Βιψανία, 499.
ΒΡΟΥΤΤΙΟΣ ΛΑΤΕΡΑΝΟΣ, 1002.
ΓΑΙΟΣ ΒΡΟΥΤΤΙΟΣ ΠΡΑΙΣΕΝΣ, 1397.

ΑΥΛΟΣ ΓΑΒΕΙΝΙΟΣ, 1116.
Πο. Γαλέριος, 1045.
Πο. Γαλλίηνος Πολλίων, 45.
Τ. Γάουιος ......, 1590.
Τι. Γάουιος Κ...., 1590.
ΓΑΡΓΙΔΙΟΣ ΑΝΤΕΙΚΟΣ, 848.
Πόπλιος Γέσσιος, 262.
Α. Γέσσιος Ἀλέξανδρος, 353.
Μᾶρκος Γράνιος Κάρβων, 100.
Πο. Γράνιος Ῥοῦφος, 1101.
Λούκιος Γράττιος, 45.

Γάιος Δίδιος, 262.
Δομίτιος ...., 1597.
ΓΝΑΙΟΣ ΔΟΜΙΤΙΟΣ, 968, 1538.

ΔΟΜΙΤΙΟΣ ΑΡΙΣΤΑΙΟΣ ΑΡΑΒΙΑΝΟΣ,
674, 698.
Λούκιος Δομίτιος Ἀσκάνιος, 1154.
Δομίτιος Αὔξάνων, 536.
Δομίτιος Ἐπαφρόδιτος, 1447.
Μ. Δομίτιος Σαβεῖνος, 1447.

Λ. Ἐγνάτιος Γλυκωνιανός, 635.
Ἐγνάτιος Κλωδιανός, 635.
Λεύκιος Ἐγνάτιος Κουᾶρτος, 642.
ΕΓΝΑΤΙΟΣ ΛΟΛΛΙΑΝΟΣ, 1284, 1285,
1501.
Λούκιος Ἐγνάτιος Λόγγος, 635.
Γάιος Ἐγνάτιος Παῖτος, 635.
Γάιος Ἔλουιος, 1076.
ΜΑΡΚΟΣ ΕΠΟΥΛΑΙΟΣ ΠΡΟΚΛΟΣ, 1688.
ΕΠΡΙΟΣ, 524. — Vide Κλώδιος.
Ἐρέννιος Ἀττικός, 1627.
Ἐρέννιος Νεικο..., 1627.
Λ. Ἐρέννιος Σεπτίμιος Ἡλιόδωρος,
1421.
Πόπλιος Ἑτερήιος, 1101.
Πο. Ἑτερήιος Γληνός, 1101.
Πο. Ἑτερήιος Ἱλαρίων, 1101.
Γάιος Ἑτερήιος Λαῦτος, 1101.
Πο. Ἑτερήιος Φιλόξενος, 1101.
Γα. Πο. Ἑτερήιος Φρούγι, 1101.
ΕΥΕΤΤΙΟΣ ΑΤΤΙΚΟΣ, 1008.

Ἷλος Γέμελος, 733.
Γ. Ἰουβέντιος Ῥοῦφος, 734.

Γάιος Ἰούλιος Μᾶγνος, 210.

Μ. Ἰούλιος Μαίωρ Μαξιμιανός, 407.

Γ. Ἰούλιος Μακεδὼν Αὐρηλιανός, 1638.

Γάιος Ἰούλιος Μάξιμος, 445, 446.

.. Ἰούλιος Μενέλαος, 1247.

Ἰούλιος Μηνόφιλος, 1312.

Γ. Ἰούλιος Μίθρης, 1393.

Γάιος Ἰούλιος Μύρτιλος, 735.

Γ. ΙΟΥΛΙΟΣ ΝΑΒΟΣ, 1687.

Ἰ[ούλιος] Νεικόδημος ὁ καὶ Νείκων, 504, 505.

Α. Ἰούλιος Νικόμαχος, 1248.

Ἀ. Ἰούλιο; Νόητος, 353.

Γάιος Ἰούλιος Ξένων, 1276.

Λ. Ἰούλιος Ὀνήσιμος, 170.

Μ. Ἰου. Οὐλπιανὸς Ἀσκληπιόδωρος, 353.

Ἰούλιος Παπίας, 736.

Σέξτος Ἰούλιος Πάραλος, 1450.

Γάιος Ἰούλιος Παρδαλᾶς, 1611.

Γάιος Ἰούλιος Πάτερκλος, 115, 519, 855.

Κ. Ἰούλιος Περικλῆς, 1639.

Τι. Ἰούλιος Πολλίων, 1471.

.. Ἰούλιος Ποσειδώνιος, 1626.

Ἰούλιος Πούλχηρ, 276.

Γ. Ἰούλιος Πούλχηρ, 453.

Γν. Ἰούλιος Ῥηγεῖνος Ἀλέξανδρος, 1588.

Τι. Ἰούλιος Ῥοῦφος, 315.

Γάιος Ἰούλιος Σακέρδως, 454.

Ἰούλιος Σέξτος, 1689.

Ἰουλ. Σερῆνος, 151.

Τιβέριος Ἰούλιος Τατιανός, 479.

Ἰούλιος Φιλογράμματος, 1723.

Σέξτος Ἰούλιος Φίλων, 216.

Γάιος Ἰούλιος Φλαουιανός, 456.

Ἰούλιος Φροντῖνος, 779, 780.

Γ. ΙΟΥΛΙΟΣ ΦΡΟΝΤΩΝ, 1687.

Τι. Ἰούλιος Φρούγεις, 170.

Ἰουνία Μαρκιανή, 591.

Μᾶρκοι Ἰούνιοι, 1411.

....ΟΣ ΙΟΥΝΙΟΣ, 408.

ΜΑΑΡΚΟΣ ΙΟΥΝΙΟΣ, 408.

Ἰούνιος Ἀλέξανδρος, 1667.

Λούκιος Ἰούνιος Ἄννιος Μάξιμος Παυλεῖνος, 1308.

Γάιος Ἰούνιος Ἰοῦστος, 633.

Κόιντος Ἰούνιος Μαρκελλεῖνος, 1333.

Ἰούνιος Ποτάμων, 1667.

ΙΟΥΝΙΟΣ ΡΟΥΦΕΙΝΟΣ, 1002, 1363.

Ἰούνιος Ῥοῦφος, 459.

ΙΟΥΝΙΟΣ ΣΑΒΕΙΝΙΑΝΟΣ, 1283.

ΓΑΙΟΣ ΙΟΥΝΙΟΣ .... ΣΙΛΑΝΟΣ, 33.

ΜΑΡΚΟΣ (ΙΟΥΝΙΟΣ) ΣΙΛΑΝΟΣ, 33.

Α. Ἴρριος Καπίτων, 1448.

Α. Ἴρριος Καπίτων, 1691.

Γάιος Κ......, 33.

Καικιλία Πῶλλα, 1092.

Καίκιλιος, 486.

ΚΟΙΝΤΟΣ ΚΑΙΚΕΛΙΟΣ, 262.

Μᾶρκος Καικίλιος Κάνδιδος, 1582.

ΚΑΙΚΙΛΙΟΣ ΜΕΤΕΛΛΟΣ, 1408.

ΚΟΙΝΤΟΣ ΚΑΙΚΙΛΙΟΣ ΜΕΤΕΛΛΟΣ ΠΙΟΣ ΣΚΙΠΙΩΝ, 409, 421.

Κλαυδία Παῦλλα, 462.
Κλαυδία Πελαγία, 1738.
Κλαυδία Πομπηία, 1154.
Κλ. Πώλλα, 1431.
Κλ. Πῶλλα Κυίντιλλα, 1755.
Κλαυδία Σαβεῖνα, 1154.
Κλ. Σεπτιμία Νικαρέτη, 705.
Κλαυδία Στρατονείκη, 1640.
Κλαυδία Τερτόλλα, 957.
Κλαυδία Τληπολεμίς, 910.
Κλ. Τρύφαινα, 1571.
Κλ. Χάρις, 1431.
Κλ. Φηρία, 460.
Κλαυδία Φοίβη, 1060.
Κλ. Φοιβία, 866.
Κλαυδιο......, 719.
Κλαύδιοι, 1132.
Κλαύδιος, 360, 458, 500, 541, 891, 1431, 1439.
Ἄππιος (Κλαύδιος), 262.
Κοίντος Κλαύδιος, 262.
Λεύκιος Κλαύδιος ....., 412.
Τ. Κλαύδιος, 210. 351, 1392, 1505.
Κλαύδιος Ἀβάσκαντος, 889.
Τι. Κλαύδιος Ἀθηνόδοτος Φιλαλήθης, 742.
Κλ. Αἴσιμος, 457.
Κλαύδιος Ἄχτιος, 1589.
Τ. Κλαύδιος Ἄχτιος, 1397.
Κλ. Ἀλέξανδρος, 451.
Τιβ. Κλαυδ. Ἀλέξανδρος, 468.
Τιβε. Κλαύδιος Ἀλκίδαμος Ἰουλιανός, 1045.
Τι. Κλαύδιος Ἄλυς, 228.

Τι. Κλαύδιος Ἀμέθυστος, 1347.
Τι. Κλαύδιος Ἀμφίμαχος, 1236, 1237.
Κλ. Ἀνένκλητος, 1575.
Τιβέριος Κλαύδιος Ἄνθος, 1239.
Τι. Κλαύδιος Ἀντιφανής, 210.
Τιβέριος Κλαύδιος Ἄντυλλος, 1242, 1269.
Κλ. Ἀντω. Λέπιδος, 1507.
Κλ. Ἀπολλινάριος, 570.
Τιβ. Κλαύδιος Ἀπολλινάριος, 578.
Κλαύδιος Ἀπολλινάριος Αὐρηλιανός, 566.
Τι. Κλαύδιος Ἀπολλώνιος, 210.
Κλ. Ἀσκληπίδης, 1589.
Τ. Κλ. Ἀσκληπιάδης, 353, 632, 957, 1435.
Γ. Κλ. Ἄτταλος Πατερκλιανός, 414.
Κλαύδιος Αὐρήλιος Σατ...... Τερτυλλεῖνος, 709.
Κλ. Βάλβιλλος, 459.
Κλ. Βάσσος, 1431.
Μ. Κλαύδιος Βερενεικιανός, 740.
Τι. Κλαύδιος Βίων Νωνιανός, 1393.
Τιβέριος Κλαύδιος Γρανιανός, 788, 789, 790.
Τιβέριος Κλαύδιος Δάμαρχος, 18. Cf. 10, 11, 12, 13.
Τιβ. Κλ. Δηιοτηριανός, 906, 907.
Τιβ. Κλαύδιος Δημητριανός, 1070.
Τιβέριος Κλαύδιος Δικαστοφῶν, 1027.
Κλαύδιος Διομήδης, 1525.
Πόπλιος Κλ. Διονύσιος, 562.
Κλ. Ἔπαφος, 386.
Κλαύδιος Ἑρμογένης, 1524.

Μᾶρκος Κοίλιος, 1098.
Τίτος Κοίλιος, 490.
Μα. Κοίλιος Καπίτων, 1101.
Μᾶρ. Κοίλιος Λογγῖνος, 1101.
Μᾶρκος Κοίλιος Πόπλιος, 1136.
Μᾶρκος Κοίλιος Ῥοῦφος, 1101.
Κοιντίλιος. Cf. Κυιντίλιος.
ΠΟΠΛΙΟΣ ΚΟΙΝΤΙΛΙΟΣ ΟΥΑΡΟΣ, 418, 419.
ΣΕΞΤΟΣ ΚΟΙΝΤΙΛΙΟΣ ΟΥΑΡΟΣ, 418.
Γάιος Κόιντος, 952.
Μᾶρκος Κόιντος, 952.
Γαία Κορδία Φροντεῖνα, 673.
Κορνηλία, 421.
Κορ. Ὀνησίμη, 1643.
Κορνηλία Πούλχρα, 1492.
Κορνηλία Σεχούνδη, 1244.
Λεύκιος Κορνέλιος, 169.
Σπόριος [Κορνέλιος], 169.
Κορνήλιος, 469, 533.
Γάιος Κορνήλιος, 8, 262.
Λεύκιος Κορνήλιος, 169, 262.
Μᾶρκος Κορνήλιος, 169, 262.·
Κορνήλιος Ἀθηναῖος, 525.
Σέξτος Κορνήλιος Βάσσος, 169.
ΠΟΠΛΙΟΣ ΚΟΡΝΗΛΙΟΣ ΔΟΛΑΒΕΛΛΑΣ, 422.
ΣΕΡΒΙΟΣ ΚΟΡΝΗΛΙΟΣ ΔΟΛΑΒΕΛΛΑΣ, 1496.
Κορνήλιος Ζηλωτός, 1640.
ΛΕΥΚΙΟΣ ΚΟΡΝΗΛΙΟΣ ΛΕΝΤΕΛΟΣ, 1118.
ΛΕΥΚΙΟΣ ΚΟΡΝΗΛΙΟΣ ΛΕΝΤΛΟΣ, 1192.
Κορνήλιος Νίγερ, 117.
Λ. Κορνήλιος Οὐεττηνιανός, 1527.

Λούκιος Κορνήλιος Ποπλικόλας, 1135.
Π. Κορνήλιος Πρεῖσκος, 1640.
Πόπλιος Κορνήλιος Ῥοῦφος, 991.
Γ. Κορνήλιος Σεκοῦνδος Πρόκλος, 6.
ΠΟΠΛΙΟΣ ΚΟΡΝΗΛΙΟΣ ΣΚΙΠΙΩΝ, 1211.
Π. ΚΟΡΝΗΛΙΟΣ ΣΚΙΠΙΩΝ ΝΑΣΙΚΑΣ, 1681.
ΛΕΥΚΙΟΣ ΚΟΡΝΗΛΙΟΣ ΣΥΛΛΑΣ, 943, 1118.
Λεύκιος Κορνοφίκιος, 420.
Κόρτιος Ῥοῦφος, 999.
Κοσκωνία, 1393.
ΜΑΡΚΟΣ ΚΟΣΚΩΝΙΟΣ, 134, 262. 1537.
Μ. Κοσκώνιος Καρικός, 1397.
.. Κοσσείνιος Βάσσος, 1067. ·
Λεύκιος Κοσσίνιος Βάσσος Οὐαλεριανός, 1061.
Λεύκιος Κοσσίνιος Γνώριμος, 1061.
Λούκιος Κοσσείνιος Κάστωρ, 1085.
ΚΟΣΣΙΝΙΟΣ ῬΟΥΦΕΙΝΟΣ, 1162.
Κοσσουτία, 1092.
ΛΕΥΚΙΟΣ (Quinctius Flamininus), 179.
ΤΙΤΟΣ (Quinctius Flamininus), 179.
Λ. Κούλκιος Ὀπεῖμος, 510.
ΚΟΥΡΤΙΑ ΙΟΥΛΙΑ ΟΥΑΛΕΝΤΙΛΛΑ, 1378, 1382.
Κούρτιος, 261.
Κουσινία Εὐημερία, 1600.
Κουσινία Φιρμίλλη, 720.
Κουσίνιος Μεσσαλεῖνος, 1600.
Λ. Κούσπιος Πακτουμήιος Ῥουφῖνος, 424, 425, 426.
Κυιντίλιος. Cf. Κοιντίλιος.
ΚΥΙΝΤΙΛΙΟΣ ΜΑΞΙΜΟΣ, 580.

Γάιος Πετίκιος Ῥοῦφος, 1101.

Πετρώνιος, 1031, 1033, 1666.

Μᾶρκος Πετρώνιος, 664.

ΠΟΥΠΛΙΟΣ ΠΕΤΡΩΝΙΟΣ, 1499.

Κ. Πετρώνιος Καπίτων Ἐγνατιανός, 664.

Τ. Πετρώνιος Παῦλλος, 1590.

ΚΟΙΝΤΟΣ ΠΕΤΤΙΔΙΟΣ ΡΟΥΦΟΣ, 1393.

Μᾶρκος Πλαύτιος Ἐρεχθεύς, 1269.

Κοίντος Πλαύτιος Οὐένωξ, 756.

(Μ. ΠΛΑΥΤΙΟΣ) ΣΙΛΒΑΝΟΣ, 1362.

Πλωτία, 538.

ΠΛΩΤΙΑ ΑΓΡΙΠΠΕΙΝΑ, 699.

Πλωτία Ἐπιγόνη, 171.

Πλώτιος Αὐρ. Γρᾶτος, 156.

Πλώτιος Βάσσος, 171.

Κο. Πλώτιος Ῥοῦφος, 1101.

Πομπεία Μάγνα, 1476.

Πο. Πόμπειος Εὐτυχής, 1643.

Πομπηία Ἀγριπινίλλα, 97.

Πομπηία Μακρεῖνα, 467.

Πομπηία Πρεῖσκα, 1643.

ΓΝΑΙΟΣ ΠΟΜΠΗΙΟΣ, 198, 262.

Πομπήιος, 262, 838.

Λούκιος Πομπήιος, 1431.

Πομπήιος Ἀπολλινάριος, 1154.

Πομπήιος Ἑταιρίων, 102.

Μᾶρκος Πομπήιος Ἠθικός, 106.

Γναῖος Πομπήιος Θεοφάνης, 56.

Πομπήιος Λάτριος, 934.

ΠΟΜΠΗΙΟΣ ΜΑΓΝΟΣ, 675.

... Πομπήιος Μάκερ, 467.

Μ. Πομπήιος Μακρεῖνος νέος Θεοφάνης, 96, 97.

ΓΝΑΙΟΣ ΠΟΜΠΗΙΟΣ ΜΕΓΑΣ, 37, 48, 49, 50, 51, 52, 54, 55, 79, 80, 421, 1710.

Πομπήιος Παῦλος, 1154.

Γναῖος Πομπήιος Ῥοῦφος, 45.

Πομπήιος Σεουῆρος, 1156.

Πομπήιος Φάλκων, 779, 780.

Κοίντος Πομπήιος Φλάκκος, 1101.

Λουκία Πομπονία Μελιτίνη, 1307.

Πόπλιος Πομπύλιος Κλαύδιος Ῥουφεῖνος, 547.

Πόπλιος Πομπύλιος Κλαύδιος Ῥοῦφος, 547.

Πομπωνία Κλαυδία Φαῦστα Λουπερκιανή, 1420.

ΛΟΥΚΙΑ ΠΟΜΠΩΝΙΑ ΜΕΛΙΤΗ, 1307, 1741.

Πομπωνία Οὐμιδία, 893.

Πομπώνιος Κορνήλιος Λολλιανὸς Ἡδιανός, 1424.

Κοίντος Πομπώνιος Φλάκκος, 860.

ΓΝΑΙΟΣ ΠΟΝΠΗΙΟΣ, 53.

Γάιος Πόντιος Πετρώνιος Νιγρῖνος, 251.

Ποπίλιος, 655.

ΓΑΙΟΣ ΠΟΠΙΛΛΙΟΣ, 301.

ΠΟΠΛΙΟΣ ΠΟΠΙΛΛΙΟΣ, 262.

Σέξτος Ποπίλλιος Ῥοῦφος, 1102.

ΓΑΙΟΣ ΠΟΠΠΑΙΟΣ ΣΑΒΙΝΟΣ, 974.

Μᾶρκος Πόρκιος Ὀνησιμίων, 792.

ΜΑΑΡΚΟΣ ΠΟΥΓΙΟΣ, 262.

Π. Πούπιος Καλλικλῆς, 1586.

ΛΟΥΚΙΟΣ ΡΑΟΥΙΟΣ ΛΙΚΙΝΝΙΑΝΟΣ, 1688.

Πόπλιος Σερουίλιος, 301.
ΠΟΠΛΙΟΣ ΣΕΡΟΥΙΛΙΟΣ ΙΣΑΥΡΙΚΟΣ, 1177, 1178.
Μ. Σήιος Δημαγόρας, 738.
Γάιος Σήιος Ἀττικός ὁ καλούμενος Μοσχάς, 825.
ΛΕΥΚΙΟΣ ΣΗΣΤΙΟΣ, 435, 436.
Μᾶρκος Σήστιος Φιλήμων, 864.
Μᾶρκος Σθένιος, 1101.
Γ. Σίλιος Μελεῖτος, 274.
Γάιος Σκρειβώνιος Ἡρακλείδης, 992.
Γάιος Σκριβώνιος Φιλοποίμην, 991.
Σοσσία Πῶλλα, 779, 780.
Σόσσιος Σενεκίων, 779, 780.
ΠΟΠΛΙΟΣ ΣΟΥΙΛΛΙΟΣ ΡΟΥΦΟΣ, 972, 995.
Σουλπίκιος Ῥουφεῖνος, 1399.
ΣΟΥΛΠΙΚΙΟΣ ΤΕΡΤΥΛΛΟΣ, 1358.
Σουλπ. Τύλλιος Στρατόνεικος, 1434.
Λ. Σουλπίκιος Φῖρμος, 1393.
Σκρειβωνία Βάσσα, 1728.
Πόπλιος Σκρειβώνιος Καπίτων, 1728.
ΓΑΙΟΣ ΣΟΛΠΙΚΙΟΣ, 1723.
Σπεδία, 1071.
Μᾶρκος Σπέδιος Νάσων, 1071.
Μάνιος Σπέδιος Φαῦστος, 1101.
Στατειλία Καλλιγόνη, 688.
Λ. Στατείλιος Μοσχιανός, 353.
Πούπλιος Στατείλιος Πόστομος, 1566.
Στατίλιος Τριτωνιανός, 855.
ΣΤΑΤΙΟΣ ΚΩΔΡΑΤΟΣ, 1339.
Λεύκιος Στάτιος Ῥοῦφος, 1101.
Γάιος Στερτίνιος Ἡγούμενος, 1101.
ΣΤΕΡΤΙΝΙΟΣ ΚΟΥΑΡΤΟΣ, 1156, 1755.

ΓΑΙΟΣ ΣΤΕΡΤΙΝΙΟΣ ΜΑΞΙΜΟΣ, 1724.
Γάιος Στερτίνιος Ξενοφῶν, 1026, 1045, 1048, 1053, 1058, 1059, 1060, 1086.
Στλάκκιος, 1374.
Μᾶρκος Στλάκκιος, 135.

ΤΑΡΙΟΣ ΤΙΤΙΑΝΟΣ, 881.
ΤΕΤΤΙΗΝΟΣ ΣΕΟΥΗΡΟΣ, 1688.
ΤΙΤΟΣ ΤΕΤΤΙΗΝΟΣ ΣΕΡΗΝΟΣ, 1688.
Αὖλος Τερέντιος, 1098.
Πο. Τερέντιος Ἀγαθοκλῆς, 1101.
Γ. Τερέντιος Λογγεῖνος, 862.
ΑΥΛΟΣ ΤΕΡΕΝΤΙΟΣ ΟΥΑΡΡΩΝ, 1118.
ΜΑΡΚΟΣ ΤΕΡΕΝΤΙΟΣ ΟΥΑΡΡΩΝ, 33
Νεμέριος Τερέντιος Πρεῖμος, 1253.
ΤΙΝΗΙΟΣ ΣΑΚΕΡΔΩΣ, 674, 698.
ΛΕΥΚΙΟΣ ΤΙΤΙΟΣ, 1716.
ΜΑΡΚΟΣ ΤΙΤΙΟΣ, 1716.
Μᾶρκος Τίτιος Ἀττικός, 482.
Πο. Τρεβώνιος Μενίσκος Φιλάδελφος, 814.
Τειβούρτις Βασσίων, 177.
Τεβούρτιος Λούκιος, 177.
Τιβούρτις Μᾶρκος, 177.
Τυλλία Ἄμμιον, 1168.
Τυλλία Οὐαλερία, 617.
Τύλλιος Βάλβος, 499.
ΜΑΡΚΟΣ ΤΥΛΛΙΟΣ ΚΙΚΕΡΩΝ, 1713.
Λ. Τυρρώνιος Ἑρμέας, 685.
Γ. Τυρρώνιος Κλάδος, 655.
Τυρρώνιος Ῥάπων, 654.

Πόπλιος Ὑάριος, 491.

Φάβιος Ζώσιμος, 1281.
Μᾶρκος Φάβιος Ἰώνιος, 1478.
ΦΑΒΙΟΣ ΜΑΞΙΜΟΣ, 1716.
ΚΟΙΝΤΟΣ ΦΑΒΙΟΣ ΜΑΞΙΜΟΣ, 752.
ΠΑΥΛΛΟΣ ΦΑΒΙΟΣ ΜΑΞΙΜΟΣ, 438.
ΚΟΙΝΤΟΣ ΠΑΥΛΛΟΣ ΦΑΒΙΟΣ ΜΑΞΙΜΟΣ, 438.
ΛΟΥΚΙΟΣ ΦΑΒΙΟΣ ΧΕΙΛΩΝ, 1674.
Τ. Φαβρίκιος Αἰλιανός, 545.
ΜΑΑΡΚΟΣ ΦΑΛΕΡΙΟΣ, 262.
ΛΕΥΚΙΟΣ ΦΙΛΙΟΣ, 262.
Φλαβία, 1614.
Φλαουία, 474.
Φλαβία Ἄδα, 990.
Φλαβία Ἀλεξάνδρα, 1169.
Φλαβία Ἀλεξάνδρεια, 1736.
Φλαουία Ἄμμιον ἡ καλουμένη Ἀρίστιον, 1325.
Φλαβία Ἄπφιον Κορνηλιανή, 1690.
Φλ. Ἀσκληπιακή, 1431.
Φλαβία Αὐρ. Πῶλλα, 1543.
Φλαβία Αὐρ. Τρύφαινα, 1543.
Φλαβία Γλυκίννη, 1169.
ΦΛ. ΔΗΜΗΤΡΙΑ ΦΛΑΚΙΛΛΗ, 1576.
Φλαουία Λυκία, 908.
Φλαουία Μάγνα, 716.
Φλ. Μαξίμιλλα, 266.
Φλ. Πρεισχίλλη, 1233, 1234.
Φλαβία Σκρειβωνιάνη, 1730.
Φλαουία Τατία, 877.
Φλαβία Τρυφῶση, 1602.
Φλάυιοι, 1132.

Τίτος Φλάουιος, 228, 375, 1406.
Τ. Φλάουιος Μόντανος, 643, 1696.
Τίτος Φλάυιος ......ένειος, 1130.
Τ. Φλ. Ἀγαθήμερος, 766.
Τ. Φλάουιος Ἀθην....., 386.
Τίτος Φλάουιος Ἀθηνόδωρος, 1644.
Τ. Φλάβιος Ἀλέξανδρος, 353, 1169.
ΦΛΑΒΙΟΣ ΑΝΤΙΟΧΙΑΝΟΣ, 893.
Τ. Φλ. Ἀπολλώνιος, 1441.
ΦΛ. ΑΡΧΕΛΑΟΣ ΚΛΑΥΔΙΑΝΟΣ, 1621.
Φλάουιος Ἀσκληπιάδης, 660.
Φλάβιος Ἀττικός, 501.
Τ. Φλ. Αὐρη. Ἀλέξανδρος, 1543.
Φλ. Αὐρ. Ἀχιλλεύς, 700.
Φλ. Αὐρ. Ἡφαιστίων Παπιανός, 1631.
Φλ. Βουλευτῖνος, 1736.
Τίτος Φλάουιος Δαμαγόρας, 1121.
Τ. Φλ. Διογενιανός, 659.
Φλ. Διόδωρος, 732.
Τίτος Φλάβις Ἐπαφρόδειτος, 755.
Τ. Φλ. Ἑρμογένης, 353.
Φλ. Ἑρμοκράτης, 1324.
Π. Φλάβιος Ἑρμοκράτης, 1326.
Φλάουιος Ζεῦξις, 841.
Τίτος Φλάβιος Ἡγεμόνευς, 1729.
Φλ. Ἡρκουλανός, 266.
Φλάουιος Θεόδοτος, 660.
Φλάουιος Θεόδωρος, 841.
Φλάουιος Θευδᾶς, 841.
Τίτος Φλα. Θρασύλοχος, 1150.
Φλάουιος Ἱέρων, 908.
Τ. Φλ. Ἰουλιανός, 353.
Φλάβιος Ἰουλ. Αὐρ. Ἑρμῆς, 244.
Τ. Φλ. Καικιλιανός, 353.

II

COGNOMINA VIRORVM ET MVLIERVM

N. B. Numeri qui uncis comprehenduntur significant eosdem homines in indice nominum praecedente comparere, qui extra uncos leguntur eos nomine carere aut nomen periisse.

Ἀ ...., 561, 1127, [1187].

Ἄβας, 98.

Ἀβάσκαντος, 789, 888, 889, 1587.

Ἀβῖτος, [1564].

Λεύκιος Ἀβοριηνὸς Κάτλος, 1046.

Ἀγαθεῖνος, 1018.

Ἀγαθήμερος, 468, [766], 1101, [1432], 1435.

Ἀγαθίας, 1521.

Ἀγαθοκλεία, 1386.

Ἀγαθοκλῆς, 660, [1101], 1446, 1587.

Ἀγαθόπους, [246], 531, 621, 892, [1092], 1606, [1629].

Ἀγάπη, 718.

Ἀγήνωρ, 291.

Ἀγήσαρχος, 1123.

Ἀγλαός, 1043.

Ἄγνος, 1435.

Ἀγριπεῖνος, 1589.

Ἀγριπινίλλα, [97].

Ἀγρίππας, 146.

Ἀγριππῖνα, [699, 1126].

Ἀγχαρῆνος, [468].

Ἄδμητος, 1631.

Ἀειθαλής, 890.

Ἀζεῖος, [833].

Ἀθην ...., [386], 1312.

Ἀθηνάδης, 302, 1262.

Ἀθήναιος, 315, [525, 702, 1233, 1234], 1558, 1686.

Ἀθηνίων, 950.

Ἀθηνόδοτος, 255, [742].

Ἀθηνόδωρος, 1309, 1587, [1644].

Αἰδουχος, 790.

Αἰλιάνη, 802.

Αἰλιανὴ Ῥηγείνη, 784.

Αἰλιανός, 242, 339, [545, 626], 808, 817, [1222, 1223, 1397], 1531, [1589].

Αἰνείας, 555.

Αἰνήας, 557.

Αἰνησίδαμος, 1115.

Αἰνησικράτης, 1018.

1491, 1492, 1494, 1497, 1499, 1514,
1587, 1588, 1608, [1635], 1756.
Ἀπολλωνίς, [829], 840, 890, [893].
Ἀπολλωνίσκος, 1746.
Ἀπολλωνότειμος, 180.
Ἀππᾶ, 592.
Ἀππά? [830].
Ἄππη, 536, 602.
[Ἀππιανός], 1273.
Ἄππιος, 33.
Ἄπρος, 834, [1003, 1017].
Ἀπρωνιανός, 1282.
Ἄπφιον, [1690].
Ἀπφία, 796, 867.
Ἀπφιανός, 591, 921, [1294], 1314,
  [1355].
Ἄπφιον, 744.
Ἀρ......, 366, 1123.
Ἀραβιανός, [674, 698].
Ἄρειος, 539, 1637.
Ἀρία, [151].
Ἀρίγνωτος, [1204, 1213].
Ἀρίζηλος, 197.
Ἀρισταγόρας, 149, 1046.
Ἀρισταίνετος, 140, [702, 703].
Ἀρισταῖος, [674, 698].
Ἀρίστανδρος, 136, 149.
Ἀριστέας, 998.
Ἀριστεύς, 1111.
Ἀρίστη, [687, 882].
Ἀριστῖνος, 282.
Ἀρίστιον, [1325, 1431].
Ἀρίστιππος, 992.
Ἀριστίων, 1012, [1057].

T. IV

Ἀριστόβουλος, 294.
Ἀριστογείτων, 297.
Ἀριστογένης, 1018, 1123.
Ἀριστόλοχος, 197.
Ἀριστομένης, [1229].
Ἀριστονικός, 618, 1264.
Ἀριστονόα, 46.
Ἄριστος, 46, [819], 967, 1731.
Ἀριστοτέλης, 109.
Ἀριστόφιλος, 999.
Ἀρίστων, 596, 739, [785], 1000, 1086,
  1703.
Ἀρλήγιλλα, [255].
Ἀρουσπικία, 1622.
Ἀρριανός, [47].
Ἀρρουντιανός, [821].
Ἀρτειμῆς, [887].
Ἀρτεμ......, 482, 988.
Ἀρτεμᾶς, 602, 1393, [1399], 1748.
Ἀρτεμιδώρα, 1356, 1358.
Ἀρτεμίδωρος, 251, 297, 302, 315, 374,
  375, 588, 591, 623, [720], 723, 765,
  1098, 1120, 1123, 1141, 1168, 1470,
  1246, 1365, 1371, [1383], 1393, 1473,
  1522, 1526, [1586, 1587], 1646,
  [1665], 1722.
Ἀρτεμίς, [927].
Ἀρτεμισία, [25], 236, 1526.
Ἀρτεμύλλα, [1431].
Ἀρτέμων, 623, 708, 768, 921, 991,
  1000, 1168, [1624, 1642].
Ἀρχαγόρας, 1124.
Ἀρχέδημος, 197, 1124.
Ἀρχέλαος, 297, [1621], 1446.

39

Βαιβιανός, 1588.
Βάχχας, 806.
Βάχχιος, 197, 225, 1357, 1494, [1521].
Βάλβιλλος, [459].
Βάλβος, [499].
Βαλεριανός, [1587].
Βάρβαρος, 494.
Βάρβος, 840.
Βασιλεύς, 1737.
Βασίλισσα, [459].
Βασίλλα, [1084].
Βασιλώ, 670, 881.
Βάσσα, [1084, 1728, 1738].
Βάσση, 553.
Βασσιανός, [353].
Βασσίων, [177].
Βάσσος, [1061].
Βάσσος, [169, 171, 271, 318, 331, 353,
    386, 479, 1067, 1101], 1168, [1214],
    1403 [1431], 1435, 1587.
Βείθυς, 566.
Βερενειχιανός, [740, 1011], 1587.
Βετουτία, 1136.
Βεττηνιανός, 1387.
Βήρυλλος, [1587].
Βικτωρείνη, [1477].
Βίος, 231.
Βίτων, 1440.
Βίων, 294, 386, [1393, 1464].
Βλάστος, 1589.
Βόας, 821, 822.
Βολούμνιος, 967.
Βόμβος, 197.
Βοννᾶτος, [1523].

Βόρισχος, [893].
Βουβᾶς, 420.
Βουλείδης, 135.
Βουλευτῖνος, 1736.
Βουπλευράδης, 992.
Βούτας, 1349.
Βο.έλλιος, 1343.
Βραδούας, [1413].
Βρεισηίς, [838].
Βρησιχλείης, 247.
Βρῆσος, 116.
Βωλανός, [587].

Γ.........., 1584.
Γαάτης, [1545].
Γάιος, 704, 727, 736, 743, 744, 893,
    1101, 1111.
Γαλάτης, [167, 1259].
Γάλβας, 766.
Γαλέων, 1688.
Γάλλος, 135, 757, [1031, 1322].
Γαμικός, [1497].
Γέμελος, [733].
Γεμίνιος, [406].
Γέμινος, [1375], 1620.
Γεντιανός, [132], 1483.
Γεντινιανός, 1403.
Γερμανός, 1271.
Γέσσιος, 691, [1642].
Γέτας, [752].
Γέττιξ, [281].
Γεωργός, [1567].
Γῆ, 905.

Γλαβρίων, 823, [1398].
Γλαύκιππος, 634.
Γλαῦκος, [1615].
Γληνός, [1101].
Γλυκίννη, [1169].
Γλύκων, 17, 100, 240, 326, 339, [352],
   384, 482, 497, 507, 621, [717], 723,
   821, 1167, 1236, 1265, [1266, 1308],
   1498 [1601, 1602], 1621, 1662, 1686.
Γλυκωνής, [835].
Γλυκωνιανός, [635], 834.
Γλυκωνίς, 520, 621.
Γναῖος, 1469.
Γνωμαγόρας, 1110.
Γνώριμος, [1061].
Γοργίας, 1123.
Γόργος, 1655.
Γρανιανός, [788, 789, 790].
Γρατιλλιανός, [631].
Γρᾶτος, [156], 176.
Γω...σος, 1666.

Δάδα, 46.
Δάδεος, 1586.
Δαλιοκλῆς, 1087.
Δαμ......, 799.
Δαμαγόρας, 1113, [1121], 1123.
Δάμαρχος, [10, 11, 12, 13, 18].
Δαμᾶς, 789, [1519].
Δαμιανός, [1225], 1519.
Δαμοκράτης, [721].
Δαμόστρατος, 120.
Δαμόχαρις, 1123.

Δαναός, 165.
Δάος, 881.
Δεῖδας, 790.
Δειογένης, 621.
Δεκιανός, [117].
Δέλφις, 1068.
Δέρχιος, 1126.
Δηιοτηριανός, [906, 907, 912].
Δημαγόρας, [738].
Δημητρία, 844, [1576].
Δημητριανός, [1070].
Δημήτριος, 33, 144, 146, 159, 197,
   291, 374, 532, 566, [652, 676], 707,
   748, 808, 991, 1142, 1190, 1318,
   1322, 1367, 1558, 1756.
Δημόκλης, 1405.
Δημοκράτης, 991.
Δημοκρατία, [1729].
Δημοσθένης, 552, 558.
Δημοσθηνιανός, [1397].
Δημοστρατιανός, 1519.
Δημόστρατος, [1519].
Δημόφιλος, 1586, 1587.
Δημώ, 1622, 1623.
Δια....., 7.
Διαγόρας, 1176.
Διαδούμενος, 277, 386, 753, 1587,
   [1609].
Διάδοχος, [1230, 1231, 1232, 1233].
Διᾶς, 1357, 1494.
Διάφανος, 1124.
Διαφένης, [95].
Διδύμαρχος, [1101].
Διῆς, 33, 76.

Δικαῖος, 33.
Δικαστοφῶν, 1027.
Διμίτριος, 664.
Διογάς, 790.
Διογένης, 325, [353], 482, 621, 844, 917, 940, 954, 956, 1124, 1514, 1587.
Διογενιανός, [621, 659].
Διόγνητος, 1339.
Διόδωρος, 149, 292, 293, 297, 315, 551, 732, 769, 809, 991, 1159, [1631], 1727, 1756.
Διοκλεία, 127.
Διοκλῆς, [386], 547, 778, 793, 813, 857, 998, 1342, 1754.
Διομέδων, 1142.
Διομήδης, 384, 768, 1241, [1525].
Διονυσ......, 482.
Διονύσιος, 112, 159, 180, 297, 315, 353, 374, [528], 558, [562], 625, 704, 730, 791, 844, 957, 991, 1031, [1081], 1118, 1123, 1137, 1167, 1221, [1247], 1270, 1306, 1393, 1435, 1437, 1439, 1522, 1576, 1587, 1589, 1692, 1726, 1756.
Διονυσόδωρος, 318, 482, 758.
Διότιμος, [1563].
Διοτρέφης, 547.
Διοφάνης, 101 [1311].
Διόφαντος, 33, 745, [766], 844, 1587, 1760.
Δίφιλος, 197.
Δίων, [1615].
Δο....., 365.
Δολαβέλλας, [421, 1496].

Δόλων, [1466].
Δομίτιος, [279].
Δόμνα, 606.
Δόμνη, 531, [670], 799.
Δόμνινος, 1381.
Δόξα, 235, 1647.
Δορ....., 1370.
Δορκαλίων, 188.
Δουβασίων, [791].
Δράκων, [1127].
Δροσῖνος, 1073.
Δροῦσος, [982].
Δώνατος, [1736].
Δωρόθεος, 1110, 1306.
Δῶρος, 1648.
Δωσίθεος, 485.

Ε........, 241, 485.
Ἔγλεκτος, [598].
Ἐγνατιανός, 635, [664, 666].
Εἰδομενεύς, [239].
Εἴκα ?, [1101].
Εἰκάδιος, 386.
Εἰκόνιον, 1405.
Εἰρηναῖος, 670, [886].
Εἰρήνη, 183.
Εἰρηνίων, 242.
Εἰσίδωρος, 991, 1431.
Ἑκαταῖος, 197.
Ἐλέα, 1457.
Ἑλένη, [1466, 1742].
Ἕλενος, [155].
Ἑλλάδιος, 795.

Ζεῦξις, 615, 810, 839, 841.
Ζηλωτός, [1640].
Ζῆνις, 940.
Ζηνογένης, 238.
Ζηνόδοτος, [739].
Ζήνων, 751, [819], 882, 991, 1469, [1481], 1589.
Ζηνωνίς, 1589.
Ζοίττας, 8.
Ζώιλος, 33, 197, 251, 384, 993, 1357, 1494, [1512].
Ζωσάριν, 1092.
Ζωσίμη, 1092, 1726.
Ζώσιμος, [231, 539, 749, 764], 766, [797, 798, 993], 1268, [1281, 1501], 1603.
Ζωτική, [175], 1348.
Ζωτικός, [175, 525, 602], 609, 704, 727, 800, [821, 822, 823], 1481, 1501.
Ζώτιχος, [1588, 1589].

Η....., 1558.
Ἡγέας, 1011.
Ἡγεμόνευς, [981, 1705, 1729].
Ἡγεμονίδης, 1519.
Ἡγησίας, 179.
Ἡγησίδημος, 201.
Ἡγησίστρατος, 998.
Ἡγούμενος, [1101].
Ἡδεῖα, 210, [1431].
Ἡδιανός, [1424].
Ἥδιννα, [210].
Ἠθικός, [106].

Ἡλιοδώρα, 1736.
Ἡλιόδωρος, 870, 1118, [1421], 1637.
Ἡραχ....., 1660.
Ἡραχλᾶς, 508, 1453.
Ἡράκλεια, 266.
Ἡρακλείδης, 197, 889. [992], 1039, 1073, 1302, 1356, 1358, 1435, 1497, 1558, 1686, 1756.
Ἡράκλειτος, 684, 1026, 1045, 1048, 1058, 1060. 1086, 1727.
Ἡράκων, 1031, 1033.
Ἥρι......, 1589.
Ἡρχουλανός, 266.
Ἡρόδοτος, 1690.
Ἡρόδωρος, 708.
Ἡράκων, 1756.
Ἡρόστρατος, 188.
Ἡρω...., 1439.
Ἡρώδας, 197.
Ἡρώδης, 33, 991, [1409], 1613.
Ἡρωδιανός, 1613.
Ἡρωίδης, 292, 293, 496, 968.
Ἥσυχος, 796.
Ἡφαιστίων, [1631].

Θαλλούση, 1576.
Θάρσυλος, 1149.
Θεα......, 994.
Θεαίδητος, 1141, 1142.
Θελαίσιος, 77.
Θεμισταγόρας, 632.
Θεμιστοχλῆς, 1108, 1434.
Θεμιστός, [529].

Θεμιστώναξ, 146.

Θεμίσων, [221], 704.

Θεογένης, 524, 690, 727.

Θεόγνητος, 135.

Θεοδ......, 5.

Θεόδοτος, 339, [660, 1019].

Θεόδουλος, 1041.

Θεοδώρα, 100.

Θεόδωρος, 350, [673, 841], 940, 1241, 1318, [1528], 1653.

Θεόκριτος, 117.

Θεοκύδης, 197.

Θεόμνηστος, 957.

Θεομνίς, 956.

Θεόπομπος, 953, 1010.

Θεόπροπος, [1112].

Θεότιμος, 957.

Θεοφάνης, [55, 56, 96, 97].

Θεοφίλα, 184.

Θεοφίλης, 809.

Θεόφιλος, 184, 297, [835], 1653.

Θεο...τος, 998.

Θεόφρων, 1611.

Θέσπις, 197.

Θεσσαλός, [619].

Θευδᾶς, [841].

Θευδιανός, 1431.

Θεύπονπος, [1120].

Θέων, 384, 1449.

Θησεύς, 530, 1268.

Θρασύβουλος, 1742.

Θράσυλλος, [1392].

Θρασύλοχος, [1150].

Θράσων, 1362, 1744.

Ἰαροζήνω, 238.

Ἰάς, 881.

Ἰάσων, [576], 896, [1019], 1149.

Ἱέραξ, [1662].

Ἱεροίτας, 56.

Ἱεροκλῆς, 625, 629, 844.

Ἱέρων, 300, 643, 722, [907, 908, 1634].

Ἱκέσιος, 297, 1589.

Ἱλάρα, 837.

Ἱλαρίων, [1101].

Ἰόκονδος, 1514.

Ἰόλαος, [1336].

Ἰόλλας, 767, 1756, 1757.

Ἰόπη, 1577.

Ἰουχοῦνδος, 1624, 1642.

Ἰουλιανή, [621], 839, 1358, [1386, 1481, 1542], 1650.

Ἰουλιανός, [45, 175, 241], 339, [353, 500, 521], 585, 634, [717, 803, 829, 836, 910, 942, 1045, 1156, 1244, 1245, 1267], 1271, 1281, 1294, [1313, 1374, 1433], 1477, [1525, 1619].

Ἰουνικός, [1461].

Ἰοῦνχος, 351, [1275].

Ἰουουεντία, 130.

Ἰουστ......, [228].

Ἰοῦστα, [730].

Ἰουστῖνος, [710].

Ἰοῦστος, 25, [632].

Ἵππαρχος, 201, 1078.

Ἱππιανός, [1244].

Ἱππίας, 315.

Κέλσος, [908, 1223, 1509].
Κεράσις, 1753.
Κέρδων, 530, 1666.
Κερεάλιος, [740].
Κηνσωρῖνος, 33, [427, 1697].
Κεφαλίων, 374.
Κηφ........, 148.
Κιδράμας, 889.
Κιιρῖνος, 1604.
Κικέρων, [1713].
Κικῖνος, 1393, 1748.
Κίνναμος, 1582.
Κίσσος, ·[671].
Κλ....., [241, 1520].
Κλ...τος, 1435.
Κλάδος, [655].
Κλαυδία, 866.
Κλαυδιανή, [591].
Κλαυδιανός, [386, 479, 966, 994, 1290, 1342, 1470], 1514, [1621].
Κλέανδρος, 197, 302, 551.
Κλεινίας, 1756.
Κλεισθένης, 1651.
Κλειτιανός, [1343].
Κλεομένης, 1155.
Κλέομμις, 197.
Κλεότιμος, 197.
Κλέων, 33.
Κλεώνυμος, 33, [1060].
Κλήμης, [460].
Κλούεντος, [1101].
Κλωδιανός, [635, 1101].
Κο........, 1745.
Κογνῖτος, [1101, 1398].

Κοδρᾶτος, 117, [836, 1589].
Κρίντος, 807, 1589.
Κόμων, 927.
Κόνων, 98, 197, 1756.
Κόρδος, 1657.
Κορνηλιανή, [1690].
Κορνηλιανός, 463, 532, [549].
Κορνήλιος, [430].
Κορνοῦτα, [651].
Κορνοῦτος, 164, [423, 644, 645, 646, 647, 649].
Κορονεῖνος, [706].
Κόρος, [160].
Κόσμος, 1057.
Κοσσουτιανός, 552.
Κοτοβής, 1526.
Κόττας, [1508].
Κουαδρᾶτος, [275, 277, 373-398, 499, 717, 1013, 1377].
Κουαρτεῖνα, [803].
Κουαρτιανός, 665.
Κούαρτος, [18], 366, [642, 1156, 1755].
Κουατρεῖνος, 1336.
Κουιῆτος, [571, 1156].
Κράνιος, 1491.
Κρανίων, 1239.
Κρᾶσσος, [1101].
Κρατερός, [891, 907, 912, 927].
Κράτης, 101, 1309, [1512].
Κρατησινεῖκος, 259.
Κρατίδας, 1123.
Κρήσκηνς, [749], 1296.
Κριναγόρας, 33.
Κρισπεῖνος, 150, [1354].

Μυρίνη, [237].
Μύρτιλος, [735].
Μύρτον, 1620.
Μύρτος, 1393.
Μύτας, 790, 793.
Μυτιλήνη, 107.
Μωγέτης, 1756.

Νάβος, [1687].
Ναθήης, 1367.
Ναμέρτης, 496.
Νάνα, 604.
Νάννας, 559, 582.
Νασίκας, 1681.
Νάσων, [1071].
Νε.., 1589.
Νεανίσκος, 897.
Νέαρχος, 905, 1514.
Νεικάδας, 889, [893].
Νείκανδρος, 1159, 1587.
Νικάνωρ, 133, 1431, 1692.
Νείκαρχος, 1087.
Νεικασίμαχος, 1124.
Νεικάσις, [259].
Νεικέρως, [731].
Νείκη, 1365, 1575.
Νεικήρατος, [740].
Νεικήτης, 634, 1431, [1592].
Νείκητος, 1632.
Νεικηφορίς, 665.
Νεικήφορος, 914, 1268, [1555], 1658.
Νεικο..., [1627].
Νεικόδημος, [504, 505, 817].

Νεικομαχίς, 1587.
Νείκων, [302, 503, 504, 505, 506].
Νεῖλος, 1474.
Νεμέριος, 1092.
Νέστωρ, 164.
Νέων, 420.
Νηδυλλιανός, 1587.
Νήδυλλος, 1587.
Νιάρνη, [876].
Νίγερ, [117, 543], 717, 893, [1179, 1331].
Νίγρινος, [251].
Νίγρος, [1101].
Νίκα, 1144.
Νικαγόρας, [1045], 1087, 1100, 1143.
Νικαρέτη, [705].
Νικίας, 654, 844, 940, 1435, 1472, 1473.
Νικόμαχος, 587, [617], 625, 1087, [1248, 1549], 1756.
Νικομήδης, 426.
Νικόστρατος, 845, 846, 861, 1134, [1149, 1263, 1459].
Νίκων, 1043.
Νίνναρος, 1643.
Νινώ, 1382.
Νόημα, 1089.
Νόητος, [353].
Νόσσος, 806, 844.
Νουμᾶς, 999.
Νουμήνιος, 1092.
Νυμφέρως, 133.
Νυμφιδία, 1431.
Νυμφίδιος, 351.

Νυμφοκλῆς, 991.
Νωνιανός, [1393].

Ξάνθος, [143].
Ξενόμβροτος, 1727.
Ξενόνβροτος, 991.
Ξενοφῶν, 1026, [1045, 1048, 1053, 1058, 1059, 1060, 1086], 1731
Ξένων, 787, 1269, [1276, 1280].
Ξεῦνα, 532.
Ξε...όκριτος, 998.

Ο......, 514.
Ὀθονιακός, [246].
Οἰνεύς, 468.
Οἰνιάδης, 159.
Ὀλ., 1586, 1587.
Ὀλυνπᾶς, 120.
Ὀλυμπιάς, [1477].
Ὀλυμπικός, 1239.
Ὀλυμπιόδωρος, 229.
Ὀλυνπιόδωρος, 149.
Ὅμηρος, 1445.
Ὁμοία, 1464.
Ὀνησᾶς, 1046.
Ὀνησικράτης, 998.
Ὀνησίμη [118], 1643.
Ὀνησιμίων, [792].
Ὀνήσιμος, 111, [170], 626, 806, 921, 1441, 1484, 1732.
Ὀνησίφορος, 1601, 1732.
Ὀνησίων, 991.
Ὀπεῖμος, [510].

T. IV

Ὀπίνας, 1756.
Ὀπτᾶτος, [1337].
Ὀρεινώ, [511].
Ὀρέστης, 634, [900, 910], 918.
Ὀρεστιανός, [908].
Ὀρθαγόρας, 883.
Ὄρτυξ, 176.
Ὅσιος, 1336, 1608.
Ὁσου.θ...., 1519.
Ὀτακιλιανός, [353, 479].
Ὀτακίλιος, [479].
Οὐαλέντιλλα, [1378, 1382].
Οὐαλεριανός, [1061].
Οὐάλης, [1589].
Οὐαλητιανός, 1335.
Οὐᾶρος, [418, 1323, 1355].
Οὐάρρων, [33, 1118].
Οὐένωξ, [756].
Οὐέτους, [399, 461, 501, 778, 943]
Οὐεττηνιανός; 1527.
Οὐιδιανός, [653, 877].
Οὐίκτωρ, [1057].
Οὐιτελλιανός, [820].
Οὐλπιανός, [353].
Οὔλπιος, [331].
Οὐνίων, 1074.
Ὀφελλία, 1089.
Ὀφέλλιος, [1273].

Π......, 210, [1201, 1532].
Π......ιος, 1589.
Παιδέρως, [1070].
Παῖτος, [635, 1589], 1590.

46

Πετρωνιανός, 635.
Πετρώνιος, [251].
Πία, [278], 469.
Πίνυτος, [17].
Πίος, [409, 421, 1567].
Πίστος, 162.
Πίσων, [94, 410, 411, 521, 788, 789, 790], 1709, [1715].
Πλ......., 1089.
Πλανχίλλη, 1417.
Πλάτων, 1075.
Πλούταρχος, 1118, 1725.
Πλουτίων, 1665.
Πλώτιος, [156].
Ποία, [1651].
Πολείτης, 628.
Πολεμαιανός, [1509].
Πολεμαῖος, 1753.
Πόλεμος, 1660.
Πολέμων, [351], 366, 420, [883, 906, 907, 908, 909, 910, 912, 1431].
Πέλλα, 429.
Πολλιανός, [1249].
Πολλίων, [45, 792, 1471, 1565].
Πολύβιος, 1168, [1463].
Πολυδεύκης, 903.
Πολύειδος, 149, 1359.
Πολύκλειτος, [1249], 1340.
Πολυκράτης, [1761].
Πολυνίκη, 634, 1738.
Πολυνείκης, 641.
Πολυνίκης, 1468.
Πολύστρατος, 1692.
Πολύχαρμος, 1113, 1123.

Πομπήιος, [1436].
Ποντιανή, [1281].
Ποντιανός, 1460.
Ποντικός, 661.
Ποντωνιανός, [1589].
Ποπίλιος, [1521].
Πόπλαρις, 167.
Ποπλικόλας, [1135].
Πόπλιος, 991, [1136], 1203, [1432].
Πορφύριος, [1298].
Ποσείδιππος, 340.
Ποσειδώνιος. Vide Ποσιδώνιος.
Ποσίδεος, 991.
Ποσιδωνιανός, [1555].
Ποσιδώνιος, 197, 297, 482, 760, [1626], 1756.
Πόστομος, [636, 963, 1564, 1566].
Ποστουμεῖνος, 571.
Ποστούμιος, 1612.
Ποταμιανός, [812].
Ποτάμων, 25, 31, 32, 33, 36, 55, 60, 95, [1667].
Ποτῖτος, [1338].
Πουβληιανός, [271].
Πούλχηρ, [276, 414, 417, 453, 1101].
Πούλχρα, [276, 1492].
Πουπλιχ......, 396.
Πούπλιος ? 1416.
Πραίσενς, [1397].
Πραιτέξτατος, [1008].
Πραξίας, 660, 661.
Πραύσιον, 1298.
Πρεῖμα, [173, 1470, 1615].
Πρειμιγένη, 1577.

Πρεῖμος, 801, 1280, 1336.
Πρεῖσχα, [1643].
Πρεισχίλλη, [1233, 1234, 1623].
Πρεισχιλλιανός, [1234].
Πρεῖσχος, [626, 653, 1457, 1640].
Προχιλλιανός, [353].
Προχλ....., 365.
Πρόχλα, [1203, 1471].
Προχλῆς, [1738].
Προχλιανός, 784, 802.
Πρόχλος, [6, 25, 45, 155, 172, 219, 221, 251, 783, 792, 794, 800, 1365, 1393], 1440, [1688].
Προμηθίων, 991.
Πρόπινχος, 1587.
Πρότειμος, 717, 1013.
Πρωτογένης, 316.
Πρωτονείχη, 1183.
Πυδόδωρος, 197.
Πυθᾶς, 991.
Πυθέας, 149.
Πύθεος, 1176.
Πυθίων, 247.
Πυθογένης, 197.
Πυθόδιχος, 451.
Πυθόδωρος, 625, 1065, 1262.
Πύθων, 1123.
Πύλων, [821].
Πύριχος, [1256].
Πύρος, [127].
Πύρριος, 109.
Πύρσος, 407.
Πωλιανός, [1630].
Πωλίων, 681.

Πώλλα, [155, 386], 729, [779, 780, 994, 1092], 1316, [1431], 1387, [1543, 1687].
Πώλλη. Vide Πώλλα.
Πωλλιανός, [353, 1310].
Πωλλίων, [33, 215, 353], 500, 1101, 1221, [1291, 1292, 1724].

Ῥαβιανός, [1643].
Ῥάμμιος, 1241.
Ῥάπων, [654].
Ῥεστίτουτος, [1336].
Ῥηγείνη, 784.
Ῥηγεῖνος, [784, 1588, 1610].
Ῥοδοχλῆς, 1028.
Ῥόδον, 592.
Ῥουστιχός, [1156], 1664.
Ῥούσων, [791], 806, [1587].
Ῥουτείλιος, [331].
Ῥουφεῖνα. Vide Ῥουφείνη.
Ῥουφείνη, [513], 763, 1452, [1497].
Ῥουφεινιανός, [567].
Ῥούφιλλα, 636, 637, 737.
Ῥουφῖνος, [424, 425, 426], 493, [547, 1002, 1162, 1214, 1215, 1216, 1217, 1218, 1277, 1363, 1399, 1402].
Ῥουφίων, 754, 1101.
Ῥοῦφος, [45, 173, 440, 459, 547], 591, [664, 713, 734, 737, 792, 972, 991, 995], 999, [1013, 1086, 1101, 1102], 1133, [1284, 1352, 1381, 1393, 1587].
Ῥωμαῖος, 1358.
Ῥωμανά, [838].

III

RES SACRA

1. Dii, deae, heroes.

— Προπάτωρ, 1238.

— Προπύλαιος, 742.

— Πύθιος, 277, 445, 1150, 1215, 1238, 1539, 1587.

— Σεβαστός, 1440.

— Σμινθεύς, 243.

— Σωτήρ, 1498.

— Τυριμναῖος, 1204, 1215, 1238.

— Χρηστήριος, 1178.

Ἄρδυς, 1586.

Ἀρετή, 278, 915, 1539.

Ἄρης, 682.

Ἀριστωνίδας, 294.

Ἄρτεμις, 28, 45, 116, 297, 1095, 1119, 1150, 1169, 1225, 1254, 1255, 1423, 1539, 1632, 1665, 1672, 1673, 1756.

— Ἀναῖτις, 1611.

— Ἀποβατηρία, 1539.

— Βαιιανή, 228.

— Ἐφεσία, 661.

— Θερμία, 45.

— Μουνιχία, 1029.

— Περσική, 1306.

— Σεβαστή, 228, 1488.

— Σώτειρα, 1666.

— Ταυροπόλος, 968.

— Ὦπις, 1745.

Ἀσκληπιός, 32, 159, 341, 360, 520, 965, 1028, 1053, 1061, 1086, 1436.

— εἰητὴρ νόσων, 360.

— νέος (Hadrianus), 341.

— Σωτήρ, 42, 116, 243, 277, 279, 280, 482, 508, 661.

Ἀφροδίτη, 39, 1150, 1349, 1492, 1647.

— Ἰουλία (Liuia), 257.

— Λειβία, 206.

— νέα (Iulia), 114.

— νέα (Drusilla), 145.

— Στρατεία, 1539.

Βελλεροφόντης, 1222.

Γανυμήδης, 1222.

Δαίμονες οἱ κατὰ γῆς, 1479.

Δηίφοβος, 224.

Δημήτηρ, 1692.

— Θεσμοφόρος, 1415, 1532.

— Καρποφόρος, 1352.

— θεὰ Σεβαστά, 1104.

— θεὰ Σεβαστὰ Αἰολὶς Καρποφόρος, 74, 75, 77.

— Αἰολὶς θεὰ Καρποφόρα Ἀγριππεῖνα, 1300.

Δημήτηρ νέα (Liuia), 180.

Δημοκρατία, 1692.

Δικαιοσύνη, 504.

Διόνυσος, 217, 293, 360, 367, 370, 640, 641, 682, 895, 1011, 1084, 1139, 1150, 1406, 1568, 1571, 1581.

— Βρεισεύς, 1399, 1400, 1430, 1433.

— Βρόμιος, 281, 1498.

— Καθηγεμών, 317, 386, 396, 397, 468, 1238, 1240, 1682, 1692.

Μήν, 1349.
Μήτηρ, 117.
Μήτηρ θεῶν, 1254, 1423.
— Ἄνγδιστις, 739.
Μήτηρ ἡ Βασίλεια, 469.
Μήτηρ Κικλέα, 604.
Μήτηρ Κοιλανή, 135.
Μεγάλη Μήτηρ, 1371.
Μήτηρ Σαλσαλουδηνή, 755.
Μήτηρ θεῶν Σιπυληνή, 1464.
Μίς, 1371.
Μοῖρα, 616, 1652.
Μοῖραι, 511, 608.
Μοῦσαι, 503, 743, 1018, 1068.
Μύχιοι (θεοί), 116.

Ναιάς, 1540.
Νεμέσεις, 1431.
— κύριαι, 1403.
Νύμφαι, 413.
Νύμφαι Ναιάδες, 1541.

Ὀλύμπιος, 1428. Vide Indicem IV
　(ᴵᴹᴾᴱᴿᴬᵀᴼᴿᴱˢ).
Ὁμόνοια Σεβαστή, 522.
Ὁμόνοια Σεβαστὰ Drusilla, 1098.
Οὐρανός, 360.

Παιάν. Vide Ἀπόλλων.
Παλλάς, 360.

Πέργαμος, 1682.
Πλουτεύς, 606.
Πνιστία, 116.
Ποσείδων, 116.
— Ἀσφαλεῖος, 1539.
— Ἵππιος, 1539.
— Ἴσθμιος, 147.
Ποτιδὰν Γιλαῖος καὶ Ἵππιος, 1150.
Πρόνοια Σεβαστή, 584.
Προόρασις Σεβαστή, 1593.

Ῥέα, 1062.
Ῥώμη θεά, 95, 454, 473, 522, 741,
　793, 975, 977, 1228, 1276, 1302,
　1304, 1309, 1522, 1526, 1534, 1539,
　1556, 1608, 1611, 1687, 1692, 1757.
Ῥώμη θεὰ καὶ θεὸς Καῖσαρ, 1410.
— καὶ Αὐτοκράτωρ Καῖσαρ Σεβαστός,
　1756.
— Νικοφόρος, 27.

Σάραπις, 239, 1150.
— ὁ κύριος, 1403.
ὁ Σεβαστὸς καὶ ἡ Ῥώμη, 353.
θεοὶ Σεβαστοὶ νέοι ὁμοβώμιοι (Augus-
　tus et Liuia), 555, 556, 582, 584.
Σέραπις Σεβαστός ? 1440.
θεὸς Σύνκλητος, 522.
Σωφροσύνη, 278, 708.

Τελεσφόρος, 333.

Τευθραντὶς γαῖα, 360.

Τηλεφίδαι, 360.

Τρειτογένεια, 360.

Τύριμνος θεὸς προπάτωρ, 1213, 1222, 1225, 1270, 1273, Cf. Ἀπόλλων.

Τύχη, 870, 1011, 1096, 1121, 1231, 1233, 1431.

Τύχη ἀγαθὴ τοῦ δήμου Ῥωμαίων, 283.

Τύχη ἐπήκοος, 363.

Τύχη θεία imperatoris, 1251.

Ὑγεία, 708, 965, 1086.

Ὕψιστος θεός, 47, 542, 1176, 1606, 1614, 1658, 1737, 1742, 1746, 1760.

Χάρις νέα (Iulia Drusilla), 1721.

Χάριτες, 967, 1579.

Φαναγόρας, 1539.

Φαυστείνη θεά, 460.

Φοῖβος, 682, 1498, 1540.

Iudaïca et Christiana :

Σαβαθικὸς θεός, 1529.

ἰχθύς, 696.

Παρθένος ἀγνή, 696.

Πίστις, 696.

ποιμὴν ἀγνός, 694, 696.

2. Sacerdotia populi romani, provincialia, municipalia. Sacra varia.

ἀρά, 660.

ἀρχι....., 1289.

ἀρχιβουκόλος, 386, 396.

ἀρχιερασάμενος, 1247, 1632.

ἀρχιερατεύειν, 1101.

ἀρχιερατεύων, 1560.

ἀρχιερατεύσας τῆς Ἀσίας τῶν ἐν Περγάμῳ ναῶν, 908.

ἀρχιερατικὸς στέφανος, 1611.

ἀρχιέρεια, 175, 477, 519, 617, 656, 716, 839, 912, 1431, 1643, 1680.

ἀρχιέρεια δίς, 475.

ἀρχιέρεια τῆς Ἀσίας, 103, 155, 156, 458, 687, 706, 784, 1075, 1157, 1225, 1231, 1233, 1234, 1386, 1420, 1571.

ἀρχιέρεια Ἀσίας ναοῦ τοῦ ἐν Ἐφέσῳ, 1325.

ἀρχιέρεια τῆς Ἀσίας ναῶν τῶν ἐν Σμύρνῃ, 1254, 1415, 1423, 1435.

ἀρχιερευ..., 853.

ἀρχιερεὺς μέγιστος, 1681. Cf. Indicem IV (Imperatores).

ἀρχιερεύς, 39, 175, 292, 293, 610, 653,

666, 821, 822, 839, 857, 858, 907,
912, 990, 998, 1086, 1230, 1231,
1233, 1236, 1238, 1240, 1243, 1244,
1245, 1247, 1276, 1367, 1431, 1435,
1611, 1729, 1756.
ἀρχιερεὺς διὰ βίου, 95, 468, 1215,
1227, 1241, 1244, 1245, 1519.
ἀρχιερεὺς διὰ γένους, 1682.
ἀρχιερεὺς τὸ γ΄, 577.
ἀρχιερεὺς τῶν Σεβαστῶν, 676, 1226,
1241, 1509.
ἀρχίρευς Θέας Ῥώμας καὶ τῶ Σεβάσ-
τω, 95.
ἀρχιερεὺς τοῦ σύμπαντος ξυστοῦ, 1519.
ἀρχιερεὺς τῶν κατὰ πόλιν θεῶν, 708.
ἀρχιερεὺς τῆς Ἀσίας, 336, 453, 456,
458, 462, 470, 475, 484, 485, 493,
499, 501, 578, 617, 688, 707, 780,
782, 784, 787, 791, 819, 882, 1167,
1213, 1225, 1229, 1238, 1241, 1244,
1246, 1571, 1608.
ἀρχιερεὺς Ἀσίας ἀποδεδειγμένος, 564.
ἀρχιερεὺς Ἀσίας ναοῦ τοῦ ἐν Ἐφέσῳ
κοινοῦ τῆς Ἀσίας, 643, 1323.
ἀρχιερεὺς τῆς Ἀσίας ναοῦ τοῦ ἐν Κυ-
ζίκῳ, 153, 155, 157.
ἀρχιερεὺς τῆς Ἀσίας τοῦ ἐν Περγά-
μῳ ναοῦ, 1239.
ἀρχιερεὺς Ἀσίας ναῶν τῶν ἐν Περ-
γάμῳ, 525, 577, 1230, 1231, 1639.
ἀρχιερεὺς τῆς Ἀσίας ναῶν τῶν ἐν
Λυδίᾳ Σαρδιανῶν, 1523.
ἀρχιερεὺς τῆς Ἀσίας ναοῦ τοῦ ἐν
Σμύρνῃ, 1524.

T. IV

ἀρχιερεὺς Ἀσίας ναῶν ἐν Σμύρνῃ,
586.
ἀρχιερεὺς Ἀσίας ναῶν τῶν ἐν..., 579.
ἀρχιερεὺς τῶν τρισκαίδεκα πόλεων
(Ioniae), 1523.
ἀρχιερεὺς καὶ βασιλεὺς ἀνὰ πάτρην
τῆς Ἰωνίας, 1730.
ἀρχιερεύων, 844.
ἀρχιερωσύνη, 468, 1230, 1637.
ἀρχιερωσύνη (xysti), 1519.
ἀρχινεωκόρος, 586.
ἀρχίχορος, 116.
ἄρχοντες collegii sacri, 353.
Ἀσκληπιαστής, 1414.
αὔγουρ, 94, 675.
Ἀφροδισιασταὶ Σύροι, 1110.

βάκχος τοῦ θεοῦ, 1433.
βασιλεὺς Ἰώνων, 1323.
βασιλεύς, 254, 255, 256, 257, 292.
βασιλὶς τῶν ἐν Θεᾶι Ῥώμηι ἱερῶν,
1687.
βουθυτεῖν, 294.
βουκόλοι, 386, 396.
βοῦς, 494.
βοῦς θήλεια, 294.

ἡ γενέθλιος (Σεβαστοῦ) ἡμέρα, 39.
γραμματεὺς ναῶν τῶν ἐν Ἀσίᾳ, 821,
822.
γραμματεὺς templi, 1586, 1587.
γραμματεύων templi, 1588.

δεῖπνον, 294.

ἑορτή, 213, 294, 317, 566, 996, 1270, 1608.
ἑορταὶ ἐπινίκιοι αὐτοκράτορος, 1266, 1272.
ἐπαρά, 1703.
ἐρσοφόρος τῶν ἁγιωτάτων μυστηρίων, 25.
Ἔρωτες, 1618.
ἑστίασις, 1608.
εὔχεσθαι ὑπὲρ τῆς αἰωνίου διαμονῆς καὶ τῆς ἀνεικήτου ἡγεμονίας (αὐτοκράτορος), 1398.
εὐχή, 1190, 1273.

ζάκορος Ἀσκληπιῶ, 116.

ἡμέρα τῶν κατευχῶν, 915, 1302.
ἡμέραι ἑορτάσιμοι Σεβαστῶν, 1257.

θεολόγος, 353, 451, 1398, 1431.
θεοπρόπος, 1397, 1586, 1588, 1589.
θέραψ τριπόδων, 1655.
θεσπιωδῶν, 1586, 1587, 1588, 1589.
θεωρία, 294, 336, 337.
θιασώτης, 1484.
θύειν, 251, 566.

θυσία, 292, 294, 353, 1028, 1124, 1270, 1273, 1348, 1539, 1608, 1615, 1692, 1756, 1757, 1759.
θυσία δημοτελής, 1755.
θυσία δωδεκάβοιος, 555.
θυσία ἐν Καπετωλίῳ, 33.
θυσία στρατιωτική, 1014.
θυσία χαριστήριος, 566.
προθύτας τοῦ Αὐτοκράτορος καὶ τῶν τᾶς πόλιος εἴρων, 116.

ἱερά, 294, 580, 1062.
ἱερασαμένη, 451, 460, 1254, 1423.
ἱερασάμενος, 875, 1169, 1255.
ἱερασάμενος Ἀθηνᾶς, 225.
ἱερησάμενος Καίσαρος, 117.
ἱερησάμενος τῆς Μητρός, 117.
ἱερατεύειν, 1101.
ἱερατευκυῖα, 520.
ἱερατευκώς, 520.
ἱερατεύουσα, 508.
ἱερατεύουσα διὰ βίου, 1415.
ἱεράτευσάμενος, 539.
ἱεράτευσας, 551, 579, 1110, 1142, 1155, 1304.
ἱεράτευσας τῆς πόλεως, 861.
ἱρατεύσας τᾶς νέας ἁλικίας τῶ οἴκω τῶν Σεβαστῶν καὶ τᾶς Θερμιάκας παναγύριος, 98.
ἱερατεύσασα, 462, 1755.
ἱερατεύων, 889, 1586, 1587.
ἱερατεύων διὰ γένους, 1393
ἱέρεια, 145, 276, 294, 451, 464, 469,

ἱερεὺς Τιβερίου Κλαυδίου Καίσαρος
Σεβαστοῦ, 463.

ἱερεὺς Τιβερίου Κλαυδίου Νέρωνος,
454.

ἱερεὺς Θεοῦ Ἁδριανοῦ Πανελληνίου,
573, 576.

ἱερευσάμενος τῶν Σεβαστῶν, 158.

ἱερητεία, 144.

ἱεροθυτήσας, 1114.

ἱεροκάρυξ τῶν γερέων, 116.

ἱεροκήρυξ, 293, 1756.

ἱερομνημονήσας, 158.

ἱερονόμος, 461, 477, 1680.

ἱερός, 1376.

ἱεροσυλία, 1703.

ἱεροταμίας, 571.

ἱεροταμιεύων, 1086.

ἱροτεύσας, 1531.

ἱερουργία, 144.

ἱεροφάντης, 1383.

ἱερωσύνη, 290, 452, 463, 464, 584,
1168, 1397, 1756.

Ἰουλιασταί, 1276.

κατευχή, 1756.

καθιερώσας, 845, 848.

Καισαριασταί, 1348.

καύεις, 1755.

κισσοφορία, 116.

κλειδοφορῶν, 1587.

κοματροφήσας, 1019.

κυινδεκίμβερος, 372.

κριὸς κεχρυσωμένος τὰ κέρατα, 294.

λαμπαδάρχης, 739.

Λημνιασταί, 1114.

λίβανος, 353.

λιβανωτός, 292, 293, 1692.

λύχνος, 353.

μαντοσύνη, 1349, 1540.

Μιλιχιασταὶ Διός, 1110.

μιμαντοβάτης, 1543.

μολπός, 998.

μυηθείς, 1586.

μύησις, 294.

μυστήριον, 25, 28, 32, 71, 294, 353,
1019, 1397.

τὸ Σεβάστων μυστήριον, 116.

μύστης, 889, 1341, 1433, 1567.

νεοκορήσας, 1689.

νεοποιής, 1732.

νεωχορία, 1619.

νεωκόρος, 1213, 1233, 1234, 1243,
1341, 1398, 1413, 1608.

νεωκόρος διὰ βίου, 558, 584, 585.

νεωκόρος Ἀθηνᾶς, 255.

νεωκόρος Διός, 584, 585, 1397.

νεωκόρος Θεᾶς Ῥώμης καὶ Θεοῦ Σε-
βαστοῦ Καίσαρος, 454.

νεωκόρος τοῦ αὐτοκράτορος, 584.

νεωκόρος Καίσαρος, 1590.

νεωκόρος τοῦ Σεβαστοῦ, 1204, 1234.

ὑμνῳδός, 657, 1398, 1431, 1436, 1608, 1665.
ὑμνῳδὸς Θεοῦ Αὐγούστου, 460.
ὑμνῳδῶν σύνοδος ἱερά, 1608.
ὑμνῳδοὶ ἐξωτικοί, 353.
ὑμνῳδοὶ Θεοῦ Σεβαστοῦ καὶ Θεᾶς Ῥώμης, 318, 353.
ὑφαγήτας (εἴρευς καὶ ἀρχείρευς), 18.

χρησμός, 360, 1498.
χρυσοφορήσας, 740.
χώρα ἱερά, 194, 304, 571.

φαινδυντής, 1680.
φιληραιστής, 1732.
φράτηρ ἀρουᾶλις, 275, 373, 374, 375, 383, 384, 385, 389, 390.

3. Iudaica.

ἀρχισυναγωγός, 1452.
ἀρχισυναγωγός διὰ βίου, 655.
πρῶτος ἄρχων synagogae, 655.
θεράπων μεγάλοιο θεοῦ, 743.
Ἰουδαῖος, 667, 1327, 1452, 1743.

Ἰουδαῖοι (οἱ ποτέ), 1431.
Ἰουδαίων λαός, 835.
προεδρία collegii Iudaeorum, 1327.
συναγωγή, 655, 1327.

4. Christiana.

ἀνάστασις mortuorum, 743.
Θεοῦ δοῦλος, 530.
χρειστιανός, 602, 609, 630; 800, 1314.

ἔσται αὐτῷ πρὸς τὸν Θεόν, 670, 731.
τὸν Θεὸν κεχολωμένον ἕξει? 795.

5. Magica.

Tabella defixionis, 806.

IV

IMPERATORES EORVMQVE FAMILIA

Iulius Caesar.

Augustus.

Agrippa.

C. et L. Caesares.

Γάιος Καῖσαρ ἀγίμων τᾶς νεότατος, 66, 67, 68, 79, 80.
— νέος θεός, 1094.
Γαῖος Καῖσαρ πάτρων τῆς νεότητος,

ὕπατος, 248.
Λεύκιος Καῖσαρ ἀγίμων τᾶς νεότατος, 66, 67, 68, 79, 80.

Agrippa Postumus.

Μᾶρκος Ἀγρίππας, 65, 67, 68, 69, 70, 78, 79, 1718.

Liuia Augusta.

Σεβαστὴ Ἰουλία, 39, 319, 684.
Θεὰ Ἰουλία Σεβαστή, 582, 583, 584, 982, 983, 984, 1183, 1203.
Σεβαστὴ Καίσαρος Σεβαστοῦ μήτηρ, 1392.
Ἰουλία Ἀφροδείτη, 257.
— βασίλεια, 319.

— Ἑστία νέα Δημήτηρ, 180.
— εὐεργέτις τοῦ κόσμου, 250.
— Ἥρα νέα, 319.
Θεὰ Λειουία Ἥρα νέα Σεβαστή, 249. 318.
— Νεικηφόρος μήτηρ (Τιβερίου), 144.

Iulia Augusti f.

Ἰουλία, 1095, 1717.
Ἰουλία παῖς Αὐτοκράτορος Καίσαρος Θεῶ Σεβαστῶ, γυνὴ δὲ Μάρκω Ἀγρίππα, 64.

Ἰουλία Καίσαρος θυγατὴρ Ἀφροδίτα Γενετείρα, 9.
Ἰουλία νέα Ἀφροδίτα, 114.

Octauia.

Ὀκταία, 39, 323.

Tiberius.

Τιβέριος, 324.
Τιβέριος Καῖσαρ, 322, 1096, 1391, 1503, 1523, 1693, 1720.

Τιβέριος Κλαύδιος Νέρων, 320, 321, 454.
Τιβέριος Καῖσαρ Σεβαστός, 714, 1124,

1549.
Τιβέριος Σεβαστός, 326, 930, 1392.
Αὐτοκράτωρ Τιβέριος Σεβαστός, 206.
Αὐτοκράτωρ Τιβέριος Καῖσαρ Σεβαστός, 72, 75, 137, 1288, 1724.
Τιβέριος Καῖσαρ Σεβαστὸς ἱερεὺς μέγιστος...., 683.
Τιβέριος Καῖσαρ Αὐτοκράτωρ Σεβαστὸς ἀρχιερεὺς μέγιστος, 1144.
Τιβέριος Καῖσαρ Σεβαστός, ἀρχιερεὺς μέγιστος, δημαρχικῆς ἐξουσίας λγ΄, αὐτοκράτωρ η΄, ὕπατος ε΄, 1351.
Τιβέριος Καῖσαρ Σεβαστὸς δημαρχικῆς ἐξουσίας τὸ ἑπτακαιδέκατον, αὐτοκράτωρ τὸ ζ΄, 1042.
Αὐτοκράτωρ Τιβέριος Καῖσαρ, Σεβαστός, ἀρχιερεύς, δημαρχίκας ἐξουσίας τὸ ὀκτωκαιδέκατον, αὐτοκράτωρ τὸ ὄγδοον, 10.
Τιβέριος Καῖσαρ δημαρχικῆς ἐξουσίας λγ΄, αὐτοκράτωρ η΄, 1739.
Τιβέριος Καῖσαρ Σεβαστὸς ἀρχιερεὺς δημαρχικῆς ἐξουσίας τὸ λγ΄, ὕπατος τὸ ε΄, 207.
Αὐτοκράτωρ Τιβέριος Καῖσαρ θεὸς Σεβαστός, 8, 71, 256, 257.
Τιβέριος Σεβαστὸς Καῖσαρ ὁ μέγιστος θεῶν, 144.
ἡ ἀθάνατος ἡγεμονία Τιβερίου, 144.
ὁ αἰώνιος Τιβερίου οἶκος, 144.
Σεβαστῶν οἶκος, 180.

Drusus Caesar et filia.

Δροῦσος Ἰούλιος Καῖσαρ, 187, 219, 324, 325, 928, 930, 1549, 1720.
Γερμάνικος Κλαύδιος Καῖσαρ, Αὐτοκράτορος Τιβερίω Καίσαρος Σεβάστω παῖς, παιδοπαῖς δὲ Αὐτοκράτορος Καίσαρος Ὀλυμπίω Σεβάστω, 11.
Ἰουλία, 325.

Drusus frater Tiberii.

Δροῦσος, 329, 1505.
Δροῦσος Κλαύδιος ὁ ἀδελφὸς τοῦ Αὐτοκράτορος Τιβερίου, 206.
Δροῦσος Γερμανικὸς ὁ θεός, 73.

Antonia.

Ἀντονία ἀδελφιδὴ Θεοῦ Σεβαστοῦ, 206.
Ἀντωνία γυνὴ Δρούσω Γερμανίκω τῶ θέω, 73.

Germanicus Caesar et filii.

Γερμανικὸς Καῖσαρ, 206, 326, 327, 328, 330, 464, 979, 980, 981, 1001, 1102, 1124, 1504, 1549.
Γερμανικὸς Καῖσαρ ὕπατος, 723.
Σεβαστὸς Γερμανικὸς Καῖσαρ, 948.
Θέος νέος Γερμάνικος Καῖσαρ, 74, 75,

77, 1300.
Νέρων Ἰούλιος Καῖσαρ, 74, 75, 78, 1300.
Νέρων Κλαύδιος Δροῦσος Γερμανικός, 1504.
Δροῦσος Καῖσαρ, 75, 77, 78, 1504.

Agrippina maior.

Ἀγριππεῖνα, 980.
Ἀγριππείνα θέα Σεβάστα Αἴολις Καρποφόρος, 100, 1300.
Θέα Σεβάστα Αἴολις Καρποφόρος

Ἀγριππίνα, 74, 75, 77.
Θέα Σεβάστα Βολλάα Αἴολις Καρποφόρος Ἀγριππείνα, 22.
Θέα Εὐετηρία Σεβάστα, 23.

C. Caesar.

Γάιος Καῖσαρ Σεβαστός, 1657.
Αὐτοκράτωρ Γάιος Καῖσαρ, 78.
Γάιος Καῖσαρ Γερμανικὸς Εὐσεβής, 1022.
Γάιος Καῖσαρ Γερμανικὸς Σεβαστός, 145, 251, 981, 1001, 1102, 1721.
Γάιος Γερμανικὸς Αὐτοκράτωρ Καῖσαρ, 1379.
Γάιος Καῖσαρ Σέβαστος Αὐτοκράτωρ

Γερμάνικος πάτηρ πάτριδος, 76.
Γάιος Καῖσαρ Αὐγοῦστος Γερμανικὸς ὕπατος τὸ τρίτον, 1615.
Γ. Ἰούλιος Καῖσαρ ἀρχιερεύς, 79, 80.
— νέος Ἥλιος, 145.
— μέγιστος καὶ ἐπιφανέστατος θεός 146.
Σεβαστὸς οἶκος, 146, 251, 981.

Drusilla.

Δρούσιλλα νέα Χάρις, 1721.
Δρουσίλλα νέα Ἀφροδίτα, 78, 145.

Σεβαστὰ Ὁμονοία Δρουσίλλα, 1098

Liuilla.

Ἰουλία νέα Νικηφόρος, 328, 464, 476.

Claudius.

Τιβέριος Κλαύδιος Καῖσαρ, 898, 899, 914, 1026.

Τιβέριος Κλαύδιος Καῖσαρ Σεβαστός, 290, 463.

Τιβέριος Κλαύδιος Καῖσαρ αὐτοκράτωρ, 329, 330.

Τιβέριος Κλαύδιος Καῖσαρ Σέβαστος ὁ αὐτοκράτωρ, 12.

Τιβέριος Κλαύδιος Γερμανικός, 206, 583.

Τιβέριος Κλαύδιος Καῖσαρ Σεβαστὸς Γερμανικός, 208, 902, 1023, 1099, 1103, 1550.

Τιβέριος Κλαύδιος Καῖσαρ Σεβαστὸς Γερμανικὸς ὁ αὐτοκράτωρ, 551, 558, 559, 1123, 1145, 1491, 1502, 1711.

Τιβέριος Κλαύδιος Καῖσαρ Σεβαστὸς Γερμανικός, αὐτοκράτωρ τὸ β΄, ἀρχιερεύς, δημαρχικῆς ἐξουσίας, ὕπατος δεδειγμένος τὸ β΄, ἀνθύπατος, πατὴρ πατρίδος, 1608.

Αὐτοκράτωρ Τιβέριος Κλαύδιος Καῖσαρ Σεβαστὸς Γερμανικὸς ὕπατος τὸ γ΄, 1179.

Αὐτοκράτωρ Τιβέριος Κλαύδιος Καῖσαρ Σεβαστὸς Γερμανικός, 1331, 1332.

— ὕπατος τὸ γ΄, 1331.

Τι. Κλαύδιος Καῖσαρ Γερμανικὸς ἀρχιερεύς, δημαρχικῆς ἐξουσίας, ὕπατος τέταρτον, αὐτοκράτωρ, 43.

Τιβέριος Κλαύδιος Καῖσαρ Σεβαστὸς Γερμανικὸς, ἀρχιερεὺς μέγιστος, δημαρχικῆς ἐξουσίας τὸ.., ὕπατος τὸ ε΄, αὐτοκράτωρ τὸ κς΄, πατὴρ πατρίδος, 1505.

Θεὸς Κλαύδιος, 1124.

Τιβέριος Κλαύδιος Καῖσαρ Σεβαστὸς Γερμανικὸς ὁ αὐτοκράτωρ θεὸς σωτὴρ καὶ εὐεργέτης, 584.

οἱ Σεβαστοί Tiberius, Caius, Claudius, 914, 915.

τὸ Σεβαστὸν γένος Claudii, 584.

οἶκος, 1608.

τέκνα, 208.

Messalina.

Μεσσαλεῖνα, 1146.

Britannicus.

Καῖσαρ Βριταννικός, 559, 1733.
Τιβέριος Κλαύδιος Καῖσαρ Βρεταν-
νικός, 898, 899.
Τιβέριος Κλαύδιος Βριταννκὸς ὁ υἱὸς

τοῦ Σεβαστοῦ, 209.
Τιβέριος Κλαύδιος Καῖσαρ Βρεταννι-
κὸς θεὸς ἐπιφανής, 584.

Antonia Claudii f.

Ἀντωνία ἡ θυγατήρ τοῦ Σεβαστοῦ, 209.

Octauia Claudii f.

Κλαυδία Ὀκταουία, 969.

Ὀκταουία ἡ θυγατήρ τοῦ Σεβαστοῦ,
209.

Agrippina minor.

Ἀγριππίνα, 78.
νέα θέα Βολλάα Σεβάστα, 81.
Ἰουλία Σεβαστὴ Ἀγριππέινη, 208,
1052.
Θεὰ Ἀγριππείνη, 560.

Ἰουλία Ἀγριππείνα γυνὴ τῶ Σεβάστω
νέα θέα Βολλάα Σεβάστα, 81.
Σεβαστὰ θεὰ Δαμάτηρ, 1104.
Σεβαστὰ Ῥέα, 1062.

Nero.

Νέρων, 561.
Νέρων Καῖσαρ, 1123, 1410.
...Καίσαρος Σεβαστοῦ υἱός, 209.
Νέρων Κλαύδιος, 330.
Αὐτοκράτωρ Νέρων Κλαύδιος, 946.
Νέρων Κλαύδιος Καῖσαρ Δροῦσος
Γερμανικός, 560, 1097.

Καῖσαρ Κλαύδιος Νέρων Γερμανικός,
1090.
Αὐτοκράτωρ Νέρων Κλαύδιος Καῖσαρ
Σεβαστὸς Γερμανικός, 1125.
Αὐτοκράτωρ Νέρων Καῖσαρ Σεβαστὸς
Γερμανικός, 712.
Σεβαστὸς Νέρων Κλαύδιος Δροῦσος

Καῖσαρ Γερμανικὸς αὐτοκράτωρ, 969.

Νέρων Κλαύδιος Καῖσαρ Σεβαστὸς Γερμανικὸς ἀρχιερεὺς, δημιαρχικῆς

ἐξουσίας, αὐτοκράτωρ, 1124.

Θεός, 560.

Ἀσκλαπιὸς Καῖσαρ, 1053, 1061.

ὁ μέγιστος τῶν Σεβαστῶν οἶκος, 560.

Poppaea.

Σεβαστὴ Ποπαία Σαβείνα, 1125.

Vespasianus.

Οὐεσπασιανός, 1151, 1152.

Αὐτοκράτωρ Καῖσαρ Οὐεσπασιανὸς Σεβαστός, 14, 1138.

... Οὐεσπασιανὸς Σεβαστός, 1495.

Αὐτοκράτωρ Καῖσαρ Οὐεσπασιανὸς Σεβαστὸς ἀρχιερεὺς, δημαρχικῆς ἐξουσίας, πατὴρ πατρίδος, ὕπατος τὸ πέμπτον, 1105.

Αὐτοκράτωρ Καῖσαρ Οὐεσπασιανὸς Σεβαστὸς ἀρχιερεὺς μέγιστος, δημαρχικῆς ἐξουσίας τὸ ς΄, αὐτοκράτωρ τὸ ιγ΄, πατὴρ πατρίδος, ὕπατος τὸ ς΄, ἀποδεδειγμένος τὸ ζ΄, τειμητής, 1193.

Αὐτοκράτωρ Καῖσαρ Οὐεσπασιανὸς Σεβαστὸς ἀρχιερεὺς μέγιστος, δη-

μαρχικῆς ἐξουσίας τὸ ς΄, αὐτοκράτωρ τὸ ιγ΄, ὕπατος τὸ ς΄, ἀποδεδειγμένος τὸ ζ΄, τειμητής, 1486.

Αὐτοκράτωρ Καῖσαρ Οὐεσπασιανὸς Σεβαστὸς ἀρχιερεὺς μέγιστος δημαρχικῆς ἐξουσίας τὸ ς΄, αὐτοκράτωρ τὸ ιε΄, πατὴρ πατρίδος, ὕπατος τὸ ς΄, ἀποδεδειγμένος τὸ ζ΄, τειμητής, 367.

Θεὸς Οὐεσπασιανός, 211, 715, 1194, 1509, 1559, 1598.

Θεὸς Οὐεσπασιανὸς Σεβαστός, 1393.

Αὐτοκράτωρ θεὸς Οὐεσπασιανὸς Σεβαστός, 210.

Αὐτοκράτωρ Καῖσαρ Οὐεσπασιανὸς Σεβαστὸς θεός, 845, 846.

Titus.

Αὐτοκράτωρ Τίτος Καῖσαρ, 210.

Αὐτοκράτωρ Καῖσαρ Τίτος Οὐεσπασιανός, 636.

Αὐτοκράτωρ Τίτος Καῖσαρ Σεβαστός, 715, 1139, 1509.

Αὐτοκράτωρ Τίτος Καῖσαρ Οὐεσπασιανὸς Σεβαστός, 1559.

Αὐτοκράτωρ Τίτος Καῖσαρ Σεβαστὸς Οὐεσπασιανὸς ὕπατος τὸ ζ′, 845, 846.

Τίτος Καῖσαρ Σεβαστὸς ἀρχιερεὺς μέγιστος δημαρχικῆς ἐξουσίας τὸ θ′, αὐτοκράτωρ τὸ ιέ, πατὴρ πατρί-

δος, ὕπατος τὸ η′, 1393.

Αὐτοκράτωρ Τίτος Καῖσαρ θεὸς Σεβαστός, 211.

— θεογενής, 846.

Αὐτοκράτωρ Τίτος Φλάουιος Καῖσαρ Οὐεσπασιανὸς καὶ ὁ σύνπας οἶκος αὐτοῦ, 1129.

Domitianus.

Δομιτιανὸς Καῖσαρ ὁ τοῦ Σεβαστοῦ υἱός, 120.

Δομιτιανὸς Καῖσαρ, 210.

Τίτος Αὐτοκράτωρ Καῖσαρ Δομιτιανός, 636.

Αὐτοκράτωρ Δομιτιανός Καῖσαρ Σεβαστὸς, 1152, 1686.

Αὐτοκράτωρ Σεβαστὸς Δομιτιανὸς Καῖσαρ, 1297.

Αὐτοκράτωρ Δομειτιανὸς Γερμανικός, 1151.

Αὐτοκράτωρ Δομιτιανὸς Καῖσαρ Σεβαστὸς Γερμανικός, 684.

Αὐτοκράτωρ Καῖσαρ Δομειτιανὸς Σεβαστὸς Γερμανικός, 1130.

Αὐτοκράτωρ Δομετιανὸς Καῖσαρ Σεβαστὸς Γερμανικὸς ὕπατος τὸ β′, 1496.

Καῖσαρ Δομετιανὸς ὕπατος τὸ ζ′, 1393 a.

Αὐτοκράτωρ Σεβαστὸς ὕπατος τὸ θ′, 1393 b.

Αὐτοκράτωρ Δομιτιανὸς Καῖσαρ Σεβαστὸς Γερμανικὸς τὸ δι′ ὕπατος,

713.

Αὐτοκράτωρ Καῖσαρ Δομιτιανὸς Σεβαστὸς Γερμανικὸς ἀρχιερεὺς μέγιστος, δημαρχικῆς ἐξουσίας τὸ ιγ′, αὐτοκράτωρ τὸ κϛ′, ὕπατος τὸ ιϛ′, τειμητὴς διὰ βίου, πατὴρ πατρίδος, 931.

Αὐτοκράτωρ Καῖσαρ Δομιτιανὸς Σεβαστὸς Γερμανικὸς ἀρχιερεὺς μέγιστος, δημαρχικῆς ἐξουσίας τὸ ια′, αὐτοκράτωρ τὸ κϛ′, ὕπατος τὸ ιϛ′, τειμητὴς αἰώνιος, πατὴρ πατρίδος, 1194.

Αὐτοκράτωρ Δομιτιανὸς Καῖσαρ Σεβαστὸς Γερμανικὸς τὸ αι′, 661.

Αὐτοκράτωρ Καῖσαρ Σεβαστὸς Δομιτιανὸς ἀρχιερεὺς μέγιστος δημαρχικῆς ἐξουσίας τὸ .., αὐτοκράτωρ τὸ κα′, ὕπατος τὸ .., 1598.

Αὐτοκράτωρ Δομιτιανὸς Καῖσαρ Σεβαστὸς, ἀρχιερεὺς μέγιστος, δημαρχικῆς ἐξουσίας τὸ .., ὕπατος τὸ .., αὐτοκράτωρ τὸ .., 847.

Domitia Domitiani.

Δομειτία θεὰ Σεβαστά, 1152.

Nerua.

Νέρουας, 1153.

Αὐτοκράτωρ Νέρουας Καῖσαρ Σεβαστὸς ἀρχιερεὺς μέγιστος, δημαρχικῆς ἐξουσίας, πατὴρ πατρίδος, ὕπατος τὸ τρίτον, 1194, 1195.

Θεὸς Νέρουας, 83, 88, 89, 121, 172,

240, 261, 331, 332, 333, 334, 339, 340, 343, 349, 351, 354, 356, 357, 365, 552, 564, 566, 575, 594, 623, 624, 672, 685, 900, 934, 1014, 1031, 1032, 1033, 1055, 1156, 1160, 1201, 1292, 1353, 1396, 1399, 1400, 1535.

Traianus.

Αὐτοκράτωρ Νέρουας Τραιανὸς Καῖσαρ, 932, 933.

Αὐτοκράτωρ Τραιανὸς Καῖσαρ Σεβαστός, 1660.

Αὐτοκράτωρ Νέρουας Τραιανὸς Καῖσαρ Ἄριστος Σεβαστός, 867.

Αὐτοκράτωρ Νέρουας Τραιανὸς Καῖσαρ Σεβαστὸς Γερμανικός, 1654.

Νέρουας Τραιανὸς Καῖσαρ Γερμανικὸς Σεβαστός, 15.

Αὐτοκράτωρ Νέρουας Τραιανὸς Καῖσαρ Σεβαστὸς Γερμανικὸς ἀνείκητος, 1738.

Αὐτοκράτωρ Νέρουας Καῖσαρ Σεβαστὸς Τραιανὸς Γερμανικός, 965.

Αὐτοκράτωρ Νέρουας Τραιανὸς Καῖσαρ Σεβαστὸς Γερμανικὸς Δακικός, 603, 877, 1293.

Αὐτοκράτωρ Νέρουας Καῖσαρ Τραια-

νὸς Ἄριστος Σεβαστὸς Γερμανικὸς Δακικός, 331, 332, 333, 334, 336-338.

— ἀρχιερεὺς μέγιστος, δημαρχικῆς ἐξουσίας τὸ ι., αὐτοκράτωρ τὸ .., ὕπατος τὸ ς΄, πατὴρ πατρίδος, 336.

Αὐτοκράτωρ Νέρουας Τραιανὸς Καῖσαρ Σεβαστὸς Γερμανικὸς Δακικός, 373, 374, 375, 376, 379, 381, 382, 383, 384, 385, 390.

— Ἄριστος, 390.

Αὐτοπράτωρ Νέρουας Τραιανὸς Καῖσαρ Σεβαστὸς Γερμανικὸς Δακικὸς ἀνείκητος, 1333.

Αὐτοκράτωρ Καῖσαρ Νέρουας Τραιανὸς Γερμανικὸς Δακικὸς ὁ παντὸς κόσμου σωτὴρ καὶ εὐεργέτης, 1153.

Αὐτοκράτωρ Νέρουας Τραιανὸς Ἄριστος Καῖσαρ Σεβαστὸς Γερμανικὸς Δακικὸς Παρθικός, 82.

Αὐτοκράτωρ Καῖσαρ Νέρουας Τραια-
νὸς Σεβαστὸς Γερμανικὸς Δακικὸς
ἀρχιερεὺς μέγιστος, δημαρχικῆς
ἐξουσίας τὸ ., αὐτοκράτωρ τὸ δ´,
ὕπατος τὸ ε´, πατὴρ πατρίδος, 1384.
Αὐτοκράτωρ Καῖσαρ Νέρουας Τραια-
νὸς Ἄριστος Σεβαστὸς Γερμανικὸς
Δακικὸς Παρθικὸς ἀρχιερεὺς μέγισ-
τος, δημαρχικῆς ἐξουσίας τὸ κ´,
ὕπατος τὸ ς´, πατὴρ πατρίδος, 172.
Αὐτοκράτωρ Καῖσαρ Νέρουας Τραια-
νὸς Ἄριστος Σεβαστὸς Γερμανικός
Δακικὸς ἀρχιερεὺς μέγιστος, δημαρ-

χικῆς ἐξουσίας τὸ .., αὐτοκράτωρ
τὸ .., ὕπατος τὸ ., πατὴρ πατρίδος,
351.
Αὐτοκράτωρ Τραιανὸς θεός, 88.
Θεὸς Τραιανός, 88, 121, 240, 351, 552,
624, 934, 1160, 1201, 1506.
Θεὸς Τραιανὸς Παρθικός, 261, 339, 340,
343, 349, 365, 564, 566, 575, 594,
623, 672, 685, 900, 1014, 1031,
1032, 1033, 1034, 1055, 1156, 1353,
1396, 1399, 1400, 1535.
Θεὸς Τραιανὸς Παρθικὸς Σεβαστός,
354, 356, 357.

Plotina Traiani.

... Πλωτεῖνα, 1147.
Πλωτεῖνα Σεβαστή, 773.

Θεὰ Πλωτεῖνα Σεβαστή, 335.

Marciana.

Μαρκιανὴ Σεβαστή, 774.

Matidia.

Ματτιδία Σεβαστή, 775.

Hadrianus.

Ἀδριανός, 875.
Καῖσαρ Ἀδριανός, 1431, 1590.
Αὐτοκράτωρ Ἀδριανός, 129.
Αὐτοκράτωρ Ἀδριανὸς Καῖσαρ, 88.
Αὐτοκράτωρ Καῖσαρ Σεβαστὸς Τραια-
νὸς Ἀδριανός, 624.

Αὐτοκράτωρ Καῖσαρ Τραιανὸς Ἀδρια-
νὸς Καῖσαρ Σεβαστός, 1607.
Καῖσαρ Σεβαστὸς ὁ μέγιστος αὐτο-
κράτωρ, 571.
Αὐτοκράτωρ Καῖσαρ Τραιανὸς Ἀδρια-
νός, 1353, 1492.

Αὐτοκράτωρ Τραιανὸς Ἀδριανὸς Καῖσαρ Σεβαστὸς θεοφιλέστατος, 1398.

Αὐτοκράτωρ Καῖσαρ Τραιανὸς Ἀδριανὸς Σεβαστός, 900.

Αὐτοκράτωρ Τραιανὸς Ἀδριανὸς Καῖσαρ Σεβαστός, 985.

Αὐτοκράτωρ Καῖσαρ Τραιανὸς Ἀδριανὸς Σεβαστός, 340, 1734.

Αὐτοκράτωρ Τραιανὸς Ἀδριανὸς Καῖσαρ Σεβαστός, 848.

Αὐτοκράτωρ Ἀδριανὸς Σεβαστός, 240.

Αὐτοκράτωρ Καῖσαρ Τραιανὸς Ἀδριανὸς Αὔγουστος, 121.

— διαδεξάμενος τὴν πατρῴαν ἀρχήν, 1031. Cf. 349, 351.

... Ἀδριανὸς Σεβαστὸς ἀρχιερατεύων τὸ β΄, 1560.

Αὐτοκράτωρ Καῖσαρ Τραιανὸς Ἀδριανὸς Σεβαστός, 1156, 1160.

Αὐτοκράτωρ Καῖσαρ Τραιανὸς Σεβαστὸς Ἀδριανὸς δημαρχικῆς ἐξουσίας, 349, 351, 623.

— ἀρχιερεὺς μέγιστος, δημαρχικῆς ἐξουσίας, ὕπατος τὸ β΄, 1031, 1032, 1034.

— ἀρχιερεὺς μέγιστος, δημαρχικῆς ἐξουσίας τὸ δ΄, ὕπατος τὸ γ΄, 339.

— ἀρχιερεὺς μέγιστος δημαρχικῆς ἐξουσίας τὸ ια΄, ὕπατος τὸ γ΄, 1156.

— δημαρχικῆς ἐξουσίας τὸ ιγ΄, ὕπατος τὸ γ΄, πατὴρ πατρίδος, 1033.

— ἀρχιερεὺς μέγιστος, δημαρχικῆς

ἐξουσίας τὸ ις΄, ὕπατος τὸ γ΄, πατὴρ πατρίδος, -350.

— δημαρχικῆς ἐξουσίας τὸ ις΄, ὕπατος τὸ γ΄, πατὴρ πατρίδος, 351.

Αὐτοκράτωρ Καῖσαρ Τραιανὸς Ἀδριανὸς Σεβαστός, δημαρχικῆς ἐξουσίας τὸ .., 1396.

Αὐτοκράτωρ Καῖσαρ Τραιανός Ἀδριανὸς Σεβαστὸς ἀρχιερεὺς μέγιστος, δημαρχικῆς ἐξουσίας τὸ .., ὕπατος τὸ .., ἀνθύπατος, 1617.

Θεὸς Ἀδριανός, 261, 354, 356, 357, 365, 564, 566, 575, 594, 672, 685, 934, 1014, 1055, 1201, 1397, 1399, 1400, 1436, 1506, 1535.

Ἀδριανὸς Θεὸς Σεβαστός, 1010.

Αὐτοκράτωρ Ἀδριανὸς Γενέτωρ, 562.

Αὐτοκράτωρ Καῖσαρ Ἀδριανὸς Ὀλύμπιος, 122, 123, 341, 342, 344, 345, 346, 347, 348.

Αὐτοκράτωρ Καῖσαρ Τραιανὸς Ἀδριανὸς Ὀλύμπιος, 353, 640.

Αὐτοκράτωρ Καῖσαρ Τραιανὸς Ἀδριανὸς Σεβαστὸς Ὀλύμπιος, 343, 869.

Αὐτοκράτωρ Ἀδριανὸς Ὀλύμπιος, 86, 87, 128, 1157, 1301, 1319, 1320, 1394, 1395, 1685.

Αὐτοκράτωρ Καῖσαρ Τραιανὸς Ἀδριανὸς Ζεὺς Ὀλύμπιος, 85.

Αὐτοκράτωρ Τραιανὸς Ἀδριανὸς Καῖσαρ Σεβαστὸς Ὀλύνπιος, 138, 139.

Ἀδριανὸς Καῖσαρ Ζεὺς Ὀλύμπιος, 986.

Αὐτοκράτωρ Καῖσαρ Ἀδριανὸς Ζεὺς

Ὀλύμπιος, 1196, 1197, 1198, 1199.

Αὐτοκράτωρ Καῖσαρ Τραιανὸς Ἀδριανὸς Σεβαστὸς Ζεὺς Ὀλύμπιος, 1661.

Αὐτοκράτωρ Ἀδριανὸς Καῖσαρ Σεβαστὸς Ὀλύμπιος, 1174.

Αὐτοκράτωρ Ἀδριανὸς Καῖσαρ Ὀλύμπιος σωτήρ, 268.

Αὐτοκράτωρ Καῖσαρ Τραιανὸς Ἀδριανὸς Ὀλύμπιος σωτήρ, 212.

Αὐτοκράτωρ Καῖσαρ Τραιανὸς Ἀδριανὸς Ζεὺς Ὀλύμπιος σωτὴρ καὶ κτίστης, 1594.

Αὐτοκράτωρ Καῖσαρ Τραιανὸς Ἀδριανὸς Ὀλύμπιος νέος Ἥλιος, 1551.

Αὐτοκράτωρ Τραιανὸς Ἀδριανὸς Καῖσαρ Σεβαστὸς Ἐλευθέριος Ὀλύμπιος κτίστης Ζεύς, 84.

Θεὸς Ἀδριανὸς Πανελλήνιος, 573, 576.

Αὐτοκράτωρ Τραιανὸς Ἀδριανὸς Καῖσαρ Σεβαστὸς καὶ Πανελλήνιος, 519.

Αὐτοκράτωρ Τραιανὸς Ἀδριανὸς Καῖσαρ Σεβαστὸς Ὀλύμπιος Πανελλήνιος, 552, 1157.

Aelius Caesar.

Λούκιος Καῖσαρ, 862.

Sabina.

Σαβείνη, 88.
Σαβείνη Σεβαστή, 563, 848.

Σαβείνη Σεβαστὴ Ἥρα, 1595.
Σαβείνη Σεβαστὴ νέα Ἥρα, 1492.

Antoninus Pius.

Ὁ κύριος Ἀντωνεῖνος, 604, 769.
Ὁ μέγιστος αὐτοκράτωρ, 576.
... Ἀντωνεῖνος, 1561.
Σεβαστὸς Ἀντωνεῖνος, 679.
Καῖσαρ Σεβαστός, 544.
.... Ἀδριανὸς Ἀντωνεῖνος ..., 849.
Αὐτοκράτωρ Καῖσαρ Τίτος Αἴλιος Ἀδριανὸς Ἀντωνεῖνος Σεβαστὸς Εὐσεβής, 1497.
Αὐτοκράτωρ Καῖσαρ Τίτος Αἴλιος

Ἀντωνῖνος Σεβαστὸς Εὐσεβής, 1158.

Αὐτοκράτωρ Τ. Αἴλιος Ἀδριανὸς Ἀντωνεῖνος Εὐσεβὴς Καῖσαρ Σεβαστός, 1627.

Αὐτοκράτωρ Καῖσαρ Τ. Αἴλιος Ἀδριανὸς Ἀντωνεῖνος Σεβαστὸς Εὐσεβής, 1388.

Αὐτοκράτωρ Καῖσαρ Ἀδριανὸς Ἀντωνεῖνος Σεβαστὸς Εὐσεβής, 769.

Αὐτοκράτωρ Τίτος Αἴλιος Ἀδριανὸς
Ἀντωνεῖνος Σεβαστὸς Εὐσεβής, 218.

Τίτος Αἴλιος Ἀδρίανος Ἀντωνεῖνος
Σεβαστὸς Εὐσεβής, 90.

Αὐτοκράτωρ Καῖ. Τίτος Αἴλ. Ἀδρια-
νὸς Ἀντωνεῖνος, 117.

Αὐτοκράτωρ Καῖσαρ Τ. Αἴλιος Ἀδρια-
νὸς Ἀντωνεῖνος Σεβαστός, 966.

Αὐτοκράτωρ Καῖσαρ Τ. Αἴλιος Ἀδρια-
νὸς Ἀντωνεῖνος Σεβαστὸς Εὐσεβής,
987.

Ὁ μέγιστος αὐτοκράτωρ Τι. Αἴλιος
Ἀδριανὸς Ἀντωνεῖνος Σεβαστὸς
Εὐσεβής, 862.

Αὐτοκράτωρ Καῖσαρ Τ. Αἴλιος Ἀδρια-
νὸς Ἀντωνεῖνος Σεβαστὸς Εὐσε-
βής, 716.

Αὐτοκράτωρ Καῖσαρ Τίτος Αἴλιος
Ἀδριανὸς Ἀντωνεῖνος Σεβαστὸς
Εὐσεβής, πατὴρ πατρίδος, 1106.

Αὐτοκράτωρ Καῖσαρ Τ. Αἴλιος Ἀδρια-
νὸς Ἀντωνεῖνος ὕπατος τὸ β΄,
1397.

Αὐτοκράτωρ Καῖσαρ Τίτος Αἴλιος
Ἀδριανὸς Ἀντωνεῖνος Σεβαστὸς
Εὐσεβής, ἀρχιερεὺς μέγιστος, 354,
355, 359.

— δημαρχικῆς ἐξουσίας τὸ β΄, ὕπατος
τὸ β΄, πατὴρ πατρίδος, 356.

— ὕπατος τὸ γ΄, 357.

Αὐτοκράτωρ Καῖσαρ Τ. Αἴλιος Ἀδρια-
νὸς Ἀντωνεῖνος Εὐσεβὴς Σεβαστὸς
δημαρχικῆς ἐξουσίας β΄, ὕπατος
τρίτον, πατὴρ πατρίδος, 1506.

Αὐτοκράτωρ Καῖσαρ Τίτος Αἴλιος
Ἀδριανὸς Ἀντωνεῖνος Σεβαστὸς
ἀρχιερεὺς μέγιστος, δημαρχικῆς
ἐξουσίας τὸ κ΄, αὐτοκράτωρ τὸ β΄,
ὕπατος τὸ δ΄, πατὴρ πατρίδος, 575.

Αὐτοκράτωρ Καῖσαρ Τίτος Αἴλιος
Ἀδριανὸς Ἀντωνεῖνος Σεβαστὸς
ἀρχιερεὺς μέγιστος, δημαρχικῆς
ἐξουσίας τὸ κα΄, αὐτοκράτωρ τὸ β΄,
ὕπατος τὸ δ΄, πατὴρ πατρίδος,
1399.

Ὁ θειότατος αὐτοκράτωρ, 573.

Θεὸς Ἀντωνεῖνος, 261, 564, 685, 934,
1400, 1535.

Θεὸς Ἀντωνῖνος Σεβαστός, 361.

Αὐτοκράτωρ Καῖσαρ Τ. Αἴλιος Θεὸς
Ἀδριανὸς Ἀντωνῖνος Σεβαστός, 594.

Θεῖος Ἀντωνῖνος Εὐσεβής, 365, 565,
672, 1014, 1055.

Θεὸς Εὐσεβής, 1201.

M. Aurelius.

Ὁ κύριος Καῖσαρ, 580.

Ἀντωνῖνος, 1519.

Μ. Αὐρήλιος Ἀντωνεῖνος, 1247.

Αὐτοκράτωρ Καῖσαρ Μ. Αὐρ. Ἀντω-

νεῖνος, 1294, 1662.

Μ. Αὐρήλιος Ἀντωνεῖνος Σεβαστός,
1054, 1532.

Αὐτοκράτωρ Καῖσαρ Μ. Αὐρ. Ἀντωνεῖνος......, 1400.

Μ. Αὐρήλιος Ἀντωνεῖνος Καῖσαρ
Σεβαστός, 141.

Αὐτοκράτωρ Καῖσαρ Μαρ. Αὐρ. Ἀν-
τωνεῖνος Σεβαστός, 671, 685, 1401.

Αὐτοκράτωρ Καῖσαρ Μαρχ. Αὐρ.
Σεβαστὸς ὁ γῆς καὶ θαλάσσης δεσ-
πότης, 679.

Αὐτοκράτωρ Καῖσαρ Μ. Αὐρήλιος
Ἀντωνῖνος Σεβαστὸς Ἀρμενιακός,
1035.

Αὐτοκράτωρ Καῖσαρ Μ. Αὐρήλιος
Ἀντωνεῖνος Σεβαστὸς Ἀρμενιακὸς
Παρθικός, 625.

Αὐτοκράτωρ Καῖσαρ Μ. Αὐρ. Ἀντω-
νῖνος Σεβαστὸς Γερμανικὸς Σαρμα-
τικὸς μέγιστος, 1507.

Μ. Αὐρ. Ἀντωνεῖνος Καῖσαρ Σεβασ-
τὸς Ἀρμενιακὸς Παρθικὸς μέγιστος
Μηδικὸς Γερμανικὸς Σαρματικός,
1535.

Μᾶρκος Αὐρήλιος Καῖσαρ δημαρχικῆς
ἐξουσίας, ὕπατος τὸ β΄.

Αὐτοκράτωρ Καῖσαρ Μ. Αὐρήλιος
Ἀντωνεῖνος Σεβαστός, ἀρχιερεὺς
μέγιστος, δημαρχικῆς ἐξουσίας τὸ
.., ὕπατος τὸ γ΄, 564.

Αὐτοκράτωρ Καῖσαρ Μᾶρκος Αὐρήλιος
Ἀντωνεῖνος Σεβαστὸς Ἀρμενιακὸς
Παρθικὸς Γερμανικὸς ἀρχιερεὺς
μέγιστος, δημαρχικῆς ἐξουσίας...,
547.

Αὐτοκράτωρ Καῖσαρ Μᾶρκος Αὐρή-
λιος Ἀντωνεῖνος Σεβαστὸς ἀρχιε-
ρεὺς μέγιστος, δημαρχικῆς ἐξουσίας
τὸ .., ὕπατος τὸ .., 261.

Θεὸς Μᾶρκος, 1519.

Θεὸς Ἀντωνῖνος, 1201.

Θεὸς Μᾶρκος Ἀντωνεῖνος Εὐσεβὴς
Γερμανικὸς Σαρματικός, 566, 672.

Θεὸς Μᾶρκος Ἀντωνεῖνος Εὐσεβὴς
Γερμανικὸς Σαρματικός, 365, 1055.

Galeria Faustina M. Aurelii.

Κυρία ἡμῶν Γαλερ. Οὐαλερία εὐσε-
βεστάτῃ Σεβαστῇ, μήτηρ κάστρων,
1562.

Φαυστεῖνα Σεβαστῇ θεά, γυνὴ Αὐτο-
κράτορος Καίσαρος Μ. Αὐρ. Ἀν-

τωνίνου Σεβαστοῦ Γερμανικοῦ Σαρ-
ματικοῦ μεγίστου, 1507.

Φαυστείνη Σεβαστῇ, 716.

Θεὰ Φαυστίνη, 361.

Cornificia.

Κορνοφιχία, 887.

Φαυστείνη Οὐμμηδία Κορνοφιχία, **887**.

Faustina minor.

Ἀννία Φαυστείνη, 887, 888, 889, 890.

Claudius Seuerus.

Τιβέριος Κλαύδιος Σεβῆρος, 889, 890.

L. Verus.

Οὐῆρος Καῖσαρ, 1200.

Οὐῆρος Καῖσαρ υἱὸς τοῦ Σεβαστοῦ, 716.

Λ. Αὐρήλιος Οὐῆρος Σεβαστός, 1054.

Λούκιος Αὐρήλιος Οὐῆρος Σεβαστός, 1532.

Αὐτοκράτωρ Καῖσαρ Λούκιος Αὐρήλιος Οὐῆρος Σεβαστός, 1584.

Αὐτοκράτωρ Καῖσαρ Λούκιος Αὐρήλιος Οὐῆρος Σεβαστὸς Ἀρμενιακός, 1036.

Αὐτοκράτωρ Καῖσαρ Λούκιος Αὐρήλιος Οὐῆρος Σεβαστὸς Ἀρμενιακὸς κὲ Μηδικός, 625.

Λούκιος Αἴλιος Καῖσαρ δημαρχικῆς ἐξουσίας, ὕπατος τὸ δεύτερον, 900.

Αὐτοκράτωρ Καῖσαρ Λούκιος Αὐρήλιος Οὐῆρος Σεβαστὸς δημαρχικῆς ἐξουσίας .., ὕπατος τὸ β΄, 1400.

Λ. Αἴλιος Καῖσαρ δημαρχικῆς ἐξουσίας τὸ β΄, ὕπατος τὸ β΄, 240.

Αὐτοκράτωρ Καῖσαρ Λούκιος Αὐρήλιος Οὐῆρος Σεβαστὸς δημαρχικῆς ἐξουσίας τὸ β΄, 934.

Αὐτοκράτωρ Καῖσαρ Λ. Αὐρήλιος Οὐῆρος Σεβαστός, δημαρχικῆς ἐξουσίας τὸ .., ὕπατος τὸ .., 564.

Αὐτοκράτωρ Καῖσαρ Λ. Αὐρήλιος Οὐῆρος Σεβαστὸς Ἀρμενιακὸς νέος Διόνυσος, 1374.

M. Aurelius et L. Verus.

Οἱ εὐσεβέστατοι καὶ εὐτυχέστατοι κύριοι ἡμῶν Αὐτοκράτορες Καίσαρες, 1148.

... Ἀντωνεῖνος Καῖσαρ Σεβαστὸς.... Καῖσαρ Σεβαστός...., 1334.

Commodus.

Κόμμοδος, 1519.

αὐτοκράτωρ Κόμοδος, 1618.

Αὐτοκράτωρ Καῖσαρ Λ. Αὐρήλιος Κόμοδος, 365, 1294.

Αὐτοκράτωρ Καῖσαρ Μ. Αὐρήλιος Κόμμοδος Ἀντωνεῖνος, 1295.

Αὐτοκράτωρ Καῖσαρ Ἀντωνῖνος Σεβαστὸς Εὐσεβής, 613.

Αὐτοκράτωρ Καῖσαρ Μαρ. Αὐρ. Κόμ-

μοδος Ἀντωνεῖνος Σεβαστὸς Εὐσεβὴς Εὐτυχής, 1011.

Αὐτοκράτωρ Καῖσαρ Μ. Αὐρήλιος Κόμμοδος Σεβαστὸς .... ἀρχιερεύς, δημαρχικῆς ἐξουσίας τὸ ., αὐτοκράτωρ τὸ ., ὕπατος τὸ γ′, πατὴρ πατρίδος, 1201.

Θεὸς Κόμμοδος, 550, 566, 881, 1014, 1519.

Crispina Commodi.

Κρισπεῖνα Σεβαστή, 935.

M. Aurelius et Commodus.

Οἱ κύριοι αὐτοκράτορες, 676.

Οἱ κύριοι αὐτοκράτορες Ἀντωνῖνος καὶ

Κόμμοδος, 1519.

Septimius Seuerus.

Ὁ μέγιστος καὶ ἀνείκητος αὐτοκράτωρ Λ. Σεπτίμιος Σεουῆρος, 881.

Αὐτοκράτωρ Καῖσαρ Λούκιος Σεπτίμιος Σεουῆρος Περτίναξ Σεβαστός, 1321.

Αὐτοκράτωρ Καῖσαρ Λ. Σεπτίμιος Σεουῆρος Περτίναξ Σεβαστός, 693.

Ὁ μέγιστος Αὐτοκράτωρ Καῖσαρ Σεπτίμιος Σεβῆρος Περτίναξ Σεβαστός, 91.

Αὐτοκράτωρ Καῖσαρ Σεπτίμιος Σεουῆρος Σεβαστός, 1493.

Καῖσαρ Λ. Σεπτίμιος Σεουῆρος, 1180.

Αὐτοκράτωρ Λ. Σεπτίμιος Σεουῆρος Περτίναξ, 1722.

Αὐτοκράτωρ Καῖσαρ Λ. Σεπτίμιος Σεουῆρος Σεβ., 699.

Αὐτοκράτωρ Καῖσαρ Λούκιος Σεπτίμιος Σεουῆρος Περτίναξ Σεβαστός, 1536.

Αὐτοκράτωρ Λ. Σεπτίμιος Σεουῆρος Περτίναξ Σεβαστός, 567.

Αὐτοκράτωρ Καῖσαρ Λ. Σεπτίμιος Σεουῆρος Εὐσεβὴς Περτίναξ Σεβαστός, ὁ τῆς οἰκουμένης δεσπότης, 878.

Αὐτοκράτωρ Καῖσαρ Λ. Σεπτίμιος Σεουῆρος Εὐσεβὴς Σεβαστός, 1335, 1336.

Αὐτοκράτωρ Καῖσαρ Σεπτ. Σεουῆρος Περτίναξ Εὐτυχὴς Εὐσεβὴς Σεβαστός, 697.

Αὐτοκράτωρ Καῖσαρ Λ. Σεπτίμιος Σεουῆρος Σεβαστός ....κός, 1202.

Αὐτοκράτωρ Καῖσαρ Λούκιος Σεπτίμιος Σεουῆρος Περτίναξ ἀνίκητος Αὔγουστος Ἀραβικὸς Ἀδιαβηνικός, 770.

Σεπτίμιος Σεουῆρος Εὐσεβὴς Ἀραβικὸς Ἀδιαβηνικὸς Παρθικὸς μέγιστος, 92.

Αὐτοκράτωρ Καῖσαρ Λ. Σεπτίμιος Σεουῆρος Περτίναξ Αὔγουστος ἀνίκητος Εὐσεβὴς Ἀραβικὸς Ἀδιαβηνικὸς Παρθικὸς μέγιστος, 764.

Αὐτοκράτωρ Καῖσαρ Λούκιος Σεπτίμιος Σεουῆρος Εὐσεβὴς Περτίναξ Σεβαστὸς Ἀραβικὸς Ἀδιαβηνικὸς Παρθικὸς μέγιστος, 924, 925, 926.

Λ. Σεπτίμιος Σεουῆρος Εὐσεβὴς Περτίναξ Σεβαστὸς Ἀραβικὸς Ἀδιαβηνικὸς Παρθικὸς μέγιστος, 681.

Αὐτοκράτωρ Καῖσαρ Λ. Σεπτίμιος Σεουῆρος Σεβαστὸς Ἀραβικὸς Ἀδιαβηνικὸς Παρθικὸς μέγιστος, 599.

Αὐτοκράτωρ Καῖσαρ Λούκιος Σεπτίμιος Σεουῆρος Περτίναξ Σεβαστὸς Ἀραβικὸς Ἀδιαβηνικὸς Παρθικὸς

μέγιστος, γῆς καὶ θαλάσσης δεσπότης, 611.

Αὐτοκράτωρ Λούκιος Σεπτίμιος Σευῆρος Εὐσεβὴς Περτίναξ Σεβαστὸς Ἀραβικὸς Ἀδιαβηνικὸς Παρθικὸς μέγιστος καὶ ὁ σύνπας αὐτοῦ οἶκος 468.

Θεῖος Σεπτίμιος Σεουῆρος Εὐσεβὴς Ἀραβικὸς Ἀδιαβηνικὸς Παρθικὸς μέγιστος Βρεταννικὸς μέγιστος, 365.

Αὐτοκράτωρ Καῖσαρ Λ. Σεπτίμιος Σεβῆρος Περτίναξ Σεβαστὸς Γερμανικός, 1337.

Αὐτοκράτωρ Καῖσαρ Λ. Σεπτίμιος Σευῆρος Περτίναξ Εὐσεβὴς Σεβ. Γερμανικός, 1735.

Λεύκιος Σεπτίμιος Σευῆρος Περτίναξ Σαρματικὸς Γερμανικὸς Βρετανικὸς Σεβαστός, 664.

Αὐτοκράτωρ Καῖσαρ Λ. Σεπτίμιος Σεουῆρος Περτίναξ Σεβαστὸς Ἀραβικὸς Ἀδιαβηνικὸς ἀρχιερεὺς μέγιστος, δημαρχικῆς ἐξουσίας τὸ γ′, αὐτοκράτωρ τὸ ζ′, ὕπατος τὸ β′, ἀνθύπατος, 672, 673.

Αὐτοκράτωρ Καῖσαρ Λούκιος Σεπτίμιος Σεουῆρος Εὐσεβὴς Περτίναξ Σεβαστὸς Ἀραβικὸς Ἀδιαβηνικὸς, ἀρχιερεὺς μέγιστος, δημαρχικῆς ἐξουσίας τὸ γ′, αὐτοκράτωρ τὸ η′, ὕπατος τὸ β′, πατὴρ πατρίδος, 566.

Αὐτοκράτωρ Καῖσαρ Λ. Σεπτίμιος Σευῆρος Εὐσεβὴς Περτίναξ Σεβαστὸς Ἀραβικὸς Ἀδιαβηνικὸς Παρ-

Iulia Domna.

Caracalla.

Geta.

Σεβαστὸς Ἀραβικὸς Ἀδιαβηνικὸς
Παρθικὸς μέγιστος, 1084.
Π. Σεπτίμιος Γέτας Καῖσαρ Βρετα-

νικός, 1107.
— ἀδελφὸς Σεβαστοῦ, 1056.

Septimius Seuerus et filii.

Αὐτοκράτορες, 1247.
Οἱ μέγαλοι βασιλεῖς, 924, 926.
Οἱ κύριοι, 850.
Οἱ κύριοι ἡμῶν αὐτοκράτορες Σεουῆρος
καὶ Ἀντωνῖνος, 1519.
Οἱ θειότατοι αὐτοκράτορες Σεουῆρος

καὶ Ἀντωνεῖνος Καίσαρες, 1402.
Αὐτοκράτορες Μ. Αὐρήλιος Ἀντωνεῖ-
νος καὶ Π. Σεπτίμιος Γέτας Σε-
βαστοὶ μέγιστοι, 1722.
Ὁ σύνπας οἶκος τῶν Σεβαστῶν, 881.

Elagabalus.

Αὐτοκράτωρ Μᾶρκος Αὐρ. Ἀντωνῖνος Σεβ. ὁ κύριος ἡμῶν, 1287.

Seuerus Alexander.

Ὁ γῆς καὶ θαλάσσης καὶ παντὸς ἀν-
θρώπων ἔθνους δεσπότης Αὐτοκρά-
τωρ Καῖσαρ Σεουῆρος Ἀλέξανδρος
Εὐτυχὴς Σεβαστός, 1207.
Αὐτοκράτωρ Μ. Αὐρ. Σεβῆρος Ἀλέ-
ξανδρος Εὐσεβὴς Εὐτυχὴς Σεβαστὸς
ὁ κύριος ἡμῶν, 1266.

Αὐτοκράτωρ Καῖσαρ Μ. Αὐρ. Σεουῆ-
ρος Ἀλέξανδρος κὲ ὁ σύμπας οἶκος
αὐτοῦ, 641.
Ὁ θειότατος αὐτοκράτωρ Μ. Αὐρ.
Σεουῆρος Ἀλέξανδρος Σεβαστός,
1230.

Gordianus.

Αὐτοκράτωρ Καῖσαρ Μ. Ἀντώνιος
Γορδιανός, 1038.
Ὁ θεοφιλέστατος Αὐτοκράτωρ Καῖσαρ
Μ. Ἀντωνεῖνος Γορδιανός, 1164.
Αὐτοκράτωρ Καῖσαρ Μαρ. Ἀντώνιος
Γορδιανὸς Εὐσεβὴς Εὐτυχὴς Σε-
βαστὸς ἀρχιερεὺς μέγιστος, δημαρ-

χικῆς ἐξουσίας, πατὴρ πατρίδος,
ὕπατος, ἀνθύπατος, 269.
Αὐτοκράτωρ Καῖσαρ Μαρ. Ἀντώνιος
Γορδιανὸς Εὐσεβὴς Εὐτυχὴς Σε-
βαστὸς ἀρχιερεὺς μέγιστος, δημαρ-
χικῆς ἐξουσίας, πατὴρ πατρίδος,
ὕπατος, ἀνθύπατος, 1175.

Sabinia Gordiani.

Φουρία·Σαβεινία Τραγχυλλεῖνα Σεβαστή, 1164.

Philippus.

Μ. Ἰούλιος Φίλιππος ἐπιφανέστατος Καῖσαρ, 598.
Αὐτοκράτωρ Καῖσαρ Μ. Ἰούλιος Φίλιππος Εὐσεβὴς Εὐτυχὴς Σεβαστός,

598.
Αὐτοκράτωρ Καῖσαρ Μ. Ἰούλιος Φίλιππος Γερμανικὸς καὶ ὁ σύμπας οἶκος τῶν Σεβαστῶν, 635.

Traianus Decius.

Αὐτοκράτωρ Καῖσαρ Γ. Μέσσιος Κύιντος Τραιανὸς Δέκιος, 771.

Etruscilla Decii.

Ἑρενία Ἐτρουσκίλλη Σεβαστή, 771.

Decius filius.

Κύιντος Ἑρέννιος Δέκιος, 771.

Trebonianus Gallus.

Οὐείβιος Τρεβωνιανὸς Γάλλος Σεβ., 534.
Αὐτοκράτωρ Καῖσαρ Γ. Οὐίβιος Γάλλος Σεβαστὸς γῆς καὶ θαλάσσης

δεσπότης, 626.
Αὐτοκράτωρ Καῖσαρ Βείβιος Τρεβωνιανὸς Γάλλος Εὐσεβὴς Εὐτυχὴς Σεβαστός, 1487.

Volusianus.

Οὐείβιος Γάλλος Οὐολοσσιανός Σεβ., 534.
Αὐτοκράτωρ Καῖσαρ Βείβιος Οὐολου-

σιανὸς ... Εὐσεβὴς Εὐτυχὴς Σεβαστός, 1487.

Valerianus.

Οὐαλ. Λικίνιος; 612.

Αὐτοκράτωρ Καῖσαρ Πούβλιος Λικίννιος Οὐαλεριανὸς Εὐσεβὴς Εὐτυχὴς Σεβαστός, 1404.

Καῖσαρ Κορνήλιος Σαλωνῖνος Οὐαλεριανὸς Σεβαστός, 776.

Λικίννιος Κορνήλιος Σαλωνῖνος Οὐαλεριανὸς ἐπιφανέστατος Καῖσαρ, 1404.

Gallienus.

Γαλλιηνὸς Σεβαστός, 776.

Πόπλιος Λικίννιος Γαλλιηνὸς Σεβαστός, 777.

Αὐτοκράτωρ Καῖσαρ Πούβλιος Λικίν

νιος Γαλλιηνὸς Εὐσεβὴς Εὐτυχὴς Σεβαστός, 1404.

Αὐτοκράτωρ Γαλλιηνὸς ..... Γερμανικὸς Καῖσαρ, 592.

Valerianus et Gallienus.

Οἱ κύριοι ἡμῶν Αὐτοκράτορες Οὐαλεριανὸς καὶ Γαλλιηνὸς Σεβαστοί, 1419.

Salonina Gallieni.

Κορνηλία Σαλωνεῖνα Σεβαστή, 593, 777.

Aurelianus.

Αὐτοκράτωρ Καῖσαρ Λουκ. Δομίτιος Αὐρηλιανὸς Εὐσεβὴς Εὐτυχὴς Σε

βαστός, 1482.

Tacitus.

Αὐτοκράτωρ Καῖσαρ Μ. Κλ. Τάκιτος Εὐσεβὴς Εὐτυχὴς Σεβαστός, 1163, 1165.

Carus.

Αὐτοκράτωρ Καῖσαρ Μ. Αὐρ. Κᾶρος Εὐσεβὴς Εὐτυχὴς ἀήττητος Σεβαστός, 1305.

Carinus.

Μ. Αὐρ. Καρεῖνος ἐπιφανέστατος Καῖσαρ, 1305.

Diocletianus.

Γ. Οὐαλ. Διοκλητιανός, 750, 1530.
Γα. Οὐαλ. Διοκλητιανὸς Σεβαστός,
600, 601, 612, 1751.
Γ. Αὐρ. Οὐαλ. Διοκλητιανὸς Σεβασ-
τός, 1552, 1553.
Αὐτοκράτωρ Διοκλητιανὸς Σεβαστός,
884.
Αὐτοκράτωρ Καῖσαρ Διοκλητιανὸς Σε-
βαστός, 568.
Αὐτοκράτωρ Γ. Αὐρ. Οὐαλέριος Διο-

κλητιανός, 1596.
Αὐτοκράτωρ Μ. Αὐρ. Διοκλητιανὸς
Σεβαστός, 695.
Καῖσαρ Οὐαλέριος ...., 1489.
Αὐτοκράτωρ Καῖσαρ Οὐαλ. Διοκλη-
τιανὸς Εὐσεβὴς Εὐτυχὴς ἀήττητος
Σεβαστὸς Γερμανικὸς μέγιστος δη-
μαρχικῆς ἐξουσίας, ὕπατος ζʹ,
πατὴρ πατρίδος, ἀνθύπατος, 1380.

Maximianus.

Μ. Οὐαλ. Μαξιμιανός, 750.
Γαλέριος Οὐαλ. Μαξιμιανός, 750.
Γαλ. Οὐαλέριος Μαξιμιανὸς Καῖσαρ,
1583.
Μαξιμιανὸς ἐπιφανέστατος Κέσαρ, 884.
Οὐαλέριος Μαξιμιανὸς ὁ ἐπιφανέστατος
Καῖσαρ, 1530.
Γαλερ. Μαξιμιανὸς ὁ ἐπιφανέστατος
Καῖσαρ, 600.
Γαλέριος Οὐαλέριος Μαξιμιανὸς ἐπιφα-
νέστατος Καῖσαρ, 695, 1553, 1596,
1751.
Οὐαλ. Μαξιμιανὸς Καῖσαρ ἐπιφανέσ-
τατος, 612.
Αὐτοκράτωρ Καῖσαρ Μᾶρχος Οὐαλέ-
ριος Μαξιμιανός, 1530.

Μ. Οὐαλ. Μαξιμιανὸς Σεβαστός, 612.
Αὐτοκράτωρ Μαξιμιανὸς Σεβασπός,
884.
Αὐτοκράτωρ Μ. Αὐρ. Οὐαλέριος Μα-
ξιμιανός, 1596.
Μ. Αὐρήλιος Οὐαλέριος Μαξιμιανὸς
Σεβαστός, 600, 601, 368, 1552,
1553, 1751.
Ὁ ἐπιφανέστατος Καῖσαρ Μ. Αὐρή-
λιος Μαξιμιανὸς Εὐσεβὴς Εὐτυχὴς
Σεβ., 523.
Αὐτοκράτωρ Καῖσαρ Οὐαλ. Μαξιμια-
νὸς Εὐσεβὴς Εὐτυχὴς Σεβαστὸς
Γερμανικὸς μέγιστος δημαρχικῆς
ἐξουσιάς, πατὴρ πατρίδος, 1380.

Constantius.

Φλα. Οὐαλ. Κωνστάντιος Καῖσαρ, 1583.

Φλα. Οὐαλ. Κονστάντιος ὁ ἐπιφανέσ-

τατος Καῖσαρ, 600, 601, 612, 695, 700, 750, 884, 1530, 1553, 1596, 1751.

Diocletianus et collegae.

Αὐτοκράτορες Καίσαρες Γ. Αὐρ. Οὐαλ. Διοκλητιανὸς καὶ Μαρ. Αὐρ. Οὐαλ. Μαξιμιανός, 1172.

Αὐτοκράτορες Καίσαρες Γ. Αὐρ. Οὐαλ. Διοκλητιανὸς καὶ Μαρ. Αὐρ. Οὐαλ. Μαξιμιανός, 1385.

Οἱ ὁσιότατοι Αὐτοκράτορες Διοκλητιανὸς καὶ Μαξιμιανὸς καὶ οἱ ἐπιφανέστατοι Καίσαρες, 214.

Αὐτοκράτορες Καίσαρες Γ. Οὐαλέριος Διοκλητιανὸς καὶ Μ. Αὐρήλιος Οὐαλέριος Μαξιμιανὸς Εὐσεβεῖς Εὐτυχεῖς ἀνείκητοι Σεβαστοί, 1208.

Αὐτοκράτορες Καίσαρες Γ. Οὐαλ. Διοκλητιανὸς καὶ Αὐρ. Οὐαλ. Μαξιμιανὸς Εὐσεβεῖς Εὐτυχεῖς ἀνικητοὶ

Σεβαστοί, 1165.

Οἱ ἀνείκητοι Σεββ. Διοκλητιανὸς καὶ Μαξιμιανὸς καὶ οἱ ἐπιφανέστατοι Καίσαρες Κωνστάντιος καὶ Μαξιμιανός, 265.

Φλ. Οὐαλ. Κωνστάντιος καὶ Γαλέρ. Οὐαλέρ. Μαξιμιανὸς ἐπιφανέστατοι Καίσαρες, 1172, 1208, 1380, 1385.

Φλάβ. Οὐαλ. Κωνστάντιος καὶ Οὐαλέρ. Μαξιμιανὸς οἱ ἐπιφανέστατοι Καίσαρες, 1165.

Μαξιμιανὸς πρεσβύτερος Σεβαστὸς .. Λικίννιος ... ἐπιφανέστατοι Καίσαρες, 1364.

Οἱ ὁσιώτατοι κύριοι, 612.

Constantinus.

Φλ. Κωνσταντῖνος, 612.

Κύριοι ἡμῶν Κωνσταντεῖνος Σεβαστὸς ...., 1364.

Κύριοι ἡμῶν Φλάουιος Κωσταντεῖνος Σεβαστὸς καὶ Οὐαλέριος Κωστάν-

τιος καὶ Οὐάλεριος Κώστανς ἀήττητοι Σεβαστοί, 1208.

Φλ. Κλ. Κωνσταντεῖνος, 612.

Φλ. Κλ. Κωνσταντεῖνος ὁ ἐπιφανέστατος Καῖσαρ, 750.

Crispus.

Φλ. Οὐαλ. Κρίσπος ὁ ἐπιφανέστατος Καῖσαρ, 750.

Licinius.

Οὐαλ. Κωνσταντεῖνος Λικίνιος ὁ ἐπιφανέστατος Καῖσαρ, 750.

Theodosius.

Φλ. Θεοδόσιος νέος βασιλεύς, 1553.

Arcadius.

Φλ. Ἀρκαδεῖος, 1553.

Honorius.

Φλ. Ὁνορεῖος, 1553.

Incerti.

Σεβαστός, 286, 353, 632, 652, 703, 880, 945, 989, 996, 1044, 1169, 1572, 1574.
Σεβαστοί, 46, 144, 158, 228, 229, 364, 541, 682, 700, 721, 783, 791, 810, 843, 863, 937, 946, 954, 964, 1060, 1086, 1110, 1209, 1226, 1241, 1242, 1308, 1341, 1348, 1372, 1419, 1420, 1421, 1424, 1425, 1426, 1428, 1430, 1433, 1513, 1528, 1663.
Σεβαστὸς ὁ γῆς καὶ θαλάσσης δεσπότης, 605, 614.
Οἱ κύριοι Σεβαστοὶ αἰώνιοι, 750.
Καῖσαρ, 530, 690, 807, 898, 914, 958, 994, 996, 1006, 1024, 1091, 1289.
... Καῖσαρ Σέβαστος ..., 16, 142.
Αὐτοκράτωρ Καῖσαρ, 369, 971.
Ὁ κύριος Καῖσαρ, 1531.
Καίσαρες, 1247.
Αὐτοκράτωρ, 233, 915, 1236, 1244, 1505, 1509.
Ὁ κύριος αὐτοκράτωρ, 531.
Αὐτοκράτορες, 351, 704, 1010, 1689.
Οἱ κύριοι αὐτοκράτορες, 663, 1167.
Οἱ κράτιστοι αὐτοκράτορες, 669.
Αὐτοκράτορες ...... Καίσαρες Σεβαστοί, 242.
Οἱ μέγιστοι καὶ ἀνείκητοι αὐτοκράτο-

ρες, 1272.

Ἀγίμονες, 45.

Ἡγεμονία imperatoris, 1726.

Ὁ κύριος, 1210.

Βασιλεύς = imperator, 1725.

Βασιλικός == Σεβαστός, 1680.

...... δημαρχικῆς ἐξουσίας ἑξάκις, 136.

Αὐτοκράτωρ ..... δημαρχικῆς ἐξουσίας τὸ ., ὕπατος τὸ β´, 1563.

.... ἀρχιερεὺς μέγιστος, δημαρχικῆς ἐξουσίας τὸ τρίτον, ὕπατος, πατὴρ πατρίδος, 142.

Δὶς ὕπατος, δὶς αὐτοκράτωρ, δημαρχικῆς ἐξουσίας τὸ πέμπτον, 959.

Αὐτοκράτωρ Καῖσαρ .... ὕπατος .., δημαρχικῆς ἐξουσίας κα´......, 1122.

...... Σεβαστὸς Γερμανικὸς ...., δημαρχικῆς ἐξουσίας ...., ὕπατος τὸ ....., 939.

.... Σεβαστὸς ... ἀρχιερεὺς μέγιστος ...: αὐτοκράτωρ ... πατὴρ πατρίδος, 1406.

Αὐτοκράτωρ θεός, 932.

Θεὸς Σεβαστός, 93.

Θεὸς Σεβαστὸς αὐτοκράτωρ, 958.

Αὐτοκράτωρ Καῖσαρ θεὸς Σεβαστός, 1128.

Σεβαστοὶ θεοί, 98, 522, 661, 751, 936, 938, 1062, 1086, 1189, 1306, 1352, 1498, 1608, 1615.

Θεοὶ Σεβαστοί, 522.

Θεοὶ αὐτοκράτορες, 808.

Οἱ ἐν θεοῖς αὐτοκράτορες, 1150.

Σεβαστοὶ θεοὶ κρατοῦντες, 1349.

Νέος Διόνυσος, 367.

Αὐτοκράτωρ Καῖσαρ Ζεὺς Ὀλύμπιος Σεβαστός, 76.

.... Σεβαστὸς Ζεὺς Στράτιος, 1088.

Αὐτοκράτωρ Καῖσαρ ..... Ζεὺς μέγιστος..., πάτηρ πάτριδος, 13.

... Ζεὺς πατρῷος, αὐτοκράτωρ, ἀρχιερεὺς μέγιστος, πατὴρ τῆς πατρίδος καὶ σωτὴρ τοῦ σύμπαντος ἀνθρωπείου γένους, 1410.

Ἥλιος νέος Γερμανικός, 945.

Σεβαστῶν οἶκος, 40, 98, 1568.

Οἱ Σεβαστοὶ ἢ οἱ ἐξ αὐτῶν, 40.

Augustorum δῶμα πρῶτον ἐν Αἰνεάδαις, 1529.

Γάιος Καῖσαρ, 970.

... Καῖσαρ Κλαύδιος ...., 1089.

Αὐτοκράτωρ Καῖσαρ ....., Traianus aut Hadrianus, 1147.

... Ἀδριανός ...., 141.

.....ιανὸς Σεβαστός, 439.

....νὸς Σεβαστός, 213.

...... Εὐσεβής, 241.

.... Σεβαστὸς Εὐσεβής, 1405.

..... Βρεττανικός, ἀρχιερεὺς μέγιστος, δημαρχικῆς ἐξουσίας ....., Commodus, Septimius Seuerus aut Caracalla. 811.

... πατὴρ πατρίδος ...., 637.

.... Παρθικὸς μέγιστος ......, 569.

δεσπότης ἡμῶν Φλάουιος ...... Σεβαστός .... saeculi quarti post C. n., 1364.

43

V

REGES EXTERNI

1. Reges et reginae.

Βασιλεῖαι, 145.

Βασιλῆαι αἱ δορυφόροι τῆς ἡγεμονίας, 145.

Βασιλεῖς σύντροφοι καὶ ἕταιροι Γαίου Καίσαρος, 145.

Aegyptus.

Βασιλεὺς Πτολεμαῖος (VIII), 294.

Πτολεμαῖος (XIII), 159.

Armenia.

Κότυς, 145, 147.

Κότυς βασιλεύς, 1558.

Ἀντωνία Τρύφαινα, 144, 145, 147, 148.

— βασίλισσα, βασιλέων καὶ θυγάτηρ καὶ μήτηρ, 147, 148.

— φιλοσέβαστος, 146.

Γάιος Ἀριοβαρζάνης, 149.

Ζήνων, 1407.

Γάιος Ἰούλιος, 149.

Bithynia.

Βασιλεὺς (Prusias I), 179.

Προυσίας (II), 287.

Bosporus.

Πολέμων (I) βασιλεύς, 144.

Πυθοδωρὶς Φιλομήτωρ βασίλισσα, 144.

Commagene.

Ἀντίοχος (IV) βασιλεὺς μέγας, 940.

Derbe Lycaoniae.

Ἀντίπατρος, 1694.

Galatia.

Ἀδοβογιώνα, 3, 1683.
Βρογίταρος, 1328, 1683.
Δηιόταρος, 3, 1328, 1683.

Γαλατῶν Τρόκμων τετράρχης, 1328,
    1683.

Iudaea.

Ἡρώδης βασιλεύς, 1043.

Ἡρώδης τετράρχης, 1043.

Lacedaemon.

Νάβις ὁ Λάκων, 284, 285.

Macedonia.

Ὁ βασιλεὺς (Philippus), 179.
Ἀλέξανδρος Μακεδών, 692.

Θεὸς Ἀλέξανδρος, 1543.

Pergamus.

Βασιλεύς, 288.
Βασιλεῖς, 301, 1539.
Ἀριστόνικος, 1692.
Ἄτταλος (I), 1712.
Ἄτταλος (I) βασιλεύς, 286, 287.
Θεὸς Ἄτταλος (I), 294.
Ἄτταλος (II), 1712.
Ἄτταλος (II) βασιλεύς, 286, 287.

Ἄτταλος (II) Φιλάδελφος καὶ Εὐερ-
    γέτης, 288, 289.
Ἄτταλος (III), 301.
Ἄτταλος (III) ὁ Φιλομήτωρ βασιλεύς,
    293. 294.
Ἄτταλος (III) Φιλομήτωρ καὶ Εὐερ-
    γέτης, 289.
Εὐμένης (II) βασιλεύς, 179, 284, 285.

Θεὸς βασιλεὺς Εὐμένης (II), 294.
Μιθραδάτης, 1682.

Φιλέταιρος, 1682.
Φιλέταιρος ὁ Εὐεργέτης, 293, 294.

Pontus.

Ζένων, 1302.
Μιθραδάτης (IV), 292.
Μιθραδάτης (VI) βασιλεύς, 752.
Μιθριδάτης (VII), 943.
Πολέμων (I) βασιλεύς, 1407.

Πολέμων (II) βασιλεὺς Πόντου, 145,
147.
Πολέμων, 1302.
Πυθοδωρὶς Φιλομήτωρ βασίλισσα,
1407.

Syria.

Ἀντίοχος, 991, 1759.
Ἀντίοχος βασιλεύς, 1539, 1557.

Ἀντίοχος βασιλεὺς μέγας, 945, 946.

Thracia.

Θραικῶν βασιλεύς, 371.
Κότυς δυναστὴς Θρακῶν, 145, 146,
147, 148.
Ῥοιμητάλχης (III) βασιλεὺς Θράκης,

145, 146, 147.
Ῥοιμητάλκας (III) βασιλεὺς φιλόκαι-
σαρ, 940, 941.
Σέξτος Ἰούλιος ......, 148.

2. Varia.

Βασιλικαὶ οὐσίαι, 289.
Βασιλικοί, 289.
Εἴσοδος, ἐνδημία regum, 145.
Ὁ ἐπὶ τῆς σφραγῖδος, 1712.

Πρεσβευτὴς regis, 1557, 1558.
Στρατηγός, 1712.
Σύντροφος τοῦ βασιλέως, 288.

VI

RES PUBLICA ROMANORUM

1. Populus romanus, equites.

Ῥωμαίων ἡγεμονία, 661, 1195.
Οἱ ἡγούμενοι = populus romanus, 294. 495.
Ἐκκλησία populi romani, 1028.
Κομέτιον, 262.
Ἡ περιπόρφυρος, 1756.
Ῥωμαίων φιλία, 943.

Τήβεννον λαμβάνειν, 1756.
Equites :
Ἱππεὺς Ῥωμαίων, 668, 1213.
Ἱππικός, 615, 631, 726, 883, 906, 907, 909, 910, 1207, 1214, 1230, 1231, 1232, 1233, 1234, 1521.

2. Viri illustres, egregii, clarissimi.

Διασημότατος, 523.
Ἐπιφανέστατος, 943.
Κρατίστη, 891, 1307, 1420, 1544, 1741.
Κράτιστος, 595, 652, 700, 786, 812, 855, 856, 1156, 1213, 1218, 1237, 1308, 1340, 1399, 1512, 1624, 1675,

1697.
Λαμπροτάτα, 1127.
Λαμπροτάτη, 1417.
Λαμπρότατος, 881, 893, 1127, 1212, 1214, 1215, 1216, 1341, 1381, 1511, 1554, 1674, 1741.

3. Senatus.

Βουλὴ Ῥώμης, 1671.
Σύγκλητος, 33, 39, 179, 208, 288, 338, 915, 943, 968, 1028, 1063, 1195,

1431, 1557, 1558, 1692.
Σύγκλητος Ῥωμαίων, 134.
Ἱερὰ σύνκλητος, 881, 1129, 1352, 1528.

Ἡ ἱερὰ βουλὴ σύγκλητος, 1150.
Σύνκλητος ἱερωτάτη, 1341, 1419, 1420, 1421, 1424, 1425, 1426.
Σύνκλητος Σεβαστή, 902.
Συγκλήτου δόγματα, 33, 40, 301, 336, 752, 943, 1028, 1150, 1341, 1431, 1692.

Δόγμα τῆς ἱερᾶς συγκλήτου, 1528.
Δόγματα τῆς ἱερωτάτης συνκλήτου, 1419, 1420, 1421, 1424, 1425, 1426.
Παρῆσαν ἐν τῷ συμβουλίῳ, 262.
Συγκλητικός, 280, 699, 858, 910, 912, 990, 1150, 1217, 1234, 1435, 1544, 1687, 1697.

4. Honores, munera publica ciuilia maiora.

Συμβούλιον consulum aut proconsulis, 290.
Πάτρων τῆς νεότητος, 248.
Πατὴρ πατρίδος. Cf. Indicem IV (Imperatores).

Imperator :
Αὐτοκράτωρ libera re publica, 1710.

Dictator :
Δικτάτωρ, 304, 306.

Censor :
Τιμητής, 194, 1486.

Consules :
Consulatus imperatorum vide in Indice IV (Imperatores).
Ὕπατος, 33, 248, 275, 373, 374, 375, 383, 384, 385, 386, 387, 388, 389, 390, 392, 398, 415, 424, 425, 499, 713, 723, 752, 779, 780, 823, 960, 1002, 1003, 1005, 1008, 1017, 1028, 1209, 1289, 1307, 1398, 1486, 1496, 1505, 1506, 1674, 1694, 1724.
Ὕπατος Ῥωμαίων, 264, 270, 880, 1659.
Ὕπατοι, 549, 1124.

Στραταγὸς ὕπατος, 1049.
Ὁ τῶν Ῥωμαίων στρατηγὸς ὕπατος, 179.
Ὕπατος ἀποδεδειγμένος, 1486.
Ὑπατική, 911, 1307, 1378, 1382, 1576, 1622, 1623, 1741.
Ὑπατικός, 493, 494, 617, 717, 782, 814, 830, 852, 910, 911, 921, 1112, 1127, 1150, 1212, 1213, 1214, 1215, 1216, 1340, 1341, 1382, 1424, 1435, 1621, 1741.
Ὕπατ......, 808.
Μάνιος Ἀκύλλιος = anno 129 ante C. n., 264, 270.
Κοίντος Φάβιος Μάξιμος καὶ Γάιος Λικίννιος Γέτας = anno 116 ante C. n., 752.
Πόπλιος Ῥοτίλιος καὶ Γναῖος Μάλλιος = anno 105 ante C. n., 1028.
Λούκιος Σύλλας τὸ δεύτερον = anno 80 ante C. n., 943.
Αὐτοκράτωρ Καῖσαρ Σεβαστὸς τὸ ἔνατον καὶ Μάρκος Σιλανός = anno

25 ante C. n., 33.

Γναῖος Ἀκερρώνιος Πρόκλος καὶ Γάιος Πόντιος Πετρώνιος Νίγρινος = anno 37 post C. n., 251.

Δομετιανὸς τὸ θ΄, Κόιντος Πεττίλιος Ῥοῦφος τὸ β΄ = anno 83 post C. n., 1393 b.

Αὐτοκράτωρ Δομιτιανὸς Καῖσαρ Σεβαστὸς Γερμανικὸς τὸ δι΄, Λούκιος Μινούκιος Ῥοῦφος = anno 88 post C. n., 713.

Μάνιος Ἀκείλιος Γλαβρίων καὶ Γάιος Βελλίκιος Τορχουᾶτος Τεβανιανὸς = anno 124 post C. n., 1398.

Ἀντωνεῖνος τὸ β΄, Γάιος Βρούττιος Πραίσενς τὸ β΄ = anno 139 post C. n., 1397.

Βέλλικος Τορχουᾶτος καὶ Σάλουιος Ἰουλιανός = anno 148 post C. n., 942.

Βρούττιος Λατερανὸς καὶ Ἰούνιος Ῥουφεῖνος = anno 153 post C. n., 1002.

Σάλβιος Ἰουλιανὸς καὶ Καλπούρνι<αν>ος Πείσων = anno 175 post C. n., 521.

Σεπτίμιος Ἄπρος καὶ Ἄννιος Μάξιμος = anno 207 post C. n., 1003, 1017.

Γεντινιανὸς καὶ Βάσσος = anno 211 post C. n., 1403.

Μάριος Περπέτουος καὶ Μόμμιος Κορνηλιανός = anno 237 post C. n., 549.

Εὐέττιος Ἀττικὸς καὶ Ἀσίνιος Πραι-

τέξτατος = anno 242 post C. n., 1008.

......νος, 1005.

Praetores :

Στρατηγός, 134, 262, 282, 301, 644, 646, 648, 960, 1307, 1557, 1741.

Στρατηγὸς δήμου Ῥωμαίων, 96.

Στρατηγὸς κατὰ πόλιν, 1028.

Στρατηγὸς ἐπὶ τῶν ξένων, 1028.

Στρατηγὸς ἀποδεδειγμένος, 813.

Συμβούλιον praetoris, 262.

Aediles :

Ἀγορανόμος, 407, 644, 646.

Tribuni plebis :

Δήμαρχος, 96, 813, 1307, 1557.

Δήμαρχος κανδίδατος, 1697.

Δημαρχικὴ ἐξουσία, 1486, 1505, 1506.

Cf. Indicem IV (Imperatores).

Quaestores :

Ταμίας, 33, 197, 400, 401, 407, 435, 813, 840, 960, 1028, 1307, 1741.

Ταμίας κανδίδατος, 1697.

Ταμίας Ῥωμαίων, 1116.

Κυαίστωρ, 1307, 1741.

Vigintiuiri :

Δέκανδρος ἐπὶ τῶν κληρονομικῶν δικαστηρίων, 644, 645, 646.

Κουάττορουιρ, 96.

Τρεῖς ἄνδρες χαλκοῦ ἀργύρου χρυσοῦ χαράκτηριάσαντος, 960.

Incerti :

....ς ἀποδεδειγμένος, 124.

..... ἀποδεδειγμένος, 815.

5. Magistratus publici reliqui.

6. Officia ciuilia minora. Administrationis partes nonnullae.

Δούλη Καίσαρος, 753.

Δοῦλος Καίσαρος, 235, 530, 538, 543, 753, 1477.

Δοῦλος οἰκονόμος Κέσαρος, 1699.

Δοῦλος οὐέρνας τοῦ κυρίου, 529.

Δοῦλος τοῦ κυρίου αὐτοκράτορος, 531.

Εἰκοστή, 1236.

Ἐπὶ βαλανείων τοῦ Σεβαστοῦ, 1215, 1519.

Ἐπὶ κῆνσον τοῦ Σεβαστοῦ, 1213.

Ἐράριον δήμου Ῥωμαίων, 1465.

Ἰατρὸς Σεβαστοῦ, 1444.

Καισαρῆος, 28.

Καισαριανοί, 598.

Οἱ κο...... τοῦ κυρίου, 842.

Μισθωτὴς χωρίων τοῦ Καίσαρος, 592.

Μισθωτής, 889, 894, 897, 927.

Νοτάριος, seruus Aug., 235.

Ξένος imperatoris, 136.

Ὄχλος praediorum Aug., 892.

Ἐξ ὀφικίου ἡγεμόνος, 731.

Πόρος σειτωνικός, 726.

Πραγματευτής, seruus Aug., 888, 889, 890, 891.

Πράκτορες, 259.

Πρᾶξις, 259.

Πρᾶξις βασιλική, 1290.

Προάγων praediorum Aug., 890, 891.

Προστάτης ἐπὶ τοῦ σίτου, 530.

Σύμβουλος καὶ φίλος τῶν ἡγουμένων, 298.

Ταβελλάριος Καίσαρος, 1221.

Ταβλάριος, 679.

Ταμεῖον, **151**, 183, 184, 512, 514,

515, 516, 595, 598, 622, 629, 658, 663, 670, 678, 722, 732, 735, 763, 797, 799, 819, 830, 842, 1363. Cf. infra in INDICE XIV : *Multae funerales.*

Ἱερὸν ταμεῖον, 127.

Ἱερώτατον ταμεῖον, 115, 236, 245, 246, 761, 768, 802, 805, 833, 871, 872, 874, 876, 927, 1277, 1281, 1299, 1313, 1360, 1387, 1637.

Ταμεῖον τοῦ αὐτοκράτορος, 1366.

Τελῶναι, 352.

Ὑπηρεσίαι κυριακαί, 1228.

Χρήματα ἱερά, 1211.

Χρήματα Σεβαστεῖα, 1608.

Χρίαι κυριακαί, 818.

Χώρια τοῦ Καίσαρος, 592.

Φιλόκαισαρ, 767, 846, 940, 953, 954, 955, 956, 1045, 1046, 1047, 1048, 1061, 1062, 1086, 1088, 1093, 1098, 1100, 1102, 1516, 1608.

Φιλοκλαύδιος, 1045, 1048.

Φιλονέρων, 1086.

Φιλορώμαιος, 398, 1086, 1550.

Φιλοσέβαστος, 398, 932, 984, 994, 1012, 1045, 1048, 1086, 1093, 1101, 1223, 1226, 1248, 1249, 1341, 1393, 1441, 1570, 1665, 1732.

Φίλος τοῦ Σεβαστοῦ, 1215, 1216.

Φίλος imperatoris, 1399.

Φίσκος, 108, 119, 131, 150, 170, 178, 513, 639, 720, 729, 734, 737, 746, 758, 795, 829, 871, 872, 923, 1082, 1285, 1329, 1330, 1345, 1350. Cf.

VII

RES MILITARIS

1. Legiones.

Λεγιὼν πρώτη Ἰταλική, 279, 616.

Λεγεὼν β΄ Τραιανή, 447.

Λεγεὼν γ΄ Κυρηναική, 448.

Λεγιὼν τετάρτη Σκυθική, 1509.

Λεγιὼν ε΄, 445, 446, 1422.

Λεγιὼν ἕκτη, 825.

Λεγιὼν ἕκτη Σιδηρά, 266.

Λεγεὼν ζ΄, 124, 1375.

Λεγιὼν η΄ Αὐγούστη, 642.

Λεγιὼν ια΄ Κλ., 920.

Λεγιὼν ιβ΄ Κεραυνοφόρος, 1323.

Λεγιὼν τεσσαρεσκαιδεκάτη Γεμίνη, 837.

Λεγεὼν κβ΄ Πριμιγενία, 1060.

Λεγιὼν incerta, 233.

Στρατιώτης, 279.
Σίγνων θεράπων, 616.

Χειλίαρχος.

Χιλίαρχος?

Πρεσβευτής.

Χειλίαρχος.

Ὀπτίων.

Πρειμοπειλάριος ἐξ ἐπάρχων.

Χιλίαρχος πλατύσημος, 124.
Κεντορίων, 1375.

Χειλίαρχος.

Τεσσεράριος.

Χειλίαρχος.

Θὐετερανός.

Χειλιαρχήσας.

?

2. Alae.

Εἴλη .... Αὐγούστη, 642.

Ἄλη δευτέρα Γάλλων, 964.

Ἔπαρχος.

Ἔπαρχος.

Εἴλη Σεβαστὴ Δίδυμος, 642. | Ἐπιμελητής.
Εἴλη Σινγλαρίων, 1213. | Πραιπόσιτος.
Εἴλη δευτέρα Φλ. Ἀγριππιανή, 1213. | Ἔπαρχος.

3. Cohortes auxiliariae.

Σπεῖρα Βοσποριάνη πρώτη, 1323. | Ἔπαρχος.
Σπεῖρα ἀνν. νης Θεοῦ Ἀντωνείνου | Πραιπόσιτος.
    ἀφειμένων, 1213.
Σπεῖρα πρώτη Γαιτούλων, 1213. | Πραιπόσιτος.
Σπεῖρα πρώτη μειλιαρία Θρακῶν, 1565. | Ἔπαρχος.
Χώρτη ἕκτη Ἰσπανῶν, 728. | Χειλίαρχος.
Σπείρη πρώτη Ἰταλική, 964. | Χειλίαρχος.
Σπεῖρα πρώτη Κιλίκων, 1213. | Χιλίαρχος.
Σπείρη πρώτη Νουμιδῶν, 964. | Ἔπαρχος.
Σπείρη πρώτη Οὐλπία Γαλατῶν, 882. | Ἔπαρχος.
                              ⎧   Χειλίαρχος, 728.
Σπείρη πρώτη Ῥαιτῶν, 728, 729, 736.   ⎨   Στρατιώτης, 729.
                              ⎩   Ὁπλοφύλαξ, 736.
Σπείρη Φλαβιανή, 216. | Ἔπαρχος.
Σπεῖρα δευτέρα Φλ. Βεσσῶν, 1213. | Πραιπόσιτος.
Σπεῖρα δευτέρα Φλ. Νουμιδῶν, 1213. | Ἔπαρχος.
Σπεῖρα τρίτη, 1566. | Ἔπαρχος.
Σπείρη εʹ .....διανή, 642. | Ἔπαρχος.
Σπεῖρα incerta, 219. | Ἔπαρχος.

4. Munera militaria.

Αὐτοκράτωρ, 198, 409, 421, 1119.   Διωγμείτης σύμμαχος, 580.
Ἀφειμένοι, 1213.   Δρακωνάρις, 731.
Βενεφικιάρις, 757.   Εἰστρατιώτης, 886. Cf. Στρατιώτης.
Βετρανός, 730, 1154. Cf. Οὐετρανός.   Ἑκατοντάρχης, 879, 1695.
Δεκατάρχης, 1458.   Ἔπαρχος ἄλης uel εἴλης, 642, 964,
Δεχουρίων, 1154.   1213.

Ἔπαρχος ἱππέων, 445.

Ἐξ ἐπάρχων λεγιῶνος, 266.

Ἔπαρχος σπείρης, 642, 882, 964, 1323, 1565, 1566.

Ἔπαρχος cohortis incertae, 217.

Ἔπαρχος τεχνειτῶν, 1323, 1422.

Δὶς ἔπαρχος τεχνειτῶν, 643.

Ἐπιμελητὴς εἴλης, 642.

Ἡγεμὼν militum graecorum, 196.

Θεράπων σίγνων λεγιῶνος, 616.

Ἰμπεράτωρ, 1118.

Ἱππεύς, 531, 733.

Ἱππεὺς σαγιττάρις, 731.

Ἱππεὺς singularis, 234.

Ἱππικὸς ἀπὸ στρατειῶν, 528.

Ἀπὸ ἱππικῶν στρατειῶν, 525.

Κεντορίων Καίσαρος Σεβαστοῦ, 1375.

Κορνιχλάριος, 965.

Ὀπτίων, 825.

Ὀροφύλαξ, 897.

Οὐαιτρανός, 833.

Οὐετερανός, 589.

Οὐετεριανός, 837.

Οὐετρανός, 633, 735, 737, 738, 1070.

Παραφυλακήσας, 1255.

Παραφυλακίτης, 289, 896.

Παραφυλάξας, 870.

Πραιπόσιτος, 1213.

Πραιτωρεανὸς στρατιώτης, 537.

Πραίφεκτος cohortis?, 1627.

Πρειμιπειλάριος, 617, 686.

Πρειμοπειλάριος, 266, 595.

Πριμείπιλος, 1628.

Πρεσβευτὴς λεγιῶνος, 1509.

Προφύλαξ, 455, 1689.

Σαλπιστὴς miles?, 1641.

Στατιονάριος, 1185.

Ἀπὸ στρατειῶν, 670.

Στρατευόμενος, 809.

Στρατευσάμενος, 135, 1110, 1111, 1113, 1114, 1129.

Στρατηγός, 298, 299.

Στρατιῶται graeci, 196, 289.

Στρατιώτης, 233, 279, 598, 690, 729, 730, 731, 732, 734, 757, 836, 1451, 1649.

Στρατεύεσθαι ἐνδόξος, 886.

Συνστρατευομένων κοινὸν, 1117.

Συνστρατευσαμένων κοινὸν, 1113, 1114.

Τεσσεράριος, 920.

Χειλιαρχήσας, 882, 1026, 1060, 1086.

Χειλίαρχος, 445, 446. 447, 448, 449, 642, 728, 869, 964, 1323, 1422, 1627.

Χιλίαρχος τὸ τρίτον, 1204.

Χειλίαρχος Αὐγούστου, 1626.

— Σεβαστοῦ, 1627.

Χειλίαρχος λεγιῶνος, 1323.

Χιλίαρχος πλατύσημος, 124.

Ἀπὸ χειλιαρχιῶν, 1214.

Ἀπὸ τριῶν χιλιαρχιῶν, 1204

Φρουμεντάριος, 1367.

5. Bella, expeditiones.

Στρατεία Romanorum contra Nabin, anno 195 ante C. n., 284.

— δευτέρα anno 192, 285.

Σύμμαχοι Pergamenorum anno 193 ante C. n., 284.

Οἱ στρατεύσαντες πρὸς Προυσίαν καὶ πολιορκήσαντες αὐτὸν ἐν Νικομηδείαι, anno 149 ante C. n., 287.

Cyzicus πόλις περιεχομένη ab Aristonico, anno 133 ante C. n., 134.

Ὁ πόλεμος ὁ πρὸς Ἀριστόνικον, anno 133 ante C. n., 134, 293, 1692.

Πόλεμος Mithridaticus, 298, 300, 1113, 1114, 1115, 1140.

Νίκη θαλασσίη, anno 86 ante C. n., 299.

Pompeii πόλεμοι καὶ κατὰ γᾶν καὶ κατὰ θάλασσαν, 54.

Πολεμικὴ περίστασις, circa annum 133

ante C. n.. 296.

Τὸ στράτευμα C. Julii Caesaris, 33.

Οἱ γεγονότες πόλεμοι, paulo ante annum 48 ante C. n., 27.

Συνμαχία εἰς Λιβύην cum Iulio Caesare, anno 46 ante C. n., 135.

Συναγωνισάμενοι κατ᾽ Ἀλεξανδρείαν ἐν τῶι κατὰ Πτολεμαῖον πολέμωι, anno 46 ante C. n., 159.

Πόλεμος, bellum ciuile ante Augustum principem, 146.

Εἰρήνη Augusti, 146.

Νίκη Καίσαρος Actiaca, 991, 1615.

Νίκη Σεβαστοῦ Actiaca, 879.

Ὁ κατὰ Βρεταννῶν θρίαμβος, anno 44 post C. n., 1086.

Νείκη, anno 196 post C. n., 566.

Ὁ ἐν Καππαδοκίᾳ πόλεμος, aetate imperatoria? 30.

6. Classes.

Ἄρξας nauis, 1114.

Ἄρχων classis, 1114.

Ἄρχων τριημιολίας, 1149.

Βέλη Πόντια, arma, milites classis Ponticae, 150.

Εὐανδρία Σεβαστά, nauis nomen, 1110, 1149.

Εὐδ....., nauis nomen, 1129.

Κλάσσις πραιτωρία Μεισηνῶν, 151.

Νάυαρχος, 1113, 1580.

Νῆες ἄφρακτοι, 1113, 1114, 1115.

Ναῦς κατάφρακτοι, 1113, 1114.

Ναῦς τετρήρης Σωτείρα, 135.

Τὰ ναυτικά, 179.

Πλοῖον ἐπίκωπον δίκροτον, 1116.

Πρωρατεύσας, 1114.

Πτέρυγες ἐξήρετμοι, 150.

Στολάρχης, 150.

Στόλος Συριακός, 1580.

Ὁ στρατηγὸς τῶν Ῥωμαίων ὁ ἐπὶ

7. Varia.

VIII

RES GEOGRAPHICA

1. Tribus romanae.

Αἰμιλία, 262, 644, 645, 646, 647, 1302, 1316, 1545.

Ἀνιῆνσις, 260, 262, 675, 766, 772, 818, 1187.

Ἀρνήνσης, 262.

Βουλτεινία, 960.

Γαλερία, 262, 860.

Καμιλλία, 262, 792.

Κλαυδία, 262.

Κλοστομίνα, 33.

Κλουστουμείνα, 914, 915.

Κροστομείνα, 262.

Κολλείνα, 718, 792, 1566.

Κορνηλία, 820, 1026, 1058, 1086, 1224, 1367.

Κυρείνα τρίβους, 1213.

Κυρείνα, 18, 228, 262, 582, 632, 643, 660, 742, 762, 787, 788, 789, 790, 882, 908, 964, 994, 1060, 1121, 1135, 1150, 1169, 1239, 1269, 1323, 1434, 1470, 1472, 1525, 1550, 1568, 1569,

1570, 1580, 1608, 1700.

Λεμωνία, 262.

Μενηνία, 262, 1728.

Ὁρατία, 232.

Οὐελῖνα, 794, 961.

Οὐετυρία, 262.

Οὐολτινία, 251, 383, 390.

Παλατεῖνα, 18, 33, 545, 792, 840, 1179, 1331, 1549, 1565.

Παπειρία, 33.

Πολλία, 262.

Ποπιλλία, 262.

Πουπεινία, 1136,

Πωμεντεῖνα, 262.

Ῥωμιλία, 262, 791.

Σαβατεῖνα, 262.

Σεργία, 786, 829, 951, 1137, 1259.

Σκαπτία, 262, 960.

Στηλατεῖνα, 262.

Τρητεῖνα, 262, 642, 792.

Φαβία, 690, 1393, 1398, 1461, 1471.

Φαλέρνα, 33, 262.
Ὠρεντεῖνα, 262.

...λία, 262.
....να, 262.

2. Nomina prouinciarum, regionum, ciuitatum, etc.

Ἄβα, 1653.
Ἀβδήριται, 1558.
— βουλή, 1558.
— δῆμος, 1558.
Ἀβεικτηνός, 535.
Ἀβιδηνοί, 190·
Ἄβυδος, 197.
Ἀγκύρα Sidera ad Macestum, 1645.
— ἄλσος, 555.
Ἀνκυρανοί, 555.
— βουλή, 555.
— δῆμος, 555·
Ἀγκυρανός, 631.
Ἀγρίδιον, 1083.
Ἀδριανεῖς, 241.
— βουλή, 241.
— δῆμος, 241.
Ἀδριανοπολεῖται Στρατονεικεῖς, 1156, 1158, 1159.
— ἄρχοντες, 1156.
— βουλή, 1156, 1159.
— δῆμος, 1156, 1158, 1159.
Ἀθῆναι, 160, 574, 1397, 1432, 1519, 1761.
Ἀθηναίων δῆμος, 1515.
Ἀθηναῖος, 160, 297, 1263, 1344, 1432, 1519, 1522, 1636, 1761.
Αἰγαί, 1181.
— Αἰγαεῖς, 1181.

— βουλή, 1181.
— δᾶμος, 1178·
Αἰγήλιοι, 1103.
— δᾶμος, 1103.
Αἰγιαλεῖς, 1000.
— βουλή, 1003, 1005.
— δῆμος, 1001.
Αἰγιάλη, 1000, 1002, 1003.
Αἰγύπτιος, 151.
Αἴγυπτος, 447, 1519, 1624.
Αἰζανείτης, 576, 631.
Αἰζανῖται, 566, 567, 571, 572, 573, 574, 581, 582, 584.
— ἄρχοντες, 566, 567, 571, 572, 574, 582.
— βουλή, 566, 567, 571, 572, 573, 574, 577, 578, 581, 585, 1693.
— δῆμος, 566, 567, 571, 572, 573, 574, 577, 581, 582, 584, 585, 1693.
— ἡ ἱερὰ καὶ ἄσυλος καὶ νεωκόρος τοῦ Διὸς Αἰζανειτῶν πόλις, 581.
— νεωκόρος τοῦ Διὸς ἱερὸς καὶ ἄσυλος, 567.
Αἰολίς, 1416.
Acmoniae βουλή, 642, 652, 654, 657, 661.
— δῆμος, 642, 654, 657.
Ἀκρασιῶται, 1163.
— βουλή, 1163.

Ἰασός, 1064.

Ἰβηρία, 38.

Ἰδαῖος, 229.

Hierae ἀ βόλλα καὶ ὁ δᾶμος, 116.

Ἱεράπολις, 818, 834, 1645, 1761.

Ἱεραπολεῖται, 842.

Ἱεραπολεῖται νεωκόροι, 824.

Ἱεραπολειτῶν βουλή, 818, 819, 827, 829.

— δῆμος, 756, 810, 818, 819, 827.

Ἱεροκαισαρεία, 1500.

Ἱεροκαισαρεύς, 1311, 1312, 1514.

Ἱεροκαισαρέων βουλή, 1202, 1308.

— δῆμος, 1202, 1304, 1306.

Ἱερόπολις, 694.

Ἱεροπολειτῶν πόλις λαμπροτάτη, 695.

Ἴλιον, 197, 224.

Ἰλιεῖς, 191, 200, 201, 218.

Ἰλιέων βουλή, 195, 205, 207, 209, 212, 213, 215, 218, 219, 220, 221, 225.

— δῆμος, 194, 195, 196, 198, 204, 205, 207, 208, 209, 212, 215, 218, 219, 220, 221, 225.

— φυλὴ Ἀτταλίς, 216.

— συγγένεις Augustus, 200; Agrippa, 204; C. Caesar, 205; Tiberius, 207.

Ἰλιεύς, 197, 201, 224.

Ἰουδαῖοι, 834, 835.

Ἰουδδηνῶν κατοικία, 1387.

Ἰουλιέων Γορδηνῶν δῆμος, 1293.

Ἰουλιόπολις, 349.

Ἱππιχεῖται, 1680.

Ἱππιωταί, 1090.

Ἰσαυρία, 1416.

Ἰσθμιωτᾶν δᾶμος, 1104, 1105, 1107, 1108, 1733.

Ἰσθμός, 1519.

Ἴσσος, 1213.

Ἰστρία, 186.

Ἰταλία, 186, 497, 539, 841, 1519.

Ἴωνες, 1323, 1498.

Ἰωνία, 1416, 1419, 1420, 1421, 1424, 1543, 1568, 1730.

Καβάσσα, 186.

Καγυεττέων δῆμος, 767, 768.

Καδοηνός, 597.

[Καδοηνῶν] δῆμος, 596.

Καιδοκωμῆται, 1367.

Καισαρεία ἡ πρὸς τῷ Ἀργαίῳ, 1645.

Καισαρεῖς οἱ πρὸς τῷ Ἀργαίῳ, 19, 1588.

Cayster ποταμός, 1666.

Καλαβρία, 1212, 1307, 1741.

Κάλυμνα, 1022, 1024.

Καλυμνίων δᾶμος, 1022, 1023, 1026, 1027.

Καμειράς, 1150.

Καμειρεῖς, 1139.

Καπετώλιος, 1341.

Καππάδοκες, 1645.

Καππαδοκία, 815, 1509, 1686·

Καππαδοκία Μεγάλη, 1416.

— Μικρά, 1416.

Καππαδοκικὴ ἐπαρχεία, 275, 373, 375, 380, 383, 384, 385, 389, 390.

Ταβειρηνοί, 1245.
Ταζηνός, 1371.
Τακινέων δῆμος, 881.
Ταρράχων, 38, 39.
Ταρακωνησία, 1307, 1741.
Ταρακωνησία διοίκησις, 1212.
Ταρσία, 1416.
Τάρσιοι, 1443.
Ταρσεύς, 1343.
Τάτας κώμη, 604.
Τατεικωμητῶν κατοικία, 1492.
Ταῦρος, 1416.
Τειρηνοί, 1664.
Τειρηνῶν κατοικία, 1662, 1665, 1666.
Tiris Κατωτέρω (τόπος καλούμενος), 1666.
Τέος, 1064.
Τετραπυργία, 1381.
— Τετραπυργειτῶν et Τετραπυργια- νῶν δῆμος, 1381.
Τευθαλέων φύλη Phocaeae, 1325.
Τέως, 1552, 1558.
Τήιοι, 1545, 1548.
Τηίων πόλις, 1557, 1563, 1564, 1571, ἱερωτάτη, 1581.
— βουλή, 1557, 1563, 1570, 1571, ἱερωτάτη, 1578, 1581.
— δῆμος, 1557, 1558, 1559, 1563, 1564, 1566, 1568, 1570, 1571, 1579, 1580.
— Teiorum πύργος Φιλαῖος, 1569.
Τήιος, 1558.
Τημνείτης, 1514.
Τημενοθυρέων Φλαβιοπολειτῶν πόλις

λαμπροτάτη, 615, 619.
— μητρόπολις, 618.
— βουλή, 614, 618, 620.
— δῆμος, 618, 620.
Τημενοθυρεύς, 630.
Τημνείτης, 1514.
Τολοκαισαρέων κώμη, 1607.
Τραιανοπολειτῶν πόλις, 623.
— βουλή, 626, 627.
— δῆμος, 626, 627.
Τραιανῶν πόλις, 1213.
Τράλλεις, 160, 1432, 1442, 1519.
Τραλλιανός, 160.
Τραπεζόντιος, 1272.
Τρίπολις Μαιονίη, 1671.
Τρόχεττα, 1498.
Τροχεττηνοὶ Καισαρεῖς, 1498.
Τρόχναδες, 546.
Τροπήσιοι, 1213.
Τρωαδεῖς, 246, 1212, 1307, 1741.
Τρωαδεύς, 1310.
Τυανωλλειτῶν κατοικία, 1332.
Τυμωλίς, 1503.
Τύμωλος, 1498.
Τυριμναῖος, 1238.
Τύριος, 1141.

Ὕπαιπα, 1612.
Ὑπαιπηνῶν πόλις, 1666.
Ὑπαιπηνός, 1609, 1611.
Ὑργαλέων πέδιον, 756.
Ὑρκάνιος, 1514.
Ὑρκανῶν Μακεδόνων πόλις, 1334, 1487.

— βουλή, 1355.
— δῆμος, 1355.

Χαλδαῖον, 1281.
Χαλκηδών, 161.
Χηλή, 1040.
Χίος, 947.
Χῖοι, 939, 943.
Χίων βουλή, 928, 931.
— δῆμος, 928, 929, 930, 931, 934,
935, 941, 944, 947, 952.
Χονδριανῶν κώμη, 1603.
Χρυσορόας, 374.
Χωριανῶν κατοικία, 1314.

? Φασηλίς, 978.
Φιλαδελφέων πόλις, 1630, 1633.
— βουλή, 1629, κρατίστη, 1631, 1632,
1633, 1640, 1642, 1644, ἱερωτάτη,
1637, 1638, 1639.
— δῆμος, 1617, 1625, 1626, 1629,
1640, 1642, 1644, λαμπρότατος,
1631, 1639.

— γερουσία, 1629, 1632, 1644.
— φυλαὶ ἑπτά, 1632.
Φιλαδελφεύς, 1419, 1619, 1634, 1636,
1761.
Φιλαδελφηνὴ ῥεγιών, 1651.
Φιλαδελφίς, 1643.
Φλαβιοπολεῖται, 620. Cf. Τημενοθυ-
ρέων πόλις.
Φοινείκη, 374.
Φρυγία, 390, 598, 702, 749, 814, 819,
1416.
Φυγελίς, 1029.
Φυξιωτῶν δῆμος, 1084.
Φωκαέων βουλή, 1323.
— δῆμος, 1322, 1323, 1548.
— φύλη Τευθαδέων, 1325.

...αριοκωμῆται, 1367.
...λειδων φυλή, 1326.
..ληιοπολεῖται, 1194.
..σζεδδίων δῆμος, 1357, 1494.
Oppidi incerti δῆμος, 1328.

IX

MVNERA PROVINCIALIA

N. B. Sacerdotes prouinciales uide supra p. 640 et sqq.

Asia.

τὸ κοινὸν τῆς Ἀσίας, 188, 316, 496, 1263, 1432.

κοινὸν βούλιον τῆς Ἀσίας, 780.

τὸ ἔθνος, 573, 1226.

τὸ λαμπρότατον ἔθνος, 1249.

τὸ συνέδριον, 188.

οἱ ἐπὶ τῆς Ἀσίας Ῥωμαῖοι καὶ Ἕλληνες, 860.

οἱ ἐν τῆι Ἀσίαι δῆμοι καὶ τὰ ἔθνη καὶ οἱ κατ᾽ ἄνδρα κεκριμένοι ἐν τῆι πρὸς Ῥωμαίους φιλίαι, 188, 291.

οἱ ἐν τῇ φιλίαι κριθέντες δῆμοι καὶ τὰ ἔθνη, 297.

οἱ ἐπὶ τῆς Ἀσίας Ἕλληνες, 371, 576, 819, 908, 1410.

κοινὸν τῶν κατὰ τὴν Ἀσίαν Ἑλλήνων, 398.

τὸ κοινὸν τῶν ἐπὶ τῆς Ἀσίας Ἑλλήνων, 1756.

Ἀσία ἐπαρχεία, 644, 646.

ἀρχαιρεσία, 1756.

ἀρχαιρετικὴ ἐκκλησία, 1756.

ἀρχή, 1756.

Ἀσιάρχης, 154, 156, 261, 263, 472, 665, 740, 795, 817, 828, 882, 906, 907, 910, 912, 1075, 1168, 1233, 1234, 1244, 1245, 1294, 1381, 1424, 1431, 1433, 1454, 1481, 1518, 1567, 1609, 1610, 1612, 1631, 1635, 1642, 1643, 1688.

Ἀσιαρχήσας, 1226.

Ἀσιάρχης Περγαμηνῶν, 1247.

Ἀσίας ναοὶ οἱ ἐν Ζμύρνῃ, 1415, 1423, 1435, 1480.

Ἀσιάρχης ναῶν τῶν ἐν Σμύρνῃ, 17.

πρῶτος Ἑλλήνων, 1276.

ἔκδικος, 1756.

οἰκονόμος Ἀσίας, 1474.

παραφυλακή, 196.

παραφυλάξας, 739, 1531.

ἀρχιπαράφυλαξ, 524.

X

RES MVNICIPALIS

ἀδελφοί populi, 179.

ἄστυ, 1063.

ἄσυλος ciuitas, 1557.

ἄτιμοι, 289.

αὐτονομία, 1010.

αὐτονομουμένη καὶ δημοκρατουμένη πόλις, 179.

χώρα οὖσα ἱερὰ καὶ ἄσυλος καὶ αὐτόνομος, 1677.

ἀφορολόγητος πόλις, 1528, 1557.

δαμοκρατία, 40.

δεσποτία, 1039, 1040, 1041.

δῆμος μησιτεύων, 297.

διάταξις, 352.

ἐλευθερία, 1010, 1031.

ἐνεκτημένοι, 1087.

ἐπιδαμία, 1114.

ἐπιδημήσας, 1272.

ἐπιδημοῦντες, 1273.

κατοικία, 593, 624, 635, 641, 834, 1155, 1245, 1314, 1332, 1343, 1349, 1352, 1381, 1387, 1491, 1492, 1497, 1615, 1755.

κάτοικος, 289, 1375, 1484, 1653.

κατοικοῦντες, 834, 1087, 1110, 1675.

οἱ κατοικοῦντες τὴμ πόλιν καὶ τὴμ χώραν, 289.

κοινόν = uicus, 598.

κοινόν = uicorum commune, 756.

κοινὸν παροίκων, 598.

κοινόν = collegium peregrinorum, 1128.

κολωνία, 222, 991, 992.

κτοίνα, 1153.

κώμη, 583, 1237, 1377.

κωμήτης, 187, 1664, 1666.

μέτοικος, 1087.

ξένος, 713, 1000.

ὅρκιον, 179.

παρεπιδαμοῦντες, 1110.

παρεπιδημήσας, 1235.

πάροικος, 289, 598, 1000.

πολίτης, 1000, 1087.

πολείτης Ῥωμαῖος, 1529.

πολιτεία, 247.

πολιτεία ἰθαγενής, 1519.

συγγένεια populorum, 179.
δῆμος συγγενής, 1515.
συγγενὴς καὶ φίλος τοῦ Ῥωμαίων
δήμου populus, 179.
συγγενὴς Ilii Nero, 209.
συμμαχία populorum, 179. 1028. 1692.
σύμμαχος, 654, 1049.
σύμμαχος Ῥωμαίων πόλις, 619.

συμπολειτία, 31, 40.
συνθήκη, 1692.
συνπεπολιτευμένος, 573.
τριχωμία, 535. 1367.
φίλος καὶ σύμμαχος τοῦ δήμου τοῦ
Ῥωμαίων populus, 179.
χώρα ἐν ἀντιλογίᾳ, 262.
χωρίον, 1039, 1040, 1041. 1083.

Romani consistentes et conuentus.

ἀγορά, 636.
ἀγορὰ τῶν δικῶν, 1287.
ἀγοραία (σύνοδος), 788, 789, 790. 1638.
δεκουρίωνες, 102.
δίκα ἡ πρώτως ἀχθείσῃ, 1620.
κόνβεντος Ῥωμαίων, 1169, 1255·
κονβενταρχήσας, 818·

κουρατορεύσας κονβέντου Ῥωμαίων,
1255.
Ῥωμαῖοι, 943, 1643.
οἱ πραγματευόμενοι Ῥωμαῖοι, 248,
903, 904, 905, 913, 916, 917, 918,
919.
συνέδριον τῶν Ῥωμαίων, 818.

1. Populus.

ἀρχαιρεσία, 292, 948.
γραμματεὺς τοῦ δήμου, 293, 786, 793,
915, 1161, 1167, 1228, 1248, 1256,
1435, 1441, 1608, 1675, 1756.
γραμματεύων τοῦ δήμου, 664.
δῆμος, 566. Cf. INDICEM VIII, RES GEO-
GRAPHICA, 2.
τὸ δημόσιον, 789, 790.
εἰσηγησάμενος, 261.
εἰσηγήσασθαι, 302.
ἐκκλησία, 247, 1004, 1156.
ἐκκλησία ἀρχαιρετική, 293.

ἐκκλησία ἔννομος, 292.
ἐκκλησία δημοτελής, 1756.
ἐκκλησία μέση, 144, 145, 146·
ἐκκλησία πάνδημος, 791.
κλῆρος, 297.
κυροῦν (ψήφισμα), 294.
νομοθεσία, 259.
προγραφεῖν (ψήφισμα), 294.
ταμίας τοῦ δήμου τὸ δεύτερον, 180.
ψήφισμα, 1123, 1124, 1129. Cf. INDI-
CEM XIV, ACTA.
ψηφίσασθαι, 297.

2. Bulê, Gerousia, Ephebi.

3. Munera municipalia.

πρῶτος ἄρχων τὸ δεύτερον, 528, 705.

πρῶτος ἄρχων τὸ τρίτον, 594. 700.

ἄρχοντες πάντες, 145, 146.

οἱ περὶ Δαμόστρατον ἄρχοντες, 120.

οἱ σὺν....... archontes ? 142.

συναρχία, 1119. 1294.

συνάρχοντες, 1333, 1336.

ἀρχικός, 1273.

ἄρξας, 792, 1167.

ἄρξας τὴν πρώτην ἀρχήν, 1632.

συνάρξαντες, 1439.

ἄρχοντες τοῦ γυμνασίου, 159.

ἄρχων ἐπὶ τῆς εὐκοσμίας, 556.

ἄρχων ἐπὶ τῆς εὐκοσμίας διὰ βίου, 582.

ἄρχων τοῦ καλλίου, 153.

ἀστυνόμος, 239.

ἀστυνομήσας, 1115.

ἄπαρχαι, 46.

βιόκουρος, 1307, 1741.

βραβευτής, 1304, 1348, 1497.

γραμματεύς, 318, 555, 625, 626, 838, 900, 1219, 1347, 1439.

γραμματεὺς τῆς πόλεως, 901, 911.

γραμματεύων, 525, 1686.

γραμματεύσας, 654, 739, 740, 801, 870, 1525.

γυμνασιαρχία, 294, 788, 790, 915, 1236, 1322, 1676.

γυμνασιαρχία αἰώνιος, 915.

γυμνασίαρχος, 159, 256, 292, 317, 375, 446, 454, 456, 470, 473, 478, 493, 522, 915, 990, 1000, 1239, 1131, 1242, 1359, 1525, 1692, 1756.

γυμνασίαρχος δι' αἰῶνος, 384.

γυμνασίαρχος femina, 1687.

γυμνασίαρχος δι' αἰῶνος femina, 81.

γυμνασίαρχος ἐς τὸν αἰῶνα femina, 22, 99.

γυμνασιάρχων, 101, 482, 788, 789, 1246.

γυμνασιαρχήσας, 216, 448, 555, 654, 788, 790, 793, 950, 953, 1062, 1110, 1248, 1269, 1302, 1676, 1757.

δὶς γυμνασιαρχήσας, 130.

γυμνασιαρχήσας διετίαν, 708.

ὑπογυμνασίαρχος, 292.

ὑπογυμνασιαρχῶν, 482.

γυμνασιαρχήσας τῶν τε νέων καὶ πρεσβυτέρων, 293.

γυμνασιαρχήσαις τῶν νέων καὶ τῶ θέω, 101.

ὑπογυμνασιαρχήσας Θέας Ἀγριππείνας, 100.

γυμνασίαρχος τῶν γυναικῶν, 522.

δαμαρχεύων, 1102.

δαμαργῶν, 1087, 1088.

δεκάπρωσις, 222.

δεκάπρωτος, 1256, 1271.

δεκαπρωτεύσας, 657, 818, 1228, 1248, 1250, 1261, 1265, 1273, 1290, 1531, 1619, 1644.

δεδεκαπρωτευκώς, 1640.

δημιουργός, 1031.

δημιουργήσας, 1110.

δημιουργήσασα, 984.

δημόσιος, 661, 1284, 1281, 1283, 1284.

διαταξίαρχος, 386.

T. IV

κουρατορεύσας, 1169, 1531, 1629, 1638.

κεκουρατορευκώς, 1640.

κώμαρχος, 592, 1492, 1635.

λόγιος, 1243.

λόγιος πρυτάνις, 77; femina, 25.

λογιστεία, 218.

ἀρχὴ λογιστεία, 1664, 1665.

λογιστής, 351, 1168, 1212, 1213, 1307. 1343, 1359, 1642, 1678, 1741.

λογιστὴς τῆς πόλεως, 1341, 1756.

δοθεὶς λογιστὴς ὑπὸ τοῦ αὐτοκράτορος, 218.

λογιστεύων, 626, 1294, 1660.

λογιστεύσας, 1662.

ἐκλογιστής, 1756.

ἐγδικασία, 1757.

μόναρχος, 1087.

μοναρχεῖν, 1101.

μοναρχήσας, 1060.

νεωποίης, 991, 992, 993, 1097, 1098, 1675.

νεωποίης χιροτονητός, 991.

νεοποιήσας, 1441.

νεωποιήσας τῶν Σεβαστῶν, 158.

νομοθέτης, 25, 32, 259.

νομοφυλακία, 116, 1167.

νομοφύλαξ, 1348, 1558.

νομοφυλακήσας, 860, 870.

νομοφυλάξας, 1637.

οἰκονόμος, 813, 1435, 1630.

ὁπλοφύλαξ, 733, 736.

παιδόνομος, 145, 292, 318, 1587, 1692.

παιδονομῶν, 482, 485.

πολέμαρχος, 947.

πρόδικος, 1397.

πρόκριτος, 618.

προνοησάμενος, 688.

προνοήσας ἔργων κατασκευῆς, 1256.

πρόξενος, 1118.

πρόσκλητος, 1004.

προστάτης, 653, 787, 1381.

πρυτανεία, 46, 1129, 1167, 1236.

πρύτανις, 46, 155, 288, 290, 292, 293, 297, 302, 316, 317, 383, 445, 461, 465, 473, 482, 484, 485, 499, 500, 501, 1000, 1124, 1225, 1228, 1232, 1233, 1238, 1243, 1247, 1302, 1304, 1322, 1323-1325, 1359, 1431, 1346 1586, 1587, 1588, 1589, 1664, 1665.

πρύτανις femina, 513, 1687.

πρυτανεύειν, 155.

πρυτανεύων, 1000.

πρυτανεύσας, 1241, 1119, 1114, 1438.

πεπρυτανευκώς, 520.

ἀρχιπρύτανις, 1722.

ἐπὶ τοῦ π....., 1435.

στεφανηφορία, 583, 941.

στεφανηφορία αἰώνιος, 1342.

στεφανηφόρος, 39, 145, 146, 525, 528, 555, 556, 586, 857, 941, 953, 996, 998, 1225, 1236, 1237, 1238, 1247, 1273, 1302, 1322, 1323, 1324, 1325, 1342, 1344, 1367, 1374, 1393, 1398, 1406, 1431, 1433, 1435, 1464, 1497, 1523, 1524, 1525, 1608, 1612, 1644, 1692.

στεφανηφόρος femina, 1726, 1754.

στεφανηφόρος τοῦ σύμπαντος Σεβασ-

5. Notabilia.

δένδρον, 1349.

ἔκδοσις, 352.

ἐλαφροτοκία, 292.

ἐλέου ευ...., 109.

ἐνεορτάδια, 352.

ἐνεχυρασία, 352.

ἐπιδημία Αὐτοκράτορος, 1287.

ἐπιζήμιον, 788.

ἐπικεφάλαιον, 181, 259.

ἐφόδιον, 566, 1156.

ζήτησις, 302.

ζυγοστάσια, 657.

τὸ ἱκανὸν λαμβάνεσθαι, 352.

κάθοδος exsulum in patriam, 1729.

κάλαμος, 1675.

κῆπος, 1083, 1349, 1431.

κτῆσις χώρας, 914.

κτίσις, 783, 915.

κτίσμος, 914.

λῃστήριον, 219.

ναῦλος, 1427.

νομὴ ἐλώδης, 112.

ξένια, 1028.

οἰκίστης, 1244.

οἶνος, 1675.

πλάτος, 866.

πόπανον, 353.

πόρος, 788, 789, 790.

πρόσοδοι δημοσίαι, 791.

πρόστιμον, 834, 835, 874, 927, 1703.

προσφάγιον, 352.

ῥόδον, 661.

ῥοδόεσσαι, 109.

σειτοδεία, 870.

σειτωνικὰ χρήματα, 1632.

σημεῖον ἀβαστακτόν, 446.

σπάρτα, 109.

συγγραφή, 292.

συναλλαγή, 352.

συντέλεια, 1664.

σφραγὶς δημοσία, 1756.

ταμεῖον, 231, 237, 694, 696, 867, 1356.

    Cf. INDICEM XIV : *Multae funerales.*

τέλη, 1156.

πρυτανικὸν καὶ ἐπώνυμον τέλος, 290.

τόκος δραχμιαῖος, 788.

τόπος δημόσιος, 1379.

τράπεζα, 352.

φοινεικῶν, 1431.

φορικὰ χρήματα, 186.

φόρτιον, 359.

φυτεία, 660, 661.

φυτόν, 1349.

XI

ARTES PRIVATAE, COLLEGIA

1. Artes liberales.

ἀοιδός, 164.

ἀρχίατρος, 116, 182, 553, 1067, 1086, 1278, 1383.

ἀρχιτέκτων, 146, 396, 504, 506, 727.

αὐλητής, 135.

γεωμέτρης, 504, 571.

γεωμετρία, 503.

γραμματικὸς Ῥωμαικός, 1280.

ἰατρός, 507, 520, 532, 690, 1087, 1108, 1359.

ἰατρὸς Τιβερίου Κλαυδίου Καίσαρος, 1026.

ἰητορίη, 507.

κιθαρῳδός, 1432.

μειμολόγος, 1450.

μελοποιός, 1432.

μελοποιὸς Ὁμηριανός, 1448, 1691.

μυθογράφος, 1018.

νομικός, 533, 587, 588, 1085, 1226, 1520.

νομοδίκτης, 468.

νόμων ἐμπειρία, 618.

ἡγησάμενος Μουσείου ἐπὶ τῶν νόμων ἐμπειρίᾳ, 618.

ὀρχηστής, 1272.

παιδευτής, 294.

ποιητής, 106, 163, 1170, 1256.

ποιητὴς μελῶν, 6.

ποιητογράφος, 176.

poeta πάντα σοφὸς καὶ μουσῶν ὅγ᾽ ἄριστος, 107.

Πυρρωνιαστής, 1740.

ῥήτωρ, 126, 652, 688, 909, 1226, 1233, 1234, 1424, 1535, 1643.

sculptor, 1114, 1115, 1118, 1141, 1142.

σοφίη, 507.

σοφίης διδάσκαλος, 606.

σοφιστής, 1, 1134, 1402, 1431, 1544, 1630.

σοφὸς αὐτοδίδακτος, 176.

συγγραφεὺς ἱστοριῶν, 1731.

σχολαστικός, 765.

τραγῳδός, 1069.

φιλόλογος, 1446.

φιλόσοφος, 25, 125, 189, 457, 468, 469, 527, 627, 628, 1324, 1326, 1359, 1403, 1690.

φιλόσοφος Ἐπικουρεῖος, 997, 998.

φιλόσοφος Πλατωνικός, 1449.

φιλόσοφοι ἐν τῷ Μουσείῳ σειτούμενοι, 1373.

φιλόσοφος femina, 125.

φωνασκός, 1432.

2. Artes uariae.

ἀγροικός, 808.

ἄμειψις, 352.

ἀσπρατούρα, 352.

ἁπλουργός, 863.

ἀρτοκόποι, 1244.

βαφεύς, 425, 863, 1239, 1242, 1250.

ἐπιστησάμενος τοῦ ἔργου βαφέων, 1265.

βυρσεῖς, 1216.

γναφεύς, 863.

γεωργός, 112, 598.

γεωργεῦντες, 1087.

δακτυλοχοιλογλύφος, 1648.

διοικήτης, 1417.

εἱματιοπώλης, 855.

ἐκβάσμωσις, 514.

ἐνποριάρχης, 796.

ἐπιστάτης pueri?, 1268.

ἐργαζόμενοι ἄνδρες, 352.

ἐργασία, 821, 822.

ἐργαστής, 190, 352, 791, 841, 1209.

ἐριοπλύτης, 821.

ἐριουργός, 1632.

ἱματευόμενοι, 1209.

κηδεακοῦ παῖδες, 353.

κόλλυβος, 352.

λατύπος, 538.

λῃστής, 1029.

λιβράριος, 1647.

λινουργός, 1226.

μετρητής, 1000.

οἰκονόμος δοῦλος, 895.

πειρατής, 1029.

ποικίλτης, 863.

πορφυροπώλις, 1071.

πραγματευτής, 152, 795, 798, 1576.

πραγματικός, 743.

σαλτάριος, 634, 1186.

σκανδαλάριος, 1646.

σκυτοβυρσεύς, 907.

σωματέμπορος, 1257.

τεχνειτής, 790, 1433.

φορτηγός, 1414, 1459.

χρυσωρύφων ἔργων ἡγήτωρ, 608.

3. Collegia.

συνεργασία, 643.

σύνοδος artificum, 818.

4. Collegiorum honores.

XII

LVDI, AGONISTICA

ἀγών, 117, 159, 292, 293, 495, 560, 583, 765, 844, 1045, 1302, 1558, 1568, 1609.

ἀγώνισμα, 1270.

ἀγὼν γυμνικός, 294, 316, 350, 582, 1273.

ἀγὼν κατ᾽ ἔτος, 144.

ἀγὼν διετηρίδος, 850.

ἀγὼν τριετηρίδος, 290, 292, 293.

ἀγὼν πενταετηρικός, 160, 297, 579, 584, 654, 858, 1517.

ἀγὼν κατὰ πενταετηρίδα, 39.

ἀγὼν εἰσελαστικός, 336, 460, 858, 1519, 1260, 1525.

ἀγὼν εἰσολύμπιος, 1128.

ἀγὼν θεματικός, 1432, 1442.

ἀγὼν θυμελικός, 39, 1273.

ἀγὼν ἱερός, 336, 496, 497, 1133, 1431, 1441, 1519, 1636.

ἀγῶνες ἱεροὶ οἱ ἀπὸ τῆς οἰκουμένης πάντες, 1636.

ἀγὼν μουσικὸς συντελούμενος τῇ Ῥώμῃ, 247.

ἀγὼν ὅπλων, 294.

ἀγὼν πανηγυρικός, 336.

ἀγὼν στεφανίτης, 293, 496, 497.

ἀγὼν ταλαντιαῖος, 1432.

agones ταλαντιαῖοι καὶ ἡμιταλαντιαῖοι, 161.

Ὀλυμιάς, 162, 163, 1344.

πανήγυρις, 144, 200, 201, 292, 293, 295, 300, 386, 396, 1140.

πανήγυρις Σεβαστεῖος, 1270.

1. Nomina ludorum.

Ἀγρίππηα, 1064.

Ἀδριανεῖα, 844, 1432, 1443, 1519, 1645, 1761.

Ἀδριανεῖα μέγαλα ἐπιβατήρια, 1542.

Ἀδριανεῖα Ἀθήνας, 160.

ἀγὼν Ἀδριανῶν Ὀλυμπίων, 154.

πανήγυρις Τυριμνῆος, 1270.

τὰ μεγάλα Σεβαστὰ Τυριμνῆα, 1273.

Φερσεφάσσια, 949.

Φιλαδέλφειον, 1519.

Φιλαδέλφεια, 1645.

Χρυσάνθινα πρῶτοι ἀγῶνες εἰσελαστικοί, 1518.

Χρυσάνθινον, 1432, 1519, 1761.

2. Notabilia.

ἀγενεῖοι, 495, 1064, 1065, 1761.

ἀγωνιστής, 1568.

ἀγωνοθεσία, 32, 210, 294, 582, 583, 844, 1568, 1701.

ἀγωνοθετεῖν, 583.

ἀγωνοθέτης, 193, 197, 247, 293, 295, 317, 465, 477, 356, 573, 574, 576, 584, 821, 822, 823, 858, 947, 948, 964, 971, 993, 1225, 1229, 1238, 1239, 1243, 1244, 1245, 1247, 1249, 1270, 1278, 1311, 1312, 1323, 1359, 1393, 1431, 1521, 1523, 1543, 1568, 1639, 1680.

ἀγωνοθέτης ἀποδεδειγμένος, 586.

ἀγωνοθέτης δὶς κατὰ τὸ ἑξῆς, 316, 473.

ἀγωνοθέτης διὰ βίου, 643, 844, 914, 1246, 1608, 1611, 1756.

ἡγεμὼν ἄμισθος ludorum, 1111.

ἀγωνοθετῶν, 1393, 1415, 1609, 1610.

ἀγωνοθετήσας, 143, 291, 300, 785, 844, 850, 1062, 1139, 1203, 1224, 1225, 1229, 1241, 1273, 1287, 1549, 1689, 1757.

ἀγωνοθετήσας τρίς, 579.

ἠγωνοθετηκώς, 520.

ἀγωνοθέτις, 656, 844, 1225, 1238, 1254,

1325, 1423.

ἀγωνοθετήσασα, 451, 1183, 1542.

ἆθλα, 823.

τῶν ἀπ' αἰῶνος ἀθλητῶν μόνος καὶ πρῶτος, 1252.

ἀθλητήρ, 1068, 1278.

ἄλειμμα, 294.

ἀναγόρευσις, 292, 293, 295.

ἄνδρες, 495, 497, 1064, 1065.

ἀποβάτης, 1263.

ἡγέτης ὁδοῖο θεαρίδος, 360.

ἅρμα τέληον, 1727.

βραβεῖον χρυσοῦν, 160, 1519.

διαδρομή, 294, 1692.

δίαυλος, 1065, 1262, 1609.

δολιχαδρόμος, 1419.

δόλιχος, 1128.

δραχτός, 522.

δρομαγετήσας, 100, 101.

δρομεὺς παράδοξος, 460.

δρόμος, 1521.

δωρεά, 1273.

ἐλαίας στέφανος, 370.

ἔλαιον, 294, 1168, 1269.

ἐλεοχρείστιον, 1678.

ἔπαθλα, 292, 294.

θέματα, 1270, 1273.

ἱερὰ θυμελικὴ σύνοδος, 1542.

ἱερονείκης, 1429, 1432, 1587.

ἱερονείκης παράδοξος, 855.

ἵππος στ...., 1129.

ἰσαγωγεὺς ἀγῶνος, 1290.

καθέδρα, 1134.

Καπετωλιόνεικος παράδοξος, 468.

κιθαρῳδὸς παράδοξος, 468.

κριοβόλια, 294.

κωμῳδὸς λαμπρὸς ἐκ παραδόξου, 1133.

κομῳδὸς περιοδονείκης παράδοξος, 468.

λαμπαδάρχης, 1430.

λαμπαδαρχήσας, 1261, 1265.

λαμπάδες, 294.

λουτῆρες, 522.

νεανίσκοι τῶν πρώτων γυμνασίων, 1217.

νεικήσας, 1609, 1610, 1634.

νέοι, 224, 357, 396, 485, 657, 818, 1579, 1676, 1678.

νέων συνέδριον, 709.

νέοι φιλοσέβαστοι, 709.

ξυστάρχης, 1215, 1393, 1632, 1643.

ξυστάρχης διὰ βίου, 1761.

ξυσταρχῶν, 1393.

ξυσταρχήσας, 950.

ξυσταρχία, 1419, 1519.

ξυστός, 294, 1215, 1519.

ὀλυμπιονείκης, 353.

πανκρατιάστης, 246, 1421, 1634.

παγκράτιον, 495, 497, 1128.

πανκράτιον ἀνδρῶν, 162, 1442.

πανκράτιον ἀγενείων, 160.

πανκράτιον παίδων, 160.

παγκράτιον νικήσας, 1268, 1310.

παῖδες, 495, 497, 947, 1064, 1065, 1519, 1761.

παιδικά, 1609.

πάλη, 495, 1128, 1610.

πάλη ἀγενείων, 162, 1344.

πάλη ἀνδρῶν, 1344.

πάλη παίδων, 244, 844, 1344.

πάλην νεικήσας, 1267, 1312.

πανηγυριάρχης, 143, 493, 584, 993, 1541.

πανηγυριαρχήσας, 1248, 1525, 1629, 1637, 1638, 1640.

ἄρξας πανηγύρεος, 555.

πανηγυρίζοντες, 1273.

παραδρομίς, 295.

πένταθλον, 161, 1064, 1065, 1128, 1761.

πένταθλον ἀνδρῶν, 161, 1263.

περιοδονείκης, 940, 1636, 1643.

πλειστονείκης παράδοξος, 1519.

ποιητὴς παράδοξος, 468.

πρεσβύτεροι, 947.

προστὰς ἀγῶνος, 1266.

προσχορηγήσας, 1348.

πυγμή, 497, 1311, 1519.

πυγμὴν νεικήσας, 143.

πύθαυλος περιοδονείκης παράδοξος, 468.

Πυθιονείκης, 740.

σελλάριος, 1468.

στάδιον, 1064, 1065.

στεφανωθείς, 1129, 1133, 1636.

στέφανος, 1568.

στέφανος χρυσοῦς, 1519.

συναγωνίστης, 1568.
συνπανηγυρίζοντες, 1273.
ταυροκάθαψις, 460.
τέθριππον, 1116.
τειμῆμα, 1273.
τραγικὴ κείνησις, 1272.

τραγῳδὸς παράδοξος, 468.
χοραγήσας, 1116.
χορηγία, 1238, 1302.
χορεῖον, 353.
χορεύσας, 386, 396.
ᾠδὸς παράδοξος, 1636.

3. Gladiatores, uenationes.

ἀπολυθεὶς ἔξω λούδου, 1274.
ἀρχικυνηγός, 227.
ἱπποδιώκτης, 1455.
κοντοκυνηγέσιον ἑνόζυγον ἀπότομον, 1632.
κυναγία, 32.
κυνηγεσία, 175, 1075.
κυνήγιον, 225, 226, 555.
θηροτρόφος ἀνήρ, 826.
Θρᾷξ, 1457.
δεύτερος πάλος Θραχῶν, 165.
λουδαρίων φαμιλία, 1453.
λοῦδος, 1274.

μονομαχία, 1680.
μονόμαχος, 104, 226, 617, 857, 1075.
  Cf. 167, 759, 865, 1072, 1073, 1074.
μονομάχων φαμιλία, 102, 103, 156, 759, 1075, 1377, 1453, 1454.
μυρμίλλων, 104.
νίκη, 1369, 1370.
νεικήσας Ἄρεως νείκας ιε', 133.
πάλμη, 1369, 1370.
προβοχάτωρ, 166.
ἐννεάκις πυκτεύσας, 165.
σεχουνδαρούδης, 837.
σεχούτωρ, 1369.

XIII

AERAE, CALENDARIA

N. B. Annos imperatorum romanorum vide in indice IV.

1. Aerae.

Aera Actiaca.

ἔτος τῆς Καίσαρος νίκης γ΄, annus 3 = 29 ante C. n., 991.

ἔτος ιη΄, annus 18 = 14 ante C. n., 991.

ἔτος κθ΄, annus 29 = 3 ante C. n., 991.

ἔτος ο΄ καὶ α΄, annus 71 = 39 post C. n. 1615.

ἔτος σμε΄, annus 245 = 213 post C. n. 1619.

ἔτος σξ., annus 26. = inter 228 et 237 post C. n., 1760.

ἔτος σξθ΄, annus 269 = 237 post C. n., 1614.

ἔτος σπβ΄, annus 282 = 250 post C. n., 626.

ἔτος ... annus incertus, 1653.

Aera Amisena.

ἔτος ρξγ΄ τῆς ἐλευθερίας, annus 163 = 132 post C. n., 1586.

Aera Cibyratica.

ἔτος ρκ΄, annus 120 = 145 post C. n., 921.

ἔτος ζμρ΄, annus 147 = 172 post C. n., 901.

ἔτος ἔνατον πεντηκοστὸν ἑκατοστόν, annus 159 = 184 post C. n., 911.

ἔτος ρπβ΄, annus 182 = 207/208 post C. n., 889.

ἔτος ..ρ΄, annus 1.. = 1../224 post C. n. 923.

ἔτος λσ΄, annus 230 = 255 post C. n., 897.

ἔτος αλσ΄, annus 231 = 256 post C. n. 922.

Aera diui Augusti.

ἔτος .. τῆς Καίσαρος ἀποθεώσεως, 1704, 1726, 1732.

Aera Samia.

ἔτος μα΄, annus 41 = inter 20 et 30 post C. n., 991, 1706.

ἔτος μ΄ καὶ β΄, annus 42 = inter 21 et 31 post C. n., 991, 1706.

ἔτος μδ΄, annus 44 = inter 23 et 33 post C. n., 991, 1706.

ἔτος ρμ.΄, unus annorum 140/149 = inter 119 et 138 post C. n., 966, 1704.

Aera coloniae Sami.

ἔτος δ΄, annus 4 = ?, 991, 1706.

ἔτος ζ΄, annus 7 = ?, 991, 1706.

ἔτος .., 992, 1707.

Aera Sullana.

ἔτος ἔνατος, annus 9 = 76/77 ante C. n., 197.

ἔτος ζγ΄, annus 96 = 11/12 post C. n., 1375.

ἔτος λ΄ καὶ ρ΄, annus 130 = 45/46 post C. n., 792.

ἔτος γνρ΄, annus 153 = 68/69 post C. n., 120.

ἔτος ρξθ΄, annus 169 = 84/85 post C. n., 661.

ἔτος ροβ΄, annus 172 = 87/88 post C. n., 713.

ἔτος ρογ΄, annus 173 = 88/89 post C. n., 684.

ἔτος ρqε΄, annus 195 = 110/111 post C. n., 1738.

ἔτος σδ΄, annus 204 = 119/120 post C. n., 623.

ἔτος σιε΄, annus 215 = 130/131 post C. n., 624.

ἔτος σκ΄, annus 220 = 135/136 post C. n., 1658.

ἔτος σκα΄, annus 221 = 136/137 post C. n., 751.

ἔτος σκε΄, annus 225 = 140/141 post C. n., 1377.

ἔτος σκη΄, annus 228 = 143/144 post C. n., 1371.

ἔτος σν΄, annus 250 = 165/166 post C. n., 1606.

ἔτος σνα΄, annus 251 = 166/167 post C. n., 625.

ἔτος σνδ΄, annus 254 = 169/170 post C. n., 1662.

ἔτος σνε΄, annus 255 = 170/171 post C. n., 803.

ἔτος σνθ΄, annus 259 = 174/175 post C. n., 1662.

ἔτος σξ΄, annus 260 = 175/176 post C. n., 1635.

ἔτος σξζ΄, annus 267 = 183 post C. n., 1747.

ἔτος σπα΄, annus 281 = 196/197 post C. n., 664.

ἔτος σπη΄, annus 288 = 203/204 post C. n., 629.

ἔτος σπθ΄, annus 289 = 204/205 post C. n., 687.

ἔτος σζγ΄, annus 293 = 208/209 post C. n., 758.

ἔτος τ΄, annus 300 = 215/216 post C. n., 694.

ἔτος τβ΄, annus 302 = 217/218 post C. n., 891.

ἔτος τβι΄, annus 312 = 227/228 post C. n., 536.

ἔτος τκ΄, annus 320 = 235/236 post C. n., 730.

ἔτος τκδ΄, annus 324 = 239/240, post C. n., 799.

ἔτος τκσ΄, annus 326 = 241/242 post C. n.. 665.

ἔτος τκθ΄, annus 329 = 244/245 post C. n., 688.

ἔτος τλ΄, annus 330 = 245/246 post C. n., 635.

ἔτος τλϛ΄, annus 332 = 247/248 post C. n., 795.

ἔτος τλγ΄, annus 333 = 248/249 post C. n., 609.

ἔτος τμ΄, annus 340 = 255/256 post

C. n., 1613.

ἔτος τμϛ΄, annus 342 = 257/258 post C. n., 667.

ἔτος τμε΄, annus 345 = 260/261 post C. n., 1298.

ἔτος τνδ΄, annus 354 = 269/270 post C. n., 621, 1387.

ἔτος τμδ΄ aut τνδ΄, annus 344 aut 354 = 259/260 aut 269/270 post C. n., 1381.

ἔτος τξγ΄, annus 363 = 278/279 post C. n., 630.

ἔτος τξδ΄, annus 364 = 279/280 post C. n., 893.

ἔτος τογ΄, annus 373 = 288/289 post C. n.

Aerae incertae, 429, 888, 890.

2. Calendaria graeca.

Calendarium Sidonium.

Λῷος, 353, 1314.

Γορπιαῖος, 364, 901, 1358, 1738, 1760.

Ὑπερβερεταῖος, 352, 353, 364, 751, 1365, 1522, 1747.

Δεῖος, 500, 623, 1342, 1647.

Ἀπελλαῖος, 923, 1285, 1313, 1619.

Περείτιος, 353, 363, 499, 640.

Ξανδικός, 661, 1168, 1222, 1275, 1291, 1362, 1736, 1744, 1753.

Ἀρτεμίσιος, 1087, 1282, 1387, 1526.

Δαίσιος, 239, 297, 621, 624, 922, 1342, 1371, 1606, 1752.

Πάνημος, 353, 494, 661, 713, 921,

1304, 1653, 1703.

Menses alii.

Ἀνθεστηριών, 127.

Ἀπατουρίων, 153, 1000.

Ἀπολλώνιος, 292, 294.

Αὐδναῖος, 1281, 1285, 1292, 1614.

Ἑκατομβεών, 1465.

ἐμβόλιμος, 948.-

Εὐμένειος, 289.

Θαργηλιών, 145, 155.

Καῖσαρ, 353, 494, 1298, 1615.

Καισάριος, 364.

Καλαμαιών, 144.

Κυανεψιών, 157.

Ληναιών, 146.
Νεοχαισαρεών, 1664, 1665.
Πεταγείτνυος, 1124.
Πομ...., 40.
Ποσειδεών, 153, 948.
μὴν Σεβαστός, 536, 1429.
Σεβαστὸς Καῖσαρ, 1021.
Σελευκεῖος, 197.
Ταυρεών, 297.
Τιβέριος, 1021.
Φράτριος, 27, 1302.
incertus, 1500, 1501.
μὴν α΄, 799.
μὴν τρίτος, 1464.
μὴν ς΄, 758.
μὴν θ΄, 730.
μὴν ια΄, 1377.

Τύβι, mensis Aegyptius, 1190.

Dies.

ἡμέρα Ἀφροδείτης, 1647.
ἡμέραι ἐπίσημοι, 860.
ἡμέρα εὐδαιμοσύνης, 661.
νουμηνία προτέρα, 1539.
Σεβαστή, 353, 624, 922, 1342, 1371.
    1501, 1615.
γενέσιος Σεβαστοῦ, 353.
ἡμέρα γενέθλιος Σεβαστοῦ Γερμανικοῦ
    Καίσαρος, 948.
Καίσαρος γενέθλιος ἡμέρα, 1608.
ἡμέρα γενέθλιος τοῦ αὐτοκράτορος,
    1666.
γενέσιοι αὐτοκρατόρων, 353.
ἡμέρα γενέθλιος imperatoris incerti,
    945.

3. Calendarium romanum.

χαλάνδαι Ἰανοάριαι, 33, 353, 1004.
πρὸ ἡμερῶν τριῶν χαλανδῶν Φεβροα-
    ρίων, 262.
ἰδαὶ Φεβρουάριαι, 1156.
χαλάνδαι Μάρτιαι, 1156.
Νῶναι Μάρτιαι, 661.
χαλάνδαι Ἀπρείλιαι, 1005, 1399.
εἰδαὶ Ἀπρείλιαι, 1017.
Μαῖος, 1417.
νῶναι Μαίαι, 1397.
ἰδαὶ Μαίαι, 1156.
χαλάνδαι Ἰούνιαι, 1404, 1465.

.... Ἰούνιαι, 33.
χαλάνδαι Ἰούλιαι, 33.
χαλάνδαι Σεπτέμβριαι, 357.
Ὀκτώβριος, 1615.
χαλάνδαι Ὀκτώμβριαι, 1398.
νῶναι Ὀκτώβριαι, 1403.
ἰδαὶ Νοέμβριαι, 349.
χαλάνδαι Δεκένβριαι, 1002.
χαλάνδαι Δεκέμβριαι, 575.
εἰδαὶ Δεκέμβριαι, 1008.
........εμβριαι, 301.
χαλάνδαι incertae 364, 365, 1003, 1615.

XIV

NOTABILIA

Aedificia et donaria.

ἀγόρα, 40, 146, 360, 914, 1302, 1558. 1703, 1756.

Ἀδριανεῖον, 1290.

ἀκροατήριον, 1703.

ἀλειπτήριον, 461, 501, 1431.

ἀλεκτόριον, 921.

ἀρχεῖον. Vide INDICEM X : RES MVNICIPA-LIS, 5 *Notabilia.*

Ἀσκληπιεῖον, 246.

βαλανεῖον, 228, 257, 881, 946, 1302, 1378, 1440, 1519, 1662.

βασιλική, 580, 1431, 1637.

βασιλικόν, 1528.

βασιλικὸς οἶκος, 1290.

βουλευτήριον, 45, 364, 555, 1431, 1653, 1692.

βωμός, 133, 184, 292, 294, 353, 360, 512, 514, 521, 531, 559, 603, 616, 624, 641, 670, 684, 727, 734, 737, 738, 745, 746, 760, 766, 798, 802, 829, 831, 838, 839, 855, 862, 891, 893, 1028, 1076, 1094, 1150, 1170,

1171, 1176, 1237, 1244, 1304, 1316, 1349, 1567, 1582, 1651, 1658, 1736.

γυμνάσιον, 101, 159, 212, 293, 294, 295, 351, 473, 580, 848, 915, 1000, 1222, 1302, 1431, 1613, 1703, 1757.

γυμνάσιον νέων, 293, 294, 364, 447, 461, 1689.

γυμνάσιον πανηγυρικόν, 294, 350.

γυμνάσια τὰ πρῶτα Thyatiris, 1264, 1266, 1267, 1268.

γυμνάσιον τὸ ἄνωθεν Thyatiris, 1273.

γυμνάσιον τὸ τρίτον Thyatiris, 1217. 1246, 1264, 1266, 1267, 1268, 1269.

γυμνάσια ἀμφότερα Pergami, 448.

γυμνάσια τὰ τέσσαρα Pergami, 294.

τὰ πέντε γυμνάσια Pergami 454.

γυμνάσια τὰ πάντα Pergami, 446, 1269.

δικαστήριον, 297, 1188.

Διοδώρειον, 292.

ἐνπόριον, 863.

ἐξέδρα, 294, 580, 751, 1058, 1703.

ἐξέδρα μαρμαρίνη, 293.

πρόπυλον, 636, 712, 1349, 1422, 1698.

πύλη, 1306.

πυλών, 662, 1539.

πύργος, 811, 847.

πυργώσας, 1510.

σανίς, 293.

σκούτλωσις, 808, 1290, 1528.

σπεῖρα, 1294.

στήλη, 39, 117, 360, 621, 1082, 1087, 1188, 1302, 1371, 1558.

στήλη λιθίνη, 247, 297.

στήλη λευκὴ λιθεία, 159.

στήλη λίθου λευκοῦ, 292.

στήλη μαρμαρίνη, 45, 1692, 1756.

στιβάς, 1150.

στρῶμα, 1179, 1331.

στυλίς μαρμαρίνη, 292.

σύνκρουστον, 737, 738, 746.

τράπεζα, 1558.

τρίκλινον, 1000.

τρίπυλον, 847, 1189, 1209.

ὕπαιθρον, 1222, 1327.

ὑπόβασις, 685.

ὑποκαύσις, 1210.

φάτνωμα ξύλινον, 556.

ψαλίς, 520.

ὡρολόγιον σκιακόν, 293.

Condicio hominum et feminarum.

ἀπελευθέρα, 1600.

ἀπελεύθερος, 762, 828, 864, 1582.

βέρνα, 1573.

δοῦλος, 522, 754, 921, 1031, 1576.

δοῦλος δημόσιος, 352, 914.

serua πρὸς χεῖρα, 518.

serua libertate donata utpote deo sacra, 758.

ἐλεύθερος, 522, 1029, 1110.

multa ob uiolatam libertatem, 758.

ἐξελεύθερος, 289, 1076.

θρεπτή, 758.

κληρονόμος, 1168.

ματρῶνα στολᾶτα, 595.

Epistulae, decreta, acta, libri, etc.

ἀναγγελία, 247.

ἀνταπογραφή, 948, 1692.

ἀντιγραφὴ ἱερά, 1249.

ἀντίγραφον, 33, 159, 571, 629, 639, 670, 834, 835, 840, 920, 923, 1162, 1181, 1184, 1236, 1275, 1283, 1284, 1292, 1313, 1356, 1381, 1397, 1452, 1459, 1464, 1477, 1480, 1485, 1500, 1611, 1656, 1667, 1756.

antigraphi testes septem, 1397 c.

ἀντισφράγισμα, 943.

ἀξίωμα, 326.

ἁπλοῦν, 1281, 1313, 1356.

ἀπογραφή, 948, 1083.

ἀπόγραφον, 1028.

ἀποχρίματα imperatorum, 336, 351, 352, 1756.

ἀπολόγισμος, 1288.

βύβλια ἰατρικά, 1445.

βύβλια ἱστορικά, 1445.

γνώμη pontificis prouinciae, 1236.

γνωμη prytanum, 1028.

γνώμη στρατηγῶν ciuitatis, 288, 289.

γράμματα, 301, 349, 351, 566, 576, 1031, 1129.

catalogus pecuniarum datarum, 499, 500, 501.

constitutionem imperatoris edere iubentur scribae, 1397 d.

index epheborum, 154.

index hipparchorum, 149.

δέησις, 598.

δεξιά, 619.

διαθήκη, 301, 316, 633, 804, 1168, 1183, 1203.

διαταγή, 840.

διάταγμα, 302, 351, 1028.

διάταξις, 337, 1181, 1188.

δίπλωμα, 1480.

δόγματα concilii prouincialis, 193, 781.

δόγμα βουλῆς municipalis, 784.

decreta ciuitatum, 251, 259, 261, 582, 725, 946, 948, 1004, 1005, 1008, 1017, 1028, 1029, 1249, 1397 a.

edicta imperatorum, 337, 364, 365, 366, 370, 1517.

edicta praesidum romanorum, 262, 404, 444.

decreti formula, 159.

ἔκκλησις, 1044.

ἐντολή Καίσαρος, 336.

ἐξεινπλάρεινον tituli, 1473.

ἐκσφράγισμα, 1465, 1474, 1480.

ἔπαινος, 1114. Cf. Indicem X, 4.

epistulae imperatorum, 7, 33, 34, 35, 36, 43, 199, 336, 338, 349, 350, 356, 357, 358, 359, 561, 566, 571, 575, 598, 672, 931, 939, 943, 1010, 1014, 1031, 1032, 1033, 1034, 1042, 1124, 1156, 1397 b, 1399, 1400, 1402, 1404, 1619, 1693, 1756.

epistulae imperatorum siue praesidum, 1398, 1612.

epistula consulum, 262.

epistula praetoris, 1557.

epistula quaestoris, 179.

epistula tribunorum plebis, 1557.

epistulae praesidum, 297, 301, 336, 337, 571, 572, 943, 1044, 1381.

epistula senatus romani, 1557.

epistula legatorum senatus, 192.

epistula procuratoris, 571.

epistulae Panhellenum, 573, 576.

epistula ciuitatis ad imperatorem, 1042.

ἐπιστολαὶ πρὸς τοὺς βασιλεῖς, 179.

ἐπιστολή sexcentorum uirorum Massiliae, 179.

epistula iuuenum ad imperatorem, 349.

epistula magistratus incerti, 1513.

ἐπιστολή αὐθεντική, 1381.

epistula agonothetae ad panegyriarchas, 584.

epistula (tabularii?), 1381 b. c.?

epistula uiri priuati ad panegyriarchas, 560.

fasti Asiae, 725.

fasti prytanum, 155.

foedera, 2, 197, 1028.

ἱκετεία, 598.

iugatio agri, 109, 110, 111, 112, 113.

iusiurandum ciuitatis, 251.

κεφαλαῖον, 336.

κρίσις, 1211.

νόμος Διακός, 39.

νόμος Κορνήλιος, 1188.

ὅρκιον, 33, 1028.

πίναξ συμμαχίας, 1028.

pacta civitatum, 297.

plebiscitum oppidi, 179.

senatus consulta, 262, 301, 336.

συγγράμματα ciuitatis, 336.

συνθήκη, 297, 1028.

σύνθηκαι διὰ Ῥωμαίων γενόμεναι, 287.

σύνταγμα imperatoris, 1044.

συνωμοσία, 914.

tabula pecuniarum datarum, 494.

testamentum, 1376.

Mithridatis regis Ponti testamentum anno 120 ante C. n.), 752.

ὑπόμνημα imperatoris, 1397.

ὑπόμνημα ad procuratorem, 943.

uersus isopsephi, 502, 503, 504, 505, 506.

ψηφίσματα ciuitatum, 179, 247, 251, 293, 294, 364, 566, 582, 661, 765, 1028, 1031, 1042, 1044, 1123, 1124, 1129, 1168, 1236, 1249, 1294, 1302, 1557, 1558, 1608, 1637, 1666, 1692, 1693, 1703, 1756.

ψήφισμα βουλῆς, 213.

ψήφισμα gerousiae, 1756.

ψήφισμα πάνδημος, 642.

ψήφισμα communis Asiae, 1756.

Inscriptiones.

ἀναγραφή, 1558.

ἀναγράφειν, 1302.

ἐπιγραφή, 108, 146, 292, 293, 835, 840, 1275, 1281, 1284, 1285, 1292, 1452, 1464, 1465, 1474, 1477, 1480, 1667, 1756.

ἐπιγράφειν, 130, 144, 292, 1302.

συνεπιγράφειν, 921.

τίτλος, 1019, 1480.

Loci et monumenta urbis Romae.

Καπετώλιον, 33, 39, 1028.

ναὸς τοῦ Διός in Capitolio, 1028.

Mensurae.

ἀνεπιστάθμεια, 295.

ζεῦγος, 914.

ζυγόν, 1039, 1041, 1083.

ζυγοκέφαλον, 1039.

ζύγου μέρος, 109, 111, 1040, 1041, 1083.

ἰούγερα, 109, 110, 111, 112, 113.

λείτρα, 210, 1277.

λίβρα, 214.

μίλιον, 267, 534, 599, 600, 601, 924,

925, 926, 1165, 1166, 1194, 1206,
1208, 1305, 1364, 1380, 1315, 1385,
1489, 1530, 1552, 1553, 1596.
μιλιάριον, 695, 884, 1303, 1482, 1483.
miliaria, 264, 267, 269, 270, 599, 600,
601, 695, 750, 771, 880. 924, 925,
926, 1315, 1364, 1380, 1659, 1751.
μόδιος, 914, 1523.
ξέστης ἐγγώριος, 46.
ὁλκή, 210, 214.
οὐνκία, 210, 214.
πλέθρον, 1675.
possessionum mensura, 1041, 1083.
σκρίπτυλον, 214.
σταθμός, 352.
σταθμός Ἰταλικός, 214.
χοῖνιξ, 1000.

Monetae.

ἄργυρος ἐν κατασκευῇ, 210.
ἀργυροῦν ἀριστεῖον, 210.
ἀργυροῦν ἱερόν, 214.
ἀσσάριον, 352, 915, 1427.
ἀττική, 182, 761, 797, 842, 872, 887,
1185, 1360.
δηνάριον, 46, 108, 115, 119, 127, 131,
133, 150, 151, 170, 178, 183, 184,
189, 231, 236, 237. 245, 246, 353,
425, 494, 500, 513, 515, 516, 622,
629, 639, 658, 661, 663, 670, 678.
720, 722, 729, 732, 734, 735, 737,
746, 747, 748, 758, 760, 761, 766,
788, 789, 790, 795, 797, 799, 802,

802, 805, 807, 829, 830, 833, 834,
835, 836, 838, 840, 842, 866, 867,
871, 872, 874, 876, 887, 892, 893,
914, 923, 927, 948, 1044, 1127,
1170, 1222, 1275, 1277, 1281, 1282,
1284, 1286, 1291, 1299, 1342, 1429,
1513, 1660, 1662, 1664, 1637, 1632,
1726. Cf. infra *Multae funerales.*
δηνάριον ἀργυροῦν, 210, 352, 494.
δηνάριον ἀργυρίου, 512, 842.
δηνάριον ἄσπρον, 494.
δηνάριον λαμπρὸν διχάρακτον, 595.
δηνάριον Ῥωμαικόν, 915.
δηνάριον χρυσοῦν, 210.
δραχμή, 39, 45, 247, 294, 499, 501,
768, 941, 1539, 1700.
= drachma, 1092.
δραχμὴ Ἀτταλική, 316, 337, 473.
δραχμὴ Ῥοδία, 914, 915.
κέρμα, 352.
λεπτὸς χαλκοῦς, 352, 353.
μνᾶ, 352, 353, 1000.
νόμισμα ἀργυροῦν, 352.
ὀβολός, 1427.
s = 3 oboli, 1539.
τάλαντον, 954.
τροπαικιαῖος τόκος, 1342.
χρυσίον, 210.
χρυσοῦς stater, 1108.

Clades publicae.

διασεισμός, 598.
ἔνδεια, 1523.

λοῖμος, **360, 590, 1389, 1498.**
σεισμός, **1121, 1237.**
σειτοδήα κριθῶν, **1355.**

Sepulcra, nomina sepulcrorum.
ἀνγεῖον, **237, 1464.**
βωμός. Vide in INDICE XIV *Aedificia.*
ἐνσόριον, **1452. 1469, 1485.**
? ἐντομή, **1276.**
ἐξυκοδόμητον, **798.**
ἐσσόριον, **1363.**
ἐσώριον, **1473.**
ἡρῶον, **130, 159, 621, 645, 729, 730.**
   731, 734. 737. 746, 753, 760, 768.
   795. 796. 797, 799, 800, 803, 807,
   829. 839, 866, 875. 1162, 1277,
   1360-1363, 1387, 1464, 1465, 1500,
   1501, 1591, 1601, 1603, 1604, 1613.
   1649, 1651, 1656.
καμάρα. Vide in INDICE XIV *Aedificia.*
καύστρα, **1605.**
κενοτάφιον, **886.**
κλείνη, **1603, 1604.**
μεμόριον, **1650.**
μνῆμα, **732, 857, 1376, 1475.**
μνημεῖον, **108, 127, 178, 183, 255, 543,**
   629, 660, 661, 665. 667, 711, 720,
   763, 727, 747. 807, 841, 860, 871,
   920, 957, 1281, 1314, 1318, 1339.
   1356, 1358, 1365, 1447, 1457, 1458,
   1459, 1460, 1471, 1477, 1479, 1602.
οἶκος, **921.**
οἶκος αἴμνηστος, **735.**

οἶκος ἑώνιος, **872.**
ποαίλωμα, **241.**
πυαλείς, **1279, 1285.**
πυρία, **1575.**
πῶμα, **170.**
σόριον, **1465.**
σορός, **170, 245, 246, 516, 595, 670,**
   720, 748, 802, 828, 829, 830, 831,
   832, 833, 834, 835, 836, 837, 839,
   840, 867, 920, 923, 1162, 1275, 1281,
   1284, 1329, 1474, 1605, 1667, 1651.
— ἀνάγλυφος, **1465.**
— λευκή, **839.**
— μύλινος, **1465.**
— παλαιά, **839.**
σωματοθήκη, **927.**
τάφος, **1171. 1283, 1313.**
τόπος, **834, 835, 836, 837, 866, 894,**
   921.
ὑπόμνημα, **131, 133, 151, 169, 170,**
   171, 237, 1075.
ὑποσόριον, **514, 1646.**

Formulae sepulcrales, etc.
ἀρά, **638.**
ἄωρος, **798.**
ἄωρος, **806.**
ἄωρα τέκνα προθοῖτο, **665.**
ἀώρων τέκνων περιπέσοιτο συντφοραῖς,
   634.
ἥρως, **130, 453, 453, 456, 470, 505,**
   588. 591, 620, 688, 796, 801, 860,
   998, 1159. 1154, 1168, 1276, 1322,

1342, 1359, 1377, 1444, 1506, 1525, 1628, 1653.

ἡρωίς, 779, 780, 861, 881, 1232.

τυμβωρυχία, 1281.

εἰρήνη παράγουσιν, 694.

εὐτυχεῖτε, 1220.

idio patri mnemes charin, 185.

ὁ βίος ταῦτα, 923.

ταῦτα, 621.

τοῦτο τὸ μνημεῖον κληρονόμοις οὐκ
ἀκολουθήσει, H · M · H · N · S · 720.

ὡς χρηματίζω, 468.

Multae funerales.

πρόστιμον, 17, 108, 115, 119, 127, 131,
150, 151, 170, 178, 183, 184, 231,
236, 237, 245, 246, 595, 622, 629,
639, 658, 663, 678, 680, 694, 696,
720, 722, 729, 732, 734, 735, 737,
746, 747, 748, 760, 761, 763, 768,
795, 797, 799, 802, 803, 805, 807,
829, 830, 831, 833, 807, 829, 833,
834, 835, 836, 840, 842, 866, 867,
871, 872, 874, 876, 923, 927, 1082,
1168, 1168, 1170, 1171, 1181, 1182,
1184, 1185, 1275, 1277, 1281, 1282,
1283, 1284, 1291, 1292, 1299, 1313,
1314, 1329, 1330, 1339, 1345, 1350,
1356, 1360, 1363, 1387, 1446, 1452,
1458, 1459, 1460, 1464, 1465, 1473,
1475, 1479, 1480, 1485, 1501, 1575,
1576, 1578, 1581, 1585, 1592, 1601,

1602, 1603, 1605, 1613, 1656, 1667,
1668, 1669, 1670.

Statuae, simulacra, opera artium.

ἄγαλμα, 144, 180, 214, 294, 413, 766,
1011, 1201, 1532, 1692, 1703, 1756.

ἄγαλμα γραπτόν, 1757.

ἄγαλμα μαρμάρινον, 159, 292, 293,
1756, 1757.

ἀνάθημα, 446, 1012, 1028, 1190.

ἀνδριάς, 161, 181, 189, 201, 246, 524,
574, 615, 619, 673, 685, 780, 787,
789, 791, 813, 844, 901, 911, 920,
938, 1119, 1123, 1222, 1234, 1237,
1244, 1258, 1261, 1265, 1273, 1290,
1311, 1340, 1405, 1519, 1542, 1549,
1567, 1570, 1571, 1607, 1631, 1632,
1635, 1638, 1666, 1703, 1729.

ἀνδριὰς μαρμάρινος, 258.

ἀνδριὰς χάλκεος, 1128, 1129.

εἰκών, 39, 41, 164, 294, 353, 413, 559,
574, 707, 807, 1087, 1095, 1258, 1510.

εἰκὼν γραπτή, 258, 1302, 1611.

εἰκὼν γραπτὴ ἔνοπλος ἐπίχρυσος,
1756.

ἰκὼν ἔφιππος, 1757.

ἰκὼν κολοσσική, 1757.

εἰκὼν μαρμαρία, 1302.

εἰκὼν τελεία γραπτὴ ἐν ὅπλῳ ἐπι-
χρύσῳ, 159.

εἰκὼν χαλκέλατος, 526.

εἰκὼν χαλκῆ, 295, 823, 1108, 1756,
1757.

εἰκὼν χαλκῆ ἐπὶ τεθρίππου, 32.

ἰκὼν χαλκῆ ἔφιππος, 292.

ἰκὼν χαλκῆ κολοσσική, 292.

εἰκὼν χαλκία, 1302.

εἰκὼν χρυσῆ, 292, 905, 913, 916, 1757.

εἰκὼν χρυσῆ ἔφιππος, 292.

εἰκὼν χρυσία, 1302.

εἶκων χρυσία ἐπὶ στύλῳ, 27.

θωρακεῖον, 1465, 1474.

θωρακεῖον μαρμάρινον, 293.

κεφαλή statuae. 823.

κόλοσσος, 1354.

κόσμος statuae, 823.

λαμπάς, 1521.

ξόανον, 145.

ὅπλον εἰκονικόν, 144.

ὅπλον ἐπίχρυσον, 159, 655, 1302, 1611.

πίναξ χαλκοῦς, 1692.

πρόσωπον ἀργύρεον, 1128, 1129.

σάτυρος statua, 502.

στέφανος χρυσοῦς, 1114.

στέφανος χρυσοῦς ἀριστῆος, 1757.

σύνδιφρα ἀργυρᾶ, 210.

συνψέλια, 1316.

Termini, 1672, 1673.

Tribus.

Romanas uide in Indice VIII, 1.

φράτορες, 548.

φυλή, 247.

φυλὴ ἱερά, 632.

Ἀπολλωνιάς, Dorylaei, 527.

Ἀρτεμεισιάς, Acmoniae, 642.

Ἀσκληπιάς, Acmoniae, 653.

Ἀσκληπιάς, Pergami, 482.

Ἡρακλεάς, Aezanis, 586.

Καδμηίς, Pergami, 482.

Μαχαρίς, Pergami, 482.

Πασπαρηίς, Pergami, 292, 425.

Πελοπίς, Pergami, 482.

Σεβαστή, Dorylaei, 526.

Σεραπιάς, Dorylaei, 525.

Viae; cf. Miliaria in Mensuris.

ὁδός, 1193, 1194, 1206, 1251.

ὁδὸς δημοσία, 1281.

ὁδὸς Λαβικανή, 1212, 1307.

ὁδὸς Λατείνη, 96, 1212, 1307.

ERRATA

P. 47, v. 6. Lege Anno 153 aerae Sullanae = 68/69 p. C. n.

P. 260, v. 22. Augusta potius aliqua cum Pace dea aequata ; Chapot, *Prov. rom. d'Asie*, p. 434, not. 3.

P. 331, v. 3. Lege ρμ[. ἔτει.].

P. 494, nn. 1502, 1504 ad Kassaba (nn. 1491-1493) referendos esse monuit Robinson, *Rev. des ét. gr.*, XXXVIII (1925), p. 70.

P. 495, v. 3. Lege cibitati. Robinson *loc. cit.*, p. 71.

  — n. 1506. Riemann, *Bull. de corr. hellén.*, I (1877), p. 83 ex Cyriaci Anconitani manuscripto, v. 2 Τραιανοῦ Παρθικοῦ ; v. 4 Ἀντωνῖνον Εὐσεβῆ ; v. 7 καὶ δῆμος ὁ τῶν.

  — n. 1508 Sardianorum non est : Robinson *loc. cit.*

P. 501, n. 1522 edidit iterum Conze, *Archaeol. Zeit.*, XXXVII (1880), p. 38.

  — n. 1523, Riemann, *Bull. de corr. hellén.*, I (1877), p. 84 ex Cyriaci Anconitani manuscripto, v. 7, Διαρίου, ἐνδείας δὲ γενομένης ; v. 11 τῇ πατρίδι ᾗ, ἐτείμ[ησεν].

P. 502, n. 1525, Riemann, *ibid.*, v. 2 ἐτείμησαν ; v. 10 post φιλοπάτορας nihil amplius scriptum erat. Ex altero lapide cetera relata sunt ; v. 11 dele καί ; lege v. 11 ἄρξαντα, v. 13 γραμματεύσαντα.
